WODKA

BORIS STARLING

WODKA

UITGEVERIJ

Oorspronkelijke titel *Vodka*
Vertaling Monique Eggermont
Omslagontwerp Mariska Cock
Omslagbeeld Dave King

Eerste druk mei 2004

ISBN 90-225-3844-3 / NUR 332

Voor Mills

DANKWOORD

Wodka is een zeer persoonlijk werk, met liefde volbracht, en toch had ik het niet kunnen schrijven zonder de hulp van tientallen mensen, die ik allen mijn dank en genegenheid wil betuigen.

Mijn uitgevers en agenten hebben eindeloos geduld moeten opbrengen toen de deadline van het boek steeds verder vooruit werd geschoven, en zijn oneindig wijs geweest in hun oordeel over de manuscripten die uiteindelijk verschenen; ik bedank Julia Wisdom, Nick Sayers, Anne O'Brien, Brian Tart, Caradoc King en Nick Harris, en Kelly Edgson-Wright voor hun fantastische marketing.

Mijn familieleden – David en Judy Starling, en Mike en Belinda Trim – waren, als altijd, mijn strengste critici, mijn grootste steun en mijn beste koks. Richard Fenning heeft mijn interesse gewekt voor Rusland; Samantha de Bendern, Guy Dunn en David Lewis hebben die belangstelling gestimuleerd. Mark Burnell, Godwin Busuttil, Charles Cumming, Juliette Dominguez, Fiona Kirkpatrick, Fiona McDougall, Rory Unsworth en Iain Wakefield hebben allen meer tijd besteed dan ze konden missen aan het lezen en de beoordeling van de gigantische eerste versie. Ben Aris nam me onder zijn hoede in Moskou; Apple-workshop in Granada heeft wonderen verricht met mijn sukkelende i-Mac; en de familie Fell-Clark heeft me hun toren aan zee verhuurd – een sprookjesachtiger plek om te schrijven bestaat niet.

Ik heb tijdens de research meer boeken gelezen dan ooit, vaak van auteurs die duidelijk mijn liefde voor Rusland delen. Het is voor mij het boeiendste en meest inspirerende land op aarde, en ik hoop dan ook dat ik met *Wodka* recht heb gedaan aan een bijzonder land en een uniek volk.

Boris Starling

RUSSISCHE NAMEN

Alle Russen hebben drie namen: een naam die we in het Westen doopnaam of voornaam noemen; een patroniem (afgeleid van hun vaders naam), en een familienaam (achternaam). Om respect, formaliteit of afstandelijkheid uit te drukken, gebruiken Russen zowel de voornaam als het patroniem. Vrienden en familie spreken elkaar alleen aan met de voornaam of een verbastering daarvan (b.v. Kolja in plaats van Nikolaj).

PROLOOG

WOENSDAG, 21 AUGUSTUS 1991

Moskou in de schemering, deze fantastische stad bevindt zich ergens in het midden van al zijn tegenstrijdigheden: tussen dag en nacht, verleden en toekomst, oost en west, gezond verstand en krankzinnigheid, schilderachtigheid en vuiligheid, goed en kwaad.

De coup was voorbij. Sinds die begon, was het voor het eerst 's nachts droog en scheen de maan. De troepen hadden die middag een begin gemaakt met de terugtrekking van het Witte Huis, het Russische parlementsgebouw. Ze trokken zich terug uit Moskou zoals Napoleon en Hitler al vóór hen hadden gedaan, maar zij deden het met genoegen, opgelucht dat ze hun landgenoten niet hadden hoeven afslachten, en gevolgd door de dankbare kreten van demonstranten die snoep, koek en muntjes wierpen door de openingen van hun gepantserde voertuigen. Vier tanks bleven onbemand achter op het terrein van het Witte Huis, versierd met bloemen en vlaggen; de rest reed kronkelend weg in lange zuilen benzinedamp en omgewoeld asfalt, en de verdedigers van het parlement hadden nooit iets heerlijkers geroken.

Ze waren er al vanaf het allereerste begin, drie dagen en een heel leven daarvoor, kwetsbare linies die zich geconfronteerd zagen met het sovjetleger en de wereldpers, en dit was hun moment. Iedereen keek even verbaasd, alsof ze allemaal het masker dat ze een leven lang hadden gedragen, durfden te laten vallen om hun ware gezicht te tonen. Leraren van middelbare leeftijd, gespierde vrachtwagenchauffeurs, keurig geklede kantoorlieden en lamlendige studenten slenterden langs met een uitdrukking van herkenning op hun gezicht, alsof ze wilden zeggen 'ik ken jou'. Ze baanden zich een weg door brokken steen en kapotte machineonderdelen, stapten langs de enorme bossen bloemen die op straat waren neergelegd om geronnen bloed te bedekken, en grijnsden vol ongeloof bij het idee dat het gebouw – dat Rusland zelf – buiten gevaar was.

En bij al deze Russen was er geen fles wodka te zien; niet één.

Binnen in het Witte Huis liep Lev – parlementair afgevaardigde, directeur van een distilleerderij, hoogste leider van misdaadorganisaties, kampioen gewichtheffer, met schouders zo breed als van twee mannen, twee meter tien lang, vanaf de grond gemeten – door de gangen waar het gonsde van de nieuwtjes en geruchten. Gorbatsjov zou terugkomen uit de Krim. De leiding van de coup was ontbonden en had Moskou per vliegtuig verlaten. De drie lelijke zusters – de Partij, de KGB en het ministerie van Defensie – verkeerden in chaos. Zij waren er gezamenlijk niet eens in geslaagd om een fatsoenlijke coup te plegen.

Lev voelde een hand op zijn elleboog. Het was Nikolaj Arkin, de intelligentste van de jonge hervormers die, als je de parlementsroddels mocht geloven, hoogstwaarschijnlijk de nieuwe minister-president zou worden. Hij grinnikte Lev toe met een gebit zo wit dat je een Duitse tandarts vermoedde, en nam hem mee in de richting van het dichtstbij gelegen bordes. Op de rivier de Moskva schoten ze op dobberende sleepboten vuurpijlen af en riepen ze zichzelf uit tot de Russische vloot. De menigte zong nu. 'Wij hebben gewonnen! Aan ons de victorie!'

Arkin wuifde pauselijk naar de massa. 'Bestaat er een grootser volk?' vroeg hij. 'Ze zijn al zo vaak op de knieën gedwongen, maar altijd weer weten ze overeind te komen. Het volk dat in het duister liep, heeft een helder licht zien schijnen.' Een briesje waaide door zijn donkere haar en tilde een lok van zijn voorhoofd. 'Weet je wat dat is?' vroeg Arkin, die onder invloed van de euforie nog melodramatischer werd. 'Dat is de wind der verandering.'

Lev keek Arkin aan op de vermoeide manier van een toegeeflijke ouder tegenover een opgewonden kind. 'Verandering?' gromde hij. 'Verándering? Is het allemaal nog niet erg genoeg?'

I

Nieuwslezers op tv, metroarbeiders, winkelbedienden en *baboesjki* op de markt zeiden allemaal hetzelfde: 'De Sovjet-Unie bestaat niet meer.' Elf van de vijftien kiesgerechtigde republieken waren dat weekend bijeengekomen in Alma-Ata en waren overeengekomen de unie te ontbinden, negen dagen voor haar zeventigste verjaardag. 'De Sovjet-Unie bestaat niet meer', dat klopte, maar geen twee mensen zeiden het op dezelfde manier; het zinnetje kreeg een lading van hoop, angst, opluchting, angst, vreugde, woede, opwindingen en nostalgie, en iedereen gaf er weer een andere uitdrukking aan.

'Hoezeer we ook het oude systeem hebben gehaat' – Lev gebruikte nooit het woord 'Sovjet-Unie' – 'het voorzag wel in een soort orde. Het was voorspelbaar. Maar nu dat niet langer bestaat, is de politie zwak en bang om iets te doen aan die zwarte klootzakken uit het zuiden – met name aan de Tsjetsjenen. Ze hebben toestemming gehad om zich hier in Moskou te vestigen, en het ziet ernaar uit dat wij moeten besluiten om ze terug naar huis te sturen, naar hun bloedvetes en hun stammenlegers. We hebben het communisme niet overleefd om het door een stelletje zwartjoekels te laten verkloten.'

Er zaten drie mannen om de tafel: Lev, Testarossa en Banzaj, alle drie *vory* – 'dieven-binnen-de-wet' die hun voornaam hadden ingeruild voor *noms de guerre* en hun recht op een thuis of gezin voor de broederschap der criminelen. Samen runden ze de drie grootste Slavische bendes van Moskou. Lev stond aan het hoofd van de Unie van de 21e Eeuw, Testarossa van de Solntsevskaja en Banzaj van de Podolskaja. Ze waren voor een topontmoeting naar deze datsja gekomen ten noordwesten van Moskou. Ieder had een asbak voor zich staan. Er stond wodka op tafel, en er lag gerookte vis op een zijtafel. Buiten viel de sneeuw alweer, wervelend tegen een loodgrijze hemel. Sigarettenuiteinden gloeiden op als vuurvliegjes door de ramen; voor drie bendeleiders stonden tientallen lijfwachten buiten.

Lev streek met zijn handen over zijn hoofd. Volgens de traditie stond Lev als de man die het langst in de gevangenis had gezeten (en de enige die officieel als staatsvijand was geregistreerd) in rang boven de andere twee.

'Zoals het nu gaat,' vervolgde Lev met schorre stem, 'organiseren we ons niet op de meest productieve wijze. We strijden met elkaar om de macht, of het nu om wijken in Moskou gaat of om zaken. Testarossa, jij wilt een stukje van mijn taart in Kitai-gorod; Banzaj, ik wil jouw aandelen in nagemaakte wodka. In normale tijden is dit volkomen gezond; eerzame *vori* komen tot een wederzijds acceptabele afspraak, en lukt ze dat niet, dan wint de sterkste. Maar dit zijn geen normale tijden, broeders. Als we zo blijven vechten, zullen de Tsjetsjenen de macht overnemen. Zij zijn nu de vijand. Dus stel ik een wapenstilstand voor; we schorten onze acties tegen elkaar op en bundelen onze krachten tegen de Tsjetsjenen.'

'Tot wanneer?' vroeg Banzaj.

'Totdat we hen hebben verslagen.'

'En dan?'

'En dan nemen we hun aandelen in en verdelen ze evenredig onder elkaar.'

Banzaj keek sceptisch.

Lev draaide zich naar Testarossa. 'Wat vind jij, broeder? Dit kan niet doorgaan zonder jouw instemming; het zijn jouw mannen en jouw vuurkracht waar we vooral een beroep op zullen doen.'

Solntsevskaja was de grootste georganiseerde bende van Rusland, en zeker van Moskou. Testarossa had de beschikking over vierduizend man en ten minste vijfhonderd kalasjnikovs, duizend machinegeweren, vijftig uzi's en een handvol moecha-granaatwerpers. De Unie van de 21e Eeuw beschikte over niet meer dan de helft van deze capaciteit; Banzaj's Podolskaja had daar weer slechts half zoveel van.

'Moet je dat nog vragen, broeder?' Als Testarossa glimlachte, waren zijn ogen net vloeibare rook onder een bos vlammend rood haar. Zijn haarlijn begon laag op zijn voorhoofd, vrijwel tegen zijn wenkbrauwen aan. In het gevangenenkamp in Magadan had hij op zijn voorhoofd laten tatoeëren: GENAAID DOOR DE PARTIJ. De autoriteiten hadden zijn schedel omlaag getrokken om het te bedekken. 'Een vor moet onder alle omstandigheden een andere vor steunen; is dat niet onze vuistregel? Wat is er van ons geworden als we ons niet duidelijk uitspreken tegen de vijand? We zullen onze krachten bundelen tegen die hufters, en met trots.'

'Je hebt gesproken als een ware vor. Dank je.' Lev keek Banzaj aan. 'En jij, kleine broeder? Jij hebt deze alliantie meer nodig dan wij beiden.'

'Kléíne broeder. Daar gaat het om, nietwaar? Ik leen jullie mijn mannen en mijn wapens, en als het voorbij is verdelen jullie samen de buit en kan ik oplazeren.'

'Als het voorbij is,' – Lev was plotseling hard gaan praten – 'zullen we vrijelijk en eerlijk onderhandelen. We zijn mannen van eer. Ik laat niet toe dat inhaligheid de criminele broederschap ondermijnt die we allen hebben gezworen te verdedigen. Vergeet niet, vori moeten elkaar altijd de waarheid zeggen.'

Het duurde even voordat Banzaj de impliciete dreiging begreep die achter Levs woorden school. 'Wat wil je daarmee zeggen?' vroeg hij. 'Welke waarheid?'

'Is er niets wat je voor ons hebt verzwegen, kleine broeder?'

'Nee, niets.'

'Een reisje naar Kazan, wellicht?'

Banzaj's hoofd ging een fractie van een seconde heen en weer; naar de ene kant van verbazing, naar de andere kant uit verontwaardiging. De Tataarse hoofdstad van Kazan was het centrum waar 3MF werd geproduceerd, trimethyl fentanyl, een droog wit poeder dat een aantal malen sterker was dan heroïne en onmogelijk te traceren wanneer het was vermengd met water.

'De dievencode verbiedt met name handel in drugs,' zei Lev. 'Waarvoor we ook tegen hen vechten, de Tsjetsjenen mogen de verdovende middelen hebben, allemaal. Het zijn toch beesten, dus laat die hun ziel maar verliezen.'

'De drugshandel is miljoenen dollars waard, Lev. Wij kunnen die beter beheren dan zij.'

'Banzaj, ben je vergeten wat het inhoudt om een vor te zijn? Het gaat niet alleen maar om geld.'

'Je hoeft niet tegen mij te zeggen wat een vor moet doen of laten, Lev,' siste Banzaj. 'Een ware vor moet niet meewerken met het gezag, ja? Maar jij bent parlementair afgevaardigde. Een vor mag nooit een functie aanvaarden in een staatsinstituut, já? Maar jij bent directeur van 's lands grootste distilleerderij. Een vor mag zich niet verbroederen met communistische organisaties, maar jij hebt een KGB-er, Tengiz Sabirzjan, als waarnemer in dienst.'

Lev duwde zijn stoel naar achteren en kwam overeind. Als hij rechtop stond kwamen zijn afmetingen nog duidelijker naar voren. Hij gebruikte zijn lengte zelden om anderen te intimideren; hij wist dat hij dat sowieso al deed. Hij zette zijn handen op de tafel; toen ineens haalde hij uit en sloeg hij Banzaj in zijn gezicht, de traditionele afstraffing voor een vor die een andere vor heeft beledigd. Toen Lev sprak, was het alsof er een vulkaan uitbarstte.

'Het *Russische* parlement, wiens verzet heeft bijgedragen aan de vernietiging van de Sovjet-Unie. De distilleerderij waarvan de toewijzing door de vory werd goedgekeurd bij de Moermansktop in 1987, omdat wij er profijt van hadden en de KGB er nadeel van zou ondervinden. Wat Sabirzjan betreft, hij is niet meer dan een werktuig dat ik kan gebruiken als het mij uitkomt.'

Hij liet zich weer op zijn stoel zakken. 'Alles ligt voor het grijpen: auto's, wapens, vervoer, prostitutie, casino's, banken, wodka. Alles. De inkomsten van smokkel rijzen de pan uit; elke volgende republiek zal nu alleen binnen zijn eigen grenzen rechtsbevoegdheid hebben, dus kunnen gestolen goederen in Rusland legaal overal naartoe worden verhandeld. Het centrale financieel systeem is naar de klote, dus zijn er miljoenen te verdienen met valutaspeculatie. We hebben een bewegingsvrijheid die een jaar geleden nog ondenkbaar was. Het land verandert van dag tot dag. Het is weer revolutie. Als we ons de plek willen toe-eigenen die ons toekomt in het nieuwe Rusland, is nu het moment om toe te slaan. Maar om die kans te kunnen grijpen, moeten ook wij veranderen.'

Lev friemelde aan het zelfgemaakte aluminium kruis dat aan zijn hals bengelde. Het kruis, net als zijn gewoonte om zijn hemd uit zijn broek te laten hangen met daaroverheen een vest, was een weloverwogen eerbetoon aan de vori die de kampen tijdens de laatste jaren van Stalins regime hadden bestuurd.

'Nee.' Toen Banzaj zijn hoofd schudde, zwiepten zijn dreadlocks heen en weer als een Turks kralengordijn. 'Je praat over de Tsjetsjenen alsof ze een georganiseerd leger zijn. Dat zijn ze totaal niet. Het zijn onwetende, ongedisciplineerde psychopaten die net zo gemakkelijk hun eigen broeders vermoorden als een van ons. Hun idee van beschaving is dat ze hun vlees even dichtschroeien in plaats van rauw eten. Ik dank je feestelijk. Ik grijp mijn kansen liever alleen.'

'Maar je hebt niets te vertellen, kleine broeder, en wij kunnen niet toelaten dat jij onze glazen ingooit. Met twee tegen een staat het besluit vast: we verenigen ons.' Lev zwaaide met zijn vinger om zijn woorden kracht bij te zetten. Er stond een symbool op getatoeëerd: *Vertrouw in het leven alleen op jezelf.*

'Over mijn lijk,' zei Banzaj.

Aan de andere kant van Moskou, in het aan de voet van de heuvel gelegen koninklijke landgoed Kolomenskoe, zaten drie Tsjetsjeense bendeleiders – Karkadann van de Tsentralnaja, Zjorzj van de Ostankinskaja en Ilmar van de Avtomobilnaja – bij elkaar in soortgelijke omstandigheden. Het waren geen vori; dat waren Tsjetsjenen nooit. In plaats daarvan noemden ze zichzelf *avtoritety*, 'autoriteiten', en beschouwden zichzelf als harder en pragmatischer dan hun tegenstanders.

De Tsentralnaja-bende was de machtigste van de drie, en daarom waren Zjorzj en Ilmar naar het huis van Karkadann gekomen; Zhorzh vanaf zijn basis in het Ostankino Hotel in de noordelijke buitenwijken, en Ilmar na het inspecteren van een paar autoshowrooms die zijn Avtomobilnaja-groep bescherming bood.

'Wees vrij!' zeiden ze bij hun begroeting.

Karkadann had een gezicht als van ongelooid leer, een wirwar van plooien en rimpels: jukbenen als opgewerkte dolken, diepliggende oogkassen, een neus als een kromme spijker. Dit was een man die intimideerde. Hij nam zijn bezoekers mee naar buiten, ondanks het slechte weer en zijn manke been; zijn tuin was enorm groot, en hij wilde ermee opscheppen. Ze praatten, al schuifelend over paadjes die verlicht werden door ondermaatse straatlantaarns.

'Morgen spreek ik Lev,' zei Karkadann. 'Hij spreekt nu met zijn vori. Ik spreek namens ons, hij namens hen; zo hebben we het afgesproken. Misschien stelt hij een akkoord voor, misschien ook niet. Zo niet, dan is het oorlog, zo duidelijk als wat. Doet hij het wel…' Hij grinnikte, even schril en dreigend als een ontbloot zwaard – 'doet hij het wel, dan is het nog steeds oorlog, alleen nog veel duidelijker.'

'Je weet niet wat hij gaat voorstellen,' zei Ilmar.

Karkadann bukte zich over een emmer, trok er een rauwe biefstuk uit en gooide hem naar de gekooide beer die hij hield om zijn schuldeisers bang te maken. 'Wat het ook is, het is toch niet genoeg.'

'Het is niet alles, bedoel je.'

'Vat het maar op zoals je wilt.' Karkadann stak een geschoeide hand omhoog. 'Zelfs al zouden we een overeenkomst bereiken, denk je dan dat die klootzakken die zullen naleven? Geen seconde. Waarom zouden ze? Ze haten ons al eeuwen. Zij haten ons, de politie haat ons, al die lamzakken in deze stad haten ons. Voor hen is de enige goede Tsjetsjeen een dode Tsjetsjeen. De enige reden waarom ze ons tolereren is omdat ze bang van ons zijn. En als we tot een akkoord komen met de slaven, zijn we zelfs dat kwijt. Zo is het dus. Alles of niets, een gevecht op leven en dood. Als je nog twijfels hebt, zeg het dan nu.'

Hij strompelde naar de ommuurde tuin. Zijn rechterbeen was tien centimeter korter dan het linker, maar niemand wist hoe dit precies was gebeurd; volgens sommigen was het het gevolg van een aanslag van de maffia, volgens anderen een misvorming die hij als kind had opgedaan, weer anderen hadden het over de wraakactie van een jaloerse echtgenoot. Het was typerend voor Karkadann dat niemand het precies wist; en even typerend dat hij niemand die ernaar vroeg opheldering wilde verschaffen.

Zjorzj schudde zijn hoofd. Door de witte lok in zijn haar leek hij op een kruising tussen Trotski en de duivel op een middeleeuws icoon.

'De slaven hebben – hoeveel? Ik schat vijf-, zesduizend man,' zei Ilmar. 'Wij hebben op zijn hoogst de helft daarvan.'

'Ha! Dan moeten zíj juist sidderen,' schreeuwde Karkadann. 'Eén Tsjetsjeen is tien Russen waard! Ben je niet goed bij je hoofd geworden, Ilmar? Wat is er gebeurd met die enorme trots van je? Wat is een overeenkomst anders dan je overgeven? En wanneer heb je voor het laatst een Tsjetsjeen gezien die zich overgaf, hm?'

Ilmar had zachtere trekken en een lichtere huid dan zijn collega-avtority. Hij wreef over zijn kin en zei niets.

De ruisende fontein die in de zomer verschillende tonen liet horen, afhankelijk van de hoogte van het water, was 's winters buiten werking. Tijdens hun wandeling controleerde Karkadann of er geen gaten zaten in het draad of in het gaas van het hekwerk rondom. Zijn bewakers deden elke dag de ronde, maar zelf zag je toch altijd meer.

'Goed dan,' zei Ilmar uiteindelijk, maar het was duidelijk aan hem te zien dat hij niet gelukkig was met de situatie.

'Dit meen je niet,' zei Lev.

'Over mijn lijk,' herhaalde Banzaj, en het was duidelijk dat hij het inderdaad meende. Hij had in de kampen naam gemaakt met zijn aanvallen op de bewakers; de andere vori hadden vroeger gewed wanneer, als het al zou gebeuren, de autoriteiten Banzaj neer zouden schieten. Nu had Levs klap niet alleen Banzaj's gezicht maar ook zijn reputatie getekend.

'Ik wil hier niet aan meedoen. Ik wil gewoon behandeld worden als een vor.' Banzaj was geagiteerd en sprak snel. 'Maar jij weigert naar me te luisteren – je slaat me.' Hij haalde op een overdreven manier zijn schouders op. 'Wat voor keus heb ik? Ik doe hier niet aan mee, en de enige manier om me tegen te houden is me doodmaken.'

'Banzaj, je gedraagt je belachelijk,' zei Testarossa.

'Doodmaken,' herhaalde Banzaj. 'En, Testarossa, jij bent degene die dat zult moeten doen.' Lev had Banzaj's nek kunnen breken alsof het een luciferhoutje was, maar volgens de traditie van de vori mag de leider zijn handen daar niet aan vuilmaken. 'Ja!' Banzaj klonk bijna vrolijk. 'Maar durf jij dat wel, Testarossa? Durf jij een mede-vor te doden, alleen omdat hij het niet met je eens is? Ha! Het systeem bestaat nu twee dagen niet meer, en jij gedraagt je al als iemand van de KGB.' Hij duwde zijn stoel naar achteren, die met een klap omviel.

De lijfwachten stonden buiten, met hun rug naar de ramen. Wat er binnen in de datsja gebeurde, ging hun niet aan.

'Dit loopt uit de hand,' zei Lev, die te laat inzag dat hij zich ernstig had misrekend door te verwachten dat Banzaj wel zou begrijpen dat zijn voorstellen niet uit zelfbelang voortkwamen, maar het welzijn van de vori op het oog hadden. Er was veel te zeggen voor de dievencode – zonder die code zouden ze zelfs nooit het sovjetsysteem hebben overleefd – maar een credo dat terugging tot de tijd van de bandieten en struikrovers voldeed niet aan de eisen van deze veranderende tijd. Juist die inflexibiliteit die zijn grootste kracht was geweest, zou het einde betekenen voor de vori als Lev het niet voor elkaar kreeg om de broederschap in de Unie van de 21e Eeuw te loodsen. Banzaj was meer dan bereid om het verbod op de handel in drugs te negeren, maar iedere alliantie met de staat – zelfs wanneer de vori de overhand hadden – was voor hem een vloek. Nu was hij bereid tegen Lev in te gaan en de dood te riskeren voor niet meer dan een klap, omdat de code dit vereiste. En als Levs progressieve leiderschap dat verzet wilde overleven, moest hij Banzaj behandelen volgens de code.

'Als jij vertrekt, Banzaj, breng je juist de toekomst van de broederschap in gevaar,' zei Lev.

Banzaj liep naar de uitgang alsof hij niets had gehoord. Hij liep in een normaal tempo, zodat Testarossa zich snel tussen hem en de deur kon opstellen. Testarossa was tien centimeter langer en tien kilo zwaarder dan Banzaj; het zou niet echt een eerlijk gevecht worden.

'Wil je echt dat ik dit doe?' vroeg Testarossa, en duwde zijn rug tegen de deur.

'Durf je dat?'

Lev zat aan het hoofd van de tafel. Testarossa keek naar hem om steun te zoeken, alsof hij het vonnis van de keizer over een gladiator afwachtte.

'Heb je je mes bij je?' vroeg Lev.

Testarossa tikte op zijn rechterheup. 'Altijd.'

Levs hoofd ging omhoog en omlaag: een simpele beweging, een doodsvonnis.

Testarossa legde zijn handen op Banzaj's schouders en begon om hem heen te lopen, eerst langzaam, toen Banzaj nog verzet bood, daarna steeds ontspannener. Na een hele cirkel zou het slachtoffer de moed hebben verloren en dat zou het hem makkelijker moeten maken de dood te aanvaarden; het was het punt waarop geen terugkeer mogelijk was in de doodsceremonie van de vori. Toen Banzaj daarna Testarossa aankeek, waren zijn ogen wijd open, alsof hij een spelletje had gespeeld en nu pas zag dat zijn eigen tactiek een averechtse uitwerking had. Testarossa werkte Banzaj tegen de muur, stevig, maar hij paste er voor op niet al te ruw te zijn.

Lev keek toe van achter de tafel, vijf stappen ervandaan, en toch even ver als Vladivostok.

'Sterf als een vor,' zei Testarossa, en het klonk slechts iets meer als een stelling dan als een vraag.

Banzaj greep zijn eigen kraag met bezwete handen vast, het bloed stroomde niet meer door zijn knokkels, en scheurde zijn hemd open. Noch hij noch Testarossa keek naar Lev, en als ze dat hadden gedaan, hadden ze heel even iets in zijn gezicht zien trekken.

'Neem mijn ziel,' zei Banzaj, en Testarossa trok het mes uit zijn riem en stak het in Banzaj's hals, tot aan het gevest, op de manier zoals ze vroeger mensen in de goelag ombrachten.

Ilmar stond bij zijn limousine en wees op zijn horloge. 'Ik ben te laat voor het gebed als ik niet opschiet,' zei hij.

'Goed van je,' antwoordde Karkadann. 'Ik begrijp nooit hoe je dat klaarspeelt. Ik kan het nooit drie keer per dag inpassen.'

Ze omhelsden elkaar zijdelings, op Tsjetsjeense wijze. 'Het is trouwens vijf keer per dag.'

'O, nou…' Karkadann klonk vrolijk. 'Hoe meer hoe beter.'

De televisieprogrammering was aangepast om Gorbatsjov zijn ontslag te laten aankondigen – nu de unie was opgeheven, was het zinloos om nog langer president te zijn – maar toen de cameraploegen in zijn kantoor in het Kremlin werden binnengelaten, troffen ze daar een lege stoel.

'Hij is nogal geschrokken,' verklaarde een van de leden van de presidentiële staf. 'Hij heeft wat tijd nodig om aan het idee te wennen, meer niet.'

Ze lieten de lege stoel op tv zien totdat het volgende programma begon.

2

Midden in Moskou ligt een eiland in de vorm van een walrussnor, in het noorden begrensd door de rivier die zijn naam deelt met de stad, en in het zuiden door het Vodoetvodni-afwateringskanaal, oorspronkelijk gegraven om te voorkomen dat de stad zou overstromen in de lente wanneer het smeltwater de rivier laat zwellen. Het eiland volgt de buitensporige golflijn langs het Kremlin tot aan het oudste klooster van Moskou, het Novospasskiy. Het is zo smal dat de bruggen aan de noord- en zuidkant bijna in elkaar overlopen.

De rivier was bevroren, natuurlijk; was dat niet zo geweest, dan zou Karkadann liever de speedboot hebben genomen dan zijn Mercedes 600, want het was veel veiliger om te reizen over een lege rivier dan op de steeds voller rakende wegen. Er was minder verkeer op de rivier, minder kans op een hinderlaag van aanvallers die met evenveel gemak de auto van een maffiabaas onder de ogen van zijn escorte vandaan plukten als een pluis van een revers.

Karkadanns Mercedes werd van voren en van achteren beschermd door Landcruisers met getinte ramen, en de wagen deinde enigszins onder het gewicht van zijn pantserplaten. Mercedes had de aanpassingen maar al te graag zonder extra kosten aangebracht toen ze eenmaal doorhadden dat er een nieuwe markt kon worden aangeboord. Volgens de voorspellingen voor 1992 zouden er meer orders binnenkomen voor limousines in de 600-klasse in Moskou en Sint-Petersburg dan over het gebied dat zich uitstrekte van Dublin tot Berlijn.

Alle portieren van Karkadanns Mercedes waren beschilderd met een wolvenkop, het symbool van Tsjetsjenië. Tsjetsjenen zien zichzelf als wolven: woest, dapper en ontembaar. Hoe lang een wolf ook opgesloten zit, hij zal altijd naar de maan huilen om zijn verloren vrijheid.

Toen het konvooi bij zijn bestemming was aangekomen, dromden Karkadanns lijfwachten uit de Landcruisers, met hun blikken daken, deuropeningen, ramen en verkeer af spiedend. Ze vormden een menselijke muur tussen de limousine en de ingang van het restaurant. Bij het restaurant waar Karkadann en Lev hadden afgesproken was geen bordje, alleen een bel. Toen ze daarop drukten, deed de eigenares, een vrouw op leeftijd, zelf open.

'Goedemiddag,' zei ze, zonder iets van verbazing of angst te laten zien; de maffia gebruikte haar pand regelmatig voor dit doel.

Baltazar Sjarmoechamedov, Karkadanns eerste lijfwacht, deed het portier van de Mercedes open waarna Karkadann naar buiten hinkte. Hij droeg schoenen van krokodillenleer en benadrukte daarmee dat hij niet door de modder op de Moskouse straten hoefde te lopen.

De oude dame ging haar bezoekers voor door een kamer die alleen door kaarsen werd verlicht. Na de felle winterzon duurde het even voordat hun ogen aan het duister gewend waren. Gedessineerde tapijten uit de zuidelijke republieken en olieverfschilderijen van Sint-Petersburg bedekten de muren. Het was laat in de middag en de zaal was verlaten; de gasten voor de lunch waren vertrokken, die voor het diner moesten nog komen, en de gitarist die meestal Georgische volksliederen speelde, had die dag vrijaf gekregen. Het was het soort plek waar een ober als hij vraagt hoeveel flessen wijn hij zal brengen, per persoon bedoelt. Zo gaat het toe in Georgische restaurants. Zelfs de Russen geven toe – zij het, natuurlijk, met tegenzin – dat Georgiërs raad weten met drank.

De eetzaal kwam uit op een gang, en de gang liep uit op een houten deur. Even leek het alsof Karkadann zich krabde als een Turkse aap, zo snel bewogen zijn handen zich over zijn lichaam. Hij overhandigde zijn pistolen aan Sjarmoechamedov. Karkadann had altijd drie pistolen bij zich: een in zijn rechterbroekzak, een onder zijn linkeroksel, en de derde in de linkerzak van zijn overjas. Alleen in dit soort gelegenheden gaf hij ze af.

'Ik voel me zonder die dingen zo naakt,' zei hij, en zijn bewakers lachten obligaat, omdat naakt de juiste omschrijving was voor wat hij straks zou zijn.

Karkadann duwde de deur open en stapte een kleine kleedkamer in waar het naar lavendel rook. Lev was hier al geweest; zijn kleren lagen in een keurig stapeltje onder een sportjasje met schouders zo breed als de vleugels van een albatros.

Karkadann kleedde zich zonder haast uit, en legde zijn kleren met zorg neer. Daar gingen de halsketting, de ringen en de armbanden; het metaal zou veel te heet worden en de ringen te strak, als zijn huid en haarvaten opzwollen in de stoom.

Toen hij zover was, hinkte hij de *banja* in. Russische stoombaden dienen vaak als ontmoetingsplaats voor rivaliserende bendeleiders. Om te beginnen is het bijna onmogelijk om op een naakt lichaam een wapen te verbergen. Bovendien moet het gevoel van welzijn dat de banja teweegbrengt een zekere bereidwilligheid bevorderen om problemen op te lossen. De keuze van de plaats van bijeenkomst zegt veel over de bedoelingen van de partijen. Zeer openbare of privé-gelegenheden leiden meestal niet tot geweld. Alle andere plekken zijn verdacht.

Beide mannen hadden hun lijfwachten meegebracht; geen van hen wilde een stap zetten zonder hen. Sommige bendeleiders komen alleen en ongewapend, wat heel dapper is of heel dom; zo ontstaan ook reputaties.

Karkadann kon door de stoom heen niets ontwaren behalve een gespierde arm die eruitzag alsof hij was gehuld in kleurige Chinese zijde.

'Je bent laat,' zei Lev met een stem die ergens diep onder uit de rivier leek te komen. Te laat komen voor zo'n ontmoeting was tegen de gangsteretiquette; wie helemaal niet op kwam dagen leed automatisch de nederlaag.

'Het verkeer,' antwoordde Karkadann, in de wetenschap dat Lev die leugen zou doorzien; maffialimousines trokken zich niets aan van stoplichten en verboden rijrichtingen, en er was geen verkeersagent in Moskou die hen tegen durfde houden.

Karkadann hees zich op een bankje en wreef met zijn handen over zijn dijen. In tegenstelling tot een sauna, waar het zweet langzaam op gang wordt gebracht in een droge hitte, is de banja zo verzadigd van vocht dat je onmiddellijk begint te transpireren. Toen de dampen optrokken, besefte Karkadann dat wat hij voor Chinese zijde had aangezien in werkelijkheid een tapijt van tatoeages was, niet alleen op Levs arm, maar over zijn hele lichaam verspreid. Gieren, bloedende wonden, spoken en sneeuwlandschapjes krioelden over zijn ribbenkast. Een kaart van de goelag strekte zich uit boven Levs middel, waarbij de namen opzwollen en uitgerekt werden met het rijzen en dalen van zijn borstkas: Magadan, Tasjkent, Vladimir, Kolyma, Vorkutia, Potma, Lefortovo – plaatsen waar het gespuis van het imperium in quarantaine werd gehouden om te voorkomen dat ze het glorierijke sovjetvolk zouden besmetten. Net zoals de vori hadden geweigerd de staat te erkennen – door te weigeren een verblijfsvergunning bij zich te dragen, belasting te betalen, de wapens op te nemen uit naam van de staat – zo had de staat op zijn beurt hetzelfde gedaan. Aangezien de georganiseerde misdaad logischerwijze niet had kunnen bestaan in een socialistisch utopia, waren de vori beloond met het ultieme eerbetoon van onzichtbaarheid. In de Sovjet-Unie hadden ze geen misdaad gekend, alleen maar asociaal gedrag, politieke dissidentie en geestelijke gestoordheid.

De enige plaats die niet was getatoeëerd was Levs borstbeen, waar een wit litteken glansde. Juist dat ongerijmde trok Karkadanns oog ernaar: daar waar drukte heerst, valt een lege plek het eerst op, zoals de lichte plek waar een schilderij van de muur is gehaald.

Lev wees ernaar en zie: 'Lenin.' Hij draaide zich om, om een ander litteken op zijn rug te laten zien. 'De snor.' Stalin. De twee helden van de Sovjet-Unie zag je vaak op de huid van diegenen die elke doctrine van hen hadden verworpen; ze gingen ervan uit dat een sovjetpeloton een executie zou weigeren uit te voeren als ze op een van die twee moesten vuren.

'Hebben de autoriteiten ze weggehaald?' Ondanks zichzelf was Karkadann nieuwsgierig.

'Nee. Ikzelf. De dag waarop het duivelgebroed terugkwam uit de Krim, heb ik een soldeerbout gekocht en het er uitgebrand.' Met duivelgebroed bedoelde hij Gorbatsjov, vanwege de wijnvlek op zijn voorhoofd.

Ze zaten een paar minuten zwijgend te zweten, en voelden hoe hun lichaam reageerde op de banja. De hitte bracht een kunstmatige koorts teweeg en zorgde dat elk orgaan in actie kwam, waarbij het lichaam van binnenuit werd gereinigd, een zuiveringsactie via het grootste orgaan van allemaal, de huid, en zijn uitscheiding, zweet.

'Laten we meteen ter zake komen.' Karkadann was ongeduldig.

'Heel goed. Niemand in Moskou wil jou hier hebben. Ga terug naar Grozni. We betalen je meer dan genoeg voor je aandelen.' Bendeoorlogen waren vernietigend, het was beter als iedereen meewerkte. Het zou, zo dacht Lev, de perfecte marxistische oplossing zijn: van conflict tot synthese.

Karkadann snoof verachtelijk. 'Je bent gek.'

Nee, dacht Lev, jíj bent gek. Hij woog twee keer zoveel als Karkadann en had met het grootste gemak zijn nek kunnen breken, maar de Tsjetsjeen leek totaal niet onder de indruk.

'Je bent gek,' herhaald Karkadann. 'Er is niet genoeg geld in Moskou om mij te laten vertrekken. Niet genoeg om Rode Oktober met rust te laten.'

Lev had zich afgevraagd of Karkadann het daarover zou hebben. Lev was directeur van de stokerij Rode Oktober, een paar straten verderop van de plek waar ze nu waren. In werkelijkheid was het veel meer dan een stokerij, het was het geestelijke thuis van de Russische wodka, de grootste en beroemdste in zijn soort in de hele federatie. Hij die de macht heeft over wodka, heeft volgens een oud gezegde de macht over Rusland, en Lev was betrokken bij elk stadium van de wodkaproductie. Hij bood stokerijen bescherming en deelde in hun winst. Hij leidde illegale fabrieken die het spul namaakten; voor elke fles wodka die officieel geproduceerd werd, werd er als bijverdienste een extra gemaakt. Hij was baas over zijn eigen vrachtwagenpark die voor de distributie zorgde. Hij had het beheer in handen van grote pakhuizen waar de wodka werd opgeslagen. Hij was de baas van winkels en kiosken waar de wodka werd verkocht. En hij importeerde goede wodka met allure uit het buitenland, wat werd beschouwd als goede waar voor je geld. Het importeren van wodka naar Rusland mocht dan zoiets zijn als samovars naar Tula brengen, maar er was toch veel vraag naar.

'Je hebt een week de tijd, tot oudejaarsavond, om over mijn voorstel na te denken,' zei Lev. 'Het zal een eerlijke prijs zijn; ik ben een man van mijn woord.'

'Spaar me. De wereld is veranderd.' Karkadanns ogen waren net twee glinsterende zwarte gaten, waarachter het eeuwig nacht was. 'Niemand geeft nog een moer om de vor-generatie, Lev; je kunt oplazeren.'

In de banja heerste stilte, op het sissen van het water op hete stenen na.

Het is traditie dat de mannen, als de ontmoeting met een verzoening eindigt, naar boven gaan om wat te eten. Ze krijgen dan bagels, roomkaas, *borscht*, en enkele specialiteiten van het huis: traditioneel gebakken brood gevuld met dunne plakjes kaas; gebakken reepjes aubergine met een vulling van walnootpasta; of soms ook *tsatsivi*, koude kip en kalkoen in een soepachtige walnotensaus.

Geen van beiden stelde voor om naar boven te gaan.

Aangezien Lev degene was geweest die de ontmoeting had voorgesteld, bleef hij in de banja totdat Karkadann had gedoucht, zich had aangekleed en was vertrokken. Het is gênant om bij een man te zitten met wie je het niet eens hebt kunnen worden.

3

Even voor de lunch werd er een zacht pakje in bruin papier bezorgd bij Rode Oktober, door een koerier, omdat alleen een idioot op de Russische posterijen vertrouwde. Er stond 'Lev' op het pakket gekrabbeld, zonder adres of afzender. De bewakers van Rode Oktober controleerden het op draden en vetvlekken, die konden wijzen op explosieven; toen ze niets aantroffen, deden ze een extra test door het pakket door de wankele fluorescoop te halen die ze na de coup in augustus uit het hoofdkwartier van de KGB hadden gehaald. Pas nadat vier mannen zich ervan hadden overtuigd dat het geen bom was – de Sovjet-Unie had individueel initiatief bij zijn burgers niet aangemoedigd – namen ze het mee naar boven.

Lev maakte het pakket op efficiënte wijze met zo min mogelijk bewegingen open; zijn handen mochten dan groter zijn dan die van een stuwadoor, ze waren zo soepel als die van een cellist. Toen hij het pakje van zijn wikkel had bevrijd, viel er een korte, doch beklemmende stiltel terwijl hij tot zich door liet dringen wat dit gebaar van Karkadann betekende. Toen floot hij zachtjes en schudde zijn hoofd, alsof het vermogen van de Tsjetsjeen hem te beledigen hem gewoonweg boven de pet ging, en keek op naar Galina, zijn secretaresse. Haar ogen waren geelgroen en ze had het haar van een zigeunerin, pikzwart en niet in bedwang te houden.

'Galja, wil je Tengiz Lavrentiyitsj even gaan halen?' vroeg hij.

Tengiz Sabirzjan was Levs waarnemer in de stokerij en hoofd van de veiligheidsdienst van de Unie van de 21e Eeuw. Was Lev afkomstig uit de goelag, Sabirzjan was in hart en nieren een KGB-er; bij het Zesde Directoraat, om precies te zijn, dat verantwoordelijk was geweest voor de industriële veiligheid en de economische contraspionage. Dat het Zesde Directoraat nu was ondergebracht in een nieuw orgaan, het MSB, veranderde niet veel aan de aard van de organisatie of die van de man. Sabirzjan was onder Brezjnev benoemd tot politiek functionaris bij Rode Oktober – elke onderneming had een politiek ambtenaar, om informanten te rekruteren onder de arbeiders en hun ideologische hegemonie te garanderen – maar toen de stagnatie onder Andropov en Tsjernenko was verergerd, had ook de KGB zich gedwongen gezien samen te werken met de staatsvijanden. Alleen door middel van stakingsafspraken met de georganiseerde misdadigersbendes konden ze voorkomen dat de binnenlandse handel helemaal tot stilstand werd gebracht. Het handhaven van de wodka-industrie was hun eerste prioriteit geweest; het volk zou het tekort van veel artikelen accepteren, zelfs van hoofdproducten als aardappelen en hout, maar van wodka? Absoluut niet.

Sabirzjan kwam zoals altijd onmiddellijk Levs kantoor binnen waggelen, met zijn hemd strak over zijn buik en glinsterende ogen waarin allerlei geheimen verscholen lagen achter zijn pince-nez. Lev gebaarde naar het pakket. 'Deze trui – dit… ding,' zei hij, terwijl hij een gezicht trok waaruit walging sprak, 'is gemaakt van geitenwol.'

Voor een vor was geitenwol – behalve de homoseksuele connotatie – het kenmerk van een verrader, iemand die met het openbaar gezag samenwerkte.

Lev strekte zijn armen naar voren; onder de ene mouw werd een tatoeage zichtbaar, de tweekoppige keizersarend, ter herinnering aan de troepen van de Witte Garde die tegen het revolutionaire Rode Leger hadden gevochten. Hij schudde opnieuw zijn hoofd. 'Die zwartjoekel is deze keer te ver gegaan.'

Sabirzjan hield zijn natte lippen stijf op elkaar. Zelfs na vier jaar als waarnemer van Lev te zijn opgetreden, wist hij weinig van de vori af. Dit kwam niet door gebrek aan belangstelling van zijn kant, maar door een compleet gebrek aan informanten. Hoewel ze gebruikmaakten van zijn diensten, zou Sabirzjan voor de vori altijd een buitenstaander blijven, iemand die op een afstand werd gehouden.

Lev klapte in zijn handen, zoals hij altijd deed als hij er overtollige talkpoeder afschudde voordat hij gewichten ging heffen. 'Genoeg gepeinsd, Tengiz – laten we tot actie overgaan. Je moet vuur met vuur bestrijden.'

'Wil je Karkadann vermoorden?' Lev vond Sabirzjans opwinding bij dit vooruitzicht bijna onfatsoenlijk; maar wat kon hij anders verwachten? KGB-ers waren zeer goed getraind in de kunst van het martelen; het was niet zo vreemd dat velen zowel genoeg als trots ontleenden aan hun werk.

'Vermoorden? Nee.' Niet om zo'n vernedering, hoe gruwelijk ook. Bovendien knaagde de moord op Banzaj nog aan Levs geweten. 'Maar wel… waarschuwen. Bedreigen.'

'Hoeveel man?' vroeg Sabirzjan, wiens wenkbrauwen op zijn huid lagen als naaktslakken.

'Twee.' Meer waren er niet nodig, als Sabirzjan de beste uitkoos. Lev maakte liever geen gebruik van onbeduidende maffiaschurken, mannen met de intelligentie van een brulkikker en de ethiek van een kampbewaker. Nee, hij koos liever mannen die wisten wat een fysieke training waard was: worstelaars, gewichtheffers, experts in vechtsporten, en mannen die, net als Sabirzjan, bij de geheime dienst hadden gewerkt. De vor-traditie verbood weliswaar verbroedering met de KGB – Banzaj's beschuldiging stak hem nog steeds – maar Lev had altijd sneller dan de meeste vori kunnen waarderen hoe het land veranderde, en als hij er zijn voordeel mee kon doen werkte hij graag mee, maar wel altijd op zijn voorwaarden. Hij hoefde niet op goede voet te staan met al zijn mannen, maar hij moest wel op hun bekwaamheden kunnen vertrouwen. Dus gingen de bendeleden van de 21e Eeuw om de dag naar de sportschool en om de week naar de schietbaan; ze wisten allemaal dat hun waarde evenredig was aan hun lichamelijke conditie. Het nauwelijks zichtbare trillen van een vinger aan de trekker, de kleinste weifeling in een blik of de geringste aarzeling op het cruciale moment kon het verschil uitmaken tussen succes en mislukking.

'Ik weet wel wie ik daarvoor moet hebben,' zei Sabirzjan.

'Wie dan?'

'Ozers en Butuzov.' Twee mannen die Sabirzjan persoonlijk had gerekruteerd van het Militair Instituut voor Vreemde Talen, de opleiding voor eerzuchtige KGB-leden, waar cursisten de duistere kneepjes van het vak leerden. Als ze tien jaar eerder waren geboren, hadden Vjatsjeslav Ozers en Gennadi Butuzov onbeduidende dissidenten in godverlaten Baltische steden moeten achtervolgen. Maar als je slim genoeg was voor het instituut, dan was je ook slim genoeg om te zien welke richting de wind der verandering op waaide tijdens Gorbatsjov.

Lev knikte goedkeurend. 'Uitstekend. Uitstékend.'

Om zeven uur 's avonds nam Gorbatsjov op de televisie afscheid van het sovjetvolk; de eerste, en laatste, sovjetleider die vrijwillig aftrad, voorzover je zijn duidelijke weerzin om terug te treden vrije wil kon noemen. Overal waar een televisietoestel stond keken mensen zwijgend toe, hun ogen samengeknepen in stoïcijnse aanvaarding van deze wending in hun geschiedenis.

'Ik leg mijn ambt als president van de USSR neer,' zei Gorbatsjov, waardig in zijn bedroefdheid. 'Ik maak me grote zorgen bij mijn vertrek, maar ik heb ook hoop en vertrouwen in u, in uw wijsheid en geesteskracht. Wij zijn de erfgenamen van een grootse beschaving, en nu hangt het af van ons allemaal of deze beschaving weer een nieuwe, fatsoenlijke samenleving kan worden.' Achter zijn uilenbrillenglazen leek de twinkeling in zijn grijsgroene ogen te doven; toen vermande hij zich, trots tot het laatste moment, zijn voorhoofd met de beroemde wijnvlek nog niet gerimpeld door zorgen of spanningen. 'Ik heb nergens spijt van; helemaal nergens van. Ik acht het van levensgroot belang om de democratische successen die we de afgelopen jaren hebben geboekt in stand te houden. We hebben voor deze successen betaald met al onze historische en tragische ervaring en we mogen ze niet kwijtraken, ongeacht de omstandigheden. Anders wordt al onze hoop te-nietgedaan.'

Hij sloot de dunne map waarin de tekst lag en liet hem vallen op de tafel voor hem. Toen wilde hij overgaan tot het ondertekenen van het formulier waarop hij toestemming gaf tot de overdracht van het nucleaire arsenaal, maar zijn pen weigerde. En zo kwam het dat Gorbatsjovs laatste handteke-ning als sovjetleider werd gemaakt met een balpen die hij te leen kreeg van de Amerikaanse producer die toezicht hield op de uitzending. Het was eer-ste kerstdag in het Westen, maar niet in Rusland; Gorbatsjovs pr had het in het buitenland altijd beter gedaan dan in zijn eigen land.

'Ik wens iedereen het allerbeste,' zei hij, en hij was verdwenen.

Lev was een van de miljoenen kijkers, en hij had geen medelijden met Gor-batsjov noch met de gehate unie die samen met hem verdween. Een van de eerste dingen die Gorbatsjov had gedaan toen hij Algemeen Secretaris werd, was een anti-alcoholcampagne starten, en Lev had als voorbeeld moeten dienen en was als Moskous grootste zwendelaar in wodka in de ge-vangenis van Lefortovo gegooid. Op typisch Russische wijze was dit zowel een compliment als een belediging: een compliment voor Levs vermeende positie, in zoverre dat Lefortovo meestal was voorbehouden aan mensen die misdaden begingen tegen de nationale veiligheid; en een belediging in die zin dat Lev in feite werd bestempeld als politiek gevangene, wat in de ogen van de vori gelijkstond aan een onnozelaar. Zijn gevangenschap daar deed Lev weinig; hij runde zijn imperium net zo gemakkelijk achter de tralies, breidde het zelfs nog uit, en bovendien werd hij al na een paar maanden vrijgelaten om zijn overeenkomst te kunnen sluiten met Sabirzjan. Maar Lev was Gorbatsjovs blijk van minachting nooit vergeten, en had hem die nooit vergeven.

Minder dan een half uur nadat Gorbatsjov zijn toespraak had beëindigd, werd de hamer en sikkel van de vlaggenstok van het Kremlin gehaald en was de Russische driekleur ervoor in de plaats gehesen, begeleid door hier en daar wat applaus en wat gefluit van een handjevol toeristen op het Rode Plein. Het sneeuwde licht.

De twintigste eeuw was ten einde gekomen, acht jaar te vroeg.

4

'Waarom moeten we hier wachten? Waarom kan niets hier gewoon goed gaan?'

'Ik weet niet wat je probleem is, Lewis, maar het is vast heel moeilijk uit te spreken.' Alice Liddell legde haar hand over die van haar man en aaide de fijne haartjes op zijn pols. 'Het heeft helemaal geen zin om je zo op te winden. Neem een slok. Geniet!'

'Geniet? Dit is toch de vip-lounge?' Lewis' slepende tongval uit New Orleans maakte zijn ongeloof nog sterker; zijn vrouw sprak twee keer zo snel als hij. 'Kom nou toch, Alice. Port Authority heeft meer klasse dan dit hier.'

Daar had hij wel gelijk in, moest Alice in stilte toegeven. De kussens kwamen door de bekleding naar buiten zetten; ongeschoren mannen in enkellange jassen paften sigaren en keken naar meisjes in rokjes die kort genoeg waren om voor een riempje door te gaan. In de vlieghaven Sjeremetjevo was het begrip vip rekbaarder dan ze gewend was, maar dat had juist wel iets leuks.

Lewis keek tweemaal vol stilzwijgende minachting om zich heen voor hij zich weer tot Alice wendde, die intussen al in het dichtstbij liggende nummer van *Pravda* zat te kijken om te zien of ze iets van het Russisch kon maken dat ze de afgelopen vier maanden had geleerd. Gorbatsjovs afscheidsrede had gelijktijdig plaatsgevonden met de deadline van *Pravda*, maar de krant maakte er geen melding van; de beruchtste spreekbuis van de Sovjet-Unie had de voorpagina niet vrijgehouden voor zijn eigen begrafenis.

De Liddells hadden een driemanschap toegewezen gekregen – een man van het ministerie van Financiën, iemand van de luchthaven, en een derde van de Amerikaanse ambassade – en die kwamen nu alledrie tegelijk terug, langs een zee van felle kleuren die Lewis in het halfduister herkende als Afrikaanse hoogwaardigheidsbekleders in lange gewaden. De apparatsjiks liepen in hun kinderlijke gretigheid bijna te rennen om het eerst bij de nieuwe, opwindende bezoekers aan te komen, en zwaaiden met stapels papieren als wijze mannen met geschenken: paspoorten, valutaformulieren, hotelreserveringen, toeristenbrochures – alsof ze daar tijd voor hadden, dacht Alice. Ze leken alledrie niet goed te weten aan wie ze de papieren moesten overhandigen, omdat Lewis tien jaar ouder was dan zijn vrouw, conservatiever gekleed en, bovenal, een man, waardoor ze hem als hoofdverantwoordelijke beschouwden tot het tegendeel werd bewezen. Maar zelfs volgens Russische normen zag Alice er zo fantastisch uit in haar spijkerbroek en leren jasje dat ze zich uiteindelijk, gehoorzamend aan de mannelijke reflex van de wellust, tot haar richtten.

Toen de ambassademan Alice en Lewis naar de taxi bracht en voorin plaatsnam, zond hij de andere twee ongewild even een triomfantelijk lachje toe, en die moesten zich inhouden om zich niet naar het raampje te buigen om de rijke westerlingen te vragen om een aalmoes, een welwillend gebaar in deze tijd van fantastische internationale samenwerking.

Het verbaasde Alice dat de man van de ambassade – Quarrie, heette hij; Raymond Quarrie, uit Trenton, New Jersey – zelf was gekomen. Als adviseur van het Internationaal Monetair Fonds was hij technisch gesproken meer in dienst van de VN dan van de VS. Maar Amerika was de enige supermogendheid die er nu over was, wat inhield dat Washington de baas was als het om internationale hulp ging. VS, VN – wat maakt een letter voor verschil voor vrienden? Zelfs voor vrienden die elkaar het grootste deel van een halve eeuw hadden aan zitten staren over Checkpoint Charlie en Straat Florida.

Quarrie draaide zich naar hen om. Zijn gezicht was bleek en vlekkerig; hij lustte vast wel een paar glaasjes wodka, schatte Alice. 'Maak je geen zorgen over jullie bagage,' zei hij. 'Die wordt direct doorgestuurd naar jullie hotel. Jullie logeren toch in het Metropol?' Het Metropol was eerder die maand weer opengegaan, nadat het was opgeknapt door Scandinavische bedrijven. Voor de gemiddelde Moskoviet kostte een kamer daar vijf jaar salaris. Je kreeg zesennegentig roebel voor een dollar; kantoorklerken en technici verdienden vierhonderd roebel per maand, de pensioenen waren de helft daarvan.

'Totdat we iets permanents vinden,' zei Alice. 'Of het IMF moet zonder geld komen te zitten, maar dan zien we wel weer.'

Quarrie lachte veel harder en langer dan de grap waard was.

Bewapende bewakers die met hun voeten stampten om warm te blijven verdwenen uit het zicht toen de taxi van het vliegveld wegreed. Quarrie tuurde door het achterraam en wierp tersluiks een blik op Alice toen hij dacht dat zij niet keek. Ze merkte het nauwelijks op, het gebeurde zo vaak, zelfs nu haar roodbruine zo kort was geknipt dat het onder in haar nek overeind stond. Ze vond het heerlijk; vanuit een bepaald perspectief leek ze er kaal door, en vanuit een ander perspectief kwetsbaar. Lewis vond het vreselijk. Hij noemde het een kaal kippenkontje en zei dat ze eruitzag als een pot.

'Het is nog een heel eind rijden naar de stad, dus u kunt misschien maar beter uw jas uittrekken,' zei Quarrie, die de oude doorgewinterde Moskoviet speelde. 'Hebt u het warm genoeg?'

'Ja hoor,' zei Alice. De kachel stond op vol.

'U went wel aan het weer. De winters in Moskou zijn niet veel strenger dan die in Boston.' Hij glimlachte. 'Uw accent heeft u verraden.'

'Mijn man komt uit New Orleans,' zei ze, en ze besefte dat Lewis nog geen woord met Quarrie had gewisseld.

'New Orleans?' Quarrie lachte. 'Daar hebben jullie niet eens winters, hè?'

Ze passeerden de antitank-egelstellingen die de plaats markeerden waar het Rode Leger de Wehrmacht een halve eeuw geleden had tegengehouden. Alice keek verrukt toe terwijl Moskou langs flitste, en dreunde voor haar genoegen alle clichés over sovjetsteden op, en daarna volgden enorme gebouwen, allemaal in dezelfde kleur grijs, met afbrokkelende gevels, wegen met gaten groot genoeg om voor bomkraters te kunnen doorgaan. Er was genoeg fraais te zien – een Byzantijnse kerk hier, een huis uit de tijd van voor de revolutie daar – maar die benadrukten de mistroostigheid alleen maar.

De taxi zigzagde tussen de gaten in de weg door.

De lelijkheid en het verval deerden Alice niet. Voor haar was de eerste aanblik van een nieuw land altijd opwindend, het uitzicht op een wereld zwanger van beloftes van avontuur en uitdagingen. Ze keek even naar Lewis, in de wetenschap dat hij haar opgetogenheid niet deelde. Lewis stond nog steeds ambivalent tegenover hun komst naar Moskou. Hij keek naar precies dezelfde stad als Alice, maar zij wist dat die voor hem ongemak en problemen betekende, een ervaring die hij moest verdragen in plaats van dat hij ervan kon genieten. Na twee jaar op verschillende continenten te hebben gewoond – het IMF-werk was begonnen als een tijdelijke aanstelling in Warschau die daarna overging op een aanstelling in Boedapest en daarna nog een en nog een – had Lewis, toen hij er niet in was geslaagd Moskou uit haar hoofd te praten, besloten met haar mee te gaan. Zodra haar werk er hier op zat, zouden ze teruggaan naar Boston en kinderen krijgen, nu hij nog jong genoeg was om niet voor hun grootvader te worden aangezien.

Alice ging met haar hand naar Lewis' wang en streek eroverheen, langs de zilvergrijze haren op zijn slaap. Hij zond haar een zwakke grijns toe.

Quarrie boog zich naar Lewis. 'U krijgt een positie in het Sklifosovski, heb ik begrepen?'

Lewis knikte, een kleine verstoring van Quarrie's monoloog. 'Het beste ziekenhuis in Moskou; ze zeggen dat het veel beter is dan het Kremlinovka, of hoe ze dat nu ook noemen – het Centrale Ziekenhuis, zeg maar. Zelfs een Russische rot als ik vindt het moeilijk om al die naamsveranderingen bij te houden. Geen Leningrad meer, geen Sverdlovsk meer; straten en metrostations krijgen van de ene dag op de andere dag een nieuwe naam. In Moskou is alleen het weer nog hetzelfde.'

De chauffeur veranderde zonder richting aan te geven drie keer van rijbaan; Quarrie sloeg er geen acht op en wees uit het raampje. In de toenemende duisternis schitterden de robijnrode sterren boven in de torens van het Kremlin aan de hemel het meest. 'Sterren met vijf punten, voor het proletariaat van vijf continenten,' zei hij. 'Ze zijn er geen moer mee opgeschoten.'

Bij het Kremlin zelf, zo bekend van foto's en televisie, leek iets niet helemaal te kloppen. Het duurde eventjes voordat Alice besefte dat het kwam doordat de hamer en sikkel niet langer aan de mast wapperde. In plaats daarvan hing de Russische driekleur, met zijn wit, blauw, rode strepen; dezelfde kleuren, dacht Alice, als die van Amerika, Groot-Brittannië en Frankrijk, de landen die tot taak hadden Rusland overeind te helpen.

'Ze hebben hem gisteravond ondersteboven gehangen, niet te geloven, toch?' zei Quarrie. 'Hamer en sikkel eraf, de driekleur eraan – en die rode streep zit bovenaan! Stommelingen. Te veel wodka, ongetwijfeld. En toen deed die windmachine die de vlag moest laten wapperen het niet. Ze moesten er een flinke trap tegen geven om hem aan de gang te krijgen. Dat is ook de manier waarop de meeste Russen hun problemen oplossen. En als klap op de vuurpijl hebben ze nog een enorme heteluchtballon opgelaten in dezelfde drie kleuren. Hij ging een meter de lucht in, en knalde toen terug op de grond. Niet echt een veelbelovend begin.'

'En geen goed voorteken,' zei Lewis, voor het eerst sinds hun aankomst opgewekt.

Het Metropol voldeed helemaal aan de smaak van Lewis, wat inhield dat het luxueus genoeg was om hem het idee te geven dat hij niet in Rusland was. Hij trok zich terug in de badkamer om alle gedachten aan die ongewassen massa buiten weg te spoelen, terwijl Alice vier kleine flesjes Smirnoff uit de minibar pakte en ze met systematisch genot leegdronk voor het raam, waar ze uitkeek op de neonborden die weifelachtig aan- en uitflikkerden, de dansende koplampen van dolgedraaide chauffeurs, de gigantische gebouwen die uit het donker opdoemden als supertankers, en de mensen, de mensen die haastig doorliepen, vijftig meter onder de ver verwijderde, almachtige godin die uit het beloofde land was gekomen om het evangelie te verkondigen volgens de almachtige dollar.

5

De limousine stopte achter de officiële residentie van de president, een neo-klassiek, driehoekig gebouw waar vroeger de senaat zetelde. De chauffeur, een gedrongen zuiderling, genaamd Ruslan, met borstelige wenkbrauwen en een slecht zittend pak, deed de deur voor Alice open. De kou was droog en hij deed pijn aan haar neusgaten zodra ze uit de auto stapte.

'Ik wacht hier tot u terugkomt,' zei Ruslan.

'Kun je dan wel warm blijven?'

Hij keek haar wezenloos aan, misschien was hij verbaasd over hoe goed ze Russisch sprak. Alice opende het portier en haalde een fles wodka uit het dashboardkastje. Ruslan nam haar snel op en glimlachte. 'De beste warmte voor een mens,' zei hij.

Ze grinnikte terug. 'Hou wat voor me over.'

Het kantoor van de president was aan het eind van een lange gang met rode vloerbedekking. Alice liep door een wachtkamer die vol zat met onbewogen kijkende mannen in grijze pakken, en kwam daarna in een kleine conferentieruimte, waar ze wachtte tot een secretaresse haar naar het heilige der heiligen bracht.

Anatoli Nikolajevitsj Borzov, president van de Russische Federatie en nu bewoner van het Kremlin, kuste Alice de hand, deed een stap naar achteren om haar te kunnen bewonderen, knikte goedkeurend en pakte haar bij de elleboog om haar naar een witleren leunstoel te leiden. Gorbatsjov was nog maar net zesendertig uur weg, en nu al was er geen spoor meer van hem te zien. Het gerucht ging dat Borzov hier al was ingetrokken voor Gorbatsjovs vertrek, en dat hij Gorbatsjovs bezittingen had opgestapeld in de gang, alsof hij een uitverkoop wegens brandschade hield. Nu was het kantoor evenzeer een heiligdom voor Rusland als voor Borzov.

Enorme schilderijen domineerden de wanden: Lentulovs *Basiliuskathe-draal*, Soerikovs *De ochtend van de executie van de Streltsi*, Polonevs *Moskous Binnenhof.* Op het gipsplaat verdrongen kleinere lijsten elkaar: afbeeldingen van prerevolutionaire straten en tsaristische legers, iconen van aposte-len, en tientallen foto's, waar Borzov zonder uitzondering zelf op stond, zijn drankkop stralend onder de strakke helm van zijn witte haar. Borzov in een bulldozer, Borzov voor McDonald's op het Poesjkinplein, Borzov lachend met collega's.

'Drinkt u een slokje mee met de Baas?' vroeg hij.

Het was tien uur in de ochtend. 'Natuurlijk.'

Borzov vulde twee glazen en gaf er een aan Alice. De wodka in zijn glas klotste heen en weer toen hij neerplofte in de stoel tegenover haar, maar door zijn jarenlange ervaring als innemer morste hij geen druppel. 'Op je gezondheid,' zei hij, en hij maakte al aanstalten om het glas in een keer leeg te drinken toen hij eraan dacht wie er bij hem zat, en hij nam slechts een slokje.

Er werd op de deur geklopt, en Arkin kwam binnen.

'Kolja!' Borzov werkte zich uit zijn stoel omhoog en kuste Arkin op beide wangen. 'Kolja, mag ik je voorstellen aan mevrouw Liddell. Mevrouw Lid-dell, mag ik u voorstellen aan Nikolaj Valentinovitsj Arkin – de zoon die de Baas nooit heeft gehad.'

Arkin leek halverwege de dertig, twee of drie jaar ouder dan Alice. Hij schudde haar de hand en maakte indruk op haar met zijn knappe uiterlijk: een stralende huid, goedverzorgd zwart haar, even lang als Borzov maar vele malen knapper toen hij zijn Italiaanse kasjmieren mantel uittrok, een Rus zoals men die in het Westen graag ziet. Onbezoedeld door iedere associatie met de communisten uit het verleden, was Arkin de perfecte man voor de nieuwe generatie. Bij zijn inauguratie als premier de afgelopen maand had hij een stiletto uit zijn zak gehaald en ermee door de lucht gezwaaid. Dit wordt mijn handelsmerk, had hij gezegd; dit mes is het symbool van mijn wens om korte metten te maken met de bureaucratie en dingen in gang te zetten. 'Ik heb geen tijd voor vijanden van de vooruitgang,' verklaarde hij. Of hij de beroemde sovjetslogan bewust of onbewust had geciteerd was niet duidelijk; dat hij wist wat de vrije markt inhield wel degelijk.

'Jullie twee!' zei Borzov, met zijn blik op Arkin en Alice alsof hij zich tot een bruidspaar richtte. 'Zo jong, en nu al de lakens uitdelen! Er is tegen-woordig haast geen plaats meer voor een ouwe vent als Anatoli Nikolaje-vitsj, wel?' Hij knipoogde naar Alice om haar te laten weten dat hij het niet meende, en zij begreep onmiddellijk waarom hij in de ogen van de Russen zo'n held was; ze lieten zich verlokken door zijn jovialiteit, maar ze herken-den daaronder ook zijn onverzettelijkheid, en dat stelde hun gerust. Hij had in augustus voor het Witte Huis op een tank gestaan, hij had de grijze bureaucraten overbluft tot aan het einde van de coup. Hij behoorde tot het

Russische volk, hij was een van de hunnen. Geen wonder dat de Moskovieten zich in die donkere dagen van de afgelopen zomer achter hem hadden geschaard.

Borzov wees Arkin een stoel, en berispte hem goedmoedig toen die een glas wodka afsloeg – 'Zeg het maar niet, Kolja; iemand moet toch nuchter blijven, nietwaar?' – en daarna ging hij achter zijn bureau zitten, waarvan de ene kant volstond met rijen telefoons, een paar witte en een stel gekleurde, maar allemaal zonder nummers. Het Kremlin kende een systeem waarbij elke telefoon verbonden was met slechts één ander persoon, wat inhield dat het aantal telefoons direct aangaf hoe hoog iemand in aanzien stond. Niemand had natuurlijk meer telefoons dan de president. Een moderne centrale, hoewel oneindig veel gemakkelijker en flexibeler, zou daar een einde aan hebben gemaakt: wat in Rusland telt is niet alleen wie de macht in handen heeft, maar wie bij die macht wordt gezien .

'Het is heel eenvoudig, mevrouw Liddell,' zei Borsov. 'Rusland is aan het veranderen, en niet weinig ook. De prijzen worden volgende week donderdag losgelaten, we stabiliseren de geldvoorraad, zetten een nieuwe belastingsysteem op, beschermen eigendomsrechten en contracten enzovoort. Het klinkt heel simpel als ik het zo stel, nietwaar?' Hij knikte naar Arkin. 'Kolja begrijpt dit allemaal veel beter, daarom heeft Anatoli Nikolajevitsj hem tot premier benoemd, om dit hele programma te verwezenlijken. En hij heeft de Baas meegedeeld dat het enige dat we moeten doen, vóór al het andere, het enige dat van het hoogste belang is, is: privatiseren. De staat heeft alles in handen, absoluut alles: diamantmijnen, voedselvoorraden, olievelden, kapperszaken. Goed, Gorbatsjovs hervormingen hebben nieuwe monsters gecreëerd – leasebedrijven, joint-stock bedrijven, economische samenwerking, coöperaties – maar dat is weinig meer dan een variatie op een thema. Als we een goed draaiende markteconomie willen worden, moet de staat toch juist niets in handen hebben? Zo weinig mogelijk, althans. Dus hebben we ons oor te luisteren gelegd. "Wie weet er iets over het privatiseren van een door de overheid geleide economie?" hebben we gevraagd. We hebben het iedereen gevraagd: internationale organisaties, andere regeringen, ambassades – en steeds weer kwam dezelfde naam naar voren. Die van u.'

Het verbaasde Alice niet; integendeel zelfs. Ze zou beledigd zijn geweest als ze niet was gevraagd. Halverwege de jaren tachtig was zij de eerste vrouw geweest die zich wierp op Milkens beruchte junkbond-affaire in Beverly Hills. Nadat ze aan het eind van de jaren tachtig uit Wall Street was geronseld, had ze zich de laatste twee jaar beziggehouden met het opstellen van privatiseringsprogramma's in Oost-Europa, dat ineens, na de gedenkwaardige herfst van 1989, bevrijd was toen de ene regering na de andere viel, de Berlijnse muur omvergehaald werd en de Ceaucescu's werden doodgeschoten door hun eigen volk. Als er iemand was die meer had gependeld tussen Boedapest, Praag en Warschau dan Alice, moest ze die nog tegenkomen. Maar ze had altijd geweten dat, hoe belangrijk haar werkzaamheden daar ook waren geweest, het weinig meer was dan een generale repetitie voor het echte werk – Moedertje Rusland zelf.

'Snelheid, daar komt het hier op aan, mevrouw Liddell,' zei Arkin, en zijn zelfingenomen toontje ontlokte aan Alice onmiddellijk een reactie.

'Het gaat in dit soort situaties altíjd om snelheid, Nikolaj Valentinovitsj, maar we kunnen alleen snel handelen als u belooft om achter me te blijven staan. Ik had een ook snelle privatisering gepland in Warschau, en die werd tegengehouden door de bureaucraten. In Boedapest was ik voorzichtiger, en daar kreeg ik te horen dat ik te langzaam was. In Praag is het het best gelukt, vooral omdat Havel me al die tijd steunde. Als dit plan moet slagen, heren, mag uw steun niet ontbreken; anders kan ik niets beloven.'

'Dit is Rusland,' zei Arkin. 'Je kunt niet dezelfde regels toepassen als ergens anders.'

'Waarom niet? Jullie hebben allemaal een post-communistische maatschappij, jullie zitten allemaal tegen eenzelfde soort overgangen aan te kijken; jullie zijn allemaal min of meer hetzelfde.'

De stilte die viel was zo diep en veelomvattend dat Alice' opmerking erdoor verzwolgen leek te worden, weggeslingerd in het zwarte gat dat voorbehouden is aan ketters. De spieren in Arkins kaken zwollen op tot ze zo groot waren als walnoten; Borzov sloeg zijn kleien pijp tegen de tafel alsof het een drumstok was. Het leek eeuwen te duren voordat de president iets zei, op de kalme, afgemeten toon van iemand die heel erg zijn best doet om zijn woede in bedwang te houden.

'Rusland is uniek,' zei hij. 'Het gaat hier ten stelligste, absoluut niet hetzelfde als in andere landen.'

Alice, met haar handen omhoog in een gebaar van verzoening, haastte zich haar blunder te herstellen. 'Neem me niet kwalijk, ik wilde u niet beledigen, ik wilde alleen…'

'We hebben respect voor uw kennis en ervaring, mevrouw Liddell.' Nu was het Arkin die voor vredestichter speelde. 'En op onze beurt hopen we dat u ons land respecteert. Tegen de tijd dat uw werk er hier opzit, zult u het misschien liefhebben of haten – misschien allebei – maar u zult zien dat het inderdaad een land is als geen ander.'

Alice kreeg ineens het onaangename gevoel dat ze weer een tiener was die werd bekritiseerd door een ouder persoon, iemand die wereldser en wijzer was dan zij ooit zou worden. Ze dronk de rest van haar wodka op en keek om zich heen in een poging haar ongemakkelijke gevoel te verbergen. Aan de dichtstbijzijnde muur hing een foto van Borzov die, geelbruin van tint, opdook uit de rivier de Moskva. Hij was slechts gekleed in een klein zwembroekje, waarvan de voorkant schuilging onder zijn overhangende buik.

'Daar breken ze het ijs en doen een wedstrijd om te zien wie er het langst in het water kan blijven,' zei Arkin, die haar blik volgde. Hij had gezien dat ze zich niet op haar gemak voelde en probeerde daar iets aan te doen. Alice was hem dankbaar, maar bleef verward. 'Anatoli Nikolajevitsj wint altijd.'

'Alleen omdat zij hem láten winnen,' zei Borzov. 'Ze denken dat hij het niet merkt, maar dat doet hij wel. Hij is niet stom, ook al is hij oud, maar probeer dat de doktoren maar eens wijs te maken. Nu hij bijna zeventig is, zeggen dat ze hij daar niet meer mag zwemmen. Dwazen!' Hij grinnikte naar Alice. 'Jouw man zal wel beter weten. Anatoli Nikolajevitsj zal er de volgende keer aan denken hem ernaar te vragen wanneer hij naar het ziekenhuis wordt afgevoerd.' Borzov tuurde somber in zijn lege glas. 'Nog een?'

'Graag.'

Hij hees zich uit zijn stoel, vulde hun glazen bij en ging weer zitten, waarna hij met martelende traagheid zijn pijp stopte. Hij was groter dan hij op televisie leek; het scherm gaf de breedte van zijn schouders wel accuraat weer, maar niet zijn lengte, noch zijn volume. Borzov ging al een hele tijd mee, dacht Alice.

Ze keek uit het raam. Er werd gedemonstreerd aan de overkant van de rivier; artsen protesteerden tegen hun lage loon – nog geen tien dollar per maand, terwijl mijnwerkers vierhonderd kregen – en hielden spandoeken omhoog waarop stond HIPPOCRATES, VERGEEF ME A.U.B.

Borzov richtte zich tot Arkin. 'Kolja, je had het erover dat het vooral om snelheid gaat.'

Arkin had een boek in zijn hand dat hij steeds omkeerde. Pas toen hij daarmee ophield om het woord te voeren, kon Alice de titel lezen: *Wealth of Nations*, het meesterwerk over de vrijemarktdoctrine van Adam Smith.

'Het Westen denkt dat iedere Rus overloopt van dankbaarheid nu de Sovjet-Unie niet meer bestaat. Maar zo is het niet. Er zijn miljoenen, tientallen miljoenen, die vrezen dat een hervorming chaos teweeg zal brengen, en die zijn ruim vertegenwoordigd in het parlement. Vergeet het verzet dat u hebt gezien tijdens de coup, mevrouw Liddell; het parlement zit barstensvol reactionairen die hopen en geloven dat we niet kunnen waarmaken wat we zeggen. Als we niet bewijzen dat ze het mis hebben, en snel ook, dan is onze kans voorbij. Daarom is iets, wat dan ook, beter dan niets. We hebben u niet nodig om een compleet privatiseringsprogramma te leiden, me-vrouw Liddell, nog niet.'

'Maar daarvoor ben ik...'

'Rusland kent geen privaat eigendom. Het communisme volgde het tsa-risme; het tsarisme kwam na het feodalisme. De privatisering zal net zo'n omslag teweegbrengen als het introduceren van geld in een ruileconomie – ik overdrijf niet. Daarom zeggen we u dat Rusland anders is. We moeten haast maken, maar we moeten ook realistisch zijn wat betreft onze moge-lijkheden. Alles in een klap privatiseren is onmogelijk. Maar een enkele fa-briek, op succesvolle wijze uitgekocht, om te laten zien dat het wel kán... Als dat zo gebeurt, volgt de rest wel. De dinosauriërs zullen inzien dat de privatisering er gaat komen, of ze het leuk vinden of niet. Hoe lang zou u dat kosten, om een bedrijf uit te kopen?'

'In Polen heb ik er een...'

'Nee, volgens westerse normen. De verkoop van een bedrijf, met alles wat daarbij komt kijken; hoe lang duurt dat?'

'Een jaar, misschien. Negen maanden, op z'n minst.'

'Het parlement komt in de tweede week van maart bijeen. U hebt negen weken.'

Ze vertelden haar wat er moest gebeuren. De uitverkoren onderneming zou in Moskou gevestigd zijn, zo ongeveer de enige stad in het land waar meer bedrijven standhielden dan dat ze het moesten afleggen. Het proefkonijn moest bekendheid hebben, stabiel en commercieel levensvatbaar zijn; er zou meer geboden worden voor bedrijven met een goed exportpotentieel en een sterke detailhandelsbasis. Ten slotte moest het al functioneren als jointstockbedrijf; het vormen van corporaties was een lastig proces, en het zou te lang duren als dat eerst nog moest gebeuren.

Al deze factoren meegerekend, waren er zeven bedrijven die ervoor in aanmerking kwamen – zeven! Dacht Alice. In een land met twaalf tijdszo-nes, maar zeven mogelijkheden! Je had de Vorobjovi-chocoladefabriek; de Moskouse Brouwerij; Koloss, waar ze spaghetti, snacks en thee maakten; Moskou Voedselverwerkende Industrie; de levensmiddelengroothandel Torgovi Dom Preobrazenski; en de Bolsjewiek Koekfabriek. Deze waren economisch gezien geschikt, maar niet in politiek opzicht; de regering kon bijvoorbeeld niet met een spaghettifabrikant aankomen als het voorbeeld stellen voor de Grote Sprong Voorwaarts. Als proefmodel, het vlaggen-schip, moesten ze iets hebben dat ... iets dat typisch Russisch was.

De zevende firma die in aanmerking kwam, was de distilleerderij Rode Oktober, en het besluit was al genomen. Wat was er geschikter geweest?

Wodka is zo ongeveer de enige recessiebestendige industrie; hoe slechter de economie, hoe meer mensen wodka drinken. In veel arme streken in Rusland bleef wodka zijn waarde behouden, waardoor het even rendabel was als diamanten of olie. Alice had gelezen dat docenten in Moermansk hun salaris in wodka ontvingen (nadat ze begrafenisartikelen en wc-papier hadden geweigerd) omdat de lokale overheid hun niet kon betalen. De consumptie van wodka van het volk is bijna heroïsch, en de cijfers blijven onthutsend, hoe vaak je ze ook hoort: Rusland is verantwoordelijk voor viervijfde van de wodkaconsumptie over de hele wereld; elke dag wordt er in Moskou een miljoen liter achterovergeslagen; de gemiddelde Rus drinkt in twee dagen een liter (de *gemiddelde* Rus, vrouwen en kinderen meegerekend – kun je nagaan).

'De keuze van Rode Oktober is niet alleen een economische beslissing, weet u,' Borzov hield zijn glas tegen het licht en tuurde ernaar, alsof 's lands geheimen daarin verscholen lagen. 'De mensen zullen wel begrijpen waarom, omdat wodka ons levensvocht is, hét symbool van onze Russische identiteit. Het is onze grootste bron van genoegen, onze voornaamste valuta, onze grootste plaag. Wodka heeft invloed op elk aspect van het leven in Rusland, goed en slecht: vriendschappen, zaken, politiek, misdaad, en de miljoenen Russen die een eenzaam, verbitterd en zwaar leven leiden. Als er één ding is dat de president verenigt met de dronkaards die in Moskou doodgevroren op straat gevonden worden, is het wel wodka. Wodka is altijd de grote gelijkmaker geweest, van hier in het Kremlin tot in de krotten. Goed en slecht, iedereen drinkt het. Wat of wie er ook aan de macht is – monarchie, communisme, kapitalisme – er is altijd wodka, het hele leven is erop ingericht. Onze geschiedenis en onze toekomst hangen bovenal af van één ding: wodka, en onze relatie daarmee.'

Het was een begeesterde redevoering die Borzov had afgestoken, en Alice respecteerde dat. Borzov liet zijn glas zakken en keek haar aan. 'Wat is wodka eigenlijk niet, mevrouw Liddell? Het kan een volksmedicijn zijn, een hallucinogeen middel dat de geheimen van de ziel prijsgeeft, een smeermiddel dat meer algemeen wordt gebruikt voor het geavanceerde systeem dan welke andere conventionele drank ook – en natuurlijk kan het ook gewoon als wodka gedronken worden. Elk aspect van het menszijn vindt zijn weerslag in wodka, ook het bovenmatige gebruik. Russen drinken uit verdriet en uit vreugde, omdat we moe zijn en om moe te worden, uit gewoonte en uit willekeur. Het verwarmt ons in de kou, het brengt ons verkoeling bij warmte, het beschermt ons tegen vocht, troost ons in verdriet en vrolijkt ons op in betere tijden. Zonder wodka zouden er geen gastvrijheid, geen bruiloften, geen doopfeesten, geen begrafenissen, geen afscheidsfeesten zijn. Zonder wodka zou vriendschap niet langer vriendschap zijn, geluk niet langer geluk. Het is het elixir dat in gezelschap wordt gedronken, dat gezelligheid en liefde verspreidt; het is ook de verdoving zonder welke het leven ondraaglijk zou zijn. Wodka is de enige verdoving die berooide mensen in staat stelt de gruwelijke streken die het lot hun levert te verdragen. Het is de enige troost voor wanhopige mannen en vrouwen die geen andere verlossing kennen. Dus waar kunnen we beter met de tweede revolutie beginnen dan in het spirituele thuis van Ruslands wodkaproductie, het Mekka van de drinker?'

Borzovs wangen bolden op langs beide kanten van zijn stompe neus. Hij maakte een vuist en grijnsde Alice toe; zij hief haar glas naar hem op en volgde zijn voorbeeld – in één teug dronk ze het leeg.

'U drinkt als een Rus,' zei hij, en bedoelde het als een compliment.

'Negen weken,' zei ze tijdens het eten tegen Lewis. 'Dat is belachelijk kort. Een kwart van de tijd die we nodig hebben, op zijn gunstigst. Ze lijken wel gek.'

'Ik denk dat ze je meteen hebben ingeschat zodra je daar binnenliep.' Er was meer dan een vleugje irritatie in Lewis lach te horen. 'Je geniet ervan. Het is gewoon weer een uitdaging voor je; weer iets heel moeilijks en onmogelijks waar je je op kunt storten. Nee, spreek me maar niet tegen, Alice. Je weet dat ik gelijk heb.'

Hij had gelijk, en Alice wist het. Er fladderde iets in haar binnenste, als een zalm die uit heldere Siberische wateren opsprong. Dit onmogelijk korte tijdsbestek was de laatste van een eindeloze reeks obstakels waaraan ze zich kon meten, en waarbij ze kon ontdekken of ze was wie ze hoopte te zijn – of misschien meer, of misschien minder?

'Het is niet zomaar een uitdaging voor me,' zei ze.

Hij haalde zijn schouders op. 'Nou, ook best.' Zijn toon gaf te kennen dat ze beter over iets anders kon beginnen. Er was maar één ding in haar leven waarmee Alice zonder meer gelukkig was, en dat was Lewis zelf. Ze had hem vaker dan wat ook gezegd dat hij haar met haar beide benen op de grond wist te houden, dat hij haar beschermde tegen zichzelf; als tijdens haar enorme inspanningen alles op zijn kop werd gezet, bleef hij de constante factor.

6

Als de zomer nadert, kraakt het koninklijk buitenverblijf Kolomenskoe in zijn voegen van de drukte, maar in deze tijd van het jaar hadden Ozers en Butuzov alleen maar gezelschap van kraaien. Beide mannen waren gekleed in lichte kleuren, die niet zo afstaken tegen de witte sneeuw, de grijze lucht, en de vuilwitte Hemelvaartkerk waar ze tegenaan stonden. Het enige dat zwart was, was de verrekijker voor Butuzovs gezicht, waarmee hij langzaam van links naar rechts ging.

Kolomenskoe staat boven op een heuvel, en Karkadanns huis lag onder aan de rivier, bijna even groot en indrukwekkend om het op te kunnen nemen tegen het eerste. Op enige afstand van de oever markeerde een rij populieren de omtrek van het landgoed. Butuzov vermoedde dat ze daar meer voor het oog dan voor de veiligheid waren geplant; om de eindeloze hoeveelheid schoorstenen en groezelige flatgebouwen aan het zicht te onttrekken. De echte beveiliging begon achter de bomen: een hek van prikkeldraad met gaas erbovenop om handgranaten tegen te houden, en een betonnen muur daarachter. Een buitenstaander zou, als hij over de weg uitkeek, niets zien, maar vanuit zijn hoge positie zag Butuzov stallen, een landschapstuin, buitengebouwen – garages en gastverblijven, meende hij – en ten slotte het huis zelf, donkerrood, als een bloedvlek in de sneeuw. Het kwam uit Noorwegen; Karkadann had het gezien, bewonderd en gekocht, en daarna had hij het laten verschepen en het steen voor steen weer opgebouwd.

Butuzov liet de verrekijker zakken, gaf hem over aan Ozers, leunde met zijn achterhoofd tegen de kerkmuur en keek naar de gevels die als artisjokbladeren tegen de kerktoren op klommen. Hij zou bijna vergeten dat ze in Moskou waren; Kolomenskoe lag zo ver van de hoofdweg af, dat het verkeer hier niet harder klonk dan geruis in de verte en dat de lucht voor een deel helder was.

Butuzov sloot zijn ogen en snoof alsof hij aan een lekkere wodka rook; zelfs surveillerende maffiosi zijn diep in hun hart kinderen van de natuur.

'Ziet er wel een beetje ondoordringbaar uit,' zei Ozers humeurig; hij was altijd bijzonder snel geïrriteerd. 'Er zit volgens mij geen zwakke plek in dat hek, en de portierswoning wordt bewoond. We zullen dichterbij moeten komen, om te zien of ons iets is ontgaan.'

'Dat dacht ik ook al.'

Butuzov hield de verrekijker weer voor zijn ogen en bestudeerde Karkadanns huis. Een zweem kleur flitste door de zoeker, kort genoeg om hem te laten schrikken. Hij tuurde snel het gebied langs en daar zag hij het weer: een bestelwagen kwam van de oprijlaan gereden. Butuzov hield de verrekijker stevig vast en probeerde de naam op de zijkant van het voertuig te ontcijferen. Het was moeilijk te zien – het was een oud sjabloon en de wagen stond niet stil – maar na een paar ogenblikken wist hij het: Comstar.

Butuzov liet de kijker zakken en greep Ozers arm. 'Snel. Kom mee!'

'Vanwaar die haast?'

'Ik heb een idee.' Butuzov rende weg naar de parkeerplaats.

Hij had de motor gestart van hun onopvallende Volga-sedan en nam al een veel te ruime bocht achteruit voordat Ozers het portier achter zich had kunnen dichttrekken. De Volga, die smerig genoeg was om naar de kleur van het lakwerk te moeten raden, scheurde over de toegangsweg naar Kolomenskoe, veel sneller dan de vering en het wegdek eigenlijk toelieten. In opperste concentratie sloeg Butuzov, met zijn gebroken neus en warrige baard, twee keer rechtsaf en na even gas terug te hebben genomen bij een kruispunt, een derde keer een zijstraat die werd geflankeerd door vreugdeloze appartementengebouwen. Met een schok kwam hij tot stilstand en tastte onder het dashboard naar de hendel waarmee hij de motorkap openzette.

'Wat is er?' vroeg Ozers.

'Net doen alsof we panne hebben.'

'In deze klotewagen? Dat zal me geen moeite kosten.'

Butuzov liep om de auto heen naar voren, duwde de motorkap open en tuurde in het binnenste van de Volga. Het was geen moment te vroeg; de wagen van Comstar kwam al de hoek om. Butuzov ging recht staan, draaide zich om en stak zijn hand op. Even dacht hij dat de chauffeur hem niet had gezien of hem domweg negeerde; toen stopte de bestelwagen een paar meter verderop aan de kant van de weg. De chauffeur stak zijn hoofd uit het raampje.

'Fijn dat u bent gestopt,' zei Butuzov. 'Hebt u een startkabel bij u?'

'Hebt u wodka?'

'Een fles, achterin.'

'Dan heb ik een startkabel.'

'Vroeger zou hij het voor niks hebben gedaan,' mompelde Ozers. Iedereen wilde tegenwoordig betaald worden, en wodka was het universele betaalmiddel.

De chauffeur van Comstar stapte uit. Zijn broekspijpen reikten tot een paar centimeter boven zijn enkels; zijn sokken waren zo dun dat zijn voeten er op sommige plekken doorheen schemerden, en zijn schoenen waren van goedkoop sovjet-plastic.

Er lag een aantal flessen achter in de Volga; weinig Russische automobilisten durven zonder de weg op. Butuzov pakte de goedkoopste ertussenuit en viste drie glazen uit een kartonnen doos; het is het toppunt van ongemanierdheid om uit de fles te drinken.

'Alsjeblieft,' zei hij, terwijl hij ieder een glas aanreikte. 'Dat houdt de kou buiten.' Hij trok de aluminium dop van de fles en schonk voor ieder een laagje in. 'Ik ben Kiril, dat is Eduard.'

'Maltsev, Jaroslav.' De man van Comstar schudde hen de hand; zijn hand was plakkerig van de gel die hij op zijn haar had gedaan. 'Mijn vrienden noemen me Jarik.'

'Nou, Jarik, op je gezondheid dan.' Ze klonken. Maltsev dronk zijn glas in één keer leeg, Ozers en Butuzov namen kleine slokjes, want Lev had overmatig drinken verboden. 'Een dronkaard houdt niets geheim,' zei de vor altijd, 'en ik heb nog nooit een alcoholist ontmoet die een man van eer was.'

Butuzov wees naar het logo van Comstar op de zijkant van de bestelauto. 'Repareer je telefoons?'

'Ik leg de leidingen aan.' Maltsev maakt een beweging met zijn hoofd in de richting van het huis van Karkadann. 'Fraai huis daar. Een of andere magnaat met meer geld dan verstand. Allemaal eersteklas spul, de snelste verbindingen, het beste van het beste. Daar kan die zwartjoekel wel mee naar de ruimte bellen.'

'Het is zaterdag; het was zeker een flinke klus, dat je in het weekend moest overwerken.'

'Zo gaat dat nu. In het weekend, in de vakantie – je hebt geld nodig, dus werk je als zij dat willen. Wat kan het schelen, zolang ze betalen? Maar goed, ik heb het nu af.'

'Laten we dan maar beginnen,' zei Ozers.

Maltsev leegde zijn glas, liep naar de achterkant van zijn wagen en trok de deuren open. Butuzov draaide zich om naar Ozers en fluisterde: 'Doe net alsof de auto niet wil starten. Speel het overtuigend. Houd je voet op het gas en laat de motor eventueel verzuipen – lang genoeg om hem even bezig te houden.'

Ozers knikte. De wallen onder zijn ogen waren zo geprononceerd dat het ook littekens van messteken konden zijn.

Maltsev kwam weer tevoorschijn met een startkabel in zijn handen, die kronkelde als een ringslang. Hij zette de motorkap van de bestelwagen open, bevestigde de startkabel aan zijn accu en deed hetzelfde onder de motorkap van de Volga. Toen alles vastzat, startte hij zijn motor en gebaarde naar Ozers dat hij hetzelfde moest doen.

Butuzov hoorde de motor van de Volga astmatisch kuchen en weer stilvallen. Hij liep stilletjes naar de achterkant van de Comstar-wagen en keek achterin. Alles wat hij nodig had lag binnen handbereik achter de deur, en dat was maar goed ook, want als hij naar binnen moest en de wagen heen en weer zou deinen onder zijn gewicht, zou dat Maltsevs aandacht trekken. Het zou natuurlijk nog gemakkelijker zijn geweest om Maltsev neer te schieten en zijn wagen in te pikken, maar het was een van Levs heiligste principes burgers te sparen. Maffiosi mochten elkaar wel iets aandoen, zei Lev, maar nooit een onschuldige burger.

'Probeer het nog eens,' hoorde Butuzov Maltsev boven het lawaai van zijn motor uit schreeuwen, en daarna: 'Geen gas blijven geven, dan verzuipt dat klereding.'

Na drie mislukte pogingen om de Volga aan de praat te krijgen kwam Butuzov weer tevoorschijn en knikte discreet naar Ozers. Toen Ozers daarna de sleutel in het contact omdraaide, draaide hij hem verder dan hij daarvoor had gedaan, en de wagen startte perfect.

'Bedankt voor je hulp, Jarik.' Butuzov gaf Maltsev de fles wodka. 'Niet morsen, hè?'

Nu de sluiting eraf was, kon de fles niet meer dicht. Echte drinkers maken een geopende fles altijd leeg; als ze naar de koelkast gaan, is dat vaker om een nieuwe fles te halen dan om de aangebroken fles daarin te leggen tot de volgende dag.

'Nee, hoor. Daar kun je op rekenen.'

Maltsev had zijn rode kleur niet alleen te wijten aan de kou. Butuzov vermoedde dat Maltsev de eenvoudigste manier zou kiezen om morsen te voorkomen en de wodka zou overhevelen van de fles naar zijn maag.

Ze keken de Comstar-wagen na. 'Als die fles tegen middernacht niet soldaat is gemaakt, ben ik een Tsjetsjeen,' zei Butuzov.

'Wil je me nu misschien uitleggen waar dat allemaal voor nodig was?'

Maltsevs enige rem die het deed, lichtte even op toen hij wachtte voor de kruispunt, daarna was hij uit het zicht verdwenen. Butuzov liep naar de dichtstbijzijnde geparkeerde wagen en bukte zich om te pakken wat hij achter de achterbumper had verstopt; twee overalls van Comstar en een gereedschapskist.

7

De bewakers in Karkadanns portierswoning – allemaal Tsjetsjenen natuurlijk, want Tsjetsjenen vertrouwen alleen hun eigen volk – fouilleerden Butuzov en doorzochten zijn wagen voordat ze hem doorlieten. De voorzorgsmaatregelen waren standaard, en er was geen reden voor de Tsjetsjenen om achterdocht te koesteren. Ze konden absoluut niet weten dat het Comstar-logo pas de avond ervoor op de bestelwagen was geschilderd of dat degene die dit had gedaan vijfhonderd dollar had gekregen voor zijn diensten en nog eens vijfhonderd om zijn mond te houden.

Bij de voordeur van het landhuis zelf echter toonde Sjarmoechamedov zich wantrouwiger. Hij was fris geschoren en zijn baard was netter geknipt dan normaal; maar daardoor zag hij er niet minder dreigend uit. 'Wat is er aan de hand?' vroeg hij.

'Er is een probleem met de verbinding,' zei Butuzov.

'Daar hebben we geen melding van gedaan.'

'Nee, dat klopt. We hebben het een uur geleden ontdekt bij de centrale.'

'Wie heeft er nog meer last van?'

'Honderden mensen. Onze beste klanten krijgen voorrang.'

Sjarmoechamedov knikte, alsof dat volkomen logisch was. 'Wat is er met die andere knaap gebeurd? Die hier gisteren kwam?'

'Jarik? Die is ziek. Die stomme klootzak heeft foute wodka gedronken.'

Misschien kwam het doordat hij Maltsevs naam hoorde, of door de zeer aannemelijke wodkavergiftiging; in elk geval leek Sjarmoechamedovs argwaan verdwenen. Hij maakte een hoofdbeweging: kom binnen. Een moment, een beslissing; een vergissing.

Ozers had ook mee gewild, natuurlijk, maar Butuzov had het niet goedgevonden en Lev had hem daarin bijgestaan. Twee mannen voor een klus die door één man geklaard kon worden, zou argwaan kunnen wekken; misschien was het niet waarschijnlijk, maar Karkadann was toch al zo paranoïde, dus konden ze maar beter geen risico nemen. Als Butuzov gedonder kreeg en de boel zou uit de hand lopen, zou een extra man weinig verschil uitmaken in een huis vol gewapende Tsjetsjenen. Dus was Butuzov alleen gegaan, ongewapend, en doodsbang.

'Ik moet alle toestellen nakijken,' zei Butuzov, verbaasd over hoe vast zijn stem klonk.

'Natuurlijk. Maar ik blijf er wel bij, begrepen?'

Butuzov haalde zijn schouders op, een onverschilligheid voorwendend die hij niet voelde. 'Best, hoor.'

Het landhuis was warm, enorm groot en ongelooflijk opzichtig. In de ogen van Butuzov was het bombastisch en smakeloos. Gouden nimfen hurkten op balustrades of tooiden kristallen fonteinen. De schilderijen waren afschuwelijk art nouveau, vaak nog vulgairder doordat ze in reliëf geschilderd waren. Karkadanns slaapkamer was gestoffeerd in vuurrood satijn en had een spiegelplafond; zijn badkamer kon bogen op twee jacuzzi's.

Er waren tweeëndertig huistelefoons, maar Butuzov wist dat hij in Karkadanns studeerkamer moest zijn. De andere kant van de kamer was nauwelijks te zien; de kroonluchter was de enige lichtbron, en alle ramen waren dichtgeplakt met stukken karton. Een leek zou hebben gedacht dat er een verbouwing plaatsvond, maar een maffioso wist wel beter. De stukken karton zaten daar uit voorzorg tegen scherpschutters; het bood hun geen kans om in de kamer te kijken en maakte de lichaamswarmte van de mensen binnen diffuus, zodat geweren met infraroodzoekers niets konden uitrichten.

Liggend op zijn rug onder het bureau schroefde Butuzov met veel vertoon de wandcontactdoos los en rommelde met de bedrading.Dit had hij natuurlijk geleerd tijdens zijn opleiding bij de KGB, het was iets wat hij slapend had kunnen doen. Zelfs als Sjarmoechamedov naast hem onder het bureau had gelegen, had die er niets van gezien. Butuzov hield het microfoontje tussen twee vingers verborgen, en drukte het simpelweg tussen de draden, waarbij hij extra veel kracht zette om het trillen van zijn hand te onderdrukken. Maar over de vloer kruipen met een monteur was voor Sjarmoechamedov net iets te veel van het goede; hij bleef staan kijken, en zag niet wat er gebeurde.

Butuzov plaatste de plastic doos terug over het contact en ging snel overeind zitten. Hij was te professioneel om zijn hoofd op tijd weg te houden voordat hij het tegen de tafel stootte, ook al wist hij dat het pijn zou doen als het overtuigend moest overkomen. Hij vloekte een paar keer en wreef over zijn hoofd; een snelle, bijna onmerkbare beweging met zijn rechterhand van zijn schedel naar de onderkant van Karkadanns bureau en het tweede microfoontje was geplaatst, vastgeplakt onder het midden van de tafel, buiten het bereik van een verdwaalde hand. Een apparaatje op de telefoonlijn en een in de kamer; alles was geregeld.

Butuzov kwam in elkaar gedoken onder de tafel vandaan – zijn hoofd deed echt pijn, daar hoefde hij geen toneel voor te spelen – en pakte zijn gereedschapskist. Sjarmoechamedov vroeg niet of hij zich pijn had gedaan.

'Klaar,' zei Butuzov, terwijl hij het telefoontoestel greep en deed alsof hij de kiestoon controleerde.

8

Butuzov en Ozers luisterden om beurten; ieder steeds vier uur, als wachtlopers op een boot. Ze spraken allebei behoorlijk Tsjetsjeens, genoeg om in elk geval de kern van een gesprek te kunnen begrijpen. Veel van wat ze hoorden was banaal en alledaags – Karkadann die met zijn vrouw een eetafspraak maakte, Karkadann die iets regelde wat leek op een rendez-vous met een maîtresse – maar twee gesprekken waren interessant genoeg voor Butuzov en Ozers om er een transcriptie in het Russisch van te maken en die door te geven aan Sabirzjan.

Het eerste was een meningsverschil laat op de avond – zo te horen al het zoveelste – tussen Karkadann en Ilmar over de vraag of het wel verstandig was om de Slavische maffia in de strijd te betrekken.

K: Werk jij voor die Slavische klootzakken? Ik begrijp jou niet.

I: En ik begrijp jou niet. Dit gaat om zaken, niet om een of andere suffe wedstrijd.

K: Het is oorlog, en die gaan wij winnen.

I: Dit is waanzin, en nogmaals: het is nog niet te laat om je gezonde verstand te gaan gebruiken.

De tweede keer, net even voor negen uur 's ochtends, was een kort gesprek tussen Karkadann en Sjarmoechamedov.

S: Baas, ik ga er nu vandoor.

K: Hoe laat vertrekt je vliegtuig?'

S: Rond de lunch; ik weet niet meer precies hoe laat.

K: En wanneer kom je dan terug?

S: Donderdag.

K: Nieuwjaar in Doebai, mannen en hun libido… ik heb medelijden met die arme Arabische meisjes. Breng er een paar mee terug, oké? Ik heb gehoord dat ze heel lekker zijn.

S: Waarom denk je anders dat ik ga?

K: Vind je de meisjes die ik voor je regel dan niet leuk?

S: Ik zou ze leuker vinden als je er ook zon en zand bij leverde.

Sabirzjan gaf de transcriptie terug aan Ozers en knikte hun toe. 'Goed werk, jongens.'

De luchthaven Sjeremetjevo is zelfs bij het mooiste weer nog kleurloos, laat staan op een sombere ochtend die aarzelende sneeuwvlokken uitspuugde alsof de hemel probeerde van een slechte smaak af te komen. Geen wonder dat Sjarmoechamedov zo naar zijn reisje uitzag. Ozers en Butuzov liepen loerend voorbij de paspoortcontrole en stapten monter door massa's aankomende passagiers heen. De buitenlanders liepen als pinguïns met koffers bungelend in beide handen en mopperden over het gebrek aan trolleys. De Russen gingen bijna schuil onder de vele stapels dozen, beklad met stilistische tekeningetjes die iets moesten zeggen over de inhoud: kazen en cognac uit Parijs, kinderfietsjes uit Aboe Dhabi, Japanse stereosets en videorecorders uit Frankfurt, goedkope computers uit Praag. Deze lastdieren waren gewone arbeiders die Rusland een paar dagen daarvoor hadden verlaten met al het spaargeld dat ze hadden kunnen vergaren, en nu kwamen ze terug in de hoop dat de verkoop van de goederen uit verre rijke landen die zo lang verboden waren geweest, vermogende kooplieden van hen zou maken – zolang ze de verveelde douanebeambten ervan konden overtuigen dat hun goederen alleen voor persoonlijk gebruik waren, natuurlijk. Mooie woorden hielpen meestal niet; contanten meestal wel.

Er ging die dag maar één vlucht naar Doebai, en voor twintig dollar hadden Levs mannen bij het meisje van de incheckbalie een blik mogen werpen op de passagierslijst. Hij stond op de lijst; Baltazar Sjarmoechamedov, hij reisde eerste klas. Ozers en Butuzov waren daarna langs de douanebeambte gegaan aan wie Lev jaarlijks een aardig sommetje betaalde in ruil voor de garantie dat de wodka die werd ingevoerd door de Unie van de 21e Eeuw zonder problemen werd doorgelaten, en maakten hem duidelijk dat die betaling ook genoeg was voor de twee douane-uniformen, de vereiste pasjes en om een leeg kantoor te lenen.

Het enige dat ze nu moesten doen was Sjarmoechamedov herkennen, wat, aangezien hij twee keer zo lang was als ieder ander, niet al te moeilijk zou zijn. Of Sjarmoechamedov wellicht Butuzov zou herkennen was iets anders. Het was een risico, maar Sjarmoechamedov leek niet het type man die veel aandacht besteedde aan een onbeduidende telefoonmonteur, laat staan dat hij zou verwachten hem nog eens tegen te komen. In elk geval hadden Ozers en Butuzov ter plekke moeten improviseren en er was geen tijd meer om daar nu verandering in te brengen.

Ze ontdekten Sjarmoechamedov toen die naar de vertrekhal beende; hij nam twee stappen tegen ieder ander drie. Hij merkte hen op toen ze nog een paar meter van hem af waren, een paar passen van elkaar verwijderd, maar onverzettelijk, om te voorkomen dat hij ervandoor zou proberen te gaan.

'Baltazar Sjarmoechamedov?' Ozers nam het woord; zijn gezicht was het minst dreigend. 'Douane en accijnzen. Wilt u even met ons meekomen?'

'Waarom, verdomme?' Sjarmoechamedovs ogen glinsterden boos als blauwe saffieren onder zijn borstelige wenkbrauwen.

'Niets ernstigs, hoor. Uw baas heeft ons heeft u eh… een voorwerp te geven, voor uw vakantie, iets dat hij niet langs de bewaking wilde laten gaan, en wij doen dat liever niet in het openbaar.' Ozers keek bijna verontschuldigend, zelfs met ontzag naar hem op, alsof de omgang met gangsters een fantastische, doch ook angstaanjagende evaring was voor een eenvoudige douanebeambte.

'En is dat voorwerp zo groot dat jullie me dat met zijn tweeën komen vertellen?'

'We doen dit werk niet uit liefdadigheid, begrijpt u. Mijn collega hier krijgt er hetzelfde voor als ik; hij is bang dat ik het anders allemaal in mijn eigen zak steek.'

Butuzov zond Sjarmoechamedov een glimlach toe van ouwe-jongenskrentenbrood, en zag geen herkenning in het knikje dat hij terugkreeg. De Tsentralnaja hadden even tamme beambten in Sjeremetjevo als iedere andere bende; zo'n samenwerking was alleen niet te verwachten. Sjarmoechamedov zou geen gehoor hebben gegeven aan de bevelen van het gezag, maar hij zou hun wel tegemoet komen in een situatie waaruit het overwicht van de Tsjentralnaja sprak.

Als Sjarmoechamedov met zijn gedachten niet op de stranden was geweest waar hij zou paraderen en de vrouwen die hij zou neuken, zou hij er misschien meer op verdacht zijn geweest; reacties worden altijd bepaald door de stemming waarin iemand verkeert. Hij gebaarde naar Ozers dat die hem voor moest gaan.

Ozers en Butuzov lieten Sjarmoechamedov hun 'kantoor' binnen. De ruimte was klein en minimaal gemeubileerd: een tafel en drie stoelen stonden langs de olijfgroene muren, een enkel raam keek troosteloos uit op een rij generatoren. Er stond niets op de tafel, en er waren geen kasten. Sjarmoechamedov wilde juist vragen waar dat kostbare voorwerp nu was, toen Ozers zijn wapenstok uit zijn riem trok en die in een wijde boog rondzwaaide, tot hij ter hoogte was van Sjarmoechamedovs schedel, net onder de plooi waar zijn nek uitpuilde. Butuzov, die voor de Tsjetsjeen stond, zag Sjarmoechamedovs ogen groot worden van woede en verbazing voordat hij voorover op de tafel stortte.

Ze legden zijn armen over hun schouder en droegen hem naar buiten, wankelend onder zijn gewicht. Sjarmoechamedovs hoofd hing naar achteren, met zijn mond geopend naar het plafond alsof hij hoopte er vliegen mee te vangen. Vanuit die hoek kon niemand de verwonding zien die zich al uitbreidde over de achterkant van zijn naakte schedel. 'Wodka,' zeiden ze ter verklaring tegen iedere voorbijganger die hen met iets meer dan gewone belangstelling aankeek, 'het komt door de wodka', en iedereen knikte begrijpend; het is in Rusland nooit te vroeg om stomdronken te zijn.

Sjarmoechamedov werd neergelegd op een metalen tafel, als een dierenvel dat moet drogen in de zon, een soort Gulliver, vastgebonden door de Lilliputters. Dikke stalen banden hielden zijn enkels, knieën, middel, ellebogen en nek op hun plaats; hij kon zich totaal niet bewegen.

Sabirzjan liep om de tafel heen. Sjarmoechamedovs ogen, die vuur spuwden, draaiden in hun kassen terwijl ze Sabirzjan volgden in zijn bewegingen.

Sabirzjan bleef staan, tikte met zijn vinger tegen zijn lippen en wiegde heen en weer op zijn hakken, zoals mensen soms in musea doen. 'Het probleem is als volgt,' zei hij peinzend. 'Karkadanns huis is te goed verdedigd en het is te riskant om hem in het verkeer te scheppen.' Hij maakte een gebaar naar Sjarmoechamedov om hem uit te nodigen hem te helpen dit probleem op te lossen; ze hadden voor schakers door kunnen gaan, of voor kruiswoordpuzzelfanaten. 'Wat we dus moeten hebben is een plek waar hij minder goed beschermd is, waar hij kwetsbaarder is. Een plek waar we hem kunnen isoleren. Het element van verrassing is van cruciaal belang, dat begrijp je, Baltazar. Dit moet in één keer lukken, anders wordt het niets.' Hij trok een wenkbrauw op boven zijn pince-nez. 'Heb jij een idee?'

Sjarmoechamedov bleef zwijgen. Vanaf het moment dat hij weer bij bewustzijn was gekomen en besefte wat er was gebeurd – of beter gezegd, wie hem te grazen had genomen – wist hij twee dingen: ten eerste dat hij zich niet langer dan vier dagen zou hoeven verweren, want als hij niet volgens plan terugkwam uit Doebai, zou Karkadann argwaan krijgen; en ten tweede, of hij nu wel of niet zijn mond opendeed, doodmaken zouden ze hem toch.

Op Sabirzjans voorhoofd kietelde het zweet onder zijn V-vormige haarlok. 'Nee? Misschien dat dit je wat spraakzamer maakt.' Sabirzjan hield een injectiespuit tegen het licht en wreef over Sjarmoechamedovs arm. Die was zo hard als een eiken balk; hij was waarschijnlijk net zo sterk als Lev, zij tweeën hadden samen al een bende kunnen vormen. Sabirzjan vond een ader en stak de naald er met onnodig veel kracht in. Sjarmoechamedov gaf geen krimp.

'Cafeïne,' verklaarde Sabirzjan. 'Ik heb de dosis aangepast aan je omvang. Je moet zo'n kop of tien, twintig koffie drinken om zo'n hoeveelheid binnen te krijgen. Je zou *Oorlog en vrede* kunnen voorlezen in de tijd die het duurt om dat kwijt te krijgen.

Uren en uren praatte hij; Sjarmoechamedovs woede omdat hij in zo'n eenvoudige trucje was getrapt; over alle vrouwen die hij deze week zou hebben geneukt; dat je jezelf niet moest snijden wanneer je je elke dag schoor; dat hij had moeten weten dat die telefoonmonteur nep was; alle vrouwen die hij in z'n leven had geneukt, vooral die ene wier baarmoederhals hij had opengescheurd, dat was nog eens een verhaal; dat zijn hart begon te fladderen van de cafeïne... Een eindeloze monoloog over zichzelf, waarin hij Sabirzjan alles vertelde, behalve wat hij wilde weten.

Sabirzjan gaf Sjarmoechamedov een tweede injectie, nu met een verdovend middel om zijn wil te laten verslappen.

'Ik wil mijn gezicht wassen,' zei Sjarmoechamedov.

'Tegen de tijd dat ik met je klaar ben kun je het wassen met je eigen bloed.'

'Sla het er maar allemaal uit. Ik zorg wel dat jij de rest van je leven de rekeningen van het ziekenhuis kunt gaan betalen.'

'Je moet een kat niet aan zijn staart trekken. Kom op, voor de draad ermee; dan bespaar je ons allebei een hoop moeite.'

'Het hele collectief neukt jouw ex-vriendinnetje, weet je.' Sjarmoechamedov lachte. 'En jouw pik druipt omdat een hoer je een dubbel geschenk heeft gegeven: gonorroe én syfilis. Ha!'

Het verdovende middel bleek even weinig effectief als de cafeïne. Sjarmoechamedov staarde naar het plafond en zei niets. Op een bepaald moment sloot hij zijn ogen; misschien sliep hij zelfs wel even. Hij zei althans geen woord meer.

Lev zat achter zijn bureau, zijn stoel was naar achteren geschoven om zijn benen meer ruimte geven.

'Geef hem een stoombad,' zei hij uiteindelijk. Het was bajestaal voor een ondervraging waarbij iemand niets bespaard bleef.

'Precies wat ik had willen voorstellen,' zei Sabirzjan. Hij sprong rond als een erwt op een hete plaat, niet alleen opgetogen bij het vooruitzicht om zijn gevangene op de pijnbank te kunnen leggen, maar ook omdat hij zo graag Levs lovende woorden wilde horen als hij het goed had gedaan.

Sjarmoechamedov glimlachte toen Sabirzjan hem het verdovingsgeweer liet zien. Hij had er al vaak zelf een gebruikt, bij mensen die geen contract wilden tekenen of die over protectiegeld begonnen te zeuren

Sabirzjan drukte de loop van het geweer tegen Sjarmoechamedovs borst, keek even op zijn horloge en haalde de trekker over. Even leek zijn weerstand gebroken – een seconde – de saffierblauwe ogen stijf dicht geknepen, de eerste keer dat de Tsjetsjeen een krimp gaf – twee seconden – heel opmerkelijk, de ene hand opengesperd als een zeester, de andere dichtgeknepen tot een grote vuist – drie seconden en daar kwamen ze, de onmiskenbare geluiden en geuren van een lichaam dat zich zonder het te willen ontlast. Een donkere plek tekende zich af in Sjarmoechamedovs kruis; een dunne stroom liep tussen zijn benen omlaag. Sabirzjan kokhalsde bij de weeë lucht en richtte het verdovingsgeweer omhoog.

'Hierna doe ik het elke keer wat langer, Baltazar. Drie seconden, vijf, zeven, tien. Na tien seconden volgt onherstelbare verlamming, weet je dat?'

9

Alice was tien minuten te vroeg bij de McDonald's op het Poesjkinplein. Ze had deze plek met opzet uitgekozen. Als de privatisering van Rode Oktober de aanzet moest vormen van de weg die Rusland moest afleggen naar het kapitalisme – kapitaal functioneerde tenslotte niet zonder privé-eigendom – welke locatie was er dan beter dan het bastion van het consumentenkapitalisme zelf?

Harry en Bob waren er al. Ook al had Alice geen van beiden ooit eerder ontmoet, ze herkende ze onmiddellijk, en dat zou ook het geval zijn geweest als haar niet eerst dossiers over hen toegezonden waren. De plaatselijke bewoners waren gekleed in matte aardtinten, ze aten hun hamburger met de eerbied waarmee men een exotische delicatesse bejegent, en door het harde leven waren hun gezichten zwaar getekend. Met hun gezonde koppen en een kleurig windjack over hun stoelrug zaten Harry en Bob daar informeel tussen. En daarbij was Bob zwart, wat in Moskou voldoende was om hem compleet te negeren

Alice liep naar hen toe. 'Hallo jongens, ik ben Alice' – ze nam een niet-serieuze, meisjesachtige toon aan – 'en ik ben de eerstvolgende paar maanden jullie baas.' Ze stak haar hand uit. 'Welkom in het hol van de leeuw.'

Ze waren gaan staan, lachten haar toe, blij dat zich weer iemand bij hun club aansloot.

'Bob Craig, Houston, Texas,' – een gedrongen postuur in een zware sportjas – 'prettig kennis te maken.'

'Harry Exley, Pittsburgh, PA,' – klonk als een opgewonden eerstejaarsstudent – 'ik heb al zoveel over u gehoord, mevrouw Liddell. Een hele eer om met u te mogen werken, ik was zo opgetogen toen ik gevraagd werd…'

'Kalm aan!' Alice grinnikte om haar verlegenheid te verbergen en om haar opmerking enigszins te verzachten. 'Harry, je zult meer konten moeten likken dan er in een heel jaar op een wc-bril plaatsnemen voordat dit allemaal achter de rug is, dus verspil je tijd daar maar niet mee. En de eerstvolgende keer dat je me mevrouw Liddell noemt, laat ik je alle hoeken van de kamer zien, begrepen?'

'Oké, Alice.' Harry duwde een papieren zak in haar richting. 'We hadden zo'n honger dat we niet op je hebben gewacht, sorry. En die rijen waren zo afschuwelijk lang, dus hebben we een hamburgermaaltijd voor je gekocht om tijd te besparen. Geen kaas; klopt dat?'

'Kaas of geen kaas – ze smaken toch allemaal hetzelfde.' Alice ging op een plastic stoel zitten waarop ze niet echt lekker zat en hoopte dat ze alles goed had aangepakt. Een wodka had haar misschien wat meer op haar gemak gesteld; zonder drank was ze verlegen en had ze de neiging – vooral in haar functie van gezaghebbende – dit te compenseren door scherpe opmerkingen. Gaf niets, dacht ze. Ze zou Bob en Harry gauw genoeg leren kennen, en dan zouden ze de eerste indruk die ze van haar hadden gekregen wel weer vergeten.

Ze begon onder het genot van de hamburger met frites de tweede revolutie te beschrijven.

Wat betreft het veranderen van door de overheid geleide economieën, zijn er twee denkrichtingen. De eerste, shocktherapie, houdt in dat alle hervormingen het best in één keer doorgevoerd kunnen worden; de sociale en economische omwenteling is zo enorm dat een korte, scherpe schok te verkiezen is boven de langere marteling van een geleidelijke aanpak. De voorstanders van de geleidelijke aanpak denken juist andersom; voor hen moeten veranderingen in stukjes en beetjes worden doorgevoerd om grote dalingen in productie en massawerkeloosheid te voorkomen, die op hun beurt de politieke stabiliteit bedreigen en daardoor het hervormingsproces zelf.

Borzov had besloten tot de eerste aanpak. Ze zouden het hele communistische bolwerk met de grond gelijkmaken – natuurlijk stonden de instituten van de communistische staat vijandig tegenover de ondernemingszin – en in plaats daarvan een markteconomie beginnen. Als dit snel en krachtig gebeurde, zouden de principes van zo'n economie bijna onmiddellijk in werking kunnen treden, en zou de economie de impuls krijgen die daarvoor nodig was. De rol van de overheid was eenvoudig: de regels van het kapitalistische spel voorschrijven en kijken hoe de nieuwe maatschappij zich ontwikkelde. Dat was het moment waarop de privatisering er aan te pas kwam; met andere woorden: Rode Oktober.

'We beginnen gewoon met één verkoop bij opbod,' zei Alice. 'Van de distilleerderij Rode Oktober.

'Eentje maar?' Dat was Harry. Alice durfde te wedden dat hij tijdens college op de voorste rij zat.

'Ja, eentje maar, om te laten zien hoe het gaat. Het parlement komt op negen maart bijeen, tegen die tijd moeten we alles in kannen en kruiken hebben. De verkoop vindt daarom plaats op de maandag daarvoor, de tweede.'

'Twee maanden?' Bobs onderlip botste tegen het rietje in zijn cola. 'Maar dat is waanzin.' Hij gebaarde in het rond. 'Het heeft McDonald's veertien jáár gekost voor ze deze zaak konden openen.'

'Als jij echt denkt dat het onmogelijk is, Bob, ga dan nu maar, dan zoek ik wel een ander, even goede vrienden. Ja, twee maanden is heel kort – korter zelfs nog omdat we Rode Oktober pas volgende week maandag kunnen bezoeken aangezien iedereen vrij heeft met nieuwjaar – maar waanzin is het niet.'

'Dan moeten we dag en nacht doorwerken.'

'Heb jij daar problemen mee?'

'Mijn vrouw misschien wel. Ze was er toch al niet zo over te spreken dat we hierheen zijn gegaan.'

'Ze moet nodig eens kennismaken met mijn man. Harry?'

Harry schudde zijn hoofd. 'Mijn zegen heb je'

'Geen echtgenote?' Overbodige vraag. 'Vriendin? Vriend?'

'Een vriend!? Nou, nee zeg. Nee, niets van dat al. Jong en ongebonden.' Hij keek om zich heen. 'Maar wel altijd zin in een wip. Bob, heb je die grietjes daar al bekeken? Ik loop te kwijlen.'

'Harry, je ontneemt een dorp een idioot,' zei Alice. 'Dus jij wilt jezelf wel voor twee maanden aan mij uitleveren?'

'Is dat een uitnodiging?'

Alice klakte met haar tong. 'Het is een fase waar je doorheen moet. Je groeit er wel overheen.'

'Vanmiddag nog graag, als god me genadig is,' zei Bob.

Ze zag zichzelf ineens zoals Harry haar moest zien: slim, vlot en sexy, het meisje met wie iedereen op school bevriend wilde zijn, die achter het fietsenrek met een stel anderen stond te roken en te drinken, de eerste met een vriendje, het meisje dat nooit hoefde te blokken maar altijd hoge punten haalde. Hij had, zo kort na hun ontmoeting, niet kunnen raden wat daar onder verscholen lag. Niemand kon dat.

'Oké.' Alice klonk serieus. 'Genoeg. We gaan die hufters een Amerikaanse trap onder hun kont geven. Allereerst de verdeling van het werk. Als we het model volgen dat we in Oost-Europa hebben toegepast, denk ik dat we het beste zes werkgroepen kunnen vormen – we nemen er elk twee voor onze rekening.' Ze greep een plastic map en haalde er vier kleine dossiers uit. 'Ik heb geprobeerd deze af te stemmen op jullie sterke punten en ervaring, dus als jullie er problemen mee hebben, wil ik dat graag nu horen en niet pas over een maand.

Ze duwde de bovenste twee dossiers naar Bob. 'Bob, jij bent bankier, en ik heb begrepen dat je ook wel wat aan rekrutering hebt gedaan? Ik wil daarom dat jij je ontfermt over de werkwijze en het personeel. Onder de werkwijze versta ik het ontwerpen van een bruikbaar verkoopsysteem, zo gedetailleerd mogelijk: hier in Moskou ga je op zoek naar een geschikte veilingruimte, je legt contact met de EBRD in Londen en het IMF in DC – en daarbij doe je alsof die contacten niet werken zodra ze iets zeggen dat we niet willen horen. Bemoeienis met het personeel wil zeggen dat je mensen gaat zoeken, aannemen, opleiden, betalen... en ontslaan als ze er niet voor geschikt zijn; en sommigen zullen dat zeker niet zijn, daar kun je donder op zeggen. Nog vragen?'

'Duizend.'

'Die hoor ik dan later.' De andere twee dossiers gingen over tafel naar Harry. 'Harry, alles op het gebied van juridische zaken en het bedrijfsleven valt onder jouw verantwoordelijkheid. Jij moet de relevante corporatie-documenten bestuderen om er zeker van te zijn dat alles eerlijk gebeurt, je zorgt ervoor dat incomplete of illegale documenten herschreven worden en dat iedereen begrijpt wat wel en wat niet legaal is. En daarbij zul je de boeken van Rode Oktober door moeten nemen met de fijnste luizenkam die je kunt vinden. Rekeningen, cijfers, vooruitzichten, levensvatbaarheid, sterke en zwakke punten. Duw ze maar een microscoop in hun mik.'

'Waarom moet ik de kloteklussen opknappen?'

'De kloteklussen?' Alice wist niet of Harry serieus was of niet.

'Alice, niemand heeft er hier enig idee van wat de wet momenteel voorschrijft. Hoe kan ik dan uitzoeken wat wel en wat niet legaal is? En heb je ooit wel eens een sovjetboekhouding gezien? Mijn kleine neefje is tien maanden oud, maar daar kun je nog beter uit wijs worden.'

'Jij overwint alle obstakels met je charme, daar twijfel ik niet aan.'

'En als wij ploeteren als slaven, wat doe jij dan intussen?'

'O, niet veel – ik probeer alleen maar te voorkomen dat het verdomde schip zinkt, meer niet. En ik tik jullie op de vingers als het nodig is. Ik neem de supervisie op me van de stuurgroep, die de totale verantwoordelijkheid krijgt en ik zal' – ze boog zich met opzet over haar aantekeningen om de uitdrukking correct te citeren – "snelle en effectieve beslissingen doorvoeren aangaande alle aspecten van de zaak", althans dat staat hier. Ik zorg ook voor de pr; we moeten de hele boel promoten en openbaar maken, en ik ben mooier dan jullie.'

'Je meent het,' zei Bob. De stoppels rond zijn kin zagen eruit als zwartgeblakerd tarwe. 'Ik wil niet negatief overkomen, Alice, maar – dit kan helemaal fout lopen, niet?'

Ze keken allebei gespannen naar Alice, en zij zag hoe bang zij waren.

'Ja,' zei ze ten slotte. 'Ja, dat zou kunnen. Zelfs al werken we ons een slag in de rondte, kan het toch helemaal fout lopen. Maar dat gebeurt zeker als we niets doen. Kom op, jongens. Positief blijven denken. Het is een avontuur.'

Toen ze het restaurant verlieten – het was even na drieën, en al donker – hadden zich buiten een stuk of tien protesterende vegetariërs verzameld, voorgegaan door een jongeman met een zilvergrijze nepbaard en een gewatteerde jas. Er hing een bordje om zijn hals waarop stond: TOLSTOI ZEGT: LAAT VLEES STAAN, HOUD HET BIJ GRAAN.

'Tolstoi?' vroeg Alice.

'Ik ben de grote Lev Tolstoi, een reïncarnatie.'

'En hoe heet je echt?'

'Ik zei u toch, ik ben de...'

Ze doorboorde hem met haar turkooizen ogen tot hij beschaamd mompelde: 'Vasili.'

Boven de baard was zijn huid glad. 'Hoe oud ben je, Vasili?'

'Zestien.' Hij bood haar een vegaburger aan. 'Ik studeer economie.'

Het McDonald's publiek stroomde langs hen weg met hooghartige onverschilligheid. De meeste Russen vinden vegetarisme totale waanzin; het is al moeilijk genoeg om eten te vinden, laat staan wanneer je je kansen ook nog eens halveert door geen vlees te willen eten. Vasili gebaarde wanhopig om zich heen. 'Ze begrijpen het niet,' zei hij. 'Zo gaat dat altijd in Rusland. Als je een goed idee hebt, kom je er tien jaar te vroeg mee.'

Sabirzjan had Sjarmoechamedov urenlang doodstil laten staan, totdat de Tsjetsjeen dacht dat de bloedvaten in zijn benen barstten. Daarna had Sabirzjan Sjarmoechamedovs handen met boeien tegen elkaar gebonden, ze tussen de knieën van de Tsjetsjeen geplaatst, de handboeien aan een katrol bevestigd en hem ondersteboven opgehangen. Zijn buik was zo rond als een strandbal maar zo hard als een kei; hij zakte niet uit.

'De mus,' zei Lev, toen hij kwam kijken hoe ver het stond. 'Een goelagfavoriet.'

'Een van de veelgebruikte technieken van de KGB,' stemde Sabirzjan in. 'Ik dien hem toe volgens de erkende methode.' Diende toe, alsof het om een medicijn ging.

Op Levs rechterarm stonden twee bliksemschichten getatoeëerd, wat aangaf dat hij nooit een schuldbekentenis had afgelegd. 'Wat heeft hij je verteld?'

'Niets bijzonders. Maar dat komt nog wel.'

'We hebben niet veel tijd meer.'

'Achtenveertig uur? Dan is hij allang doorgeslagen.'

'En dan kun jij ook even rust nemen. We vertrekken over een half uur naar het Vek.' De Serebrjani Vek was een banja vlak bij het Bolsjoj, dat nu verbouwd was tot een restaurant waar kaviaar torenhoog op de tafels stond opgestapeld, kroonluchters eerbiedig vanaf het plafond bogen, en in livrei gestoken kelners metalen deksels van schalen tilden als goochelaars die een truc deden.

'O, ga maar zonder mij.'

'Tengiz, het is oudejaarsavond.'

'Ja – en wat is er te vieren?' Om middernacht zou het oude regime officieel opgeheven zijn; tot grote vreugde van Lev, die het bestaan ervan nooit had willen erkennen, maar tot verdriet van Sabirzjan, KGB-functionaris, die het vaderland steun had gezworen.

Lev had Sabirzjan mee gevraagd uit beleefdheid en berekening, en hij was blij toen die had geweigerd. Hij had zijn oudejaarsavond evenmin willen vieren met Sabirzjan als met Jozef Stalin, maar Sabirzjan was een machtig man in Rode Oktober, en je kon maar beter proberen op goede voet te blijven met je bondgenoten.

'Wat ga je dan doen?' vroeg hij.

Sabirzjan wierp een blik op Sjarmoechamedov. Het kale hoofd van de Tsjetsjeen werd zichtbaar roder nu het bloed er naartoe stroomde. 'Ik ga wat tijd doorbrengen met mijn nieuwe vriend.'

Meteen rechts naast het Rode Plein ligt het Rossija Hotel, misschien wel het meest sprekende voorbeeld van sovjetarchitectuur. Een rechthoek rond twee binnenpleinen, bijna een kilometer omtrek en een oppervlakte van viertiende kilometer. Zelfs in een stad waar heel wat lelijke gebouwen staan, valt het Rossija op: een grauwe monoliet wiens omvang alleen wordt geëvenaard door de stompzinnige uniformiteit van zijn ontwerp. Volgens de Russen is het beste van een logeerpartij aldaar dat je het Rossija niet ziet.

Lewis was niet onder de indruk. 'Wat een klotezooi. Geen een fatsoenlijke stad zou zoiets monsterlijks laten staan.'

Het publiek op oudejaarsavond had Dante kunnen inspireren tot het bijwerken van de *Inferno*: mannen met stoppels op hun schedels in zwarte coltrui en bobbels onder hun blazers patrouilleerden door de lobby, terwijl langbenige Russische dellen met dolfijnstrakke lichamen door de hotelwinkeltjes slenterden, aantrekkelijk gekleed in Chanelpakjes en met onmogelijk hoge hakken aan hun voeten. Hoeren en pooiers, kleine zelfstandigen die voor geld toestemming van de hotelleiding hadden gekocht om hier te werken, om elkaar heen draaiend als planeten, aangetrokken door iedere mogelijke klant alsof hij de helderste ster aan het firmament was. Het was een *troika* van goddeloze beweging, waarvan ieder kon beweren zowel uitbuiter als uitgebuite te zijn.

Bob had zijn broek en sportieve jasje verruild voor een kostuum, ook al voelde hij zich daarin zichtbaar niet op zijn gemak. Zijn vrouw Christina loerde onder haar haren naar Alice en stak een klamme hand uit. 'Aangenaam,' zei ze, op een toon die iets anders suggereerde. Christina was tien centimeter kleiner dan Alice en haar heupomvang was ongeveer even veel breder; ze wist waardoor de aandacht van de mannen getrokken zou worden, vooral toen Harry op kwam draven met een blonde stoot die Vika heette.

'Hoeveel heb je voor haar moeten betalen?' vroeg Alice aan Harry zodra ze buiten gehoorsafstand waren.

Hij wuifde door de zaal naar Vika en lachte trots. 'Geen cent.' Het was mogelijk; Russen vonden westerlingen zo opwindend dat ze om iedereen heen dromden die Engels als moedertaal hanteerde, ongeacht de aantrekkelijkheid van hun andere eigenschappen. Voor heteroseksuele vrijgezelle westerse mannen was er geen geschiktere plek, aangezien er in Moskou meer vrouwelijk schoon rondliep dan op vrijwel elke andere plek op aarde. En geen kille, hautaine types maar uitnodigende, nieuwsgierige schoonheden, die er altijd uitzagen alsof ze zaten te wachten op nieuwe ervaringen, die zich overgaven aan nieuwsgierigheid of druk, uit op een avontuurtje. Op elk trottoir waren ze te vinden, deze vrouwtjesdieren, slinkse verleidsters in de lift van de metro, *femme fatales* die uitzwermden op straat.

De schoonheid van Russische vrouwen schuilt vooral in hun ogen, groot en vochtig en bijna altijd aangezet met eyeliner.

'Jij komt zeker uit Texas,' zei Lewis tegen Bob.

'Vraag een man nooit of hij uit Texas komt. Als het zo is, vertelt hij dat uit zichzelf. Als het niet zo is, kun je hem ook niet in verlegenheid brengen.'

Hij hield zijn klinkers zo lang aan dat Alice bang was dat ze zouden knappen. Ze had opgemerkt dat ze allemaal met een opvallend, provocerend, regionaal accent spraken: Harry liet midden in zijn woorden de 'd' weg, zoals een echte Pittsburgher; Lewis legde het accent op het begin van bijna elk woord, alsof hij niet meer wist wat hij zei als hij een aantal lettergrepen zonder nadruk zou uitspreken. Een manier om hun afkomst te laten gelden, zo ver van huis. Alice vroeg zich af of zij haar Bostonse accent ook zo overdreef.

De ober bracht wodka als aperitief en deelde mee dat er een menu à la carte werd geserveerd: blini's met zwarte kaviaar, gerookte zalm in gemarineerde pompoensaus, steursoep met knoedels gevuld met krab, fazantenborst, rundvlees in rode wijn, peertjes met chocolademousse – alles voor honderd dollar per persoon. Honderd pop, dacht Alice; Russen moesten daar een aantal maanden voor werken, misschien wel bijna een jaar. Toen Harry zich naar voren boog om zijn sigaret aan te steken met een kaars op tafel, hield de ober hem een Zippo voor; het gebruik van kaarsen als aansteker brengt ongeluk.

'Ik heb nog geen Ruskie zo snel in actie zien komen sinds ze uit Afghanistan geschopt zijn.' Harry wuifde met zijn gloeiende peuk naar de rug van de ober. 'Iemand hier wel eens in New Orleans geweest? Net Moskou; iedereen komt te laat op zijn werk en gaat te vroeg naar huis. Weet je wat de Ruskies verstaan onder een workaholic? Iemand die te veel drinkt op kantoor!' Hij wierp zijn hoofd naar achter en brulde van het lachen om zijn eigen grap.

'Ik kom uit New Orleans,' zei Lewis.

'Dan weet jij waar ik het over heb!' antwoordde Harry, en dat sloeg zo helemaal nergens op dat Alice zelfs in de lach schoot, een lach die het midden hield tussen gegorgel en gegiechel, een uitdagende, schallende lach die hoog in haar hoofd begon en eindigde bij haar knieën, en die haar een verwijtende blik opleverde van Lewis.

Alice nipte van haar wodka en liet zich meeslepen door de avond. Nog een paar glazen en ze zou helemaal op gang komen, alle aandacht trekken, de baas zijn, hun respect ontvangen als iets wat haar toekwam, zich intussen niets aantrekken van haar eigen gêne omdat ze alle aandacht trok en van Christina's vernietigende blikken terwijl ze iedereen aan tafel boeide met verhalen over restitutieclaims van aristocratische families wier landerijen waren geconfisqueerd door de bolsjewieken – 'er is er een die half Jekaterinburg terug wil hebben' – en verhalen over nog excentriekere toepassingen van privatisering. 'Een vent in Nizjni Novgorod belde me gisteren omdat hij een stokerij wil bouwen op het terrein waar vroeger een kernreactor heeft gestaan, wil je dat geloven? Hij wil de wodka gaan distilleren in filters van het reactorwater, en het de naam Thermonuclear geven. Dit meen je niet, zei ik tegen hem. En hij vertelde me ijskoud dat wodka radioactieve deeltjes zuivert, en dat ze daarom extra rantsoenen hebben uitgedeeld aan de bemanning van sovjetkernonderzeeërs.'

Ze moesten allemaal lachen, zelfs Vika. Die gekke Russen, wat zouden ze hierna verzinnen?

Vijf wodka's later hief Alice haar tumbler. 'We gaan de grootste verandering ooit uitvoeren. We gaan ervoor zorgen dat het hier net zo wordt als bij ons. Op het einde van het verleden!'

Lachend toostten ze allemaal met elkaar – allemaal behalve Vika. 'Je enthousiasme is aanstekelijk, maar je verwachtingen zijn te hoog,' zei ze. Wodka voor onderzeeërs was één ding, maar nu was er duidelijk een grens overschreden. 'Als je het mij vraagt is alles wat geen complete chaos is, een succes. Denk je dat je alles in de hand hebt, dat je iedereen kunt laten doen wat jij wilt? Er wonen hier honderdvijftig miljoen mensen, verspreid over twaalf tijdzones; je kunt ze niet dwingen.' Harry probeerde aan Vika's oor te knabbelen, maar zij duwde hem weg; ze wilde duidelijk maken wat ze bedoelde. 'Doe wat je kunt. Laat de rest over aan het lot.'

'Maar jullie hebben politieke vrijheid gehad,' zei Alice. 'Jullie hebben perestrojka en glasnost gehad. Waarom is het met economische vrijheid dan zo anders?'

'Door politieke vrijheid hebben we ons verleden kunnen verwerpen; economische vrijheid dwingt ons de toekomst onder ogen te zien.' Vika zweeg even. 'In het eerste zijn we altijd goed geweest.'

Aan de andere kant van de zaal stond een podium en een half uur voor middernacht klom de restaurantbeheerder daarop en verzocht om stilte. Het geroezemoes ebde weg, alleen Harry was nog te horen – 'en zo ging het het hele semester, elke avond, te gek, man,' – en de lichten werden gedimd terwijl een spotlight op de manager werd gericht. Hij hielde een fles wodka in zijn hand; een enkele, volstrekt alledaagse halve liter Stolitsjnaja. Hij tikte tegen de microfoon om te controleren of hij werkte, en sprak in de bolvormige kop.

'Dames, heren, en iedereen uit Tsjetsjenië.' De menigte lachte. 'Het is bijna middernacht, het begin van een nieuw tijdperk, maar wij van het Rossija hebben bedacht dat we iets al eerder van start kunnen gaan, en hebben daarom een kleine veiling georganiseerd. De regels kunnen niet eenvoudiger: een fles van deze uitstekende Stolitsjnaja, die je in de betere zaken in Moskou kunt kopen voor,' – hij blies even zijn wangen op terwijl hij nadacht – 'veertig roebel, zo ongeveer. Maar vanavond gaat hij naar de hoogste bieder. Laten we beginnen met de straatwaarde. Hoor ik daar veertig?' Een woud van handen vloog de lucht in. 'Vijftig? Vijfenzeventig? Honderd?' De handen bleven omhoog gaan. 'Dat lijkt er meer op.'

'Wat is dat voor gedoe met die roebels?' schreeuwde Harry. 'Laten we doorgaan in dollars.'

'Dollars?' De manager haalde een schouder op, alsof dat idee nog niet eerder bij hem was opgekomen. 'Natuurlijk. Hoor ik daar tien dollar? Vijftien?'

Harry stak zijn hand op. Vika keek de andere kant uit, een en al desillusie.

'Tegen de Amerikaanse heer met die sigaar, twintig dollar.'

De prijs schoot omhoog, sneller dan een eekhoorn een boom in klimt. Er waren nog vier bieders over tegen de tijd dat er vijftig dollar was geboden; drie bij honderd dollar; en toen Harry zich terugtrok bij honderdtwintig – het was tenslotte maar een fles wodka – gingen het bieden met sprongen omhoog alsof het ineens van een last was bevrijd.

'Duur, verschrikkelijk duur,' riep Vika, alsof het haar pijn deed.

Alice keek rond om te zien wie er nog aan het bieden waren, en constateerde tot haar verbazing dat het twee Russen waren. Westerlingen hadden kennelijk niet langer het monopolie op de rijkdom in Moskou. De bieders gingen door tot driehonderd dollar tot de een zijn hoofd schudde; hij liet het afweten.

'Driehonderd pop voor een fles Stoli!' Harry kon nauwelijks uitkomen boven het applaus voor de winnaar, die de manager de hand schudde en de fles in de lucht hield alsof het een boksersriem was. 'Dat is toch waanzin, man. Verdomde waanzin.'

Nee, dacht Alice; het was volkomen logisch. De winnaar had de fles alleen gekocht omdat hij hem kón kopen, omdat er niet langer iemand was die zei dat hij dat niet mocht doen: geen baas boven hem, geen leider van zijn arbeiderspartij, geen strenge zedenmeester in de arbeidersstaat. Hij had hem gekocht omdat nu, na een leven van in de rij staan voor melk en worst, smeergeld betalen voor een spijkerbroek, tien jaar wachten op een telefoon en vijftien jaar op een kruiwagen met een motor die Lada heette, na dat alles, geld eindelijk iets betekende. Voor een fles wodka was driehonderd pop een buitensporig bedrag; om een middelvinger te kunnen opsteken naar de Sovjet-Unie was het een koopje.

'Stel je voor hoe je je zou voelen als ze waren gestopt bij honderdtwintig dollar, en jou met die fles hadden opgescheept, Harry,' zei Bob. 'Wat had je er dan mee gedaan?'

'Waarschijnlijk aan Alice gegeven,' mompelde Christina.

10

'Ik moet zo-o-o-o verschrikkelijk piesen. Ik moet piesen als een Russisch renpaard.'

Alice had drie handen nodig; een om haar van het bed af te duwen, een om de weg naar de wc te vinden omdat ze haar ogen niet open kon krijgen, en nog een om haar hoofd vast te houden en te zorgen dat de pijn wegging. Haar kater voelde als lood waaronder ze in elkaar dook in een houding die meer had van een aap dan van een mens. Louter op de tast bereikte ze de badkamer en liet zich gracieus neervallen op het eerste stuk porselein dat ze tegenkwam, zich er vaag van bewust dat het toilet wel een wat vreemde vorm had en kouder aanvoelde dan ze had verwacht, maar pas halverwege het plassen kwam ze erachter waardoor dat kwam. Alice zuchtte, kwam met onvaste benen overeind, en wankelde terug naar de slaapkamer.

'Ik heb net in het bidet gepiest,' zei ze.

Lewis stond zich net aan te kleden; zijn dienst in het ziekenhuis begon om tien uur, en toen Alice zag hoe klaarwakker hij al was, schaamde ze zich even. Hij keek haar aan en schudde zijn hoofd, maar zonder een spier te vertrekken zodat Alice niet wist of hij het echt meende. 'Je moest je dood-schamen,' zei hij.

'Waarom hebben die Russen ook niet gewoon één porseleinen troon in de badkamer, zoals Amerikanen? Wat is er toch met die mensen, Lewis? Ze weigeren om regelmatig onder de douche te gaan, maar ze willen wel de schoonste kont hebben van allemaal.' Ze boog zich naar hem toen en liet haar hand speels langs zijn lendenen spelen. 'Hebben we…?'

'Het verbaast me dat je het nog weet.'

'Natuurlijk weet ik dat nog. Het inwijden van een nieuwe stad – hoe zou ik dat kunnen vergeten? Het was fantastisch.'

'Dat zeg je altijd als je dronken bent.' Hij trok zijn das recht totdat de knoop op zijn plaats zat. 'Ik ben voor zeven uur terug.'

Het was al over twaalven toen Alice eindelijk echt uit bed kwam. Koffie, een douche en ZZ Top op de walkman waren niet afdoende om van een kater af te komen; misschien moest ze de winterse lucht in. Ze hulde zich in vijf lagen kleren en liep door de verlaten straten, in het besef dat de hele stad haar kater deelde. Iedereen lag binnen de gevolgen van de overtollige drank van oudejaarsavond weg te slapen, en probeerde niet aan morgen te denken, de dag waarop – voor het eerst in de Russische geschiedenis – de prijzen vrijgegeven werden. Bijna een eeuw lang was Rusland een gigantisch laboratorium geweest dat gigantische innovaties in de maatschappelijke structuur had doorgevoerd. Nu, voor de tweede keer, begon het opnieuw aan een hervorming van staat, maatschappij en economie, allemaal tegelijk. Een van de meest ontzagwekkende experimenten in de geschiedenis werd beëindigd, en een al even onverschrokken experiment begon; alleen de uitvoerenden waren veranderd. Het was een terugtocht uit utopia, op weg naar – tja, wie zou het zeggen?

Sabirzjan gunde zich slechts evenveel slaap als hij geschikt achtte voor Sjarmoechamedov, wat neerkwam op af en toe een half uurtje. Sjarmoechamedov zag er zo ellendig uit als je kon verwachten van een man op de derde dag dat hij werd gemarteld; Sabirzjan daarentegen voelde zich uitstekend, en bovendien leek het toedienen van pijn hem energie te geven. In donkere kamertjes van de Loebjanka sluimerde zijn reputatie nog; als een verdachte de hele nacht door aan de tand gevoeld moest worden, werd gedwongen zijn eigen pis als een kat van de grond te likken, dan moest je bij Sabirzjan zijn.

Na de muspositie moest Sjarmoechamedov weer op tafel liggen. Sabirzjan bond een gasmasker over het gezicht van de man, trok de riempjes aan en tilde het enorme hoofd van de Tsjetsjeen op van de tafel met iets wat in de buurt kwam van tederheid. Hij pakte een bus insectenspray van de grond en drukte een paar keer op de knop bovenaan om hem uit te proberen. Zelfs van die kleine hoeveelheid moest hij al kokhalzen. Hij drukte de bovenkant van bus tegen het mondstuk van het masker.

'Dit noemen we de kleine olifant,' zei hij, en zag tot zijn voldoening dat Sjarmoechamedovs ogen groot werden van angst.

Sabirzjan drukte de knop flink in en keek toe hoe het masker gevuld werd met insecticide.

'Niet gillen,' zei hij zachtjes, terwijl hij over de brug van zijn pince-nez wreef. 'Niet gillen, Baltazar; dan adem je het alleen maar sneller in.'

Sjarmoechamedovs armen wilden omhoog om het masker weg te trekken, maar zijn handen waren vastgebonden aan de tafel. Zijn kreten, gesnik en gekuch vormden samen een onmenselijk gekrijs. Pas toen Sabirzjan braaksel op het perspex zag spatten, haalde hij het masker weg. Hij wilde niet dat Sjarmoechamedov stikte, niet voordat hij Sabirzjan had verteld wat hij wilde weten. Bovendien beleefde je niet half zoveel plezier aan een lijk als aan een slachtoffer dat nog leefde.

'De mooiste nieuwjaarsviering die ik ooit heb gehad,' zei Sabirzjan, en hij meende elk woord.

'Sorry als ik vanochtend een beetje chagrijnig was,' zei Lewis toen hij terugkwam.

'Je vond het niet leuk dat ik vannacht zo aangeschoten was.'

'Ik had geen zin om met nieuwjaar aan het werk te gaan, dat was het.'

'Echt?'

'Echt.' En Alice verkoos dit te zien als de waarheid, ook al maakte Lewis een beweging met zijn hoofd naar het glas in haar hand. 'Zit daar wodka in?'

'Als het geen wodka is, moet ik iets aan mijn smaakpapillen laten doen.'

'Dat je dat nu naar binnen kunt krijgen.'

'Nadorst, denk ik.'

'Ik heb je nooit eerder in je eentje zien drinken.'

'Lewis, ik neem een glaasje. Ik drink niet. Trouwens –' Alice gebaarde naar het raam en het Moskou dat daarachter lag – 'als je in Rusland bent, moet je net zo doen als de Russen. Doe je mee?'

De fles stond op de toilettafel. Wat Alice betrof, had er net zo goed een etiket omheen kunnen zitten waarop stond 'drink mij', in een fraai geprint 36-punts lettertype.

Lewis liep ernaar toe, schonk zichzelf een laagje in, vulde Alice' glas bij, en liet zich in de dichtstbijzijnde fauteuil vallen. Zijn kraag en das kropen op in zijn nek. 'Ik ben zo moe, ik kan niet meer,' zei hij. 'Ik kan zo mijn bed in, ik zou meteen weg zijn.'

'Hoe ging het op je werk?' vroeg Alice.

'Het is een klotezooi hier. Het is nieuwjaarsdag, dus worden die gangsters dronken, beginnen ruzie te maken, trekken hun geweren – en wie mag dat allemaal opruimen? Juist.'

'En ze komen naar jullie omdat het Sklifosovski de beste eerstehulp heeft van Moskou?'

'Schietwonden zijn hun specialiteit, en ik heb nog niet het genoegen mogen smaken van de wekelijkse zending troepen die te stom zijn om te ontdekken wat de loop van een geweer inhoudt. Je zou eens moeten zien wat er gebeurt als er een auto met een geel nummerbord stopt.' Een geel nummerbord duidde op een buitenlander.

'Het grind stuift op terwijl je op geld beluste ziekenbroeders pseudo-pa-tiënten uit hun wagen slepen?'

Lewis schoot in de lach, wat Alice goed deed; als een kind dat probeert zijn ouders te behagen, zo fijn vond Alice het om Lewis aan het lachen te maken. 'Zoiets, ja.'

Alice pakte de fles wodka en vertilde zich bijna – hij was al leeg..

'Dat kunnen we niet allemaal hebben opgedronken,' zei Lewis. 'Ik heb maar één slokje gehad.'

'Ik had eerder wat gemorst,' zei Alice.

II

DONDERDAG, 2 JANUARI 1992

Dag nul begon in donkerblauwe en warm gouden tinten, een perfecte Russische winterochtend. De temperatuur was als in harmonie daarmee gestegen, en bleef rond het vriespunt hangen; het monochrome Moskou lag te schitteren in helder technicolour. In een land waar de onmenselijke weersomstandigheden zo'n groot deel van de geschiedenis hebben bepaald, deden de elementen hun best om de laatste dappere en onverschrokken geesten te helpen Rusland naar het beloofde land te slepen.

Alice was precies om negen uur op straat, haar bontmuts ver over haar oren getrokken en haar kraag omhoog tegen de kou in haar nek. Ze liep de hele ochtend rond in het centrum van Moskou en keek toe hoe de prijzen omhoog gingen, gelijk met de zon. Het personeel kon de veranderingen nauwelijks bijbenen; beursnoteringen waren minder snel omlaag geschoten. Al tientallen jaren lang had een brood dertien kopeken gekost; een prijs die zo vast was dat hij in het brood meegebakken leek. Tegen twaalf uur kostte een brood twee roebel. In een supermarkt op Tverskaja hoorde Alice een vrouw kreunen: 'Nu kan ik alleen nog maar brood kopen.' Poolse worst was verdubbeld tot zestig roebel per kilo; benzine was drie keer zo duur geworden en kostte nu één roebel twintig per liter; de prijs van wortelen was verzesvoudigd, van vijftig kopeken naar drie roebel per kilo; een fles wodka kostte nu het loon van tien dagen. Alles kostte wat het kostte, ongeacht wat de staat voorschreef.

De stijgende prijzen waren een goed teken, vond Alice. De miljarden roebel die in het hele land onder matrassen verstopt lagen hadden een enorm monetair overschot veroorzaakt, een oceaan die moest worden opgeslorpt voordat de economie naar behoren kon gaan functioneren. En toch, en toch… kon ze wel begrijpen dat de economie zo'n sociaal trauma veroorzaakte. De mensen die zich haastten van winkel naar winkel leken wel verkeersslachtoffers: de schrik en de angst stonden op hun gezichten te lezen, hun ogen keken glazig en hun mond hing open, de gebruikelijke reflexen van spreken en handelen werkten op halve kracht.

Op Novy Arbat vroeg een man in een afschuwelijke kunststof parka haar waar de markt was.

'Sorry, ik ben niet van hier,' zei Alice.

'De markt, de markt. Waar iedereen het over heeft, die vandaag begint.'

Alice schoot in de lach. 'Díe markt?' Ze maakte een ruime boog met haar arm. 'Die is overal om je heen.'

'Nee. Ze zeiden dat er vandaag een markt begint.' De parkaman was ervan overtuigd dat er een fysieke infrastructuur te vinden zou zijn, een stoffelijke manifestatie van deze grote stap voorwaarts. Hij leek een jaar of vijftig; hij moest zijn hele leven een ideaal hebben nagejaagd dat, net als Godot, nooit was verwezenlijkt. Alice kon hem niet echt kwalijk nemen dat hij zijn geloof in niet-materiële zaken was kwijtgeraakt.

Sjarmoechamedov was er vreselijk aan toe. Zijn lichaam was één grote wond met stromend bloed uit onherkenbare delen, en hij had zichzelf zo veelvuldig bevuild dat moeilijk te zien was waar zijn huid ophield en de viezigheid begon. Hij lag doodstil; misschien was hij buiten bewustzijn en vluchtte hij in zijn gedachten ver weg voor het vooruitzicht op een pijn die nog erger zou worden dan hij kon bedenken.

Sabirzjan kwam handenwrijvend van de kou binnen, als een hartelijke oom. Hij had nog maar een paar uur om Sjarmoechamedov aan het praten te krijgen – de Tsjetsjeen zou die avond terugverwacht worden uit Doebai, en Karkadann zou argwaan krijgen als hij niet terugkeerde – maar Sabirzjan voelde zich merkwaardig onbezorgd. Hij voelde dat Sjarmoechamedov op het punt stond om door te slaan, en hij had het bij dit soort gevallen zelden mis.

Het pakte een ijspriem en rolde die zachtjes tussen zijn vingers heen en weer. 'Wil je niet even gekieteld worden, Baltazar?' Even bewoog het stoppelhoofd; Sabirzjan kwam over. Bij het 'kietelen', een van de meest favoriete van de vele martelmethodes van Sabirzjan, stak hij een ijspriem onder de huid en schraapte ermee langs het bot. De meeste mensen huiveren al bij de gedachte.

'Je gaat me toch doodmaken.' Sjarmoechamedovs stem leek te zwak voor iemand met zo'n enorm postuur. Sabirzjan zag dat zijn baard vol opgedroogd bloed, speeksel en snot zat; het leek wel een platgereden kat.

'Vertel me wat ik wil weten, dan leg ik die ijspriem weg en zorg ik dat het snel gebeurt. Je bent een loyaal man, Baltazar. Jij en ik, we zijn onze bazen zeer toegewijd, nietwaar? Dat is ons werk, daarvoor worden we betaald. Maar hoe kun je trouw verschuldigd zijn aan een man die alleen aan zichzelf denkt?'

'Jij weet niets.'

'Naar wie luistert Karkadann? Alleen naar hemzelf. Naar niemand anders.'

'Rot op.'

'Naar zijn vrouw? Hij zou, als hij de kans kreeg, ieder meisje in Moskou neuken. Naar Ilmar en Zjorzj? Ik dacht het niet. Naar jóú? Zolang je van nut voor hem bent, Baltazar. Maar dat hield op op het moment dat Slava je neerknuppelde in Sjeremetjevo. Karkadann zou geen cent voor je geven als hij hoorde waar je zat.'

Sjarmoechamedov viel even weg. Sabirzjan keek naar hem en bleef even onbewogen als de Tsjetsjeen. Dit was het moment, hij voelde het, dit was het moment, en het was van het grootste belang om nu niet door te douwen. Dan zou Sjarmoechamedov alleen maar zijn poot stijf houden.

De stalen banden waren glibberig van het bloed; een mens, verworden tot een dier, dat jammerend het leven laat in een val.

Sjarmoechamedov schraapte zijn keel. Toen hij zijn mond opendeed, tekenden zich twee speekseldraden af aan de binnenkant van zijn lippen, als vampiertanden. Sabirzjan boog zich naar voren. Hij vroeg zich nog even af of Sjarmoechamedov de energie kon opbrengen om hem in het gezicht te spuwen.

'De bloemisterij.'

'Welke bloemisterij?'

'In de wijk Zamoskvaretsje. Hoek Staromonetni en Rizevski.'

'Die zaak die zijn eigendom is?'

Ja.' Sabirzjan kende de zaak, op een steenworp afstand ten zuidwesten van het Tretjakov-museum, een van de beste bloemisten in heel Moskou. Hij vond het moeilijk om zich de Karkadann die hij kende voor te stellen als iemand die op zijn knieën tussen de bloemen zat, een boeket samenstellend, of een krans, steeds met tedere accuratesse. Karkadanns gehechtheid aan deze onwaarschijnlijke vaardigheid was echt, maar winstgevend. Bijna elke week was er wel een kostbare bestelling voor alweer een begrafenis van alweer een collega uit de penoze die naar de andere wereld was geholpen. Vergeleken met Karkadanns andere inkomsten, stelde deze zaak niets voor; maar geld was geld, en een goed gemaakt bloemstuk bezorgde Karkadann evenveel genoegen als, bijvoorbeeld, de kans om iemand om zeep te helpen.

'Wanneer?'

'Zaterdag.'

'Hoe láát?'

''s Avonds.'

'Waarom dan?'

'Huwelijksfeest.'

'Neemt hij zijn vrouw daar mee naartoe?'

'Bloemen.'

'Hoe romantisch.' Sabirzjan dacht aan de opmerking over overspeligheid op de transcriptie. 'En de lijfwachten dan?'

'Buiten. Privacy.'

'Zij blijven buiten om Karkadann en zijn vrouw wat privacy te gunnen?'

'Ja.'

'Hoe heet zij?'

'Valentina.'

'Een Russische?'

'Ja.'

Russen trouwden als het even kon niet met Tsjetsjenen. Iedereen die zei dat je met geld geen liefde kon kopen zat duidelijk in een verkeerde inkomensklasse.

'Hoeveel toegangswegen heeft de winkel?'

'Lijfwachten. Alle ingangen.'

'Hoe komen we er dan in?' Sjarmoechamedov schudde zijn hoofd. 'Dat weet je niet?' vroeg Sabirzjan. 'Of wil je het niet vertellen?'

Stilte. Sabirzjan staarde in Sjarmoechamedovs rechteroog en daarna in zijn linker, alsof hij puur met zijn wil een antwoord kon afdwingen. Hij legde de ijspriem tegen de elleboog van de Tsjetsjeen.

'Je weet het niet, of vertel je het niet?' herhaalde hij.

'Juweliers,' zei Sjarmoechamedov.

'Juweliers?'

'Diamanten. Brengen diamanten mee.'

'De lijfwachten laten de juweliers binnen?'

'Ja.'

'En ze blijven buiten terwijl de juweliers daarbinnen zijn?'

'Ja.'

'Wie zijn die juweliers? Waar werken ze?'

Sjarmoechamedov vertelde alles zo snel dat Sabirzjan zelfs geen tijd had om hem te bedreigen met de ijspriem. Sabirzjan liet hem voor de zekerheid de naam van de juwelier en het adres tweemaal herhalen; daarna ging hij toch weer verder met kietelen, waarbij hij door de huid van Sjarmoechamedovs elleboog heen stak en zijn onderarm openscheurde tot hij eindelijk, genadig, bij de pols naar buiten kwam.

De prijzen mochten dan een enorme vlucht hebben genomen, maar in andere opzichten leek er weinig veranderd. Tegen zonsondergang waren veel planken nog steeds leeg, en stonden er nog veel lange rijen. 'Het is duidelijk dat de liberalisering een mislukking is geworden,' zei een televisieverslaggever. 'De prijzen blijven maar stijgen, maar als er toch geen eten is, maakt het weinig uit; tien keer niets is nog steeds niets.' Achter hem vochten klanten met bedienden en met elkaar.

In hun kamer in het Metropol keek Lewis vol minachting naar de televisie. 'Stomme primitievelingen. Weet je wat het hier is, Alice? Een bananenrepubliek. Zonder de bananen.'

Alice vond het moeilijk om Lewis serieus te nemen als hij kwaad was; zijn knappe trekken waren te conventioneel en te onbewogen om zich te laten ontwrichten door verontwaardiging. 'Het is een deel van hun charme, vind je niet?' zei ze. 'Geniet ervan zolang het duurt – het zal gauw allemaal anders worden.'

'Ik hoop het. Want als het zo blijft gaan, kunnen we net zo goed nu meteen opstappen.'

Een sjofele Volga met nummerplaten die onleesbaar waren door het vuil en de modder, reed snel op weg naar de noordzijde van het Smolenski-plein; Butuzov achter het stuur, plotseling uitzwenkend toen ze het Belgradohotel naderden, waar de Tsentralnaja-bende hun hoofdkwartier had; koude lucht stroomde binnen toen Ozers het passagiersraampje opendraaide; Ozers haalde uit met zijn arm als een buitenvelder; hij gooide iets met een boog door de lucht, het leek een bowlingbal die in een gracieuze boog om zijn as tolde; banden gierden in protest toen Butuzov de motor van de Volga opjaagde en op volle snelheid weer naar rechts schoot; de schrik van de Tsjetsjeense portier, het gegil van de hoer die met hem stond te kletsen, toen Sjarmoechamedovs afgehouwen hoofd tweemaal stuiterde en langzaam door rolde tot het vlak voor hun voeten bleef liggen.

12

Ilmar staarde Karkadann aan, een prooi, gehypnotiseerd door zijn strakke slangenblik. Tsjetsjeense keelklanken klonken kibbelend op uit gespannen kelen.

'Het hoofd eraf hakken en bezorgen bij de club van het slachtoffer?' Druppels speeksel vlogen uit Karkadanns mond. Hij vond het moeilijk om zijn woede in bedwang te houden. 'Dat is het signatuur van Avtomobilnaja, van Ilmar; dat is de manier waarop jullie de verantwoordelijkheid opeisen voor een moord. Dat weet iederéén toch.'

'Als iedereen dat weet, hoe weet je dan zo zeker dat wij het waren?' Ilmar tikte nerveus tegen zijn wangen.

'Je hebt nu al tweemaal geprobeerd me ertoe over te halen een akkoord te sluiten met de Slaven. Ik hoor je aan, maar ik ben het niet met je eens, en mijn mening telt hier. Maar dat is voor jou niet genoeg. Mijn lijfwacht ontvoeren, dat is iets wat ik wel zal begrijpen, nietwaar? Dán luister ik naar je.'

Karkadann stak zijn hand uit, ver genoeg om Ilmar in elkaar te doen krimpen en zichzelf daarna te vervloeken omdat hij een zwakte had getoond, want Karkadann had niet geprobeerd hem te slaan; hij wilde hem alleen iets laten zien: een rechthoekje plastic. 'Weet je wat dit is?' vroeg Karkadann. 'Natuurlijk weet je dat. Onder mijn bureau gestopt – daar aangebracht, met andere woorden, door iemand die in mijn kamer is geweest. Wie was er hier de dag voordat Baltazar naar Doebai ging? Wie was er hier die me zei dat ik niet met de Slaven moest vechten?'

'Denk je echt dat ik zoiets zou laten doen?' vroeg Ilmar.

Zjorzj staarde nu naar Ilmar, en juist zijn stilzwijgen straalde dreiging uit.

'We zijn het misschien niet met elkaar eens, Ilmar,' zei Karkadann, 'maar we zijn ook Tsjetsjenen. Wij vertróúwen elkaar. Vertróúwden elkaar.' Plotseling glimlachte hij even, een joviale grijns vol vrolijke wreedheid. De lijnen en vlakken van zijn verweerde gezicht verschoven en vielen weer in de plooi, zijn ogen glansden terwijl ze zich vernauwden, zijn neus in de lucht kwam naar voren, en zijn kaak leek naar achteren te wijken.

Ilmar wist wat die glimlach betekende. Hij had hem al eerder gezien, maar hij had nooit gedacht dat hij degene zou zijn die hem toegezonden kreeg.

'Nee,' zei hij. 'Dit is niet de manier, ook al wás ik ervoor verantwoordelijk.'

Tsjetsjenen kennen een traditie van bloedwraak voor een gewelddadige dood, maar zo'n wraakmoord wordt niet snel in een opwelling gepleegd. Juist het tegenovergestelde; het is een langzaam en angstvallig legalistisch uitgevoerd proces. De familieleden van het slachtoffer en de agressor komen bijeen om te onderhandelen. Alleen als er niet meer te praten valt en de familie van het slachtoffer de agressor niet kan vergeven wordt deze tot misdadiger verklaard en vermoord.

'Daar is nu allemaal geen tijd voor. We vechten een oorlog uit, en we moeten een eenheid vormen – dat doet onze vijand ook, reken daar maar op. Maar jij hoort niet bij ons, Ilmar. En ik kan niet toelaten dat jij tweedracht zaait. Het is beter voor ons dat je dood bent; zelfs beter voor jou.'

'Beter voor mij? Waarom?'

'Door wat je hebt gedaan, ben je niet langer een ware Tsjetsjeen.'

Ilmar wist dat die belediging opzettelijk werd geuit om hem tot vergelding te dwingen. Voor Tsjetsjenen staat op zo'n betichting de dood. 'De wond van de dolk kan worden genezen door een dokter,' luidt het gezegde, 'maar de wond die wordt toegebracht door woorden, kan alleen door een dolk worden genezen.'

'Ik kan hier niet mee instemmen,' zei Ilmar. 'Ik heb Baltazar niet gedood, en daar gaat het om. Of je gelooft me op mijn woord, of ik vertrek.' Hij draaide zich om en wilde naar de deur lopen.

'Draai je om,' zei Karkadann, en Ilmar bleef stokstijf staan, ondanks zichzelf. Het was een kwestie van eer dat een Tsjetsjeen zijn vijand in het gezicht keek als hij hem doodde, en niet terwijl die wegliep. Maar wat hield hem, nu Karkadann niet de gewone gang van zaken had gevolgd, tegen om ook deze gewoonte in de wind te slaan?' 'Blijf staan en draai je om. Je weet wat er komt, Ilmar; zie het maar onder ogen.'

Zelfs als Ilmar de deur haalde, zelfs als hij dit huis uitkwam met al zijn lijfwachten, zou dit niet ophouden. Er waren Tsjetsjenen in heel Moskou, en de meesten van hen hoorden bij Karkadann of bij Zjorzj. Dus hij kon zich of langzaam omdraaien en zich door Karkadann laten doodschieten, of hij kon het recht in eigen hand nemen, zich pijlsnel omdraaien terwijl hij zijn revolver trok en eerst Karkadann neerschieten en daarna Zjorzj. Maar zelfs terwijl Ilmar zijn wapen trok, wist hij dat hij niet snel genoeg was. Kar-

kadann had in elke hand een revolver en beide losten doffe schoten in Il-
mars borst. Hij zakte in elkaar, het kostbare Turkmeense tapijt warm en
zacht tegen zijn wang, en Karkadanns verweerde gezicht vol plooien en
hoeken werd langzaam wazig.

Valentina, met nat, glad haar net uit het zwembad, had een tijdschrift in de
ene hand en een sigaret in de andere, die er allebei vochtiger uitzagen dan
goed voor ze was.

'Raad eens wie er volgende maand naar Moskou komt?' Haar stem klonk
hoog en ging zangerig van het ene woord naar het andere; Karkadann
moest denken aan vogeltjes, kwetterend in de populieren. Ze beantwoordde haar eigen vraag. 'De directeur van Eton. Ik heb ons gisteren laten in-
schrijven.'

Iedere nieuwe Rus die deze benaming verdiende, wilde zijn kinderen
naar een kostschool in Engeland sturen; het was om te beginnen goedkoper
dan een lijfwacht, en het opleidingsniveau deed voor geen enkel ander onder. De directeuren van Engelse privé-scholen konden de conferentieruim-
tes in Moskou wel twee tot drie keer vullen; ze trokken meer publiek dan
symposia over bankzaken en olie.

Karkadann nam het tijdschrift van haar aan. Het was het laatste nummer
van *Domovoi*, het toonaangevende blad voor de *nouveau riche* in Moskou
en St.-Petersburg. *Domovoi* bracht haar lezers alles bij over etiquette, hield
hen op de hoogte van de laatste mode, schreef hoe ze hun dienstmeisjes
moesten behandelen en hun luxe datsja's inrichten, en hield de agenda's bij
uit Milaan, Genève en New York. Het had de snelst groeiende oplage van
alle tijdschriften in Rusland.

Mooi, dacht Karkadann. Ze zouden hun zoon laten studeren in Eton,
winkelen in Harrod's en wonen in Knightsbridge, waar hij vorig jaar een
huis had gekocht voor contant geld. Contant, in een koffertje met keurig
geordende bankbiljetten van vijftig pond, waarna de makelaar voor die dag
zijn zaak had gesloten en zijn assistent erop uit had gestuurd om wodka en
kaviaar te gaan halen; een uitstekende manier om geld wit te wassen. De
stomkop was teruggekomen met een fles Poolse Dubrovka en een paar
weerzinwekkende ersatz zwarte eitjes die zelfs niet in de buurt waren geweest van de Kaspische Zee. Karkadann had mannen voor minder laten
ombrengen.

De stallen, de fontein, het zwembad, het huis – een dergelijke weelde
was een paar jaar terug nog ondenkbaar geweest, toen een bezit van meer
dan tienduizend roebel al genoeg was geweest om voor de doodstraf in aanmerking te komen. Maar elke roebel die hij had vergaard, had zo zijn gevol-

gen: een benzinebom, een granaat, het pakje vol explosieven, ratelende machinegeweren en krijsende gewonden. Op een dag zou er misschien een
einde komen aan deze oorlog, maar tot die tijd zou hij zijn geld uitgeven
alsof er geen toekomst was.

13

Karkadanns lijfwachten droegen puntschoenen en zijden pakken waarvan de snit teniet werd gedaan door de holsters eronder. Een aanblik die ze accentueerden door hun rug recht te houden en hun armen naar achteren te zwaaien. Ze wierpen een blik op de polyester pakken van de juweliers en zagen hoe slecht die zaten, te strak rond de schouders bij de jongste, en te lange pijpen bij de oudste. De Tsjetsjenen zagen ook waar het polyester was doorgesleten aan de ellebogen en knieën; de broek glimmend van het vele dragen, de schoenen lomp en met afgestompte neuzen. Mannen zoals zij waren overal te zien in elke straat in Moskou; verbijsterd kijkende, eerbiedwaardige mensen wier salaris niets meer voorstelde en die de regels van het nieuwe spel niet kenden. De juweliers droegen elk een klein donkerrood doosje, met een halsketting in de ene en een armband in de andere; allebei met diamanten, met een waarde van ruim een half miljoen – dollar, natuurlijk, geen roebel. Het was meer geld dan deze twee ooit hadden gezien; Karkadann had het op één ochtend uitgegeven.

Maar de lijfwachten hadden gezien wat Butuzov en Ozers hadden gedaan om daar te komen – het binnengaan van de juwelierszaak in Varkava Straat toen die die avond dichtging, de jaloezieën al neergelaten zodat niemand nog naar binnen kon kijken; Ozers die een flauwte voorwendde om de juweliers naar hem toe te lokken van achter de toonbank, weg bij de alarmknop; Levs mannen met hun wapens in de aanslag, die de juweliers dwongen zich uit te kleden voordat ze hen vastbonden en knevelden, niet zonder excuus, sorry maar zo moest het nu eenmaal, we kunnen niet toelaten dat jullie te snel alarm slaan; Butuzov en Ozers die de pakken van de juweliers aantrokken, met het embleem op het borstzakje, en de diamanten bij hun vertrek met zich meenamen.

De lijfwachten hadden Butuzov en Ozers geen kus zien wisselen om elkaar succes te wensen; ze hadden Butuzov niet horen vragen: 'Alles gereed?' en Ozers niet horen antwoorden: 'Helemaal.'

Een hond trippelde over het trottoir, voorzichtig, om te voorkomen dat hij zijn poten brandde aan de chemicaliën die de stadsautoriteiten gebruikten om de sneeuw te laten smelten. Een van de Tsjetsjenen liep naar de overkant en opende de deur van de bloemisterij, en ze gingen naar binnen, Levs mannen, eindelijk hier, te midden van de vijand en verder dan dat, een voorpost achter de linies.

Valentina wees op een bloemstuk dat als een vlammende cirkel in het midden van de winkel stond; roze, licht- en scharlakenrode trosrozen en geraniums, waartussen oranje zinnia's opgloeiden, en hier en daar dahlia's in dezelfde kleur geel als haar gebleekte haarlokken. Karkadann hinkte tussen zijn bloemen rond, en het duurde een paar seconden voordat hij zijn bezoekers in de gaten had.

'Precies op tijd. Uitstekend. Vertel me maar van jullie ervan vinden.' Hij gebaarde naar de planten. 'Ik gebruik altijd rododendrons als basis- en achtergrondmateriaal. Je kunt zoveel doen met dat volle groen en die lange takken. Kijk, hier' – hij wenkte Butuzov en Ozers dichterbij met zijn snoeischaar – 'ik gebruik ze als steun voor een stuk met berberis. Die bessen zijn lastige krengen, met al die doornen, en de takken onder aan de stam moeten worden gespleten of plat gehamerd, maar dat is het dubbel en dwars waard als je alleen al die kleuren ziet. Oranje, roze en gele tinten; zoiets heb je nog nooit gezien.'

'Heel mooi.' Ozers sprak op een toon waar gepast ontzag uit sprak. Butuzov knikte instemmend.

Karkadann droeg geen jasje, maar de holster onder zijn linkeroksel was gevuld en een ander pistool stak uit zijn rechterbroekzak. Het lag niet alleen aan de taalproblemen dat de kleermaker van Savile Row tweemaal had moeten vragen of zijn cliënt zijn pakken echt zo wilde laten maken dat hij er een klein arsenaal wapens in kon dragen.

Valentina kwam hun kant op. 'Kan ik die doosjes openmaken, schat?'

Butuzov draaide zich naar haar toe; hij zou haar zijn doosje afgeven en haar tegelijkertijd vastgrijpen, terwijl Ozers zich over Karkadann ontfermde.

Vlak voordat Karkadanns wolfachtige grijns zijn gezicht in tweeën spleet, zag Ozers daarin de vermoeide ergernis die het begin aangeeft van het einde van de liefde. Voor Karkadann begon Valentina's schoonheid al te tanen, en over een paar jaren zou ze de harmonie in haar uiterlijk verliezen: haar wangen zouden uitzakken, haar voorhoofd en ogen zouden met rimpels worden bedekt, haar huid zou grof en rood worden, en haar heupen zouden uitdijen. Haar schoonheid was kortstondig en van voorbijgaande aard, zoals die van zovele vrouwen.

'Zo meteen,' zei Karkadann plagend. En daarna, serieus: 'Ik neem ze wel aan.'

Hij pakte de doosjes aan van Ozers en Butuzov, een tegelijk, ervoor zorgend dat zijn handen nooit tegelijkertijd bezet waren. Hij was scherp, dacht Butuzov, net als alle paranoïde mensen, ze gingen te werk alsof iedereen een bedreiging vormde, ook al deden ze dat de helft van de tijd niet eens bewust. 'Bedankt. Dat is alles.'

Karkadann zette de doosjes neer op de toonbank, die bezaaid lag met wapens: een kromme Oezbeekse dolk, met de kling van een M-16 van het Rode Leger, Chinese stalen werpstokjes, boeien die een mannenpols konden breken.

Ozers en Butuzov keken elkaar even aan; vluchtig en onmerkbaar, maar lang genoeg. Butuzov draaide zich om naar Valentina en wenste haar een goedenavond – nu zou hij haar grijpen, Ozers ging al achter hem staan – en hij reikte al naar haar hand toen hij een gezichtje tussen twee emmers met witte anjers zag. Hij schrok; Valentina volgde zijn blik.

'Aslan!' Ze klonk verrukt. 'Kom daar eens achter vandaan, lieve schat'

Aslan was een jaar of vijf, misschien zes; hij kwam achter de emmers vandaan gerend en omklemde zijn moeders benen. Wat deed híj hier? Sabirzjan had gezegd dat ze alleen maar te maken zouden hebben met Karkadann en Valentina; hij had niets gezegd over een kind.

'Wie verstopte zich daar voor mammie?' Valentina woelde door Aslans haar terwijl hij tegen haar handen aan sloeg en verrukt uitgilde: 'Wie verstopte zich in alle bloemen van papa?'

Het kind verpestte alles, dacht Butuzov. Kinderen waren een ander verhaal, zelfs Tsjetsjeense kinderen – maar er was geen tijd meer om na te denken, Ozers was in één stap bij hem en tilde Aslan met een ruk van de grond, draaide zich met het kind spartelend in zijn armen om naar Karkadann en drukte zijn pistool tegen Aslans hoofd, en voordat Butuzov het helemaal besefte, lag zijn eigen arm rond Valentina's nek en drukte hij het koude staal van zijn pistool tegen de onderkant van haar hoofd.

Karkadann hield al twee pistolen gericht, verdomme, die vent was snel, het holster hing open. Dit was echter zijn gezin, dus hield hij zijn wapens in bedwang.

Buiten keken de lijfwachten nukkig naar voorbijgangers en draaiden zich niet om naar de winkel.

'Ga weg uit Moskou,' zei Ozers. 'Geef ons je zaak. Rot op met je zwarte zootje naar Grozni, en kom niet meer terug.'

Karkadann overzag de vuurlinie, waarbij zijn hoofd rustig van de ene kant naar de andere bewoog.

'Vanavond nog, en niet terugkomen.' Ozers verstevigde zijn greep om de spartelende Aslan in bedwang te houden. 'Vanavond. Zeg ja, anders doden we hen beiden.'

'Ilmar,' zei Karkadann, bijna alsof hij het tegen zichzelf had. 'Ilmar.' Zijn ogen glansden, en leken de schittering van de zinnia's en dahlia's te reflecteren. 'Je hebt me erin geluisd. Jullie mensen... hebben het gewaagd me erin te luizen, een van mijn eigen mensen te doden. En nu,' – hij sprak steeds slechts een paar woorden tegelijk, en haalde moeizaam adem – 'en nu wagen jullie het hier met een truc binnen te komen, míjn vrouw en míjn kind te grijpen, en mij te bedreigen?'

'We doden hen,' zei Butuzov. 'Reken maar.'

'Wat heb je nodig om de macht te krijgen?' vroeg Karkadann, niet aan hen maar aan zichzelf; niet langer boos, leek het, maar nadenkend. 'Je hebt geen wapens of geld of mensen nodig; alleen maar de wil om te doen wat de andere partij niet doet.'

Er klonk een schot, keihard in de kleine ruimte; lijfwachten stroomden binnen en Karkadann gilde naar hen dat ze niet moesten schieten terwijl hij zelf op de grond dook, Ozers en Butuzov keken verbluft naar elkaar om te zien of de ander was geraakt omdat ze zelf niets mankeerden, het ongeloof sloeg over in verbijstering toen Aslan in Ozers armen in elkaar zakte en Ozers na een ogenblik besefte dat het Karkadann was geweest, dat hij zijn eigen kind had neergeschoten.

Nog een schot volgde, en nog een. Ozers zakte in elkaar op de grond met de jongen, het leven ebde uit beiden weg. Valentina greep naar haar hals, waar het bloed uit stroomde. Butuzov zwaaide zijn pistool in het rond maar zag geen kans om Karkadann te raken, en daar waren de Tsjetsjenen, een veelvoud van geweerlopen werd op hem gericht, ze zouden hem vermoorden zodra hij naar de trekker reikte.

'Laat vallen!' schreeuwde Karkadann. 'Laat vallen!'

Butuzov liet zijn wapen op de grond vallen en bracht zijn bevende handen omhoog. Valentina rolde van hem weg en gleed tegen de muur, waar ze zich nog net overeind wist te houden.

Karkadann was achter het uiteinde van de toonbank gerold. Hij stond op en liep naar Valentina, zijn slechte been slepend achter hem aan.

Ze wierp hem een allermerkwaardigste blik toe; een blik van vertrouwen, misschien, vol angst en vernedering.

Hij schoot nogmaals, tussen haar ogen, en deed een stap naar achteren om haar de ruimte te geven om neer te vallen.

Karkadann stond nu recht tegenover Butuzov. 'Mijn gezin kan beter dood zijn dan door jullie worden onteerd, smerige klootzakken. Wat voor macht hebben jullie nu over me? Jullie beschouwen ons als beesten, maar jullie, trouweloze Russen, zijn de monsters. Wij Tsjetsjenen houden nooit vendetta's tegen vrouwen, nóóit – tenminste, niet als de vijand niet onze vrouwen te pakken neemt.'

Hij bracht zijn handen omhoog aan weerszijden van Butuzovs hoofd, en drukte op zijn beide slapen een pistool. Het zou snel gebeuren, dacht Butuzov; dat was tenminste nog wat.

'Zeg dit maar tegen Lev: voor alles wat hij mij heeft aangedaan, neem ik wraak. Niet evenredig, maar in veelvoud. Hij laat me mijn vrouw doden; ik zal al zijn vrouwen doden. Hij laat me mijn zoon doden; ik zal al zijn kinderen doden. Hij laat me mijn vriend doden; ik zal al zijn vrienden doden. Heb je ooit gehoord van de *abreki*, jij onwetend stuk schorem? Nee? Natuurlijk niet; het is niet iets wat ze op Russische scholen onderwijzen. Laat me je wat leren. De abreki waren Tsjetsjeense bandieten. Ze lieten hun gezin, familie, thuis, alles in de steek, en gaven hun leven om tegen de Russen te vechten. Dat waren mijn voorouders, en dit is hun heilige eed – onthoud dit maar, schorem, onthoud elk woord, want als je teruggaat naar Lev, moet je dit tegen hem herhalen, en dan zal hij eens zien wat hij over zichzelf heeft uitgeroepen.'

Karkadann haalde de pistolen van Butuzovs slapen af en begon te oreren: 'Ik, zoon van Sjamil Tsjambijev, zelf de zoon van een eerzaam en heldhaftig krijger te paard, zweer bij de heiligen geen genade te tonen voor mijn bloed of het bloed van ieder ander, en anderen te doden als waren het roofdieren. Ik zweer mijn vijanden alles af te nemen wat hun hart, hun geweten en hun moed dierbaar is. Ik zal hun baby's bij de moederborst vandaan rukken, ik zal hun huizen platbranden, en daar waar vreugde heerst zal ik verdriet zaaien. Als ik mij niet aan mijn eed houd, als mijn hart wordt vervuld met liefde of medelijden, onthoud mij dan de graven van mijn voorouders, laat mijn geboorteland mij verwerpen, laat geen water mijn dorst lessen, geen brood mij voeden, en giet het bloed van onreine dieren uit over mijn as, verspreid over de kruiswegen.'

14

Sabirzjans aanwezigheid in de kamer van de familie Kullam was als smog: benauwend, alles omhullend, giftig en bovenal niet welkom. Alla Kullam bekeek hem met een wantrouwen dat grensde aan regelrechte vijandigheid; haar echtgenoot German wrong zijn handen en rolde met zijn ogen, alsof hij daarmee de indringer kon verjagen.

Het was German voor wie Sabirzjan was gekomen; German, wiens armen uit de opgestroopte mouwen van zijn polyester overhemd staken als aardappelspruiten en die een gezicht had als een kankergezwel. German had meer dan twaalf jaar bij Rode Oktober gewerkt, de laatste tijd aan het rectificatietoestel, een van de twee zuilen die het vat vormden waar wodka in werd gedistilleerd. Negen van die twaalf jaar had hij tevens voor de KGB gewerkt, waar hij Sabirzjan op de hoogte hield van elke onenigheid onder de arbeiders en elke afwijking van de strenge marxistisch-leninistische principes. Met andere woorden: als informant.

'Het spijt me dat ik jullie op zondag thuis kom bezoeken,' zei Sabirzjan, op een toon waarin allesbehalve spijt klonk. 'Maar jullie zullen wel begrijpen dat dit om een precaire kwestie gaat, die beter niet in de omgeving van de stokerij kan worden besproken. Begrijp je, German? Uitstekend.'

Sabirzjan zou liever hebben gehad dat Alla de kamer verliet, maar er waren maar weinig plaatsen waar ze heen kon. De Kullams woonden in een van de duizenden gemeenschapswoningen die Lenins mannen hadden bedacht als manier om de klassenverschillen op te heffen, door grote tsaristische huizen in te richten voor het proletariaat en in elke kamer een gezin te plaatsen. De kamer van de Kullams was niet veel groter dan vijf bij vijf meter – en dan behoorden zij nog tot de mensen die geluk hadden gehad. Een tweepersoonsbed dat niet veel breder was dan een bed voor één persoon stond achter in de hoek geperst, en vier stoelen stonden rond een tafel met een plastic blad.

In zijn vest en met zijn pince-nez op zijn neus, nippend aan het kopje thee dat Alla had gezet – 'Wodka? Nee, dank je' – zag Sabirzjan er van top tot teen uit als een favoriete oom.

'Rode Oktober staat op de nominatie om geprivatiseerd te worden, German, en snel ook. We zijn uitgekozen als proefmodel, dus ik hoef je nauwelijks te vertellen hoe belangrijk het is dat alles zo soepel mogelijk verloopt. Maar ik hoef je ook niet te vertellen hoe zeer onze mensen gekant kunnen zijn tegen verandering. Jij bent een van mijn beste mensen op de werkvloer, German. Jij dient je land al bijna tien jaar met opvallende deskundigheid; de staat is je daar dankbaar voor, en heeft je navenant beloond. Nu is het echter niet het tijdstip om jezelf op de borst te slaan. We hebben je meer dan ooit nodig.'

German nam nerveus slokjes uit de tumbler wodka in zijn hand; niet het eerste van die dag, zo te zien. 'Wat wil je dat ik doe?'

'Niets wat je niet al honderd keer eerder hebt gedaan: praten, en je oor te luister leggen. Vertel het nieuws aan je collega's; privatisering zal goed voor hen zijn. Hoe bang ze er misschien ook voor zijn, alles komt goed zolang ze de directie vertrouwen. In plaats van een einde te maken aan het arbeiderscollectief, zal de privatisering hun status juist verhogen. Een opmerking hier, een hint daar – ik ben er zeker van dat je er geen moeite mee zult hebben om het gesprek die kant op te sturen. En intussen houd je je oren open, en je rapporteert vervolgens aan mij wie het met je eens is, wie zich tegen onze plannen verzet, wie er nog overtuigd kan worden…'

German dronk zijn glas uit en schonk het weer vol. Zijn handen trilden.

'Ik denk het niet, Tengiz Lavrentiyitsj,' zei German, en hij gooide de woorden er in één adem uit, om door de snelheid en de drank zijn instinct te onderdrukken om te doen wat hem werd opgedragen.

Sabirzjan hield, berekenend en zenuwslopend, zijn mond; hij bleef zwijgen totdat German als een waanzinnige zijn handen begon te wringen. 'Dat heb ik niet goed gehoord, German.'

'Ik zei – ik zei dat ik denk van niet.'

'En wát denk je dan wel van niet?'

'Ik denk niet dat ik zal doen wat je me vraagt.'

'Wat ik je opdraag.'

'Ik doe het niet.'

'En zou je me ook willen vertellen waarom niet?'

'Omdat – omdat het niet goed is. Jij geloofde toch ook in het socialistische ideaal, Tengiz Lavrentiyitsj; jij meer dan ieder ander. Je vertelde me een paar maanden geleden nog hoe dat ideaal werd geschonden door joden en westerse verkrachters, misleide dwazen en kapitalistische jaknikkers. En nu kom jij me hier vertellen hoe góéd privatisering is. Wat moet ik daarvan denken?'

'Jij denkt wat ik je opdraag, German. We moeten met onze tijd meegaan.'

In de gang voor de deur fietsten twee kinderen in hoog tempo voorbij. Even later stond de muur te schudden; een van hen was er zeker tegenaan geklapt. German keek onzeker van Alla naar Sabirzjan, en toen weer naar zijn wodkaglas.

'Ik hoef niet meer bang van je te zijn, Tengiz Lavrentiyitsj. Jouw mensen zijn weg.'

'Mijn mensen zullen nooit weg zijn.' Onder een andere naam verdergaan, misschien, maar nooit weg zijn. 'En het geld dat we je betalen, je maandelijkse stipendium…' Sabirzjan gebaarde naar de kamer. 'Zo te zien kun je dat wel gebruiken.'

German deed het gebaar na. 'Nou, het heeft me nogal wat opgeleverd.'

'Ik kan er niets aan doen dat jij het allemaal aan wodka uitgeeft.'

'We zouden wel wat extra kunnen gebruiken, German,' zei Alla. 'Dat weet je best.' De prijzen stegen nog steeds, en dat zou nog zeker een maand of twee doorgaan. Artikelen die het midden hielden tussen levensbehoeften en luxe, zoals tandpasta en toiletpapier, waren moeilijk te krijgen, evenals verse producten; de leveranciers hielden hun bestellingen vast om misbruik te kunnen maken van de stijgende prijzen.

'Ik neem geen geld meer van hem aan,' zei German.

Sabirzjan kwam overeind en veegde over de achterkant van zijn broek, alsof hij daarmee wilde voorkomen dat hij in die stoel een enge ziekte had opgelopen. 'Ik hoop werkelijk dat je hier voor morgenochtend nog eens over wilt nadenken, German; dan kan ik je laakbare houding toeschrijven aan de wodka, en kunnen we op de gewone voet verder. Zo niet –' bij blies zijn wangen bol – 'zo niet, dan ben ik bang dat ik geen andere keuze heb dan ervoor te zorgen dat je spijt krijgt van je besluit.' Hij wendde zich tot Alla; ze was klein en muizig, niet onknap, maar wat ze in haar man zag, ontging Sabirzjan volledig. 'Het was me een genoegen, Alla, zoals altijd.'

De deur ging slingerend in zijn wankele scharnieren open, en een jongen met fijne trekken en rode wangen van de kou kwam met veel drukte binnen: Vladimir Kullam, de enige zoon van German en Alla.

'Vova!' Sabirzjan spreidde zijn armen en ontblootte zijn tanden bij wijze van glimlach. 'Wat fijn je te zien! Kom eens bij je oom Tengiz, en vertel eens wat je allemaal hebt uitgehaald.'

Alla keek nerveus naar Vladimir en knikte even in de richting van Sabirzjan. *Ga dan, Vova, doe wat de man zegt.* Vladimir bleef stijfjes bij de deur staan; het ongemak straalde van hem af terwijl hij met zijn handen door zijn verwarde, donkere haar ging.

'Je bent nu al echt een tiener, hè?' zei Sabirzjan, zich er blijkbaar niet van bewust dat hij nog steeds als een gek zijn armen wijd, als vliegtuigvleugels, stond. 'Ik zie dat je de jas draagt die ik je twee jaar geleden met Kerstmis heb gegeven. Doe je veel ondeugends in de straten van Moskou?'

'Je had al uren geleden thuis moeten zijn,' zei German. 'Waar zat je in vredesnaam?'

'In de kiosk,' zei Vladimir, met een uitdagende toon in zijn stem.

'Welke kiosk?' vroeg Sabirzjan.

'Een van die nieuwe stalletjes bij de Novokoeznetskaja-metro,' zei German. 'Je kent het wel, ze verkopen er wodka, tijdschriften, parfum, dat soort dingen. Ik heb hem verboden daar naartoe te gaan.'

'Alleen tijdens de schoolperiode,' zei Vladimir. 'Niet als ik vakantie heb.'

'Hij heeft gespijbeld,' zei Alla.

'Ik weet het,' zei Sabirzjan. 'Reken maar dat Svetlana Chroeminstsj me goed op de hoogte houdt van wat er hier speelt.'

'Waarom heb je hem dan niet tegengehouden? Een kind moet toch iets leren?' Germans smeekbede bezorgde Sabirzjan ergens diep van binnen een rilling van voldoening. 'Weet je wat hij deed toen ik daar achter kwam? Hij bood me een deel van zijn loon aan! Het mogen dan zware tijden zijn, maar ik heb mijn trots. Geld aannemen van mijn eigen zoon – wie heeft er ooit zoiets gehoord?'

'Zoals ik je net al zei, German, is verandering niet altijd verbetering.'

German richtte zich vol woede tot Vladimir. 'Kiosken zijn gevaarlijk, Vladimir.' Hij gebruikte expres niet het verkleinwoord, om zijn zoon te laten merken hoe diep zijn woede zat. 'Ze worden beheerd door bendes die je zonder pardon omleggen. Je mag er niet meer naartoe; ik verbied het je. Als ik je er ooit weer betrap, sla ik je verrot.'

Vladimir stak zijn hand in zijn borstzak en haalde er een bundeltje geld uit: donkergroene dollarbiljetten, niet de kleurige, opzichtige roebels. 'Ik verdien meer dan de president, wist je dat?' Hij telde er omzichtig vier bankbiljetten van af en liet ze op de vloer dwarrelen. 'Alsjeblieft, pa. Dan heb je een paar dagen wodka.'

Alla sloeg haar hand voor haar mond die een volmaakte o vormde. German deed een onvaste stap in de richting van zijn zoon. 'Smeerlap. Kom hier en zeg dat nog eens.'

'Lazer op, pa.'

'Je moet echt niet zo'n toon tegen je vader aanslaan, Vova,' zei Sabirzjan.

'En lazer jij ook op, perverseling!' Toen German een uitval deed, wist Vladimir hem met gemak te ontwijken en bleef hij buiten zijn bereik staan. 'Lazer op, lazer op, lazer allemaal op!' – hij maakt er een liedje van, terwijl hij de gang af rende en de straat op liep.

15

De naam Rode Oktober had iets ironisch. De bolsjewieken hadden wodka de eerste twintig jaar dat ze aan de macht waren zo goed als verboden, en pas tijdens de Grote Patriottische Oorlog was het weer op de markt gebracht om soldaten te voorzien van energie en moed. Stalin zat vaak in de kleine uurtjes achter zijn bureau in het Kremlin uit te kijken naar de stokerij aan de overkant van de rivier; tevreden vanwege het uitzicht dat hij had op het wezen van de Russische ziel, ziedend van woede omdat de gehate Britten er precies naast zaten.

Een lange rij mensen stond op hen te wachten voor de deur van de stokerij. Vooraan in de rij stond Lev.

Alice had de afgelopen week doorgebracht met het bestuderen van de dossiers die Arkin haar had bezorgd en alles gelezen over Rode Oktober waar ze de hand op kon leggen. Maar niets had haar kunnen voorbereiden op haar eerste ontmoeting met de directeur. 'Lev zal wel gemakkelijk te typeren zijn,' had ze in de auto op weg hiernaartoe tegen Harry en Bob gezegd, maar de man die nu voor haar stond was in geen enkele categorie onder te brengen. Ze merkte dat ze als aan de grond genageld bleef staan, niet alleen door zijn afmetingen – ze had wel een grote kerel verwacht – maar door de intelligentie die van hem leek af te stralen. Het had logisch geleken om te veronderstellen dat de werkelijke macht in handen was van de KGB-er Sabirzjan, niet van een wrede maffiabaas. Alice hoopte dat Bob en Harry opmerkzaam genoeg waren om de strategie die ze voor de ontmoeting had uitgestippeld aan te passen; iets vertelde haar dat het riskant was om deze man te onderschatten.

Levs donkere ogen schitterden geamuseerd, alsof hij haar gedachten kon lezen. 'Mevrouw Liddell.' Haar beide handen verdwenen in een van de zijne. Ze zag de tatoeage op de rug van zijn rechterhand, die in fijne lijntjes over het onderhuidse kantpatroon van aderen liep: een lijntekening van vogels aan de horizon, en daaronder de woorden: *ik ben in vrijheid geboren, en zo moet het blijven.* 'Wat fijn u te ontmoeten, en mijn verontschuldigingen dat het zo lang heeft moeten duren, maar we weten allebei hoe moeilijk het is voor twee drukbezette mensen om een gaatje te vinden in hun agenda.' Ze was onder de indruk en blij dat hij eerst op haar af was gekomen, als hoofd van de delegatie, ook al was ze een vrouw.

Alice stelde Harry en Bob aan hem voor, en onderdrukte een lach toen ze Harry even in elkaar zag krimpen toen Lev hem de hand drukte. Lev liet hen binnen zonder de anderen aan hen voor te stellen; die stonden er kennelijk alleen maar voor de show. Misschien waren ze wel ingehuurd, dacht Alice: bruiloften, bar mitzvahs, fabrieksbezoekjes. Er waren ook lijfwachten bij, mannen met de bouw van lijnverdedigers en met ogen die geen moment stil stonden, maar geen van allen was zo groot als Lev zelf.

'Waar zijn de wc's?' vroeg Harry.

'De toiletten voor de directie zijn op de bovenste verdieping,' antwoordde Lev.

'Ik zou graag de personeelstoiletten zien.'

'De personeelstoiletten zijn niet geschikt voor een man van uw positie.'

'Daarom wil ik ze juist zien.' Tegen Alice fluisterde Harry: 'Het is een trucje van me. Als je de plee hebt gezien, krijg je een beeld van het hele bedrijf, dat gaat vrijwel altijd op.' Hij knikte met vermeende wijsheid, alsof hij de laatste waarheid had ontdekt.

'Als u erop staat.' Lev wees naar een zijgang. 'Daar zijn ze, vlak om de hoek. Ik stuur een van mijn mannen met u mee.'

Harry was al op weg. 'Ik ga liever alleen,' riep hij over zijn schouder.

Hij liep de hoek om, uit het zicht van de anderen, en vond meteen de toiletten; maar er stond niets op de deuren, niet eens in het cyrillisch, laat staan een variant op het internationale symbool voor mannen en vrouwen. Zonder dat hij wist of hij bij de heren of de dames binnenging, deed Harry de dichtstbijzijnde deur open en stapte er doelbewust naar binnen.

Twee kolossale vrouwen stonden bij de wasbakken, en een derde kwam net uit een van de hokjes, zich er intussen van overtuigend dat haar kleren weer netjes in orde waren. Er viel even een stilte terwijl Harry's aanwezigheid tot hen doordrong en werd geanalyseerd; toen kwamen alledrie de vrouwen met grote snelheid op hem af. Hij deed wijselijk een stap naar achteren en liep de gang in, terwijl hij nog even omkeek om zich ervan te overtuigen dat ze hem niet achterna kwamen. Hij keek nog steeds achterom toen hij recht tegen een muur op liep.

Een aantal dingen werden hem achtereenvolgens duidelijk. Hij was tegen de muur gebotst omdat de gang een bocht maakte, en hij was gewoon rechtdoor blijven lopen. Deze bocht was dezelfde die hij op de heenweg had gepasseerd, wat betekende dat iedereen – Alice, Lev en Bob – dat iedereen die op hem had staan wachten hem nu weer kon zien. Dat betekende weer dat hij geen plausibel excuus om nu weer terug te lopen naar het herentoilet, wat per slot van rekening het doel van zijn bezoek was geweest.

Harry trok zijn pak in de plooi en liep met grote stappen terug naar het groepje, terwijl hij naar Lev knikte om hem duidelijk te maken dat alles naar tevredenheid was. Alice' blik bleef halverwege steken terwijl ze trompetgeluidjes maakte op de rug van haar hand.

'Shit,' zei Harry, en ging met zijn hand naar zijn gulp. 'Het tocht hier.'

Ze liepen door een hal naar de centrale werkruimte van de stokerij, die vijf verdiepingen hoog reikte. Enorme vaten van roestvrij staal en hout stonden in rijen vlak naast elkaar tegen twee muren. Technici waren druk bezig aan de onderkant van de vaten en liepen druk heen en weer tussen stomende constructies van fonkelend metaal. Flessen stonden wiebelend op de lopende band, waar ze abrupt van het ene stadium naar het volgende overgingen als de leeftijdsfases van een mens: eerst leeg, dan vol, daarna verzegeld, vervolgens een metalen dop erop, waarna ze rammelend werden afgevoerd in een kartonnen doos. Stromend vocht klonk zacht ruisend onder het gejank van de machines en de geluiden die mensen voortbrachten: voetstappen, stemmen, hier en daar een lach of een kuch. Alleen al de omvang van de hele operatie imponeerde Alice; Amerikanen en Russen hebben beiden een passie voor afmetingen, een waardering voor het gigantische.

'Wat gebruiken jullie als grondstof?' vroeg ze. 'Voor de wodka?'

'Tarwe.'

'Geen rogge? Of aardappelen?'

Lev snoof minachtend. 'Rogge gebruiken ze in Polen. Aardappelen zijn alleen goed voor slootwaterwodka.'

Een keihard gesis rechts van hen deed Alice opspringen. Twee mannen spoten stoom in verticale pijpen van tien meter. De stoom kwam in boze, rechte lijnen naar buiten; tegen de tijd dat het boven de vaten uit was, had het zachtere, vage vormen aangenomen, als van dronkaards die na sluitingstijd de kroeg uit strompelen. 'Ze maken de reinigingskolommen schoon,' legde Lev uit. 'We filteren de wodka om er verontreiniging eruit te halen. Hoe vaker de wodka gefilterd wordt, hoe beter hij is.'

'En hoe duurder,' zei Alice.

Lev glimlachte waarderend; hoe duurder, ja, dat ook.

Een ondefinieerbare sfeerverandering ging hen voor terwijl ze verder liepen door de fabriek. Overal waar Lev verscheen, onderbrak men zijn bezigheden of stortte zich opvallend en vastberaden op een of andere taak die veel urgentie vereiste. Hij trok tijd uit voor alle arbeiders, schudde de vat-mengers de hand en glimlachte welwillend naar de bottelaars; hij infor-meerde naar een ziek kind, maakte een grapje, legde een hand op een schouder. Toen een van de mannen aan de capsuleermachine Lev een vraag stelde, zag Alice dat hij onmiddellijk en beslist antwoord gaf. Russen vin-den dat de baas alles moet weten; als hij zou toegeven dat een probleem niet gemakkelijk op te lossen is, is dat een teken van zwakte en incompetentie.

'Dit is voor mij de plek waar ik hoor,' zei hij tegen haar. 'Niet mijn kan-toor, maar hier beneden, bij mijn mensen.'

Ze vatte het op zoals het was bedoeld; als een vaststelling, maar ook als een waarschuwing. Rode Oktober was niet zo maar een werkplaats voor zijn werknemers; het was het middelpunt van hun bestaan, zelfs – ja, vooral – in een wereld die zo snel veranderde als die van hen.

Lev deed een kast open waarin gedenkwaardige voorwerpen van de sto-kerij ten toon werden gesteld. Hij gaf ze stuk voor door aan Alice, hield ze overdreven voorzichtig in zijn handen, alsof het erfstukken waren. Flessen in verschillende vormen: driehoekig, rond, vierkant; eentje had de vorm van een raket – een speciale uitgave voor Joeri Gagarin; een andere was voor Gagarins baas Nikita Chroesjtsjov, met een korenhalm uit zijn geboorte-land Oekraïne; een fles Gzeltsja, in het blauw met witte porselein van de-zelfde naam en in de vorm van een tweekoppige adelaar; en Alice' favoriet, een fles die halverwege overging in twee narrenkoppen, de een met de glim-lach van een genotvolle drinker en de ander met de grimas van een kater.

'Met deze moet je extra voorzichtig zijn,' zei Lev, terwijl hij Alice een borstbeeld aanreikte.

'Wie is dat?'

'Wie dit is? De reden waarom we hier vandaag zijn, mevrouw Liddell. Het is Isidor, de uitvinder van de wodka. Hij was een geestelijke, een Thes-salische Griek, die door Vasili de Derde gevangen werd gezet op alleen wa-ter en brood. Isidor distilleerde die twee elementen samen tot een alcoholi-sche drank die hij zijn bewakers te drinken gaf. Toen die buiten westen la-gen, is hij ontsnapt! Alleen een Rus kan zoiets slims bedenken.'

'En net zei u dat het een Thessaslische Griek was.'

'In zijn gedachten was hij een Rus. En zo, mevrouw Liddell, is de wodka uitgevonden.'

Hij pakte het borstbeeld weer van Alice aan en kuste Isidor teder op het voorhoofd. 'Geloof nooit iemand die u iets anders wil wijsmaken, vooral niet als het een Pool is. Polen liegen altijd, vooral wanneer ze je proberen wijs te maken dat zij de wodka hebben uitgevonden. Pfff!'

Lev nam de westerlingen mee naar boven. Ze passeerden drie deuren, en hij nam de moeite die elke keer voor Alice open te houden, wat ze ook opvatte zoals het was bedoeld; niet bevoogdend maar als een typisch Russische mannelijke hoffelijkheid, bedoeld om respect uit te drukken. Het feminisme had Rusland nog niet bereikt. Russische mannen wilden als ze met een vrouw uitgingen nog steeds betalen, de wijnfles ontkurken, vuurtjes geven, boodschappen dragen, autorijden – en, dacht Alice, op hun wenken bediend worden.

Galina, Levs secretaresse, wachtte hen op in de voorkamer van zijn kantoor. Ze schudde de westerlingen de hand en glimlachte naar hen met volle, rode lippen. Harry keek naar haar zoals een vader naar de vriendinnetjes van zijn tienerdochter.

Levs kantoor had twee brede ramen – een dat vanbinnen uitkeek op de werkvloer van de stokerij, en een met uitzicht buiten op de rivier en het Kremlin – en zag eruit alsof het tijdens het regime van Brezjnev voor het laatst was opgeknapt. De tafels en stoelen waren bruin, de vloer en muren grijs, de twee hoofdkleuren van het sovjetinterieur. Door scheurtjes in de bekleding waren de kussens te zien, en de vloerbedekking bij de deur en rond Levs bureau rafelde. Alice vermoedde een langzaam maar onverbiddelijk verval; het was een sjofele boel, en alles had een flinke opknapbeurt nodig. Bob liep naar de deur om die dicht te doen.

'Laat maar, alsjeblieft,' zei Lev. 'Mijn deur staat altijd open. Mijn werknemers mogen me komen opzoeken wanneer ze maar willen, zelfs tijdens een bijeenkomst als deze.' Hij vroeg niet of ze daar bezwaar tegen hadden, en hij leek ook niet iemand die zich er veel van zou aantrekken als dat het geval was geweest.

Lev schonk een donkerbruine vloeistof in vier glazen en deelde ze rond. 'Laten we wat drinken.'

'Ochotnitsjaja,' zei Alice, zelfs nog voordat ze het had geproefd, en Lev knikte goedkeurend. Ochotnitsjaja werd gedronken door jagers die terugkwamen van de jacht. Ze snoof eraan en rook anijs; ze draaide haar glas rond en snoof nog eens, nu rook ze gember en peper. Toen ze een slok nam, proefde ze nog meer – port, kruidnagel, jeneverbes, koffie, sinaasappel, citroen, meerwortel, engelwortel.

'De smaken zijn goed in balans,' zei ze. 'Jullie hebben de droge en de zoete tonen heel goed op elkaar afgestemd.'

'Dank u,' zei Lev. Hij leek oprecht verheugd met dit compliment. 'Wodka maken is geen wetenschap, mevrouw Liddell, het is een kunst. Aangezien dit de beste stokerij is van Rusland, van de hele wereld zelfs, en ik er directeur van ben, maakt dat mij tot de grootste handswerkman van allemaal. Ik ben Repin, ik ben Kiprenski, ik ben Soerikov, allemaal tegelijk.' Hij smakte met zijn lippen als ter goedkeuring van zijn eigen genialiteit. 'Het is altijd prettig om waardering te krijgen, vooral – ik hoop dat u dit op de juiste manier opvat, het is niet beledigend bedoeld – uit de mond van een vrouw, en dan ook nog een Amerikaanse. Uw landgenoten staan niet bekend om hun waardering voor een goede wodka.'

Dat was in elk geval waar, wist Alice. Wodka dankt zijn populariteit in Amerika voor een groot deel aan het feit dat het zo geschikt is als basis voor cocktails, wat op zijn beurt weer wordt veroorzaakt door wat Amerikanen gebrek aan aroma of smaak noemen. Voor Russen is het drinken van wodka in een mix een nog grotere misdaad dan pissen op het graf van Lenin.

Ze kletsten over ditjes en datjes – over hun familie, toneelstukken en balletvoorstellingen die ze onlangs hadden gezien – van alles en nog wat, zolang het maar niets te maken had met het eigenlijke doel van hun komst. Russen leren graag iemand eerst kennen voordat ze tot zaken overgaan; het gaat er heel anders dan in Amerika, waar de hartelijkheidskraan aan- en uitgezet kan worden.

'Ik heb natuurlijk veel van uw klassieke literatuur gelezen,' zei Lev. 'Henry James' – hij sprak het uit als "Chenry" – 'Steinbeck, Scott Fitzgerald, Mark Twain; en natuurlijk Hemingway. Ik heb al zijn boeken gelezen, van begin tot eind.' Hij richtte zich tot Harry. 'Vertelt u mij eens, meneer Exley; welke van de boeken van Hemingway is uw favoriet?'

Harry keek geschrokken en schuldbewust op, als een kind dat wordt overvallen door de vraag van een leraar. 'Eh… *To Have and Have Not*, geloof ik.'

'*To Have and Have Not*? Het boek dat Hemingway zelf zijn slechtste werk heeft genoemd? Kom nou, meneer Exley. Dat kan niet uw favoriet zijn.'

'Toch wel.'

'Dan hebt u zijn andere boeken zeker niet gelezen.'

'Dat klopt; dat heb ik niet.'

'Gebrek aan ontwikkeling,' mompelde Lev in zichzelf.

'Ik heb wel *Dokter Zjivago* gezien,' zei Harry.

'Tsja! Zjivago, gespeeld door een Egyptenaar. Westerse pulp. Schennis van een geweldig boek.'

'O, is er ook een boek van?'

Sabirzjan kwam binnen, een en al glimlachjes en zalving. Hij kuste Alice' hand en liet er een klamme plek achter; ze veegde hem heimelijk af aan haar jasje terwijl hij Harry en Bob begroette.

'Heel fijn u eindelijk allemaal te ontmoeten,' zei hij. 'Heel fijn.'

De klok aan de muur vertelde dat ze er al twee uur waren, en nu pas – na een fles Ochotnitsjaja, die voor het grootste deel soldaat gemaakt was door Alice en Lev, aangezien Bob en Harry het elk bij twee glaasjes hadden gehouden – kwamen ze ter zake.

'Dit is de enige manier,' zei Alice. 'In het verleden kwam het personeel naar het werk en werden ze betaald, ongeacht wat ze wel of niet hadden gedaan. Nu is dat anders. De staatssubsidies gaan verdwijnen; in plaats daarvan komt er een aandeelhoudersvereniging, waarin mensen voor zichzelf moeten zorgen. Ze komen naar hun werk, ze zorgen voor de productie, ze krijgen geld. Arbeiders moeten de band gaan zien tussen hun eigen werk en het inkomen dat ze daarvoor krijgen. Maak ze ook aandeelhouders en ze gaan harder werken, want hun levensonderhoud wordt bepaald door de winst.'

'Hun levensonderhoud is afhankelijk van mij, mevrouw Liddell, en dat is een verantwoordelijkheid die ik serieus neem.'

'En dat gaat veranderen. Rode Oktober heeft huizen, een school, een kleuterschool, een crèche, extra voorzieningen, nietwaar? Die moeten ergens van betaald worden, dus zullen jullie winst moeten gaan maken. In een vrijemarkteconomie is de concurrentie wreed; het drukt beslissingen door, onafhankelijk van wat de directeur wil, of van wat de aandeelhouders willen, of zelfs de overheid. In de vrijemarkteconomie kunnen alleen organisaties die hun zaken goed voor elkaar hebben, het hoofd boven water houden.

'Dat is genadeloos.'

'Het is eerlijk.

'We zijn hier in Rusland, mevrouw Liddell, en wat u van me vraagt is volslagen on-Russisch; als proefkonijn te moeten dienen. Als ik dit doe, wat gebeurt er dan wanneer de communisten weer aan de macht komen?' Hij had het als een reële mogelijkheid geopperd, constateerde Alice. 'Ze zouden mijn fabriek in beslag kunnen nemen, me kunnen vervolgen; me zelfs gevangen kunnen nemen.'

'Ach, kom nou toch. De communisten komen niet meer terug.'

'Weet u dat zeker? Nee. U denkt dat omdat u een Amerikaan bent, mevrouw Liddell. Amerikanen geloven in een betere toekomst, omdat dat het enige is dat u de afgelopen twee generaties hebt gekend. In Rusland is alleen ons verleden beter, nooit de toekomst. Er zijn hier geen goede tijden, alleen slechte en nog slechtere. Daarom zijn we zulke pessimisten. Jullie stellen aandeelhouders op één lijn met kansen; ik stel ze op één lijn met proble-men. Buitenstaanders weten niets van de moeilijkheden waar wij ons voor geplaatst zien, en zullen er geen belangstelling voor hebben. Zij verkopen gewoon hun holdings op het moment dat het moeilijk wordt en laten ons in nog grotere rotzooi achter.'

'Wat wij willen bereiken is co-operatie. Het gaat er niet om dat ik denk dat mijn manier beter is dan die van jullie, of dat ik probeer jullie uit te bui-ten. We willen allebei dat Rode Oktober zijn volle potentieel kan benutten, en de beste manier om dat te bereiken is door onze expertise en uw ervaring te koppelen.'

Lev keek haar onderzoekend aan om te zien of ze dit sarcastisch bedoel-de.

'Laat me u uitleggen hoe het vandaag de dag in Rusland toe gaat, me-vrouw Liddell,' zei hij. Boris en Gleb komen bij elkaar. Boris wil een be-paalde hoeveelheid van iets kopen, bijvoorbeeld, ik weet niet…'

'Wodka.' Alice glimlachte.

'Een hoeveelheid wodka, waarom niet? Gleb zegt, ja, prima, die ver-koopt hij hem. Ze worden het eens over een prijs. Daarna probeert Gleb aan die hoeveelheid te komen, en Boris probeert aan het geld te komen.'

'En?'

'Dat is alles. Dat is de manier waarop wij zaken doen. U hebt het over marktwetten, marktontwikkeling, marktgeheugen – dat hebben wij alle-maal niet.'

Toen ze de fles Ochotnitsjaja leeg hadden gedronken, maakte Lev een fles Ultraa open. De wodka was gedestilleerd met het zuivere, zuurstofrijke wa-ter uit het Ladoga-meer, vertelde hij hun, en was gebaseerd op een oud re-cept dat gebruikt was in de paleizen van de tsaar. Alice' zintuigen waren nog niet zo afgestompt dat het fijne, lichtzoete aroma haar ontging, of de zachte prikkeling tijdens de soepele afdronk, en het licht olieachtige van de tex-tuur.

'Uit uw eigen fabriek?' vroeg ze.

Hij schudde zijn hoofd. 'Maar ik waardeer elke wodka die goed is, zolang hij Russisch is, natuurlijk. Niet uit een ander land. Vooral niet uit Polen.'

'Waarom vind je wodka lekker?' vroeg Harry aan Lev. Alice verborg haar hoofd in haar handen.

'Waarom ik wodka lekker vind?' Lev snoof. 'Dat is hetzelfde als vragen waarom het sneeuwt in Rusland. Alleen een buitenlander kan zo'n belache-lijke vraag stellen. Het is hetzelfde als vragen om een definitie van de Russi-sche ziel.'

Wat er ook goed of fout was aan Alice' opdracht, langzamerhand werd duidelijk dat zij en Lev op een totaal andere golflengte zaten. De westerlingen hadden grafieken, cijfers, marktonderzoeken, voorspellingen en ramingen op tafel gelegd. Bob en Harry konden daarmee een gelikte presentatie houden zoals ze al honderd keren eerder hadden gedaan in luchthavenhotels over de hele wereld. Ze benadrukten de inhoud en maakten zich niet druk om de context, ze bewaakten hun emoties en deelden feitenmateriaal. Lev deed precies het tegenovergestelde, hij probeerde bij hen tussen de regels door te lezen terwijl hij zich excuseerde dat hij geen man van details was – hij liet dat soort dingen over aan Tengiz, later moesten ze het maar met hem uitzoeken. Lev liet zich nergens over uithoren, vooral niet over het gekoppelde vooruitzicht van gedwongen ontslagen en verlaging van zijn eigen positie.

'Mijn oren tuiten,' zei hij ten slotte tegen hen. 'Ik ben moe van al dat luisteren.'

'Je bent een stijfkoppige klootzak,' zei Alice.

'Dat is het aardigste wat je de hele dag tegen me hebt gezegd.' Hij was oprecht verheugd.

Alice maakte het Lev knap moeilijk; zelfs zij kreeg er genoeg van dat het nergens toe leidde. Lev begon rood aan te lopen; Alice had bijna onder de tafel gekeken om te zien of hij niet met zijn voet op de grond stampte. Bob probeerde tussenbeide te komen, daarna Sabirzjan, en ten slotte Harry, maar ze werden allemaal weg gebonjourd.

'Denk je dat ik me zomaar laat wegrangeren?' snauwde Lev. 'Denk je dat ik zo stom ben dat ik niet zie wat ze willen?'

'Wat wil ik dan?'

'De Russische economie ontwrichten, dat wil je; Rusland laten voortbestaan onder een soort semi-koloniale voogdij van het Westen. Jullie mogen je expertise en je theorieën houden. Het enige dat kapitalisten veroorzaken is narigheid. Mensen die op straat bedelen, mensen die sneller sterven dan ze lijkkisten kunnen maken, geen aardappelen in de winkels, baby's die worden geboren met maar een half gezicht, mensen die niet kunnen pissen van de syfilis, pensioenen die geen reet waard zijn. Jullie laten ons vastlopen en willen dan het wrak opkopen. Dat is niet alleen een klotestreek, het is een belédiging.'

Alice stak haar hand op om zijn woordenstroom te onderbreken, maar ze had net zo goed kunnen proberen een vloedgolf tegen te houden.

'Jullie verdrongen elkaar om in het vliegtuig te komen toen die idioot van een Gorbatsjov ervandoor ging. 'Shocktherapie,' zeggen jullie tegen ons. 'Een paar maanden afzien, dan is het allemaal achter de rug.' Nou, een schok krijgen we inderdaad, maar ik zie het therapeutische er niet van in. En wat doet het Westen? Jullie komen hier binnenstormen als brengers van het licht, die de bewoners van het donkere woud komen verlossen. Jullie denken helden te zijn omdat de mensen jullie drank geven en jullie om raad vragen. Jullie denken dat wat bij jullie werkt, dat dat automatisch overal geldt. Jullie tanden zijn witter dan de onze, en jullie kleren zijn mooier, dus zijn jullie ineens degenen die de normen bepalen. Jullie stellen Amerika als het ultieme voorbeeld, en dus beoordelen jullie alles domweg naar hoe dicht het jullie eigen ideaal nadert. Jullie denken dat je carte blanche hebt om Rusland naar jullie eigen beeltenis te vormen. Maar dat zal niet gebeuren – niet hier.'

Ze was inmiddels dronken, stomdronken, en kon zich niet meer inhouden. 'Jullie zijn achterlijk, lui, missen elk initiatief en leven in het verleden,' schreeuwde ze.

'En jullie, mevrouw Liddell, lopen met oogkleppen, jullie zijn imperialistisch, bevoogdend en inhalig. Ik word niet graag in mijn eigen land behandeld als een inboorling, en ik zie niets in dat idee van jullie om mijn fabriek te privatiseren, alleen om geld te verdienen. Jullie willen ons beroven, niets meer en niets minder.'

En met die woorden duwde Lev zijn stoel naar achteren en stormde hij de kamer uit. Als de deur dicht was geweest, zou hij er in zijn woede dwars doorheen gegaan zijn.

Lewis schudde Alice zo heftig door elkaar dat ze geïrriteerd naar zijn hand sloeg. 'Hoe laat is het?' zei ze half verstaanbaar.

'Half elf. Waar heb je gezeten, dat je zo dronken bent geworden?'

Alice voelde synthetische stof onder haar wang; de bank in hun kamer in het Metropol. Toen ze haar hoofd optilde, zag ze een speekseldraadje dat van haar mondhoek tot op de stoffering liep.

'Waar heb je gezeten?' vroeg hij nogmaals.

'Rode Oktober.'

'Dat was vanochtend.'

'Het duurde de hele dag… Lev… die stomme klootzak.'

'Hoezo is hij een klootzak?'

'Een ontzettende eikel is het.'

'Heb je met die vent zitten zuipen?'

'Ik heb geprobeerd hem zover te krijgen dat hij instemde met privatisering.' Lewis gezicht zwom voor haar ogen. De huid van zijn kin begon uit te zakken, zag ze; als hij niet oppaste kreeg hij een onderkin.

'Dat had je toch ook kunnen doen zonder dronken te worden.'

'Ik ben een westerling. Ik ben een vrouw. Waarom zou ik het moeilijker maken dan het al is?'

'Zijn Harry en Bob ook dronken geworden?'

'Natuurlijk niet.

'Waarom jij dan wel?'

'Ik moest hun aandeel opdrinken.' Ze giechelde.

'Alice, een stuk in je kraag drinken tijdens je werk is niet de manier waarop normale mensen zich gedragen.'

Ze dwong zichzelf hem recht aan te blijven kijken. Hij werd bemoeiziek; ze had zin om hem weer te slaan, nu harder. 'Lewis, het gaat wel om een distilleerderij. En in distilleerderijen wordt wodka gemaakt, en dat drinken ze dan ook.' Alice begon weer te giechelen, met een hand voor haar mond, als een ondeugende tiener. 'En als jij met die Lev had moeten werken, zou je ook dronken zijn geworden.' Ze zwaaide met een vinger naar hem. 'Ik krijg hem nog wel, Lewis. Ik krijg die Lev wel, ik zal die eikel eens laten zien dat er met mij niet te spotten valt. De volgende keer verloopt het anders.'

16

De temperatuur was weer gedaald, nu tot min twaalf. Hoog opgestapeld op de stoepen had de sneeuw eerder die dag citroengeel geleken in de middagzon; nu de schemering viel, was er een oranje gloed te bespeuren in het honinggeel. Overal weerklonk, als een mantra, het zinnetje *golod y cholod*: honger en vrieskou.

Het was orthodox Kerstmis, de eerste keer na het bijna vijfenzeventig jaar durende goddeloze communisme. De eerste keer dat gelovigen niet bang hoefden te zijn voor een bezoek van de alomtegenwoordige KGB. Lev en zijn schare lijfwachten – hij nam altijd twintig man overal mee naartoe; geen enkele bendeleider in Moskou ging ervan uit dat hij zonder meer veilig was – ging naar de Kazan Kathedraal in de noordoostelijke hoek van het Rode Plein. 'Kathedraal' is eigenlijk een verkeerde benaming; de Kazan is iets groter dan een kerk en even felroze van tint als de verjaardagstaart van een kind. Stalin had het oorspronkelijke gebouw vernietigd, en laten vervangen met een openbaar toilet. Alleen door de voortvarendheid van de architect, Pjotr Baranovski, die snel tekeningen van de kathedraal had gemaakt toen de Snor nog bezig was hem neer te halen, had Gorbatsjov hem weer terug te brengen in zijn originele staat, met inbegrip van de sierlijke raamlijsten, de ojiefbogen en de koepels in groen en goud.

Lev boog drie keer voor de icoon van Jezus boven de deur, en onder elke boog bleef hij staan en sloeg hij een kruisteken, van zijn hoofd naar zijn maag en van zijn rechter- naar zijn linkerschouder, met drie vingers in plaats van de twee die volgens de orthodoxe kerk worden gebruikt. Binnen in de kathedraal was het bijna donker; het enige licht was afkomstig van kaarsen en een zwakke wandverlichting. Het was er benauwd en bedompt van de wierook en een gebrek aan zuurstof. Kaarsen brandden en sputterden in plasjes parelachtige was; kandelaars gloeiden als zacht brandende bomen. Lenin had met recht religie een hypnotiserende vlam genoemd. Vanaf de muren keken de iconen somber en onbewogen neer, onregelmatig beschenen in het flakkerende waas.

Zoals in alle orthodoxe kerken waren er geen banken; de parochianen stonden. Voeten schuifelden, kleren ruisten; niemand zei iets. In het duister drongen Levs lijfwachten gelovigen de hoeken in, en stuitten daarbij alleen op verzet van een oude vrouw in het zwart die een koperen schaal, bedekt met rood vilt, vasthield. Een kannetje olie om de vlammen brandend te houden stond aan haar voeten; in haar vrije hand hield ze een doos kaarsen in verschillende afmetingen. De prijzen voor elke grootte waren een aantal malen doorgekrast en opnieuw geschreven. Toen ze liet merken dat ze er niet van was gediend dat de man haar weg duwde, kwam Lev naar voren en legde vijfhonderd dollar op de collecteschaal.

'We bidden voor de toekomst van Rusland,' zei hij, 'en voor haar ziel.'

Lev had de orthodoxe bijbel bestudeerd in de goelag. Vandaar dat hij wist dat het overwinnen van de dood eeuwig duurt en dat menselijke zielen, als stukjes van het opperwezen, daar in delen als ze aan de verdoemenis ontsnappen. De hel is het enige alternatief voor verlossing; de orthodoxe gelovigen kunnen zich net zo min het vagevuur voorstellen als verschillende waarheden, verschillende betekenisnuances, noch kunnen ze marchanderen op de weg die leidt naar spirituele openbaring. Hun liturgie is prachtig, maar met opzet mysterieus gehouden, ontoegankelijk, bedoeld om klakkeloos te worden geaccepteerd. De dood is in dit geloof niet het einde van het leven; het is een overgang.

Alice hoorde de sleutel in het slot klikken, Lewis kwam binnen en bracht een vlaag kou met zich mee.

'Guur buiten, hè?' zei ze.

'En het verkeer was verschrikkelijk,' zei hij. Hij trok zijn jas uit en wreef over zijn schouders. 'Ik zou er alles voor overhebben om weer in New Orleans te zijn. Tot hoe lang duurt de winter hier?'

'Soms wel tot mei.'

'Tot mei? O nee, ik moet er niet aan denken. Als dat zo is, ben ik hier weg. O, ja.' Hij voelde in zijn jaszak. 'Ik heb iets voor je meegebracht.'

Hij gaf haar een fuchsiaroze bankbiljet. Het was een briefje van vijfhonderd roebel, de dag ervoor officieel uitgegeven, het eerste dat ze onder ogen kreeg; tot nu toe was het bankbiljet met de hoogste waarde er een van tweehonderd geweest. Het briefje kwam gevouwen en gekreukt uit zijn zak; ze moest het onder haar wodkaglas leggen om het plat te drukken waarna ze het goed kon bekijken.

'Waar zit je naar te kijken?' vroeg hij.

'Het nieuws.' De verslaggever zei dat de bewoners van het platteland met kippen en moestuinen zich het best redden. Er klonk duidelijk leedvermaak door in de stem van de verslaggever; de rest van Rusland had altijd wrok gekoesterd tegenover Moskou.

Alice zapte naar een andere zender. Daar liep Borzov door een van de betere winkels, Arbat Gastronom. De rood met witte markiezen deden vrolijk en schoon aan. De planken en vloeren waren netjes aangeveegd. Medewerkers in onberispelijke schortjassen stonden voor rijen conservenblikken, geïmporteerde groente en potten ingemaakte specerijen, allemaal netjes geordend op soort en op maat. In cellofaan verpakt vlees en gevogelte lagen uitnodigend opgestapeld in een grote, moderne vrieskast. Een kilo kip kostte achtenveertig roebel, een kilo gerookte vis veertig; voor tien eieren vroegen ze twaalf roebel. De hele zaak ademde ondernemingszin en winst. Het was het soort schreeuwerige propaganda waar iedere sovjetvolkscommissaris trots op zou zijn geweest.

'Het kan me niet schelen wat voor levensmiddelen ze hebben,' zei Lewis. 'Zolang ik geen muffuletta kan krijgen, is het hier voor mij de Derde Wereldoorlog.' Als er iets was wat Lewis miste, was het de cuisine van New Orleans, en de muffuletta-sandwich – een luxe broodje, gevuld met ham, salami, mortadella, Provolone-kaas en gemarineerde olijven – was zijn lievelingshapje. 'Dus ze hebben hier groente?' Hij sprak het woord overdreven lang uit – groen-te. 'Fijn voor ze.'

Terug in het Kremlin, met de driekleur op zijn schouder, sprak Borzov het volk toe. 'Van nu tot de zomer wordt de zwaarste periode. Daarna komt er stabilisatie en verbetering. De volgende winter krijgen we het gemakkelijker. Nu moeten we allemaal de keuze maken: goedgevoede slavernij of een vrijheid met honger? Om dit besluit te kunnen nemen, is de wil en wijsheid van het volk nodig, de moed van politici, de kennis van deskundigen...'

Hij zag er oprecht en gepijnigd uit; Alice stelde zich voor dat hij haar persoonlijk toesprak.

'Uw president heeft deze keuze gemaakt. Hij heeft nooit de gemakkelijkste weg willen kiezen, maar de eerstvolgende paar maanden worden de moeilijkste. Als hij uw steun en vertrouwen krijgt, zal hij deze weg tot aan het einde met u afleggen.'

Borzov nam een slokje uit het glas op zijn bureau – Alice hoopte dat het water was, maar betwijfelde het. Hij kneep zijn ogen halfdicht. 'Veel te lang heeft onze economie een weg gevolgd die alleen maar kan worden beschreven als onmenselijk. Als gevolg daarvan hebben we een verwoest Rusland geërfd. Maar we moeten niet wanhopen. We hebben de kans om uit de put omhoog te klimmen en een halt toe te roepen aan onze voortdurende bereidheid om oorlog te voeren met de hele wereld. Dit wordt een bijzonder jaar. We zullen de basis leggen voor een nieuw leven. We laten onze dromen en illusies achter ons, maar we zullen de hoop niet verliezen. Hoop hebben we namelijk wel.'

Vladimir Kullam haastte zich naar huis. Brezjnev had ooit gepocht dat Moskou de enige hoofdstad ter wereld was waar iemand op elk uur van de dag op straat kon lopen zonder angst om overvallen te worden; dat kon nu niet meer. Vladimir had vandaag aardig wat geld verdiend in de kiosk, te veel om lang mee rond te lopen. Toen hij aan de Tsjetsjenen dacht die hem gisteren hadden bedreigd, versnelde hij zijn pas enigszins en keek hij om om te zien of hij niet werd gevolgd. De straten waren slecht verlicht; als daar iemand was, zag hij die misschien pas als het al te laat was. Zijn jeugdige fantasie sloeg op hol; hij had verhalen gehoord over wat die zwarte hufters deden met mensen die hun de voet dwars hadden gezet.

Een uitroep – 'Vova!' – verstoorde Vladimirs gedachten. Voordat hij het wist liep hij te rennen, tot de stem weer 'Vova!' riep, en hij besefte wie het was. Hij bleef staan. 'Dat moet je niet doen hoor, iemand zo ineens achterop komen – je hebt me bijna een hartaanval bezorgd!'

Het licht van de straatlantaarn werd gevangen in de doffe glans van een wodkafles. 'Wil je een slokje met me drinken?'

Vladimir schudde zijn hoofd. 'Ik kan er niet tegen.'

'Brave jongen –' En toen voelde Vladimir een felle pijn onder aan zijn schedel, hij zag een sterrenregen die totaal ongerijmd leek in de mistige duisternis van een Moskouse winter, en hoorde hij zijn eigen felle kreet van verbazing overgaan in een diepe stilte.

17

Lev had er vaak hoog over opgegeven dat zijn deur altijd openstond voor zijn werknemers en German Kullam kwam, vlak voor zijn dienst begon, opgewonden bij hem binnen om dat nog eens te bewijzen.

'Vladimir is zoek,' gooide hij eruit.

Lev schonk German een slok in, bood hem een stoel en liet hem vertellen wat er was gebeurd.

German en Vladimir hadden op zondagmiddag ruzie gehad over Vladimirs werk in de kiosk, iets wat German hem herhaaldelijk had verboden. (German verzweeg hierbij Sabirzjans aanwezigheid; dat zou allerlei vragen bij Lev hebben losgemaakt die hij liever niet wilde horen.) Vladimir was de deur uit gestormd. Dat was het laatste wat zijn ouders van hem hadden gezien.

'Je zoon is al vanaf zondagmiddag weg, en dat kom je nu pas vertellen?'

'We dachten dat hij uit koppigheid wegbleef.' German hoorde zijn eigen woorden en besefte dat hij de waarheid enig geweld aandeed. 'Ik dacht dat hij uit koppigheid wegbleef. Alla was vanaf het begin al ongerust. Maar dit gebeurt aldoor: we maken ruzie, hij smeert 'm en komt een nacht niet thuis. Soms zelfs twee nachten.'

'En waar gaat hij dan naartoe?'

'Naar vrienden.'

'En die vrienden – heb je die gebeld om te vragen of Vladimir bij hen was?'

'Met die telefoonkosten van tegenwoordig?' Een lokaal gesprek had onder het communistisch regime een schijntje gekost, maar de telecommunicatie ondervond nu net zo veel last van inflatie als al het andere. 'Bovendien, hij was degene die iets zou moeten doen, nietwaar? Bellen, terugkomen, bedoel ik. Hij was degene die fout zat, niet ik. Hij zou zijn vader moeten gehoorzamen.'

'Het is je zóón, German.'

German keek naar zijn handen. 'Ik ben naar de kiosk gegaan. Ze hebben hem sinds zaterdag niet meer gezien.'

'Ben je naar de politie geweest?'

'Wat heeft het voor zin? Die kerels kunnen hun eigen gat nog niet vinden met een spiegel.'

'Maar al te waar. Goed, German. Noem alle plekken waar Vladimir volgens jou zou kunnen zitten, alles waarvan je weet dat hij er ooit is geweest, en ik laat mijn mannen daar een kijkje nemen.'

Grote hoeveelheden mannen, worstelaars en gewichtheffers in donkere overjassen, met beduimelde kopieën van Vladimirs foto in de hand, waaierden in tweetallen uit over de stad als bliepjes op een radarscherm. Ze gingen naar alle acht hoofdstations van Moskou, en vinkten ze af alsof het reisbestemmingen waren – Belarus, Riga, Kiev, Jaroslav, Leningrad, Kazan, Koersk, Pavelets – ze liepen door lucht die bedompt was van gefrituurde hapjes en urine, en negeerden de bedelaars die uit het vuilgroene schijnsel tevoorschijn kwamen en aan de kleurige plastic tassen trokken die gezinnen naar huis zeulden, overal in de statenbond. De mannen stelden zich op bij de kaartcontrole in metrostations en duwden Vladimirs foto onder de neus van forensen en stationemployés. Ze gingen naar het Rode Plein en ondervroegen de sjacheraars die toeristen bontmutsen probeerden aan te smeren voor tien keer de prijs die ze waard waren. Ze gingen naar het enorme warenhuis GUM en snuffelden onder reclames voor reisjes naar de Canarische Eilanden, waar elf maanden per jaar zon beloofd werd. Ze gingen naar het Bolstoi Theater, het Tretjakov-museum, de stadions Lenin en Dynamo, en naar het Gorki-park, waar gezinnen schaatsten en hun hoofd in plakkerige roze suikerspinnen verborgen.

Overal was het resultaat hetzelfde: geen spoor van Vladimir, niets.

18

Het was even na acht uur 's ochtends. Een employee van de Britse ambassade wandelde langs Sofijskaja aan de andere kant van de Moskva tegenover het Kremlin. De wind rukte de *Izvestiya* uit haar handen en sleurde hem mee in de richting van de rivier; toen ze over de brugleuning keek om te zien of ze de krant nog te pakken kon krijgen, zag ze onder het ijs een donkere gestalte, die even aan het zicht onttrokken werd en weer tevoorschijn kwam toen de bladeren van de krant eroverheen waaiden.

Juku Irk, afkomstig uit de Estlandse hoofdstad Tallinn en nu hoofdinspecteur bij het OM, wilde naar huis en de dag opnieuw beginnen. Rusland is echt het thuisland van de winter, dacht hij verbitterd; de zon hijst zich na het ontbijt vermoeid boven de horizon uit en ligt tegen vier uur alweer plat. De grond zag grijs van het ijs, de sneeuw grijs van het vuil, de gebouwen grijs van ouderdom; het was alsof de sombere winter de wereld van zijn kleur had beroofd. Onder Irks voeten was de modder hard als beton, en de plassen leken wel van marmer.

Hij had zijn pasje moeten laten zien om door te mogen lopen. Hij zag er niet uit als een inspecteur. Een academicus, ja, dat wel. Zijn trekken waren fijn en gebundeld onder een kop met steil, achterovergekamd grijs haar, waardoor zijn gezicht te zacht en goedmoedig leek voor het werk dat hij deed.

De politie had een kleine takel neergezet om het lijk uit het water te halen. Het was een klus voor twee, op zijn hoogt drie politieagenten, en er waren er minstens twaalf, ruziënd, schreeuwend, rokend en elkaar in de weg lopend. Irk wist dat hij het erger zou maken als hij ze erop aan zou spreken; de liefde tussen politie en het OM was niet bepaald groot. De politie greep criminelen in de kraag, legde verantwoording af aan de minister van Binnenlandse Zaken, was niet opgeleid en werd slecht betaald; inspecteurs van het OM ondervroegen criminelen, legden verantwoording af aan de procureur-generaal, hadden meestal een academische titel en werden beter betaald, hoewel in Moskou salaris en inkomen totaal verschillende grootheden lijken te zijn.

Ze stonden precies bij de plek waar buizen het afval van Rode Oktober in de rivier loosden dat warm genoeg was om de onmiddellijke omgeving van de ergste vorst te vrijwaren. In Moskou was dit soort vervuiling uitdrukkelijk verboden; in Moskou werden dit soort bepalingen uitdrukkelijk overtreden.

Klotedag, klotebaan. Irk was met de metro hierheen gekomen, ook dat nog – alle patrouillewagens waren op pad of waren kapot. Het ergste was niet het ongemak dat hij ervan ondervond, en nog minder het verlies aan status, maar het feit dat hij te voet bepaalde dingen te zien kreeg die hij vanuit een auto kon negeren. Dakloze kinderen die elkaar verdrongen voor een plekje bij de luchtgaten van de metro in een poging warm te blijven. Rijen mensen die zich uren voor de openingstijd opstelden voor staatswinkels omdat aan het begin van de dag de prijzen het laagst waren.

Irk hoorde een laag gekreun, hij kon niet bepalen of het van een apparaat afkomstig was of van een mens, en eindelijk werd het kind uit het water gehesen; een grijper had zich vastgeklemd achter in zijn jas terwijl het water langs zijn handen en voeten stroomde die slap en aandoenlijk omlaag hingen, alsof ze reikten naar zijn heilige, ijskoude graf.

Sabirzjan stond in het mortuarium met zijn handen op zijn rug doodstil te wachten tot de medewerker het lichaam tevoorschijn haalde. Identificatie was het ergste onderdeel bij elk overlijden; de laatste hoop werd dan de bodem ingeslagen, en bij zulke gelegenheden kon Irk niets anders doen dan machteloos blijven staan terwijl iemand zwijgend knikte en met trillende lippen en roodomrande ogen bevestigde dat dit inderdaad hun dierbare was en dat die inderdaad dood was.

Irk was blij dat Sabirzjan Vladimirs ouders deze ellende had bespaard. Sabirzjan was een ambtenaar van de KGB; dode lichamen brachten hem totaal niet van zijn stuk.

Er lag geen laken over Vladimirs lichaam. Kuisheid betrachten met betrekking tot een lijk is westerse aanstellerij. Sabirzjan bekeek het dode lichaam van top tot teen zonder een spier te vertrekken.

'Het is Vladimir,' zei hij.

Verbeeldde Irk het zich, of likte Sabirzjan zijn lippen toen hij wegliep?

Er was maar één plek die mensen met een teer gestel naargeestiger vonden dan de plaats delict, dacht Irk, en dat was de autopsiekamer. Het was al erg genoeg om ergens een lijk te moeten aantreffen, of het nu onder een boom in het bos was waar beesten aan het gezicht hadden geknaagd, of bloedend op het goedkope linoleum van een smerig appartement, of bloedeloos en opgezwollen uit de rivier gedregd, zoals in dit geval. Het zag er nog afschuwelijker uit als het lichaam op de onderzoekstafel lag. Pathologie was objectief en chemisch gezien bedoeld om de dood te zuiveren, te steriliseren; Irk vond dat precies het tegenovergestelde gebeurde.

En er was geen autopsie erger dan bij dit soort gevallen, wanneer het ging om het lijk van een kind. De onderzoekstafel was groot genoeg voor iemand van Sjarmoechamedovs afmetingen, of zelfs die van Lev. Het kleine, onbehaarde lichaam leek er nog kleiner door.

'Begrijp me goed, Sjoma; dit is misschien helemaal geen kind van mij,' zei Irk.

Het 'van mij' verwees natuurlijk naar de operationele verantwoordelijkheid, niet naar het vaderschap. Als Semjon Sidoroek, de patholoog, tot de conclusie kwam dat Vladimir Kullam, de overledene, was verdronken, zou Irk de zaak niet gaan onderzoeken. Verdrinkingen wezen op ofwel zelfmoordenaars die hun zakken hadden volgestopt met stenen, ofwel op een ongeluk – kinderen die zichzelf hadden overschat, volwassenen die te veel wodka hadden gedronken. Er waren wel eenvoudiger manieren om iemand te vermoorden.

'Ik weet nog precies hoe die sovjetprocedure gaat, Juku.' De sovjetprocedure hield meestal in dat de conclusie van tevoren werd bepaald en dat de analyse in die richting werd gestuurd. 'Hoewel ik in deze zware tijden natuurlijk wel iets moet rekenen voor een dergelijke service, moge Lenin me vergeven.' De donkere huid van Sidoroeks geschoren schedel glom onder het lamplicht; hij was een Tsjetsjeen, een van de zeer weinige politieambtenaren die in Moskou werkten. Hij drukte een sigaret uit in een kniehoge asbak die aan alle kanten werd omringd door nimfen van lood.

'Dat bedoelde ik niet, Sjoma.' Sidoroek was ervan uitgegaan dat Irk hem wilde omkopen om een bepaalde conclusie door te drukken. 'Ik wil je eerlijke mening horen. Het gaat er alleen om of jij deze zaak' – Irk wuifde hulpeloos naar het lijk – 'zou willen onderzoeken?'

Sidoroek haalde zijn schouders op. Irk begreep dat het eerder een blijk van onverschilligheid was dan van besluiteloosheid. Sidoroek ging met lijken om zoals monteurs met auto's, het hield het midden tussen genegenheid en ergernis, met iets van medelijdende minachting voor degenen die dit niet begrepen. Voor Sidoroek waren lijken dingen die onderzocht en ontleed moesten worden, richtingaanwijzers op het pad naar de waarheid. Het maakte hem niets uit of het een jong of oud persoon was, dik of dun, mooi of lelijk; hij wilde niet weten wat voor soort mens het was geweest.

Voor een patholoog was dat een uitstekende eigenschap; voor een onderzoeker zou het, in de ogen van Irk, rampzalig zijn geweest.

Irk vroeg zich af in hoeverre Sidoroeks houding het gevolg was van de manier waarop mensen met hem omgingen. Het was niet zo dat ze eerst de Tsjetsjeen zagen en daarna pas de persoon; ze zagen gewoonweg de Tsjetsjeen, en dat was genoeg om verder geen belangstelling meer te hebben. Als Estlander was Irk ook een buitenstaander, maar hij wist dat er een verschil was tussen blanke buitenstaanders en zwarte.

'Het is het seizoen voor overlijdensgevallen, Juku.'

'Het is altíjd het seizoen voor overlijdensgevallen.' De aantallen waren hoger in tijden van verandering, maar er was voortdurend sprake van verandering. In de jaren dertig van de 20e eeuw was er de collectivisering, in de jaren veertig de oorlog; de liberalisering vond plaats in de jaren vijftig, bezuiniging in de jaren zestig; de jaren zeventig hadden stagnatie gebracht, de jaren tachtig perestrojka; en nu dit, vrijheid of anarchie, al naar gelang je je wodkaglas als halfvol of halfleeg zag.

'Heb je ooit eerder een verdrinkingsgeval onderzocht?' vroeg Sidoroek. Irk schudde zijn hoofd. 'Goed, laten we dan bij het begin beginnen: eerst moeten we erachter komen hoe lang hij daar heeft gelegen.' Irk zuchtte bij zichzelf. Zodra Sidoroek een toehoorder had, behandelde hij elke autopsie als een gelegenheid om college te geven. Irk had zich lang geleden gerealiseerd dat je het beste maar mee kon spelen; elke poging om Sidoroek op te jagen mondde uit in een twee keer zo lang verhaal.

'De lichaamstemperatuur komt overeen met die van de rivier. Lichamen koelen in water zo'n drie graden per uur af, tweemaal zo snel als in de open lucht. Als het water warm is, bereiken ze binnen vijf à zes uur die temperatuur; is het koud, zoals nu, dan tweemaal zo snel. Dus laten we zeggen dat het lijk er twaalf uur in heeft gelegen, op zijn minst; dat is te lang om een diagnose te kunnen stellen voor de bloedgraviteit of bloedplasma, zelfs als ik die verdomde apparaten aan de praat kon krijgen.'

'Daar heb ik niets aan, Sjoma. Vladimir was zondagmiddag absoluut nog in leven, en op woensdagavond absoluut niet meer – dus zitten we met drie dagen waar we niets van weten, ik moet meer specifieke details hebben. Wat dacht je hiervan?' Irk wees naar de hals en de borst van de jongen, die groenige vlekken vertoonden. 'Zegt dat niets?'

'Verrotting onder invloed van het water. Dat is gebeurd nadat hij uit de rivier is gehaald. Zodra een lijk aan de lucht wordt blootgesteld, voltrekken zich heel snel veranderingen. Dat heeft niets te maken met de tijd dat het in het water heeft gelegen.'

'Het', 'het lijkt', 'het lichaam'; Irk benijdde Sidoroek om het gemak waarmee hij met de doden omging, zijn vermogen hen te ontmenselijken. Irk kwam zo weinig mogelijk in het mortuarium, en als hij er kwam, bracht hij er zo weinig mogelijk tijd door; hij praatte niet met de assistenten en neusde niet rond in de vrieskasten. Honderden mensen werkten hier, op de afdeling forensisch onderzoek van het ministerie van Gezondheid, maar Sidoroek was de enige die Irk van naam kende. Het was een wereld die Irk vreemd en beangstigend voorkwam. In Petrovka, het hoofdkwartier van politie, ging het gerucht dat een van de assistenten van het mortuarium, toen hij bezig was met het lichaam van een fotomodel, haar nog even aantrekkelijk had gevonden als toen ze nog leefde. Irk wist dat er geen correlatie was tussen de mate waarin een inspecteur zich op zijn gemak voelde in de autopsieruimte en zijn bekwaamheid om een misdaad op te lossen – een paar van de grootste idioten bij Moordzaken woonden zo ongeveer in het lijkenhuis – maar toch; dit was een aspect aan het werk dat hij naar zijn idee iets doortastender zou moeten aanpakken.

Hij schudde zijn hoofd als een hond die uit het water opduikt; hij moest zich concentreren.

'Goed.' Sidoroek klapte in zijn handen. 'En nu de hoofdschotel. Laten we eens kijken of dit er een van jou wordt of niet, ja? Dit is niet zo simpel als het klinkt; het kan heel lastig zijn om te zien of een lichaam is verdronken of niet. Er zijn bij een lichaam dat in het water heeft gelegen altijd dingen te zien die erop kunnen wijzen, ongeacht de doodsoorzaak. Er bestaan geen autopsiebevindingen die op zichzelf op verdrinking wijzen, dus we moeten bewijzen dat het slachtoffer nog leefde toen hij in het water terechtkwam, en tegelijkertijd natuurlijke, traumatische en toxicologische doodsoorzaken uitsluiten. Pas dan kunnen we met zekerheid zeggen dat het slachtoffer de verdrinkingsdood is gestorven.'

'In eenvoudig Russisch is het dus een kwestie van elimineren.'

'Precies. Als het er inderdaad een van jou is, dan weet je dat al voordat je weet dat het niet zo is, als je begrijpt wat ik bedoel.' Sid grinnikte en boog zich over het lichaam; Irk zag hoe de aderen op zijn kruin lijnen vormden als die waar de delta van de Wolga uitmondt in de Kaspische Zee. 'Laten we eens kijken wat de verwondingen ons vertellen. Zie je dat het lichaam grotendeels bloedeloos is?' Irk knikte; de jongen was witter dan wit geworden. 'Dat is niet zo verwonderlijk. Door onderdompeling in water stroomt het bloed zowel uit wonden van voor als van na het overlijden. Het is dus vrijwel onmogelijk om na zo lange tijd nog het verschil te zien.'

Sidoroek onderzocht de paar groenblauwe plekken op het hoofd en in de hals van de jongen. 'Wonden en kneuzingen. Ook weer precies wat ik had verwacht. Lijken in het water liggen altijd met het gezicht omlaag, en het hoofd hangt dan lager dan de rest van het lichaam, dus daar zie je de meeste beschadigingen.' Hij liet zijn blik langzaam over het lichaam omlaag gaan. 'Drie parallelle verwondingen, hier op de linkeronderarm, misschien van een schroef.'

'Van een schroef? Hoeveel boten heb jij onlangs nog op de rivier gezien?'

'Daar zeg je zo wat. Twee rechte sneden op het borstbeen, loodrecht op elkaar. Zie je dat? Die samen een T vormen?'

'Te ordentelijk voor een willekeurige verwonding, bedoel je?'

'Ja.' Sidoroek kneep erin. 'Maar heel oppervlakkig. Zeker niet fataal.'

Irk knikte nadenkend. 'Een vader die hem heeft geslagen? Jeugdbendes? Zelfverminking?'

'Jij bent de inspecteur, Juku, zeg het maar. En trouwens: wat voor gereedschap hebben ze gebruikt om hem op te dreggen?'

'Werpankers en grijpers – o, en ook touwen. Hij is opgehesen tegen een steunbeer.'

'Nou, dan zijn het stommelingen. Zeg maar dat ze de volgende keer voorzichtiger moeten zijn.' Sidoroek wees naar de schaafwonden rond het middel en een diepe snee in het linkerdijbeen. 'Dat lijken me verwondingen als gevolg van het ophijsen.'

Sidoroek inspecteerde Vladimir helemaal tot onder aan zijn tenen, met zijn gezicht zo dicht bij het lijk dat Irk aan een snuffelende hond moest denken, en kwam daarna hoofdschuddend weer overeind. 'Geen overtuigend bewijs, vrees ik. En de zaak wordt nog troebeler– vergeef me de uitdrukking – door het feit dat hij in koud water is gevonden. Heb je wel eens gehoord van belemmering van de *nervus vagus*?' Hij gaf Irk niet de kans om te reageren. 'Een plotselinge, dramatische verandering van temperatuur kan een hartstilstand of strottenhoofdschok tot gevolg hebben: onmiddellijk verlies van bewustzijn, gevolgd door de dood. Het is wel verdrinking, maar dan atypisch. Pathologisch gesproken is acuut bewustzijnsverlies moeilijk te onderscheiden van een vorig stadium van hetzelfde; de symptomen kunnen verwarrend zijn.' Sidoroeks sikje verbreedde zich rond zijn grijns. 'Misschien wil je nu even buiten een sigaretje roken, Juku.'

Irk stapte de gang op en stak een sigaret op onder het bordje niet roken. Bij de eerste trek werd hij nog lichter in zijn hoofd dan hij al was, en de geluiden achter de hordeuren maakten het er niet veel beter op: het gemelijke gejank van een elektrische zaag die op botten stootte, een voldane zucht toen hij door weefsel ging. Sidoroeks hoofd verscheen om het hoekje van de deur.

'Je bent nog witter dan zojuist.' Hij klonk geamuseerd, niet bezorgd. 'Doe volgende keer je oordoppen maar in. Ik ben er klaar voor als jij het ook bent.'

Het was al erg genoeg dat Sidoroek zich zo duidelijk vermaakte met Irks onpasselijkheid; nog erger was dat Irk helemaal niets kon bedenken om hem terug te pakken. Hij liep de autopsieruimte weer in en maakte bijna meteen rechtsomkeert; de jongen was opengesneden in drie lijnen die een volmaakte Y vormden van zijn schouders naar het borstbeen, en van daar naar zijn middel.

Sidoroek hield een long in zijn handen alsof het een schoothondje was. Patronen in gemarmerd grijs en rood schoven over de binnenkant van zijn onderarmen toen die bewoog; het leek op een waterballon, een volle blaas, groot en gezwollen. Irk gluurde van de long naar het dode lichaam en weer terug. Hij kon niet begrijpen hoe dat in het lichaam had gepast. Sidoroek legde de long op tafel.

'Zie je die lichte plekken, hier, en hier?' Hij wees op roze en mosterdgele vlekken. 'Dat zijn de gebieden die meer lucht hebben gekregen. Wil je het voelen? Nee? Het is net deeg, je kunt het indeuken. Kijk –' Sidoroeks vinger leek erin te verdwijnen. 'Het is geen onaangename sensatie, weet je. Geef me even dat mes, wil je?' Irks hand bleef onzeker boven een roestvrij stalen blad hangen. 'Niet dat, het tweede ernaast. Ja, die daar. Het is net alsof we in de keuken staan, vind je niet? Kook jij zelf, Juku?'

Sidoroek sneed in de long. Vuil water spoot uit de snee en stroomde over de tafel heen. Als Irk een ogenblik later achteruit was gestapt, waren zijn schoenen en zijn broekspijpen doorweekt geweest. Hij dacht dat hij moest overgeven.'

'Precies wat ik dacht.' Sidoroek klonk tevreden. 'Geen vocht.'

Irk wees naar de plas op de vloer. 'En wat is dat dan in vredesnaam?'

'O, dat is wáter.' Hij snoof. 'Goed rivierwater, zo te ruiken. Nee, ik was op zoek naar het soort vocht dat je krijgt wanneer lucht en water daadwerkelijk zijn ingeademd. Een passieve opname van water in de longen ziet er heel anders uit. Niet dat dat iets bewijst, hoor. Dat soort vocht is niet altijd aanwezig, en als het er wel is, is het niet te onderscheiden van wat wordt veroorzaakt door een longoedeem.'

'Zoals je krijgt bij hoofdverwondingen?'

'Lenin zij geprezen, ze hebben je op die politieschool toch nog wat geleerd. Hoofdverwondingen, ja; ook bij hartverlammingen en overdoses drugs. Maar goed, daar is niets van te zien.'

'Wat betekent dat?'

'Dat betekent – nee, het doet vermoeden – dat je deze zaak misschien toegewezen krijgt, of je het nu leuk vindt of niet.'

'Je geniet hiervan, hè?'

'Een man kan maar beter trots zijn op zijn werk, Juku. De dagen duren anders zo lang.'

Sidoroek trippelde blijmoedig naar een weegschaal en haalde er een kleine zak uit .

'Maag?' zei Irk bibberig.

'Juku! Straks wil je mijn werk nog gaan doen.' Sidoroek inspecteerde Irks gezicht. 'Of misschien niet. Ja, de maag – en die is zo goed als leeg. Verdrinkingsslachtoffers slikken meestal allerlei dingen in: water, natuurlijk, maar ook zout, slib, wier en andere lichaamsvreemde dingen. Wat de Moskva betreft, je zou waarschijnlijk een kernbom kunnen maken van alle troep die daarin ronddrijft; ik weet niet zeker of je eerst zou verdrinken of vergiftigd zou raken. Waar was ik gebleven?'

'Een lege maag.'

'O, ja. Nu we het daarover hebben, heb jij al geluncht?' Irk klemde zijn kiezen op elkaar en schudde zijn hoofd. 'Waarschijnlijk maar beter ook. Maar goed – als het slachtoffer al dood is voor het te water raakt, komt er nog heel weinig in de maag terecht. Wat je aantreft, is meestal niet verder gekomen dan de keel, de luchtpijp en de verdere luchtwegen.' Hij hield de maag vlak voor Irk. 'Hou eens even vast?'

'Rot op.'

Sidoroek schoot in de lach. 'Je zou jezelf eens moeten zien.'

'Ga nou maar door.'

Sidoroek legde de maag weer op de schaal, liep terug naar het lijk en tilde de rechterhand op. 'Wat zie je?'

De hand was schoon en plat. 'Niets.'

'Precies. Slachtoffers die in het water vallen, proberen alles vast te grijpen wat ze tegenkomen, voorwerpen die soms heel moeilijk weer los te krijgen zijn na de lijkverstijving. Maar daar is hier geen sprake van. Ook niets te zien onder de nagels. Ik heb hem zelfs nagekeken op bloeduitstortingen van de hals- en borstspieren om te zien of er met hem gegooid is. Geen spoor.'

Irk wees op een roodbruine verkleuring op het linkersleutelbeen van de jongen. 'Wat is dat dan?'

'Belemmering van hemoglobine, zou ik zeggen. Ongelijkmatige verrotting kan zulke ontwikkelingen in de spieren te zien geven. Het is gemakkelijk te verwarren met een bloeding.'

Irk zuchtte. 'Het is vrij duidelijk, hè?'

Sidoroek maakte een overdreven gebaar naar het lijk, als een ober die de specialiteit van de kok laat zien. 'Inspecteur Irk, hierbij stel ik je voor aan je nieuwste zaak. En vraag me alsjeblieft niet op zoek te gaan naar vingerafdrukken of haarlokken of lichaamsvocht. Die zijn er allemaal allang van afgewassen.'

Petrovka – juister gezegd, Petrovkastraat nummer 28, hoofdkwartier van de Moskouse politie – was een vuilbeige, aftands gebouw dat schreeuwde om een stevige schoonmaakbeurt. Het vuil was bijna troostend voor het afzichtelijke hoofdgebouw, maar voor de vleugels die uitkeken op de noord- en zuidkant van de straat was het een belediging.

In de tijd die je moest wachten op de lift kon je wodka stoken. Irk beklom de trappen naar de vijfde verdieping, en bedacht hijgend met spijt dat hij er niet jonger op werd. Hij stond nog steeds op adem te komen toen hij zag dat er iemand in zijn kantoor aanwezig was – iemand die zelfs op zijn stoel zat. Sabirzjan.

'Een zeldzaam genoegen,' zei Irk toen hij binnenging. 'Alle Lubjankamannen die ik ken beschouwen ons als tweederangs burgers. Ze steken liever een naald in hun ogen dan dat ze zich verwaardigen naar het Petrovka te komen. Waaraan heb ik deze eer dus te danken?'

'Je hoeft de zaak-Vladimir Kullam niet op je te nemen, inspecteur.'

'O?'

'Ik ben persoonlijk belast met de leiding van het interne onderzoek dat Rode Oktober heeft ingesteld naar deze tragische gebeurtenis, en ik hoef u waarschijnlijk niet te herinneren aan mijn positie. Vladimir Kullams vader werkt bij Rode Oktober. De stokerij wordt momenteel geprivatiseerd. Daardoor is het een politieke zaak geworden.' Het OM onderzocht alle misdaden, behalve politieke en die waarbij buitenlanders betrokken waren – die zaken werden behandeld door de MSB, de opvolger van de KGB. 'Een zeer gevoelige politieke zaak, trouwens. Je kunt je wel voorstellen hoe zenuwachtig de regering zal reageren op alles wat een bedreiging kan zijn voor de hervormingsplannen. Je bent ongetwijfeld ook op de hoogte van... van een voorval dat op zaterdagavond heeft plaatsgevonden. Bij een bloemist in Zamoskvaretsje?'

De Tsjetsjenen, dacht Irk, het zijn altijd weer de Tsjetsjenen die van alles het eerst de schuld krijgen. 'In de winkel van Karkadann?'

Sabirzjan knikte. 'Een drievoudige moord. Een zaak die volgens mij in handen is van Jerofejev.'

'Of niet.' Jerofejev was Irks collega op de afdeling Georganiseerde Misdaad. Bij Moordzaken, Irks afdeling, behandelden ze alleen moorden van niet-maffialeden, ook al waren moord en maffia niet vaak vreemden voor elkaar.

'Ik heb zojuist met hem gesproken. Er wordt op dit moment niet actief gewerkt aan een oplossing van de zaak.' Dit soort dubbelzinnigheid was puur sovjet; Sabirzjans toon was duidelijk genoeg.

'Binnen vierentwintig uur terzijde geschoven, als ik het goed heb. Een soort record, zelfs voor iemand als Jerofejev. Het ging om een van jouw mannen, samen met Karkadanns vrouw en kind, klopt dat?' Sabirzjan knikte. 'Jerofejev zou hierin Pontius Pilatus nog hebben verslagen. Maar wat heeft dat te maken met Vladimir Kullam?'

'Karkadann wil het beheer over Rode Oktober, dat is geen geheim.'

'En?'

'Hoe kan hij Lev beter onder druk zetten dan door Vladimir Kullam te vermoorden?'

Irk schoot in de lach. 'Je maakt een geintje.'

'Helemaal niet.'

'Zelfs naar de norm van de KGB is dat een bijzonder zwakke link, die je daar legt.' Zelfs toen hij het zei wist Irk dat er mensen op grond van nog minder bewijsmateriaal naar de zoutmijnen gestuurd waren.

Sabirzjan trok zijn wenkbrauwen op, greep Irks telefoon, draaide een nummer, mompelde iets onverstaanbaars en stak Irk de hoorn toe.'

'Hallo?' zei Irk.

'Met Lev. Ik zal je vertellen wat er is gebeurd bij de bloemisterij, als je je mond erover houdt.'

'Goed.' Er ging niets mee verloren. Irk had de verklaring kunnen vastleggen en hem door Lev in drievoud laten tekenen, het zou geen verschil hebben gemaakt. Jerofejev kon een pas gebruikt pistool op weg van zijn ene hand naar de andere kwijtraken. Hij had de naam de rijkste politiefunctionaris van Petrovka te zijn.

'Karkadann heeft ze allemaal vermoord: een van mijn mannen, zijn eigen vrouw, zijn eigen zoon. Hij heeft een van mijn mannen in leven gelaten om de volgende boodschap door te geven: 'Hij heeft mij mijn eigen vrouw laten doden; ik zal al zijn vrouwen doodmaken. Hij heeft ervoor gezorgd dat ik mijn zoon heb gedood; ik zal al zijn kinderen doden. Hij heeft ervoor gezorgd dat ik mijn vriend heb gedood; ik zal al zijn vrienden doden.'

'Vergeef me, maar ik zie nog steeds niet wat dat te maken heeft met Vladimir Kullam.'

'Ik ben een vor. Wij hebben geen gezinnen.' Lev vertelde Irk niet dat de eed die Karkadann had gezworen onaangenaam dicht bij die van de vori kwam, wier eigen voorouders vroeger ook bandieten waren geweest die soms, voordat ze hun overvallen pleegden, hun vrouwen en eigen kinderen hadden gedood om te voorkomen dat ze in handen van de vijand vielen. 'Vladimir was het kind van een van mijn werknemers. Hij bezocht ook de school van Rode Oktober. Ik beschouw al die leerlingen als mijn eigen kinderen, inspecteur. Lach me alsjeblieft niet uit. Ik meen het serieus als ik dat zeg. Die mensen vallen onder mijn verantwoordelijkheid. Karkadann weet dat. De strijd is begonnen.'

Irk ging met Sabirzjan een verdieping hoger, naar het kantoor van de procureur-generaal.

Denis Denisovich Denisov had het mooiste kantoor van Petrovka: ramen van boven tot onder, die door een van de zuilengangen uitkeken op het zuiden. Zonder de verkeersopstoppingen en de zware Moskouse lucht buiten, zou de kamer de perfecte achtergrond zijn geweest voor prerevolutionaire adel. Niet dat Denisov dit zou hebben kunnen waarderen; hij was een man die zich er niet van bewust leek dat de Sovjet-Unie niet meer bestond. Aan de muur achter hem krulden posters over socialistische vooruitgang omhoog.

Sabirzjan herhaalde wat hij tegen Irk had gezegd: dat het om een politieke of criminele kwestie ging, mogelijk beide, maar zeker niet iets voor Moordzaken. Denisov schudde zijn hoofd.

'Denk je dat je hier binnen kunt komen en ons zomaar kunt commanderen? Je kunt ons dat gelul over staatsveiligheid niet meer in de maag splitsen – die tijd is voorbij. Dit is een zaak van ons, van Juku – tenzij en totdat hij bewijs vindt van het tegendeel.' Denisov wendde zich tot Irk. 'Als je kunt aantonen dat de moord ofwel met het privatiseringsproces ofwel met de georganiseerde misdaad te maken heeft, dan kun je de zaak doorgeven. Alleen dan.'

Denisov had drie perfect symmetrische littekens onder elk oog; het hadden littekens kunnen zijn van een gesmolten kaars, of stamtekens. De rest van zijn gezicht was volkomen normaal, standaard homo sovieticus. Als je een foto zou maken van Denisov, en een zwarte balk zou aanbrengen over zijn ogen, zoals ze deden bij foto's van soldaten van de speciale eenheid Spetsnazi, zou hij onherkenbaar zijn.

Kovalenko was de perswoordvoerder, en hij werkte in een bunker zonder ramen in het binnenste van Petrovka. Irk vond het een toepasselijke weergave van zijn positie in een organisatie die het volk zo weinig mogelijk wilde meedelen over wat ze deden (of, vaker, niet deden). Kovalenko's salaris was nog lachwekkender dan dat van zijn collega's; er werd min of meer verwacht dat dat gecompenseerd werd met betalingen voor tips van dankbare verslaggevers.

Irk zette een fles op het bureau van Kovalenko. 'Eesti Viin,' zei hij. 'Vol en romig, gebotteld in Tallinn – niet die troep die ze hier in de kiosken verkopen.'

Kovalenko was te welopgevoed om de fles meteen te grijpen, maar het scheelde niet veel. 'En wat moet ik daarvoor doen?

'Daarvoor wil ik dat je tegen iedere broodschrijver die ernaar vraagt zegt dat het lichaam dat vanochtend uit de rivier is gevist door Rode Oktober een dronken kerel was.' Dronken kerels werden met de regelmaat van de klok uit de Moskou gehaald – erin of erbovenop, afhankelijk van het seizoen, meestal met hun gulp geopend omdat ze hun evenwicht waren verloren tijdens het pissen. Het was pas nieuws als er een dag voorbijging zonder zo'n voorval.

'En om wie ging het in werkelijkheid?'

'Als je het niet weet, kun je het ook niet aan iemand vertellen, nietwaar?'

'Goed,' zei Sabirzjan, 'misschien dat dit je overtuigt: Vladimir werkte in een kiosk bij het Novokoeznetskaja-metrostation. Ik heb gehoord dat ze onlangs een bezoekje hebben gekregen van Tsjetsjenen.'

'Ik ga er later wel op af.'

'Waarom niet nu?'

'Omdat ik de huizen af moet langs de rivier.'

'Jij? Je bent toch hoofdinspecteur?'

Irk haalde zijn schouders op. Natuurlijk zou een hoofdinspecteur dergelijk routinewerk niet moeten doen; hij had zijn ondergeschikten in uniform moeten sturen. Maar bij een huis-aan-huis-onderzoek hadden die geüniformeerde jongens altijd iets anders in gedachten; zelfs de meest vindingrijke agent vond het moeilijk om er bij zulke opdrachten achter te komen wie er steekpenningen betaalde. Irk had het opgegeven tegen het systeem te vechten; het was gewoon gemakkelijker om zelf op pad te gaan.

Niet dat het veel zou opleveren. Van urine doortrokken trappen op- en aflopen omdat de liften niet werkten, doodlopende straten in en uit, alleen om erachter te komen wat hij al die tijd al had vermoed – dat als iemand ook maar íéts had gezien, die er zeker niet mee naar de politie zou gaan. Zelfs in Moskou drong het maar heel langzaam door dat een bezoek van de politie niet langer een onvermijdelijk voorspel was op tien jaar Siberië.

Op weg naar Novokoeznetskaja bedacht Irk dat Moskou uit lijnen bestond. Gepensioneerden stonden in paren voor metrostations, met zomerjurken en zonnehoeden tegen hun borst gedrukt, midden in de vrieskou van Moskou; winkelbedienden stonden voor hun eigen winkel artikelen aan te bieden voor lagere prijzen dan er binnen voor betaald moest worden; stalletjes stonden op trottoirs en onder viaducten, elkaar verdringend met glas en metaal. Als je bij de ene kiosk niet kon vinden wat je zocht, had de ander het gegarandeerd, of anders de volgende. Japanse elektronica en Deense ham bij de een, Franse kaas en Koreaanse condooms bij de ander. Ninja-Turtles en barbiepoppen? Drie kraampjes verderop. Snickers, Marsen, Bounty's? Verderop, meneer, maar ik zou wel op de houdbaarheiddatum letten als ik u was. En nu u hier toch bent, wat dacht u van illegale bandopnames? We hebben Elton John, Sting, Genesis en alles van Rod Stewart wat u maar wilt.

Het was daarom opvallend dat de kiosk waar Vladimir Kullam had gewerkt fier apart stond. Irk kwam het metrostation uit en daar zag hij het, op een steenworp afstand van het Tretjakov-museum. De deur bestond uit twee delen, zoals je vaak bij stallen ziet; toen hij binnen was, hield de zetbaas de onderkant dicht en bediende hij via de bovenkant. De zetbaas was in dit geval een nukkige jongeman met rood haar en sproeten.

'Klopt het dat Vladimir Kullam hier' – Irk moest even opletten in welke tijd hij het woord moest zeggen – 'werkt?'

De roodharige bekeek hem argwanend. 'Ja,' gaf hij uiteindelijk toe.

'En u bent?'

'Zeg maar Timofej.' Hij werd omringd door honderden wodkaflessen. Irk stak zijn pasje naar voren als een talisman.

'Nou, Timofej, heb jij Vladimir gekend?'

'Ja.'

'We hebben hem vanochtend uit de rivier opgedregd.'

Timofej schokschouderde.

'Dat doet je niks?' vroeg Irk.

'Die dingen gebeuren.' Timofej haalde onder de toonbank een stel tijdschriften tevoorschijn. 'Wilt u porno, inspecteur?'

'Zie ik eruit alsof ik dat wil?'

'Iedere man wil dat toch. Hier, ik heb een *Penthouse* – vijftien roebel als u even wilt kijken, vierhonderd als u hem koopt. U kunt ook *Andrei* krijgen voor de helft.' *Andrei* was een aangepaste, waziger versie van *Penthouse*; de vrouwen waren knapper, de productiewaarde was onvermijdelijk veel lager. Alles bij elkaar genomen, dacht Irk, kwam het op hetzelfde neer. 'We hebben ook *Rabotnitsa* voor de vrouwen.' *Rabotnitsa* – letterlijk 'Werkende vrouw' – dankte zijn oplage van tien miljoen aan een selectie breipatronen, recepten en diëten; er stond niets in over carrièrevrouwen, niets over seks.'

'Ik heb geen vrouw. Wie is de eigenaar hiervan?'

'Ik.'

'Nee, sufkop. Wie is de echte eigenaar? Wie betaal je voor je bescherming?' Irks gezichtsuitdrukking waarschuwde Timofej dat hij niet nog eens hetzelfde moest zeggen.

'De 21e Eeuw.'

Dat klonk aannemelijk. Kiosken waren niet alleen lucratief; maar ook goed voor het witwassen van zwart geld. Maar hoewel de wereld niet rouwig was om een maffioso meer of minder, betekende het verlies van Vladimir Kullam wel degelijk iets. Zelfs in Moskou waren kinderen belangrijk.

'Niet de Tsjetsjenen?'

'Zien mensen van de 21e Eeuw eruit als Tsjetsjenen? Ik dacht het niet.'

'Ooit problemen gehad met Tsjetsjenen?'

'Nee.' Te snel. Irk hield zijn hoofd schuin.

'Timofej, niemand komt te weten wat je me vertelt.'

'Wat ik je vertel is dit; de Tsjetsjenen hebben het me nooit moeilijk gemaakt.'

Opmerkelijk, vond Irk; Timofej werd beschermd door een van de machtigste bendes in de stad, maar evengoed hadden de Tsjetsjenen hem zo'n angst aangejaagd dat hij over hen loog.

'En wat ik jou vertel is dit: vertel me de waarheid, of je komt naar Petrovka.'

'Op wat voor gronden?'

'Ik heb geen gronden nodig, dat weet je even goed als ik.' Irk maakte gebruik van zijn macht; hij haatte zichzelf erom, maar hij moest erachter komen wat er was gebeurd.

Timofej keek even naar links en vervolgens naar rechts om zich ervan te overtuigen dat er niemand keek, en wenkte Irk dichterbij. Hij geloofde Irks dreigementen, waardoor Irk zich nog rotter voelde. Zoals de meeste mensen ging Timofej er klaarblijkelijk van uit dat alle ambtenaren corrupt waren.

'Ze zijn maandag hier geweest.'

'Was Vladimir toen bij jou?'

'Ja.'

'Wat wilden de Tsjetsjenen?'

'Rottigheid – wat anders?'

'Waren ze hier al eerder geweest?'

'Eén keer.'

'Wanneer?'

'Vorige week.'

'Wat deden ze?'

'De eerste keer niets. De tweede keer kwamen ze hier binnen, grepen ons in de kraag, smeten ons de kiosk uit en zeiden dat we bij hen moesten zijn in plaats van bij de 21e Eeuw.'

Toen Lev opstond en om stilte verzocht, leek hij op een beer die balanceerde op zijn achterbenen. Ze keken verrukt naar hem op, als iedere ideoloog die was aangestaard door Lenin of Trotski.

'Broeders, wij staan aan het begin van een enorm conflict. We moeten het opnemen tegen een kwaadwillig man, een man die niet naar rede wil luisteren; een man die ervoor heeft gekozen zijn campagne te lanceren met de meest verachtelijke en lafhartige daad die we ons kunnen voorstellen: de moord op een onschuldig kind.'

Dit was waar het om ging. Karkadann was een onbekende soort voor Lev, iemand van wie hij niet goed wist hoe hij ermee om moest gaan. Niet alleen was de man duidelijk psychotisch; er leek ook zo'n simpelheid in hem te schuilen. De meeste bendeleiders spelen een tactisch spel, schatten hun kansen in, wachten op het juiste moment om een zet te doen. Voor Karkadann leek het enige moment 'nu' te zijn; alles was goed of slecht, mooi of lelijk, zwart of wit, en kansen afwachten was er niet bij.

'We hebben de sovjetmacht overleefd. De communisten hebben ons niet kunnen vernietigen, want wat ze ons ook hebben aangedaan, wij zijn waarachtig gebleven, wij hebben onze structuur behouden, onze ideologie, wij hebben overleefd. Nu hebben we te maken met een andere vijand, maar we zullen op dezelfde wijze triomferen. Wij zijn superieur aan de Tsjetsjenen, qua cultuur en qua normen. We betalen de ziekenhuisrekeningen van onze gewonden, we zorgen voor de gezinnen van gevangenen. We zijn beter opgeleid, meer gedisciplineerd, en beter bewapend. We zullen hen te gronde richten, dat beloof ik jullie.'

Ze applaudisseerden toen Lev zweeg; ze hielden ermee op zodra hij zijn hand omhoog stak. Lev gaf aan dat ze moesten gaan staan. Het was tijd voor een toost.

'We moeten niet vergeten dat het belangrijkste voor ons niet geld is, maar verbroedering. Dat is waar we onze kracht aan ontlenen.'

Glazen werden in bezwete handen omhoog gehouden; er was hier geen man die niet voor Lev zou hebben willen doden, en dat was een van zijn grootste krachten.

'Laten we daarom drinken op ons gemeenschappelijke doel, en dat is elkaar altijd te steunen, en solidair te blijven. Een man alleen stelt niets voor. Maar als we ons verenigen en elkaar steunen, zijn we sterk en zal iedereen bang voor ons zijn. Laten we drinken, broeders! Op de solidariteit!'

'Op de solidariteit, vader!'

19

Wat Timofej had gezegd was niet genoeg om Irk van de zaak af te laten zien, niet in het minst. Hij legde een bezoek af bij German Kullam, iets wat hij al veel eerder had moeten doen. De vader is in Russische moordzaken altijd de hoofdverdachte. Dit is geen cynisme maar een feit. Afgezien van de georganiseerde misdaad vallen Russische moorden meestal uiteen in twee categorieën: ten eerste in dronken woede die gericht is tegen familie of vrienden; ten tweede als logisch gevolg van roof, ofwel met voorbedachten rade en opzettelijk ofwel per ongeluk en impulsief. Het gebruikelijke slachtoffer van de Russische moordenaar is de vrouw met wie hij slaapt of het kind van wie hij de vader is. Slechts een handjevol moordzaken stijgt uit boven het niveau van kinderlijke stompzinnigheid. Ook hier weer gaat het meestal om moorden in de onderwereld. Criminelen moeten zich altijd anders gedragen.

De Kullams woonden naast een klooster dat ooit was opgericht door een hertogin die door de bolsjewieken in een mijnschacht was gegooid. De overblijfselen van de revolutie waren overal merkbaar, dacht Irk, terwijl hij machteloos toekeek hoe Alla het uitsnikte op de schouder van haar man. German hield zijn vrouw in een ongemakkelijke omhelzing vast en keek half verontschuldigend, half lachend over haar hoofd naar Irk. Hij leek zich niet goed raad te weten met dit vertoon van verdriet.

Alla maakte zich uiteindelijk los van German en keek met grote, roodomrande ogen naar Irk. 'Wilt u misschien wat soep?' vroeg ze. 'Ik heb hem zelf gemaakt.'

Hij knikte zwijgend, meer uit beleefdheid dan omdat hij trek had, en vermeed Germans blik terwijl Alla in de keuken stond te redderen. Ze kwam terug met een kom op een blad waarop een afbeelding stond van de slag om Borodino. Het was koude zomersoep, gemaakt van bieten, komkommer, zure room en ei, waarvan de dooier in een paarse plas dreef. Een soep voor lome dagen in het bos met vrienden en wodka; niet een soep voor de man die bij je thuis kwam vertellen dat je kind dood was.

Irk zei alles was er van hem werd verwacht; hoe het hem speet, wat een tragedie het was, maar hij moest wel een paar vragen stellen en hij hoopte dat ze dat begrepen. Ja, inspecteur, ja, natuurlijk, wat hij maar wilde weten. Dus stelde hij zijn vragen en Alla gaf antwoord: waar ze hun brood mee verdienden, wanneer ze Vladimir voor het laatst hadden gezien en in wat voor omstandigheden, wanneer ze zich zorgen waren gaan maken over zijn welzijn. Hij vroeg niet waarom ze niet eerder naar de politie gegaan waren; daar wisten ze allemaal het antwoord op.

Ze hadden dit de dag ervoor ook allemaal al verteld aan Sabirzjan, zei Alla. Het stoorde Irk en het verbaasde hem evenzeer; het stoorde hem dat Sabirzjan hem overal een slag voor leek te zijn, en het verbaasde hem dat de KGB-man zich had beziggehouden met de ondervraging van de Kullams terwijl hij duidelijk een ander verdacht. Misschien wilde hij eerst zekerheid.

Alla was zowel kien als knap genoeg om geen kantoren te hoeven schoonmaken. Misschien was haar ander werk aangeboden, als secretaresse, in ruil voor seks met de baas, en had ze dat geweigerd. Gelijk had ze, dacht Irk. German was gemakkelijker te volgen: geld dat zijn waarde verloor in de overgang naar het kapitalisme, wodka, een baan die weinig betaalde, wodka, ontmand omdat zijn vrouw moest werken om de eindjes aan elkaar kunnen te knopen, wodka, beledigd door zijn zoon die hem geld aanbood, wodka, knettergek wordend van de lange winteravonden, wodka, ruzie met een eigenzinnige zoon die nog niet echt een tiener was, wodka...

German Kullam was zo te zien een zware drinker. Zijn neus was een archipel van gesprongen bloedvaatjes, zijn ogen zwommen rond in vochtige poelen. Irk was niet verbaasd. De meeste moordenaars waren tegenwoordig maar al te vaak in de eerste plaats dronkelappen en in de tweede plaats moordzuchtig. Velen hadden, althans impliciet, verondersteld dat de mensen minder zouden gaan drinken na het ter ziele gaan van de Sovjet-Unie. Een democratische maatschappij zou meer ontsnappingsmiddelen te bieden hebben dan alcohol, en ook nog eens allemaal constructief – boeken, vrije nieuwsgaring, reizen naar het buitenland, gebruiksartikelen. Mooi, als je je zulke dingen kunt veroorloven, maar in deze zware tijden was er nog steeds maar één ontsnapping mogelijk: een half litertje tijdelijk paradijs. Er werd gesproken over een magische waterbron in de Vologda die alcoholisme kon genezen. De belangrijkste bron bevond zich in een niet-gebruikte put die niet goed afgesloten was geweest; vrouwen namen er hun mannen met vrachtladingen tegelijk mee naartoe. Als ze daar een soort dienstregeling naartoe konden opzetten, vanaf Moskou en weer terug, dacht Irk, zou hij nooit meer een slag hoeven werken.

'Als je dat liever hebt,' zei Irk tegen German, 'kunnen we dit ook in Petrovka bespreken.'

'Waarom in vredesnaam?'

Het was voor het eerst dat Irk hem iets hoorde zeggen, besefte hij. Germans stem was hoog en schril; geen wonder dat hij het praten aan zijn vrouw overliet. Irk kon hem wel rammelen en tegen hem zeggen, kom op, je weet toch hoe dat gaat, je weet hoe de zaken ervoor staan, dit is de manier waarop zoiets hier wordt aangepakt, en we moeten het spel meespelen, of we het leuk vinden of niet.

German keek alsof hij elk moment in tranen kon uitbarsten. Irk kon hem dat wel vergeven, of hij nu wel of niet schuldig was. Als hij onschuldig was, was het duidelijk waarom, en als hij schuldig was, was het omdat het Russische gevangeniswezen zelfs de duivel nog de rillingen zou bezorgen.

Irk vulde Germans gegevens in op een slechte kopie van een arrestatieformulier. Hij zou de vragen in zijn dromen nog kunnen opdissen: familienaam, doopnaam, patroniem, adres, geboortedatum, geboorteplaats, leeftijd, geslacht, nationaliteit, beroep, huwelijkse staat. Irk was ergens halverwege zijn eerste vraag over de nacht dat Vladimir was verdwenen op de automatische piloot overgeschakeld, toen hij zich realiseerde wat German had gezegd.

'Gescheiden?' German knikte. 'Is Alla je tweede vrouw?' Irk keek even vlug naar de geboortedatum: 12 april 1961, de dag waarop Gagarin de ruimte had bezocht. Dus German was dertig. Als Vladimir twaalf jaar geleden was geboren, was German jong getrouwd en vroeg gescheiden.

German schudde zijn hoofd. 'Nee, mijn eerste. Alleen met Alla.'

Het had Irk niet hoeven verbazen. Echtparen die zich niets konden veroorloven, hadden vaak geen andere keuze dan samen te blijven wonen na hun scheiding, en soms dezelfde kamer, zelfs hetzelfde bed te blijven delen. Als German of Alla deze situatie al betreurde, hadden ze daar tegenover Irk niets van laten merken.

'Je went eraan, inspecteur,' zei German. 'Je hebt het er maar mee te doen. Ik bezorg niemand problemen. Als je wilt weten wie er problemen geven, ga dan maar praten met de drie zuipschuiten die eten stelen uit de keuken en die allemaal tuig binnenhalen voor hun wodkafeesten die de hele nacht duren. Als dat gebeurt, kan de rest van ons niet slapen.'

De regering had plannen om goedkope flats te bouwen met één slaapkamer ter vervanging van deze enorme woonkazernes, maar dit programma voor meer dan een kwart miljoen gezinnen zou nog jaren in beslag nemen.

'De muren zijn zo dun dat je alles kunt horen wat de buren zeggen, zelfs als ze zachtjes praten,' vervolgde German. 'Je wordt er zo beroerd van. Niemand kan iets doen zonder dat alle anderen het weten. We zouden moeten wonen als één grote familie, maar dat werkt niet, hoe we ook ons best ervoor doen. Afgelopen kerst hebben we geprobeerd onze verschillen opzij te zetten, en hebben we alle meubelen de gang op gesleept om er één lange eettafel van te maken, maar het plafond lekte te erg. Uiteindelijk zaten we allemaal chagrijnig op onze kamer.'

Vijfentwintig mensen in één huis, met één keuken en één badkamer. De bolsjewiek-planners hadden dit beschouwd als een innovatie die de banden tussen de bewoners moest verstevigen, een opwindend experiment in een socialistische samenleving. Innovatie, experiment – woorden voor wetenschappers, dacht Irk, niet voor mensen.

Sabirzjan zat weer in Irks kantoor.

'Misschien moet ik jou de boel in handen geven en een dagje thuisblijven,' zei Irk.

'Maak je al vorderingen met German Kullam?'

'Heb je niet gehoord wat Denis Denisovich heeft gezegd?'

Sabirzjan stak zijn handen op. 'We zijn verkeerd begonnen, jij en ik, en daarvoor vraag ik excuses. De waarheid is dat ik denk dat German Kullam schuldig is.'

'Hij lijkt mij geen Tsjetsjeen. Geen machtig persoon achter de schermen.'

'Weet ik, weet ik. Maar ik heb gisteren met hem gesproken…'

'Dat heb ik gehoord.'

'…en hij was weinig overtuigend, laat ik het zo zeggen. Dus dacht ik: als het nu eens gewoon zo simpel is? Vlak de Tsjetsjenen en de politici weg. Vlak onze volkswens om alles ingewikkeld te maken weg. Als German nu eens wel zijn zoon heeft gedood, en de rest allemaal toeval is?'

Irk dacht hier even over na. 'Een geval van huiselijk geweld, had overal kunnen gebeuren… Minder vervelend voor Rode Oktober, dat is zeker.'

Sabirzjan glimlachte en klapte in zijn handen. 'Ik wist wel dat je het zou begrijpen, Juku.'

'En Lev?'

'Ik denk dat het het beste is om het hem als een voldongen feit te brengen.'

'Weet hij niet dat je hier bent?'

'Hij heeft genoeg aan zijn hoofd.'

'Ik ga die German er niet inluizen, dat moet je wel weten. Als we hem beschuldigen, is dat omdat hij schuldig is, niet omdat jij wilt dat hij dat is.'

Sabirzjan keek geschoffeerd. 'Toe nou, inspecteur. We leven niet meer in de Middeleeuwen.'

Irk vroeg German uit over Vladimir tot hij geen vragen meer over had. Wat er gebeurd was op de avond dat hij was verdwenen, wie zijn vrienden waren, wie zijn leraren waren, waar hij in zijn vrije tijd was – alles wat hij kon bedenken. Sommige vragen had hij al eerder bij hem thuis gesteld, andere herhaalde hij drie of vier keer.

Germans kritiek op hun gemeenschappelijke woning bleek, achteraf gezien, een soort monoloog. Zijn antwoorden waren even consistent en creatief als een metronoom: ja, nee, ik weet niet. Op een bepaald moment vroeg Irk hem zelfs of Vladimir echt zijn zoon was geweest, voornamelijk om een reactie bij German uit te lokken. German had zonder blijk van verbazing of belediging ja gezegd, op dezelfde manier als hij ja had gezegd tegen iemand die hem gevraagd zou hebben of hij een boterham bij zijn soep wilde.

'Waarom gooi je het er niet gewoon allemaal uit?' zei Irk. Hij moest meer woede laten doorklinken, geërgerder reageren. Als hij zichzelf niet kon overtuigen, zou het met German al helemaal niet lukken. 'Zoek je geheugen af, zoals je moeder je hoofd inspecteerde op luizen. Dan voel je je een stuk beter. Kom op, German. Je gedraagt je als een maagd na zeven abortussen. Dat onschuldige gedoe gaat er bij mij niet in. Ik weet dat details kunnen vervagen door de emotie van het moment. Ik zal je nog een keer vertellen wat er is gebeurd, en jij laat het mij weten wanneer je het je herinnert, goed? Per slot van rekening vertel ik je alleen maar dingen die je al weet.'

Sabirzjan en Denisov zaten met elkaar te kletsen als oude vrienden toen Irk binnenkwam. De vijandige sfeer van de vorige dag was verdwenen. Het was verbazingwekkend, dacht Irk spottend, wat voor effect een gezamenlijk doel kon hebben op menselijke relaties. Hij ging zitten zonder een van beiden aan te kijken.

'Hij heeft het niet gedaan,' zei Irk. 'German Kullam heeft zijn zoon niet gedood.'

'Alleen omdat hij niet heeft bekend?' snoof Denisov minachtend. 'Natuurlijk heeft hij het gedaan. Je hoeft maar naar hem te kijken om dat te weten.'

Sabirzjan zat langzaam te knikken, alsof Irk zo meteen wel zou inzien wat de andere, wijzere mannen allang wisten. Ze hadden dit samen bekokstoofd, besefte Irk. Voordat Sabirzjan Irk had bezocht, was hij natuurlijk al bij Denisov geweest en had hij hem er in hun beider belang van weten te overtuigen dat ze German schuldig moesten bevinden. Zo ging dat in Rusland, waarheid en rechtvaardigheid werden aangewend zoals het het beste uitkwam.

'Hij heeft het niet gedaan.' Irk besefte dat hij net zo begon te praten als German: niet gedaan, niet gedaan. 'De jongen was al dood toen hij in het water werd gedumpt. German woont niet al te ver van de rivier, maar hij heeft geen auto.'

'Nou en?'

'Hoe kon hij Vladimir dan naar de rivier brengen zonder dat iemand hem had gezien?'

'Misschien zijn ze een eind gaan lopen over de oever en heeft hij hem daar de hersens ingeslagen. We houden Kullam vast totdat hij ophoudt met dat slappe geouwehoer. Ik wil hem hier, in de isoleer, zichzelf bevuilend.' Denisov tuurde naar hem. 'Je hebt hem toch geen advocaat toegezegd?'

'Nee, maar daar heeft hij wel recht op.'

'Waarom, omdat dat duivelsgebroed dat heeft gezegd? Laat me niet lachen.' Het jaar daarvoor had Gorbatsjov het recht van een beklaagde op een advocaat wanneer hij was beschuldigd verlegd naar het moment waarop hij was gearresteerd. Denisov had dit botweg niet willen erkennen; wat hem betrof was alles wat Gorbatsjov had bepaald een bevel van Beëlzebub, en mocht daarom niet gehoorzaamd worden. Denisov beoefende zijn taak als procureur-generaal strikt volgens de voorgeschreven sovjetlijn: verdachten konden zonder aanklacht drie dagen worden vastgehouden, en daarna nog een week als de procureur-generaal vond dat ze genoeg materiaal hadden voor een proces. Als die tien dagen voorbij waren, moesten ze de verdachte ofwel beschuldigen ofwel vrijlaten.

'Dat schrijft de wet voor.'

'De wet weet de ene dag niet wat er de andere dag wordt voorgeschreven.'

'Trouwens, die strenge maatregelen helpen niet echt. De snelheid waarmee we zaken ophelderen is nog steeds bedroevend, Denis Denisovich, of had je dat nog niet gemerkt?'

'Stel je eens voor hoe veel erger het zonder die regels zou zijn.'

Denisov nam nu de ondervraging zelf op zich. Maar om Sabirzjan daarbij te betrekken ging hem toch te ver.

'We hebben met je vrouw gesproken, German. Zij zegt dat je de laatste tijd steeds meer bent gaan drinken, en als je dronken bent, word je kwaad, en als je kwaad bent reageer je je af op haar. Maar jij vindt zeker dat dat ge-

woon het lot is van een Moskouse vrouw: koken, bek houden, in elkaar geslagen worden. Of niet?'

Irk vroeg zich af in hoeverre Denisov uit eigen ervaring sprak.

'Wil je eens zien wat echte gewelddadigheid is, German?' ging Denisov
door. 'Heb je wel eens een goeie aframmeling gehad van de politie? Die zijn
daar zeer bedreven in, mijn vriend, kunstenaars zelfs. Ze weten precies waar
ze je moeten raken, en zonder sporen achter te laten. Ze grijpen je bij je armen en benen en gooien je hoog in de lucht voordat ze je weer op de grond
laten vallen, plat op je reet, steeds weer en weer en weer. Weet je wat er daarna gebeurt? De volgende dag spuug je bloed. Twee dagen daarna heb je het
gevoel dat er een monster in je pisbuis zit. En twee dagen daarna geven je
nieren het op en ga je dood. Wil je nog steeds proberen te bewijzen dat je
niets hebt gedaan?'

Germans ogen werden zo groot als schoteltjes. Irk kon zich niet herinneren dat hij ooit iemand zo bang had zien kijken.

'Denis Denisovich,' zei Irk. 'Kan ik je even spreken? Buiten?'

Op de gang –hij moest even denken aan zijn rookpauze toen Sidiroek
Vladimir in stukken had gesneden in de autopsieruimte – zei Irk: 'Hij heeft
het niet gedaan. Ik weet het zeker. En als wij hem afranselen, is dat nog niets
bij wat ze hem in de gevangenis aandoen, dat weet je.'

'Ja, maar dat weet hij niet. Hij kan elk moment doorslaan, Juku. Ga naar
binnen en neem zijn bekentenis op. Dat is een bevel. Als jij het niet doet,
vind ik wel iemand anders. Speel maar niet de held; hier is geen plaats voor
mensen als Sacharov, kameraad.'

'Ik word niet graag kameraad genoemd.'

'Dat weet ik.'

Drie lentes geleden was Irk een schakel geweest in een ketting van miljoenen mensen die zich had uitgestrekt door de Baltische staten, van Tallinn tot Vilnius via Riga. Irk had gevochten tegen de Sovjet-Unie zolang die
nog bestond. Denisov vocht er voor nu hij niet meer bestond.

'We kunnen German niet vasthouden voor een misdaad die hij niet heeft
gepleegd,' zei Irk.

'Waarom in vredesnaam niet?'

Het was echt een vraag, besefte Irk tot zijn verbazing. Waarom eigenlijk
niet? Stalin had miljoenen mensen laten doden voor misdaden die ze niet
hadden begaan.

20

's Nachts hadden ze German in een cel opgesloten en hem daar laten zitten; zonder eten, zonder water, zonder gezelschap. Toen Irk 's ochtends vroeg bij hem binnen kwam, zat German op de platte bank die ook dienstdeed als bed. Zijn ogen stonden dof van vermoeidheid en zijn handen trilden van angst. Irk werd vervuld van walging over zijn eigen optreden; hij wist dat German niet veel geslapen kon hebben, als hij al een oog had dichtgedaan.

'Ik heb slecht nieuws voor je, German. Als je niet bekent, wil Denis Denisovich Alla laten beschuldigen van medeplichtigheid aan de moord. Hij kan dat volgens de wet doen. Jij en je vrouw hebben de politie er niet van op de hoogte gesteld dat Vladimir vermist werd.'

Wanneer een man niet meer kon, in elkaar stortte, bezweek, ging het er niet om hoe hard de laatste schop was, maar hoe zorgvuldig de plaatsing ervan was. Wat er nog over was van Germans verzet fladderde weg als een opgeschrokken duif. 'Waar wil je dat ik begin?' vroeg hij.

Een bekentenis is het enige bewijs dat telt in Rusland; het is het doel dat iedere Russische agent wil bereiken. Ze kunnen knoeien met bewijsmateriaal, het mag hun ontbreken aan goedopgeleide agenten, maar als een rechter de magische woorden 'ik beken' hoort, kan hij een leven vernietigen zonder dat hij ook maar een ogenblik zijn geweten onderzoekt. Wat alle aanklagers goed uitkomt, aangezien het geregeld voorkomt dat degenen wier zaak in vrijspraak eindigt hun baan kwijtraken.

Een bekentenis wordt gezien als de kreet van een schuldig geweten, dat niet uit kan onder de drang om zichzelf van een last te ontdoen. Veel Russen menen dat een beklaagde die niet bekent, niet gestraft kan worden. Waarom anders drong Stalin erop aan dat de slachtoffers van zijn zuiveringsacties schijnprocessen moesten ondergaan, waarin ze erkenden dat er nooit samenzweringen waren geweest? Als een bekentenis de feiten weerspreekt, dan kloppen die feiten niet; als de feiten niet kloppen, moeten ze gewijzigd worden.

Het werkt natuurlijk alleen bij amateurs en onschuldige mensen. Professionele criminelen bekennen net zo min als dat ze plotsklaps in het Latijn zouden losbarsten.

Irk voelde zich besmeurd, smerig.Germans bekentenis was ondertekend en verzegeld; hij had geestdriftig ingestemd met alles wat Irk hem had willen laten zeggen en, terwijl de uren voortsnelden en hij steeds meer bekende, was hij zelfs begonnen er hier en daar nog wat bij te verzinnen.

'Uitstekend,' zei Denisov. 'De zaak klopt weer. Ik word onpasselijk van ordeloosheid.'

De enige aandoeningen waar Denisov vatbaar voor was, dacht Irk, waren geslijm en kontenlikkerij. 'Ordeloosheid', het universele sovjetwoord, lag Denisov altijd op de tong. Een grove overtreding was ordeloos, een fabriek die niet de vereiste quota kon leveren was ordeloos, prostituees waren ordeloos, een dood kind dat uit smerig water werd gedregd was ordeloos. Denisov haatte wanorde. Zelfs zijn naam, Denis Denisovich Denisov, was een en al ordentelijkheid.

'Een prima staaltje ordehandhaving,' zei Sabirzjan. 'Wij in het Loebjanka hadden het niet beter kunnen doen, en dat is de hoogste waardering. Ik dank jullie allebei oprecht. Lev zal bijzonder in zijn sas zijn als ik het hem vertel.' Hij gebaarde naar Denisovs telefoon. 'Mag ik?'

Irk voelde even een kinderlijke steek van verontwaardiging: Sabirzjan had nooit zijn toestemming gevraagd als hij zíjn telefoon gebruikte.

Wat Lev betrof was de zaterdag gewoon een werkdag, dus hij vond het niet ongewoon of onbeschoft toen Goesman Kabisj, directeur van de Kazan-stokerij in de stad met dezelfde naam, hem belde. Totdat hij hoorde wat Kabisj te zeggen had.

'Ik ben bang dat we ons contract met onmiddellijke ingang moeten opzeggen. We betrekken voortaan ons water uit Baikal.'

Rode Oktober en Kazan deden al drie jaar lang tot wederzijds genoegen zaken. De kwaliteit van de beste wodka's was onder andere afhankelijk van de tarwe en het water dat ze in hun fabrieken gebruikten. De tarwe uit Tatarstan, de semi-onafhankelijke republiek, zevenhonderdvijftig kilometer ten oosten van Moskou, waarvan Kazan de hoofdstad was, was de beste en meest rendabele van heel Rusland. Kabisj had meer dan genoeg, dus stuurde hij het overschot naar Rode Oktober. In ruil daarvoor stuurde Lev naar Kabisj water uit de reservoirs die Rode Oktober in de buurt van de Mitisjtsji-bronnen had; het water daar was zacht en vrij van kalk, perfect voor wodka. Dit was de manier waarop de hele industrie in de Sovjet-Unie had gefunctioneerd. Inefficiëntie in de centrale planning betekende dat alle fabrieken met tekorten kampten, en de gemakkelijkste manier om dit op te lossen was niet je tegen de planners te verzetten, maar een andere fabriek te vinden die had wat jij nodig had. Je betaalde, ruilde of verhandelde vervolgens in het geheim met hen.

Zakelijk gezien leek Kasbisj' besluit nergens op te slaan. Baikal lag veel verder van Kazan dan Moskou, en het water daar was lang niet zo goed als dat van Mitisjtsji.

Kijk wat er onder het oppervlak ligt, hield Lev zichzelf voor. In Rusland is dat de plek waar je naar de waarheid moet zoeken.

Tatarstan is in naam islamitisch, net als Tsjetsjenië. Hoewel de twee republieken duizenden kilometers van elkaar verwijderd liggen, beschouwen de Tsjetsjenen en de Tataren elkaar als broeders, verenigd door het vooroordeel van de Russische ongelovigen. Het was een publiek geheim dat de Tsjetsjeense maffia zijn gebied uitbreidde tot in Kazan.

'Karkadann heeft je zeker benaderd?' zei Lev, en smeet de hoorn neer zonder op een antwoord te wachten. De telefoon rinkelde onmiddellijk opnieuw; Lev greep de hoorn weer van de haak en schreeuwde: 'Ja?'

'Met Tengiz. Ik ben in Petrovka, en het doet me groot genoegen u te kunnen meedelen dat German Kullam zojuist de moord op Vova heeft bekend.'

Levs gestalte en woede leken Denisovs kantoor totaal te vullen.

'Waar ben je goddomme mee bezig? Die bekentenis is gelul, en dat weet je. Ik laat niet toe dat een van mijn werknemers erin geluisd wordt omdat jullie te lui of te schijterig zijn om naar de echte dader te zoeken. Je laat German nu meteen vrij, en gooi zijn dossier maar in de kachel.'

'German heeft uit vrije wil bekend,' zei Sabirzjan, 'en…'

'Kom me niet met dat gelul aan, Tengiz. En hou op mijn intelligentie te beledigen. Wat doe je hier trouwens, terwijl je weet wie de echte daders zijn? Ben je bang van de Tsjetsjenen? Als dat zo is, zeg het dan maar, dan zoek ik wel een echte vent die dat werk aankan.'

'Ik ben van niemand bang. Ik kwam hier om—'

'Zit dan niet langer iemand op de kop als German, die niets terug kan doen.' Lev wendde zich tot Irk. 'Toen wij elkaar een paar dagen geleden aan de telefoon hadden, hebben we toch gesproken als volwassenen, of niet soms? Je leek me toen een fatsoenlijk man, en ik heb het niet vaak mis in mijn oordeel over mensen – dat kun je je niet permitteren in mijn werk. Misschien ben je tegen je wil gedwongen om…'

'Ik moet mijn aandeel hierin bekennen,' zei Denisov. Irk schrok; hij had nooit eerder meegemaakt dat Denisov een fout toegaf, zelfs niet voor een deel. 'Ik vermoedde dat German onschuldig was – hij leek me gewoonweg niet het type, en als je al zo lang bij de politie zit als ik, krijg je daar een zesde zintuig voor – maar Juku twijfelde niet, en ik heb me door hem laten overtuigen. Ik had meer op mijn intuïtie moeten vertrouwen.'

Er was niets te zien in Denisovs gezicht waaruit op te maken was dat hij niet bloedserieus was. Irk voelde dat zijn mond letterlijk openviel. Zelfs Stalin zou van kleur verschoten zijn bij zo'n schaamteloze verdraaiing van de feiten. Misschien.

'Ik ook,' zei Sabirzjan. 'Zoals je weet, heb ik geprobeerd de inspecteur ertoe over te halen de aanklacht in te trekken, op grond van het feit dat de zaak niet onder zijn jurisdictie viel. Maar hij wilde niet luisteren.'

Irk keek naar Denisov en Sabirzjan, maar beide mannen vertrokken geen spier. Ga je gang, leken ze met hun blik te zeggen, ga je gang, wij dagen je uit om tegen Lev te zeggen wat er in werkelijkheid is gebeurd. En natuurlijk zou Irk niets zeggen, want het zou zijn woord zijn tegen dat van hen: een van zijn superieuren en de ander een afgevaardigde van Lev. Waarom zou Lev hem in vredesnaam geloven?

'Jullie kennen allemaal het systeem,' zei Lev. 'Of jullie doen wat ik vraag, of ik ga met deze zaak hogerop, en je weet hoe hoog ik kan gaan. Ik ben ervan overtuigd dat je niet graag toegeeft, Denis Denisovich, maar als je dat niet doet, wordt het overplaatsing naar Zigansk. Ik ben ervan overtuigd dat je de juiste keuze zult maken.'

Een half uur later werd German Kullam vrijgelaten.

21

Op het terrein van de school waarop Vladimir Kullam had gezeten, stond ook een weeshuis. Rode Oktober had de leiding in handen van de school, en de Unie van de 21e eeuw van het weeshuis, hoewel beide instituten in de praktijk allebei verslag deden aan Lev zelf. Raisa Rustanova was vier dagen lang niet in het weeshuis geweest. Rond lunchtijd werd haar lichaam uit de Moskva gehaald, op ongeveer dezelfde plek als waar Vladimir Kullam was gevonden.

De huid van Raisa's lichaam was gezwollen en gerimpeld, vooral haar handen. Het deed Irk denken aan een wasvrouw, en misschien was dit kleine meisje dat mettertijd ook wel geworden – een dikke baboesjka met kleinkinderen die tussen haar knieën door renden. Maar nu lag ze hier naakt en dood op de oever van de Moskva, een paar honderd meter van het reusachtige buitenzwembad dat het hele jaar door open was, en waar in de winter talloze hoofden ronddobberden als witte ballen boven een wolk van mist. Irk dacht aan het bad als een gigantische doopfont waar de zonden van Moskou werden weggespoeld. Ooit was het het grootste zwembad ter wereld geweest; hij had het gevoel dat het niet groot genoeg meer was om het kwaad van de stad weg te wassen.

Sidoroek droeg een roze met gele bandana om zijn hoofd. Het enige dat nog aan hem ontbrak was een gouden ring in zijn oor, dacht Irk, dan kon hij zonder meer doorgaan voor een piraat. 'Hoe staat het leven?' vroeg Irk.

'Je kunt beter vragen, hoe staat het met de dood? Ik heb liever dat ze hier criminelen binnen brengen. Kinderen hebben niets dat de moeite van het stelen is.'

'De smerissen zouden je anders wel voor zijn geweest. Ze smeren wodka op het tandvlees van de lijken om gouden tanden mee los te weken, wist je dat?'

'Of ik dat wist? Ik heb het uitgevonden. En jij? Hoe staat het met jouw leven?'

'Niets bijzonders. Vertel maar wat je hebt aangetroffen, Sjoma.'

'Hetzelfde als de vorige keer. Op z'n minst twaalf uur in het water gelegen, een maximum tijd kan ik niet geven – maar dat is trouwens toch jouw verantwoordelijkheid, jij moet erachter komen wanneer ze voor het laatst levend is gezien.' German Kullam had haar kunnen vermoorden voordat Irk hem in hechtenis nam, dacht Irk onbezonnen. Als dat bewezen werd, zou hij het niet graag aan Lev vertellen. 'Maar kijk–' Sidoroek leidde Irk naar de onderzoekstafel en draaide Raisa's hoofd zo dat de rechterkant van haar hals beter zichtbaar werd. Zelfs ondanks haar verschrompelde en gezwollen huid zag Irk duidelijk waar Sidoroek op doelde – een lange snee.

'Is dat de doodsoorzaak?'

'Vrijwel zeker. Het is de enige verwonding die fataal kan zijn geweest, en ze is niet verdronken.'

'Dus hij heeft haar keel doorgesneden en haar toen in de rivier gegooid?'

'In grote lijnen, ja. Maar zo simpel ligt het niet.'

'Waarom niet?'

'Kijk eens naar die wond. Het is een lange snee, maar wel heel precies aangebracht. Hij loopt recht door de halsader, maar niet door de luchtpijp. Als je iemand de nek wilt doorsnijden om hem te vermoorden, is het het eenvoudigst om het hoofd naar achteren te trekken en een horizontale snee te maken – door de luchtpijp, zodat de persoon niet meer kan ademen. Dat is hier niet gebeurd. Zelfs na de verwonding in haar hals kon Raisa nog ademhalen, althans een tijdje. Ze is overleden aan bloedverlies.'

'Maar je zei de vorige keer dat water wonden die na de dood zijn aangebracht laat bloeden als wonden van ervoor; dat je eigenlijk het verschil ertussen niet kunt zien.'

'Ja. Maar ze is niet verdronken, dus moet ze al dood geweest zijn toen ze in het water terechtkwam. De enige manier waarop die wond haar dood kan hebben betekend is doordat ze is leeggebloed.'

'Hoe lang kan dat hebben geduurd?'

'Een paar minuten.'

'En dáárna heeft hij haar in de rivier gegooid. Dus hij moet bij haar gebleven zijn terwijl ze doodbloedde. Maar als hij haar snel wilde doden…?'

'Dan had hij het op een andere manier gedaan.'

'Wat betekent dat hij opzettelijk voor deze manier heeft gekozen.' Een onhandige klap op het hoofd van een of andere idioot met handen als kolenschoppen, daar kon Irk nog inkomen. Zelfs een rafelig schot in het hoofd. Maar een kind vasthouden en haar de keel doorsnijden… dat was wel heel ongebruikelijk.

'En dit kan ook met Vladimir Kullam gebeurd zijn?' vroeg Irk.

'Ik zie niet in waarom niet.'

'Iets anders nog?'

Sidoroek pakte een stapel polaroids en gaf ze aan Irk. Het waren allemaal foto's van Raisa's lichaam, dat er nog witter uitzag vanwege de flits, voordat Sidoroek haar open had gesneden om haar organen te onderzoeken. De fotograaf – waarschijnlijk een van de anonieme assistenten met wie Irk nooit nader had kennis gemaakt – had Raisa gekiekt vanuit alle mogelijke hoeken. Van welke kant je haar ook bekeek, dacht Irk bitter, ze bleef dood.

'Daar…' Sidoroek wees op een opname van Raisa's borstkas.

'Waar?'

'Dáár.' Een kerf, een incisie, zo flets en onopvallend dat Irk het nooit zou hebben ontdekt als Sidoroek hem er niet op had gewezen. De snee liep halfrond, als een sikkel, en zag eruit als het zwierige logo op de namaak-Nikes die zo populair waren op markten. Het was ook ongeveer op dezelfde plek als de T-vorm die ze op Vladimirs lichaam hadden aangetroffen – sneden zo recht dat ze wel met opzet moesten zijn aangebracht. Ze moesten iets betekenen, maar Irk had geen idee wat.

Hij keek de kamer rond. Sidoroek kon niet worden verweten dat hij geen eersteklas apparatuur tot zijn beschikking had. Zijn spectografen waren van Duitse, en de apparaten waarmee hij bloedgroepen kon bepalen van Zweedse makelij, en ze glommen alsof ze zojuist uit de verpakking waren gehaald.

'Ik wil dat je alles nakijkt,' zei Irk. 'Dat je er alle testen mee doet die maar mogelijk zijn.' Hij bootste Denisovs stem na. 'Gerechtigheid heeft geen prijs.'

'Maar voor mijn prijs geldt geen gerechtigheid, Juku. Voor het geval je het nog niet had opgemerkt: beide zijn niet ruim voorradig.'

Irk gebaarde naar de kast met elektronica. 'En dit hier allemaal?'

'Geschenken van buitenlandse politiekorpsen, de klootzakken. De apparaten zijn zinloos zonder de bijbehorende onderdelen, en wat denk je? Ik heb geen geld, dus ik krijg geen onderdelen. Ze staan hier al zo vanaf de dag dat ik ze heb gekregen.'

Geen wonder dat ze er zo nieuw uitzagen; ze waren nooit gebruikt. Arme Sidoroek. Stel je voor dat je een Mercedes 600 krijgt, en de benzine niet kunt betalen, of een Bang & Olufsen zonder cd's. 'Heb je Denisov er niet om gevraagd?'

'Ha! Die krentenpikker zou je nog geen sneeuwbal in de winter geven. Hij zegt dat het niet onder zijn afdeling valt.'

Irk voelde mee met Sidoroek, maar zijn klachten over de instrumenten maakten hem niet echt tot een speciaal geval. Irk beschikte niet over de middelen om nummerborden te controleren of om verdachten op te zoeken in een databank; Sidoroek kon geen DNA testen of vingerafdrukken nemen. Zelfde schuit, andere ruimen.

'Als je resultaat krijgt,' zei Sidoroek, 'is dat ondanks mijn apparatuur, en niet dankzij.'

'Laat me in dat geval een beroep doen op je verstand. Ik neem aan dat dat nog steeds werkt.' Irk wachtte even, en koos zorgvuldig zijn woorden. 'Dit geval van vandaag, en laatste dat andere – kun je iets zeggen over, eh, betrokkenheid van jouw volk?'

'Mijn volk? Je bedoelt de Tsjetsjenen?' Irk knikte. Sidoroek zuchtte. 'Ben je nu al door je ideeën heen, Juku? Of moet ik misschien dankbaar zijn dat je met die vraag hebt gewacht tot het tweede lijk?'

'Zo ligt het niet.'

'Zo ligt het altijd.'

'Nee.' Irk overlegde bij zichzelf hoeveel hij redelijkerwijs tegen Sidoroek kon zeggen. 'Er zou een schakel met de Tsjetsjenen kunnen zijn – vertrouw me maar, Sjoma. Het zou kunnen, meer niet. Maffiosi.'

'Kijk maar niet zo naar mij. Ik heb niets met die kerels te maken.'

'Je kent mensen.'

'Geen maffiosi.'

'Maar je kent toch mensen die hen kennen?'

'En?'

'Vraag maar eens rond. Kijk wat je tegenkomt.'

'Daar zul je niet veel verder mee komen.'

Irk gebaarde naar Raisa's lijk. 'Nee, maar als we nog zo'n slachtoffer vinden ook niet.'

Lev zelf kwam Irk tegemoet bij de deur van het weeshuis. Na wat er was gebeurd met German Kullam verwachtte Irk vijandigheid, of minstens onverschilligheid, maar Lev schudde hem hartelijk de hand.

'Ik kan wel raden wat er in Petrovka is voorgevallen,' zei hij. 'Maak je geen zorgen, inspecteur, ik maak me geen illusies over mannen als Sabirzjan en Denisov. Ik heb hier en daar ook naar jou geïnformeerd. Mensen hebben je hoog zitten. Er wordt je niets meer in de weg gelegd, door geen van mijn mensen.'

'Zelfs niet door Sabirzjan?'

'Vooral niet door Sabirzjan.'

'En het interne onderzoek?'

'Is niet langer zijn verantwoordelijkheid.'

'Ik denk niet dat hij daar blij mee zal zijn.'

'Dat is niet jouw probleem.'

Ze liepen over pas geveegde paden tussen grasvelden met anderhalve meter sneeuw. 's Zomers, vertelde Lev, stond het hier vol met fluitenkruid, er waren kassen vol tropische palmen en zeldzame orchideeën, maar in deze tijd van het jaar waren er slechts bomen die doorzakten onder het gewicht van sneeuw die in ruitvormen op de takken balanceerden. Een van de linden, een knoestige witte knoert met een scheefgegroeide stam, was de oudste boom van de stad, een van de weinige die de branden uit 1812 had overleefd. Achter de muren raasden acht verkeersbanen tot aan Prospekt Mira.

Het weeshuis was een oud gotisch, donkerrood gebouw. Lev ging met Irk naar de zijkant en liet hem binnen door een zware houten deur. Irk bevond zich in een sportzaal waar twee jeugdteams voetbalden met meer enthousiasme dan techniek. Ze renden in groepjes rond, schopten en duwden elkaar, en af en toe schoot de bal over de vervaagde markering op de vloer alsof hij aan het strijdgewoel wilde ontsnappen, en daar gingen ze er allemaal weer achteraan.

'Kinderen zijn onze toekomst, dat weet iedereen,' zei Lev. 'Toch worden ze vaak in de steek gelaten. Onafhankelijkheid is prachtig, maar het is gevaarlijk wanneer het wordt opgedrongen aan kinderen die te jong zijn om die verantwoordelijkheid aan te kunnen. Een paar wezen stijgen erbovenuit en weten iets te bereiken, maar de meesten bezwijken helaas aan een leven vol angst en parasitisme. Vandaar dit weeshuis. Ik draag sterke mensen de zorg op voor de zwakkeren.'

De bal werd in het achterste doel geschopt, met meer geluk dan wijsheid. Irk hoorde juichkreten en scheldwoorden. Plat op de vloer onder wandrekken en touwen, probeerde de keeper zijn hele team stuk voor stuk de schuld te geven. Een fanatiekeling, dacht Irk.

'Ons land wemelt van de drugsverslaafden,' zei Lev. 'Sport is de enige manier om het volk te redden. We hebben de sterkste van de verwaarloosde kinderen opgenomen, en hen laten we opgroeien tot de toekomstige supersterren van ons volk. Daarom richt ik dit soort tehuizen op, en moedig ik de liefde voor sport aan – om de aandacht van jonge mensen af te leiden van drugs en perverselingen die hun voor seks betalen. Die kinderen die hier komen, ervaren het als zwaar maar lonend: drie uur sport per dag, zes dagen per week. Ik stel hun werk en discipline in het vooruitzicht, in tegenstelling tot de schaamteloze verwaarlozing die de staatsweeshuizen voor hen in petto hebben. Zoals zo vaak het geval is, inspecteur, doet een particulier bedrijf het werk van de regering.'

Een fluitje overstemde de herrie. Irk keek rond om te zien wie dat had gedaan; voorzover hij had kunnen oordelen, waren de enige volwassenen hier Lev en hijzelf. Toen het fluitje weer klonk, zag Irk de scheidsrechter staan en besefte hij onmiddellijk waarom hij hem niet eerder had gezien. Hij had het gezicht van een man, dun donker haar dat overging in lange bakkebaarden, en zeer gespierde schouders, maar hij was niet langer dan een van de kinderen, omdat er onder zijn dijbenen niets meer was.

'Dat is Rodjon,' zei Lev. 'Ik wil graag dat je kennis met hem maakt.'

'Goed gedaan, allemaal,' schreeuwde Rodion. 'Mooi spel. Over een kwartier eten. Ik wil dat jullie je tegen die tijd allemaal hebben gedoucht en omgekleed.' Hij woelde even door het haar van het kind dat het dichtst bij hem stond. 'Mooi doelpunt, Kesja. Ga maar snel, vlug, vlug – wie het eerst bij de douche is, krijgt het meeste warme water.'

De kinderen gingen er als hazen vandoor. Rodjon greep een stel boeken die hij in een grote lap stof wikkelde en slingerde die rond zijn nek, waarna hij naar Irk en Lev toe kwam, soepel voortbewegend op zijn handen terwijl zijn bovenlichaam heen en weer zwaaide. Irk moest denken aan apen die door de bomen slingeren. Van dichtbij zag Irk dat Rodjon bepaald niet knap was. Vlezige zakken hingen onder zijn kleine oogjes en een uitgerekte adamsappel zwabberde onder zijn kin, waardoor zijn gezicht iets weerzinwekkend en sensueels kreeg.

'Rodjon Chroeminstsj is supervisor van het weeshuis,' zei Lev. 'Juku Irk, inspecteur van het OM.' Rodjon stak een hand uit en drukte die van Irk met meer kracht dan strikt noodzakelijk was. 'Heb je de kinderen nog niets verteld over Raisa?'

Rodjon schudde zijn hoofd. 'Dat doe ik tijdens de maaltijd; dan kan iedereen het horen.'

'Goed. Dan kun je nog even met de inspecteur praten. En ik wil graag dat je moeder daar ook bij is.'

'Zijn moeder?' vroeg Irk.

'Svetlana – zij is het hoofd van de school. En Rodja's vrouw Galja is mijn secretaresse. Rode Oktober is één familie, inspecteur.

Lev excuseerde zich; hij moest terug naar de stokerij. Irk volgde Rodjon naar de uitgang van de sportschool door een wirwar van gangen waar kinderen krijsend doorheen holden totdat Rodjon ze goedmoedig berispte. Hij bewoog zich snel voort op zijn handen; Irk kon hem nauwelijks bijhouden.

Svetlana stond in de keuken. Ze pakte Irk vast bij zijn bovenarmen; haar greep had iets dwingends, alsof ze dacht dat ze Raisa daarmee op de een of andere manier weer tot leven zou kunnen wekken. Ze was niet echt dik, eerder opgezwollen, als een graanzak. Haar neus was groot en enigszins misvormd, en toen ze glimlachte kwamen tanden tevoorschijn die te groot leken voor haar mond. Ze was volledig opgemaakt; haar foundation zag eruit alsof iemand met een plamuurmes over haar gezicht was gegaan; en haar zwarte haar glom als natte verf. Er moest eigenlijk een waarschuwingsbordje bij hangen, zoals je altijd bij pas geschilderde bankjes zag, dacht Irk.

Toen Irk wat beter keek, zag hij dat ze gehuild had.

'U moet me verontschuldigen,' zei Svetlana. 'Die kinderen zijn me heel dierbaar, en wat er is gebeurd is zo erg. Rodja voelt het ook zo, maar hij is een man, en mannen laten zoiets niet zien.'

Irk ging aan de tafel zitten en trok zijn jas en handschoenen uit. 'Ik wilde eigenlijk de georganiseerde misdaad onder handen nemen, weet je,' zei hij. 'Ik ben bij Moordzaken gekomen omdat de kans groter was dat je daar iets goeds kon verrichten; iedereen is veel te bang van die criminelen. En kijk waar ik nu in terechtgekomen ben.'

'Criminelen!' snoof Svetlana. 'In jouw ogen, misschien. Als ik zie wat ze hier doen, zijn het net zulke eerzame en fatsoenlijke mensen als alle anderen in dit land. De echte criminelen zijn de politici en bureaucraten, de staatsmisdadigers, die zichzelf verrijken zonder een vinger uit te steken voor kinderen of ouderen.'

Irk had een gesprekje op touw willen zetten om hen op hun gemak te stellen. Weer slechts een gedeeltelijk succes, dacht hij. 'Maar heb je er ooit aan gedacht waar het geld voor deze school vandaan komt? Ik kan je dingen vertellen waarvan je maag zich omdraait.'

'Ach!' Svetlana maakte een diep keelgeluid. 'Wat kan het schelen waar dat geld vandaan komt, zolang het voor goede dingen wordt gebruikt?'

'Oké, oké.' Hij stak met een sussend gebaar zijn hand op; zo'n woordenwisseling had hij helemaal niet willen uitlokken. 'Laten we het daarbij laten, dan kunnen we verder. Wat voor methode wordt hier gevolg om de absenties bij te houden?'

'Het is niet zo gemakkelijk als je denkt.' Rodjons stem klonk schor van vijandigheid. 'Een paar van die kinderen zijn nogal losgeslagen; daarom is het niet mogelijk om gewoon—'

'Rodja, hij wilde je nergens van beschuldigen.' Svetlana legde haar hand over die van haar zoon, en haar aanraking leek hem tot kalmte te brengen. Irk was haar dankbaar voor die opmerking. 'Luister, inspecteur, het heeft geen zin die kinderen tegen hun wil hier te houden; ze komen en gaan zoals het hun uitkomt. Dat zijn Levs instructies.'

'Hij heeft me verteld dat het zwaar maar lonend werk is. Ik had gedacht dat hij een veel strenger bewind zou voeren.'

'Hebt u twintig jaar in de goelag doorgebracht, inspecteur? Nee? Praat me dan niet over de noodzaak om mensen op te sluiten. Zoals ik al zei, het heeft geen zin hier iemand tegen zijn wil binnen te houden. We controleren om de dag wie er aanwezig zijn, zowel met het oog op de maaltijden als om administratieve redenen. Raisa heeft zich gisteravond niet gemeld, en donderdag ook niet; ze was er dinsdag wel. Eerlijk gezegd zouden we er geen aandacht aan hebben geschonken als Rodja niets had gezegd.'

'Ik hoorde twee vriendinnen van Raisa op de gang praten, ze vroegen zich af waarom ze weg was,' legde hij uit. 'Ze is het afgelopen jaar een paar keer weggebleven en weer teruggekomen, maar de laatste paar weken leek ze het meer naar haar zin te hebben dan ooit. Daarom waren ze zo verbaasd dat ze wegbleef, denk ik.' Hij keek teleurgesteld; voor het eerst werden zijn trekken zachter. 'Wisten zij veel, die arme kinderen.'

Irk keek naar de klok aan de muur achter Svetlana. Elke keer dat de grote wijzer zich verplaatste, ging hij eerst heel even naar achteren, alsof hij zich klaarmaakte voor de sprong. Het was net Rusland, bedacht Irk, waar vooruitgang nooit werd bereikt zonder eerst een stap terug te doen. 'En hoe zit het met de veiligheid?' vroeg hij.

'Er zijn hier altijd een paar kerels van de 21e Eeuw,' zei Rodjon. 'Maar het is hier erg groot; ze kunnen niet alles overzien. Bovendien, welk kind zou de moed hebben om hier binnen te komen of naar buiten te gaan als het hier wemelt van de spierbundels?'

'Zelfs nadat Vladimir is gevonden, en Lev bang is voor Tsjetsjenen?'

'Dat was toch op donderdag? Toen was Raisa al weg.'

'En de Tsjetsjenen?'

'Hier? Ik heb er geen gezien. Jij, moeder?'

Svetlana schudde haar hoofd, en toen, alsof ze zich bedacht had: 'Weet u wat, inspecteur, waarom komt u niet vanavond bij ons eten, dan kunnen we er verder nog wat over praten.'

'Bij óns?'

'Zeker – bij Rodja en mij, en Galja.' Rodjon woonde bij zijn moeder in huis. Geen wonder dat hij er zo miserabel uitzag. Irk wilde het verzoek afslaan, maar Svetlana gaf hem geen kans. 'U bent veel te mager, kijk nog toch eens. U kunt wel een extra hapje gebruiken. U bent zeker een koekkoek.' Je was een koekkoek als je alleen woonde; de uitdrukking is afkomstig van de gewoonte van de koekkoek haar eieren in de nesten van andere vogels te leggen om ze uit te laten broeden.

'Ja.' Irk had het gevoel dat hij als een ondeugende schooljongen werd terechtgewezen.

'En je zult wel niet veel eten in huis hebben.'

'Ja, ook dat.'

'Ik ken dat type maar al te goed – u bent er zo een die denkt dat hij het wel zonder vrouw af kan. Kom nu maar, Svetlana zal je wel bijvoeren.' Ze hief haar hoofd alsof ze hem beter wilde bekijken; hij was ruim twintig centimeter langer dan zij. 'Heeft iemand u ooit gezegd dat u op Keres lijkt?'

Paul Keres was schaakgrootmeester geweest. Hij was al in 1975 overleden, maar nog steeds zo ongeveer de beroemdste Estlander in de vroegere Sovjet-Unie. Irk knikte. 'Vaak, ja.'

'Mooi.' Ze gaf hem het adres. 'Half acht, ja? Niet te laat komen, hoor. Als je me laat zitten, kom ik jou opeten.'

De Chroeminstsjes woonden in een appartement in Preobrazenskaja, een van de oostelijke buitenwijken. Svetlana kuste Irk op allebei zijn wangen, pakte hem bij de arm en nam hem mee tussen twee muren die behangen waren met stroken bruin plakplastic met een weinig geloofwaardig houtnerfpatroon. Haar onderarmen waren enorm, als die van een man; in het schaarse licht was het of de donkere haartjes erover kropen als duizendpoten.

Rodjon en Galina waren in de keuken; Rodjon zat aan de tafel, Galina sprong overeind en begroette Irk met klaterende lachjes. Wat moest zo'n wellustig en aantrekkelijk meisje als zij met zo'n lelijke kerel als Rodjon, vroeg Irk zich af. Toen herinnerde hij zich het gemak en de hartelijkheid waarmee Rodjon met de weeskinderen omging, en hij berispte zichzelf om zijn oppervlakkige oordeel.

Svetlana bracht Irk naar een stoel, waar ze eerst een kat vanaf joeg. Irk zag een blauwe flits toen de kat op de grond sprong en wegvluchtte. Bláúw? Een zwarte kat betekende ongeluk, maar…

'Blauw, natuurlijk.' Svetlana deed alsof Irks vraag het stomste was wat ze ooit had gehoord. 'Nee, het is geen genetische manipulatie. Lyonja is een raskat, een blauwe Archangelsk; heel zeldzaam, heel stijlvol. Het eerste exemplaar waar ooit iets over is vastgelegd was van Peter de Grote, wist je dat? We zijn hier gelijk met hen in getrokken. Een kat moet altijd het eerste levende wezen zijn dat over de drempel stapt van een nieuw huis. Ze zijn alle zeven vóór ons naar binnen gegaan, dus dat moet zeven keer geluk geven. Daar heeft die arme Raisa niet veel meer aan. Maar ze hebben wel alle prijzen gewonnen. Kijk –'

Ze wees op een rij rozetten aan de muur, bonte kleuren in gesloten gelid.

Vladimir en Konstantin hadden in Solkoniki Park gewonnen; Nikita was kampioen van Europa; Josef had getriomfeerd in Kiev, Joeri in Saratov, Michail in Krasnojarsk. Vladimir, Josef, Nikita, Leonid, Joeri, Konstantin en Michail, dacht Irk; Lenin, Stalin, Chroestsjov, Brezjnev, Andropov, Tsjernenko en Gorbatsjov. Svetlana was blijkbaar een van de miljoenen die heimwee had naar de Sovjet-Unie.

'Ze houden geen parade zoals bij honden. Ze moeten gewoon stilzitten en mooi kijken.' Svetlana wenkte Leonid bij zich. 'Kijk eens naar die vacht. Als je die de ene kant op borstelt, is hij blauw; aan de andere kant is hij zilver.' Leonid keek met grote smaragdgroene ogen op naar Irk, zijn smalle oortjes stonden recht omhoog als schoorsteenpijpjes. Svetlana boog zich naar voren en tikte Irk op zijn knie. 'Ik zal je een geheim vertellen. Weet je hoe ze zo blauw blijven? Met vitaminepillen en courgettes. En ik was ze om de dag met waspoeder. Dat vinden ze natuurlijk niet allemaal even prettig; ze hebben allemaal zo hun nukken. Lyonja hier wil bijvoorbeeld wodka in haar melk. Twee maanden geleden heeft ze een fles wodka van de keukentafel gegooid – beng! – en de hele inhoud van de grond opgelikt. Nu is ze een echte alcoholist geworden, en ze blijft om me heen rennen totdat ik haar een paar scheutjes wodka geef.'

'Zonde van die goede wodka, als je het mij vraagt,' vond Rodjon. Irk was bijna vergeten dat hij daar zat.

'Goed,' zei Irk, 'laten we het over Raisa hebben.'

Galina en Rodjon zaten met hun hoofd dicht bij elkaar, en praatten zachtjes alsof hun gesprek een litanie van geheimen was. Ze keken naar Irk, en daarna naar Svetlana. Het was alsof de familie, buiten Irk om, had besloten dat Galina degene was die namens hen het woord zou doen.

'Er is inderdaad iemand die het volgens ons misschien wel gedaan kan hebben,' zei ze, 'maar het is moeilijk om zijn naam te zeggen.'

'Moeilijk omdat je het niet weet?'

'Moeilijk omdat hij een machtige man is, met goede connecties.'

'Je wilt me toch niet vertellen dat het Lev is?'

'Lév? Hemeltje, nee – geen denken aan!' riepen ze als in koor uit. 'Heb je enig idee wat hij voor deze familie heeft gedaan, inspecteur?'

'Waarom zeg je dan niet gewoon wie jullie in gedachten hebben?'

'De Chroeminstsjes keken elkaar weer aan. 'Dit heb je niet van ons gehoord, oké?' zei Galina. 'Begrijp je?'

'Het OM houdt zijn bronnen altijd strikt geheim,' zei Irk, en hoorde het zichzelf zeggen. 'Sorry, dat klonk wel erg hoog van de toren. Ja, ik zal jullie namen erbuiten houden. Als het nodig is, verzin ik wel iets om nader onderzoek te rechtvaardigen.'

'Dat zal niet de eerste keer zijn, denk ik zo,' zei Rodjon.

'Je hebt gelijk,' zei Irk onaangedaan. 'Dat zou niet de eerste keer zijn.'

'Het is Tengiz Sabirzjan,' zei Galina, alsof ze in de biechtstoel zat.

Zelfs voor een volk dat zich erop laat voorstaan zeer met het lot van kinderen begaan te zijn, legde Sabirzjan een belangstelling voor de school en het weeshuis aan de dag die in de ogen van sommigen – onder anderen de Chroeminstsjes, hoewel ze volgens hun zeggen absoluut niet de enige waren – buitensporig was. Hij was vaak te vinden op het terrein van de Prospekt Mira, zeiden ze, ook al had hij daar niet echt iets te zoeken – hij had geen kinderen op school, en hij had niets te maken met het weeshuis. Natuurlijk durfde niemand van het personeel hem erop aan te spreken. Iedereen kende de geruchten over Sabirzjans sadisme en wreedheid. Sabirzjan had bij de KGB gezeten, en de angst die die drie letters opriepen, verdween niet gauw.

Wat de Chroeminstsjes er uiteindelijk toe had gebracht om met deze verdenking op de proppen te komen, was het feit dat Sabirzjan een stuk of vijf oogappels onder de kinderen had, en hij was schaamteloos genoeg om die te overladen met cadeaus en attenties. Vladimir Kullam en Raisa Rustanova hadden beiden tot die 'gelukkigen' behoord. De toon waarop Galina sprak, maakte duidelijk dat ze daar gemengde gevoelens over had.

'Sabirzjan was vorige week bij Vladimir thuis,' zei Rodjon.

'Hoe weet je dat?' wilde Irk weten.

'Dat vertelde German.'

'Ik heb hem onder-, ik heb hem vragen gesteld. Urenlang. Hij heeft daar niets van gezegd.'

Rodjon haalde zijn schouders op. 'En daarna was Sabirzjan op woensdag in het weeshuis.'

'De dag voordat Raisa niet aanwezig bleek.'

'Precies.'

'We zouden eigenlijk niet moeten speculeren over wat er is gebeurd,' zei Svetlana, om daar vervolgens tien minuten mee bezig te zijn. Misschien had Sabirzjan geprobeerd de kinderen te verleiden, en hadden ze weerstand geboden. Misschien hadden ze, niet wetend tot wat voor gewelddaden hij in staat was, gedreigd hem te verlinken aan Lev of een nog hogere functionaris. Wat de waarheid ook was, die man deugde in elk geval niet.

Irk kauwde op zijn onderlip. Sabirzjan was er fel op geweest dat Irk weer op de zaak werd gezet. Zijn redenen daarvoor waren indertijd al heel aannemelijk geweest, maar leken als hij schuldig was nog veel logischer. Voorzover Irk wist, beperkten seriemoordenaars zich tot één geslacht. Toegegeven, veel wist hij er niet van; officieel waren er geen moordenaars geweest in de Sovjet-Unie, en dus hoefden inspecteurs hun motieven en methoden ook niet te bestuderen. Alweer een triomf voor de totalitaire ordehandhaving.

Ze aten – kippenpoten uit de VS, die Bush' poten werden genoemd, omdat de import ervan onder de huidige regering in Washington was begonnen – en ze dronken. Terwijl de avond verliep en de wodkafles steeds leger raakte, praatten ze over heel andere dingen en leek iedereen meer ontspannen. Svetlana redderde rond en flirtte op haar manier een beetje met Irk. Galina sprak enthousiast over alle westerse popgroepen waarnaar zij en haar vriendinnen luisterden, hoewel er natuurlijk nooit van z'n leven een groep ook maar half zo goed was als de Beatles. Zelfs Rodjon werd vrolijk en tapte moppen die vunzig genoeg waren om een hoer te laten blozen.

Ze hadden het erover dat de stad haar positie verloor, dat de ingezetenen werden gedwongen voor zichzelf te zorgen, en ze waren het erover eens dat hun gevoel van machteloosheid niet alleen materieel van aard, maar ook psychologisch was, een gevoel van verlatenheid. Moskou was altijd een stad geweest van keukens; in elk geval goede keukens, keukens waar de beste gesprekken werden gehouden, met drank, kletspraat, verleidingskunst, samenzweringen en (het belangrijkste voor elke Rus) filosofie. Met wodka, eten, sigaretten en een gitaar gaan Russen ervoor zitten om verhalen uit te wisselen, elkaar liederen te leren, en openhartig te praten zoals alleen zij dat kunnen. Moskovieten hebben altijd op die knusse eenheid in de keukens vertrouwd als op een spirituele poolster die hun in zware tijden de weg wijst.

Irk genoot. Zelfs een man die zichzelf heel goed alleen kon vermaken, was wel eens eenzaam, en toen hij op zijn horloge keek zag hij tot zijn verbazing dat het al over enen was, te laat voor de laatste metro. Hij had de straat op kunnen gaan en een auto aanhouden – mensen zaten zo krap bij kas dat vrijwel iedere automobilist wel voor taxichauffeur wilde spelen – maar de Chroeminstsjes wilden daar niets van weten. Er stond een bedbank in de woonkamer, daarop kon hij slapen, en morgen zouden ze allemaal tegelijk naar hun werk gaan. Irk keek even naar Svetlana om te zien of dit niet een impliciete manier van haar was om hem te verleiden, maar ze gaf hem slechts een zedige kus op zijn wang voordat ze naar haar kamer verdween.

Irk las graag nog wat voor hij ging slapen, dus pakte hij het eerste boek dat hij op de plank zag staan. Het was van Poesjkin, natuurlijk; iedere Rus heeft Poesjkin in huis, het is bijna een wettelijke vereiste.

'Wat lees je?' vroeg Rodja.

Irk sloeg het open op een willekeurige bladzijde en begon te lezen. 'De paarden rijden weer: de bellen rinkelen… ik zie het: de geesten verzamelen zich op de steeds witter wordende vlaktes.'

Rodja graaide het boek uit Irks handen, sloeg het met een klap dicht en gooide het op de grond. 'Geesten!' zei hij. 'Geesten, uit Afghanistan. Hoe kan ik dit aanhoren, als voor mij het paard een militair vervoermiddel is, de bellen zijn hoefgetrappel voorstellen, en de witte vlaktes geel zand zijn? Ik ben verdomme zelfs Poesjkin kwijt!'

22

Irk en de Chroeminstsjes verlieten het appartement in Preobrazenskaja even na zeven uur 's ochtends. Toen ze de trappen af liepen – de lift deed het niet, alwéér niet, zei Svetlana – kon Irk hen nauwelijks bijhouden; Rodjon had het evenwicht van een kat. Buiten op straat gaf Galina Rodjon een klein houten karretje en een paar dikke handschoenen. Hij ging in het karretje zitten, trok de handschoenen aan en duwde zichzelf met sterke, doelbewuste bewegingen over het trottoir.

'Ik heb genoeg oefening,' zei Rodjon, en Irk hoorde de bittere ondertoon.

Svetlana bleef staan om een praatje te maken met twee huisbewaarders in gewatteerde jacks en oranje mutsen tegen de ijzige kou. Elke winter gingen zij, en duizenden zoals zij, gewapend met sneeuwruimers, bezems en ijshamers op pad om een miljoenen kubieke meter sneeuw van de straat te vegen. Hun worsteling was typisch Russisch: onafgebroken, omvangrijk, met als enig doel het handhaven van de normale toestand – en normaal was in dit geval: berijdbare wegen, begaanbare trottoirs en daken zonder gevaarlijke ijspegels. Alleen in de zomer, als hun taak veranderde in het planten van tulpen, het verzorgen van gazons, het opruimen van zwerfvuil en in het algemeen het netjes houden van de buurt, kon je van een verbetering spreken.

Galina bleef doorlopen; Rodjon bleef duwen, slalommend tussen de spleten in het trottoir en de ongelijk liggende straatstenen. Irk aarzelde of hij met de jongelui zou meelopen of bij Svetlana blijven. Uiteindelijk liep hij alleen verder. Svetlana haalde hem, puffend van de inspanning, in en gebaarde boos naar haar zoon en schoondochter.

'Een uitwisseling van vriendelijkheden, meer is het niet. Maar ze moeten wel, nietwaar?'

Alle sovjetleiders vanaf Stalin hadden huisbewaarders gebruikt als informanten. Slinkse oude vrouwen gaven hun buren aan bij de geheime politie of wezen hun de flats waarin vijanden van het volk huisden. Galina en Rodjon waren van een generatie die de verandering hadden meegemaakt; zij zagen geen reden om zich te verbroederen of zichzelf in te laten met zulke mensen.

Twee mannen in jassen met capuchon hielden vlak voor Galina en Rodjon stil, zodat die wel moesten blijven staan. Even dacht Irk dat het per ongeluk was, iets wat leidt tot een absurde dans wanneer beide partijen twee of drie keer dezelfde kant op willen voordat ze elkaar uiteindelijk, lachend en met excuses, passeren. Maar toen hij zag hoe doelbewust de mannen bleven staan, en hoe donker hun huid was onder de capuchon, wist hij dat het Tsjetsjenen waren en dat dit niet veel goeds voorspelde.

'Mooi meisje.' Het was de langste van de Tsjetsjenen die tegen Galina sprak. 'Je moet er eens over nadenken of je voor ons wilt werken.' Hij zei *ty*, de aanspreekvorm die meestal alleen tussen intimi wordt gebezigd – tenzij iemand de ander wil intimideren of beledigen, zoals hier het geval was.

Irk en Svetlana kwamen aan bij Rodjon en Galina, en bleven staan. Voorbijgangers liepen onwillekeurig met een bocht om hen heen toen ze de Tsjetsjenen gewaarwerden en vervolgens net deden alsof die er gewoon niet waren. Tsjetsjenen roepen overal waar ze komen angst op, en dat weten ze; het is hun wapen, hun kracht. Maar Galina leek in het minst niet bang. Ze wierp haar hoofd in haar nek alsof ze walgde van een vieze stank.

'Ik weet wie mijn vrienden zijn, en ik weet zeker dat ik jullie niet ken, dus als je een antwoord wilt horen: voor jullie is het *vy*, en geen *ty*.'

'Het is niet veel werk,' zei de Tsjetsjeen. 'Alleen wat informatie doorgeven over wat je op kantoor te horen krijgt, meer niet.'

'Laat ons met rust, ja?' zei Rodjon.

Beide Tsjetsjenen keken omlaag naar Rodjon als naar een brutaal kind. De spot in hun blik vervulde Irk van woede – erger nog, dacht hij, van schaamte en plaatsvervangend medelijden.

'Zei die kreupele wat?' zei de kleinste Tsjetsjeen.

'Ik hoorde niets,' antwoordde zijn collega.

'Ik ben een oorlogsveteraan, geen kreupele,' snauwde Rodjon. 'En ik kan nog steeds vechten, dus laat ons nu maar gewoon door voordat er narigheid van komt.'

'Als je narigheid wilt zien, moet je in de spiegel kijken, makker.'

'Ik werk bij het OM,' zei Irk, die tussen hen in kwam staan met zijn identificatiepas in zijn hand. 'Ik stel voor dat jullie 'm smeren, tenzij jullie mee willen naar Petrovka.'

De Tsjetsjenen keken elkaar even aan. Het waren kleine jongens, zag Irk; hun baas zou er geen belangrijke mannen op uit sturen om een secretaresse op straat te intimideren. 'En nou lopen,' zei Irk. 'Als de sodemieter wegwe-zen.'

'Denk erover na,' zei de kleinste Tsjetsjeen tegen Galina. 'We nemen nog contact met je op.' Ze verdwenen in de menigte.

'Jullie zijn echte kerels!' Svetlana klapte in haar handen en trok Irk en Rodjon tegen zich aan. 'Mijn dappere krijgers, die hun vrouwen bescher-men!'

Galina's groene ogen stonden vol woede. 'Hoe durven ze!' zei ze. 'Op straat, ten overstaan van iedereen, waar jullie allemaal bij staan? Wie den-ken ze verdomme wel dat ze zijn?'

Rodjon zweeg. De schimpscheuten van de Tsjetsjenen hadden hem pijn gedaan, en hij straalde weer de vijandigheid uit die Irk de vorige avond bij hem had gezien. Irk besefte nu dat Rodjons agressie niet tegen hem, de in-dringer, gericht was, maar tegen de wereld in het algemeen.

Wat Irks eigen aandeel aan het incident betrof, het was allemaal wel heel snel gegaan, maar hij vond evengoed dat hij, als rechtsdienaar, veel eerder had moeten ingrijpen.

Ze namen de metro bij Elektrozavodskaja. Irk keek onopvallend en niet zonder bewondering toe hoe Rodjon zich voortbewoog op de trappen, in de liften en de volle metrowagons; er was geen enkele voorziening die het hem wat makkelijker kon maken.

'Zou een prothese niet beter zijn?' vroeg Irk.

'Vergeet het maar. Die zijn van dezelfde kwaliteit als alle andere sovjet-producten –om aan de quota te voldoen, niet aan de behoeften van dege-nen die ze gebruiken. Alle exemplaren die ik heb geprobeerd, veroorzaakten helse pijnen en verwondingen.'

Galina moest de hele rit uitzitten tot aan de stokerij. Svetlana en Rodjon stapten over naar Koerskaja waar ze de rondlijn namen naar Prospekt Mira. Irk besloot bij Galina te blijven. 'Ik heb redenen genoeg om Lev op te zoe-ken,' zei hij. 'Jullie naam blijft hier buiten.'

Ze keek hem indringend aan. Tussen alle forenzen in en met die bont-muts op haar hoofd, was ze in Irks ogen buitengewoon aantrekkelijk, een engel van de steppe die in een kooi was gepropt die haar nauwelijks kon be-dwingen.

Red Oktober was in rep en roer toen ze aankwamen. Normaal liepen de ar-beiders rustig of snel rond in de stokerij, afhankelijk van het tijdstip van de maand en de hoeveelheid tijd die ze achter lagen op het schema. Vandaag echter had zich een menigte van een paar honderd man sterk verzameld achter de filterkolommen. Ze schreeuwden en gebaarden naar Sabirzjan, die op een trap stond en de menigte met gebaren tot kalmte maande.

'Ik zeg jullie, de situatie is onder controle.' Sabirzjan moest hard schreeuwen om zich verstaanbaar te maken. 'Ik doe persoonlijk onderzoek naar deze betreurenswaardige incidenten, en de dader zal binnenkort flink gestraft worden.'

Eens een KGB-agent, altijd een KGB-agent, dacht Irk.

'En als er nog een volgt, Tengiz Lavrentiyitsj?' schreeuwde er een. 'En daarna nog een?'

'Het zijn zware tijden, dat weet ik. Maar' – Sabirzjan hijgde even terwijl hij naar de juiste woorden zocht – maar jullie geduld zal veel helpen.'

'Naar wat voor iemand bent u op zoek?' Het was German Kullam, die nu op zijn tenen tweemaal zo groot leek als toen Irk hem als een wrak had gezien in Petrovka. 'Iemand zoals u misschien, Tengiz Lavrentiyitsj?'

Er ging even een schok door Sabirzjan, alsof iemand hem een duw had gegeven. Irk begreep dat uit de kreet die in de menigte opklonk geen ongeloof sprak over Germans beschuldiging, maar verbazing dat hij zoiets durfde zeggen. Nu German zich aangemoedigd voelde, ging hij snel verder. 'Een man die geniet van martelen en doden – doet dat niet aan u denken? Hoe kunnen we weten dat u het niet was? U zou sowieso berecht moeten worden, Tengiz Lavrentiyitsj, u en uw vrienden in het Loebjanka.'

Een massale afrekening van de KGB was iets wat veel mensen – Irk ook – graag zouden zien, maar Irk wist dat dat nooit zou gebeuren, alleen al vanwege het praktische aspect. Miljoenen mensen zouden erbij betrokken zijn. Misschien was dit het surrogaat van Rode Oktober.

'Zo is het genoeg!' Sabirzjan sprong geagiteerd rond. 'Terug naar jullie werkplaatsen, allemaal!'

'We willen een antwoord, Tengiz Lavrentiyitsj!' De menigte had bloed geroken; ze gingen door waar German was begonnen. 'Kom op, verdedig je dan tegen die beschuldigingen!'

'Zo is het inderdaad genoeg.' Levs stem bulderde als kanonnenvuur. Toen hij de trap afdaalde, was alleen al zijn indrukwekkende voorkomen voldoende om Sabirzjan een stap opzij te laten doen. 'De moordenaars van Vladimir Kullam en Raisa Rustanova hebben het hart van de familie van Rode Oktober zwaar getroffen. Ik deel je woede, German, en ik voel het verlies van die twee kinderen even erg alsof het om mijn eigen zoon en dochter gaat. Ik geef je mijn woord dat ik achter hun moordenaar aan zal gaan alsof ik hun vader was. Ik zal hemel en aarde bewegen om hem te vinden, waar hij zich ook verscholen houdt, en ik zal zorgen dat hij moet boeten. Ik weet hoe moeilijk dit is, vooral voor diegenen van jullie die kinderen op de school hebben, maar ik vraag jullie vertrouwen in mij te stellen. Ik ben net terug van Prospekt Mira, en de kinderen worden daar goed in de gaten gehouden. Wat voor maniak het ook is die deze misdaden begaat, een ruzie hier zal hem alleen maar goed uitkomen. Als jullie met mij persoonlijk willen praten, mijn deur staat altijd open; en anders vraag ik jullie met alle respect om weer verder te gaan met het werk. Bedankt allemaal.'

De menigte begon zich te verspreiden. Sabirzjan grijnsde spottend. Zijn zalmroze gezicht was vochtig van het zweet, en hij haalde moeizaam adem. 'Zie je nou?' zei hij. 'Hoe eerder je me weer op de zaak zet, hoe beter.'

Lev draaide zich naar hem toe. 'Ik wil je graag een tip geven voor als je nog eens de opwelling hebt om als vredestichter op te treden, Tengiz: niet doen.'

Irk zat met German Kullam in de kantine; ieder met een kop sterke thee, en German met de zenuwen in zijn maag. De kantine was voor driekwart leeg, maar degenen die er zaten, veinsden slechts onverschilligheid. Het gerucht had zich verspreid dat Irk een inspecteur van het OM was. German keek om zich heen alsof hij wilde onderzoeken waar hij heen moest om er als de bliksem tussenuit te kunnen knijpen.

'Ik voel me niet erg op mijn gemak,' zei hij.

'Dat begrijp ik, German.'

'Kunnen we niet ergens apart gaan zitten?'

'Waarom heb je me niets gezegd over Sabirzjan?'

'Wat dan?'

'Vertel jij maar.'

'Hoe weet je dat er iets te vertellen is?'

'Dat vroeg ik niet. Vladimir was een van Sabirzjans favoriete leerlingen, nietwaar?'

'Ik laat me hier niet mee in, inspecteur.'

'Was hij dat of niet?!'

German keek paniekerig om zich heen naar alle kanten. 'Vova heeft er niet om gevraagd. Wij hebben er ook niet om gevraagd. Sabirzjan… heeft dat gewoon zo beslist. Hij vatte genegenheid op voor Vova, zo was het nu eenmaal. Daar konden we niets aan doen.'

'Ben je bang voor Sabirzjan?' Irk glimlachte; hij moest German week maken, vleien. 'Daar zag het zojuist niet naar uit.'

'Nee, ik ben niet bang voor hem. Niet… niet als er een heleboel mensen omheen staan, en ook niet als het tussen mij en hem gaat, soms althans. Maar als ik het tegen ú had gezegd…' German keek naar zijn thee. 'Wat zou er dan zijn gebeurd? U zou me hebben genegeerd, of hebben gezegd dat ik

148

anderen niet de schuld moest gaan geven. Hij is een van jullie, inspecteur.'

'Hij is níet een van ons. Hij is een KGB-man. Ik ben van het OM.'

'Verschillende benamingen voor hetzelfde. Het maakt niet uit hoe jullie jezelf noemen, het komt toch allemaal op hetzelfde neer.'

'Als je het tegen mij had gezegd, had ik hem ondervraagd – en dat is precies wat ik nu ga doen.'

'Oké, inspecteur, dus u ondervraagt hem – en dan? Hij heeft vriendjes op hoge posities, ja toch? Hij zal te weten komen dat ik tegen u heb gepraat – er is waarschijnlijk nu al iemand die hem daarvan op de hoogte brengt – en hij kan het me echt heel lastig maken.'

'Je hebt liever zelf een bekentenis getekend dan dat je hem in de problemen bracht? Ik kan het niet geloven.'

'Dan begrijpt u niet hoe het hier toegaat. Het is niet persoonlijk bedoeld, inspecteur, maar ik zou willen dat ik u nooit had ontmoet.'

'Wat voor bewijs wil je nog meer?' vroeg Lev. Hij telde de punten op zijn vingers af. 'Ik vertel je wat Karkadann heeft gezegd. Vladimir werkte in een kiosk die in handen was van de 21e Eeuw. Een stel van die zwarte hufters heeft vanochtend mijn secretaresse bedreigd toen ze naar haar werk liep – en nóg schijn je me niet serieus te willen nemen, inspecteur.'

'Als ik een verband zag met de Tsjetsjenen, zou ik dat doen. Dan zou ik de zaak over kunnen geven aan Jerofejev, en was ik er tenminste vanaf. Ik wil er net zo graag vanaf als jij van Karkadann. Maar dat zijn allemaal bijkomstigheden. Het wordt niets als ik ga rondneuzen bij die Tsjetsjeense bendes. Daar worden zij en Jerofejev alleen maar kwaad door, en kwaadheid is het enige dat Jerofejev nog onaangenamer maakt dan hij normaalgesproken is.'

'Dan zal ik het zelf met de Tsjetsjenen moeten uitzoeken.'

'Dat doe je toch wel.' Irk zag dat Lev even schokschouderde om dit te erkennen. 'De voornaamste reden dat ik er niet van overtuigd ben dat het de Tsjetsjenen zijn, is dat er nog een verdachte bij is gekomen; iemand veel dichter bij huis.

'Je bedoelt German Kullam?'

'Nee. Ik bedoel Tengiz Sabirzjan.'

Volgens artikel vijf van de wetten van de vori moesten leden van de communistische partij veracht worden – en dat had nooit sterker gegolden dan voor Sabirzjan. Sabirzjan leek natuurlijk op het eerste gezicht totaal onschuldig, zelfs met inachtneming van de aloude verdenkingen tegenover de broederschap. Zijn grijze vest, pince-nez en grote hoofd deden Lev denken aan een uil, en hij kon zich heel hoffelijk en minzaam gedragen – op en top de vriendelijke professor. Sabirzjan sprak beter Russisch dan iedereen die Lev kende, terwijl hij toch een Georgiër was. Als hij wilde, kon hij zijn zinnen omwikkelen met bijzinnen, beperkende bepalingen en vernuftigheden die allemaal getuigden van het kille, exacte verstand dat daarachter school.

Maar toen Lev hem leerde kennen, besefte hij dat Sabirzjan een man was die geen vrienden had, alleen maar informanten. Niet voor niets hadden zijn collega's bij de KGB hem Lekkend Gif genoemd. Hij hoorde alles, zelfs de zacht gemompelde liefdeswoorden van een stelletje in bed, en de kletspraatjes van zijn buren wanneer ze rond hun tafel zaten. Wat doodskreten betrof, daar was hij zo aan gewend dat hij er waarschijnlijk alleen wakker van zou worden als ze ophielden, zoals een molenaar pas wakker wordt wanneer de steen niet langer knarst.

Ze waren natuurlijk tot een vergelijk gekomen. Die ging terug tot vijf jaar, toen tijdens de vori-top in Moermansk was besloten dat Lev Rode Oktober kon overnemen. De 21e Eeuw had beschikt over de distributie- en transportnetwerken die nodig waren om de stokerij gaande te houden; betrokkenheid van de KGB was de prijs die de regering moest betalen om de leiding over te dragen – van essentieel belang als ze hun investeringen in de gaten wilden houden. Indertijd waren Lev en Sabirzjan elkaar tot nut geweest. Sindsdien was de macht echter overgegaan naar Lev. Zijn imperium breidde zich uit; Sabirzjans invloed werd kleiner. Het enige dat ze nog gemeen hadden was Rode Oktober en hun belangstelling voor een succesvolle privatisering ervan. Omdat het in Sabirzjans aard lag om de vrije markt af te wijzen, had Lev hem een royaal deel van de verkoopprijs aangeboden. Lev wist dat iedereen zijn prijs had, en dat hebzucht het uiteindelijk altijd won van ideologie. Hij herinnerde zich ook de woorden van Don Corleone: wees aardig tegen je vrienden, en nog aardiger tegen je vijanden.

Maar er waren grenzen. Er waren altijd grenzen.

Lev dacht aan Sjarmoechamedov, vastgebonden aan de tafel en ondersteboven opgehangen. Hij dacht aan het genoegen waarmee Sabirzjan de martelingen had verricht. Hij dacht eraan hoe Sabirzjan oudejaarsavond – de meest gedenkwaardige oudejaarsavond van hun leven – had willen doorbrengen: met het kwellen van een andere man. Hij dacht aan al die keren dat hij naar Prospekt Mira was gegaan en daar Sabirzjan had aangetroffen. Daaraan dacht Lev allemaal, en hij herinnerde zich wat Sabirzjan ooit had gezegd: verdenkingen kunnen alleen maar worden bewezen, nooit weerlegd, omdat iemand die verdenkingen koestert niet rust voordat hij bevestiging heeft gekregen.

Irk trof Sabirzjan niet in zijn kantoor. Hij weerstond de opwelling om in Sabirzjans stoel te gaan zitten en te doen alsof dit zijn domein was; in plaats daarvan ging hij voor het raam staan en liet zich kalmeren door de kalme, ritmische geluiden van de stokerij ver beneden hem. De mensen haastten zich niet, en Irk begreep waarom. De Russische arbeider wil ergens zijn waar hij kan praten over het vissen, zijn vrouw, de puinhoop die de regering overal van maakt, wat ook – maar bovenal, een plaats waar hij zich begrepen voelt. Hij wil niet alleen dat zijn collega's maar ook zijn baas hem accepteert. Hij wil zich thuis voelen op zijn werk; hij wil op zijn werk tijd om te kletsen, en tijd vrijaf voor speciale gelegenheden. Wat hij zoekt is rust en kalmte.

Sabirzjan kwam een paar minuten later terwijl hij druppels water van zijn handen schudde. 'Eerst kwam ik bij jou op bezoek, nu doe je mij dat plezier,' zei hij. 'Het zou het begin kunnen zijn van een mooie vriendschap.'

'Ik wil je graag een paar vragen stellen.'

'Waarover?' Uit Sabirzjans toon sprak enige nieuwsgierigheid; Irk had niet het idee dat hij defensief klonk.

'Over Vladimir Kullam en Raisa Rustanova.'

Sabirzjan wuifde met zijn grote hand. 'Ga je gang. Je mag alles vragen waarmee ik je van dienst kan zijn.'

'Ik zou het liever in Petrovka doen.'

Ineens viel Sabirzjan stil. Zijn ogen waren niet meer die van een menselijk wezen, dacht Irk; ze leken wel van gele hars.

'Bedoel je daarmee wat ik denk dat je bedoelt?' vroeg hij ten slotte.

'Het gaat maar om een paar vragen.'

'Jij snapt er echt helemaal niets van, hè?

'Nee, Tengiz,' zei Irk. 'Jij bent degene die er niets van snapt.'

'Lev laat je aan je ballen opknopen als hij ervan hoort.'

Irk haalde zijn schouders op, zodat Sabirzjan begreep dat Lev hier achter zat.

Niemand stelt vertrouwen in het Russische rechtssysteem, en iemand die uit ervaring weet hoe het er daar aan toe gaat al helemaal niet. Sabirzjan had moeten schreeuwen en krijsen. Dat zou Irk hebben verwacht van een man die onschuldig was. Dat zou hij hebben verwacht van een Rus. Maar Sabirzjans woede, kil in plaats van laaiend, had iets vervaarlijk onmenselijks.

Een dienstwagen kwam hen ophalen. Irk ging met Sabirzjan achterin zitten en begon de puistjes in de nek van de chauffeur te tellen. Hij gaf het op toen hij bij vijftig was.

'Ik heb over jou horen praten,' zei Sabirzjan. 'Irk de onkreukbare. Dat heb ik weer. Negenennegentig procent van de politie is corrupt…'

'Ik ben inspecteur, geen politieagent,' zei Irk.

'… en dan krijg ik net die ene die dat niet is.'

Irk bedwong zijn woede. Als dank voor het wagen van hun leven werd de politie beloond met een schijntje. Tegenwoordig kwamen ze niet eens in aanmerking voor een speciale behuizing, ook al kwamen veel agenten een heel eind buiten de stad vandaan en wilden ze dolgraag een vergunning voor een woning in Moskou. Was het dan zo gek dat negenennegentig procent corrupt was? Alleen degenen die geen alternatief hadden, namen zo'n ondankbare baan met zo weinig prestige aan, en het lage niveau van de rekruten hield op zijn beurt de slechte reputatie van de politie in stand. Zelfs de naam waaronder ze bekend stonden loochende hun weerzin om het werk serieus te nemen: in de Sovjet-Unie was de politie de *militsia* geweest, alsof ze gewoon een groep burgers waren die samenwerkten. Alleen kapitalistische maatschappijen hadden 'politie', omdat alleen daar misdaden voorkwamen.

Irk kon zich veroorloven er principes op na te houden – hij was hoofdinspecteur bij het OM, en verdiende net genoeg om er comfortabel van te leven – en integer gedrag was goed voor een rein geweten. Misschien was het de Estlander in hem, moest hij toegeven, de geciviliseerde semi-westerling die zich in moreel opzicht superieur voelde aan de primitieve Rus; maar als dat zo was, als hij het rechte pad bewandelde alleen om tevreden te kunnen zijn over zichzelf, deed die ijdelheid dan al het goede teniet?

Na een uur met Sabirzjan te hebben doorgebracht, voelde Irk zich zweterig. Hij liet hem in een cel zetten en ging terug naar zijn kantoor, waar hij een boodschap vond van Sidorouk. De patholoog had overal geïnformeerd en niets gevonden. Irk vroeg zich af of Sidorouk er echt zijn best voor had gedaan.

Er hing een grote kaart van Moskou aan de muur tegenover het raam. Toen Irk erop keek, zag hij iets wat hij nooit eerder had opgemerkt. Waar de rivier door de stad kronkelde, was het alsof hij het profiel van Moedertje Rusland, de grande dame in rust, liet zien. Haar haarlokken liepen vanaf het standbeeld van Joeri Gagarin naar de plek die was voorgesteld voor een monument voor Peter de Grote; de kruin van haar hoofd lag tegen het Kremlin aan; haar neus doemde op onder het Novospasskiy; haar mond drukte tegen het Simonov; haar boezem reikte van Andropovka

Prospekt tot aan Kolomenskoe, terwijl haar benen slap naar het oosten bogen.

Irk vroeg zich af wanneer Moedertje Rusland weer een van haar kinderen zou ophoesten.

23

De bijeenkomst zou beginnen om tien uur. Alice had het nadrukkelijk zo afgesproken, en het bij drie verschillende gelegenheden nog eens bevestigd bij Galina. Toen het zo ver was, merkte Alice dat Lev te laat was.

'Vervelend, hè?' zei Galina.

'Niet alle mannen zijn vervelend,' antwoordde Alice. 'Sommige zijn dood.'

Lev riep haar om even over elf uur op zijn kantoor. Ze was alleen, wat hem niet alleen verbaasde, maar, zo moest hij met tegenzin bekennen, ook genoegen deed. Hij liet haar nog een uur wachten terwijl hij zijn correspondentie zin voor zin doorlas. Ze wist wel dat hij alle belangrijke beslissingen nam bij Rode Oktober, maar niet ook alle onbelangrijke. Hij weigerde zelfs de meest triviale brieven, betalingen, facturen en contracten de deur uit te laten gaan zonder zijn handtekening en een bedrijfsstempel, waarvan hij – ze verbaasde zich steeds meer – het enige exemplaar had.

Alice liet zich niet uit het veld slaan. Ze ging voor het buitenraam staan en keek uit over de rivier naar de eruptie van uivormige koepels van de Basiliuskathedraal, het beroemdste symbool van Rusland. Ivan de Verschrikkelijke had de kathedraal laten bouwen met geld dat hij in 1552 van Kazan had afgenomen, en de acht koepels van de kathedraal symboliseren de acht aanvallen die Ivans troepen hadden moeten doen voordat Kazan zich uiteindelijk had overgegeven. Zelfs naar Russische maatstaven waren Ivans troepen bloeddorstig geweest, en toch had dat bloedbad dit ongelooflijke, fantastische bouwwerk tot gevolg gehad, met zijn koepels rijk van textuur en kleur. Alice zag de schubben van een gouden vis en de geëmailleerde huid van een slang; de veranderlijke kleuren van een hagedis, en het glimmende roze en azuurblauw van een duivennek. Het was geen wonder dat Ivan, toen de kathedraal klaar was, de architect blind had laten maken om te voorkomen dat hij ooit nog eens zoiets moois zou kunnen bouwen.

'Waar is Sabirzjan?' vroeg ze, toen hij haar eindelijk liet merken dat hij zover was.

'Die zit een paar berekeningen te maken.'

'Is dat belangrijker dan een bespreking over de privatisering?

'Ik zie uw collega's hier anders ook niet, mevrouw Liddell.'

Ze glimlachte: touché. 'Harry en Bob zitten tot hun oren in het werk. Bovendien kregen zij de vorige keer ook niet bepaald de kans om aan het woord te komen.'

Hij vatte het op zoals het was bedoeld, als een zoenoffer, en schudde haar hand. 'Dan beginnen we vandaag met een schone lei, ja?' zei hij. 'We vergeten wat er is gebeurd.'

'En als we weer eens onenigheid hebben, merkt u waarschijnlijk dat ik bijt.'

Hij schoot in de lach. 'Dat geloof ik op uw woord. Laten we dan nu op goede voet verdergaan.'

Hij ging zitten en liet haar twee wodka's proeven. Russkaja was gefilterd door houtskool van berk en kwartszand, en het smaakte naar kaneel. Alice gaf de voorkeur aan de Altai Siberiaan. Die was zoet, vol en olieachtig, glad van de glycerine met een smaak die lang bleef hangen, zonder noemenswaardige branderigheid.

Haar huid was bleek als porselein, bijna transparant: hij zag de adertjes eronder, het bloed erin, alsof er niets was dat haar schoonheid vanbinnen of vanbuiten kon bezoedelen.

Hij leerde haar hoe je niet dronken wordt. 'Ruik eerst aan de wodka, neem dan een slokje en houd dat een paar ogenblikken in je mond. Dan slik je het door, en meteen daarna neem je iets te eten. Na elke slok een hapje; het is de beauty zonder welke het beest niet compleet is. Dronken worden is leuk en aardig, maar daar gaat het niet alleen om bij wodka. Als je wodka gelijkstelt met verdoving, is het net zoiets als wanneer je zegt dat liefde hetzelfde is als een venerische ziekte.'

Alice was om een onverklaarbare reden blij dat Lev zich nu van zijn charmante kant had laten zien. Het was niet alleen omdat ze wilde dat alles soepel liep. Gewend als ze was aan tegenstanders die ze kon manipuleren, was ze nu van haar stuk gebracht door Lev. Ze had het zover laten komen dat ze door hem haar zelfbeheersing had verloren. Als de privatisering over negen weken gerealiseerd moest zijn, moest ze zichzelf goed in bedwang houden. En aangezien intimidatie kennelijk niet werkte, kon ze beter haar toevlucht nemen tot een charmeoffensief.

Voor de zekerheid had ze een speld bij zich, die ze in haar linkerhand hield. Als ze voelde dat ze kwaad werd, zou ze die in haar hand drukken om zichzelf te dwingen kalm te blijven. Niet dat ze die nu nodig had. Voorzichtig, behoedzaam, alsof ze een minnaar masseerde, probeerde Alice Lev ervan te overtuigen dat privatisering voor hun bestwil was.

Als het onderwerp van de eerste verkoop, zei ze, kon Rode Oktober betere voorwaarden garanderen dan de ondernemingen die later aan het proces zouden deelnemen. Levs vooruitziende blik zou hem ook vrijwaren van de invloed van apparatsjiks, en hem toegang bieden tot westers kapitaal, wat op zijn beurt weer kon zorgen voor een strategische buitenlandse investeerder. De maatschappij veranderde, herhaalde ze nog eens; het was beter nu met de stroom mee te gaan en er vorm aan te geven dan, zoals Kanoet, op de kust te staan en weggevaagd te worden.

'Ik veracht de rationaliteit en de hardheid van de nieuwe markteconomie,' zei hij.

'Waarom? Rusland is een hard land.'

'Ja, maar niet rationeel.'

De hele ochtend bleven ze schermutselen, Alice en Lev, Belle en het Beest; Alice, haar knappe uiterlijk even Russisch als haar opvattingen vreemd en Lev, een hoog boven haar uit torenende man die ze zenuwslopend onbegrijpelijk vond. Hij had tientallen jaren doorgebracht in de goelag, en nu was hij een van de machtigste mannen in Rusland. Ze was nooit eerder zo door iemand geboeid. Hoe lang moest ze met hem doorbrengen, vroeg ze zich af, voordat ze kon peilen wat hem dreef?

'Ik stel voor dat Rode Oktober zelf een minderheidsaandeel krijgt,' zei Alice. Toen Lev haar in de rede wilde vallen, stak ze haar hand omhoog, vastbesloten zich niet van de wijs te laten brengen. 'Luister eerst even, alsjeblieft. Vijfentwintig procent van de aandelen gaat naar werknemers en managers. Nog eens tien procent wordt verkocht met korting. Dan is er nog een laatste vijf procent die topmanagers kunnen kopen, als ze willen. De overige drievijfde wordt in het openbaar per opbod verkocht.'

'Dat is volkomen onaanvaardbaar. Dan hebben de arbeiders niet genoeg rechten – van geen kanten.'

'Wat jij bedoelt,' zei Alice, die ondanks zichzelf kwaad werd, 'is dat jij dan niet de garantie hebt dat je de boel in handen houdt.' Ze stak de speld in haar hand en stelde zich voor dat de woede eruit wegliep, alsof haar kwaadheid een steenpuist was die ze kon doorprikken.

Lev wierp Alice een blik toe die ze pas even later begreep. Het was niet omdat haar oordeel over zijn manier van redeneren niet klopte, hij was eerder teleurgesteld omdat ze zomaar waarheid op tafel had durven gooien die ze beter onuitgesproken had kunnen laten. Ze voelde zich als een klunzige tiener.

'Ik zal je een tegenvoorstel doen,' zei hij. 'Het bedrijf – de leiding en de arbeiders samen – stellen we op vijfenzeventig procent. De overige vijfentwintig wordt openbaar verkocht, met een bovengrens aan hoeveel men per individu of instituut in bezit mag hebben. O – en geen buitenlandse betrokkenheid.' Hij probeerde het te laten klinken als iets wat achteraf nog bij hem opkwam, maar Alice wist wel beter.

'Wát?' Hij had geen bezwaren geuit toen zij het eerder over westers kapitaal had gehad. Voor Alice was het een uitgemaakte zaak; Amerikaanse en Europese bedrijven konden expertise, kapitaal, technologie en toegang tot wereldbronnen leveren, het bieden opener en de prijsstelling belangrijker maken.

'U hebt me heel goed gehoord, mevrouw Liddell. Het bieden moet beperkt blijven tot de Russen.'

'Waarom? Het buitenland is er toch al bij betrokken.'

'Als adviseurs, ja; niet als deelnemers. In Polen hebt u toch nationale investeringsfondsen opgezet die aandelen hebben in geprivatiseerde ondernemingen? En wie moest die fondsen beheren? Buitenlandse bedrijven. Buitenlandse bedrijven die de macht zouden krijgen over Poolse activa, die die activa zouden uitschudden voor een kortetermijnwinst, die Poolse bedrijven voor bodemprijzen zouden verkopen of helemaal opdoeken. Je moet wel gek zijn als je denkt dat ik jullie dat hier ook laat doen.'

Hoe ironisch, dacht Alice; juist door het privatiseringsprogramma in Polen had ze kennisgemaakt met dit soort xenofobische paranoia. Het Britse Sugar en Peat Marwick was ervan beschuldigd de plaatselijke concurrenten kapot te willen maken. De Poolse accountants en juristen die Alice hadden geholpen, waren beticht van verraad; sommigen waren zelfs met de dood bedreigd.

'Dat is volkomen larie,' zei Alice. 'Niemand wil jullie land innemen of jullie economie ruïneren. Juist niet – westerse bedrijven zouden jullie enorm kunnen helpen, als jullie hun maar de kans geven.'

'Als ik hulp zou willen, mevrouw Liddell, denkt u dat ik daar dan niet om had gevraagd?'

Alice wist daar geen antwoord op. Om tijd te rekken en haar gedachten even af te leiden, keek ze rond in Levs kantoor, waar ze allemaal geschenken zag staan: een gegraveerde presse-papier hier, een schilderijtje met inscriptie daar. Dat was de manier waarop mensen in sovjet-Rusland van hun waardering blijk hadden gegeven.

'Ik begrijp niet wat er mis is met mijn oorspronkelijke plan, als ik eerlijk ben,' zei ze uiteindelijk, en vervloekte zichzelf omdat er zo weinig bezieling in doorklonk. 'De vrije en goedkopere aandelen die de directie en de arbeiders krijgen aangeboden, geeft jullie in feite de optie het bedrijf te kopen via een renteloze staatslening voor lange tijd. Gezien de inflatie die de pan uitstijgt is dat een weggevertje.'

'Voor een democraat lijkt u er erg op gebrand mij uw wil op te leggen, mevrouw Liddell.'

'Een democraat moet geen compromissen sluiten als het om de essentie van de democratie gaat; een vrijemarkthandelaar moet geen compromissen sluiten als het gaat om de grondbeginselen van zo'n economie. Dit is een bijzondere tijd. En alles wordt pas weer gewoon als we de basis hebben gelegd voor democratie en een vrije markt.'

Irk had vanaf het ontbijt in Sabirzjans kantoor gezeten, met de jaloezieën dicht en de deur op slot. Hij had stapels papieren doorgekeken, die allemaal beschreven en van commentaar voorzien waren in Sabirzjans pietepeuterige handschrift, en niets gevonden. Irk hoopte dat handschrift nooit van zijn leven meer te hoeven zien.

Hij strekte zijn armen en knipperde met zijn oogleden terwijl hij over de gang naar Levs kantoor liep. Galina sprong op achter haar bureau zodra ze hem zag aankomen. 'Je kunt nu niet naar binnen, Juku.'

'Waarom niet?'

'Hij is binnen met die Amerikaanse vrouw die de privatisering komt doen.'

Irk begreep het helemaal. De onderhandelingen waren ongetwijfeld in een kritieke fase, en van alle redenen om de moorden geheim te houden, was dit een van de belangrijkste.

Winst en verlies, rebellerende aandeelhouders, ongewenste kopers van meerderheidsbelangen, faillissementen – het waren allemaal onbekende dingen voor Lev, en ze maakten hem bang. Vooral het vooruitzicht op een jaarlijkse aandeelhoudersvergadering waarbij ook de verkiezing van directeuren, de benoeming van de controlecommissie en de reorganisatie of liquidatie van het bedrijf aan de orde waren, was zenuwslopend. Eén man, één stem, zei hij. Alice probeerde hem gerust te stellen: de vergadering moest worden bezocht door de helft van alle aandeelhouders; directeuren zouden gekozen worden door een simpele meerderheid voor een tweejaarlijkse termijn, waarna ze zich opnieuw verkiesbaar konden stellen zolang ze nog in leven waren; voor reorganisatie of liquidatie was een goedkeuring van vijfenzeventig procent nodig. Het was een stem per *aandeel*, legde ze uit. Ieder een stem, vond hij; ieder een stem, zelfs toen ze uitlegde dat hij met dat systeem niet meer macht zou krijgen dan de laagste arbeider.

Vroeger had Lev niets meer hoeven weten dan wat er nodig was om Rode Oktober de centraal opgelegde plannen uit te laten voeren – en had er daardoor ook verder geen belangstelling voor gehad. Al het andere was op hoog niveau al voor hem bedisseld, in de hoogste echelons van de centrale programmering. Gosplan regelde de plannen, Gostsen de prijzen, Gossnab verdeelde de voorraden, Gostrud bepaalde het beleid inzake arbeid en loon, Gostechnika ging over research en technologie. De gedesillusioneerden wezen verbitterd naar Gostsirk, het staatscircus dat gespecialiseerd was in dolgedraaide bureaucratie.

Dit was de reden waarom Lev niets af wist van marketing, financiën, productkwaliteit, klantenservice of investeringsbeleid – omdat hij nooit iets met die begrippen te maken had gehad. De status en macht van een directeur werden afgemeten aan het aantal werknemers dat hij onder zich had. Hij hoefde het geen legioenen aandeelhouders of consumenten naar de zin te maken, hij hoefde niet nerveus over zijn schouder naar de concurrent te kijken, of de huidige markttrends en productinnovaties bij te houden. Hij had nooit de taal van de markteconomie hoeven leren.

Ze namen pauze om te lunchen. Alice prikte wat in het eten dat Lev had neergezet, en met onverwacht genoegen ontdekte ze hoe wodka bepaalde smaken tot hun recht liet komen: van de worst, de augurkjes en ingemaakte champignons; smaken waarvan ze niet had geweten dat ze bestonden.

'Wodka is een fantastische drank,' zei Lev. 'Het smaakt goed bij het eten, voor het eten en na het eten. Wat ze u ook willen wijsmaken, mevrouw Liddell, bedenk dit: er bestaat niet zoiets als Russische cuisine, alleen maar dingen die goed smaken bij wodka.'

Alice belde Arkin vanuit een leeg kantoor om hem de kern van de besprekingen van die ochtend over te brengen.

'Hij zal zijn standpunt niet veranderen,' zei Arkin toen ze uitgesproken was. 'Je zult je moeten aanpassen aan wat hij wil. Voor het grootste deel, in elk geval.'

'Geen denken aan. Meerderheidsbelang, geen buitenlands eigendom – wat bereiken we daarmee, Kolja, behalve dat we het ene noodsysteem inruilen voor het andere?'

'Dat het eigendom niet langer in handen van de staat is.'

'Maar overgaat in die van Lev en duizend anderen zoals hij. Wat is het verschil?'

'Het maakt politiek verschil. Een nieuwe klasse investeerders, een nieuw soort aandeelhouders. Dat hebben we op dit moment het hardst nodig. Als dit de prijs is die we moeten betalen, dan is die het waard, het is een noodzakelijk kwaad.'

Alice dacht aan de mannen in Washington, in New York, in Parijs en Brussel en Genève en Londen en Frankfurt, die allemaal een stukje van de taart wilden. Ze hadden hun hulp aan Rusland toegezegd onder bepaalde voorwaarden. Ze voelde de speld weer in haar hand.

'Voor dit moment, gewoon om hier doorheen te komen. We hebben anders niet genoeg tijd,' zei Arkin. 'Je weet hoe snel alles verandert; over zes maanden is alles anders. Maak geen probleem van die uitsluiting van het buitenland. Er zijn nog genoeg andere manieren om in de markt te komen: joint ventures, handelsovereenkomsten, adviesorganen, dat soort dingen. Vergeet niet, de laatste keer dat er in Rusland eigendomsrechten op grote schaal werden overgedragen was na 1917, en de bolsjewieken hebben dat er onder bedreiging doorgedrukt. Wij hebben noch de middelen noch de bedoeling om dat te doen. Het is dit, of niets, Alice; en als het niets is, dan zit je werk er hier op, dan kun je met het volgende vliegtuig naar huis.'

En dat was het dan, dacht Alice. Na alles waarmee Lev haar had dwarsgezeten en gepareerd, was het Arkin, haar bondgenoot, die haar zwakke plek had gevonden, even trefzeker alsof hij de stiletto waar hij zo trots op was in haar lichaam had gestoken.

Sabirzjans appartement lag ten zuiden van Kropotkinskaja, vlak bij de rivier in een wijk vol buitenlandse ambassades met vrolijk fladderende vlaggen uit Afrika en Azië. Irk zocht op de voordeur naar iets dat zou wijzen op de KGB: een haar over de lateibalk, een voorwerp aan de andere kant van de deur dat verschoof als er iemand binnenkwam. Het duurde een ogenblik voordat hij zich herinnerde dat het er niet toe deed; natuurlijk doorzocht hij het appartement van een verdachte, dat was te verwachten.

Het was binnen bijna onnatuurlijk netjes, veroorzaakt door de gapende leegtes die zo typerend zijn voor een man die alleen woont. Terwijl hij op zijn blocnote een plattegrond van het appartement tekende – hij zou een polaroidcamera hebben meegebracht, als die van Petrovka niet op de zwarte markt waren verkocht door ondernemende jonge rechercheurs – ging Irk aan het werk.

Een dossierkast in de studeerkamer leverde hem de namen op van Sabirzjans informanten bij Rode Oktober, en niet weinig ook. Het waren er bijna tweehonderd, en ieder had een eigen dossier; sommige bevatten niet meer dan een paar velletjes papier, andere puilden uit. Het was het klassieke KGB-materiaal: documenten over betalingen die waren gedaan; transcripties van telefoongesprekken; kopieën van informantenverslagen, compleet met grammaticale en spelfouten, allemaal verbeterd door Sabirzjan alsof hij een schoolmeester was; en seksuele slippertjes, van iedere franje ontdaan door het formele proza. 'Poging tot seksuele intimidatie met werkneemster Natasja R…, op ons verzoek, werd afgewezen.' *Ons*, dacht Irk; *wij*, de KGB, de macht. Er was natuurlijk ook een dossier van German Kullam. Irk herkende geen van de andere namen, maar hij schreef ze toch maar op. Moest hij dit aan Lev vertellen? Alleen als het relevant was voor het moordonderzoek, dacht hij, en berispte zichzelf voor zijn vernuft waardoor hij geen besluit hoefde nemen.

De arbeiders; altijd ging het weer om de arbeiders. 'Dertig, veertig jaar lang heeft onze fabriek beschikt over een gezondheidskolonie aan de Zwarte Zee,' zei Lev. 'We hebben er elk jaar duizenden arbeiders met hun gezin heen gestuurd voor hun zomervakantie. Nu zouden ze er, ook al konden ze het zich veroorloven, niet naartoe kunnen. Het is Oekraïns gebied, het is van iemand anders. Sommige van mijn personeelsleden gaan naar het terrein dat hun is toegewezen, maar dat is een kwestie van overleven, niet voor hun plezier. Deze stokerij is mijn leven, mevrouw Liddell.'

'U bent een vor. U bent een parlementair afgevaardigde.'

'Ik zou dat laatste hiervoor opgeven, op elk moment. Ik ken dit bedrijf van haver tot gort. Er werken hier vijfduizend man, ik ken de meesten bij naam. Ik neem niet graag buitenstaanders in dienst; ik wil dat míjn mensen hier werken, ik wil dat die fabriek een familiebedrijf blijft. Procedures van hogerhand zijn niet half zo effectief als het erom gaat de wind eronder te houden als druk van hun familie en vrienden. Daarom neem ik alleen mensen aan op aanbeveling. Ik heb geen enkel probleem om vacatures vervuld te krijgen; ze zijn in een vloek en een zucht bezet. Ik belóón mijn mensen, mevrouw Liddell. Ik wil ze te eten blijven geven. Rode Oktober heeft twee boerderijen buiten Moskou, en we verkopen fruit en groente voor gesubsidieerde prijzen. Ik ben trots op de appartementen, de school, het weeshuis, het sportcomplex, het cultureel centrum. Hoe kan ik toestaan dat buitenstaanders een belang krijgen in mijn bedrijf? Hoe kan iemand beter weten dan ik hoe alles hier in zijn werk gaat? Wie kent de leveranciers, de klanten en de ambtenaren zo goed als ik? Ik neem alle besluiten. Als ik mensen moet ontslaan, mevrouw Liddell, word ik een karikatuur van die lelijke kapitalisten waarvoor ze ons op school hebben gewaarschuwd.'

'U moet op zijn minst denken aan de mogelijkheid van afvloeiing. Er zijn manieren waarop je arbeid kunt besparen terwijl je de salarissen verlaagt – bevriezing van de lonen, bezuinigingen, uitstel van betalingen, kortere werktijden, tijdelijke ontslagen met minimumlonen, onbetaalde verlofperiodes. Economisch gesproken…'

'Dat is het enige waar jullie westerlingen aan denken, hè? Bezuinigen.' Hij was weer gaan snauwen; Alice kon al iets beter zien waar de grenzen lagen, maar ze wist nog steeds niet wanneer ze zich terug moest trekken – of misschien moest ze simpelweg accepteren dat ze geen hindernissen kon nemen zonder hem af te schrikken. 'Nou, dit is Rusland, en bezuiniging is niet genoeg. Heb je naar me geluisterd? Ik kan een man van in de vijftig niet ontslaan, of een vrouw met twee kinderen. Ik zet geen mensen op straat als ze oud of traag worden. De arbeiders zouden tegen afvloeiing zijn, en ik beschik noch over het gezag noch over de macht om hun tegen hun wil zulke veranderingen op te leggen.'

'Ach, kom nou toch. U hebt het zelf gezegd: er gebeurt hier niets waar u niet uw toestemming aan hebt verleend.'

'Alleen zo lang mijn toestemming niet tegen de wensen van de meerderheid ingaat. Een directeur moet nu eenmaal gezaghebbend, assertief, zelfs inspirerend zijn – maar hij moet ook de gevoelens van de mensen begrijpen en daarop inspelen. Een onderneming is een democratisch instituut. Iedereen heeft het recht om zijn of haar stem te laten horen, en zelfs de laagste arbeiders durven iets tegen hun baas te zeggen. Als de directeur opkomt voor de belangen van zijn arbeiders, en als hij zijn gezag uitoefent met daadkracht en openheid, dan kan hij rekenen op de loyaliteit van al zijn werknemers.'

'Hoe democratischer hij is, hoe autocratischer ze hem laten zijn?'

Hij glimlachte. 'Ik had het zelf niet beter kunnen zeggen.'

Ze zag dat hij op zijn manier een welwillende dictator was, iemand met macht, maar wel eerlijk, en dat dat ondanks alles werkte. Rode Oktober was Rusland in een notendop, in alle opzichten; en de fabriek zou mee veranderen met het land, daarvan was Alice overtuigd. Ze vroeg zich af hoeveel hij haar over zichzelf vertelde wanneer hij over Rusland sprak.

Alice verliet Lev na een laatste voorstel waar hij over na zou denken. Het aandelenbeheer van directie en arbeiders samen zou eenenvijftig procent worden, tegen een veelvoud van de ondernemingswaarde; negenentwintig procent zou worden aangeboden aan investeerders van buitenaf; en de resterende twintig procent zou in handen van de staat blijven.

Op het eerste gezicht zag het eruit alsof ze elkaar halverwege tegemoet waren gekomen, maar Alice wist wel beter. Ze had de eis van buitenlandse deelname én het aandelenbeheer van directie en arbeiders laten schieten. Lev was degene die deze ronde had gewonnen, zelfs al voordat hij ergens mee had ingestemd. Ze voelde zich uitgeput, verbitterd en kwaad – op Arkin, omdat hij haar gebonden aan handen en voeten had laten onderhandelen, en op zichzelf, omdat ze zo slap was geweest zich daaraan te onderwerpen. Toen ze haar notities bij elkaar zocht, zag ze dat ze vol zaten met bloedspatjes, hoewel ze zich amper kon herinneren dat ze de speld had gebruikt.

Lev schudde haar hartelijk de hand bij het vertrek. Ze deinsde instinctief terug voor zijn glimlach, omdat ze verwachtte dat het niet meer dan een huichelachtige grijns was, maar toen ze nog eens keek, leek hij oprecht gemeend.

Er stonden boeken op Sabirzjans planken en er hingen tapijten aan de muren, maar er was niets dat getuigde van een persoonlijke smaak; het had net zo goed een museum, een bibliotheek of hotelkamer kunnen zijn. Alleen in de woonkamer vond Irk iets dat nog iets menselijks had: een fotoalbum, en zelfs dat was weggestopt boven in een boekenkast, alsof het maar beter vergeten kon worden. Irk pakte het eruit en bladerde erdoorheen.

Er waren zwartwitfoto's, misschien van Sabirzjans ouders, de kleren en het gebrek aan spontaneïteit in hun houding gaven een even accurate tijdsaanduiding als boomringen. Er waren ook wat foto's van Sabirzjans diploma-uitreiking op de KGB-academie, zelfs daar stond hij op enige afstand van zijn collega's. Daarna volgde een foto van Sabirzjan waarop hij de hand schudde van Brezjnev, Andropov, Tsjernenko, en op de laatste twee foto's keek hij alsof hij alleen door zijn aanraking kon voorkomen dat de bibberende oude mannetjes compleet in elkaar stortten.

De kinderen stonden achterin. Ze besloegen in totaal negen bladzijden, met op elk daarvan vier of vijf foto's, ongeveer twee van ieder kind. Twintig verschillende favoriete kinderen, een meer of een minder; een groot aantal voor één man. Sommige foto's waren genomen in het weeshuis of op school – Irk herkende de achtergrond – andere bij historische monumenten in Moskou zoals Victori Park, waar Vladimir Kullam tegen de bleke zon in zijn ogen samenkneep, of bij het Tsjaliapin-huis. Wat Irk echter het meest opviel, was de eenvormigheid van hun uitdrukkingen. Geen van de kinderen lachte; de meeste keken alsof ze liever ergens anders zouden zijn.

Op de laatste foto van het album was Sabirzjan zelf te zien, rechtop zittend, met een meisje van een jaar of twaalf op schoot. Hij glimlachte naar de camera; zij zat en profile en keek weg uit de lens. Vergeleken bij de rest van het album was het een onopvallend kiekje, en Irk moest twee keer kijken voordat hem twee dingen opvielen. Ten eerste: het meisje was Raisa Rustanova. Ten tweede duwde ze haar armen omlaag om zich te bevrijden van Sabirzjan, die zijn onderarm strak om haar middel hield om haar tegen te houden.

Kinderen weten het, dacht Irk; kinderen weten het altijd.

Alice liep buiten om haar gedachten helder te maken, en zag dat de economische toestand niet overal zo somber was, althans niet in de grote winkel van Tverskaja. Er waren drie soorten worst te koop; de rubberachtige, gekookte vleeskleurige worst van een kilo, gerookte salami en bleke saucijzen. Er waren eieren, diepvrieskippen, boter, Hüttenkäse, gerookte vis en vis in blik, rode kaviaar, zachte roze schuimpjes in dozen en lange beige staafjes suikergoed. Niemand vroeg naar distributiebonnen. Boekwinkels die hun spullen niet op de planken kwijt konden, legden ze buiten op kleden op het trottoir. Alice begon er opgewonden tussen te zoeken, en vond boeken van Agatha Christie en over James Bond, computerhandleidingen en analyses van de ineenstorting van de USSR, vertalingen van Smith, Keynes, Hayek en Galbraith, bijbels, boeken over yoga en meditatie, de autobiografie van Zagarov – alles eigenlijk, behalve Marx en Lenin.

Ze ging met een omtrekkende beweging door de achterafstraatjes totdat ze zag dat ze voor het oude hoofdkwartier van de KGB stond: Loebjanka. Ze bleef stokstijf staan bij wat ze daar aantrof. Een rij mensen van minstens achthonderd meter stond voor een speelgoedwinkel van Children's World, voorbij de verkeersheuvel waar het standbeeld van Feliks Dzerzjinski in augustus zonder pardon omver was gehaald (het besluit om de speelgoedwinkel hier te bouwen was blijkbaar genomen als eerbetoon aan IJzeren Feliks zelf, die in typisch Russische stijl de oprichting van de geheime politie had gecombineerd met het voorzitterschap van een comité voor het welzijn van kinderen), kronkelend tot onder aan de heuvel, langs het Bolsjoi naar het Rode Plein.

Zelfs naar sovjetmaatstaven was de rij te lang om alleen uit winkelende mensen te bestaan. Toen Alice dichterbij kwam, zag ze dat het handelaren waren. Ze boden pennen, beha's, jassen, schoenen, ketels, parfum, wodka en levensmiddelen te koop aan. Ze hielden hun waren tegen hun borst geklemd, of ze stalden ze uit op oude kranten en omgekeerde houten kratten. Alle nieuwbakken handelaren hadden het presidentiële besluit over de vrijheid van handel uit de krant geknipt en op hun zware wintermantels gespeld, als beschermende wapenrusting of als talisman. Twee weken geleden zouden ze er nog voor in de gevangenis gegooid zijn.

Het zag eruit als een uitverkoop wegens brandschade, maar Alice wist beter. Ze was getuige van het beginnende kapitalisme in Rusland. Was dit een melodramatische opvatting? Ze dacht het niet. Misschien was er wel een zeldzame fantasie voor nodig om die rillende massa daar te zien als voorlopers van de ondernemingsgeest. Nee, het was niet esthetisch; en ook niet correct of fatsoenlijk. Maar pasgeboren kinderen zijn ook geen schoonheden als ze net op de wereld zijn gekomen; alleen de ouders zien wat een fantastisch mens er mettertijd uit dat gerimpelde, rode wezentje groeit. Het was sjofel, ongeordend en amateuristisch, maar het wás er.

De nieuwbakken kooplieden van Rusland waren er in allerlei soorten en maten: een jonge vrouw met een bril masseerde de schouders van een oude man in een overjas van het Rode Leger; twee *baboesji* met hoofddoekjes stonden zachtjes met elkaar te kletsen. Alice liep op de dichtstbijzijnde man af, iemand van middelbare leeftijd met een paar roze damesschoenen in zijn handen.

'Hoeveel wil je voor die schoenen hebben?' vroeg ze.

'Wat je ervoor wilt geven. Ik ben leraar, ik ben niet gewend aan dit soort dingen.'

'Op die manier verdien je nooit wat,' zei ze. 'Jij bent degene die de prijs bepaalt. Bedenk wat je redelijk vindt, en tel daar nog wat bij. Een klant begint altijd bij een lager bedrag dan hij redelijk vindt. Dan ga je een poosje onderhandelen, tot je ergens halverwege uitkomt.'

De leraar keek naar haar voeten. 'Trouwens, het is toch jouw maat niet.'

Alice lachte naar hem en liep vervuld van vreugde weg. Ze wist dat een markteconomie altijd begint met straathandel. Wanneer het aanbod beperkt is en de vraag groot, richten ondernemers zich op de verkoop van goederen met hoge winstmarges – kleren, parfum, elektronica, sterke drank – en dat doen ze in grote, rijke steden. Alleen als de markt redelijkerwijs verzadigd is, gaan ze verder stroomopwaarts, van kleinschalige consumentenproductie tot zwaardere industrie. Dat de handelaren hier bezig waren, bevestigde Alice' idee dat mannen en vrouwen van nature kapitalistisch waren, en dat Russen – ongeacht wat Lev in de stokerij had gezegd – niet anders waren dan ieder ander. De planeconomie mocht dan hun ondernemerskwaliteiten hebben onderdrukt, maar had hun aangeboren verlangen naar risico, kapitaalsvermeerdering en een beter positie niet kunnen vernietigen. Deze mensen zouden de stuwende kracht worden voor de verandering in Rusland, daar durfde ze haar huis om verwedden – totdat ze bedacht dat ze in een hotel woonde.

24

WOENSDAG, 15 JANUARI 1992

Irks wagen was nog in de garage, en beschikbare dienstauto's werden nog zeldzamer dan geheelonthouders, dus ging hij maar weer met de metro. Moskou was een stad van aanplakbiljetten geworden, besefte hij toen hij naar het station liep; overal zag hij aanplakbiljetten, maar dan ook overal, op straatlantaarns, bomen, telefooncellen, muren, etalages, zelfs in de metro zelf, waarover de Partij zo hoog had opgegeven dat er nooit een enkele kapitalistische reclame zou hangen – maar daar waren ze, de aanplakbiljetten van een stad die probeerde op te klimmen, met kreten over spoedcursussen economie en bankieren en computers en vreemde talen, of over de verkoop van flats en datsja's en auto's, geen tijdrekkers en geen roebels, alleen serieuze kopers met dollars.

Er waren twee trappen naar het perron. Net als ieder ander die naar beneden liep, negeerde Irk het boordje met GEEN INGANG en liep naar de trap die gereserveerd was voor passagiers die van het perron af kwamen. Dit zou natuurlijk een opstopping hebben moeten veroorzaken, waarbij de stroom die naar beneden ging in botsing zou komen met mensen die van de andere kant kwamen – maar natuurlijk gebruikten alle passagiers die naar boven wilden de trap die bedoeld was voor degenen die naar beneden moesten, weer enkel en alleen omdat er een bordje bij hing waarop stond: GEEN INGANG. Dit was Rusland bij uitstek, dacht hij; een gemeenschap die zonder uitzondering de regels overtrad, louter en alleen omdat ze bestonden, en die het systeem op z'n kop zette maar het intussen wel functioneel maakte. Een miljoen tegenstellingen mondden op de een of andere manier uit in volslagen orde. En was de grootste tegenstelling tenslotte niet daar waar geen tegenstelling was?

Irk had Sabirzjan niet gezien sinds hij hem ruim zesendertig uur geleden had meegenomen naar Petrovka. Dit deed hij met opzet. Sabirzjan was een beroepsondervrager; hij was waarschijnlijk al meer vergeten over het loskrijgen van inlichtingen dan Irk er ooit van af zou weten, wat inhield dat hij

166

elke techniek op dit gebied zou kennen. Irk had daarom bedacht dat de beste strategie was om niet impulsief te werk te gaan. Zelfs Sabirzjan zou na anderhalve dag duimen draaien zenuwachtig worden en zich afvragen met wat voor bewijzen het OM op de proppen zou komen. Nu was het tijd dat Irk ging bekijken of hij van die onzekerheid gebruik kon maken.

Hij had een kamer leeg laten maken voor het verhoor, ontdaan van alles waardoor Sabirzjans aandacht afgeleid zou kunnen worden. Tafels en stoelen waren verwijderd; er stonden geen boekenkasten of dossierkasten, er waren geen ramen, geen posters, kaarten of kalenders. De muren waren opnieuw gewit, dus er waren geen onregelmatigheden of vochtplekken waar Sabirzjan in gedachten vormen en gezichten van kon maken. Er zou één lamp schijnen: een gewone bureaulamp in de hoek die amper genoeg licht gaf om elkaar te kunnen zien.

Irk stuurde geen agent, maar ging zelf naar Sabirzjans cel. Het ging nu om hen twee, meteen vanaf het eerste moment; dat was de enige manier waarop het effect kon hebben. Zijn geduld was onuitputtelijk. Hij zou op zoek gaan naar Sabirzjans zwakke plek, en als die er was, zou hij hem vinden.

Irk begon met een praatje over zichzelf om Sabirzjan op zijn gemak te stellen. Hij vertelde over zijn jeugd op het kleine eiland Saaremaa – een deel van Estland dat nog nauwelijks aangetast was door sovjetindustrie en immigratie – en het fantastische middeleeuwse kasteel in Kuressaare waar hij met zijn vriendjes had gespeeld. Hij vertelde over de schok die hij had ervaren toen hij verhuisde naar de hoofdstad Tallinn, en hoe hij zich had vastgeklampt aan de sprookjes uit zijn jeugd door op mistige zondagmiddagen over de met keien geplaveide achterafstraatjes van de mooie oude stad te dwalen. Hij sprak over Moskou en de manier waarop de stad hem tegelijkertijd stimuleerde en uitputte. Hij praatte en praatte, terwijl hij zijn woorden verweefde met vriendelijkheid en zelfkritiek, en wachtte op het moment dat de gebruikelijke argwaan in Sabirzjans ogen begon te vervagen.

'Ik denk dat we elkaar wel zullen waarderen, Tengiz Lavrentiyitsj,' zei Irk. 'Dat hoop ik oprecht.'

Een verhoor is meestal een duel dat op twee manieren kan eindigen: bekentenis of vrijlating. Irk week daar in zoverre van af dat hij naar iets zocht dat verder ging dan die twee mogelijkheden; hij wilde de waarheid weten. Hij wilde weten waaróm. Het was niet genoeg voor hem om te zeggen dat dit Rusland was en dat dit soort dingen gebeurden. Hij wilde dat Sabirzjan zijn ziel aan hem uitleverde.

Irk vertelde Sabirzjan dat hij de foto's van de kinderen in zijn appartement had gevonden. Hij had Vladimir Kullam en Raisa Rustanova herkend; het personeel van Prospekt Mira had de anderen herkend, en hield hen goed in de gaten.

'Ik voel met je mee,' zei hij zacht, zodat Sabirzjan zich moest inspannen om hem te kunnen verstaan. 'Het moet verschrikkelijk zijn om zo'n aandoening te hebben waar niemand iets van kan begrijpen – of misschien wil begrijpen?' Ondanks het schaarse licht zag Irk het zweet op Sabirzjans slapen parelen. 'Laten we het onder ogen zien, Tengiz, we leven niet bepaald in een verlicht land, vind je wel? Volgens de wet is homoseksualiteit nog steeds een geestesziekte; dus zullen ze vast ook wel niet staan te juichen bij misbruik van kinderen.'

Hij wachtte even om Sabirzjan de tijd te geven om te reageren en ging toen hij niets hoorde door. 'Ben je een homo, Tengiz? Het zou me niet verbazen als iemand die dit soort dingen doet, homoseksueel zou zijn. De samenleving zorgt ervoor dat homofielen zichzelf verachten, en zelfverachting leidt tot destructief gedrag. Als je inderdaad homo bent, Tengiz, kun je er beter mee voor de draad komen, en snel. Dan word je bestempeld als gestoord, maar niet als een slecht mens. Dan ga je naar een inrichting, niet naar de gevangenis; dan krijg je een behandeling, ze laten je niet wegrotten. Het betekent dan een leven, geen dood. Je zult de gevangenissen hier vanbinnen wel hebben gezien, Tengiz. Stel je voor wat ze je daar aandoen, als ze erachter komen dat je hier zit omdat je kinderen hebt opengesneden. Dan scheuren ze je aan stukken.'

'Je kunt praten wat je wilt, inspecteur,' zei Sabirzjan, 'maar ik heb het niet gedaan.'

Hij was nog steeds op het punt van totale ontkenning. Irk moest hem daar vanaf zien te brengen; dat kon nog een hele klus worden. Het enige dat hij wilde horen was de eerste 'ja', de rest zou vanzelf komen. Het was als een moord zelf. Als een man een moord heeft gepleegd, heeft hij twee opties: het daarbij laten of ermee doorgaan. Het is een sterke man die het daarbij laat en zichzelf nog recht kan aankijken. Een misdaad leidt tot geheimen, geheimen leiden tot isolement, isolement leidt tot de drang om te bekennen. Doorgaan met moorden is in veel opzichten gemakkelijker; de eerste keer is het het makkelijkst. Als die drempel eenmaal is genomen, heeft iemand de neiging ermee door te gaan, steeds weer opnieuw te moorden.

'Doe wat je wilt, inspecteur, je krijgt geen toch bekentenis uit me, omdat het niet waar is.'

Niet waar? Irk voelde woede opkomen. De KGB had kleermakers gearresteerd omdat ze kostuums hadden gemaakt die niet pasten; ze hadden musici gearresteerd omdat ze tijdens een concert slecht hadden gespeeld en de avond van een partijbons hadden bedorven; ze hadden leraren gearresteerd die lage cijfers gaven aan dochters van inspecteurs. Die mensen hadden ze in cellen gegooid van vijftig vierkante centimeter en toegekeken hoe ze gek werden – en Sabirzjan had de gore moed om te praten over wat er wel en wat er niet wáár was?

Irk ging pas weer verder toen zijn woede was weggeëbd. 'Doen wat ik wil? Wat betekent dat, Tengiz? Je bedoelt martelen? Van alle mensen die ik ooit heb verhoord, Tengiz, heb ik er nooit een pijn gedaan. Elektroden op hun genitaliën? Nooit. Hun vingernagels uittrekken? Ik niet. Drugs om de waarheid uit hen te trekken? Ik zou niet weten waar ik moest beginnen.'

Twee mannen, een kale kamer, een gevecht met als enige wapen hun verstand en hun wil; daarin voelde Irk zich de sterkste. Hij was het roofdier dat op een prooi jaagde, en daarbij kon zijn reputatie hem weinig schelen. De beloning die succes met zich meebracht liet hem koud; de kritiek die volgde op mislukking schudde hij van zich af. Hij had het gevoel dat Kipling trots op hem geweest zou zijn.

'Hoe laat is het?' vroeg Sabirzjan.

Ze zaten er drie uur, maar zonder enig licht van buiten was het onmogelijk om precies te zeggen hoe lang en of het al donker was.

'Ik heb geen idee.'

'Kijk dan op je horloge.'

Irk schoof zijn mouw omhoog. 'Dat heb ik afgedaan.' Hij gebaarde naar zichzelf en vervolgens naar Sabirzjan. 'Ik draag niet meer dan jij, Tengiz. Ik zit op dezelfde harde vloer als jij, ik heb niet meer gegeten of gedronken dan jij, ik heb evenveel honger en dorst als jij. We moeten dit samen rooien.'

'Wat een klotezooi.'

Een klop op de deur gaf aan dat er eten was. Irk deed de deur net ver genoeg open om het blad aan te pakken. Twee vleespasteitjes, die de bijnaam 'maagcatarre' hadden; twee koppen thee, drie hompen brood.

'De kantine van Petrovka staat in de hele federatie bekend om zijn haute cuisine,' zei Irk, maar op Sabirzjans dikke wangen was niets van een lachje te bespeuren.

Ze aten zwijgend. Irk liet het derde stuk brood over voor Sabirzjan. Het stond langer dan een uur tussen hen in op de vloer – althans, dat schatte Irk

– voordat Sabirzjan het oppakte. Hij propte het in zijn mond met de wanhoop van een man die langs een helling naar beneden glijdt.

Sabirzjan ging op de grond liggen en sloot zijn ogen. Irk kon niet zien of hij echt sliep of deed alsof; hoe het ook zij, hij verkoos hem niet te storen. De handleiding van de KGB zou onthouding van slaap als een vanzelfsprekendheid hebben aanbevolen. Irk zou daarom het tegendeel doen. De KGB had gedijd op onmenselijkheid; hoe kon hij dat beter tenietdoen dan met menselijkheid?

Sabirzjan begon te praten toen hij zijn ogen opendeed.
    'Gij zult niet doden is een huichelachtig gebod, inspecteur.'
    'Hoezo?' Er klonk nieuwsgierigheid door in Irks stem; geen opwinding, geen triomf.
    'Het proletariaat zou alleen acht moeten slaan op deze regel gezien vanuit hun klasse. Moord op de meest onuitroeibare vijand van de revolutie, georganiseerde moord van een klassencollectief op bevel van de klassendictatuur in naam van de proletarische revolutie, is een wettige, ethische moord. De metafysische waarden van het menselijk leven bestaan niet voor het proletariaat, voor wie alleen de belangen bestaan van de proletarische revolutie.'
    'Zalkind,' zei Irk. '*Revolutie en jeugd.*'
    Sabirzjan glimlachte, angstaanjagend en zenuwslopend in het schemerduister. 'Een ontwikkeld man!'
    'Hebben we het nu over Vladimir Kullam en Raisa Rustanova?'
    'Wat denkt u, inspecteur?'

'Hoe zit het met die informanten die je erop nahield?' vroeg Irk.
    'Wat is daarmee?'
    'Hoe kies je ze uit?'
    'Hoe ik ze uitkies?' Sabirzjan snoof vol minachting. 'De mensen staan in de rij om zich aan te melden, inspecteur.'
    'Om wat voor redenen?'
    'Ze willen hun land dienen. Ze willen geld. Ze azen op promotie.'
    'En jij belooft hun die dingen?'
    'Altijd.'
    'En hou je je aan je woord?'
    'Zo werkt het niet altijd, inspecteur. Mensen willen dat je ze de maan belooft, en vragen zich dan af waarom je die beloften niet nakomt.'
    'Maar tegen die tijd werken ze toch al voor je.'

'Precies.'

'En ondertekenen ze de verklaring allemaal?

'Natuurlijk.' Sabirzjan begon de tekst op te dreunen; Irk had genoeg van dat soort verklaringen gezien om te weten hoe ze luidden. '"Ik, Ivanov, Ivan Ivanovitsj, verklaar uit vrije wil mijn medewerking te verlenen in dienst van de staatsveiligheid. Ik ben op de hoogte van de straffen die er staan op het openbaar maken van mijn medewerking. Ik zal dit document tekenen met het pseudoniem 'x', gevolgd door de datum en handtekening." Het is heel noodzakelijk, inspecteur. Overal zijn vijanden van het volk, in alle bedrijfstakken.'

'Het systeem is opgeheven, Tengiz.'

'Het systeem zal nóóit worden opgeheven, inspecteur. Weet je waarom niet? Omdat we er allemaal mee te maken hebben. Mensen klagen wel hoe verschrikkelijk en oneerlijk het is, maar zonder hen had het nooit kunnen ontstaan. Alleen mannen als Zagarov en Solzjenitsjin horen daar niet bij; zij hebben voet bij stuk gehouden en te lijden gehad van de gevolgen. Verder heeft iedereen er schuld aan. Jullie hebben Zagarov en Solzjenitsjin laten lijden; jullie hebben het laten gebeuren.'

Ze praatten met elkaar als oude vrienden; ze vertelden elkaar verhalen, redetwistten, beschreven de ideale wereld. Irk had zijn geest in tweeën gedeeld: de ene helft hield de conversatie gaande, de andere filterde alles wat Sabirzjan zei uit, en kon niets vinden.

'Het is wel raar, inspecteur. Een jaar geleden zou ik hier nooit hebben gezetten om door jou verhoord te worden. De KGB was het machtsorgaan, iedereen was doodsbang van ons.'

'En nu niet meer.'

'Niet zo erg meer; en ze zijn boos op ons omdat ze zichzélf verachten dat ze zich aan ons hebben onderworpen. Het valt niet mee om die verandering te accepteren, inspecteur.'

Hij hield nog steeds vol dat hij onschuldig was, maar liet wel iets van bewondering zien voor de dader. Niet voor de moorden, natuurlijk – die waren laakbaar – maar voor het uitwissen van zijn sporen op een manier die de KGB waardig was.

25

Irk bleef 's nachts bij Sabirzjan. Ze sliepen met hun rug tegen de muur en hun benen op de grond, als dronkelappen die buiten westen zijn geraakt. Ze hadden dekens noch kussens, en toen het peertje in de enige lamp het begaf, hadden ze ook geen licht meer. Ze gingen om beurten op de tast naar de emmer die Irk had laten brengen om hun behoefte in te doen; en in hun raamloze gevangenis deed Sabirzjan nog steeds geen bekentenis, zelfs niet toen Irk zei: 'Ik ben je vriend, Tengiz. Vrienden liegen niet tegen elkaar.'

Denisov zelf kwam naar de verhoorkamer en vroeg Irk bij hem op zijn kantoor te komen. Irk verliet de kamer met wankele stappen, en kneep zijn ogen samen bij het licht van de lamp in de gang die niet eens heel sterk was. Straatlantaarns wierpen amberkleurige plassen door de ramen. 'Hoe laat is het?' vroeg hij, terwijl hij achter Denisov de trap op liep.

'Half acht.'

''s Ochtends of 's avonds?' In beide gevallen zou het donker zijn. Denisov bleef staan en keek om zich heen.

'Vraag je dat serieus?'

'Volstrekt.'

''s Ochtends.' Denisov schudde zijn hoofd. 'Geen wonder dat je er zo beroerd uitziet.'

In het kantoor ging Denisov achter zijn bureau zitten zonder Irk een stoel aan te bieden. Irk keek naar een poster met sovjetpropaganda waarop Andropov stond die een nieuwe school opende, en las het bijschrift eronder: *Kinderen zijn onze enige bevoorrechte klasse.*

'Hoever ben je met hem?' vroeg Denisov.

Irk blies zijn wangen bol. 'Het gaat langzaam, heel langzaam.'

'Langzaam is niet goed. Ga jezelf opfrissen, Juku, en dan stel je Sabirzjan in staat van beschuldiging of je laat hem vrij.'

'Dat meen je niet.'

'Zie ik eruit alsof ik grapjes maak?'

Irk schudde zijn hoofd; Denisov en grapjes waren onverenigbaar. 'Ik laat hem volgende week terugkomen, geen probleem. Drie dagen, dan nog eens zeven, zo werkt het toch?'

'Niet in dit geval.'

'Waarom niet?'

'Wat denk je, Juku? Sabirzjan is van de KGB; hij heeft nog steeds vriend-jes op hoge posities.'

'Maar jullie hebben mij toch opdracht gegeven hem hier te brengen.'

'Ja, maar nu laten we hem weer gaan.'

'Ik dacht dat ik tien dagen de tijd had. Had ik dat geweten, dan zou ik hem wel anders hebben aangepakt.'

'Jammer. Je weet hoe het gaat.' Denisov haalde zijn schouders op.

Dat wist Irk inderdaad. Macht is in Rusland een ingewikkelde, veranderlijke materie; Sabirzjan had niet genoeg invloed om hem te behoeden voor een arrestatie; niet als Lev zijn goedkeuring eraan had verleend, maar zijn macht was nog groot genoeg om ervoor te zorgen dat hij, zo gauw de wet dat toeliet, werd vrijgelaten. 'Drie dagen, dat houdt dus vanmiddag op, Denis Denisovitsj. In die tijd zal ik geen bekentenis van hem krijgen.'

'Dan moet je hem laten gaan.'

Hoezeer Irk ook wilde dat Sabirzjan zou bekennen, hij wist geen manier te bedenken om hem zover te krijgen. Zijn strategie was gebaseerd op tijd; tijd om Sabirzjans afweer te laten afnemen, tijd om vertrouwen te winnen, tijd om hem zover te krijgen dat hij doorsloeg. Als hij nu de zaak overhaastte, na het bezoekje van de procureur-generaal, zou Sabirzjan daaruit afleiden dat Irk wanhopig was en dat hijzelf binnenkort werd vrijgelaten, en zou hij dichtklappen met de snelheid en doelmatigheid van een venusvliegenvanger. Nu hij Sabirzjan moest laten gaan, besloot Irk dat hij het beste kon doen alsof hij de hoop had opgegeven; hij zou Sabirzjan wegsturen met het idee dat hij geen belangstelling meer voor hem had, en dan zou hij kijken wat hij op slinkse wijze nog over hem te weten kon komen.

Sabirzjan ging direct terug naar Rode Oktober. Lev schonk hem een glas Russkaja in.

'Ik ga me niet verontschuldigen voor wat ik heb gedaan, Tengiz,' zei Lev. 'Ik had geen andere keus. Dit moet opgelost worden, en ik zal er alles aan doen om dat te bereiken.'

'Heb je mij verdacht?'

'Het OM verdacht je. Ik ben blij dat ze je hebben laten gaan.'

Sabirzjan haalde zijn schouders op. 'Het geeft niet. Ik neem het je niet kwalijk.' Zijn hand verdween in die van Lev, in een gebaar van verzoening.

'Nee, echt niet. De inspecteur en ik hebben een goed gesprek gevoerd. Hij begrijpt het wel, weet je.'

'Wat begrijpt hij?'

'Hoe moeilijk het is voor een man als ik om te begrijpen wat er op het ogenblik in Rusland gaande is.'

'Voor ons allemaal, Tengiz. En het gebeurt, of we het willen of niet. We moeten ons aanpassen, of ten onder gaan.'

'Heb jij iets bereikt met die Amerikaanse?'

'Zeker wel. Ik heb ervoor gezorgd dat ze meer moest inleveren dan ik, veel meer.'

'Ik had niet anders verwacht.'

Lev zocht in Sabirzjans trekken naar een blijk van onoprechtheid of spotternij, maar daar was niets van te bespeuren. Sabirzjan leek oprecht, hoewel Lev daar nog geen definitief oordeel over durfde geven. Lev was eraan gewend Sabirzjan te beschouwen als iemand die er duistere gangen op nahield; nu leek Sabirzjan… tja, gereinigd, zou hij bijna zeggen. Dat was niet wat Lev had bedoeld toen hij Irk drie dagen daarvoor toestemming had gegeven om Sabirzjan mee te nemen; maar het was ook geen resultaat dat hij afkeurde.

Irk proefde de bittere smaak van teleurstelling. Eerst had Denisov hem een bekentenis laten afdwingen van een man die overduidelijk onschuldig was; en nu eiste hij het tegenovergestelde.

Irks werk was al moeilijk genoeg, zeker als zijn baas steeds de grond onder zijn voeten wegtrok. Hij zou naar Denisovs kantoor moeten gaan om het met hem uit te vechten, maar wat voor zin zou dat hebben? Denisov zou hem niet van de zaak afhalen; hij was ermee belast totdat hij bewijs vond dat die moorden te maken hadden met ofwel de privatisering ofwel de maffia. Bovendien was iedere andere inspecteur die Irk kon bedenken incompetent, corrupt of allebei. Het enige dat hij kon doen was doorploeteren en hopen op een doorbraak.

Irks telefoon ging. Hij nam op. 'Openbaar Ministerie.'

'Met Galina Chroeminstsj.' Haar stem klonk hoog en ze praatte snel. 'Ik ben in het appartement. Je moet hierheen komen, Juku, zo snel mogelijk. Er is iets verschrikkelijks gebeurd.'

De regen kwam met bakken neer, waardoor het rijden in Moskou nog gevaarlijker was dan anders, helemaal omdat Irk zijn ruitenwissers thuis had laten liggen. Er was een tekort aan ruitenwissers – waaraan niet? – en op een auto waar ze onachtzaam werden achtergelaten, waren ze binnen de kortste keren verdwenen. Zich concentrerend op het verkeer alsof hij bij een gevecht betrokken was, waarbij hij alleen het water onder zijn wielen en het getoeter van zijn eigen claxon hoorde, tuurde Irk naar de opeenvolgende stoet autolichten en de in elkaar overvloeiende etalages. In veel opzichten, bedacht hij, was rijden zonder ruitenwissers rustiger; wat hij niet zag, kon hem ook niets doen.

De voordeur van de Chroeminstsjes was met geweld uit de scharnieren getrokken, en overal in hun woonkamer zat bloed. Het eerste wat Irk dacht was dat een van de familieleden gewond moest zijn – of erger – maar ze stonden allemaal ongedeerd op hem te wachten.

Tot dusver het goede nieuws. Galina hield haar handen tegen haar slapen gedrukt, alsof ze wilde voorkomen dat haar hoofd zou barsten; Svetlana stond vreselijk te snikken, en Rodjons kaak drukte zijn onvermogen als man uit om wie dit ook had gedaan, te grazen te nemen.

De katten waren dood, en lagen als blauwzilveren eilandjes in een archipel van rood. Zoals ze daar op hun zij lagen, hadden ze ook kunnen slapen, als ze niet die gapende wond in hun nek hadden gehad. Zeven Russische blauwe katten, gevoed met vitaminepillen en courgettes, en om de dag gewassen met waspoeder; allemaal hadden ze het leven gelaten. De gewonnen rozetten aan de muur zwommen als rouwkransen rond in Irks blikveld.

'Die klote-Tsjetsjenen,' zei Rodjon. 'Die smerige zwarte klootzakken.'

'Ze hebben nog gezegd dat ze terug zouden komen.' Galina nam het zichzelf kwalijk. 'En ik heb er geen acht op geslagen, ik dacht dat ze dat toch niet durfden, en kijk nou wat ze hebben gedaan… Mama, ze waren jouw vreugde en trots, het spijt me zo.'

Svetlana wendde zich tot haar schoondochter. 'Het is niet jouw schuld, liefje.'

'Ze heeft gelijk, Galja. Je moet het jezelf niet aanrekenen,' zei Irk. Hij maakte een gebaar alsof hij haar wilde omhelzen, maar het gaf hem een ongemakkelijk gevoel en deed toen maar alsof hij zijn armen strekte. Galina ging op haar hurken zitten en omhelsde Rodjon, waarbij ze zijn voorhoofd kuste; Svetlana liet haar hoofd tegen Irks schouder zakken.

'Laten we de boel hier schoonmaken, en ze een fatsoenlijke begrafenis geven,' zei Rodjon.

'Moeten we de politie niet bellen?' vroeg Galina. 'Het gaat toch om een misdaad?'

Rodjon liet een spottende lach horen. 'Denk je dat de politie zich druk maakt om zoiets? Ze zouden er totaal geen acht op slaan, wat denk jij, Juku?'

Irk schudde zijn hoofd en bloosde van schaamte; hij voelde het falen van de politie als zijn eigen tekortkoming. 'Ik ben bang dat Rodja gelijk heeft. Laten we de boel maar schoonmaken, dan ga ik daarna op zoek naar iemand die de deur kan repareren.'

De mannen stuurden Svetlana en Galina de woonkamer uit en begonnen met het weghalen van de katten. Toen hij het eerste lijkje optilde, glibberde het uit Irks handen in een plastic emmer; hij besloot de andere in hun nekvel te grijpen, alsof hij ze wurgde. Kadavers van dieren waren niet minder onaangenaam om te zien dan die van mensen, en Irk probeerde er niet naar te kijken. De doffe plof die weerklonk als hij er een in de emmer liet vallen, was een beproeving voor zijn gevoelige maag.

Rodjon schoof op zijn stompjes van de ene plas bloed na de andere, waar hij de boel opnam met doeken die hij uitwrong in de emmer voordat hij verwoed over de achtergebleven vlekken begon te boenen. Hij was zo wanhopig bezig dat het Irk het beste leek om maar te zwijgen; niet dat hij zin had in een praatje.

Ook al had geen van allen trek, Svetlana maakte eten en drong het aan hen op. Ze liep heen en weer van de tafel naar de keuken met gezouten zalm, terwijl ze intussen meldde hoe je die het best kon bereiden: de kleine graatjes moest je eruit halen, dan de filet bestrooien met grof gemalen zout, daarna drie dagen laten staan bij kamertemperatuur en vervolgens serveren.

Galina en Rodjon waren stil; Irks waarderende opmerkingen over het eten gingen verloren in Svetlana's onophoudelijke geratel. 'Ik maak liever alles op dan dat ik het weggooi,' zei ze. 'Oud brood gaat naar de jongen hier verderop in de gang die kippen houdt in zijn huisje op het land, melk die over de datum heen is, wordt gekookt en verwerkt in warme gerechten, restjes bewaar ik in oude jampotten.' Ze bewaarde zelfs documenten in vergieten en zeven in plaats van in laden of mappen, zei ze. Irk probeerde haar niet tot zwijgen te brengen en moedigde de anderen niet aan om te praten. Hij had al zo vaak de gevolgen gezien van een trauma. Iedereen ging op zijn eigen manier om met zo'n tragedie, en er was niets wat hij kon doen, behalve er voor hen zijn wanneer ze hem nodig hadden.

26

Alice zat tot over haar oren in het werk, Lewis had 's nachts dienst in het Sklifosovski; het ontbijt was zo ongeveer het enige tijdstip waarom ze elkaar zagen. Zij was deze ochtend een uur eerder dan normaal opgestaan en had geëist dat hij nog niet naar bed ging – er stond een fantastisch appartement te huur in Patriarchvijvers, een van de betere wijken in het hartje van Moskou, en als ze niet snel waren, zou het weg zijn.

'Waarvoor moeten we een appartement hebben?' zei hij.

'Vind je het dan fijn om in een hotel te wonen?'

'Het is gerieflijk, het is schoon, alles wordt voor ons gedaan. Ja, ik vind het wel fijn.'

'Het is niet van ons zélf. Ik wil iets dat van ons is.'

'Ja, thuis in Boston. Niet hier.' Ze kuste hem in zijn nek. 'Denk eens na – onze eigen keuken. Dan kun je *cush-cush* maken tot je erbij neervalt.' Cush-cush – bruine havermout, warm geserveerd met suiker en melk – was een van die gerechten uit New Orleans waar Lewis naar snakte als hij ver van huis was. 'Ga dan in elk geval even mee kijken.'

'Goed, goed.' In elke woordenwisseling was er wel een moment waarop Lewis de weg van de minste weerstand koos en toegaf; als hij maar met rust werd gelaten.

Het appartement bevond zich in een groot, lichtblauw blok aan de oostzijde van het plein waar de vijver van de patriarch lag. Het had niet veel zin om de extra premie te betalen voor een woning op het zuiden als het de helft van het jaar winter was. De makelaar leek amper oud genoeg om zich al te scheren; zijn pak was scherp van snit en zijn schoenen waren puntig.

'Westers *remont*,' zei hij. 'Alle armaturen en meubelen; westerse grondstoffen, westerse arbeidskrachten.' Westers remont was het beste wat je kon krijgen in Rusland. Een mindere kwaliteit was 'half-westers' – westerse materialen gecombineerd met Russisch vakmanschap – wat prima was als je bereid was het risico te nemen van een peperduur Smeg-fornuis dat overal water rond spoot omdat het verkeerd aangesloten was. Nog minder was

eenvoudigweg 'Russisch': een slechte kwaliteit en minderwaardig vakmanschap, en ook nog eens opzichtig.

Het appartement had alles wat ze nodig hadden: twee slaapkamers, elk
met een eigen badkamer; een keuken, een woonkamer, een eetkamer en een
kleine uitbouw die gebruikt kon worden als studeerkamer.

'Heel veel mensen hebben hier belangstelling voor,' zei de makelaar.
'Vóór het weekend is het weg, dat weet ik zeker.'

Alice liep naar het raam en keek uit over het plein. Dit was de plek waar
Satan voor het eerst was verschenen in *De meester en Margarita*, het klassieke verhaal van Bulgakov over de duivel die rampspoed bracht in de hoofdstad. Alice kon, als ze zich goed concentreerde, zich Bulgakovs geest voorstellen, zwevend als moerasgas boven de vijver waar de patriarch zijn vissen
had gehouden.

Lewis kwam naast haar staan. 'Het is wel aardig,' zei hij. 'Niets bijzonders.'
'Het is fantastisch.'

'Als je echt per se uit het Metropol weg wilt, bekijk dan tenminste eerst
nog wat andere huizen.'

En neem er vooral de tijd voor, dat dacht hij, dat hoorde ze even duidelijk alsof hij het haar met woorden had gezegd. Alice was dol op deze woning omdat het een thuis betekende, iets blijvends. Lewis bleef liever al die
tijd in het Metropol, omdat hotels tijdelijk zijn, ongeacht het comfort of
hoe lang je er ook blijft. Zo opwindend als een woning voor Alice was, zo
angstaanjagend was het voor Lewis; zij begon het gevoel te krijgen dat ze
hier hoorde.

'Lewis, dit is geweldig. Als ik nog een week in dat hotel moet zitten,
word ik gek.' Ze richtte zich tot de makelaar. 'We nemen het.'

Lewis legde zijn hand op haar arm. 'Dat hebben we toch niet...'
'Ik wist wel dat je het zou begrijpen, Lewis. Godzijdank.'

Timofej had juist zijn kiosk aan Novokoeznetskaja geopend toen de Tsjetsjenen terugkwamen; Zjorzj voorop, aan alle kanten omringd door lijfwachten. Zjorzj trok vragend zijn wenkbrauwen op naar Timofej; heb je al
besloten of je trouw aan een ander wilt zweren? De aarzeling van Timofej,
die net als eerst bloednerveus werd van Zjorzj' stilzwijgen, zei genoeg.

Zjorzj leunde naar binnen door het raam, pakte twee wodkaflessen van
de plank naast Timofej, rukte de dop eraf, en haalde twee lapjes stof uit zijn
zak. Timofej herkende ze als de driehoekjes die Zjorzj uit zijn overhemd
had geknipt, toen de Tsjetsjenen de eerste keer waren gekomen, en hij besefte ineens vol afgrijzen wat er ging gebeuren. Uit angst leek hij vastgena-
geld te staan aan de vloer.

Zjorzj goot wat wodka t over de lapjes, stopte ze in de hals van de flessen, haalde een aansteker uit zijn zak, stak de lapjes aan en zette de provisorische molotovcocktails terug in de kiosk, zo ver mogelijk tussen de andere flessen in. Timofej, die zich eindelijk weer kon bewegen, probeerde zich langs hem te persen, maar twee van Zjorzj' lijfwachten hielden hem met hun sterke handen tegen zijn borst tegen. Ze schoven hem terug in de kiosk en sloten de deur achter hem, waarna ze hem van buiten op slot draaiden en de sleutel in de deur lieten bungelen; Timofej had niet eens tijd gehad om ze uit het slot te trekken.

De vlammen schoten op, ze likten en grepen om zich heen naar de flessen ernaast, eerst aarzelend, daarna in volle hevigheid. De flessen spatten uit elkaar, kleine rinkelende explosies totdat de hele kiosk in lichterlaaie stond, een vlammende zuil aan een Moskous trottoir. Timofej schopte twee keer tegen het glas voordat hij bezweek, en menselijk gesproken mocht men hopen dat de rook hem eerder fataal werd dan de vlammen.

Irk rook naar vuur en woede; vuur van de brandende kiosk, woede omdat Timofej daarbinnen was geweest. Hij wist dat de Tsjetsjenen ervoor verantwoordelijk waren, maar wat Irk bezighield was de vraag of de aanslag iets te maken had met wat er gaande was geweest in Prospekt Mira.

Hij had nauwelijks tijd gehad om na te denken over zijn volgende zet toen een dienstwagen stopte en Jerofejevs corpulente gestalte uitspuwde. Jerofejev zag er elke keer dat Irk hem zag meer opgeblazen uit, alsof hij aan de fietspomp had gelegen voor hij naar huis ging.

'Hier is niets voor jou, Juku.' Jerofejev had een buldog nog een lesje kunnen leren in territoriumdrift. 'Je kunt wel teruggaan naar Petrovka.'

Irk legde snel uit waarom hij belangstelling had voor het incident, om zo vlug mogelijk te kunnen ontsnappen aan Jerofejevs berucht korte aandachtsspanne. Jerofejev klakte laatdunkend met zijn tong. 'Dit is niet de enige kiosk die vandaag in de hens is gezet, Juku. We hebben berichten gekregen uit heel Moskou: vier in Novi Arbat, twee in Pokrovka, nog eens drie in Valovaja.' Jerofejev noemde de namen alsof de brandende kiosken toeristische trekpleisters waren. 'Het is dus de georganiseerde misdaad geweest. Ga maar.' Hij gebaarde met een mollige hand in de lucht voordat hij ermee door zijn haar ging dat vet was van de lotion. 'Laat het maar aan de grote jongens over.'

In Moskou krioelde het van de politieagenten toen Irk terugreed naar Petrovka. Ze deden hem denken aan de sovjets in Tallinn onder het communistisch regime; een vreemde bezetter, evenzeer gehaat als gevreesd door de lokale bevolking. Geen wonder dat de hele stad aan de drank was. Elke keer dat Irk een hoek om sloeg zag hij iemand met een fles aan zijn mond, het waren allemaal net zuigende baby's. Voor het werk, na het werk, op bouwterreinen en in winkels, in appartementen en kantoorgebouwen; de vloeibare energie was werkelijk overal aanwezig.

Irk parkeerde zijn auto tussen een Cadillac en een BMW – er stonden altijd een paar buitenlandse wagens op het parkeerterrein van Petrovka, uitgeleend aan agenten die protectie boden aan westerse autodealers. In zijn kantoor streek hij, nog hijgend van het trappenlopen, met een vinger over het Estlandse vlaggetje op zijn bureau. Het had horizontaal blauwe, zwarte en witte strepen, als symbolen van zee, land en lucht. Hij vond de kleurencombinatie rustgevend, en dat was meer dan hij kon zeggen van de gedachten die door zijn hoofd spookten.

De telefoon ging. In de oren van Irk klonk het iedere keer weer als een dreiging van slecht nieuws. 'Openbaar Ministerie.'

'Met Rodja. Er wordt er weer een vermist.'

'Uit het weeshuis?'

'Ja.'

'Een van Sabirzjans oogappels?'

'Ze stond niet in het fotoalbum. Haar naam is Emma Koervjakova.'

'Hoe lang wordt ze al vermist?'

'Ze heeft zich gisteren en vandaag niet gemeld.'

'En dat vertel je me nu pas?'

'Ik zei je toch al, Juku: ze komen en gaan. Onlangs, toen ik de kinderen op de hoogte bracht van wat er met Raisa was gebeurd, zei ik dat we elke dag zouden controleren, en dat we na vierentwintig uur zouden gaan zoeken.'

'Waarom niet eerder?'

'Omdat we dan elke dag alle straten zouden moeten afschuimen, daarom.'

'Oké, oké.' Irk wilde geen energie verspillen aan een woordenwisseling. 'Hebben jullie…'

'Ja, we hebben in de rivier gedregd, we zijn niet achterlijk. Geen spoor. En nog wat, Juku. Ik heb hier Tsjetsjenen zien rondhangen.'

'Waar?'

'Vlak voor de hoofdingang. Drie kerels, die vanaf de overkant de boel in de gaten hielden.'

'Zou je ze herkennen?'

'Het was nogal ver.' Het was duidelijk wat hij eigenlijk bedoelde: zwarten lijken allemaal op elkaar. 'Je moet ons helpen, Juku. Je kunt je wel voorstellen wat dit betekent voor het weeshuis. Sommige kinderen zijn doods-bang, ze zijn huilerig en zenuwachtig. Mama is natuurlijk in alle staten. Help ons, doe het voor haar, ja? Ze vertrouwt je, Juku; laat haar niet in de steek.'

Een ongeluk komt zelden alleen, luidt zo niet het gezegde? Irk had het idee dat zijn leven een aaneenschakeling van ongelukken was.

Hij ging naar Kolomenskoe, zonder dat het hem veel kon schelen wat Jero-fejev daarvan zou zeggen als hij erachter kwam. Er was verbazend weinig verkeer op de weg, en het tochtje duurde minder dan een half uur; te kort, gek genoeg. Hij was bezig zijn kop in een leeuwenmuil te steken, en hij had gerekend op meer tijd om zich te kunnen voorbereiden.

Irk had zich geen zorgen hoeven maken. Karkadanns huis had meer van de *Marie Celeste*: een verlaten, spookachtige plek, waarvan de leegte de spot dreef met zijn pracht. De poorten waren hermetisch afgesloten en er stond één lang hek om het huis, maar er was geen mens te zien; geen bewakers, geen chauffeurs die naast Mercedessen stonden te kletsen, geen zwarte gangsters die aan het onderhandelen waren. De gazons lagen onder een dik-ke deken ongerepte sneeuw, en de ramen waren afgeplakt met karton. Toen Irk naar achteren liep, zag hij Karkadanns beer op de grond in zijn kooi lig-gen, maar hij kon niet zien of hij sliep of dood was.

Wat had een man aan al deze luxe, wanneer hij zijn eigen vrouw en zoon had gedood?

Irk haastte zich snel weer naar zijn auto en reed terug met een gehaast-heid die hem zelf verbaasde. Het gevoel van verlies en verval achtervolgde hem de hele weg terug tot aan het Belgrado Hotel.

Het gebruikelijke allegaartje liep rond voor het Belgrado: zakenlieden, ben-deleden, gewone burgers – maar ze waren duidelijk verdeeld in twee groe-pen: degenen die slechts 'sesam open u' hoefden te zeggen, en degenen die geen toegang hadden. Rusland was op grond van de munteenheid verdeeld in twee maatschappijen. Het Rusland van de roebel zat neergehurkt in de ruïnes van de Sovjet-Unie, onmetelijk groot, verpauperd en boos. Daarbo-ven was die andere wereld, de elite, glanzend en chic: Ru$land – het Rus-land van de dollar, bevolkt door degenen die beschikking hadden over har-de valuta. Bewakingsdiensten hielden die twee groepen gescheiden; en zo-als bij alle betere partijen, waren degenen die niet waren uitgenodigd veel talrijker dan degenen die dat wel waren. Hotels leken nu op ambassades, al-leen toegankelijk voor de rijken en de buitenlanders; de portiers stonden er niet om de elite binnen te laten maar om gewone Russen buiten de deur te houden. De enige bewoners die toegang hadden, waren de meest dreigende, het soort dat eraan gewend was om rechtstreeks langs de beveiliging heen te stormen.

De portier in het Belgrado zag Irk, deed een halve stap voorwaarts en bleef toen staan, niet goed wetend wat hij moest doen. Irk bevond zich ergens tussen alle categorieën, en de portier wist niet wat hij met hem aan moest. Hij was duidelijk geen Rus – hij was een Estlander, verdomme, en daar was hij trots op ook – maar even zo goed was hij geen vermogende westerling voor wie de doorgang een goddelijk recht was.

Toen Irk zijn penning liet zijn, deed de portier met een dankbare glimlach een stap opzij; de verwarring was opgeheven.

De Tsjetsjenen lieten Irk een uur wachten terwijl ze zijn voorstel bespraken. Telefoontjes maakten plaats voor drukke gesprekken die werden onderbroken door wantrouwige blikken in Irks richting. Irk had een *Moskovskie Novosti* meegebracht, en las die van voor naar achter terwijl hij wachtte tot ze een besluit hadden genomen. Beschietingen, berovingen, nagels in de doodskist van de hoop; de krant was precies zoals zijn leven.

Eindelijk kwamen twee Tsjetsjenen naar hem toe, allebei met een baard en allebei met een AK-47 nonchalant over hun schouder. 'Ga maar mee,' zeiden ze.

Ze namen Irk mee naar de ondergrondse parkeergarage en zetten hem in een Landcruiser. Hij zat in het midden op de achterbank; de twee Tsjetsjenen namen elk aan een kant van hem plaats, en haalden tijdens het instappen hun geweer van hun schouder.

'Je moet dit voordoen,' zei een van hen, en gaf hem een blinddoek.

Ze lieten Irk zichzelf blinddoeken, maar de wagen kwam pas in beweging toen allebei zijn bewakers hadden gecontroleerd of hij echt niets kon zien. Irk probeerde erachter te komen waar ze naartoe reden – een helling op, links, rechts en daarna meteen weer links – maar het was meer om zijn geest scherp te houden dan een serieuze poging om de rit in zijn geheugen te prenten, en het duurde niet lang voor hij dat opgaf. De man rechts van hem rook naar okra, en hij voelde de loop van het geweer van de ander in zijn ribben drukken als ze over een hobbel in de weg reden – ongeveer vijf keer per minuut, gezien de staat van de wegen in Moskou.

'Ik hoop dat hij wel vergrendeld is,' zei hij luchtig, en kreeg een oorverdovend stilzwijgen als reactie.

Ze waren een half uur op weg zonder stil te staan. Irk vroeg zich af door hoeveel rode verkeerslichten ze waren gereden. Pas toen hij de motor hoorde afslaan, wist hij dat ze bij hun bestemming waren aangekomen. Hij wachtte tot de bewakers uitgestapt waren en schoof opzij over de achterbank, terwijl hij tastend met zijn benen de uitgang zocht. Ze grepen hem bij zijn armen en trokken hem op de stoep, niet al te hardhandig.

Binnen was een gang, te oordelen naar het duister voor de blinddoek en de echo van de voetstappen. Daarna werd het lichter, warmer, en hij voelde een stoel achter zich toen hij bij zijn schouders omlaag werd geduwd.

'Doe de blinddoek maar af,' zei Karkadann.

De kamer was klein en vochtig. Het behang kwam in repen van de muur af; er stond een plastic tafel, stalen stoelen, een samovar. Ze hadden overal in Moskou kunnen zijn, en dat zou volgens Irk ook wel precies de bedoeling zijn. Karkadann zat tegenover Irk op een omgekeerde stoel, zodat hij met zijn armen op de rugleuning kon steunen. Zjorzj hing als een vampier vlak boven zijn schouder.

'Als Jerofejev met me wil praten, kan hij hier zelf komen,' zei Karkadann.

'Vertel me dan iets waardoor ik mijn zaak aan hem over kan dragen.

'Ik heb geen flauw idee waar je het over hebt.'

'Vladimir Kullam. Raisa Rustanova.

Uit Karkadamms gezicht viel niets op te maken. 'Nooit van gehoord.'

'Vladimir werkte in de kiosk in Novokoeznetskaja.' Irk keek naar Zjorzj; Zjorzj blikte of bloosde niet toen hij hem aankeek. 'Een van de kiosken waar jullie gisteren brandbommen hebben gegooid, voor het geval je het was vergeten. Vladimir zat op de school van Rode Oktober op Prospekt Mira. Raisa Rustanova zat op hetzelfde terrein in het weeshuis.'

'"Bezocht"? "Zat?" U gebruikt de verleden tijd, inspecteur. Zijn deze jonge mensen dood?'

'En nu wordt er weer een vermist. Heeft u daar niets mee te maken?'

'Denk je dat dan?'

'U wilt de stokerij Rode Oktober.'

'Er zijn heel veel manieren om druk uit te oefenen. We zijn rovers, inspecteur. Een rover betaalt nooit, hij neemt alleen. Zakenlieden moeten dokken aan bandieten, niet vice versa. Niemand krijgt iets van mij, helemaal niemand!'

'Ik weet ook wat er in de bloemisterij is gebeurd.'

Karkadann draaide zijn hoofd een klein stukje, waarmee hij aangaf dat hij Irks gedachtegang kon volgen. Als een man zijn eigen kind in koelen bloede kon doodschieten, wat zou hem er dan van weerhouden anderen te doden? Of het toeval was of opzet, het licht viel op de plooien in Karkadanns gezicht en tekende er diepe schaduwen op af. Hij zag er ineens uit als een woesteling, een geest; een man die worstelde om zijn waardigheid te behouden als hij zijn menselijkheid verloor.

Irk begreep het. Geen Valentina meer, geen Aslan, omdat Karkadann hen zelf had vermoord; geen verblijf meer in Kolomenskoe, omdat de moord op Ozers en de eed die hij had gezworen oorlog betekende voor de Slaven, dus kon hij zich niet veroorloven aldoor op dezelfde plaats te blijven, hoe goed verdedigd die ook was. Hij was nu een guerrillaleider, die zich schuilhield en altijd onderweg was; als hij een militair tenue had gedragen, zou het beeld compleet zijn geweest. Karkadann had het zichzelf allemaal aangedaan, maar hij vond nog steeds dat het leven hem had genaaid. Hij was een lege huls.

Irk kreeg opeens een opwelling om zijn hand op Karkadanns schouder te leggen en te zeggen dat hij het wist; dat hij ook rotdingen had meegemaakt, dingen waardoor hij zich nog minder dan een mens was gaan voelen, en dat er geen handleiding bestond die je daarmee leerde leven. 'Het spijt me van je gezin,' zei hij.

'Mensen denken toch dat wij het gedaan hebben, hoe de waarheid ook is.' Karkadanns stem was een en al bitterheid. 'Bloedvergieten zit ons in het bloed, nietwaar? Het is onze aard; als vampiers, *nietwaar*? Die slechte Tsjetsjenen – dat is wat jullie Russen denken.'

'Ik ben evenmin een Rus als jij.'

'Een eerlijke kans, is dat te veel gevraagd? Dat moet wel, want die hebben we nooit gehad. Mijn ouders zijn geboren in Kazakstan.' Irk wist onmiddellijk wat hij bedoelde. Stalin had de Tsjetsjenen in 1944 en masse naar Kazakstan laten deporteren; ze mochten pas weer terugkeren na zijn dood negen jaar later, en iedere Tsjetsjeen droeg de schaamte en woede van die ballingschap als een dolk met zich mee. 'Voor hen die geen sovjeterfenis werd gegund – geen geld, geen macht, geen connecties – is geweld de enige manier om geld te verdienen. Weet je waarom zoveel Tsjetsjeense steden Martan zijn genoemd? Het is het Tsjetsjeense woord voor slagveld. Urus-Martan, Atsjoj-Martan – allemaal plaatsen waar Tsjetsjenen grote slagen tegen de Russen zijn uitgevochten. Laat me je dit vertellen, inspecteur: het zal niet lang duren voordat mijn volk deze stad Moskou-Martan zal noemen. Dit is ons slagveld. Hier zullen we winnen.'

27

Hoe koud het buiten ook was – of liever gezegd, bovengronds – beneden in het riool was het warm, en Irks huid leek wel een reusachtige sproeier: het zweet gutste uit al zijn poriën, maakte de binnenkant van zijn rubberpak glibberig en prikte in zijn ogen die hij toch al moest samenknijpen in het schaarse licht. De agenten liepen overdreven voorzichtig langs hem, met hun armen naar opzij en hun benen wijd uiteen; dit was een vreemde, nieuwe wereld, waarin zij kosmonauten waren. Irk zelf had net zo goed op een markt of een picknick kunnen zijn, zo weinig deed het hem; hij kende de rioolbuizen al vanaf het moment dat een metrobestuurder die hem iets verschuldigd was hem voor een rit had meegenomen in de cabine. De groep vrouwen in oranje pakken vlakbij gedroegen zich ernstig en kalm, maar niet vanwege de vochtigheid of de stank; het was vanwege het lijk dat was gevonden, het lijk waarover Irk nu stond gebogen als een moederbeer die haar jong beschermt.

Het lijk van Emma Koervjakova, om precies te zijn.

Op het eerste gezicht leek het alsof Emma daar een wodkaroes ligt uit te slapen; plat op haar rug, haar rechterbeen opgetrokken tot aan haar borst en haar linkerhand over de andere schouder, een soort verwrongen houding die alleen een echte dronken persoon kan volhouden. Ze had zelfs de grijns van iemand die te veel heeft gedronken, hoewel die lach eerder op haar hals geplakt leek dan rond haar mond – een snee door haar keel. Als gevolg van gasontwikkeling puilden haar ogen uit, maar haar buik was nog niet merkbaar opgezet, en haar huid vertoonde geen blaren.

Het rioolwater likte aan zijn enkels en kolkte rond Emma's hoofd. Irk kon zichzelf wel wat doen. Hij had er eerder aan moeten denken om in het riool te gaan kijken. Hij had hier beneden per slot van rekening genoeg tijd doorgebracht; maar door alle andere gebeurtenissen was het nu pas bij hem opgekomen, te laat voor Emma Koervjakova. Hij was misselijk. Een man wilde gehard zijn ten overstaan van de dood, maar in de smorende hitte van een ranzig riool wist hij dat hij dat niet was.

Emma's lichaam lag tegen een scherm op het punt waar de hoofdriole-
ring, die loodrecht op de rivier de Moskva staat, een aftakking kruist, die
parallel loopt aan de rivier. De rioolwerkers hadden haar gevonden toen ze
de rommel gingen weghalen die achter het filter opgestapeld lag: papieren,
lappen, kurken, stokken, bladeren, wodkaflessen, weggooiluiers (die alleen
rijke mensen konden betalen), en geladderde pantynylons, die allemaal in
de afvoer terechtgekomen waren of doorgetrokken in de wc – en behalve
dat ook nog het lijk van een meisje.

Volgens een oud Russisch bijgeloof blijft de beeltenis van de moordenaar
op het netvlies van zijn slachtoffer staan. Irk scheen met zijn zaklantaarn in
Emma's gezicht, en vervloekte zichzelf onmiddellijk om zijn eigen stommi-
teit. Hij was een Estlander, het meest westelijke van alle vroegere sovjetvol-
ken; hij had beter moeten weten dan aan dit soort primitieve impulsen toe
te geven.

'Je bent dus bij Karkadann geweest?' zei Denisov. 'Dan moet deze zaak worden overgedragen aan Jerofejev.'

'Nee.'

'Hoe bedoel je, "nee"? Ik dacht dat je dat juist wilde.'

'Wil ik ook.' Althans, hij had het gewild, totdat hem duidelijk was geworden dat de Chroeminstsjes, en met name Svetlana, erop vertrouwden
dat hij deze zaak oploste. Hij zei er niets over. Een persoonlijk motief? Denisov zou er net zo weinig van begrijpen als Irk van kernfysica. 'Maar wat
kun je doen? Drie doden, en we hebben al drie verschillende verdachten gehad. German Kullam was onschuldig, dat staat vast. Sabirzjan zat nog in ar-
rest toen Emma Koervjakova vermist werd. En Karkadann wilde me niet
echt antwoord geven.'

'Draag het dan over aan Jerofejev, laat hem het afhandelen.'

'Afhandelen? Vergeten, lijkt me eerder. Kijk naar de feiten, Denis Denisovitsj. Vladimir Kullam en Raisa Rustanova waren twee van Sabirzjans
oogappels. Hoe waarschijnlijk is het dat de Tsjetsjenen juist hen zouden
uitkiezen? Een zou toeval zijn; twee niet meer.'

'Misschien wilden ze hem erin luizen.'

'Ze zouden wel heel veel van zijn gewoontes af moeten weten om dat te
doen. Misschien hebben ze iemand daarbinnen die voor hen werkt; maar
als dat zo is, waarom zouden ze dan de moeite hebben genomen om de familie Chroeminstsj te bedreigen? Het lijkt me erg onwaarschijnlijk dat
het de Tsjetsjenen zijn geweest. Dus ik heb zitten nadenken. Als we de feiten gebruiken om tot een theorie te komen' – *zoals fatsoenlijke politiemen-
sen doen*, bedoelde hij eigenlijk – 'waar hebben we dan mee te maken?

Steeds dezelfde soort misdaad – een seriemoordenaar.'

'Zeer slordig,' zei Denisov. Hij droeg, zoals gewoonlijk, afschuwelijke grijze, plastic sovjetschoenen. Irk had bijna de neiging om de man een fatsoenlijk paar schoenen uit zijn eigen zak te betalen, totdat hij dacht aan alle steekpenningen die Denisov moest ontvangen.

Hij vertelde Denisov wat hij had kunnen vaststellen. Het scherm, met gaatjes van drie millimeter, was op woensdag opgetild om te voorkomen dat de dubbele omgekeerde sifons onder de rivier verstopt zouden raken. Het lichaam was ontdekt tijdens een routinecontrole – die wonderlijk genoeg op tijd was verricht – om te kijken of de klep goed zat en het scherm intact was. Het onderhoud van de Moskouse riolering is een taak waar nooit een einde aan komt; de rommel moet worden weggespoten, doorgespoeld, weggeblazen of opgeprikt, en er is altijd onenigheid met de gemeentedienst over de grote hoeveelheid straatafval die in het riool valt.

Het leek erop dat de moordenaar zich van de vorige lichamen had ontdaan door ze naar het riool te brengen waar ze door de stroom meegevoerd waren naar de rivier. Onder het ijs stroomde het water natuurlijk. Het was gewoon pech voor de moordenaar geweest dat hij de lijken had neergegooid bij de afvoer van Rode Oktober: het warme water bracht voorwerpen naar de oppervlakte. Als de moordenaar doorgelopen was tot aan de kruising van de rioleringsbuizen, zou hij het nieuwe scherm hebben gezien. Omdat hij van het bestaan daarvan niet op de hoogte was geweest, had hij de lichamen verderop in de tunnels, op een toegankelijker punt, achtergelaten, en de stroom van het rioolwater de rest laten doen.

Hoe dan ook, op een bepaald moment moest hij zich met de lijken in het riool hebben bevonden. Elke rioolwerker in de hoofdstad was daardoor een verdachte. Verder viel er niet veel over te zeggen. Sidoroek kon geen specifiek tijdstip noemen waarop de dood van de slachtoffers was ingetreden, dus het had geen zin om werkschema's en dienstroosters te controleren; en zelfs als dat wel zo was, wat had je eraan als er mensen als aanwezig genoteerd stonden terwijl ze er niet waren geweest, en andersom?

Bij publieke werken werden zo ongeveer de meeste overtredingen begaan, een mentaliteit die de hervormers probeerden eruit te slaan, en hun een uitbrander geven had geen zin; je kon net zo goed zeggen dat ze geen wodka mochten drinken. De meeste rioolwerkers zouden wel twee of drie baantjes hebben om te kunnen overleven, zoals ieder ander die Irk kende. Het was nog een wonder dat iemand nog tijd over had om te eten of te drinken, laat staan om kinderen te vermoorden.

Behalve dan natuurlijk als het gangsters waren. Gangsters hadden alle tijd.

Irk zou dus navraag doen bij de rioolwerkers. Hij moest ook weer de lijsten doornemen die de politie had opgesteld van de honderden die regelmatig bij Prospekt Mira kwamen: ouders, leveranciers, personeel. Een insider zou hebben geweten wie Sabrizjans lievelingetjes waren. Maar Vladimir Kullam was niet op school geweest toen hij vermoord was; zowel Raisa Rustanova als Emma Koervjakova had het weeshuis kunnen verlaten voordat ze meegenomen werden. Sabirzjan had vastgezeten toen Emma was verdwenen, maar niet toen ze was gevonden. Hij was nog steeds een verdachte, dat stond vast. Of misschien had hij er totaal niets mee te maken en berustte het verband dat gelegd werd tussen Vladimir Kullam en Raisa Rustanova op louter toeval. Zodra Irk een oplossing bedacht, kwamen er duizenden tegenwerpingen bij hem op.

Irk had persofficier Kovalenko omgekocht om Vladimirs dood stil te houden. Nu er meer doden waren, vroeg hij zich af of hij niet te haastig was geweest.

'Misschien moeten we de publiciteit juist zoeken, Denis Denisovitsj, en niet schuwen.'

'Ik peins er niet over,' zei Denisov. 'Je kent mijn standpunt hierover.'

'Mensen kunnen ons niet helpen als ze niet weten wat er mis is. Als we het nieuws vrijgeven, is het mogelijk dat iemand zich iets herinnert. Misschien herinnert iemand zich een buurman die zich vreemd gedroeg of zoiets.'

'Iedere buurman gedraagt zich vreemd, Juku. Nee. Ik verbied het. De nadelen wegen veel te sterk op tegen de voordelen.'

Dat was redelijk, moest Irk toegeven; wat niet redelijk was, was dat Denisov nog steeds vasthield aan de sovjetmentaliteit, waarin men weigerde te erkennen dat dergelijke misdaden in het arbeidersparadijs voorkwamen. Er waren geen seriemoordenaars geweest in de Sovjet-Unie, officieel gesproken; seriemoordenaars waren een gruwel die alleen in het Westen voorkwam, net als racisten, bendes, hoeren en werklozen. Criminelen waren a priori gedeclasseerde elementen – een marxistische uitdrukking voor uitgestotenen. Deze gedeclasseerde elementen hadden zelfs hun eigen categorieën: normlozen, zwervers, adolescenten, achterlijken.

En toch, en toch… in Rostov zou Andrei Tsjikatilo in het voorjaar terechtstaan, en als iemand de mythe zou kunnen verspreiden dat communistisch Rusland rustig, voorspelbaar en gezagsgetrouw was, dan was het wel Tsjikatilo. Hij werd beschuldigd van tweeënvijftig – tweeënvijftig! – moorden, vanaf de tijd dat Breznjev aan het bewind was gekomen, en een grijzere, op het eerste gezicht normalere man was moeilijk te vinden. Tsjikatilo had kinderen, kleinkinderen. Hij was leraar, het prototype van de gemiddelde buurman, en er waren kinderen met hem meegegaan naar de bossen rond Rostov, steeds weer, omdat kinderen in de sovjetmaatschappij hadden geleerd dat ze ouderen zonder meer moesten gehoorzamen. Geen van de jongelingen die Tsjikatilo had uitgekozen, had het gewaagd om het tegen hem op te nemen of aan hem te twijfelen. Waarom zouden ze? Hij was toch een vriendelijke, oude oom, of niet soms?

Tsjikatilo noemde zichzelf een 'speling van de natuur', maar dat ging er bij Irk niet in. Net als iedere Rus kende Tsjikatilo's verleden duistere kanten, en sommige hiervan werden nu belicht. Zijn broer zou zijn opgegeten door uitgehongerde boeren tijdens de Oekraïense hongersnood in de jaren dertig, zijn vader was tijdens de oorlog door de nazi's gevangengenomen en na zijn terugkomst als verrader vastgezet, waardoor Tsjikatilo de zoon werd van een vijand des volks – een verschrikkelijk kruis voor een kind in sovjet-Rusland. Tsjikatilo was geen speling van de natuur, dacht Irk; hij had zijn redenen, draden die in elkaar verweven waren, zoals de moordenaar naar wie Irk op zoek was ook zou hebben, en Irk zou die draadjes uiteen moeten rafelen voordat hij de man kon begrijpen die dode kinderen achterliet in de riolering, en hij moest die man doorgronden voordat hij hem kon grijpen. Tsjikatilo had lichaamsdelen van zijn slachtoffers opgegeten, maar hij was geen uitzondering; hij was een type. Voorzover Irk kon zien, was elke Russische misdaad tot op zekere hoogte kannibalistisch; geen volk dat elkaar meer tot voedsel dient dan dat van de Russen.

Irk had heel veel vragen en niet genoeg informatie om ze te beantwoorden. Zelfs als hij over enige kennis beschikte, zou hij dan weten hoe hij die moest toepassen? Hij was zich terdege bewust van zijn eigen beperkingen. Het Westen, het decadente, kapitalistische Westen, wist hoe ze seriemoordenaars moesten kweken. Noodgedwongen hadden ze ook geleerd hoe ze ze te pakken moesten krijgen. Inspecteurs in Moskou wisten dat niet.

'Het zou de moeite kunnen lonen om wat hulp van buiten in te roepen,' zei hij.

Denisovs ogen trokken zich samen in een parodie van argwaan. 'Wat bedoel je met "hulp van buiten"?'

'De FBI? Scotland Yard, misschien.'

'Je maakt zeker een grapje.'

'Ze hebben herhaalde malen gezegd dat ze ons graag van dienst zullen zijn als we hen nodig hebben.'

'En ik heb herhaalde malen gezegd dat ze konden opsodemieteren.'

'Ik kan dit echt niet alleen af, Denis Denisovitsj. Ik red het echt niet zonder hulp.'

'Jij en Sidoroek, allebei hetzelfde – altijd de omstandigheden de schuld geven. Ieder ander speelt het klaar, Juku, dus waarom jij niet? Maar nee, jij moet weer anders zijn. Waarom ga je ervan uit dat westerlingen hierin beter zijn dan wij?'

'Ze hebben meer ervaring dan wij. Veel meer.'

'Dat zou jij ook hebben als er hier zoveel criminaliteit was als daar.'

'Wij hébben ook zoveel criminaliteit. Althans, bijna.'

'Ik zal je vertellen wat zij hierop zouden zeggen – helemaal niets, hoor je. Als ze al zover zouden komen dat ze zich van hun hoeren konden losmaken en grijnzend uit hun bed van driehonderd dollar per nacht in het National zouden kruipen, zouden ze ons afschepen met oplossingen die wel heel erg voor de hand liggen: de moordenaar is een man, geestelijk gestoord en druggebruiker, het is een eenling, hij is paranoïde, waarschijnlijk heeft hij zijn moeder seksueel misbruikt, zijn moeder! Hij eet, hij slaapt, hij ademt, hij drinkt wodka. Ik zou verdomme nog meer van hem te weten komen op grond van zijn horoscoop!'

Een grote kaart van Moskou bedekte de muur achter Denisovs bureau. Het was een oude sovjetkaart, en de helft van de straatnamen was na de staatsgreep van augustus verouderd. Desondanks zou die kaart hier over tien jaar nog hangen, dacht Irk. Denisov was het type man die in plaats van Tverskaja altijd Gorkistraat zou blijven zeggen, Sverdlovsk in plaats van Je-katerinburg, Leningrad in plaats van Sint-Petersburg.

'De FBI en Scotland Yard hebben uitstekende resultaten geboekt bij het oplossen–'

'Ik weet waar je vandaan komt, Juku, begrijp me niet verkeerd. De enige reden waarom jij Russisch spreekt is dat je deel hebt uitgemaakt van de Sov-jet-Unie. Jouw alfabet is niet het cyrillische, je bent katholiek in plaats van orthodox. Diep vanbinnen zijn jullie Estlanders altijd westers geweest, hoe we ook hebben geprobeerd jullie anders te leren. Als je westerse manieren wilt overnemen, hoef je maar in je binnenste te kijken en een deel van jezelf terug te zoeken, terwijl ik ver buiten mezelf zou moeten gaan, een deel van mezelf zou moeten opgeven. Jij mag daartoe misschien bereid zijn; ik niet. Ik ben vorig jaar op vakantie geweest in Estland, wist je dat? Naar Parnu, vlak aan zee. Het was daar fijn – totdat de ober mijn eten op mijn schoot gooide, alleen omdat ik een Rus was. Estlanders zijn klootzakken, allemaal. Wat zeiden ze tijdens de Baltische opstand? Estlanders zouden sterven voor hun vrijheid – tot de laatste Litouwer. Het is waar, hè? Dertien doden in de strijd tegen de sovjets in Vilnius, vijf werden er gedood in Riga – en in Tal-linn helemaal nul. Dus ik heb genoeg van al dat gezeur van jullie dat Rus-land een kloteland is en Estland zoveel beter, en dat de kroon gekoppeld is aan de Duitse mark en de roebel aan lucht. Dat weet ik allemaal. Maar ik weet ook dit: Estlanders leven beter en klagen meer dan wie dan ook in de Sovjet-Unie.' Irk bedacht zich wel twee keer voordat hij iets inbracht tegen Denisovs geopolitiek. 'Jullie zijn een stelletje zeurpieten. Als dat Estland van jullie zo geweldig is, waarom ben je er dan verdomme weggegaan?'

'Wil je het echt weten?'

'In tegenstelling tot jou, Juku, stel ik geen vragen waarop ik geen antwoord hoef te horen.'

'Ik ben er weggegaan omdat mijn vrouw en mijn beste vriend zijn omgekomen. Ze waren betrokken bij een verkeersongeval, aangereden door een vrachtwagen op de weg naar Tartu. Stel je voor, Denis Denisovitsj; stel je voor dat je de lichamen moet identificeren van de twee mensen die meer voor je hebben betekend dan wie ook ter wereld. Stel je voor dat je erachter komt dat ze achter jouw rug al zes maanden met elkaar hebben liggen neuken. Wat heb je op zo'n plek dan nog te zoeken?'

Denisov zweeg; eindelijk leek Irk een keer tot hem te zijn doorgedrongen. Hij ging door: 'Dus heb ik gevraagd om overplaatsing uit Tallinn. Waar wil je naartoe? vroegen ze. Maakt niet uit waar in de Unie, zei ik. Het Russisch was me verdomme al door mijn strot geduwd vanaf het moment dat ik kon lopen; ik kon het dus net zo goed in praktijk gaan brengen, vond ik. Ze boden me drie opties aan: Magadan, Minsk of Moskou.' Irk snoof verachtelijk. 'Dat is net zo'n soort keus die ze je vroeger gaven in de werkkampen. Wil je een kogel door je kop of door je strot? Dat is de reden waarom ik klaag; omdat mijn land me twee keer is afgenomen, de eerste keer door dat stelletje klote Russen, het volk dat ik haatte, en toen nog eens door Elvira en Mart, de mensen van wie ik hield. En toen ik wegging, waar ging ik toen naartoe? Naar Moskou, naar het hart van de vijand. Ga me nu niet vertellen dat dat niet een Russische daad was.'

Irk stond op en liep, rende bijna, naar de deur.

'Waar ga je verdomme heen?' Denisov klonk geagiteerd; een inspecteur die kwaad bij hem wegliep was helemaal niet volgens het boekje.

'Fietsen pikken, nou goed. Gaat je niets aan.'

Irk beende boos uit het hoofdkwartier weg, de straat op langs het standbeeld van Vladimir Visotski, met zijn gitaar op zijn rug en zijn armen wijd gespreid. Irk had Visotski eind jaren zeventig Hamlet zien spelen in Tallinn, niet lang voor zijn dood; hij speelde elektrisch versterkt, zijn vorst in zwarte spijkerbroek, zijn stem niet in het hof van Elsinore maar in de verstikkende nabijheid van de Sovjet-Unie. Hamlet was het archetype van de Russische tragedie, dacht Irk, omdat iedereen erin doodging: Hamlet stierf, Ophelia stierf, Polonius en Laertes stierven, de koning en de koningin stierven. Hamlets vader was aan het begin van het stuk al dood. Shakespeare had het eigenlijk in Moskou moeten laten opvoeren. Irk vroeg zich af wat Viostski, Ruslands eigen bard, zou vinden van deze vrijheid waar hij zo hard voor had gevochten.

Er stonden twee mensen naar het beeld te kijken, een vader met zijn zoon. De vader was klein en had vet haar; zijn brillenglazen waren gebarsten, en zijn goedkope pak hing als een zak om hem heen. De zoon was een replica in miniatuur. Zo mogelijk pasten zijn kleren hem nog slechter; het jasje was twee maten te groot, en de kraag van zijn overhemd golfde rond zijn hals. Het leek erop dat ze een avondje uit waren; het was waarschijnlijk de enige keer in het jaar dat ze zich dat konden veroorloven. Misschien was het de verjaardag van de zoon. Waar was hun overjas? Het was ijskoud. Irk vroeg zich af waar de moeder, de echtgenote was. De mogelijkheden – gescheiden, dood, uit elkaar – deden hem denken aan wat hem in Tallinn was overkomen.

Terwijl ze daar naar het standbeeld stonden te kijken, draaide de zoon zich om naar zijn vader en sloeg zijn armen rond zijn middel, waarbij hij hem zo stevig omklemde dat hij zijn bril half van zijn neus stootte. Irk keek even naar hen, zoon en vader, vader en zoon. Het was een moment van warmte die de kilte van de stad verjoeg, en Irk voelde het branden achter zijn ogen, zelfs toen hij eraan dacht dat men in Moskou niet in tranen geloofde.

28

Levs penthouse bevond zich in het Kotelniki-gebouw, vierentwintig verdiepingen boven het punt waar de rivieren de Moskva en de Jaoeza in elkaar over gingen. Het Kotelniki is een van de zogenaamde Zeven Zusters, Stalins gotische wolkenkrabbers die de Moskouse skyline domineren als enorme bruiloftstaarten, gepokt met ramen en omgord met kantelen, met duizelingwekkende torens die met stralende robijnen sterren naar de wolken reiken. Behalve het Kotelniki staat er een flatgebouw op het Koedrinskajaplein vlak bij de Amerikaanse ambassade; twee ministeries, van Transport en Buitenlandse Zaken; twee hotels, het Oekrainja en het Leningradskaja; en de staatsuniversiteit van Moskou in de Lenin-heuvels.

Lev zat te piekeren, en Karkadann was degene die door zijn hoofd spookte; Karkadann, de man die zeker achter de dood zat van al drie kinderen; Karkadann, die zich nu verborgen hield en nergens te vinden was.

Er zou veel minder te piekeren zijn, dacht Lev, als hij er meer van kon begrijpen. Hoe kon hij, iemand die een groot deel van zijn leven in de gevangenis had doorgebracht, hopen dat hij een gangster kon begrijpen die nog maar net van school was en nu al miljoenen verdiende? Het was alsof je een lid van de Communistische Jongeren een aanstelling gaf bij het Politburo. Een mens moest zich ontwikkelen, ervaring opdoen; hij moest er niet van uitgaan dat je iets voor niets kreeg. Lev had hard gewerkt om te bereiken wat hij nu had, hij had zijn tijd in de gevangenis uitgezeten – dat was het leven van een vor.

Tientallen jaren al dacht hij nog met trots aan de woorden van de drie vori die zijn deelname aan de broederschap hadden gesteund (drie sponsors, terwijl je er slechts twee nodig had voor de Partij): 'Zijn gedragingen en aspiraties komen helemaal overeen met het wereldbeeld van de vori,' hadden ze gezegd. 'Hij weert zich dapper tegen het kampleven en is praktisch nooit uit de strafcel. Zijn ziel is puur, dus laat hem maar toe.'

Dat hadden ze gedaan, en ze hadden hem een nieuwe naam gegeven: Lev, de leeuw. De naam was aanvankelijk ontstaan naar aanleiding van zijn golvende manen, maar het duurde niet lang of hij stond ook symbool voor zijn natuurlijk gezag. Hij had zijn geboortenaam nooit meer gebruikt – er was niemand meer over die hem nog bij die naam noemde; hij had geen familie meer, alleen de vori. Na de inwijdingsceremonie volgden de toelatingstatoeages – een met een lans doorboord hart en een stel azen binnen het kruis – de eerste van de honderden die nu over zijn huid verspreid waren. Het nieuws over zijn toelating had de goelags bereikt, de hardvochtige noordelijke route van Vologda, Kotlas, Vorkoeta, Salechard, Norilsk, Kolima en Magadan; via Komsomolsk en Sovetskaja Gavan aan de Mongoolse grens tot aan Bratsk en Taisjet in westelijk Siberië en de Kazakse hellepoelen van Karaganda, Ekibastuz en Dzhezkazgan.

Het kampleven was anders als je eenmaal een vor was. Lev had nu recht op een hoek van de cel, zover mogelijk van de deur en het gemeenschappelijke toilet waar de minder belangrijke personen en homofielen bij elkaar moesten zitten. Als Lev televisie wilde kijken, moesten zijn ondergeschikten op een trainingsfiets rijden om de stroom ervoor op te wekken; als hij wilde dat ze een knieval voor hem maakten, was dat hun plicht. Maar hij had ook verantwoordelijkheden: hij mocht zich niet lam drinken aan de wodka, hij moest zijn schulden nakomen en, het belangrijkste, hij was belast met het opstellen en het ten uitvoer brengen van reglementen, het verzamelen van informatie, het organiseren van het gevangenisleven en het nemen van noodzakelijke en soms onaangename beslissingen. Zonder dit was een effectief leiderschap onmogelijk.

Lev werd ruw in zijn dagdroom verstoord door de komst van Juku Irk. Het was de eerste keer dat de rechercheur bij hem in het appartement kwam, en hij leek gepast onder de indruk. De plafonds waren hoog, de afwerking was van marmer, staal en hard hout. De bar was bekleed met leer, en de vloerbedekking waar hij op liep – nadat hij eerst zijn schoenen had verruild voor pantoffels die Lev speciaal voor zijn gasten had – was donzig en wit. Aan de achterste muur van de woonkamer hing een icoon met daarboven een gebed: *O Moedertje Rusland, uw rol is opoffering. Op geen enkel ander land heeft de geschiedenis zo'n beroep gedaan. Geen land heeft een wil die sterk genoeg is als de onze om hierop te reageren.*

Lev gaf Irk een hand, een wodka en een stoel; Irk begon met een samenvatting van het onderzoek, maar hij was pas bij zijn bezoek aan het Belgrado toen Lev hem in de rede viel.

'Ben je bij Karkadann geweest?' riep Lev uit. 'Waar zit hij?'

'Ze hebben me geblinddoekt. Ik zou het niet meer terug kunnen vinden.'

'Hoe was hij? Hoe zag hij eruit?'

'Hoe hij eruitzag?' Irk moest hier even over nadenken. 'Leeg.'

'Heeft hij het toegegeven?'

'Hij heeft me geen rechtstreeks antwoord gegeven.'

'In 's hemelsnaam – het is zo duidelijk als wat.'

'Ik wil onbevooroordeeld blijven.'

'Je gedraagt je als een leeghoofd, inspecteur. Ik had meer van je verwacht.'

'Goed.' Er waren grenzen aan wat een man kon verdragen. 'Laten we aannemen dat je gelijk hebt. Laten we aannemen dat Karkadann hier inderdaad achter zit. Waarom zou je dan niet met hem onderhandelen?'

Lev zetten zijn vingers schuin tegen elkaar. 'Je bent een ontwikkeld man. Je weet wat Kutuzov tegen Napoleon heeft gezegd.'

'Dat was iets anders.'

'Helemaal niet.' Lev citeerde de grote generaal: '"Ik zou vervloekt worden door het nageslacht als ik beschouwd werd als de eerste die een stap zou doen in de richting van een akkoord. Zo denkt mijn volk." En zo blijft het, inspecteur. Zelfs als ik het voor elkaar kreeg dat Karkadann met me wilde praten, wat zou dat voor zin hebben? In Rusland is het winnen of verliezen, iets anders is er niet. Onenigheid is slecht voor iedereen, maar de enige weg naar de vrede is via hegemonie, en de enige weg naar hegemonie is het uitschakelen van de oppositie.'

Irk had het allemaal al eens gehoord. Russen mogen dan bekoren met hun kunsten en inspireren met hun moed, maar door hun genen kronkelen gruwelen, tragedie en dronkenschap. Hij dronk zijn glas leeg en stond op.

'Hoe kan ik iets voor jou doen, Lev, als jij mij niet helpt?'

29

Iedereen in Rusland weet dat er slechts twee zekerheden zijn: de dood en de belasting; maar aangezien niemand zijn belasting betaalt, is de dood tweemaal zo zeker.

Alice ging terug naar Rode Oktober met een hele groep kleine, matroneachtige en absoluut ontzagwekkende vrouwen: de vertegenwoordigsters van alle takken van de belastinginspectie: accijns, faillissementen, monopolie, prijsvaststelling, en nog een aantal waarvan ze de namen en functies niet had gehoord – allemaal voor haar opgeroepen op uitdrukkelijk bevel van Arkin. Elke inspectrice werd begeleid door twee gewapende belastingrechercheurs. Het innen van belasting was een beroep met een verhoogd risico; de meeste zakenlieden vonden dat ze het recht hadden belasting te ontduiken, gezien het feit dat ze apart moesten betalen voor protectie waar de overheid voor had moeten zorgen. Inspecteurs werden regelmatig neergeschoten, in elkaar geslagen, gechanteerd of ontvoerd, of troffen hun kantoor of huis in lichterlaaie aan.

De bewakers van Rode Oktober wierpen een blik op de groep en deden een stap opzij, meer afgeschrikt door de vrouwen dan door de mannen. Zelfs Lev zou zich niet verzetten tegen een detachement, rechtstreeks afkomstig van het Kremlin. De groep fiscusmensen marcheerde over de fabrieksvloer, waar de arbeiders drukker bezig leken dan tijdens Alice' laatste bezoek, en stapten Levs kantoor in – zijn deur stond tenslotte altijd open – zwaaiend met eisen voor alle tarieven waar Alice aan had gedacht en een aantal waar ze niet aan had gedacht: BTW, inkomsten, winst, onroerende zaken, salaris, gemeentetransport, export, import, vuilnisophaaldienst, milieu... Alice stond met haar armen over elkaar in de hoek bij de deur. Het was op en top Marx, dacht ze; maar dan wel Groucho, Chico en Harpo, in plaats van Karl.

Lev duwde zich op zijn stoel naar achteren en rolde zo hard op de wieltjes door de kamer dat Alice dacht dat hij dwars door de glazen plaat van het binnenraam zou gaan en naar beneden storten. Hij hield net op tijd halt en stak zijn handen in de lucht. 'Genoeg! Genoeg! Waar gaat dit allemaal om? Wat dachten jullie van de energiegiganten? Die zijn miljarden, misschien wel triljarden verschuldigd; veel meer dan ik. Waarom gaan jullie daar niet eerst achteraan?' Hij hees zich overeind. 'De belasting die ik de ene maand betaal, is de volgende maand opgeheven, verhoogd, verlaagd of vervangen. Zelfs als ik belasting wilde betalen, kon ik niemand vinden die me kon vertellen hoeveel het was.'

Dat was in elk geval waar, moest Alice toegeven. Ze keek naar buiten door het raam, op het verkeer dat over Sofiyskaja kroop. Terwijl ze toekeek, stak een voetganger op de stoep zijn arm omhoog, en twee auto's zwenkten naar de stoeprand, een ervan was een politiewagen. De bestuurders stapten uit en begonnen ruzie te maken over wie het vrachtje mocht meenemen. Vanaf de plaats waar zij stond leken de auto's met hun geopende portieren net insecten waarvan de poten aan weerskanten van hun lichaam naar buiten uitstaken.

Toen ze weer omkeek, lachte Lev haar waarderend toe. Deze keer was ze hem de baas in plaats van hij haar. Het was alsof ze hem op zijn rug had gegooid en schrijlings over hem heen zat.

'Ik doe het,' zei hij. 'Ik laat jou de fabriek privatiseren.'

Lev begeleidde Alice naar de tafel bij het binnenraam; ze waren nu nog maar met zijn tweeën, de belastinghonden waren vertrokken, gerustgesteld door allerlei beloften. Hij bood haar een glas Pertsovka-wodka aan, hazelnootkleurig met een rode gloed. Er zat iets in van jeneverbessen en peper, rode en zwarte. Anijs en vanille kietelden Alice' neus toen ze eraan rook; hij smaakte verrassend zoet op haar lippen, en toen ze nipte zag ze Lev grijnzen. Voordat ze kon vragen wat er zo grappig was, merkte ze het effect van de peper die plotseling haar tandvlees en tong in vuur en vlam zette.

'Dat had je me wel even kunnen zeggen,' zei ze verontwaardigd.

'Hier.' Zijn vingers gleden langs de hare toen hij haar een kommetje rijst aanreikte. 'Dat zal de brand blussen. Bovendien haalt Pertsovka de kruidige, nootachtige smaak van de rijst naar boven. Dat doet wodka, weet je: de smaak van gerechten versterken. Als je haring eet met zure room, laat de wodka de volle smaak smelten op je tong, en neutraliseert hij het olieachtige van de haring. Of neem kaviaar. Wodka laat de romige, nootachtige smaak van belugakaviaar goed uitkomen, met een vleugje zoetigheid die doet denken aan amandelen en marsepein. De wat visachtige, brie- en roquefortachtige smaak van oscietra wordt nog lekkerder met wodka. En wodka verzacht de zilte smaak van sevruga, die soms wat scherp kan zijn.'

Alice was absurd opgetogen over deze feiten, alsof ze een schoolmeisje was dat verliefd was op de meester. Terwijl ze over de rand van haar glas naar hem keek – een blik die ze allebei net iets te lang volhielden – vroeg ze zich af of zijn kus even heftig zou zijn als de Pertsovka.

'Ik neem aan dat het geen zin heeft om je te vragen ook bier te maken?' zei ze uiteindelijk.

'Bier? Bíér? Over mijn lijk. Bier is toch zeker geen alcohol. Heb je ooit bier gedronken waarbij je het gevoel kreeg dat je de geheimen van de wereld kende, dat je liefde en schilderkunst en muziek begreep? Natuurlijk niet. Bier is een middel tegen een kater, niet meer en niet minder.' In Rusland wordt het althans zo gezien; in supermarkten staat bier vlak naast mineraalwater en cola.

Alice' wangen waren even rood als die van Lev, maar bij haar kwam het door het lachen. 'Ik maakte maar een grapje. Ik zou de Grote God van de Wodka niet willen beledigen.'

Toen ze achterom keek naar de basiliek, zag ze de koepels als wodkaflessen. Wodka, en niet godsdienst, was de ware opium van het volk. Ze schudde haar hoofd om helder te worden, en toen ze weer keek zag ze de koepels als uien – het andere volmaakte symbool van Rusland. Uien hebben meerdere lagen, en hoe meer je er van afhaalt, hoe erger je moet huilen.

Lev vond het voldoende om de deal met een handdruk te bezegelen, maar Alice wilde iets op papier hebben. Niet dat een contract het papier waarop het gedrukt werd waard was. Russen vinden contracten niet zo belangrijk als westerlingen. Met de voortdurende wisseling van de macht willen Russen de vrijheid behouden om naar hun goeddunken de voorwaarden te herzien, veranderen, negeren, in te trekken of toe te passen – al naar gelang de nieuwe omstandigheden voorschrijven.

Erger nog, een contract betekent een wettelijke overeenkomst, en na een leven van zeventig jaar onder een wrede, willekeurige strafwet heeft het Russische volk geleerd in het openbaar toestemming te verlenen en zelf verder naar uitwegen te zoeken. In feite zijn er maar twee wetten die ooit in Rusland zijn erkend: een voor de rijken, en een voor de armen.

Lewis zat te telefoneren toen Alice terugkwam, waarbij hij boos met zijn handen zat te gebaren. 'Ja, alsof we daar wat mee opschieten.' Hij keek naar Alice. 'Bob, ik moet hangen. Alice is net binnengekomen. Ja, ik spreek je nog.' Hij legde neer, maar stond niet op.

'Wat is er aan de hand?' vroeg ze, een beetje slissend.

'Die verdomde auto is gestolen.' Een middenklasse Mercedes sedan, niets bijzonders naar Amerikaanse maatstaven, twee weken eerder aangeschaft in een showroom aan Novi Arbat. 'Van de parkeerplaats van het ziekenhuis, kun je dat geloven? En niet verzekerd, natuurlijk, omdat we geen verzekering konden sluiten, omdat er niets kan in dit kloteland.' Het laatste woord schreeuwde hij uit, en Alice deed een stapje naar achteren; Lewis schreeuwde ongeveer een keer per jaar. 'Die verdomde rooien jatten alles wat los en vast zit.'

'Lewis, dit had overal kunnen gebeuren.'

'Overal? In twintig jaar is er thuis geen auto van me gestolen. Maar ik ben nog niet in Moskou, of wat gebeurt er? Jezus. Ik had net zo goed de sleuteltjes aan de eerste de beste kunnen geven en hem zijn gang kunnen laten gaan. Jezuschristus.'

Alice liep naar hem toe en knielde naast hem neer. Hij kuste haar op haar wang, verstrooid en plichtmatig, wat haar irriteerde. 'Lewis, toe nou. Het is maar een auto. We krijgen hem wel weer terug.'

'Denk je dat? En wie zorgt ervoor dat we hem terugkrijgen? Denk je dat de Russische politie zich druk maakt om een gestolen Mercedes?'

'De politie niet, nee. Maar ik ken een man die er wel iets aan kan doen.'

'Wie dan?'

'Lev.'

'O ja, Lev. Lev gaat onze auto terugvinden, natuurlijk. Zeg eens op; heeft hij toegestemd met de privatisering, of stuurt hij je nog steeds het bos in?'

'We zijn het vandaag eens geworden.' Zijn uitdrukking veranderde niet. 'Ga je me niet feliciteren?'

'Niet als je zo ruikt.'

'Hoe ruikt?'

'Alsof je dronken bent. Elke keer als je naar die stokerij gaat, kom je dronken terug.'

'Lewis, we zitten in Moskou. Iederéén drinkt hier. Iederéén.' Ze zong het woord bijna.

'Ik kan me de laatste keer niet herinneren dat jij een borrel afsloeg.'

'Zo gaat dat hier nu eenmaal. Je gaat naar een bespreking, naar een receptie, en het wordt je bijna door je keel geduwd.'

'Niet op mijn werk.'

'Lewis, jij werkt in het Skil... het Slik... – dat ziekenhuis. Daar heerst geen zakencultuur. Als ik alle drankjes zou drinken die ik aangeboden krijg, zou ik niet meer kunnen lopen. Ik ben dronken, ja. Mooi. Nou en? Ik ben je vrouw. Ik ben geen klein kind, en geen huisdier. Ik ben een normaal functionerende volwassen vrouw, en ik kan mijn eigen beslissingen nemen. Laat me mijn eigen leven leiden.'

'En ik dan? En míjn eigen leven? Heb ik het hier naar mijn zin? Wat denk

je? Ik ben hier te oud voor, Alice. Ik wil een comfortabel leven in een beschaafd land met een lieve vrouw en schatten van kinderen. Ik wil niet in
een stad leven waar geen werk voor me zou zijn als iedereen nuchter bleef.
Ik wil het niet.'

30

Arkin zond Alice zijn filmsterrenglimlach toe. 'Het is wel toepasselijk, hè, dat we hier de privatisering vieren op de sterfdag van Lenin,' zei hij.

Alice had al drie wodka's op voordat ze bij Levs penthouse aankwam. Daar werd die avond feest gevierd en daar wilde ze goed op voorbereid zijn; er was geen snellere of zekerder methode dan wodka, die koude, snelle rivier die haar meevoerde, weg van de gevaarlijke stroomversnellingen van moeilijkheden en spanning, naar de kalmere wateren van geluk en tevredenheid. Snel een slokje van het elixir, en weg was de stuntelige, gespannen Alice die altijd tevoorschijn kwam wanneer ze totaal niet gewenst was. Dat niemand dat onbeholpen gedrag leek op te merken – Alice voelde zich even bedreven in het acteren als in het drinken – maakte het niet minder echt. Tegelijk met de wodka kwam de Alice naar buiten die iedereen aardig vond en wilde leren kennen: de zelfbewuste Alice, grappige Alice, volwassen Alice, stijlvolle Alice, cynische Alice, een slimme meid die goed gedijde en overleefde in het toevluchtsoord dat Moskou heette. De echte Alice, dacht ze; *in vodka veritas.* Wodka zorgde van binnenuit voor een instant metamorfose.

Het was een heterogeen gezelschap dat hier bij elkaar was, maar Alice had ook niet anders verwacht van Lev. Arkin stond bij een paar mannen van het ministerie van Financiën, in grauwe pakken en met nog grauwere gezichten. Sabirzjan kuste weer haar hand, en liet er deze keer een dun sliertje speeksel op achter. Galina was een en al geestdrift toen ze Alice voorstelde aan Rodjon en Svetlana, die Alice in haar wangen kneep en haar zei dat ze moest ophouden met die Amerikaanse nonsensobsessie met lijnen. Lewis was knapper dan alle andere mannen die hier bij elkaar waren. Harry had een meisje meegebracht, niet Vika van oudejaarsavond maar een andere Moskouse sloerie, ook weer zo'n blondje. Bob en Christina hadden hun zoon Josh meegebracht omdat er, zoals Christina er vol wrok uit gooide, 'niemand in deze verdomde stad kon oppassen'.

'Je bedoelt dat je dat niemand toevertrouwt,' zei Alice onbarmhartig, hoewel uit Christina's afkeurende gemompel op te maken was dat Alice raak had geschoten. Alice ging op haar hurken vlak voor Josh zitten. 'Hoe oud ben jij, Josh?'

'Zes en nog wat.'

'Wanneer word je zeven?'

'Gauw.' Zijn mokkabruine huid stak donker af tegen het witte tapijt. 'Wil jij iets leuks horen?' vroeg ze.

'Ja.'

'Wat gebeurt er als een potvis in een pispot pist?'

'Ik weet niet.'

'Je moet de vraag herhalen.'

'O. Oké. Wat gebeurt er als een potvis in een pispot pist?'

'Dan zit de pispot vol met potvispis.' Josh barstte in lachen uit; zijn grijns spleet zijn gezicht in tweeën.

Alice kietelde hem onder zijn armen, waardoor hij nog harder moest lachen. 'Dat is echt een verschrikkelijke grap,' zei ze. 'Daarvoor moet je de hele avond gekieteld worden.'

Hij spartelde in haar armen en probeerde haar terug te kietelen, maar ze zorgde ervoor dat hij haar niet te pakken kreeg. Hij maaide giechelend van onmacht met zijn armen.

Ze werden onderbroken door het doordringende geluid van metaal tegen glas; Lev, die om stilte vroeg.

'Op een cocktailparty als deze,' zei hij , ' moet men niet op een cent meer of minder kijken. Het is mijn huis, mijn feest, dus ben ik de ceremoniemeester. Ik begin met een oude favoriet.'

Lev wachtte terwijl zijn lijfwachten de glazen nog eens vulden. 'Niet meer dan tweederde,' hield hij hen voor. 'Alleen Filistijnen schenken een glas helemaal vol, omdat ze het niet erg vinden om wodka op hun hemd te morsen. En dit is goede wodka – Koebanskaja, gemaakt door Kozakken in de laaglanden van Koeba, een tikje bitter. Is iedereen zo ver? Mooi.'

Alice merkte dat ze Lev stond aan te staren, en ze dwong zich een andere kant op te kijken voordat Lewis het zag. Toen herinnerde ze zich weer dat Lewis niet jaloers van aard was. Lev schraapte zijn keel. 'Er zijn twee soorten wodka: goede en zeer goede.' Het publiek brulde instemmend. 'Er bestaat geen tekort aan hapjes; alleen een tekort aan wodka.' Nog meer gelach. 'Er bestaan geen stomme grappen; alleen een tekort aan wodka. Er bestaan geen lelijke vrouwen; alleen een tekort aan wodka.' Rodjon en Harry joelden; Galina en Svetlana deden alsof ze verontwaardigd waren. Lev bewerkte zijn publiek, hij prikkelde ze, hij had hun aandacht helemaal. 'Er kan niet te veel wodka zijn; er kan alleen maar niet genoeg wodka zijn. Het eerste glas drinken we op ieders gezondheid; het tweede voor het plezier; het derde als troost; het laatste voor de waanzin. Dus – op jullie gezondheid.'

Alice toostte met iedereen die om haar heen stond, tilde haar elleboog op, trok een gezicht als een hoofdpersoon van Tolstoi die peinsde over leven en dood, haalde diep adem, en dronk haar glas in één keer leeg. De koele eenvoud van wodka nodigt ongetwijfeld uit om een heel glas achterover te slaan en met betraande ogen te wachten op die heerlijke gloed in je maag wanneer de drank daar explodeert. Wodka mist het subtiele van whisky en het overdrevene van cognac, maar neemt in al zijn puurheid een geheel eigen plaats in aan de top.

Op een rechthoekige tafel in het midden van de kamer stonden allerlei gerechten naast elkaar. Er was groene zuringsoep met roggebrood; zilvergrijze zoute haring: licht, sappig en zacht; bietensap dat door schuine sneetjes van in bloemvorm uitgesneden uien stroomde; schuitjes met Hüttenkäse en jam; en roosvormig geschikte blaadjes met kaas, kaneel en maanzaad. Alice at van alles wat, vastbesloten nergens iets van te missen. Lev schoot in de lach.

'Ik wist wel dat je een kenner was,' zei hij. 'Als het gaat om een combinatie van wodka en gerechten, kun je ofwel kiezen voor de elegante hapjes – kaviaar, gerookte moerlovis, Apraksin-kalfsvlees – of voor de alledaagse: haring en Oekraïense makreel, roze als babybilletjes. Beide manieren zijn evenzeer te respecteren. Welke je ook kiest, je krijgt er tomaten, champignons, paprika, kool en zuurkool bij. Allemaal eerlijke hapjes bij de drank, zo mooi als een Griekse vaas en zo deugdzaam als een tiener voor de tijd van Nabokov. Weet je waarom wodka zo heerlijk is bij het eten, mevrouw Liddell?'

'Ik heb geen idee.' Ze hield speels haar hoofd schuin. 'Vertel.'

'Omdat er zoveel geschikt is als grondstof voor wodka. Je kunt alles gebruiken waar zetmeel inzit dat omgezet kan worden in suiker: gerst, rogge, maïs, tarwe, biet, ui, wortel, appel, pompoen, brood… zelfs chocolade.'

'Chocoladewodka. Stel je voor.' Alice floot even. 'Twee verslavingen in één.' Ze keek zoekend rond naar Lewis, zag dat hij diep in gesprek was met Bob, en wenkte Lev dichterbij. 'Kan ik je even spreken? Persoonlijk?'

Ze kon onmogelijk zien wat er achter zijn knikje schuilging, als dat al het geval was. Hij ging haar voor, de woonkamer uit – een drietal lijfwachten kwam al in beweging, maar die wuifde hij weg – naar zijn studeerkamer. Alice had het gevoel dat ze alles aan durfde.

Er stond een oud bureau tegen een muur en een groene, leren bank ertegenover, donker en glimmend van ouderdom. De studeerkamer kwam niet alleen ook weer uit op de woonkamer maar ook op Levs slaapkamer. Door de halfopen deur zag Alice zijn bed staan. Het was natuurlijk enorm groot. Alice vroeg zich af met wie hij het deelde. Hij was niet getrouwd – Arkin had haar verteld dat echtgenotes bij vori uit den boze waren – maar hij had vast wel iemand. Of meerdere iemanden; de meeste Russische bazen gingen er vanuit dat hun vrouwelijke employés als vanzelfsprekend met hen sliepen.

Ze stelde zich hem voor in dat bed met twee minnaressen, en even voelde ze een steek van jaloezie.

'Mijn auto is gestolen,' zei ze. 'Onze auto. Die van mijn echtgenoot en mij.' Ze vond het zowel absurd als noodzakelijk om Lewis' naam hierbij te vermelden, ook al was het bewijs dat ze getrouwd was om haar vinger en in de kamer ernaast duidelijk aanwezig. Lev pakte een blocnote en een pen van zijn bureau.

'Vertel me de details maar. Merk, kleur, kenteken, waar hij is gestolen.' Terwijl ze hem de informatie gaf, schreef hij alles met snelle, stotende bewegingen op. 'Geen punt,' zei hij. 'Laat het maar aan mij over.'

'Weet je het zeker?'

'Natuurlijk. Binnen een week hebben jullie hem weer terug.'

'Ik ben je heel dankbaar.'

Hij glimlachte, maar zijn ogen verrieden niets. 'Dat zal best.'

Ineens en voor haar heel ongebruikelijk wist Alice niets te zeggen; of liever, ze wist heel veel dingen te zeggen, maar niets daarvan leek geschikt. Lev stak een sigaret op, en hield hem tegen alle vier zijn vingers aan, zoals arbeiders dat doen.'

'Het is een geweldig feest,' zei Alice, zichzelf vervloekend om haar prozaïsche opmerking.

'Dat komt omdat het een echt Russisch feest is. Amerikaanse cocktailparty's zijn barbaars. Je kunt er nergens zitten, er is niets te eten, en na een of twee drankjes is het gedaan. Dat is erger dan martelen. Feestjes zijn als seks – waarom zou je eraan beginnen als je niet tot het eind toe door wilt gaan?'

'Ja, waarom?' zei Alice, maar ze had het gevoel dat het eerder overdreven klonk dan flirterig.

Er viel weer een stilte, nog pijnlijker dan de eerste.

'Je echtgenoot is daar,' zei hij, en gebaarde haar om op te staan. Ze trok een neutraal gezicht terwijl ze terugliep naar de woonkamer.

'Alles goed?' vroeg Christina.

'Ja hoor. Best.'

'Je was zo lang weg.'

'Zit je soms bij de KGB, Christina? We moesten even een paar dingetjes regelen, meer niet.'

'Dingetjes?'

'Ja, dingetjes.' Een kinderlijke opwelling weerhield haar ervan Christina iets over de auto te vertellen; het ging Christina geen bal aan wat Alice deed. 'Zaken, saai gedoe over de stokerij, wat je maar beter snel kunt afhandelen.' Alice wist dat ze stond te kakelen als een kip zonder kop. Niet te veel zeggen, dacht ze, dan lijk je schuldig. 'Meer niet,' besloot ze zwak.

Lev was nergens te bekennen. Alice begreep en waardeerde zijn fijngevoeligheid; het zou vragen hebben kunnen oproepen als ze samen weer tevoorschijn gekomen waren, en zulke vragen... nou ja, daar zaten ze niet op te wachten.

Josh omklemde Christina's benen. 'Ik heb oorpijn,' zei hij. 'Nog steeds.'

'Weet ik, schat,' zei Christina. 'Mama probeert er iets voor te vinden.'

Alice voelde mee met Josh. Weinig emigranten die naar Moskou waren gekomen, brachten hun kinderen mee. Ze vonden de stad te hard en te ongevoelig voor hun kleintjes, wat bespottelijk was; Russen zijn meestal gekker op hun kinderen dan elk ander volk ter wereld. Hoeveel kinderen van zijn eigen leeftijd zou Josh hier in Moskou leren kennen?'

'Hij heeft al meer dan een week oorpijn, het arme schaap,' zei Christina. 'Je kunt hier niet eens fatsoenlijke medicijnen krijgen.'

'Laat mij maar eens naar hem kijken,' zei Lewis. 'Ik heb thuis vast wel wat voor hem.'

'Een medicijn? Tegen oorpijn?' Lev gniffelde. Alice had hem niet eens zien aankomen. 'Voor oorpijn heb je toch zeker geen medicijn nodig.' Hij knikte naar een van de lijfwachten, die naar de badkamer liep en terugkwam met een pluk watten. Zittend op de vloer, maar nog steeds torenhoog boven Josh uitstekend, doopte Lev het stuk watten in de wodka en hield het toen voor Josh' gezicht. 'Dit doet geen pijn, echt niet. Geloof je me?'

Josh knikte, met zijn lippen stevig op elkaar geperst. Alice kon hem wel knuffelen.

'Wodka?' De minachting droop van Lewis' stem. 'Wat kan wodka daar nou aan verhelpen?'

'Welk oor is het?' vroeg Lev.

'Dit.' Josh wees op zijn rechteroor. Lev drukte de watten ertegenaan. Hij had Josh' hele hoofd wel in zijn enorme hand kunnen vatten. 'Het beste middel ter wereld,' zei Lev, terwijl Josh naar hem grijnsde met de onbevangenheid die alleen kleine jongens hebben voor nieuwe vrienden, ongeacht hun afmetingen.

'Dat is belachelijk,' zei Lewis.

Lev wierp hem een gemoedelijke glimlach toe. 'Je hebt geen medicijnen nodig in Moskou, dokter Liddell. Wodka is het middel tegen alle ziektes. Pijn in je buik? Een glas wodka met zout. Griep? Wodka met peper, en een heet bad. Koorts? Wrijf wodka over je hele lichaam.' Hij keek weer naar Josh. 'Houd dat watje daar maar een uur tegenaan, jongeman, dan voel je je weer kiplekker. Maar wat je verder ook doet' – hij begon samenzweerderig te fluisteren – 'niet opdrinken.'

Alice verzocht om stilte. De gasten applaudisseerden voor haar; Harry juichte alsof zijn honkbalclub een homerun had gelopen. Alice richtte zich tot hem. 'Ik mag jou wel, Harry. Je doet me denken aan de tijd dat ik jong en onbezonnen was.' Ze suste het gelach met een glimlach en een opgeheven hand. 'Het geeft me een gevoel van trots dat Amerika, mijn land, een groot volk weer op de been helpt,' zei ze. De Russen klapten nu nog harder, niet in het minst voor de manier waarop ze Russisch sprak. 'Dus, namens al mijn collega's bij de IMF zou ik graag een toost willen uitbrengen: op Levs gulle gastvrijheid voor dit schitterende feest, en op de dankbaarheid van zijn gasten.'

Het was een goede speech, welsprekend en oprecht, en voor de derde keer kreeg ze applaus. Toen iedereen weer had ingeademd, gedronken, uitgeademd, wat jus d'orange en een stukje haring had genomen, hief Lev zijn glas. 'Op de schoonheid van mevrouw Liddell,' zei hij eenvoudig.

Lewis keek trots. Alice keek snel even naar Lev, en toen weer weg van hem, glimlachend terwijl de gasten juichten. Maar het was niet de bewondering van de menigte die haar deed duizelen; het was haar vervoering voor één van hen. Het was Lev die de vonk in haar ogen veroorzaakte, Lev die haar lippen liet krullen van plezier. Ze probeerde die verraderlijke tekenen te verbergen, maar ze kwamen automatisch in haar trekken naar voren. De vlam was in de pan. De kamer was vol mensen, maar Alice had het gevoel dat ze alleen was met Lev. En als zijn charme iets angstaanjagends en wreeds had, dan had zij dat ook, en haar onbeheersbare stralende ogen en glimlach zetten hem in vuur en vlam terwijl hij dronk. Ieder moment bracht hen dichter tot elkaar, ieder moment dompelde Alice onder in vreugde en angst terwijl die haar in de richting van de poort van het onbekende duwde.

Er werd nog meer getoost en nog meer, allemaal begeleid door kreten als *pej dadna!* – 'Ad fundum!' Een stem riep om wereldvrede, een ander om eeuwige vriendschap; een derde om uitbundigheid, geestdrift, welsprekendheid en hoogdravendheid. Alice was de eerste die haar glas leegdronk en de eerste die het weer vulde.

'Zoals die dame kan drinken,' hoorde Alice Svetlana zeggen, 'haar ingewanden moeten wel in brand staan.'

'Als ze dat al niet deden,' antwoordde Rodjon, 'doen ze dat nu wel.'

Lewis pakte Alice bij haar arm. 'Ik ga naar huis,' zei hij.

'Heb je een slechte bui?'

'Helemaal niet. Ik ben alleen moe. En nuchter.'

Harry kwam wankelend bij hen staan. 'Je moet hier blijven en de deugd-
zaamheid van je vrouw verdedigen.' Hij gebaarde naar Lev. 'Volgens mij
heeft hij een oogje op haar.'

'Die bruut?' snoof Lewis. 'Hij lijkt me niet echt jouw type, schat.'

Hij was al weg voordat ze kon reageren, wat maar beter was ook. Wat had
ze moeten doen – lachend met hem instemmen, de band verraden die zij en
Lev al hadden, of Lewis de waarheid vertellen: ja, Lev was wel haar type, en
het maakte haar kwaad dat Lewis te stom was om dat in te zien. Nee, niet
stom – zelfgenoegzaam, dat was het wat haar stoorde. Het enige dat Lewis
wilde was een gemakkelijk leventje, dat hij had uitgekozen. Maar wat stelde
het leven voor als het zo gemakkelijk was? Ze wist zeker dat Lev haar wel het
een en ander kon vertellen over wat het leven voor hem werkelijk betekende.

Harry en Bob zongen een lied, zo vals dat het even duurde voordat Alice
het herkende: 'Sweet Home Alabama'. Amerikanen zijn extraverte, luid-
ruchtige drinkers, Russen zijn ernstiger, die drinken totdat ze in waardigheid omvallen, als bomen. Alice besefte dat zij de uitzondering op de regel
was. Ze zat in een hoekje, in een aangenaam waas van wodka. Josh lag te slapen op haar schoot. Ze legde haar armen onder zijn nek en voelde zijn
adem over haar huid strijken. Lev kwam naast hen zitten.

'Ben je dronken?' vroeg hij.

'Alleen wat aangeschoten.'

'Aangeschoten? Met de hoeveelheid drank die jij hebt gehad, moet je wel
haast verlamd zijn.'

'Ik heb een harde kop.'

'De kop van een Rus is als een spons, zie je. Je kent zijn ware vorm niet
totdat hij doorweekt is.' Lev drukte even in het kuiltje in Alice's hals, waarbij hij er goed voor oppaste dat hij haar borsten ontweek. 'Weet je waarom
ik ermee heb ingestemd om Rode Oktober te privatiseren, mevrouw Liddell?'

'Omdat ik de belastinginspectie heb gestuurd.'

'Nee.'

'Ja.'

'Misschien. Tot op zekere hoogte. Maar je moet dieper zoeken, je moet

207

het begrijpen – en ik denk dat je dat wel doet, of althans, je hebt er het vermogen voor. Weet je nog de eerste keer dat je bij mij in mijn kantoor kwam? Je bracht grafieken mee, statistieken, marktonderzoeken, voorspellingen, ramingen, dat soort dingen. Het betekende allemaal niets voor me. Russen vertrouwen niet op cijfers of feiten; voor ons zijn dat altijd leugens geweest. Wij handelen naar onze gevoelens, mevrouw Liddell, gevoelens. We denken dus niet zoals jullie, we doen niet zoals jullie. Er is zoveel in onze psyche dat meetelt: onze houding ten opzichte van geld, onze angst om weer ten onder te gaan in een of andere afgrijselijk sociaal experiment, onze angsten voor jullie motieven.'

'Ik kan je verzekeren, mijn motieven zijn volstrekt eerzaam,' zei Alice, en ze was blij dat ze het op dit moment over zaken hadden en niet over persoonlijke dingen.

'Wat betekent het westen voor Amerika? Vrijheid en kansen. Maar wanneer wij Russen hier naar het westen kijken, denken we aan invallen en terreur. We denken aan Napoleon, we denken aan Hitler. Ons wantrouwen tegen het Westen is… bestaat al eeuwenlang. Je mag dat niet zomaar overschatten. We zijn bang dat zelfs de meest onschuldige bepaling de vreselijkste dingen in beweging kan zetten. Ken je Gromiko nog?'

'Natuurlijk.' Andrej Gromiko was de minister van Buitenlandse Zaken wiens norsheid hem de bijnaam 'Grim Grom' had opgeleverd.

'Nou, een westers diplomaat vroeg eens aan Gromiko of hij lekker ontbeten had. Gromiko dacht uren na over die vraag, analyseerde hem, bekeek hem vanuit alle hoeken op verborgen betekenissen, toespelingen, geniepige kapitalistische intriges… en uiteindelijk antwoordde hij met één woord. Weet je wat dat was?' Alice schudde haar hoofd. '"Misschien".'

Alice schoot in de lach. Geen beleefde lach, maar een diepe schaterlach die Christina bestraffend deed opkijken. Lev keek geamuseerd van Christina naar Alice. 'Ze bekijkt je afkeurend,' zei hij.

'Die kan nergens om lachen.'

'Ze heeft ook een aardig zoontje. Is zij zo iemand die neerkijkt op de autochtone bevolking?'

'Helemaal raak.'

'Een veelvoorkomende tekortkoming bij je landgenoten, mevrouw Liddell. Denken altijd dat jullie de beste zijn, en liegen als dat niet zo is.'

'Liegen?!'

'Armstrong. De maan.'

'Waar heb je het in godsnaam over?' Alice wist niet of hij dit meende.'

'Wie heeft de eerste satelliet in de ruimte gebracht? En de eerste hond? De eerste man? De eerste vrouw? Wie heeft de eerste onbemande maanlanding uitgevoerd? Wij, Russen.' Russen, geen sovjets, merkte Alice op. 'Spoetnik, Laika, Gagarin, Teresjkova, Loena Negen…' Lev ratelde de namen op alsof hij een presentielijst bijhield. 'En dan moeten wij geloven dat ineens, bij de zwaarste missie van allemaal, de Amerikanen het hebben gered? Pff! Jullie hebben die maanlanding in scène gezet, net zoals jullie al die zogenaamde wetenschappelijke ontdekkingen in scène hebben gezet. Wie heeft de gloeilamp uitgevonden?'

'Thomas Edison.'

'Fout! Alexander Lodigin. Wie bestuurde het eerste vliegtuig?'

'De gebroeders Wright.'

'Alweer fout! Alexander Mozjaiski, ruim tien jaar daarvoor. En de radio?'

'Marconi.'

'Alexander Popov – iedereen weet dat. Waarom anders komt de zon in het oosten op en gaat hij in het westen onder, als het niet is om te bewijzen dat de Russen superieur zijn?'

Alice trok met haar vinger een cirkeltje op haar slaap. 'Je bent gek geworden,' zei ze lachend. Ze had besloten ervan uit te gaan dat hij grapjes maakte, of dat nu wel of niet zo was.

'Respecteer je mij?' vroeg hij.

'Natuurlijk.'

'Weet je het zeker?'

'Heel zeker.' Alice wist dat de erkenning en respect van Amerikanen voor alle Russen van groot belang is, hoezeer ze het ook ontkennen. Russische horigen en Amerikaanse slaven werden in hetzelfde decennium bevrijd, rond 1860, een tijdstip waarop het aantal miljonairs in Moskou en in New York ongeveer gelijk was. Het is de vooruitgang die de twee volken vanaf die tijd hebben geboekt waardoor de Russen zo kriegel zijn geworden. Hoe meer de Russen zich bedreigd voelen, hoe prikkelbaarder ze worden. Ze tonen hetzelfde soort dubbelzinnige respect aan de Duitsers, de dodelijke vijand met wie ze hebben gevochten aan het oostfront. De Russen bewaren hun onverschilligheid voor de kleinere landen, de Fransen en de Britten.

'Mooi, want… want de Russische lier heeft drie snaren: droefheid, scepticisme en ironie. Het droeve lot van ons land is dat we de rest van de wereld laten zien hoe het leven niet moet worden geleefd.'

'Huh? En je vertelde me net hoe geweldig Rusland is.'

'Verwelkom chaos,' zei Lev. 'Verzoen je met het verlies van een paar details. Blijf hopen dat het uiteindelijk allemaal goed komt.' Hij hees zich overeind en liep weg voordat Alice kon vragen of dit sloeg op de partij, op de privatisering of op iets heel anders.

31

Een andere dag, een ander anoniem appartement, deze keer in een al even anoniem flatgebouw in de noordelijke wijk Ostankino, een paar blokken van de nationale televisietoren. Karkadann was even voor de schemering aangekomen, en zocht dekking in het donker. Zijn mannen stonden discreet doch doelbewust op de uitkijk bij de kwetsbare punten: de hoofdingang en de brandtrappen, en natuurlijk binnen in het gebouw zelf. Karkadann dronk groene thee en wilde dat hij terug was in Kolomenskoe. Dit was geen leven voor een man van eer, maar het enige alternatief was teruggaan naar Grozni, en dat zou hij niet doen, niet zolang hij hier nog iets uit te vechten had.

Hij droeg Levs beeld mee in zijn gedachten. Met elke nieuwe dag en elke nieuwe vernedering, als een voortvluchtige die van de enige veilige bestemming naar de andere sluipt, wenste hij zijn vijand meer pijn en narigheid toe. Als het allemaal voorbij was, en hij had Lev op zijn knieën gedwongen, dan zou hij hem doden – eerder niet. Karkadann zou de pijn die hij leed overdoen aan Lev, met rente.

Buiten klonk geschreeuw. Karkadann zag de paniek bij Zjorzj opkomen – was dit het moment, waren de Slaven er achtergekomen waar ze zaten? – maar de lijfwachten waren goed getraind, en niemand kwam binnenrennen om hen weg te jagen. Zjorzj ging opzij van het raam staan en tuurde naar buiten.

'Een of andere demonstratie,' zei Karkadann, en kwam ook bij het raam staan.

Beneden op straat zwaaiden borden boven vele hoofden. Karkadann zag een poster waarop Borzov stond afgebeeld met een fles wodka in de ene hand en een naakt meisje in de andere, en daaronder de woorden GELUK-KIG NIEUWJAAR, HET LEVEN WORDT BETER. Vijftig meter verderop, aan de overkant van de weg, zag hij Borzov zelf, en ook Arkin. Maar het zag ernaar uit dat hun rustige rondwandeling op een bijna-rel uitdraaide.

Terwijl de menige in zijn geheel naar voren drong, deinsden de lijfwachten naar achter en duwden dan terug, een beweging als van de zee die geulen zoekt op het strand. Sommigen gleden uit en vielen op de beijzelde stoepen. In de bittere kou – het was zeven graden onder nul – begonnen de mensen geprikkeld te raken. Een donkere vrouw met een dikke laag make-up kwam vlak voor het groepje van de president staan. 'Wat moeten we eten?' gilde ze.

'Je kunt de president in stukjes snijden,' zei Borzov, 'maar daar heb je niet lang plezier van.'

Voor dit soort quasi-nonchalante antwoorden had hij applaus gehad toen hij had geholpen de Sovjet-Unie ten grave te dragen. Nu was het ongevoelig en ongepast. Arkin, die een halve meter achter hem had gelopen, kwam naar voren, waarbij hij Borzov bijna wegduwde voordat hij nog meer van dat provocerende opmerkingen zou maken.

De president was eraan gewend om overal waar hij kwam met veel enthousiasme ontvangen te worden, toegejuicht te worden als de heldhaftige verdediger van een volk. Nu, voor de eerste keer, was Borzov bij het Russische volk uit de gratie. De reactie op de liberalisering, dacht Arkin, verliep sneller dan het proces zelf: van schok tot oproer, via hoop, en dat in drie weken tijd.

'Je hebt de president onjuist geïnformeerd, Kolja,' siste Borzov tegen Arkin. 'Je hebt hem ervan verzekerd dat de liberalisering goed verliep, en dat het volk er het beste van maakte.'

Arkin had dat helemaal niet tegen Borzov gezegd, maar het had geen zin om daar nu over te beginnen. Als Borzov zo'n bui had, was er niet met hem te praten.

De lijfwachten maakten de weg door de massa heen vrij in de richting van de dichtstbijzijnde winkel. In Ostankino was het smerig en sjofel, maar deze zaak zou niet misstaan hebben in het Arbat-hotel. De stenen vloeren waren smetteloos schoon geschrobd, het schilderwerk was nieuw en glanzend. De winkel was duidelijk opgeknapt voor het hoge bezoek.

De eigenaar van de winkel, bijna overweldigd door de grote eer die zijn etablissement ten deel viel, stelde zich voor als Artur Kapitonov, greep met beide handen de hand van Arkin en wierp zich bijna op de grond voor Borzov. Het was, zo zei hij, een compliment om zulke eminente heren in zijn nederige winkel te ontvangen; ze konden alles nemen wat ze maar wilden, gratis, het zou hem een genoegen zijn.

Borzov was niet in de stemming om zich te laten lijmen. Hij keek naar de prijzen op de planken – zes roebel voor een brood, zestig voor een fles wodka – en snauwde: 'Is dit echt de prijs die je rekent?'

Kapitonov knipperde als een razende met zijn ogen, alsof hij de vraag niet goed had begrepen. De rimpeltjes naast zijn ogen, als sporen van een hele zwerm kraaien, trokken samen en werden dieper.

'Nou?!'

'Dit schrijft de markt voor, Anatoli Nikolajevitsj,' stamelde Kapitonov.

'Dit is afzetterij, meer niet. Je gaat de prijzen halveren, nu meteen.'

'Anatoli Nikolajevitsj, mijn leveranciers rekenen al…'

'Dan ben je ontslagen.' Borzov richtte zich tot zijn lijfwachten. 'Maak de winkel leeg, deel de artikelen uit aan de mensen.' Hij onderbrak Kapitonovs protesten. 'Je zei toch dat we alles konden nemen wat we wilden.'

Kapitonov kon niets anders doen dan toekijken terwijl de lijfwachten van de president zijn stellingen leeg haalden. Brood, koek, uien, kool, aardappelen, eieren, kip en wodka, alles namen ze mee. Borzov ging voor de lijfwachten de winkel uit en straalde toen hij hen door de menigte zag lopen, waar de koopwaar al uit hun handen werd gegrist voordat ze het zelf konden uitdelen.

Toen de lijfwachten, zwetend ondanks de kou, zich uit de massa hadden bevrijd, vroeg Borzov hoeveel contant geld ze bij zich hadden. De president had zelf natuurlijk nooit een cent op zak. 'Kom, kom,' zei Borzov, en klapte in zijn handen, 'voor de dag ermee.' Toen stapte hij de menigte in, en deelde stapels roebels uit aan de geschokte demonstranten: hier honderd, daar tweehonderd, vijfhonderd aan een ander. De mensen die niets gekregen hadden bij de vorige weggeefactie konden het geld niet snel genoeg binnenhalen. Het lukte de lijfwachten maar net om Borzov uit de graaiende handen weg te trekken toen de laatste roebels uitgedeeld waren.

'Anatoli Nikolajevitsj, dit kun je niet doen,' protesteerde Arkin. 'Het druist in tegen alle economische beleidsregels die nu gehanteerd worden. We kunnen niet zomaar geld uit het niets vandaan toveren.'

'Anatoli Nikolajevitsj kan doen wat hij wil,' zei Borzov. '*Shef darit.*' De baas schenkt.

Ze liepen terug naar de presidentiële limousine en vertrokken.

Karkadann keek door het raam en schudde zijn hoofd. 'Hoe moeilijk kan het zijn om de oorlog te winnen, als die gek Levs grootste beschermheer is?'

Terug in het Kremlin slurpte Borzov zijn wodka. 'Dit is geen land; het is één grote kneuzenzooi,' klaagde hij. 'Ach, die hele kwestie wordt een ramp. Is het te laat om het nog tegen te houden?'

'Ja. En zo moet je niet denken, Anatoli Nikolajevitsj.'

'Maar, Kolja, hier bestaat geen precedent van. Geen enkel land heeft ooit

de macht verloren, de economie omgegooid en tegelijk een democratie ontwikkeld. En nu moet Anatoli Nikolajevitsj dit allemaal opknappen. Het
Russische volk leeft in een ander land dan het land dat ze kennen, en dat bevalt hun niet. En wie krijgt de schuld? Anatoli Nikolajevitsj, die krijgt de
schuld. Het is Anatoli Nikolajevitsj die op het schavot komt, Anatoli Nikolajevitsj die zijn hoofd onder de kloteguillotine moet leggen. Het gaat helemaal de verkeerde kant op, Kolja.'

'Weet je waar ik aan zit te denken?'

Borzov bekeek hem nurks, als een mokkend kind. 'Nou?'

'Dat vliegtuigongeluk dat je vorig jaar hebt gehad. Kun je je de pijn nog
herinneren, Anatoli Nikolajevitsj?'

'Hoe zou de Baas die kunnen vergeten?' Borzov was naar het ziekenhuis
gebracht in Barcelona met een verschoven tussenwervelschijf. 'Dat was verschrikkelijk, onvoorstelbaar.'

'Precies. Je kon je benen niet bewegen. De artsen hebben je onmiddellijk
geopereerd, er was zelfs geen tijd om terug te gaan naar Moskou. De volgende dag zeiden ze dat je op moest staan, en lopen.'

'En Anatoli Nikolajevitsj lachte hen midden in hun gezicht uit.'

'Precies. Als je in Rusland was geweest, zei je, zou je zes maanden in bed
hebben gelegen. Maar zij drongen aan: Sta op en loop.' Arkin stak een sigaret op. 'Je zocht naar krukken, maar die waren er niet. Sta op en loop. Dus
dat deed je. Een stapje, nog een, het zweet droop van je kop. Je redde het tot
de muur en weer terug, nog een keer, en nog eens.' Arkin blies rook uit. 'Als
jij dat kon, waarom Rusland dan niet? We hebben marktelektrodes vastge-
maakt aan het frêle lichaam van de Russische economie. We brengen ons
verlamde zenuwstelsel tot leven en zorgen dat de vitale organen gaan werken. We sleuren de patiënt uit bed en dwingen hem te lopen.'

32

Lev zat vol verrassingen, niet allemaal even aangenaam. Als Alice het idee had gehad dat de privatiseringsovereenkomst – om nog maar te zwijgen over hun gedrag op het feest twee avonden daarvoor – plotseling een toonbeeld van samenwerking van hem zou maken, had hij daar in drie uur verandering in weten te brengen. De drie uur tussen de tijd dat ze elkaar zouden ontmoeten en het moment dat hij zich verwaardigde op te komen dagen.

'Ik weet dat je een drukbezet man bent, maar we hebben echt niet veel tijd.' Alice zorgde ervoor dat ze redelijk bleef klinken; ze had het hele scala van reacties op zijn te laat komen al de revue laten passeren, van irritatie tot berusting, van woede tot ergernis. 'Punctualiteit is…'

'… een eigenschap die de meeste Russen vreemd is, mevrouw Liddell.' *Mevrouw Liddell,* nog steeds; het bracht Alice van de wijs. Waren ze op het feestje niet een soort brug over gestoken? En als dat zo was, waarom deed hij dan nu zo formeel? En als het niet zo was… Nou ja, als dat niet zo was, dan had ze te veel gemaakt van iets dat er niet was. Ze dwong zich weer naar zijn woorden te luisteren. 'U hebt nooit onder het oude systeem geleefd, mevrouw Liddell, toen de mensen vijf jaar moesten wachten op een nieuwe auto, en tien jaar op een telefoon.'

'Ik begrijp wat je bedoelt, maar ik vind je toch een klootzak.' Ze glimlachte om haar woorden te verzachten. 'Ik heb over een half uur een bespreking in het ministerie. Nu moet ik die afzeggen. Ik dacht dat we nu wel klaar zouden zijn – al heel wat eerder, zelfs.'

'Als je twee mensen op dezelfde dag wilt spreken, plan dan de ene vroeg in de ochtend en de andere aan het eind van middag.' Lev liet zich niet van de wijs brengen, hij keek zelfs geamuseerd. 'Neem de tijd die je denkt nodig te hebben, en verdubbel die. Een snelle stroom bereikt nooit de zee, mevrouw Liddell.'

Tijd verdoen is iets typisch Russisch; op die manier herinneren Russen zichzelf eraan dat het leven meer is dan alleen maar doelen en resultaten, doorspekt met getallen.

Lev tikte tegen een fles. 'Hier. Drink een wodka met me.'

'Je kunt me niet de hele tijd blijven lijmen met "drink een wodka met me", snauwde Alice, die vooral boos was omdat hij haar zo gemakkelijk op de kast kreeg.

Lev glimlachte. Alice vroeg zich af of het was omdat hij zag wat voor effect hij op haar had. 'Ja, maar deze wodka is heel bijzonder,' baste hij. 'Ik probeer een nieuw procédé uit, en ik zou graag je mening horen. Je hebt al bewezen dat je een kenner bent.'

Ze draaide haar trouwring rond haar vinger, plukte aan haar vel. 'We hebben geen…'

'Het is een nieuw procédé met drievoudige distillatie. Na de eerste keer is het percentage pure wodka tachtig procent, na de tweede en derde keer stijgt het tot achter in de negentig. Probeer maar.' Hij schonk een glas voor haar in. Na een moment van verzet pakte Alice het aan, snoof eraan, dronk een slokje, en trok teleurgesteld haar neus op.

'Vies?' vroeg hij.

'Nee, niet vies. Niets. Geen smaak. Saai.'

'Precies!' Hij sloeg zijn handen ineen. 'De puurheid gaat ten koste van het karakter, dat is nu precies waar ik bang voor was. Peter de Grote was dol op driemaal gedistilleerd, weet je. Misschien moeten we het aanlengen met wat anijs, misschien ook nog een paar andere soorten, want nu smaakt het naar Absolut. Typisch Zweeds – die halen het risico weg van autorijden en het karakter uit de wodka.'

'Genoeg! Ik wil nu dat je me de boeken geeft,' zei ze.

'Hoezo?'

'Zodat Harry – mijn collega, de heer Exley – de sterke en de zwakke punten van Rode Oktobers handelspositie kan inschatten.'

'Waarom wil hij dat doen?' Lev leek oprecht verbaasd.

'Om aan de mensen te laten zien in wat voor bedrijf ze zich inkopen.'

'Dat kan ík ze toch vertellen.'

'Met alle respect, maar jij bent niet echt onbevooroordeeld.'

'Vertrouw je me niet?'

'Je moet dit niet persoonlijk opvatten. Het is niet een kwestie van vertrouwen.'

'Zo klinkt het anders wel.

'Wat ik wil is een standaardprocedure. Niemand in het Westen zou daar moeite mee hebben,' en meteen, toen ze zichzelf betrapte op wat ze zei, was ze hem snel een slag voor: 'Ik weet het, ja – we zijn hier niet in het Westen.'

Het rioleringssysteem is verdeeld in sectoren, en individuele arbeiders zijn geneigd er slechts in één te werken, twee op z'n hoogst; de nalatenschap van de sovjetbureaucratie en zijn manie om alles in hokjes in te delen was overal aanwezig. Het was Irk niet gelukt iemand te vinden met praktijkkennis van het hele doolhof, noch had hij een plattegrond van de riolering kunnen vinden, of in elk geval niet een die het hele gebied van de metro bestreek. Bij publieke werken hadden ze hem gezegd het bij de burgemeester te proberen, de burgemeester had hem naar het waterschap gestuurd, het waterschap had hem gezegd dat hij bij publieke werken moest zijn. Iedereen die hij had gesproken, was ervan overtuigd geweest dat er ergens een plattegrond van moest bestaan, of althans dat er ooit zo'n plattegrond was geweest, *Maar ja, u weet hoe dat gaat, inspecteur...* Duizenden na duizenden documenten waren verloren gegaan tijdens een overgang die zo chaotisch was verlopen dat mensen zelfs hun hoofd kwijtgeraakt waren als het niet aan hun lichaam vast had gezeten. Zelfs een half litertje Eesti Viin had er niets aan kunnen veranderen. De plattegrond was echt nergens te vinden.

Niet dat het iets uitmaakte. Irk vermoedde dat hij de riolen even goed kende als ieder ander. Hij had er eindeloos veel uren doorgebracht, hij was eraan verslaafd geraakt vanaf het moment dat hij voor het eerst de metrotunnels had gezien vanuit de trein. Zo was het begonnen: door zich de formaties en verbindingen van alle verschillende lijnen in het hoofd te prenten, had hij elke daling en elke scherpe bocht op het traject leren kennen, waarbij hij de ligging van de stad van binnen uit had gezien. Hij was onder de metroperrons geweest en bij de machines die de enorme roltrappen aandrijven. Daarna was hij door de tunnels van Publieke Werken en de ventilatieschachten gelopen, gewoon om te zien waar die uitkwamen. Waar moest hij anders naartoe in die uitgestrekte grijze stad, zonder vrienden? Het was zijn wijze van rebellie, een persoonlijke obsessie die niet telde, omdat hij plaatsvond in de omgekeerde wereld. Hij had het er nooit met een van zijn collega's over gehad.

Irk waadde door het onderaardse doolhof. Hij liep door een groot riool waar twee of meer kanalen bijeen kwamen, de buizen om hem heen strekten zich in de hoogte en breedte uit, stromen afval, voordat ze afbogen in een vertakking, zo laag en smal dat hij er op zijn buik doorheen moest kruipen, met zijn neus en mond op een paar centimeter van illegaal gedumpt chemisch afval, petroleum en calciumcarbid. Hij deed een butaangasaansteker aan en bekeek de vlam, zoekend naar een zachtoranje tint die zou kunnen wijzen op aardgas. De buizen klommen en daalden, zwenkten af en liepen rechtuit, nu eens de contouren volgend van de grond erboven, dan weer afbuigend voor kelders en hoofdaansluitingen, soms met een knik erin om ruimte te maken voor een afvoer.

En altijd was er water, lekkend door de scheuren in het metselwerk, stromend door de leidingen, waar het zompige, klotsende geluiden maakte. Eeuwenoude ondergrondse rivieren bewogen zich door de stad, onzichtbare stromen die hun richting kwijt waren. Soms liep de helft van de kelders in Moskou onder. Behalve het voortdurende geklots van het water hoorde Irk zacht stemmen: mensen. Mensen maakten hier een thuis, compleet met stoelen en banken, gloeilampen, kachels, wodka. Ze legden warmwaterleidingen aan, voor de warmte; soms scheurden die leidingen en werd iedereen levend gekookt die toevallig in de buurt was.

Irk was ogenschijnlijk op zoek naar aanwijzingen, maar hij zou hier ook zijn geweest als de moord op Emma Koervjakova niet had plaatsgevonden. Hij wist niet zeker waarnaar hij op zoek was, alleen maar dat hij ergens naar zocht. Door het alkalische schemerlicht kwamen nog meer geluiden: seks. Er waren genoeg plekjes hier beneden waar mensen zonder angst om gestoord te worden konden neuken, in elk geval meer dan er daarboven waren. Jonge Moskovieten hadden maar weinig mogelijkheden om hun gevoelens in de praktijk te testen. Er was nergens een plek voor een romantisch samenzijn, om te flirten en te leren hoe je moest vrijen; woningen waren klein en boden weinig privacy, restaurants en hotels waren te duur, weinig van hen konden een auto betalen, en bars en discotheken waren alleen voor de rijken. Geen wonder dat mensen hier beneden kwamen om te neuken.

De tunnels waren halfrond. Irk moest steeds met één voet op de helling lopen, alsof hij over een sloot liep, en zijn enkels deden pijn. Witte schimmel kroop tegen de muren, en waterige lichtstralen vielen druppelsgewijs van de straten daarboven binnen. Er waren zo ongeveer om de tweehonderd meter mangaten, en ook bij elke overgang naar een helling en op alle punten waar twee rioolbuizen elkaar kruisten. De onderbuik van Moskou is gemiddeld zes lagen diep, en op sommige plaatsen zelfs wel twaalf tot vijftien, bijna een kilometer. Het begint met gas en elektra en telefoonlijnen, dan het riolenstelsel en de metro, beide in kaart gebracht en clandestien – Stalin zou volgens de geruchten een tweede metroring hebben gebouwd in de buitenwijken, waarschijnlijk om bommen te vervoeren rond de hoofdstad. Dan komt de plek waar de sovjets dieper hebben gegraven: geheime tunnels, afluisterposten van de KGB; atoomschuilkelders voor de elite.

Allemaal geheimen van de stad, dacht Irk, die tegen elkaar aan duwen als aardschollen.

Hij kwam uiteindelijk aan bij het scherm waar Emma Koervjakova was gevonden, en klom door het dichtstbijzijnde mangat naar boven. Toen hij om zich heen keek om te bepalen waar hij zich bevond, deden de rode, groene en witte ruiten van de vlag die boven de ambassade van Madagascar hing hem ergens aan denken. Hij had die vlag pas nog gezien, maar waar? Vanuit het raam van Sabirzjans appartement, dáár was het geweest. En kijk, daar hing hij – precies naast de deur van de ambassade. Waarom had hij daar niet aan gedacht toen ze Emma pas hadden gevonden? Omdat ze toen van de andere kant waren gekomen, wist hij weer, via Ostozjenka in plaats van via de oever.

En ineens wist hij zich nog iets te herinneren: hij was nooit overtuigd geweest van Sabirzjans onschuld.

33

Het eerste wat Alice zag toen ze aankwam bij Rode Oktober was haar Mercedes, die in de poort geparkeerd stond en eruitzag als nieuw. Hij was zelfs gewassen, een echte zeldzaamheid in Moskou. Ze ging naar Levs kantoor en bedankte hem uitvoerig en oprecht, en had zelfs even een opwelling hem te kussen. 'Hoe heb je hem gevonden?'

'Het was een fluitje van een cent. Het bedrijf waar jullie de wagen hebben gekocht, is in handen van de Solntsevskaja-groep. Ik heb even gepraat met Testarossa, mijn collega-vor, en presto! Je wagen is terug.'

'Het bedrijf?' Alice keek verbaasd. 'Wat heeft dat bedrijf te maken met het feit dat mijn auto is gestolen?'

'Wie anders, mevrouw Liddell? Koskej de Onsterfelijke? Zo naïef ben je toch zeker niet? Ze hebben een extra stel sleutels achtergehouden, je adres genoteerd, en hem teruggepakt zodra ze konden, zonder zich verdacht te maken.'

'En dan? Gaan ze hem dan weer verkopen?'

'Natuurlijk. Nummerplaten vervangen, de papieren vervalsen en de hele procedure nog eens herhalen. Als je dat zo'n twintig tot dertig keer doet...'

'Verdien je miljoenen dollars.'

'Op elke wagen, ja. Als je een gemakkelijkere manier weet om geld te verdienen, laat het me dan maar weten.'

'Wat een land.' Alice schudde haar hoofd. 'Wat een land. En ik dacht net dat ik er enig zicht op kreeg. Maar goed...' ze haalde haar schouders op, 'ik heb mijn auto weer terug, en daar gaat het om, dus dank je wel.'

'Graag gedaan, mevrouw Liddell. En bij Solntsevskaja weten ze dat ze dat jullie niet meer mogen flikken.'

Het was geen loze praat. Alice nam het terugbrengen van de auto voor wat het was: een gebaar van vriendelijkheid, natuurlijk, maar ook een glimpje van de ontzagwekkende macht waarover Lev beschikte. 'Dat geloof ik graag.'

Hij keek op zijn horloge. 'Wilt u me excuseren? Ik moet de fabriek in.'

'Ik ga met u mee.'

'Nee, ik ben zo terug, en ik weet zeker dat je hier genoeg te doen hebt.' Alice voelde zich als een stout kind dat terechtgewezen wordt. 'Sabirzjan zal Harry vandaag of maandag de boeken geven,' voegde Lev eraan toe. 'Op mijn woord.'

Hij raakte even haar hand aan en was verdwenen.

Over de privatisering waren ze het eens geworden, Harry zou de boeken krijgen; ze begonnen waarachtig vorderingen te maken, dacht Alice, en geen dag te vroeg. Het was nu bijna een maand geleden dat ze met Borzov en Arkin had kennisgemaakt – waar waren al die dagen gebleven?

Alice drentelde wat door de zijkamer, waar Galina als een razende op een oude typmachine zat te ratelen. 'Misschien zou je me kunnen helpen, Galja,' zei ze, en Galina keek op met een blos van opwinding. 'Ik heb honderdvijftig mensen nodig – slimme, intelligente, eerlijke mensen – die meehelpen op de dag van de veiling, maar ik heb noch de tijd noch de middelen om een advertentie te zetten en met duizenden sollicitanten te praten.'

'Dat regel ik wel,' zei Galina onmiddellijk. 'Laat het maar aan mij over.' Toen ze de twijfel op Alice' gezicht zag, ging ze snel verder. 'Ik heb vrienden, en daar weer vrienden van, mensen met wie ik heb gestudeerd – die zouden er hun rechterarm voor over hebben om aan zoiets mee te mogen doen, echt.'

Misschien was het een belangenconflict, misschien niet. Alice had geen tijd en ook geen zin om zich daarin te verdiepen, zolang Galina maar wilde helpen. 'Dat zou geweldig zijn. Bedankt, Galja; ik sta bij je in het krijt.'

'Ik doe het graag.'

Alice liep terug naar Levs kantoor, ging voor het binnenraam staan en keek neer op de fabrieksvloer. Vandaag was het betaaldag, de laatste vrijdag van de maand, en een lange rij – een typische sovjetwachtrij, dacht Alice – liep vanaf het loket van de kassier tussen kolommen zuilen en vaten door.

Ze zag dat de kassier de naam van een werknemer op een lijst controleerde – een duurzame kopie, natuurlijk, Rode Oktober moest nog wel meer dan één teen in de angstaanjagende wateren van de informatietechnologie steken – het salaris van platgedrukte stapeltjes roebels uittelde, en het geld in een metalen bakje onder het ruitje schoof. De werknemer – toen werd Alice' aandacht pas goed getrokken – liep daarna naar Sabirzjan, die een paar stappen verderop stond, haalde een paar biljetjes van zijn stapeltje, en overhandigde die aan Sabirzjan voordat hij wegliep.

Vreemd, vond Alice, hoewel er waarschijnlijk een volkomen onschuldige verklaring voor was. Misschien had Sabirzjan de man wat geld geleend en wilde hij dat nu terug; misschien was het geld voor een zeldzaam artikel dat

Sabirzjan, met al zijn contacten, voor de man had kunnen regelen.

Ze zag de volgende man in de rij hetzelfde doen, en degene daarachter weer, en daarna de een na de ander.

Lev kwam in beeld en liep door de stokerij naar Sabirzjan die hem, terwijl hij het geld incasseerde met de onbewogenheid van een Romeinse officier, nauwelijks leek op te merken. Lev zei iets tegen Sabirzjan; Sabirzjan zei iets terug, zijn aandacht nog steeds gericht op de smekelingen.

Alice wilde net zelf ook naar beneden gaan, toen ze zag dat zich een derde man bij het groepje aansloot. Hij zag er vriendelijk uit, maar zijn komst veroorzaakte onmiddellijk een bepaalde spanning. Lev schudde hem bereidwillig de hand, maar voor Sabirzjan leek dat gebaar een enorme inspanning.

Lev nam de man een paar meter mee, naar de zijkant van de hal. Sabirzjan draaide hun de rug toen en ging door met geld innen. Op de opengevallen plek had zich een kleine rij gevormd.

Alice draafde vlot naar beneden.

In het midden van de deur onder aan de trap die uitkwam in de stokerij was in het midden een rond ruitje op ooghoogte. Het leek of het ruitje afgeplakt was, en Alice wilde net de kruk pakken toen ze stemmen achter de deur hoorde. Ze besefte dat het ruitje niet was afgeplakt, maar verduisterd werd door de rug van Lev, die tegen de deur leunde.

Toen ze de toon hoorde waarop de mannen spraken, bleef Alice stokstijf staan. Ze maakten ruzie. Het zweet brak haar uit bij de gedachte dat ze hen hier stond af te luisteren, terwijl ze probeerde de herinnering te verjagen aan de tijd dat ze als klein kind de trapleuning in haar geboortehuis in Boston vastklemde en getuige was geweest van de ruzies van haar ouders – haar vader nuchter, haar moeder stomdronken.

'Laten we niet vergeten wat het belangrijkste is.' Dat was de andere man; Levs stem zou ze zeker hebben herkend. 'Hoe sneller die moorden ophouden, hoe beter, voor ons allebei.'

Het duurde nog een uur voordat Lev terugkwam naar zijn kantoor. Al die tijd werd Alice geplaagd door haar nieuwsgierigheid. Ze zat met zoveel vragen dat ze amper wist waar ze moest beginnen, en ze wist niet of ze de antwoorden die ze zou krijgen, eigenlijk wel wilde horen.

'Wat stelde dat allemaal voor?' zei ze, toen hij eindelijk terugkwam.

'Wat stelde wat allemaal voor?'

Ze gebaarde naar de fabriekshal. 'Sabirzjan, die van iedereen geld kreeg.'

'O, dat.' Hij wuifde met een hand in de lucht. 'Dat is standaardprocedure.'

'Ik heb het nog nooit ergens anders meegemaakt.' Alice wilde zeggen dat het intimidatie was, maar in het Russisch is daar geen woord voor. Het is heel erg westers om te zeggen dat het niet eerlijk is als een machtig persoon iemand met minder macht bedreigt; in Rusland gebeurt alles via intimidatie.

'Ik heb nu geen tijd om het je uit te leggen, maar het is allemaal volkomen normaal. Verder nog iets?'

Als Lev iets meer had losgelaten over Sabirzjan, zou Alice het daar misschien bij hebben gelaten, maar er was weinig waar ze zo'n hekel aan had als in het duister te moeten tasten, en haar woede gaf haar moed.

'En wat was dat, over die moorden?' vroeg ze.

Lev probeerde eromheen te draaien en te ontkennen, maar Alice liet zich niet van de wijs brengen. Het duurde een kwartier voor hij zich liet overhalen haar te vertellen over de voorvallen bij Prospekt Mira, zo snel en beknopt mogelijk, en vooral met de bedoeling de blik van afschuw van haar gezicht te kunnen wegnemen. Hij nam haar mee naar het raam en wees op German Kullam. Hij had het haar niet willen vertellen, zei hij, om verschillende redenen. Wat ze met Rode Oktober wilden doen was ingewikkeld, en nog niet eerder gedaan. Hij wist dat ze in het Westen wilden dat het project slaagde, maar hij wist ook hoe overgevoelig westerlingen konden zijn, en hij had de situatie niet nog gecompliceerder willen maken.

'*Gecompliceerd?*' Alice deed niet eens haar best om haar sarcasme te verbergen. 'Er worden kinderen vermoord, waarschijnlijk door een Tsjetsjeense warlord die jullie onder druk wil zetten, en jullie noemen dat *gecompliceerd?*' Ze keek van hem weg, ze had het gevoel alsof ze bedrogen werd door een minnaar; diezelfde verontwaardiging dat zij er als laatste achter kwam, dezelfde doffe verwachting dat er misschien nog wel meer was dat ze niet wist. 'Vond je niet dat ik dat had moeten weten?'

Lev haalde zijn schouders op. 'In Rusland is het niet van belang wat je wel of niet moet weten, mevrouw Liddell; het enige dat ertoe doet is wat je wéét.' Hij wilde haar hand pakken; zij trok hem snel terug. 'Alstublieft, mevrouw Liddell. Dit gaat over mijn kinderen. Niet mijn biologische kinderen, natuurlijk. Maar het is mijn plicht om die jonge mensen te beschermen, en ik faal daarin. Zie je dat dan niet? Ik heb het je niet verteld omdat ik me zo schááám.'

Ze keek hem aan; ze kon bijna door hem heen kijken. 'Ik schaam me,' herhaalde hij, zachter nu, en ze wist dat hij het meende. Een man die zich de liefde van een vrouw en kinderen ontzegde, had in plaats daarvan van andere kinderen gehouden, op zijn eigen aarzelende, onzekere manier, alsof ze van hem zelf waren.

Alice wist dat ze zojuist een grens hadden gepasseerd. Ze was nog steeds vastbesloten om niets tussen hen te laten voorvallen. En er evenzeer van overtuigd dat ze, mocht het toch gebeuren, niet bij machte zou zijn om er weerstand aan te bieden.

'Wodka?' vroeg hij, en zijn stem trilde toen hij zich van haar afwendde om een fles uit de kast te halen. Ze knikte zonder iets te kunnen zeggen. 'Hier – een fles van de beste Tolstoi. Denk je dat hij daar de humor van zou hebben ingezien? Geheelonthouder – erger nog, iemand die onthouding predikte – en nu onsterfelijk geworden met wodka! Dat is bijna net zoiets als een synagoog vernoemen naar Adolf Hitler.' Hij gaf haar de fles. 'Schenk jij maar in.'

Alice' handen trilden zo ontzettend dat ze de fles bij de hals moest vasthouden om te voorkomen dat ze morste bij het inschenken. Ze was zich er vaag van bewust dat Lev door de kamer liep. Toen ze opkeek, liep hij al weer terug, en ze zag dat hij de deur had dichtgedaan – de deur, zo wist ze nog, die altijd open stond, *altijd*.

Hij bracht zijn lippen naar de hare, en ze bezweek.

Hij zag eruit alsof hij beschilderd was, van top tot teen. Zijn tenen waren okergele klauwen, zijn voeten smaragd- en saliegroen. Ranken van sleutelbloemen likten zijn kuiten tot aan de rode sterren op zijn knieën, waarvan elke punt een jaar gevangenschap symboliseerde. Hij zag Alice kijken.

'Niemand heeft me ooit op mijn knieën kunnen dwingen,' zei hij.

Hoelang duurde het om zo'n enorme man helemaal met tatoeages te overdekken? En hoe pijnlijk was dat? Tatoeëerders in de gevangenis beschikten niet over gekleurde inkt, wegwerpnaalden en steriele gaasjes; ze mengden verkoold schoenleer en gesmolten rubber met water, suiker en pis, scherpten stopnaalden aan de betonnen vloeren van de cel, en – als je geluk had – hielden ze even in een vlam voordat ze aan het werk gingen.

Ze smolt van verlangen en kromde haar lichaam terwijl hij met zijn vingertoppen over haar zijdezachte rug streek. Ze voelde zijn verlangen, zijn drang om in haar weg te zinken. Toen hij bij haar binnenkwam, vlogen zijn ogen open, niet alleen zijn oogleden maar ook zijn pupillen, alsof het om hen heen ineens donker was geworden.

Lev lag boven op haar, maar Alice voelde zijn gewicht niet. Ze voelde zich versuft en primitief, verzadigd en onverzadigbaar. Het was alsof ze zojuist haar huid had afgeschud, zodat ze alles veel intenser beleefde, onvoorstelbaar zwak en onvoorstelbaar sterk tegelijk.

Toen hij zich even bewoog, trok ze hem dichter tegen zich aan, als een kind na een nachtmerrie. In zijn nabijheid vervlogen haar ongemak, haar pijn, haar spanning; haar leven zoals ze het tot dusver kende.

'Ik heb op jou gewacht,' zei ze, en toen ze het had gezegd wist ze pas echt hoe waar dat was, alsof gedachten en woorden ook één geworden waren. 'Al heel lang, geloof ik.'

'Toen ik je voor het eerst zag,' zei hij, 'wist ik dat ik je al eerder had ontmoet. Ik kende je stem, je geur. Ik had je al geproefd voordat ik je had gekust. Ik hoefde je niet aan te raken om te weten hoe je aanvoelde. Je leeft ook in mij.'

'Misschien moet je me dan maar Alice gaan noemen,' zei ze, en samen lachten ze.

Alice liet haar auto bij de stokerij staan. Ze wilde frisse lucht. Nee, corrigeerde ze zichzelf, ze wilde eigenlijk een excuus om morgen weer naar Rode Oktober te kunnen. Bovendien was ze door de halve fles Tostoi die ze later samen hadden gedronken te dronken om te rijden, hoewel ze waarschijnlijk de enige in heel Moskou was die daar iets om gaf.

Ze liep aan de westkant van het Kremlin, waar de sneeuw dik op de hellingen lag die steil vanaf de imposante rode muren liepen. Onder de welwillende en toegeeflijke blikken van hun ouders waren een paar kinderen aan het sleetje rijden op dienbladen, vuilniszakken of gewoon op hun billen. Alice passeerde twee vrouwen die op een bankje zaten, met hun achterste op de rand van de rugleuning en hun voeten op de zitting waar de sneeuw tussen de latten samengepakt zat.

'Kinderen zijn de bloemen van het leven,' zei de een, terwijl ze naar de spelende kinderen keek.

'Ja – op het graf van hun ouders,' antwoordde de ander.

In het donker was het voor Alice alsof de straatlantaarns schitterden als zoeklichten, die alles kristalhelder maakten.

Een oude vrouw glibberde rustig voorbij, alleen haar hoofd en bovenlichaam waren zichtbaar boven de sneeuw die hoog langs het gras lag opgehoopt. Toen haar hele lichaam zichtbaar werd, zag Alice dat haar voeten razendsnel voortbewogen, in een razend tempo dat helemaal niet klopte bij het serene beeld van haar bovenlichaam. Alice dacht aan een zwemmende eend, kalm boven het water, maar daaronder razendsnel trappelend; ze dacht aan zichzelf.

Ze kwam bij het Graf van de Onbekende Soldaat. Het was vijf voor zeven, elk heel uur wisselde de wacht. Het leek haar een goed idee om naar de ceremonie te kijken, in de hoop dat daardoor haar hartslag iets zou afnemen. Ze stond bij de hekken en las de plaquette waarop stond dat de soldaat – *je naam is onbekend, je daden zijn onsterfelijk* – was omgekomen bij paal 41 op de weg naar het vliegveld, de plek waar het Rode Leger de Duitsers op hun weg naar Moskou had tegengehouden.

Het graf en de eeuwige vlam werden bewaakt door twee schildwachten in kleine glazen hokjes. Ze hadden een bajonet in hun rechterhand en hun voeten stonden op tien voor twee. Hun vervangers kwamen in ganzenpas, precies gelijk, aangelopen. Een stuk of twintig mensen hadden zich nu bij Alice gevoed, de meesten leken de laatste paar minuten ineens uit het niets opgedoken. Ze rook wodka, ze hoorde gegiechel en het sissen van blikjes frisdrank die geopend werden. En oude vrouw stond te huilen; misschien was ze haar man kwijtgeraakt aan de nazi's. Haar begeleider mompelde afkeurend over het gebrek aan respect van de jeugd.

Pas toen de wisseling had plaatsgevonden besefte Alice waarom er werd gelachen: de eeuwige vlam was uitgegaan.

Alice haalde een pakje kauwgom uit haar jaszak en stak er een paar in haar mond. Ze wilde niet dat Lewis wodka, of iets anders, rook.

De deur zat op de klink; hij was thuis. Ze haalde diep adem en liep naar binnen. 'Hallo,' riep ze, en haar stem klonk niet onvast. Ze luisterde ernaar alsof hij ergens van buiten haar hoofd was gekomen, en knikte bijna goedkeurend: ze had precies de juiste toon getroffen.

'Hallo,' riep hij terug. 'Ik ben in de slaapkamer.

Door zijn nietsvermoedende toon werd Alice zich ineens in alle hevigheid bewust van wat ze had gedaan. Lewis vertrouwde haar onvoorwaardelijk, en zij had dat vertrouwen geschonden. Wat haar het meest trof was de zorgeloze onwetendheid in zijn woorden; hij had er geen idee van wat er zojuist was gebeurd. En ook al had hij dat wel gehad, zou hij het dan hebben geloofd? Ondanks al zijn intellect en medische vaardigheden was Lewis in veel opzichten een naïeve ziel. Als hij zelf ergens niet toe in staat was, begreep hij niet hoe een ander dat wel zou kunnen. Verdorvenheid en immoraliteit waren hem vreemd. Lewis zou net min ontrouw kunnen zijn, als dat hij naalden in zijn ogen zou steken.

Alice voelde zich ineens verdorven. Ze was tekortgeschoten tegenover Lewis, tegenover haar huwelijk; tegenover zichzélf.

Ze liep de slaapkamer in en kuste Lewis licht op zijn lippen, eenmaal. Niet te heftig, niet te afstandelijk. Alweer, precies goed.

'Is er iets wat je voor me verzwijgt?' vroeg hij.

Het was alsof het leven voor Alice een ogenblik ophield te bestaan; alleen haar hart ging tekeer als een bezetene. Ze dwong zichzelf diep in te ademen, een poging om haar hartslag terug te brengen die ze vermomde als ergernis. 'Zoals wat?'

'Als je me iets niet vertelt, Alice, dan kan ik het ook niet weten. Of wel?'

Ze veranderde haar houding van niet begrepen ergernis in een van gekwetste verontwaardiging. 'Lewis, wat probeer je me nu duidelijk te maken? Ik ben zo laat thuis, omdat ik aan het werk was.'

'Dat bedoelde ik niet. Ik denk niet dat je een verhóúding hebt, schat. Althans, niet buiten die je al hebt.'

'Ik kan je niet volgen.' Ze geloofde het bijna zelf. 'Wat voor verhouding?'

'Hiermee—' Lewis reikte in de kast en haalde er een fles wodka uit. De opluchting was zo groot dat Alice bijna had willen overgeven, wat haar weer aan het lachen maakte. Ze kon wodka drinken tot het einde der tijden, maar de aanblik ervan deed haar bijna braken.

'O, díé.' Ze wuifde in de lucht. 'Die heb ik onlangs meegebracht, toen ik een blouse en een spijkerbroek in Neglinnaya ging kopen. Ik moet hem daar hebben gelegd tijdens het uitpakken, en toen ben ik hem zeker vergeten.' Ze schaamde zich voor de leugen, maar ze was ook trots om het gemak waarmee ze die opdiste. Lewis krabde een van zijn bakkebaarden; hij was niet overtuigd. 'Kom nou,' drong Alice aan. 'Die fles is niet eens open!'

'Het lag verstópt onder je kleren.'

'Hij lag niet verstopt.'

'Hij lag onder een hele stapel truien.'

'Heb je in mijn kast lopen zoeken?'

'Je hebt hem opzettelijk verborgen.'

'Ik vroeg, heb jij in mijn…?'

'Alice!' Ze schrok op van de onverwachte scherpe toon in zijn stem.

Ze zuchtten bijna in stereo. 'Goed dan,' zei Alice. 'Ik heb hem inderdaad verstopt.'

'Bedankt. En waaróm heb je hem verstopt?'

'Omdat jij vindt dat ik te veel drink.'

'Maar je drínkt ook te veel.'

'Ik heb hem verstopt omdat ik niet wilde dat jij boos werd. Ik besefte dat we al wodka in huis hadden, en ik wist niet wat ik ermee aan moest, dus heb ik hem daar verstopt en daarna glad vergeten. Ik had hem niet moeten kopen, als je dat wilt horen. Ik had hem niet moeten kopen.'

'Maar waarom heb je het dan gedaan?'

'Ik zei het toch al, ik dacht dat we geen wodka meer in huis hadden. En bovendien heb ik een paar klotedagen gehad op mijn werk. Dat is nu allemaal achter de rug. Het gaat de goede kant op, de druk is even van de ketel.'

'Ik begrijp niet waarom je zoveel drinkt.'

'Ik begrijp niet waarom je daar zo moeilijk over doet.'

'Met mij is er niets aan de hand.' Hij vouwde zijn armen over elkaar. 'Dat ik niet zo graag bezopen raak als jij, wil nog niet zeggen dat er met mij iets mis is. Ik ben alleen niet iemand die zich zo moet laten gaan.'

Ik wel, dacht Alice – ik wel.

34

Er was een schietpartij van de maffia geweest in het Intourist Hotel aan Tverskaja, en de verkeerschaos rond het Rode Plein was erger dan normaal. Zoals in het klassieke geval van de put die wordt gedempt nadat het kalf is verdronken, had de politie pas nadat iedereen nog twee uur lang ongehinderd het hotel in- en uit had kunnen lopen, de wegen een halve kilometer in de omtrek afgezet. Nu was de politie bezig met een zinloze speurtocht naar aanwijzingen, en renden ze rond het mausoleum van Lenin alsof ze hem daar levend zouden aantreffen.

Alice was boos, niet alleen om het getreuzel maar ook op Lev. Hij was sinds ze de Mercedes was gaan halen niet meer bij Rode Oktober geweest. Niet dat ze zou hebben geweten wat ze tegen hem moest zeggen in het kille, nuchtere licht van een winterse ochtend, maar ze had graag de mogelijkheid gehad om als een dwaze tiener die geen woord kon uitbrengen tegenover hem te staan. In elk geval was ze absoluut niet in de stemming om urenlang in het verkeer vast te zitten.

De verkeersopstopping was nog erger dan na een ongeluk in Boston, waarbij bestuurders stapvoets gingen rijden om zich te kunnen vergapen aan wat er aan de andere kant van de weg was gebeurd. Alice ontweek de file met een scherpe bocht naar links, en reed een zijstraat in waar ze volgens een verkeersbord niet in mocht. De straat was leeg en ze was al bijna aan het eind toen een verkeersagent ineens tussen twee geparkeerde auto's opdook en als een majorette met zijn stok zwaaide. 'Stop!'

Haar eerste opwelling was om net te doen alsof ze hem niet had gezien, maar als haar ogen zo slecht waren, zou ze niet eens in de búúrt van een auto mogen komen. Bovendien zou de agent het gewoon doorgeven aan zijn collega verderop, en dan zou ze het dubbel zwaar te verduren krijgen. Ze stopte, en de agent grijnsde toen hij haar gele nummerteken zag; buitenlanders zijn gemakkelijke prooien aangezien die meestal over meer geld dan tijd beschikken. Harry hield er al rekening mee dat hij één keer in de veertien dagen werd aangehouden, Bob eenmaal per week – het was een smerig zaakje, vond hij. In elk geval waren haar nummerborden schoon, dacht Alice. Bij het kleinste modderspatje verschenen er al dollartekens in de ogen van de agenten.

Alice haalde de autopapieren achter de zonneklep vandaan en haar eigen papieren uit haar tas, en controleerde automatisch of ze alles had: het *techpasport*, waarin haar naam en kenteken vermeld stonden; het *techosmotr*, waarin bevestigd werd dat haar auto geschikt was om in te rijden (waarmee het de bestverkopende fictie van het land was); haar internationale rijbewijs, op de bladzijde in cyrillisch schrift; en haar Russische visa en werkvergunning. De agenten willen altijd alles zien, en als er iets ontbreekt of verlopen is, dan kun je lopen naar huis en wordt je auto overgelaten aan de genade van Moskovieten. 'Zonder papieren,' zeggen de Russen, 'ben je niets.'

Ze stapte uit de Mercedes en liep op de agent toe. Soms kun je het beste de domme buitenlander uithangen in de hoop dat ze er genoeg van krijgen om geld van je af te troggelen, maar meestal is het het eenvoudigst om te betalen wat ze vragen zodat je verder kunt rijden. Je kunt wel in opstand komen, maar dan nemen ze je rijbewijs in beslag en moet je toch betalen om het weer terug te krijgen. Het is het gedoe allemaal niet waard – en dat is tevens vrijwel zeker de reden waarom het zover heeft kunnen komen.

De neus van de agent was zo krom als een augurk en groot genoeg om zijn gezicht in tweeën te splijten. Zijn trekken waren zo gewend aan verwerpelijk gedrag dat er weinig menselijks uit sprak. Alice keek naar de penning op zijn revers: Oevarov, Grigori Edoeardovitsj.

'Dit is eenrichtingsverkeer,' zei Oevarov.

'En hoeveel kanten hebt u me op zien rijden?'

De grap kwam niet over. Hij hurkte neer naast de bumper. 'Uw koplampen doen het niet goed.'

'Mijn koplampen doen het uitstekend.'

'Rijbewijs.' Oevarov stak zijn hand al uit. Zijn ogen gleden langzaam over het papier. 'Wat is uw nationaliteit?'

'Ik ben een dronkaard.'

'Wat?'

'Dat is uit *Casablanca*. majoor Strasser vraagt aan Rick Blaine...'

'Aha, *Casablanca, Casablanca*.' Hij schakelde over op slecht Engels, iets vrolijker gestemd. '"*Here's looking at you, kid*."'

'Juist.'

'Honderd pop.' Hij sprak nu weer Russisch; de tijd voor grapjes was voorbij.

'Zullen we even in uw auto plaatsnemen?' Het is agenten verboden om in het openbaar geld aan te nemen. Hij haalde zijn schouders op; er was niemand in de buurt, dus het kon net zo goed hier. Alice gaf hem vijf brief-jes van twintig; Oevarov likte aan zijn vinger en telde ze na.

'Wilt u wat kaviaar?' vroeg hij. 'Ik heb wat in de auto liggen. Niet duur.'

'Nee, bedankt.'

'Heel goedkoop. Heel goede kaviaar – Kaspische. Niet die troep uit het Verre Oosten.'

Alice schudde haar hoofd. Oevarov haalde weer zijn schouders op. 'Goed dan. Honderd dollar, voor het tegen de richting in rijden en voor de kapotte koplampen.'

'Ik zei u al, mijn koplampen doen het uitstekend.'

Hij maakte een snelle beweging naar voren en dreef zijn stok in de lamp. Versplinterd glas viel op zijn schoen. 'U koopt mijn kaviaar niet, en uw koplampen zijn echt kapot.' Hij gaf haar een kaartje. 'Dit is het telefoon-nummer van mijn broer. Hij heeft een garage in Dolgoroeskovskaja. Hij zal het voor weinig geld repareren. Ga er niet meer naar die oplichters in die grote garages, die zetten je verschrikkelijk af.'

Alice pakte het kaartje aan en draaide het om. Achterop schreef ze Oeva-rovs naam en het nummer van zijn penning. 'Grisja' – ze gebruikte met op-zet het verkleinwoord – 'ik werk voor het IMF, en ik rapporteer alles aan Ni-kolaj Valentinovitsj Arkin. Ik zal dit incidentje ook aan hem melden, en ik heb het idee dat ik jou alleen ooit nog te zien krijg als ik op zoek ben naar een parkeerplaatsje in Tomsk.'

Oevarov keek geschokt. Alice liep terug naar haar auto en stapte in.

'Mijn broer doet het gratis,' zei hij. Hij zag bleek. Alice reed een klein stukje achteruit, imiteerde zijn schouderophalen – niet veel meer dan een schokje – en reed weg van in een bocht die groot genoeg was om zowel Oe-varov als de glassplinters waar hij voor verantwoordelijk was te omzeilen.

Alice wist dat mensen bij de politie heel weinig verdienden en afhanke-lijk waren van afpersing om aan de kost te komen. Ze misgunde Oevarov zijn geld niet – per slot van rekening had ze inderdaad een overtre-ding begaan – maar dat hij haar koplamp kapot had geslagen omdat ze geen kaviaar van hem wilde kopen ging haar net iets te ver. Daarom had ze zijn naam genoteerd. En ze zou het incident inderdaad doorgeven aan Arkin, natuurlijk. Ze was nu lang genoeg in Rusland om te weten dat je nooit een dreigement moet uiten zonder het daadwerkelijk uit te voeren. Belangrijker nog, je moest nooit iets dokken zolang je niet wist met wie je te maken had. Het was Oevarovs eigen schuld als hij dat had verzuimd.

35

Sabirzjan was meteen na het ontbijt op weg gegaan. Irk, die krap tien minuten daarvoor langs de weg had geparkeerd, kreeg het idee dat het zo had moeten zijn. Hij zette de versnelling in z'n een en volgde Sabirzjan door het rustige zondagse verkeer, en lette er intussen goed op dat er ten minste één auto tussen hen bleef; Sabirzjan was bij de KGB getraind in allerlei achtervolgingstechnieken, en hij zou Irk zonder veel moeite herkennen in zijn achteruitkijkspiegeltje. Irk had er geen idee van waar Sabirzjan naartoe ging of zelfs of deze rit iets zou opleveren, maar hij had in elk geval het gevoel dat hij iets nuttigs deed, en dat was het belangrijkste.

Irk volgde Sabirzjans zilverkleurige BMW helemaal tot aan Chlebni, waar Sabirzjan een appartementengebouw vlak bij de Egyptische ambassade in ging. Irk was al half uit zijn auto toen hij zich bedacht. Er zouden minstens vijftig woningen in dat gebouw zijn, en het was onmogelijk om erachter te komen waar Sabirzjan naar binnen was gegaan zonder je te laten zien. Dus bleef hij wachten, als een rustende jager. De winkels in de buurt hadden hun deuren volgehangen met aanplakbiljetten waarop stond dat er alleen met dollars betaald kon worden. Gorbatsjov had de Nobelprijs moeten krijgen voor scheikunde, dacht Irk; hij had van de roebel stront weten te maken.

Sabirzjan kwam veertig minuten later naar buiten. Irk lette op of hij vrolijk keek of juist woedend, maar kon van geen van beide iets bespeuren. Sabirzjan gaf niets prijs, zelfs als hij dacht dat hij alleen was. Hij stapte weer in de auto en de achtervolging begon opnieuw: in westelijke richting naar het Koedrinskaja-plein, toen naar het noorden over de Tuinring, linksaf naar Krasina en daarna weer links in de richting van de dierentuin. Weer een flatgebouw, weer een bezoekje; weer wachten in de auto waarbij Irk niets beters had te doen dan het adres noteren en speculeren wie Sabirzjan daar zou bezoeken. Familieleden, hoeren, vrienden – Irk had geen idee.

Vrienden? Had een man als Sabirzjan *vrienden?*

Irk dacht erover naar Petrovka te bellen om versterking te vragen, voor het geval Irk werd opgemerkt, of daar iemand te vragen uit te zoeken wie er in die flats woonden. Hij tastte in zijn zakken naar muntjes van twee kopeken, maar vond er geen. Met de huidige inflatie waren telefooncellen de enige plek waarvoor kopeken nog dienst deden. Ondernemende baboesjki verkochten er stapels van voor het postkantoor; tien munten van twee kopeken voor dertig roebel, honderdvijftig keer zoveel als ze waard waren!

En ook al had hij het kleingeld gehad, bellen had eigenlijk weinig zin. Petrovka had nauwelijks voldoende mannen beschikbaar om een onderzoek in te stellen naar een half brood. Irk kende rechercheurs die niets beters te doen hadden dan verdachte figuren volgen in de bus, waarbij ze gebruik moesten maken van telefooncellen in plaats van radioverbindingen, en daarbij zelfs buitenlandse journalisten opdracht gaven hen op hun patrouille te begeleiden. Volgens de huidige plannen voor vervanging van de apparatuur, zou het vijfentwintig jaar duren voordat de politie een installatie had waarmee ze het konden opnemen tegen een halfwas gangster. Vijfentwintig jaar! Over vijfentwintig jaar vierden ze het eeuwfeest van de revolutie.

Het probleem was structureel, bedacht Irk: Russen wisten geen raad met misdaad. Door criminelen af te beelden als 'sociaal gevaarlijk', hadden de sovjets de misdaad op één lijn gesteld met politiek. Als het socialisme werd geperfectioneerd, zo luidde de theorie, zou de basis voor de misdaad – en daardoor natuurlijk de misdaad zelf – geleidelijk verdwijnen. Vandaar dat ze er geen heil in zagen om geld uit te geven aan modernisering van de politie, het opleiden van openbare aanklagers of het verbeteren van de gerechtshoven. Het was institutionele blindheid op grote schaal, en het waren mannen als Irk die ervan te lijden hadden. Hoe kon hij zijn werk goed doen als hij alleen maar hier en daar een stukje kon vinden? Het was alsof hij in zijn eentje op de tast een legpuzzel moest maken.

Hij was zo in gedachten verzonken, op het randje van zelfmedelijden, dat het hem bijna ontging dat Sabirzjan uit het flatgebouw kwam aan de kant van Zoologitsjeskaja. Met slippende koppeling en piepende banden racete hij achter zijn prooi aan. De jacht, of wat daarvoor doorging, nam de hele ochtend en lunchpauze in beslag, met een trage stoet van straatnamen en huisnummers: Petrovski, Zvonarski, Kolokolnikov, Ipatevski. Bij de zevende bestemming, net toen Irk op het punt stond om de zaak af te doen als tijdsverspilling – maar wat had hij anders aan gemoeten met deze dag? – boekte hij een succesje. Sabirzjan reed over Bolsjaja Ordinka, langs het Klooster van Martha en Maria, en ging juist parkeren toen Irk zich herinnerde dat hij hier al eens eerder was geweest. Hier woonde German Kullam.

Sabirzjan stapte uit en liep de trap op naar het gebouw waar de Kullams woonden. Irk hield net genoeg afstand om er zeker van te zijn dat het om hetzelfde gebouw ging, keerde vervolgens en reed naar huis.

De jongen die het boekenstalletje bemande in de straat waar Irk woonde, stond net in te pakken toen Irk aankwam.

'Zit het er weer op voor vandaag, Nikoelsja?' vroeg Irk.

'Ik heb het helemaal gehad. Ik stop ermee.'

'Stop je? Russen lezen toch graag?'

'Boeken zijn duur, inspecteur, en levensmiddelen nog duurder. Kun je boeken eten?'

'Wat ga je nu doen?'

'Ik overleef het wel.'

Irk wenste hem succes en ging zijn flat binnen, blij dat hij weer thuis was. Hij voelde zich altijd een stuk lichter wanneer hij door de voordeur naar binnen liep. Misschien werd hij toch meer Rus dan hij wilde toegeven; het huis van een Rus is meer dan een ruimte waar hij in woont, het is zijn heiligdom, zelfs als het zo'n anonieme woning is als die van Irk. Hij had maar weinig nieuwe spullen, en die waren ook nog eens bijna niets waard. Zijn bank deed tevens dienst als bed, zijn telefoon was nog zo'n oud model met een draaischijf en zijn boeken waren oud en gehavend. Volgens de traditie moet een gastheer alles wat een bezoeker prijst aan hem wegschenken, maar hier was de kans dat dat gebeurde heel klein. Irk had alleen maar troep, en hij kreeg nooit bezoek.

Het politiedossier van Sabirzjan lag in de la van Irks bureau. Het had natuurlijk eigenlijk in Petrovka moeten zijn, maar hier was het veiliger. Als Sabirzjan genoeg connecties had om zich vroegtijdig te kunnen vrijwaren van verder verhoor, had hij vast ook wel genoeg connecties om zijn dossiers te laten verdwijnen.

Irk bladerde door het dossier – zijn eigen verslagen, foto's van Sabirzjans appartement en kantoor, allerlei correspondentie – totdat hij de lijst met informanten vond die hij uit Sabirzjans stukken had gefotokopieerd. Hij ging met zijn vinger langs de rij met adressen – ze stonden natuurlijk alfabetisch gerangschikt; dat kon je wel aan Sabirzjan of aan Irk overlaten – en de namen schoten voor zijn ogen op als doelen op een schietbaan:

Bolsjaja Ordinka, 328/34 – Kullam, German G.

Zvonarski, 96/8 – Doerakov, Filipp V.

Zoologitsjeskaja, 263/52 – Ossipov, Innokenti S.

Ipatevski, 14/25 – Moesjkin, Alexei D.

Kolokolnikov, 58/2 – Toepikov, Mark S.

Petrovski, 82/11 – Zaitsev, Otar K.

Chlebi, 47/9 – Serdzekorol, Vasili M.

Geen familieleden, hoeren of vrienden. Sabirzjan had een bezoek gebracht aan zijn informanten. Irk voelde een steek van opwinding over deze ontdekking, en meteen daarna alweer de milde anticlimax van de teleurstelling. Sabirzjan had dus zijn informanten bezocht; nou en? In sommige opzichten zou het vreemd zijn geweest als hij dat niet had gedaan. Maakte het enig verschil voor Irks jacht op wie het ook was die die drie kinderen had omgebracht? Voorzover hij kon overzien niet. Misschien wilde Lev graag weten wat Irk had ontdekt. Maar als Lev dat zo graag wilde weten, dacht Irk, dan ging hij zelf maar achter Sabirzjan aan.

Irk maakte kippensoep en pasteitjes in de vorm van schuitjes, en zette de televisie aan, waarna hij de kanalen langs zapte op zoek naar een programma zonder reclame. De sovjettelevisie had reportages laten zien van bedelaars die op zoek waren naar eten in vuilnisbakken in New York, of van mijnwerkers in Yorkshire die slaags waren met de politie; de moderne Russische televisiestations zonden reclamespots uit voor pinautomaten en vaatwasmachines. Weinig kijkers hadden de nieuwsreportages geloofd; iedereen wilde dat de reclameboodschappen waar waren.

36

'Goedemorgen, mevrouw Liddell. Ik geloof dat ik u een verklaring verschuldigd ben.'

Levs toon was beleefd, niets meer en niets minder, en er lag een onverschilligheid in die Alice diep kwetste. Beleefd ben je tegenover cliënten en
kennissen, dacht ze, niet tegenover iemand met wie je naakt in dit kantoor
had gelegen. Hij had het woord 'verklaring' gebruikt, en in gedachten ver-
drong ze de betekenis daarvan, ook al kwam die keihard bij haar aan. Voor
Alice betekende het woord 'verklaring' meestal 'excuses'.

'Ik dacht dat we hadden afgesproken dat je me Alice zou noemen.' Ze
moest zich zo beheersen dat haar stemde trilde; angst, woede en tranen verdrongen elkaar.

'Je vroeg wat er aan de hand was met de arbeiders.' Hij was mijlenver van
haar verwijderd, even ver als een beeld op Paaseiland. 'Het is heel eenvoudig. Het geld dat ze aan Sabirzjan gaven, was afkomstig uit verschillende
bronnen.' Hij telde ze af op zijn vingers. Alice wilde dat ze de kracht had
om over de tafel heen te reiken en ze een voor een te knakken. 'Bonussen
die ze hebben verdiend, vergoedingen van de vakbond, beloningen voor efficiënte voorstellen, fictief loon voor fictief werk.'

'En waarom geven ze dat dan verdomme aan jou?'

'Omdat het om te beginnen niet echt van hen is, en omdat ik er zelf niet
rijk van word.'

'Ja ja.'

'Twijfel je aan me? Twijfel je aan mijn integriteit, Alice?' Hij spoog haar
naam uit, ze werd misselijk. 'Dat geld is voor steekpenningen en geschenken aan leveranciers en aannemers; dat geld is dus nodig voor de toekomst
van deze fabriek. Geen steekpenningen betekent geen vergunningen, geen
grondstoffen, geen detailhandel. Geen steekpenningen betekent geen
werk. Ze krijgen hun loon, maar hun loon wordt niet volledig uitbetaald,
totdat het plan werkt, en het plan kan niet werken zonder noodgrepen.'

Het plan – dat was de manier waarop het hele bedrijfsleven in de Sovjet-

Unie had gedraaid. Alles was gepland, geen detail werd overgeslagen: wat er geproduceerd moest worden, tegen welke kosten, van welk materiaal, voor welke prijs, voor welke klanten, in welk tijdsbestek, met hoeveel werknemers en tegen welk salaris. Het plan. Voor de atheïsten van het centrale communisme was het de oppergodheid geweest; voor de hogepriesters van het kapitalisme was het het werk van de duivel.

'Dat is nou net het soort rottigheid waar met de privatisering een eind aan zal komen.'

'Misschien, maar tot die tijd gaat alles gewoon zo door als altijd. Als ik dit niet deed, zouden mijn arbeiders honger lijden.'

'Je ben leider van een georganiseerde bende. Je zou hun uit je eigen zak kunnen betalen.'

'Zij krijgen meer van mij dan ik van hen.'

'Dat is gelul.'

'Zo wil jij het graag zien, hè? Ken je het gezegde *ne pesj, ne masj* – als je niet drinkt, hoor je niet bij ons? In dit geval is het iets anders. *Ne beresj, ne masj*: als je geen smeergeld aanneemt, hoor je niet bij ons. Of we onderwerpen ons aan de wetten der corruptie die de hele handel bepalen, of we worden van dat systeem uitgesloten.'

'Dat systeem is verleden tijd.'

'Dat systeem leeft nog volop, en hoe sneller je dat beseft, hoe beter.'

Lev had Alice, Bob en Harry een van de betere kantoren van de stokerij gegeven, en Alice bracht tien minuten door op het damestoilet voordat ze daarnaar terugging. 'Beter' was in dit geval een louter relatief begrip. De fluorescerende banen op het plafond zetten de kamer in een melkachtige gloed die de gebreken extra benadrukten. Het kantoor was niet groter dan twee meter breed, en de muren waren vlekkerig grijs geschilderd. Zelfs de koolgeur leek hier sterker dan normaal.

In het Westen zijn managers gewend aan grote kantoren met getint glas en glimmend staal; dit kantoor zou zelfs in een studentenblad uit de toon gevallen zijn, maar Alice vond het prachtig. Het had dat kleinschalige dat volgens haar goed paste bij de metamorfose die zij zou helpen bewerkstelligen. De Franse Revolutie was begonnen op een tennisbaan; de nazi's waren bijeengekomen in een bierkelder in München; de bolsjewieken zelf hadden hun plannen gesmeed in Tottenham Court Road in Londen. Grote veranderingen vroegen om niet voor de hand liggende plaatsen, vond ze.

Bob was nergens te bekennen. Harry kroop op handen en voeten onder een bureau dat nauwelijks zichtbaar was onder de enorme stapels papieren. 'Wat ben jij nou verdomme aan het doen, Harry?' zei Alice.

'Ik zoek mijn pen.'

'Harry, er is maar één deel van je te zien, en het is nogal lastig om daar tegenaan te praten.'

Harry kroop achterwaarts tevoorschijn, stond op en veegde het stof van zijn pen. 'Alles goed met je?' vroeg hij.

'Uitstekend. Hoezo?'

Hij nam haar aandachtig op. 'Je ziet er wat… afwezig uit, zou ik zeggen.'

Ik zou het hem moeten vertellen, dacht Alice. Harry en Bob hadden het recht om te weten dat er kinderen vermoord werden als gevolg van wat zij hier aan het doen waren. Ze moest het hem eigenlijk vertellen – en ze deed het niet, omdat ze wist hoe hij zou reageren. Lev had gezegd dat westerlingen overgevoelig waren, en hij had gelijk. Als Harry of Bob ermee wilden stoppen – en minstens een van hen zou dat zeker doen – dan was Alice weer terug bij af, en dat kon ze zich niet veroorloven, niet nu ze nog maar zo weinig tijd hadden.

Ze veranderde van onderwerp. 'Hoe ver ben je met de boeken?'

'Ik begrijp een op de tien woorden, en dat zijn dan waarschijnlijk ook nog eens allemaal leugens.'

'Zoek maar een opname van Brezjnevs toespraken, dan wen je er snel genoeg aan.'

Harry haalde zijn schouders op. Alle informatie die hij uit de boekhouding kon halen was waarschijnlijk onvolledig, misleidend, niet ter zake doend, of alledrie. Volgens de wet moest de beoordeling worden gebaseerd op de boekwaarden voor vaste activa, vlottende middelen, opvorderbare passiva, netto vlottende middelen, netto goederen en kapitaal, maar al die feiten waren ernstig verdraaid. De boekwaarden werden van oudsher te hoog weergegeven om de indruk te wekken dat de productiedoelen waren bereikt en de quota's gehaald; deze cijfers dateerden van nieuwjaarsdag, en lieten daaruit voortvloeiende inflatie dus buiten beschouwing.

Het ontcijferen van een Russische boekhouding was meer een kunst dan een wetenschap. De Russische boekhouding was nog steeds gebaseerd op het sovjetmodel, bedoeld om misbruik van staatsgelden op te sporen in plaats van informatie te verschaffen over de bedrijfsresultaten. In een populaire sovjetmop liet de directeur van een onderneming kandidaten solliciteren naar de functie van hoofdboekhouder. Hij stelde aan elke kandidaat dezelfde vraag: 'Hoeveel is een plus een?' De man die de baan kreeg was degene die antwoordde: 'Hoeveel hebt u nodig, kameraad directeur?'

In het Westen zijn immateriële goederen meestal minder belangrijk en gemakkelijk te hanteren. Hier was de situatie omgekeerd. Hoe kon Harry de cashflow beoordelen wanneer bij de meeste bedrijfsonderhandelingen briefjes met beloften, ruilhandel en onbetaalde rekeningen werden gebruikt? Hoe kon hij de waarde bepalen van clandestiene zaken? Hoe konden de groeicijfers serieus genomen worden als iedereen tot overdrijven werd aangespoord?

Er natuurlijk steeds van uitgaande dat Harry de echte boekhouding in handen had gekregen.

Praktisch elk Russisch bedrijf houdt er twee boekhoudingen op na: de officiële, die naar de autoriteiten wordt gestuurd en op grond waarvan belasting wordt betaald (of, liever gezegd, niet wordt betaald); en de officieuze waarin ook de niet-genoteerde transacties vermeld staan. De Russen noemen dat 'boekhouding buiten de brandkast'. Een zakenman bepaalt hoeveel onderhandelingen er legitiem worden verricht en hoeveel niet legitiem, en de verhouding betaling en ruilhandel komt later wel.

Voor een accountant is het gegoochel met de cijfers een nachtmerrie. Wat er op papier slecht uitzag, kon er veel beter uitzien met beschikking over alle informatie. Het kon er ook veel, veel slechter door uitzien.

'Je weet hoe boekhouders zijn,' zei hij. 'Als we iets niet kunnen berekenen, bestaat het niet.'

'Geef alles groen licht, behalve als het totale waanzin is.'

'Dat is belachelijk, Alice.'

'Dat is het ook,' zei ze, hem een lesje lerend dat ze zelf nog niet onder de knie had. 'Heb je daar de loonlijst?'

Harry trok een dossier uit een stapel documenten, waarvan hij de bovenkant vasthield met zijn ene hand. 'Alsjeblieft. Kijk uit voor het rubbertje dat de hele boel bij elkaar houdt; het rafelt.'

'Rúbbertje?' zei ze plagerig, en plukte eraan. 'Dat heet een elastiekje.'

'Niet in Pittsburgh.'

'Maar hier zijn we dichter bij Boston.' Ze knikte in de richting van de stokerij.' Ik ga nu de jungle in. Zorg jij namens mij maar voor Vladimir.'

'Vladimir?'

Alice knikte naar een borstbeeld van Lenin dat met zijn gezicht naar de muur stond. 'Vladimir.'

In de fabriekshal heerste meer bedrijvigheid dan Alice tot nu toe had gezien, maar pas toen ze de grote digitale klok zag die de tijd en de datum weergaf in fletse rode cijfers besefte ze waarom. Het was bijna het eind van de maand, en het Russisch bedrijfsleven deelde elke maand op in drie periodes van tien dagen – decades, noemden ze die. De eerste decade was *spyatsjka*, slaaptijd, wanneer het quota van de vorige maand gehaald en de druk van de ketel af was; daarna kreeg je *gojyatsjka*, de drukke tijd; en ten slotte *lichoradka,* koortstijd: een wedloop om alles af te krijgen.

Alice ging eerst naar de bottelafdeling, omdat die het dichtst bij was. Volgens de loonlijst werkten hier meer dan tweehonderd man. Volgens de wet van de gemiddelden, zelfs Russische gemiddelden, zou ten minste één van die tweehonderd zijn medewerking willen verlenen. Alice bleef even staan, en keek hoe de flessen zwaaiend over de lopende band tolden als een legertje pinguïns, en liep toen naar een vrouw in een witte jas. Ze had bolle wangen en een puntneus: het gezicht van een sneeuwpop; ook het lichaam van een sneeuwpop, vierkant en zwaar. Een doekje bedekte haar grijzende haar, en haar korte, dikke benen waren in rubberlaarzen gestoken. 'Hoe heet u?' vroeg Alice.

De vrouw keek haar aan met een mengeling van achterdocht en nieuwsgierigheid. 'Hoe heet jij?'

'U hebt vrijdag uw loon gekregen?'

De vrouw keek om zich heen – naar Lev, besefte Alice, alsof hij Big Brother was, alwetend en alom aanwezig. 'Klopt,' zei de vrouw uiteindelijk, alsof ze een steen weg stootte.

'Dat geld dat je toen kreeg – heb je dat allemaal gehouden?'

'Alles waar ik recht op had.'

'Wat betekent dat?'

'Het betekent wat het betekent.'

'Je bent niet erg behulpzaam.'

De vrouw gebaarde naar de dichtstbijzijnde muur, waar een metalen rek hing met vierkante, bedrukte kaartjes van karton – presentiekaartjes. 'Ik klok in, doe mijn werk, ga naar huis. Het is niet mijn taak om behulpzaam te zijn.'

In het rek zaten tien rijen kaartjes horizontaal en zeven verticaal, en twee lege vakjes: achtenzestig presentiekaartjes. Alice wendde zich weer tot de vrouw. 'Die kaartjes…'

'Wat is daarmee?'

'Die zijn toch alleen van de mensen die hier vandaag zijn?'

'Als je hier op de afdeling werkt, zit je kaartje erbij.'

'Ook als je vandaag niet aanwezig bent?'

'Denk je dat we die kaartjes mee naar huis nemen en inlijsten?'

'Oké, bedankt.'

Alice keek weer op de loonlijst en telde nog eens. De lijst met werknemers op de bottelafdeling besloeg zesenhalve bladzijde; er waren per bladzijde zesendertig lijntjes, dat was bij elkaar dus ruim tweehonderd, ze had het de eerste keer goed uitgerekend. Ze keek naar het titelblad: het stond genoteerd op deze maand.

Meer dan tweehonderd botteliers op de loonlijst, maar slechts achtenzestig van hen hadden een presentiekaartje. Wat was er met de rest gebeurd?

37

Alice had in de hele stokerij hetzelfde patroon ontdekt. Voor elke werknemer die ze aantrof – en zelfs dan nog was Rode Oktober overbemand, had Alice zich voorgehouden, zoals bij alle inefficiënte sovjetbedrijven – stonden er een, of soms twee, op de loonlijst. Van de vijfentwintig kolomspoelers die er vermeld stonden, had ze er maar twaalf gezien; van de 399 die volgens de lijst bij de fusten werkzaam zouden zijn, waren er maar 187. Tegen de tijd dat ze bij de vierde afdeling was aangekomen, was het niet de vraag of de aantallen klopten, maar hoe groot het verschil was. Ze zei tegen niemand wat ze had ontdekt, omdat ze niet wilde dat het Lev ter ore zou komen. In plaats daarvan vroeg ze aan alle afdelingshoofden de namen en nummers van de werknemers die onder hun supervisie stonden, en zei tegen iedereen dat alles precies was zoals ze had verwacht.

Alice bewaarde haar bezoek aan Prospekt Mira voor het laatst, niet alleen omdat het niet op het hoofdterrein lag, maar ook vanwege de moorden; ze had tijd nodig om zich daarop voor te bereiden. Ze voelde een irrationele wrok tegenover Lev omdat hij haar er niet eerder over had verteld. Ze waren nu minnaars, waarom zouden ze dan geheimen voor elkaar hebben? Toen dacht ze aan Lewis, en aan de goelag.

Het was laat in de middag toen ze er aankwam. Twee van Levs mannen stonden bij de hoofdingang. Ze controleerden haar legitimatie en lieten haar door, waarbij ze haar de ingang van de school wezen. De lessen waren vorige week weer begonnen, na de vakantie vanwege de orthodoxe kerst, en Alice liep door gangen vol vrolijke kinderen in sombere uniformen. Het verbaasde haar, en het stoorde haar ook een beetje, dat niemand, leerlingen noch leraren, haar een tweede blik waardig keurde, zelfs na alles wat daar gebeurd was. Hoe de duivel er ook uitzag, het was overduidelijk niet Alice.

Svetlana's deur stond, in tegenstelling tot die van Lev, niet altijd open. Alice klopte, wachtte even, en ging toen naar binnen. Svetlana zat te praten met een man die Alice onmiddellijk herkende als degene die die vrijdag in de stokerij was geweest; degene die haar zelfs onbewust op de hoogte had gebracht van de kindermoorden.

Svetlana staakte haar gesprek en liep snel de kamer door. 'Mevrouw Liddell!' Ze greep Alice' onderarm met beide handen vast. 'We hebben elkaar vorige week op het feestje ontmoet, weet je nog?'

'Ja, natuurlijk.'

'Maar je hebt mijn advies niet opgevolgd, wel? Je moet meer eten. Kijk eens naar je gezicht, het is veel over been. Tja, jullie westerlingen weten niet beter, althans niet als het hierover gaat. Kom, Sveta zal je bijvoeren. Ik heb in de keuken nog spikkelkip. Heb je wel eens spikkelkip gegeten? Dat zijn fijne reepjes kippenvlees, schijfjes komkommer, gehakte pruimen, mayonaise, walnoten, eieren – lijkt je dat wat? Juku, jij krijgt ook wat. Kennen jullie elkaar al? Nee? Wat onbeleefd van me dat ik jullie nog niet aan elkaar heb voorgesteld. Mevrouw Liddell, dit is Juku Irk, de beste inspecteur van het OM in Moskou, en een goede vriend van me. Juku, dit is Alice Liddell, die hierheen is gekomen om de fabriek te privatiseren en ons te vertellen hoe we moeten leven. Ik ga even de spikkelkip halen – ik ben zo terug.'

Svetlana liep haastig de kamer uit. Irk gebaarde Alice te gaan zitten.

'Inspecteur,' zei Alice. 'Natuurlijk. Wat anders?'

Ja, wat anders? Irk dacht al dagenlang nergens anders aan. Een psychiater zou hem ongetwijfeld hebben verteld dat hij leed aan een aanslagfobie: hij wachtte met zo veel spanning en verbeeldingskracht op de volgende moord dat het bijna was alsof hij de aanslag in het echt meemaakte of dat hij probeerde die door pure wilsinspanning op te roepen. Het was allebei mogelijk, want het enige dat hij niet kon verdragen was dat er niets gebeurde. Hij moest ofwel de moordenaar vinden ofwel nieuwe moordzaken krijgen met nieuwe aanwijzingen, en aangezien er van het eerste nog geen sprake was, moest het het laatste maar zijn. De vijanden die Irk kende – politici, bureaucraten, maffiosi – konden niet eindeloos dreigen, intimideren of ontmoedigen, hoe groot hun macht ook was. Maar een vijand waarvan hij niet zeker was, was iets anders.

'U zult wel veel belangstelling hebben voor deze zaak,' zei Irk, hoogdravend als altijd wanneer hij niet zeker wist hoe hij iets moest brengen. 'Ik verzeker u dat ik alles doe wat in mijn vermogen ligt om alles op te lossen. Ik wil namelijk ook dat de hervormingen doorgaan.'

'En daarom spant u zich er zo voor in?'

'Nee. Ik span me zo in omdat ik niet nog meer dode kinderen wil zien.'

'Wie is volgens u de schuldige?'

'Ik heb nog geen…'

'In godsnaam, inspecteur, als dit uitlekt, kan dat het hele proces in gevaar brengen. Ik wil geen politieke praat horen – maar uw eerlijke mening. Zijn het de Tsjetsjenen?'

'Ik weet het niet.'

'Wilt u dat het de Tsjetsjenen zijn?'

'Ik wil de waarheid weten,' zei hij simpelweg zonder enig vertoon, en Alice besefte ineens vol schaamte dat ze hem had onderschat. Ze was zo bevooroordeeld geweest dat ze hem had aangezien voor een homo sovjeticus, leugenachtig en corrupt, alleen geïnteresseerd in zijn eigen carrière, zijn reputatie en zijn banksaldo, in willekeurige volgorde. Er school veel meer in hem, zag ze nu. Hij was zoals zij, een zoeker, een onderzoeker, een van die rusteloze mensen die blijven spitten zelfs als ze weten dat ze dat eigenlijk niet moeten doen, omdat je, als je eenmaal aan het spitten bent geslagen, niet halverwege kunt ophouden, je moet steeds maar door tot aan het einde, en je kunt niet verborgen houden wat je hebt blootgelegd – in elk geval niet voor jezelf.

'Het spijt me,' zei Alice. 'Ik had u helemaal verkeerd beoordeeld. Ik dacht dat u… nou ja, u weet wel…'

Irk knikte; hij wist het maar al te goed. 'Bent u hier voor mij?'

'Nee. Ik controleer personeelsgegevens. Saai, administratief werk.'

'Maar iemand moet het doen?'

Ze moest lachen. 'Juist. Net zoals er iemand moet zijn die opgescheept wordt met alle dode mensen in Moskou.'

'Wacht maar af tot het lente wordt, en alle sneeuwbloemen boven komen.'

'Sneeuwbloemen?'

'De lijken die we vinden als de sneeuw smelt. Dat is een van de drukste periodes.' Irk keek treurig. 'Lucratief ook, als je hard genoeg bent.'

'Er is altijd iemand die geld weet te verdienen aan doden.'

'Zeg dat wel. Ik ken gevallen van ambulancebroeders die naar mensen thuis gaan om te zeggen dat een familielid van hen een auto-ongeluk heeft gehad, zodat ze daarna het huis van die familie binnen kunnen gaan en alles weghalen, terwijl iedereen huilt en bezig is met zijn verdriet. Of ambulancebroeders die lijkenrovers betalen: vijftig pop, het lijk wordt dezelfde dag nog weggehaald. Eigenlijk is dat nog niet eens zo slecht, want het kan een week duren voordat de overheid iemand stuurt, als dat al gebeurt.'

Irk sprak op een merkwaardige toon, vond Alice. Het was alsof hij indruk op haar wilde maken of haar wilde deprimeren met de rottigheid van de stad. Hij ging door: 'Ik heb lichamen moeten onderzoeken die uit ramen gegooid waren. Je kunt ze vinden door de voetafdrukken te volgen van degenen die er al zijn geweest om de kostbare spullen van het lijk in te pikken.

243

Onlangs heeft *Pravda* de vent moeten ontslaan die de overlijdensberichten samenstelde, omdat hij een plaatsing in de krant niet kon garanderen als de familieleden hem geen steekpenningen gaven. Er sterven dagelijks mensen van honger en kou; hij verdiende een klein fortuin.

Ergens in haar achterhoofd kwam iets bij haar op. Afgrijzen, ja, en zwarte humor, maar ook iets dat haar vaag ergens aan deed denken. 'Staan er in *Pravda* overlijdensberichten?' vroeg ze.

'Elke dag. Als je in Moskou sterft en iemand weet wie je bent, komt je naam erin.'

38

De hele voorpagina van *Pravda* werd in beslag genomen door de kop: KOOP DEZE KRANT S.V.P. NIET. In een artikel binnenin werd uitgelegd dat *Pravda* in het afgelopen najaar zijn prijzen voor 1992 had berekend, toen het krantenpapier nog vierduizend roebel per duizend kilogram kostte. Nu kostte het twintigduizend en die prijs steeg nog steeds, maar als de prijs van de krant nu werd verhoogd, zou niemand hem meer kunnen kopen. Dus verloor *Pravda* geld op elk exemplaar dat ze maakten, en hoe meer lezers ze hadden, hoe meer ze verloren. Alice dacht dat het een practical joke moest zijn, of een aperte leugen – *pravda* is het Russische woord voor waarheid, maar er ging al heel lang een grap rond dat er geen waarheid stond in *Pravda* – toch leek de redactie van *Pravda* serieus genoeg. Een krant die niet wilde dat de mensen hem kochten. Alleen in Moskou.

De krantenarchivaris, een bleke jongeman die eruitzag alsof hij sinds de dood van Brezjnev en misschien al lang daarvoor geen zon meer had gezien, toonde een minimale belangstelling voor Alice' verzoek. Oude nummers van de krant werden daarginds bewaard, zei hij, en knikte met zijn hoofd ergens in de richting van de achterste muur. Alice moest maar kijken in de grote, donkerrode dossiers, waarin alle nummers van een maand waren opgeslagen. Ze had geen tijd om te reageren, de archivaris had zich al omgedraaid en ging verder met het sorteren van een enorme stapel kaartjes. Hij had waarschijnlijk uitgerekend hoe snel hij moest zijn, dacht Alice, om precies op het einde van de dag klaar te zijn met sorteren.

Hij was ook zo ongeveer de enige Russische man die totaal niet onder de indruk leek van haar uiterlijk. Ze wist niet of ze daardoor opgelucht of beledigd moest zijn.

Alice liep naar de dossierkast, trok de mappen van november en december eruit, en legde ze neer op het dichtstbijzijnde lege bureau. Er stonden vijftien tot twintig overlijdensberichten per dag in, op donderdag en vrijdag meer, omdat dan de sterfgevallen van de maandag werden gepubliceerd

– de helft van alle mannen in Rusland sterft op maandag, meestal na een weekend stevig wodka drinken.

Er waren twee versies van de loonlijst van Rode Oktober: een die op afdeling was gerangschikt, en de andere op alfabetische volgorde. Alice pakte de laatste erbij en begon de *Pravda* van achter naar voren door te kijken, waarbij ze steeds de twee lijsten vergeleek. Het was een werkje dat je het best met de computer kon doen, en ze was bang dat ze door het geestdodende controleren van rijen namen haar concentratie zou verliezen en iets over het hoofd zou zien, maar het was bijna meteen raak: Salnikov, Roman R., overleden op 12 november in Basmanni, nu volgens de lijst werkzaam op de administratie van Rode Oktober. En een paar dagen eerder was Breus, Mikifor G., overleden op 3 november in Mesjtsjanoski, nu volgens de loonlijst vorkheftruckbestuurder.

Het systematische werk bleek in plaats van saai juist heilzaam, als balsem voor haar vermoeide ziel. De namen volgden elkaar op. Goichmann, Pjotr D., gestorven op 28 september in Donskoi, stond op de lijst vermeld als wodkaproever. Polivoda, Stassis K., gestorven 19 juli in Sloboda Koetoezova, was weer opgestaan als bewaker. Ratsimova, Marina R., overleed op 1 juni in Zjoezino, een geest op de schoonmaakafdeling.

Alice vroeg zich af wat voor mensen het waren geweest toen ze nog leefden. Hadden ze gewerkt bij Rode Oktober, of had Lev hun namen gewoon uit de overlijdensberichten gehaald? Ze vroeg zich ook af wat hun familieleden ervan zouden vinden als ze wisten dat hun dierbaren op deze manier werden gebruikt. Als er voor hen wat te halen viel, dacht ze bitter, zouden ze er waarschijnlijk geen bezwaar tegen hebben.

Ze stopte met tellen toen ze bij begin 1991 was aangekomen, en ze tweeëndertig gevallen had ontdekt, en dan nog had ze er waarschijnlijk een paar over het hoofd gezien. In elk geval had ze afdoende bewijs.

Toen ze langs het bureau van de archivaris terugliep, zag ze dat zijn stapel kaartjes nauwelijks was geslonken. Misschien werkte hij naar het eind van de week toe in plaats van naar het eind van de dag. Hij keek op. 'Is het gelukt?' vroeg hij, plotseling vriendelijk.

Alice knikte in de richting van de kaartjes. 'Beter dan bij jou.'

Lev zat op haar te wachten toen ze terugkwam in Rode Oktober. 'Waar heb je gezeten?' vroeg hij. 'Je mannen lopen de hele dag al naar je te vragen.'

Haar mannen. Ze vroeg zich af of hij dat opzettelijk zei. 'Ik moest een paar dingen doen. Trouwens, wat gaat dat jou aan?'

Hij nam haar mee zijn kantoor binnen en sloot de deur. Ondanks zichzelf moest Alice denken aan wat er gebeurd was toen hij dat de laatste keer deed.

'Ik heb het heel erg druk,' zei ze.

Hij pakte een zwaar glas en gaf het haar, waarbij zijn vingers langs de hare streken. 'Met de hand afgewassen in bronwater – geen riekend afwasmiddel alsjeblieft, niet voor onze doeleinden. Je ziet, het glas heeft geen steel, en het past precies in je hand. Hierdoor wordt de vloeistof verwarmd, en dat moet ook; je kunt het best proeven bij kamertemperatuur. Glazen op stelen zijn geschikter als je voor je plezier drinkt, met ijskoude wodka die daarna in je keel brandt, maar dit is niet voor het plezier. Meester-handwerkslieden moeten goed opletten wat voor spullen ze gebruiken.'

Er stonden drie glazen flesjes op de zijtafel. Lev haalde de dop van het eerste flesje en schonk Alice' glas vol. 'Ik maak het je nu wel moeilijker, moet ik bekennen,' zei hij. 'De gemakkelijkste weg om te ontdekken of er iets mis mee is, is een deel wodka op kamertemperatuur te mengen met twee delen zuiver, gebotteld bronwater in een wijnglas, het rond te laten walsen om de geur te laten vrijkomen, en dan te ruiken. Als er dan iets aan mankeert, weet je het onmiddellijk. Maar jij lijkt me geen vrouw op het niveau van een beginner.'

Hij hield haar blik net iets te lang vast, en gaf toen aan dat ze de wodka kon proberen. Ze bracht haar neus naar het glas en snoof. De wodka was niet best, dat kon ze al zeggen voordat ze hem had geproefd. Ze schudde haar hoofd. 'Deze ruikt vies.'

'Graag meer details.'

'Hij ruikt naar toffee.' Ze snoof nog eens. 'En ook een kleine beetje naar karamel.'

'Dat betekent allebei hetzelfde: diacetyl, gebrande suikers als gevolg van onvolledige fermentatie. Je hebt gelijk, die partij is niet goed. Die zullen we moeten weggooien. De geur verraadt het al helemaal. Amylalcohol ruikt naar nagellakremover, DMT naar gekookte kool of riool. Acroleïne is scherp, zurig en doordringend. De geur van groene appels duidt op ethanal. Methylthiazool, dat kan niet missen, dat stinkt naar kattenpis. Wat nog meer? O ja, ionon; dat is zwaar en zoet. Dat zijn allemaal foute dingen. En, hoe vind je dit?' Hij pakte een ander glas en schonk daarin wat uit het tweede flesje. Deze moest ze wel proeven; uit de reuk alleen kon ze niet opmaken of er iets mee mis was.

'Te zwaar,' zei ze. 'Te vettig.'

Lev sloeg zijn handen in elkaar. 'Ik zou je zo in dienst nemen. Je hebt het helemaal goed. Er zit te veel foezelolie in.'

'Wat is dat?'

'Het is een combinatie van butyl- en iso-amylalcohol. Daar gebruiken we een heel kleine beetje van om de wodka wat soepeler te maken. Maar hier toch duidelijk te veel – niet goed genoeg voor de verkoop, hoewel ik zonder veel moeite een paar flesjes zou kunnen vullen om naar de zwervers te brengen. Nu de laatste.'

Weer een glas, weer een flesje, weer proeven. Het was wodka met mierikswortel. Alice snoof, nam een slokje en slikte het door.

'Uitstekend.' Ze genoot even na van het branderige gevoel, extra sterk door de mierikswortel.

'Vlekkeloos – vlekkeloos.'

'Ik krijg zin om nog eens te proeven, om het echt zeker te weten.'

'Dat zou gulzig zijn. Ik hoef nooit nog eens te proeven. Ik weet de eerste keer meteen of het goed is.'

Hij gebaarde, en Alice begreep het. Die laatste zin, misschien deze hele demonstratie, ging niet alleen over wodka, maar ook over hen beiden. Lev haalde diep adem.

'Gisteren was ik je een verklaring schuldig,' zei hij. 'Vandaag een excuus. Ik heb me de afgelopen paar dagen misdragen, sinds… sinds wat er vrijdag is gebeurd, en het spijt me, dat had ik niet moeten doen, maar het is zo dat…' – ze wachtte tot hij verder ging, zonder hem tegemoet te komen – 'dit is niet makkelijk voor me, vanwege de situatie, de fabriek, en ook omdat… omdat ik gewend ben aan Russische vrouwen, en jij bent anders, in veel opzichten ben je hetzelfde, maar in veel andere ook weer niet, en dus gedraag ik me als een tiener.'

De bekentenis die hij eruit flapte, klonk vreemd uit de mond van een man die zo reusachtig was, en Alice smolt meteen alsof hij een brander had gebruikt.

'Ik wilde ook steeds met je praten over wat er laatst is gebeurd, en… het was heel fijn, echt waar, maar ja, ik ben getrouwd, ik hou van mijn man, en trouwens – jij zult wel kunnen kiezen uit alle vrouwen die je maar wilt, allemaal jonger en knapper dan ik.'

'Jij bent mooi,' zei hij simpelweg. Het was geen loos compliment, dat wist ze. 'Jou wil ik, Alice,' zei hij. 'Jou heb ik nodig. Een man kan zich bevroren voelen, onbewogen, halfdood; dan trekt de juiste vlam hem als een mot naar zich toe, en als hij dichterbij komt, smelt hij.'

Met een warme hand hield ze de zijne vast, terwijl ze hem met de andere hand van zich weg duwde. 'Zeg niet zulke dingen,' smeekte ze. 'We moeten met elkaar praten over de verkoop, we kunnen niet… wat je ook wilt, ik ben niet degene die het je kan geven.'

Dat was wat ze zei, maar haar ogen vertelden iets heel anders.

'Denk je dat werkelijk?' vroeg hij, en hij wist het antwoord even goed als zij.

'Nee.' Haar stem klonk zo zacht dat hij bijna onhoorbaar was. 'Natuurlijk niet.' Ze stond op uit haar stoel en liep om het bureau heen, zonder ook maar een ogenblik zijn hand los te laten.

'Is het waar dat je met Arkin hebt moeten neuken om aan deze baan te komen?' vroeg hij met een lachje.

'Nee.' Ze wachtte even. 'Ik heb hem gepijpt.'

Alice trok haar rok wat omhoog en ging bij Lev op schoot zitten. 'Kus me.' Haar stem had nu niets luchtigs meer; ze was doodernstig.

Lev omvatte haar gezicht met zijn handen, zodat Alice zich klein en aanbeden en aantrekkelijk voelde, alles tegelijk. Hij nam haar onderlip en kauwde er heel zacht op, alsof hij ze met minieme hapjes wilde opeten. Toen hij zijn tanden gebruikte, deed hij dat zo zacht en teder dat Alice ze nauwelijks voelde, maar ze wist onmiddellijk wat het inhield: een zuigbeet, waarbij zijn hoektanden een minieme afdruk achterlieten aan de binnenkant van haar mond, een geheim teken.

Alice en Galina liepen langs kiosken waar ze delicatessen verkochten: gerookte worstjes, salami, zelfs oesters. De zaken gingen goed. Aangezien alle levensmiddelen duur waren, hadden de consumenten besloten dat ze dan net zo goed de betere waren konden kopen voordat ze verdwenen. Iedereen had genoeg van producten als blikjes sprot in tomatensaus– die 'grafplaatsen' werden genoemd omdat er van die walgelijke klodders graten en gekookte ogen in zaten. De gruwel van lege planken en tekorten lag nog te vers in het geheugen; mensen wilden de kapitalistische overvloed waar ze zoveel over hadden gehoord, ook al konden ze het niet echt betalen.

Ze gingen naar een café aan Tverskaja. De bovenkant van de bar, waar de klanten hun ellebogen op konden zetten, was van roestvrij staal; de rest was van ijs, een groot blok met vrieselementen die Firsov, de barkeeper, zijn hockeybaan noemde. Oorspronkelijk was de hele bar van ijs geweest, maar zoveel mensen hadden hun huid eraan opengehaald bij het opstaan dat het ontwerp was aangepast. Firsov gaf Alice een schaaltje vol sterk geurende, ingelegde knoflookstengels – een uitstekend hapje voor bij de wodka, voor mensen die van iets pittigs hielden. Alice at er met smaak een op. Galina vroeg om koffie.

'Ik heb alleen surrogaat,' zei Firsov. Zijn ogen hadden de vorm van tranen. 'Daaraan kun je zien of het een echte bar is, weet je: in een echte bar kunnen ze alleen maar surrogaatkoffie betalen. De enige tenten waar ze echte koffie hebben zijn nepcafés, toeristenfuiken.' Hij haalde zijn schouders op; een dergelijke paradox was heel gewoon.

Vanavond vond Alice dat ze haar wodka had verdiend, en er was niets zo lekker als het eerste glas van de dag – proefsessies als die van die middag telden niet echt mee. Het eerste glas wodka was een ritueel, waar Alice de nodige eerbied aan betuigde. Ze opende de fles met een snelle, strakke draai van haar pols en schonk toen de vloeistof in het glas, terwijl ze toekeek hoe het klotsend volliep. Ze snoof vol welbehagen de geur op en genoot toen ze slikte van het branderige gevoel in haar keel.

Het was een passie, een sensueel genoegen, een minnaar. Het suste de gevoelens in haar die met elkaar in conflict waren: haar verlangen naar intimiteit, maar haar grote angst daarvoor, de wens om met anderen om te gaan zonder door hen te worden opgeslokt. Ze was een introverte persoonlijkheid die van gezelligheid hield, besloot ze, dat was haar probleem. Ze was niet graag alleen, maar ze was tegelijk ook teruggetrokken. Op haar werk kon ze zich verbergen achter haar professionele houding: de privatiseerder die naam had gemaakt, de messias van de markteconomie. Hoeveel vragen haar ook werden gesteld, overal had ze een antwoord op.

Het was Galina die had voorgesteld om iets te gaan drinken, en Alice vond het moedig van haar. Galina was een secretaresse; voor haar moest Alice iemand zijn uit een ander melkwegstelsel, en Alice was niet zo op zichzelf gericht dat ze niet wist hoe intimiderend ze kon overkomen. Galina had gezegd dat ze haar Engels, dat afkomstig leek uit verhalen van Sherlock Holmes en Beatles-nummers, wilde bijschaven. 'Jouw Engels is prima,' zei Alice, maar ze schakelde steeds over in het Russisch om te voorkomen dat het gesprek stokte omdat Galina naar woorden moest zoeken.

Ze hadden het over van alles – wat het parlement zou vinden van het privatiseringsplan, hoe Moskou was vergeleken bij andere steden waar Alice was geweest, de prestaties van het Amerikaanse en Russische hockey – maar ergens was Alice zich er zich aldoor van bewust dat ze te veel praatte. Ze was niet bepaald een zwijgzaam type, maar vanavond zat ze echt te ratelen, en zelfs als er even een natuurlijke stilte viel, praatte ze snel door. Haar intonatie en haar tempo deugden niet. Ze wist dat Galina het doorhad, want Russen zijn eraan gewend dat mensen woorden gebruiken als een rookgordijn in plaats van als een raam.

Galina hield haar hoofd schuin. 'Wat wil je me nu eigenlijk vertellen?' vroeg ze.

'Niets. Hoezo?'

'Er ís iets, ik weet het.'

'Hoe kun jij dat weten, Galja? We kennen elkaar amper.'

'Dat maakt niet uit. Je houdt iets geheim, dat voel ik.'

Alice glimlachte en zuchtte tegelijk. 'Is het zo duidelijk?' zei ze, en ze wist dat het zo was. Ze bruiste zo van levenslust dat ze zichzelf zonder het te willen verraadde; nu eens met haar glimlach, dan weer met de schittering in haar ogen. Vreugde en schuldgevoel streden om het hardst in haar binnenste. Ze dronk haar vierde wodka, en ze moest het nu echt aan iemand kwijt. Dit was een geheim dat ze niet kon delen met degene die ze meestal in vertrouwen nam, Lewis, en Galina was de enige in Moskou die nog het meeste weg had van een vriendin.

De alcohol zinderde door Alice heen, zocht een weg, streek kronkels glad, maakte haar tong los, verleidde haar tot ontboezemingen die ze eigenlijk niet wilde doen. Ze legde een vinger tegen haar lippen. 'Ssst!'

'Ik zal het tegen niemand vertellen.'

Alice keek naar links en naar rechts, als in een parodie van iemand die aan achtervolgingswaanzin lijdt. 'Het is Lev.'

Galina wist onmiddellijk wat ze bedoelde. Haar mond vormde een volmaakte cirkel. 'Nee.'

'Ik vrees van wel.'

'Je bent krankzinnig.' Galina vatte de geamuseerde blik van Alice verkeerd op. 'O, nee ik bedoel niet – ik bedoel, je hebt zoveel gedaan in je leven, Alice, je weet zoveel meer over de wereld dan ik, dus vergeef me als ik me met iets bemoei dat me niet aangaat, maar is dit wel verstandig? Ik bedoel, je zou het me niet hebben verteld als je mijn mening niet wilde horen, toch?'

'Waarom denk je dat het niet verstandig zou zijn?'

'Om te beginnen ben je getrouwd.'

'En ik heb nog nooit eerder zoiets gedaan.'

'Dat is nog geen excuus om er nu mee te beginnen, wel?'

'Heb jij Rodja ooit bedrogen?'

'Hij is de enige man met wie ik ooit heb geslapen.'

'O.' Alice dacht heel even aan de verschillende minnaars die ze had gehad tijdens haar studie en later in Wall Street: studenten, docenten, collega's, cliënten – allemaal in de hoop dat zij haar konden helpen vinden waar ze naar zocht. Ze vroeg zich af hoe iemand kon weten dat hij de ware Jakob had gevonden zonder eerst een paar keer de verkeerde keuze te hebben gemaakt, en ze schrok toen Galina haar verwarring verkeerd uitlegde.

'Je vraagt je af hoe we het doen, hè?' Tegen de tijd dat Alice besefte waar Galina het over had, was Galina al een halve zin verder, Alice' stilzwijgen opvattend als instemming. 'Op dezelfde manier als ieder ander. Rodja is dát namelijk niet kwijtgeraakt. Maar als mensen zien dat hij geen benen heeft, denken ze dat hij de rest ook niet meer kan.' De woorden kwamen er als in een stortvloed uit; ze had ze zo lang binnengehouden, en iedere kleinerende opmerking aan het adres van Rodjon had ze zich zelf aangetrokken. 'Iedereen die ons ziet, denkt twee dingen, of ze die nu hardop zeggen of niet.' Ze telde ze af op haar duim en wijsvinger. 'Een: hoe doen ze het? En twee: wat moet zij in godsnaam met hem? Hij is geen schoonheid, laten we wel wezen. Zelfs toen we tieners waren, was hij niet bijzonder knap. En weet je, Alice? Het kan me geen bal schelen. Hij is de beste, aardigste man ter wereld. Als je ziet hoe hij omgaat met de kinderen in het weeshuis, en je bedenkt wat hij heeft meegemaakt in Afghanistan, al die dingen die zoveel jongens die nu op straat lopen te bedelen kapot hebben gemaakt, dan zijn die warmte en hartelijkheid van hem helemaal verbazingwekkend. Hij is mijn man, en toch is er aan hem iets kinderlijks waardoor hij ook mijn zoon is, dus tot ik een echt kind krijg, heb ik er twee voor de prijs van een!'

'Ik wist wel dat alle Russen in hun hart kapitalisten zijn,' zei Alice, en samen barstten ze in lachen uit totdat Galina, met enige gêne vanwege de heftigheid waarmee ze alles eruit had geflapt, eraan dacht waar hun gesprek eigenlijk over ging. 'Je bent getrouwd, je probeert de stokerij te privatiseren, en je slaapt met de directeur?' zei ze. 'Stel je voor wat er gebeurt als dit uitlekt.'

'Dat gebeurt niet.'

'Hoe weet je dat zo zeker?'

'Jij bent de enige aan wie ik het heb verteld.'

'Houden zo. En Lev?'

'Het lijkt me sterk dat die het van de daken zal schreeuwen.'

Galina schudde haar hoofd, zwaar teleurgesteld. 'Waarom doe je dit? Je bent geen Russische, Alice. Je bent gewend je lot in eigen hand te houden. Dit is geen spelletje. Het enige dat je doet is je een hoop ellende op de hals halen. Wil je mijn raad? Houd ermee op nu het nog kan.'

39

Rodjon ging eerst met Galina de fabriek binnen, in plaats van rechtstreeks naar het weeshuis; hij wilde Lev spreken. Een vin aan het plafond maakte trage bewegingen, en het was alsof er iets in Rodjons geheugen boven kwam, iets dat niet helemaal klopte – toen wist hij het: natuurlijk, de ronddraaiende ventilatorschoepen waarbij een gelijkmatig geklapper hoorde, en het staccato gebrul van helikoptermotoren.

Hij sprong op een van Levs stoelen, sloeg de aangeboden slok wodka met een gebaar van afkeer af, en kwam meteen ter zake. 'Er hangen weer Tsjetsjenen rond bij de ingang,' zei hij.

'Dezelfde als eerst?'

'Dat weet ik niet zeker. Maar…'

'Wat?'

'Ik weet het niet, misschien heb ik het mis, ik wil er niet voor verantwoordelijk zijn als…'

'Rodja, vertel me wat je denkt, dan bepaal ik wel wat er moet gebeuren.'

'Oké. Ik geloof niet dat ze deze keer ons terrein in de gaten hielden.'

'Je zei dat ze rondhingen bij de ingang.'

'Maar ze keken niet onze kant op, en ze leken het niet erg te vinden dat wij hen zagen.'

'Dus?'

'Nou, dit is iets wat ik nog weet van mijn militaire opleiding – van bewaking en de juiste plaats innemen en zo. Misschien was hun aandacht gericht op iets anders in de buurt.'

Lev zette zijn vingertoppen als een dak tegen elkaar aan. 'Weet je wat 'iets anders in de buurt' zou kunnen zijn, Rodja?'

'Ja. Daar heb ik al eerder bijgesprongen.'

'Mooi. Bedankt dat je het bent komen zeggen. We zouden veel beter af zijn als iedereen zo oplettend was als jij.' Lev had een week geleden al gehoord dat er Tsjetsjenen in de buurt gesignaleerd waren, maar Rodjon zou het verschrikkelijk hebben gevonden als hij te horen kreeg dat zijn waardevolle informatie overbodig was.

Rodjon leek te groeien onder het compliment. 'Ik kan de boel ook wel helpen bewaken, als u meer mannen nodig hebt.'

'Mannen zijn het enige waar ik geen tekort aan heb, Rodja.'

De avondhemel was door smog verduisterd, mistig en maanloos. Als iemand had toegekeken, zou hij amper de twintig mannen hebben kunnen zien die stilletjes de ondergrondse parkeergarage onder Prospekt Mira inliepen; ze waren in het zwart en bleven in de schaduw, ver van de bewakingslichten en hun vage amberkleurige schijnsel op de borden die waarschuwden voor honden en bewakers. Geen van beide waren natuurlijk te zien. Het was te koud om lang buiten te zijn, behalve voor een ijsbeer, en eventuele bewakers zouden binnen zijn geweest, zich warmend rond de gaskachels en de tijd dodend met wodka en kaarten, lachend om de man die een spelletje verloor.

De parkeergarage bestond uit vijf verdiepingen. In de onderste bevond zich over de gehele breedte van een muur een oude roestige deur die weggeschoven kon worden om illegale partijen wodka binnen te laten brengen. Het was bij deze deur dat de Tsjetsjenen zich verzamelden. Twee van hen brachten plastic explosieven aan op negen punten van de deur – op de vier hoeken, halverwege de zijkanten en ergens in het midden, netjes verdeeld in drie rijen. De mannen werkten snel om te voorkomen dat de anderen bevroren; een paar minuten stilstaan in een dergelijke kou leek algauw een eeuwigheid, en de mannen kromden steeds hun tenen en vingers om hun bloed goed te laten doorstromen.

Toen de explosieven waren aangebracht en in gereedheid gebracht, trokken de Tsjetsjenen zich terug aan de andere kant van de garage en doken weg achter geparkeerde wagens op het moment dat de ontploffingen volgden. De schokgolven lieten de muren trillen, een lawaai dat doden tot leven had kunnen brengen, maar dit was Moskou – geen mens die bij zijn volle verstand was zou midden in de nacht op onderzoek uitgaan. Er was rook en verbogen metaal, een zware brandlucht en de Tsjetsjenen bevonden zich op een plaats waar een paar seconden daarvoor nog een deur was geweest. Ze stelden zich achter elkaar op, met hun oogleden knipperend tegen de rook, maar toen die optrok zagen ze niets anders dan kratten wodka, opgestapeld van de vloer tot het plafond: de buit waar ze voor gekomen waren.

Ze reden drie vrachtwagens vlak voor de ingang en vormden ploegen: twee man in elke wagen die moesten opstapelen, drie om de kratten naar binnen te sjouwen. De containers waren zwaar, de mannen stonden ondanks de kou al gauw te zweten. Vier Tsjetsjenen hielden buiten de wacht;

de anderen slingerden hun karabijn over hun rug of legden ze op de grond zodat ze de kratten gemakkelijker konden sjouwen.

De wagens waren halfvol toen Levs mannen opdoken achter wat er nog over was van de stapels wodkakratten. Ze kwamen snel aanlopen, zonder geluid te maken. Ze eisten niet van de indringers om zich over te geven of in een rij te gaan staan om hen vast te kunnen binden; ze schoten hen gewoon ter plekke dood. Geen klappen op het hoofd, geen simpele afrekening. Dit was een afslachting, machinegeweren maaiden in het rond, de Tsjetsjenen werden uit elkaar gerukt door uitgeboorde kogels waarvan de punt met kaarsvet ingesmeerd was en die gevuld waren met kwikspringstof. Wonden zo groot als eetborden tekenden zich af in borstkassen; armen rolden weg van lichamen alsof ze afgehakt waren. Mannen leken te barsten onder het gewicht van bloed, schedels rolden van hoofden, er vlogen stukken van gezichten rond alsof ze door wilde honden afgescheurd waren. Het schreeuwen was al lang voor de schoten opgehouden.

Toen het allemaal voorbij was, stapte Butuzov naar voren in een griezelige, oorverdovende stilte en begon tussen de lijken door te lopen om te zien of er misschien nog een van hen in leven was. Lev had hem opdracht tot deze operatie gegeven, als wraak voor wat Karkadann met Ozers in de bloemisterij had gedaan. Butuzov had hier een week op zitten wachten, nacht na nacht, terwijl hij zijn eigen kogels inwreef met knoflook om gangreen te veroorzaken in de wonden van mannen die niet meteen dood waren, maar die voorzorgsmaatregel bleek nu overbodig – geen van hen verroerde zich nog. Twee mannen die verstrengeld lagen, schopte hij uit elkaar om er zeker van te kunnen zijn dat ze niet deden alsof ze dood waren. Hij was niet bang dat eventuele overlevenden naar de politie zouden gaan. De politie zou doen wat ze altijd deden: niets. Bovendien lieten Karkadanns mannen zich voorstaan op hun stilzwijgen, zij zouden niets vertellen. Butuzov volgde simpelweg Levs bevelen op: geen overlevenden.

40

De ondergrondse grafkelder lag als een gapende afgrond spottend achter het wapperende tape. Hij was afgezet door de 21e Eeuw in plaats van door de politie. Irk was de eerste wetsdienaar die ten tonele verscheen, en dan nog alleen omdat de telefonist van Petrovka het telefoontje per ongeluk aan hem had doorgegeven in plaats van aan Jerofejev. Hij dacht eraan hoe Jerofejev zich had gedragen bij de kiosk in Novokoeznetskaja, en vroeg zich af hoe lang het zou duren voordat Jerofejev hier was om zijn gezag weer te laten gelden.

Irks eerste probleem was echter een man met een brede nek in een zwart bomberjack die zich vierkant voor hem opstelde en zei: 'Je mag er niet in.' Een maffioso die een agent de toegang ontzegde tot een plaats delict – dat kon alleen in Moskou.

Irk haalde zijn legitimatiebewijs uit zijn zak en sloeg het open. 'Juku Irk,' zei hij. 'Hoofdinspecteur van het OM.'

De stierennek tuurde naar de legitimatie. 'Heeft iemand je wel eens gezegd dat je op Keres lijkt?'

'Elke dag,' zei Irk.

De man haalde zijn schouders op en deed een stap opzij. 'Het is geen fris plaatje daarbinnen.'

'Dat is het nooit.'

Opslagplaats, slachthuis; Irk zag bloed op de grond en lichamen die opgestapeld lagen tegen een muur als weggeworpen etalagepoppen. Hij huiverde, deels van de kou, maar meer van narigheid.

Sabirzjan stond gebogen over een van de lijken, zijn zalmroze gezicht was vochtig van het zweet. Irk vroeg zich af of het hem opwond om al die doden om hem heen te zien.

'Hier is niets voor jou te doen, inspecteur,' zei Sabirzjan zonder op te kijken. Irk voelde zich even gekwetst, alsof de tijd die ze samen hadden doorgebracht in Petrovka niets had betekend. Toen hij eraan dacht hoe hij Sabirzjan het vorige weekend had gevolgd door Moskou, vond hij dat Sabirzjan wel het recht had om zich zo vijandelijk op te stellen, ook al wist hij er niets van.

'Hoeveel wodka wordt hier opgeslagen?' vroeg Irk.

Sabirzjan rechtte zijn rug, verschoof zijn pince-nez en besloot antwoord te geven. 'Een wagon en een karrenvracht.' Een grote hoeveelheid.

'Hoeveel precies?'

Ze vormden een vreemd paar: Sabirzjan met zijn gele ogen achter zijn pince-nez, Irks zachte, regelmatige trekken, te cerebraal en te beschaafd voor deze toestand. Sabirzjan liet zich vermurwen, alsof hij een oude vriend een plezier wilde doen. 'Als we ze niet hun gang hadden laten gaan, waren ze er met ruim een miljoen flessen vandoor gegaan.'

Irks linkerwenkbrauw vormde van nature al een boogje; hij trok er nu de rechter bij op. Moskovieten drinken dagelijks een miljoen flessen wodka. Het is onvoorstelbaar veel, hoe je het ook bekijkt.

'En hoeveel lijken liggen hier, een stuk of twintig?'

'Twintig *indringers* – dus is het hun eigen schuld. Jij bent niet degene die genaaid wordt, Juku, dus doe maar niet alsof.'

Irk wist dat Sabirzjan tot op zekere hoogte gelijk had. De ruzies werden tussen maffiabendes uitgevochten, en waren niet gericht tegen de man in de straat. Waarom zou je ze elkaar niet laten afmaken, zolang ze niemand anders lastig vielen? In elk geval was dit argument academisch. Als die opgeblazen kikker van een Jerofejev hiervan te horen kreeg, zou hij er in de kortste keren een laag witkalk overheen smeren, waar iedere huisschilder jaloers op zou zijn.

Irk liep somber rond, meer om te laten zien dat hij niet met zich liet sollen dan in de hoop dat hij iets zou vinden waar hij wat aan had. De lijken van Tsjetsjenen lagen in zulke verwrongen houdingen op elkaar dat ze niet uit de toon gevallen zouden zijn tijdens een orgie. Als de dood nog enige waardigheid bezat, dacht Irk, dan was daar hier in elk geval niets van te zien.

Hij ving een glimp op van iets, zo vluchtig dat hij niet goed wist of hij het echt wel had gezien. Hij knipperde met zijn ogen en keek nog eens, ervan overtuigd dat hij het had gezien maar niet goed wetend of hij het niet liever mis had. Daar, onder twee doden Tsjetsjenen, lag, alsof ze boven op hem gevallen waren, een jonge jongen.

Irk hurkte neer en rolde de bovenste Tsjetsjeen naar achteren. Het lichaam voelde stijf aan onder zijn vingers – de rigor mortis trad snel in. De tweede Tsjetsjeen leek zich vast te klemmen aan de jongen. Irk haalde diep adem en trok de arm van de man van het bovenlichaam van de jongen vandaan. Irks maaginhoud kwam omhoog, en hij slikte de gal weg; hij kon hier niet gaan staan braken, ten overstaan van de halve 21e Eeuw. De Tsjetsjeen rolde boven op de eerste en de jongen werd nu helemaal zichtbaar: alleen, bebloed en naakt.

Daar zag hij ze: dezelfde merktekens als op de andere lichamen. Ze waren deze keer duidelijker, veel duidelijker, misschien omdat het slachtoffer nog niet zo ver heen was als de anderen, of misschien omdat de moordenaar er meer ervaring in had gekregen. Het kon Irk niet schelen. Het enige dat hem kon schelen was dat hij nu wist wat het voor tekens waren.

Geen boogje, geen letter T, maar een combinatie van beide. Samen vormden ze het beroemdste sovjetsymbool dat er bestond – de hamer en sikkel.

Rodjon en Svetlana kwamen een paar minuten later bij de grafkelder; de school en het weeshuis waren per slot van rekening vlak aan de overkant. Irk hield hen tegen en nam hen apart.

'Ik weet niet of je al eerder een dode hebt gezien,' begon hij, 'maar…'

'Ik ben in Afghanistan geweest,' zei Rodjon verontwaardigd.

'Ik bedoel Sveta.'

'Nooit.' Svetlana schudde haar hoofd en slikte nerveus.

'Dan moet ik je waarschuwen, want het is daarbinnen afgrijselijk. Je mag denken van de Tsjetsjenen wat je wilt, maar er ligt daar een jongen, een van jullie kinderen…' Ze leken eerder gelaten dan ontzet, en waarom ook niet, nu dit al het vierde slachtoffer was? 'Iemand die jullie hebben gekend, om wie je hebt gegeven, misschien meer dan om de andere kinderen, misschien minder, maar… het spijt me dat ik dit moet doen, het spijt me heel erg, maar ik moet weten hoe hij heette, en in elk geval of een van jullie hem heeft gekend.'

Irk pakte Svetlana's trillende handen en hield ze stevig vast. 'Oké?' Ze knikte.

Toen Irk hen voorging door het bloedbad, was hij blij dat de mannen van de 21e Eeuw zich afzijdig hielden en hen niet lastigvielen. Ze wisten dat er mensen waren voor wie de dood als het ware onderdeel uitmaakte van het leven, en anderen voor wie dat niet zo was. Irk nam Svetlana en Rodjon mee naar het lichaam van de jongen en bleef zelf een stap achter hen. Svetlana sloeg een kreet en maakte een kruisteken. Irk dacht dat hij haar zag wankelen maar toen hij naar haar toe liep om te voorkomen dat ze viel, duwde ze zijn hand weg; ze kon het wel aan. Rodjon, die dichter bij het lijk stond, sloot zijn ogen en schudde zijn hoofd.

'Nee,' zei hij, en Irk meende pijn in zijn stem te horen.

'Ik moet zijn naam weten, Rodja.'

Rodjon deed zijn ogen open en keek op naar Irk. 'Ik bedoelde, nee, ik heb hem nooit eerder gezien.'

'Ik ook niet,' zei Svetlana.

Op een miniatuurvlaggetje van Estland na was Irks bureau leeg. Het lege, opgeruimde vlak was als een verwijtend stuk Siberië te midden van de massa oude typemachines en misdaadverslagen die torenhoog opgestapeld lagen. Een man die vijf weken vakantie had opgenomen zou zijn bureau zo hebben achtergelaten, niet een man die werkte aan een zaak met een serie-moordenaar.

Bij Vermiste Personen waren ze nog steeds in dossiers aan het nakijken of er iets was over een jongen die beantwoordde aan de beschrijving van het slachtoffer. Dat hij geen leerling was van Prospekt Mira was een schok geweest, dat viel niet te ontkennen, maar hoe langer Irk erover nadacht, hoe meer het leek te kloppen.

Om te beginnen kon hij niet langer ontkennen da de Tsjetsjenen ermee te maken hadden. Het kind was bij de mannen geweest die de opslagplaats hadden bestormd. Volgens Sidoroek was hij al meer dan twaalf uur dood geweest, wat inhield dat ze hem al vermoord moesten hebben voor ze naar de garage waren gegaan. Ze moesten van plan zijn geweest hem daar achter te laten, als een teken, een waarschuwing. Het enige alternatief was dat hij was omgebracht door Levs mannen, daar in de kelder, en hoe Irk het ook bekeek, dat zou nergens op slaan.

Wat betreft het feit dat de jongen niet van Prospekt Mira kwam, misschien hadden de Tsjetsjenen besloten dat het effectiever was om het gebied uit te breiden. Tot nu toe had Lev alleen opening van zaken moeten geven tegenover de duizenden mensen die bij Red Oktober werkten, maar als het nieuws van de laatste moord openbaar werd gemaakt zou hij zich moeten verantwoorden tegenover miljoenen Moskovieten die allemaal doodsbenauwd waren dat hun eigen kind het volgende slachtoffer zou zijn. Het was, moest Irk tot zijn spijt erkennen, een slimme zet van Karkadann.

Wat betreft de hamer en sikkel – Irk hoefde alleen maar te denken aan wat Karkadann hem had gezegd over de Tsjetsjeense diaspora en de nationale verbanning naar Kazakstan. De inkervingen waren een uitdagend vertoon van haat tegen een regime dat nu niet meer bestond. Dat Lev de Sovjet-Unie evenzeer had veracht als de Tsjetsjenen, leek aan Karkadanns aandacht te zijn ontsnapt, of misschien niet. Voorzover Irk wist, is de haat op zijn hoogtepunt wanneer mensen een reflectie van zichzelf zien.

Toen hij de trap af liep naar de personeelskamer, gingen de agenten net weg. Irk riep hen na.

'Heren, hebben jullie even? Ik heb mankracht nodig.'

'Nu niet, inspecteur,' antwoordde een van hen. 'We worden over een half uur in Mitninskii verwacht.' Mitninskii was de grootste audio-, video- en computerwinkel van Moskou, in een van de noordelijke buitenwijken. Hij was dagelijks tot zes uur geopend. Irk controleerde het werkrooster. De dienst van vandaag zat erop; de agenten gingen niet in functie naar de winkel, maar om als spierkracht te dienen voor een van de bendes die de zaken daar in handen hadden. Het heette 'buitengewone bewaking', het was gewoon weer een vorm van semi-geïnstitutionaliseerde corruptie.

'Jezus, we moeten wel kunnen scoren,' zei een andere man. Hij wendde zich tot zijn collega. 'Jarik, heb jij mijn semafoon?'

'Waarvoor heb je een semafoon nodig?' vroeg Irk.

'Om te weten wanneer de wisselkoers stijgt. Dat geven we door aan de handelaars, en zij verhogen dan hun prijzen. Sorry, inspecteur. Een andere keer maar weer.'

Ze liepen op een drafje weg. Irk keek naar de kalender aan de muur: de laatste dag van januari. Was het pas een maand geleden dat het, toen ze eindelijk van de communisten af waren, ernaar uit had gezien dat alles op zijn pootjes terecht zou komen? De steenpuist was weliswaar doorgeprikt, maar in plaats van met gezondheid van de patiënt, hielden artsen zich bezig met het doorzoeken van zijn zakken.

De deur klapperde nog toen Denisov binnenkwam. Hij was hier al zo lang niet beneden geweest, dat Irk zich afvroeg hoe hij zonder hulp de weg had kunnen vinden.

Denisov hield zijn handen op zijn rug, wat bij hem op slecht nieuws duidde. 'Je weet wat ik nu ga zeggen,' zei hij.

'En jij weet wat ík daarop ga zeggen.'

'Dat hij er geen moer van terecht gaat brengen?'

'Natuurlijk. Als je me van die zaak afhaalt, Denis Denisovitsj, blijft hij zo goed als onopgelost. Dat weet jij even goed als ik.'

'Ik kan er niets aan doen, Juku. De jongen is aangetroffen bij een schietgevecht van criminelen. Draag de zaak over aan Jerofejev – je hebt geen keuze.'

Irk schudde zijn hoofd. Denisov deed zijn mond open, en sloot hem vervolgens weer.

'Wat?' vroeg Irk.

'Niets.' Denisov schudde tweemaal zijn hoofd en verliet de kamer zonder om te kijken.

De woorden die Denisov niet over zijn lippen had gekregen waren een verontschuldiging geweest, wist Irk. Het was een verontschuldiging geweest, alleen kende Denisov het woord 'sorry' niet.

Irk belde Lev om hem te zeggen dat hij van nu af aan met Jerofejev te maken kreeg. Lev klakte met zijn tong. 'Als je naar mij had geluisterd, inspecteur, zouden we hier nu misschien niet mee zitten.'

Had Lev Irk niet zijn volledige vertrouwen geschonken? Hoeveel mensen zouden nog over Irk heen vallen? Hij kon zich niet beheersen en snauwde terug: 'En hoe veel kinderen moeten er nog sterven voordat je toch maar besluit om met Karkadann te gaan praten?'

'Ik ben niet degene die ze vermoordt, inspecteur.'

Irk gooide met een klap de hoorn op het toestel. Meteen werd er weer gebeld.

'OM.'

'Spreek ik met inspecteur Juku Irk?'

'Met wie spreek ik?'

'Ik bel van de *Pravda*. Ik zou u graag spreken over het kind dat u vanochtend hebt gevonden.'

41

Het was nog kouder geworden, een ijskoude ochtend onder een winterse hemel die de Moskovieten eraan herinnerde dat de overgang naar een betere toekomst, in politiek of in meteorologisch opzicht, nooit soepel verliep.

Was het buiten al koud, in Borzovs kantoor was de sfeer ronduit ijselijk. Borzov zelf stond somber naar zijn handen te staren en zei geen woord, terwijl hij fluitend door een verstopte neus ademde. Arkin deed voornamelijk het woord, waarbij hij zijn kaken zo opeengeklemd hield dat Alice bang was dat hij zijn kiezen zou stukbijten. Zijn boodschap had niet duidelijker kunnen zijn wanneer die was uitgehouwen in ijs. 'Begrijpt iedereen het? Niets – *niets* – is belangrijker voor het hervormingsprogramma dan deze verkoop, en ik laat onder geen omstandigheden toe dat die in op het spel wordt gezet. Ik wil van ieder van jullie de garantie dat jullie je er volledig voor zullen inzetten.'

'Ik ga onder geen omstandigheden met die barbaar onderhandelen,' zei Lev.

'We hebben het wel over kinderlevens,' zei Alice. 'Het beëindigen van die moorden moet absoluut prioriteit krijgen.'

'Mevrouw Liddell, als de hervormingsplannen het niet halen, staan er miljóénen kinderlevens op het spel, om nog maar te zwijgen over hun toekomst. Natuurlijk zijn die moorden afgrijselijk, maar als de internationale gemeenschap haar steun intrekt, betekent dat toegeven aan de moordenaars. Meer dan dat, het zou de boodschap overbrengen dat hun tactiek geslaagd is. Is dat wat u wilt? Nee, die verkoop moet doorgaan. Degenen die schuldig zijn aan de moorden verdienen straf, geen zege.'

'En u hebt de belofte van Petrovka dat elke steen omgekeerd zal worden,' zei Denisov. 'De zaak is nu overgegeven aan de georganiseerde misdaad' – hij wees naar Jerofejev, die zijn hoofd boog met een bescheidenheid die niet bij hem paste – 'en onze beste mannen zijn daarmee aan de gang.'

'Inspecteur Irk?' vroeg Arkin.

'Het gaat niet langer om een gewone moordzaak,' zei Denisov. 'Volgens de wetten van…'

'De wetten kunnen de pest krijgen. Volgens iedereen die ik heb gesproken is Irk de beste man van Petrovka.' Jerofejevs incompetentie bleef onuitgesproken. 'Hij werkt toch al vanaf het begin aan die zaak? Zet hem er dan weer terug op, nú.'

'Met alle respect, excellentie –'

'Dit is een bevel. Deze zaak kan de toekomst van ons land maken of breken, Denis Denisovitsj. De manier waarop je dit aanpakt, kan jouw carrière maken of breken.'

Het nieuws dat hij de zaak weer terugkreeg, deed Irk maar heel even goed. Hij ziedde van woede. Niet alleen had *Pravda* het verhaal gepubliceerd – hij wist niet hoe, maar hij zou er alles aan doen om daar achter te komen – ze waren ook achter de naam van de jongen gekomen: Modestas Butautas, terwijl de politie nog steeds in de dossiers met vermiste personen zocht. Wederom beschouwde Irk de tekortkomingen van de politie als een persoonlijk falen.

Pravda had de voorkant plus de volgende vier pagina's aan het verhaal gewijd, en het meeste ervan klopte: de namen van de slachtoffers, het feit dat het laatste slachtoffer een straatjongen was, afkomstig uit de hoofdstad Riga, Letland, de omstandigheden waarin ze waren aangetroffen, en de strijd om het beheer van Rode Oktober. Alles bij elkaar, moest Irk erkennen, een aardig stukje werk – misschien moest hij de verslaggevers maar bellen en hun een baan aanbieden in Petrovka. Ze waren heel wat beter in het boven water brengen van feiten dan de meeste rechercheurs met wie hij werkte.

Hij dacht eraan om naar de benedenverdieping te gaan om het uit te vechten met Kovalenko, eens de helhond van de persafdeling van Petrovka, nu de schoothond, maar wat zou hij ermee bereiken? Hij had Kovalenko een fles Eesti Viin gegeven; *Pravda* had hem kennelijk een heel krat geschonken. Iemands loyaliteit gold tegenwoordig niet degene die zijn salaris betaalde, maar degene die hem smeergeld gaf. Het enige verrassende was dat het zo lang had geduurd voordat het verhaal was gepubliceerd.

Het was die ochtend het belangrijkste nieuws in alle televisieprogramma's, compleet met grofkorrelige videobeelden – de Tsjetsjenen hadden een band laten bezorgen bij een van de persagentschappen, waarop Karkadann tekeerging tegen de camera: 'Al tientallen jaren begaan de Russen de meest barbaarse wreedheden tegenover Tsjetsjenen. Nu begrijpen jullie misschien iets van wat wij doormaken.' Kanaal Een, de overheidszender, was terughoudend in zijn berichtgeving, en leverde commentaar met gepaste ernst op de gezichten; Kanaal Twee, zonder officiële zendmachtiging, duwde microfoons in het gezicht van mensen op straat en verkreeg antwoorden die iedere demagoog tevreden zouden stellen: de maffia moest georganiseerd worden, de privatisering moest gestaakt worden, anders ging het land naar de bliksem.

Het was het soort verhaal – misschien wel het enige soort verhaal – dat Moskovieten kon laten opschrikken uit hun gebruikelijke combinatie van burgerlijke zelfgenoegzaamheid en cynische berusting.

De lampen in Irks woning flikkerden even uit en aan, om vervolgens helemaal te doven. Irk zuchtte. Het was al de derde keer in evenzoveel dagen, met steeds dezelfde oorzaak: bewoners die de verwarming zo inefficiënt gebruikten dat de verouderde elektrische leidingen overbelast werden en de zekeringen van complete flatgebouwen sprongen. Hij besloot een bezoekje te brengen aan de familie Chroeminstsj; in hun woning zou het warm en licht zijn, een waarachtig Hilton vergeleken bij zijn eigen flat.

Irks auto startte bij de tweede keer. Het was op zaterdag niet zo druk als doordeweeks, en de rit duurde niet lang. Op Bolsjaja Jakimanka passeerde hij een aantal pijlers voor viaducten, die weliswaar netjes klaarstonden maar waar nog geen weg overheen liep. De stutten van staal en beton strekten zich zinloos uit naar de hemel als bloemen die de zon zoeken, symbolisch voor een stad die groeide, geneigd om elke richting te volgen zolang het maar omhoog was.

Deze overhaaste, lemmingachtige zoektocht naar een betere toekomst had altijd aan de basis gelegen van Ruslands problemen, dacht Irk. Eerst de nimmer verwezenlijkte utopie van een socialistische broederschap, en nu de stormloop in de richting van het kapitalisme waarin het zakendoen op één lijn werd gesteld met misdaad. Hebzucht is een natuurlijke, menselijke eigenschap, maar waar westerse landen regels hadden om de ergste excessen van zakenlieden die uit waren op meer geld en meer connecties onder de duim te houden, bleef Rusland in gebreke. De succesvolle strategie van Russische zakenlieden was dan ook tweevoudig: hun eigen machtsbasis bouwen, en de competitie de kop indrukken met behulp van laster, geweld en list. Hoe kon je daarmee een land en een economie runnen zonder dat ook die eraan onderdoor gingen? Het was onmogelijk. De georganiseerde misdaad bestendigt al te gemakkelijk de voorwaarden waarin zij kan bloeien. Zonder ingrijpen zou het algauw een onderdeel van de staat worden.

Vlak voor het metrostation van Ochotni Riad stond een rij vrouwen met spullen in hun armen geklemd op de stoep. Ieder van hen keek recht voor zich uit, als verdachten tijdens een identificatieprocedure. Terwijl Irk langs hen reed, zag hij dat de rij plotseling uiteenviel. Toen er even later drie agenten verschenen, troffen ze daar slechts een drukke straat met mensen die daar deden wat ze moesten doen. Zodra de smerissen de hoek om waren, vormde de rij zich weer even snel als hij daarvoor uiteen was gevallen. De vrouwen deden niets onwettigs, ze voorkwamen alleen dat ze steekpenningen moesten betalen.

Iedereen deed eraan mee, dat was het probleem. Iedereen deed eraan mee omdat het de enige manier was om te overleven. Irk was geen simplist. Hij wist dat de problemen van Rusland veel meer inhielden dan de maffia. Men kon niet hopen dat er iets kon worden gedaan aan de misdaad zonder iets te doen aan het beleid, de politiek, de moraal, de waarden. Net als Mozes moesten de Russen veertig jaar doorbrengen in de woestijn zodat de oude generatie kon uitsterven en een nieuwe, bevrijde generatie kon opstaan. Intussen deed je wat er in je mogelijkheden lag.

Rodjon deed de deur open, en sprong behendig naar achteren toen Irk hem een hand toestak. 'Het brengt ongeluk om elkaar de hand te schudden op de drempel van een deur,' zei hij. 'Als je dat doet, krijg je ruzie.' Hij klakte met zijn tong toen hij Irks sceptische blik zag. 'Jullie Estlanders zijn allemaal hetzelfde: jullie vinden bijgeloof iets voor boeren en buitenlui.'

'Is dat dan niet zo?'

'Natuurlijk niet. Alleen omdat je iets niet kunt verklaren, is het nog niet minder waar. Kom binnen.'

'Wat is er met je borst gebeurd?' vroeg Irk terwijl hij Rodjon volgde naar de zitkamer.

'Mijn borst?'

De bovenste knoop van Rodjons overhemd stond open en die daaronder ontbrak. Irk wees op de drie diagonale littekens die nu zichtbaar waren.

'Afghaanse medailles,' zei Rodjon. Toen Irk niet-begrijpend keek, legde Rodion uit: 'Gorbatsjov zelf heeft ons gedecoreerd, op het Rode Plein op de dag van de overwinning. Ik trok mijn kraag open en spelde de medailles op mijn blote huid, zodat het bloed eruit liep – omdat we in die kleine stukjes metaal het bloed hadden vergoten van onze vrienden, het bloed van hen die stierven en hen die er als kinderen heen gingen en als oude mannen terugkwamen. In die medailles zat de pijn van ons hart.'

De etentjes met de familie Chroeminstsj waren de hoogtepunten – de enige pleziertjes, eigenlijk – geworden van Irks leven. Die avond hadden ze het over de moorden – waar anders over?

'Lev moet gaan onderhandelen met de Tsjetsjenen,' zei Svetlana.

'Dat heb ik hem ook gezegd,' zei Irk.

'Dan zou hij toegeven aan afpersing en bedreiging,' zei Rodjon. 'Dat moet je nooit doen.'

'Rodja, het zijn ónze kinderen die ze vermoorden,' zei Svetlana.

'En dus is de enige oplossing dat de Tsetsjenen uitgeschakeld worden.'

'De woorden van een ware Rus,' zei Irk.

'En dat waren de woorden van een echte, bevoogdende Estlander.'

'Ophouden, jullie allebei,' zei Svetlana. 'Wat is belangrijker? Wie de fabriek beheert, of de levens van kinderen?'

'Zo simpel ligt het niet, ma.'

'Zo simpel ligt het wel, Rodja. Galja, jij hebt meer te maken met Lev dan wij allemaal; kun jíj hem er niet toe overhalen?'

Galina haalde haar schouders op. 'Als Lev een besluit heeft genomen, valt daar niet aan te tornen.'

'Kun je dan tenminste niet met hem praten? Ik kan niet geloven dat hij dit goedkeurt.'

'Natuurlijk niet. Maar ik zie niet in wat ik daaraan zou kunnen doen.'

'Je zou kunnen zeggen dat je het geprobeerd hebt.'

'Ma, laat haar met rust,' zei Rodion. 'Galja heeft gelijk. Wij stellen allemaal niets voor – zelfs jij niet, Juku. Alle belangrijke beslissingen worden genomen zonder ons te raadplegen en zonder erbij na te denken wat voor gevolgen ze voor ons hebben. Zo is het altijd geweest, en dat zal nu heus niet veranderen.'

42

De hal van Petrovka zat vol kinderen, de meesten van hen in vuile kleren die hun een aantal maten te groot waren, en met een uitdagende blik waarin ook angst stond te lezen, keken ze om zich heen. Irk liep vlak langs hen en sprak een brigadier achter de balie aan. 'Wat is hier in vredesnaam aan de hand?'

'Straatkinderen, vanochtend allemaal uit het riool gehaald.'

'Op wat voor gronden?'

'Opdracht van Denisov.'

'Voor hun eigen bescherming?'

'Het was een nachtmerrie, inspecteur. We hebben in ploegen moeten werken.'

'Dus de politie heeft problemen met mankracht – dat is geen nieuws.'

'Nee, er waren wel mannen genoeg, maar niet genoeg veiligheidskleding. Bovendien deugden de kaarten niet en werkten de radio's niet, dus raakten we allemaal de weg kwijt.'

Een van de collega's van de brigadier praatte met een groep kinderen terwijl hij formulieren invulde – arrestatieformulieren, zag Irk tot zijn stomme verbazing. 'Maak je een proces-verbáál op?' vroeg hij. 'Op wat voor gronden?'

'Er zijn altijd gronden, inspecteur.'

Irk liep rechtstreeks naar Denisovs kantoor en stapte er zonder kloppen binnen. 'Waarom maken de agenten het die kinderen lastig in plaats van ze te beschermen?' schreeuwde hij. 'Het is zeker allemaal voor de show, voor statistieken die toch vervalst worden? Die kinderen verdwijnen zodra ze vrijgelaten worden toch weer onder de grond. Dit is een volstrekt zinloze actie, Denis Denisovitsj.'

'Juku, je ziet alweer het grote geheel niet. De minister-president heeft…'

'De minister-president heeft zitten zeuren over een avondklok voor kinderen, meer niet. Hij heeft hulpinstellingen ervan beschuldigd daklozen te hebben aangemoedigd om naar Moskou te komen omdat ze denken dat het leven hier beter is. Wie denkt hij te belazeren, Denis Denisovitsj? Moskou strijkt viervijfde op van de inkomsten van Rusland – is het zo gek dat mensen denken dat de straten hier met goud geplaveid zijn?'

Later die dag verschenen overal in Moskou aanplakbiljetten. Ze hingen daar uit naam van Lev, met foto's van de vier slachtoffers en – in een grotere lettertype dan de overige tekst – een beloning voor eenieder die inlichtingen kon verschaffen die zouden leiden tot de aanhouding van de dader. De 21e Eeuw had de plakkaten aangebracht op elk plekje dat ze konden vinden, over posters heen met aankondigingen voor sportevenementen, circus, dansscholen en theaters. In de ogen van cynici leek de jacht op de moordenaar een nieuwe vorm van massa-amusement in een stad die hunkerde naar een verzetje.

'We moeten praten,' zei Lewis.

Alice schonk zichzelf net een wodka in. Ze vulde haar glas, draaide de dop weer op de fles en liep terug naar haar stoel. 'Oké. Begin jij maar.'

'Ik vind dat we hier weg moeten.'

'Vanwege die moorden?'

'Ja, vanwege die moorden. Doe niet zo laatdunkend, Alice. Ik heb mensen gezien die kinderen hebben verloren – ik heb sommige van die kinderen geopereerd – en er bestaat niets dat erger is dan dat. Misschien beschouw jij die levens als oorlogsslachtoffers, een prijs die moet worden betaald. Ik niet.'

Lewis praatte zo langzaam dat Alice, zoals altijd, niet kon wachten om te reageren nog voordat hij uitgesproken was. 'Ik denk dat toegeven erger is dan doorgaan.'

'In godsnaam, Alice, je bent de overheid niet, je hoeft op mij geen indruk te maken met je stoere standpunt. Die lui vermoorden kinderen omdat ze de stokerij willen hebben. Denk je nou echt dat ze niet achter jou aan komen, als hun dat uitkomt? Of achter mij, om jou te treffen? Wat zijn wij in hun ogen? Ik zal het je zeggen: wij zijn de prooi. Het gaat heus wel door, met of zonder jou. Het is niet de moeite waard om je voor te laten vermoorden.'

'Zonder mij gaat het niet door. Er is niet genoeg tijd.'

'O, dus nu ben je onmisbaar? Kom op, Alice. Dit is het Wilde Oosten, dit is de maffia.'

Zijn toon was zo neerbuigend dat Alice plotseling zin had om hem alles te vertellen over Lev, alleen om hem te vernederen. Lewis had er geen idee van hoeveel zij te maken had met de maffia, en de maffia met haar. Niet voor de eerste keer bedacht ze hoe moeilijk het was om hem serieus te nemen als hij kwaad was. Waar hartstocht bij Lev hoorde, leek het ongerijmd bij Lewis, alsof hij andermans kleren droeg. Elke strijd die Lev had gevochten, had zich afgetekend in zijn gezicht; dat van Lewis was rimpelloos, onbezoedeld, een sculptuur van glad marmer.

Maar het was niet Lev om wie Lewis zich zorgen maakte, het was Moskou. Alice hield al van Moskou met de verliefdheid van een nieuwe romance. Ze wist dat het niet altijd zo zou zijn, en dat het uiteindelijk een liefde zou zijn als voor een moeilijk kind of een humeurige minnaar: diep en veerkrachtig, maar ook doortrokken met haat, wrok en woede, als laagjes in gesteente.

Maar ze hield van die stad. Moskou prikkelde haar zintuigen, hield haar de hele dag in zijn ban. Het was een stad vol historie, meer nog dan Berlijn of Parijs, en Alice voelde hoe het verleden overal waar ze was door het heden heen drong. Soms ergens verborgen op een straathoek; dan weer daar, sijpelend om haar voeten als ze zich over de trottoirs haastte. De eeuwige strijd om het leven, het gevecht, de onzekerheid, de opwinding, de pure onwezenlijkheid – Moskou gaf haar energie. Ze had gehoord dat Rusland iets in mensen veranderde. Je kwam er vandaan als een nieuw persoon. Spanning achtervolgde je met de roerloze onbarmhartigheid van een schaduw. Het was er als je wakker werd, werkte, at, vrijde, sliep. Sommige mensen konden er niet tegen en vluchtten weg. Anderen grinnikten erom en verdroegen het zo lang als het moest. Sommigen vluchtten in excentriciteit, anderen werden krankzinnig. En er waren mensen, zoals Alice, die de Russische beer omhelsden en met hem dansten.

'Laten we naar huis gaan,' herhaalde Lewis. 'We kunnen over een paar jaar altijd nog terugkomen, als ze hier alles op orde hebben. Als we dan nog willen.'

Als we dan nog bij elkaar zijn, dacht ze.

43

Februari is altijd een afschuwelijke maand in Moskou. De eerste charme van de winter is er dan wel af, de troostvolle vrije dagen rond Nieuwjaar zijn al weer lang achter de rug, en er liggen nog maanden in het verschiet vol smerige, half gesmolten sneeuw, voordat de lente weer hoop biedt. Modder in laarzen en een grauwheid van binnen, duisternis aan het begin van de werkdag, en weer duisternis als het einde ervan, en een zon die nauwelijks aan bod komt in de combinatie van grijs weer, katers en een onkenbare angst voor de toekomst.

Het was de koudste dag van het jaar, vijfentwintig graden onder nul, en nog daalde de temperatuur. De kou was een aanwezigheid, een organisme; tijdens de paar stappen van de voordeur van haar woning naar Arkins limousine, vroeg Alice zich even af of het in de hel niet ijskoud zou zijn in plaats van bloedheet. Haar oorbellen leken wel in haar huid te branden. Ze maakte de flappen van haar bontmuts los en trok ze over haar oren. In de auto begroette Arkin haar met een fles wodka. 'Smeer dit maar over je gezicht,' zei hij. 'Dat helpt.'

Onderweg wees Arkin naar de bezienswaardigheden alsof hij eigenhandig het Kremlin had gebouwd, het Rode Plein had geplaveid en de koepel van de Basilius-kathedraal had neergezet. 'Dit is de mooiste stad ter wereld. Het derde Rome,' zei hij, terwijl hij drie vingers opstak van zijn ene hand en vier van zijn andere. 'Op zeven heuvels gebouwd, net als Rome.' Alice dacht aan de geschiedenis van Rome: een rommelmarkt van gestolen goederen en overwonnen volkeren, een stad van hel en hemel, met slaven in de ene, en goden in de andere; mensen die gevoed werden met hondenvlees en vice versa, zonden die als ingewanden kronkelden op een slagersblok. Er was niets nieuws onder de zon.

Ze hobbelden van de weg af naar het voetgangersgebied op het Manezjplein. Links van hen stond het Moskou-hotel in al zijn gewichtigheid te pronken. 'Zie je de torens aan weerszijden van het midden?' vroeg Arkin. 'Die zijn verschillend. Sjoesev, de architect, heeft twee gevelontwerpen gemaakt op één vel papier. Hij gaf de schets aan Stalin, die er zijn goedkeuring aan verleende zonder te begrijpen dat Sjoesev hem tussen die twee gevels wilde laten kiezen. Sjoesev durfde hem daar niet op te wijzen. En zo kwam het dat het hotel op die manier is gebouwd: met twee verschillende vleugels.'

Vlak voor hen probeerde de politie demonstranten te verwijderen onder de Opstandingspoort, zodat de limousine van de premier door kon rijden naar het Rode Plein. Alice zag dat zij het onderwerp was van sommige aanplakbiljetten: op een ervan was ze afgebeeld als een vampier, die het bloed uit de Russische economie zoog; op een andere stond ze als een duivel in een jurk; op een derde was ze te zien als de rattenvanger van Hamelen, vrolijk fluit spelend terwijl Borzov en Arkin achter haar aan liepen naar een rivier met de naam 'Ondergang'; op een vierde poster stond ze als een vrouwelijke versie van Raspoetin, die ongelukkige politici behekste en dronken voerde. Ze was een buitenlandse, en daardoor even achteloos met Russisch geld als met gevoeligheden; haar uiterlijk oogstte bewondering, met jaloezie in haar kielzog, Een gemakkelijker doelwit was haast niet te vinden geweest.

Alice merkte dat ze trilde. Dit was de eerste keer dat de publieke minachting zich tegen haar persoontje had gericht, en ze voelde zich geschonden door hun diepe haat. Dat die Borzov en Arkin ten deel viel, was normaal, die waren eraan gewend, die vroegen er zelfs om. Voor de gekozen vertegenwoordigers van het volk hoorde dat er nu eenmaal bij. Maar zij was niets meer dan een betaalde functionaris, waarom moest zij dat dan over zich heen krijgen?

Het trillen, moest ze toegeven, had misschien ook iets te maken met de hoeveelheid drank die ze vorige avond naar binnen had gewerkt. Tja, dan had Lewis haar maar niet zo kwaad moeten maken. Toen ze die ochtend eindelijk uit bed was gekropen en de gordijnen open wilde trekken, had ze zich daaraan vast moeten houden; goede Russische gordijnen zijn altijd van zware kwaliteit, om de kou in de winter en het daglicht in de zomer buiten te sluiten.

'Moordenaars!' schreeuwde iemand. 'Smerige moordenaars, het bloed van onschuldige kinderen!' Een andere demonstrant kwam tot halverwege het politiekordon. Hij zwaaide met een stapel roebels naar de limousine, en gilde: 'Weten jullie wat ik hiermee doe? Ik behang er mijn kamer mee, ik veeg mijn reet ermee af. Dat is het enige dat je ermee kunt doen!' De laatste woorden vervlogen toen de politie de man eindelijk op de grond had gewerkt.

Alice wist dat hij gelijk had. De inflatie rijst de pan uit als hij maand na maand vijftig procent stijgt; zover waren ze intussen al, en het werd elke dag erger. Hyperinflatie voedt zichzelf, en groeit eerder exponentieel dan line-air. Als Rusland een westers bedrijf was, dacht Alice, zouden de curatoren erbij gehaald zijn, de activa verkocht, en de werknemers ontslagen. Natuur-lijk was het waanzin om onder zulke omstandigheden aan privatisering te gaan denken. Maar dit was nu eenmaal Rusland, en hier gingen ze ermee door.

Alle media waren komen opdraven voor de officiële aankondiging van de verkoop van Rode Oktober, precies over vier weken, en van het bonnen-systeem dat bij elke privatisering werd gehanteerd. Alle 150 miljoen burgers van Rusland hadden recht op een bon, met een nominale waarde van tien-duizend roebel, die ze ofwel direct konden investeren in een geprivatiseerde onderneming, of beleggen in een bonnen-investeringsfonds, of konden verkopen.

De bon was niet veel bijzonders: het papier was dun, en het ontwerp – schreeuwerige koppen met 'Russische Federatie' en 'Privatisering' respec-tievelijk onder- en bovenaan, en daartussen een geborduurd ovaal met een gestileerde tekening van het Witte Huis gezien vanaf de overkant van de ri-vier, en een serienummer rechts onderin – deed meer denken aan een lote-rijbriefje dan aan een waardebiljet. Wat het eigenlijk ook was, dacht Alice.

Arkin was aanvankelijk tegen de bonnen geweest – de staat had geld no-dig, en zelfs het laagste bedrag werd nog iets waard wanneer je het met hon-derdvijftig miljoen vermenigvuldigde – maar Alice had hem met zijn eigen woorden teruggepakt: wat het allerbelangrijkste was, was dat onderneming-en in particuliere handen overgingen. Ze hadden miljoenen eigenaars no-dig met ieder een handvol, en niet een handvol eigenaars met ieder miljoe-nen. Het deed er niet toe wie het kreeg, of ze er klaar voor waren of wat ze ermee konden doen, zolang het maar niet langer eigendom van de overheid was.

Bovendien had de prijsliberalisering alle spaargelden weggevaagd, dus waren de enige mensen die aan grote geldbedragen konden komen, buiten-landers en maffiosi – en zelfs Arkin kon geen manier bedenken om een van beide mogelijkheden te verkopen aan het Russische volk. In theorie was cash privatisering mooi. In de praktijk zou het gevaarlijk, onbeheersbaar, catastrofaal zijn. Het zou een kleine groep de kans geven, zelfs stimuleren, de hele economie op te kopen, wat op zijn beurt verontwaardiging en op-stand tot gevolg zou hebben.

Uiteindelijk had Alice het met haar argumenten gewonnen en had Arkin erin toegestemd de bonnen weg te geven in plaats van te verkopen. Ze was bijzonder trots op zichzelf. Was dit dezelfde vrouw die op Wall Street had geroepen 'ik heb tien miljoen acht-en-een-halven van IBM voor 101 gekregen, en ik wil dat die klootzakken nú oprotten!'; de vrouw die cliënten in de hoek had gedreven en ze zover had gekregen dat ze gouden munten uitbraakten; de vrouw wier eerste reactie op de ramp in Tsjernobil was zoveel mogelijk ruwe olie op te kopen (nucleaire aandelen in kernenergie zouden het flink te verduren krijgen, minder kernenergie betekende meer vertrouwen in olie) en meer aardappelen dan Idaho in een jaar tijd kon produceren (de radioactieve neerslag zou enorm veel oogsten in Europa besmetten, wat de onbesmette Amerikaanse oogst ten goede kwam).

Arkin beantwoordde vragen, en ze barstten in alle hevigheid los. De eerste was afkomstig van *Pravda*, ook al hadden hun verslaggevers niet toegelaten mogen worden als straf voor de onthullingen van afgelopen weekend. 'Hoe kunt u dit proces rechtvaardigen wanneer in naam daarvan kinderen worden vermoord?'

Arkins trekken plooiden zich in een uitdrukking waaruit gepaste. Dreurige ernst sprak. 'We bevinden ons in een overgangsperiode, en een overgangsperiode heeft altijd wetsovertreding tot gevolg. Net als alle andere weldenkende burgers, verafschuw ik wat de Tsjetsjenen hebben gedaan. Het gaat hier om terroristen, die ons willen dwingen naar hun pijpen te dansen. Ja, deze dingen gebeuren bij de stokerij, en ja, het is verschrikkelijk; maar veel verschrikkelijker zou het zijn als we ons door hen lieten intimideren. Dat we nu een democratie hebben, betekent nog niet dat we met ons laten sollen. Dit zijn mijn laatste woorden over dit onderwerp; ik beantwoord er verder geen vragen over.'

Een aantal handen ging omlaag. Een vrouw stond op en tuurde over haar leesbril. 'Waarom is Anatoli Nikolajevitsj hier niet?'

'Hij voelde zich niet goed, hij is herstellende in Sotsji.' Sotsji ligt aan de Zwarte Zee; Borzov kon de traditionele presidentiële datsja in Foros in de Krim, waar Gorbatsjov afgelopen augustus gevangen was gehouden, niet gebruiken aangezien de Krim nu Oekraïens grondgebied was. 'Maar hij heeft ons een boodschap gestuurd waarin staat dat hij ons steunt, en dat hij achter de geweldige vooruitgang die we maken staat.'

Oftewel, dacht Alice, blij met haar observatievermogen en geërgerd dat ze het niet eerder had gezien: de president houdt zich op een afstand. Als het allemaal in de soep liep, zou Borzov even behendig opzij stappen als een matador die wegduikt voor een aanstormende stier.

Arkin sloeg zijn handen in elkaar. 'Geen vragen meer. Ik wil u onze tv-spots laten zien.'

Alice, die half onderuit in haar stoel had gezeten, schoot overeind. Dit was voor het eerst dat ze iets hoorde over tv-spots. Ze probeerde Arkins blik te vangen, maar hij was te druk bezig de technici instructies te geven. Toen de lichten gedoofd waren, werd Lionja Goloebkov zichtbaar op de zwarte muur van de conferentiezaal.

Lionja was de archetypische sovjetclown, de moderne versie van Ivan de Dwaas. Volgens het standaardgedrag van deze *idiot savant*, de held in talloze Russische sprookjes, zit hij op de kachel en vervloekt iedereen, zich af en toe opzwepend om een tovervis te vangen die drie wensen van hem in vervulling laat gaan: een toverpaard vinden dat hem rijkdom en liefde en roem brengt, of de vuurvogel vangen die gouden appels heeft gestolen uit de tuin van de tsaar en de keizerlijke beloning opeisen: de helft van het koninkrijk zolang de tsaar nog leeft, de andere helft na zijn dood.

De reclamespots waren in twee stukken gedeeld: ervoor en erna. De eerste toonde Lionja, gehuld in een dikke, canvas jas en een sjofele pet met oorflappen erop, als bestuurder van een graafmachine – maar hij had net zo goed een loodgieter, een lader, of wat voor ongeschoolde arbeider ook geweest kunnen zijn. Hij ging met zijn allerlaatste roebels de administratiekosten betalen voor zijn bon. 'Ik wil laarzen kopen voor mijn vrouw!' zei hij, grinnikend in de camera. 'Goed gedaan, Lionja,' zei de verteller. In een filiaal van de Sberbank ontmoette Lionja andere types die in dezelfde situatie zaten als hij: Marina Sergejevna, een alleenstaande vrouw die niemand vertrouwde maar wel geloofde in de bonnen; een straatarm, pasgetrouwd studentenpaartje; en een bejaarde man wiens bril bij elkaar werd gehouden met een touwtje. Zij waren duidelijk allemaal het slachtoffer van de economische hervormingen – maar, zo luidde de boodschap, dezelfde hervormingen zouden hun nu juist geluk bezorgen. Het enige dat ze moesten doen was naar het dichtstbijzijnde filiaal van Sberbank gaan om hun bon op te halen.

Het contrast tussen ervoor en erna was even subtiel als een mokerslag. Lionja en zijn vrouw zaten nu in een nieuw ingerichte woning: skischoenen in de hal, kostbare bontmantels in de kast, een glanzend nieuwe Mercedes voor de deur. Marina Sergejevna had haar versleten kleren weggedaan en stond zich nu te bewonderen in de spiegel van een luxueus boudoir. De studenten hadden ook een nieuw appartement betrokken, helemaal van henzelf, zonder familieleden of vrienden of vreemden. En de bejaarde man pakte fruit en speelgoed in om aan zijn kleinkinderen te sturen in Barnaul.

Toen de band afgelopen was, bleef het scherm wit. De lichten gingen aan.

Alice' kater stak plotseling weer de kop op, haar mond vulde zich met speeksel, ze kokhalsde, wat maar één ding kon betekenen. Ze duwde haar stoel naar achteren en liep snel maar niet overhaast de zaal uit. Pas toen ze in de gang was, begon ze te rennen. De herentoiletten waren het dichtstbij, daar ging ze op af – nood brak wetten. Ze gooide de deur open en gleed de laatste meter door naar de wc als een slagman die op een honk af vliegt.

Ze zong nog steeds de lof van de porseleinen pot toen Arkin binnenkwam.

'Gaat het wel?' Hij keek bezorgd.

'Uitstekend.'

'Je zag er zo beroerd uit. Het leek me beter om even naar je te komen kijken.'

'Ik heb zeker iets verkeerds gegeten.' Ze praatte tussen het hijgen door. 'Ik heb gisteravond haring en zalm gegeten, misschien lag het daaraan.'

'Je moet niet gaan weifelen, Alice.'

'Ik weifel niet.'

'Je bent sterk – daarom hebben we jou uitgekozen. Zonder offers komt er nooit iets groots tot stand.'

'Ik zei je toch, ik weifel niet.'

Arkin keek alsof hij dat dan maar moest geloven. 'Wat vond je van de spotjes? Wel aardig, hè?'

'Mag ik het eerlijk zeggen?'

'Zeg het maar.'

'Ik vind ze afschuwelijk.'

'Ik weet dat de productiewaarde niet geweldig is, maar het was toch niet slecht voor een haastklus?'

Alice had het gevoel dat het haar eeuwen kostte voordat ze haar stem terug had. 'Het zijn regelrechte leugens, Kolja. Wishful thinking, op zijn minst. Je kunt dat soort troep niet uitzenden. Zo gaat het niet, dat weet je best.'

'Nou, of we proberen hun dit in de maag te splitsen, of we kijken toe hoe alles om ons heen instort.

'Ik doe er niet aan mee.'

'Je doet hier wel aan mee. Je bent hier om de stokerij te privatiseren. Hoe meer mensen die bonnen gaan gebruiken, hoe beter voor jou.'

'Ik wil niet dat je die spotjes uitzendt.'

'Te laat. Ze gaan vanavond de lucht in.'

'Vanavond? Dan moet je ze tegenhouden.'

'Daar is het te laat voor. Dat kan ik niet doen.'

'Jij bent de premier, jij kunt doen wat je wilt. Hou ze tegen.'

'Néé.'

Alice zag dat Arkin er niet aan twijfelde dat hij in zijn recht stond. Hij deed haar denken aan iemand uit het werk van Dostojevski: als je hem 's avonds een kaart geeft van de sterren, geeft hij je ze de volgende ochtend vol correcties terug.

Arkin draaide zich op zijn hakken om en beende weg. Alice ging naar de kraan en plensde water in haar gezicht. Het kon niet aan de hoeveelheid drank hebben gelegen, dat wist ze zeker; ze had wel eens veel meer gedronken zonder dat ze er zo ziek van was geworden. Ze had het benauwd gekregen van al die televisielampen, ze was nerveus geworden van de demonstranten ... Stress en vis, meer was het niet geweest. En ze was opgestaan, naar haar werk gegaan, en had gedaan wat ze moest doen zonder er verder acht op te slaan. Ze was niet in een goot neergevallen of in bed blijven liggen klagen. Ze had het heel goed gedaan.

44

De telefoon bij Alice op kantoor rinkelde: de dubbele toon gaf aan dat het een buitenlijn was, dus niet Lev. Ze voelde de teleurstelling knagen toen ze opnam.

'Met mij,' zei Lewis. 'Ik wilde even zeggen dat ik laat thuiskom.'

'Problemen bij de top?'

'Een hele tas vol. Nog meer gedwongen ontslagen.' Zijn toon was neutraal; Alice kon niet horen of dit vooruitzicht hem opwond of afstootte, of geen van beide.

'Arme stakkerds,' zei ze.

'De meesten wel, ja. Behalve dan een vent die bloed heeft gepikt uit het ziekenhuis.'

'Om op de zwarte markt te verkopen?'

'Waarschijnlijk wel. Hij is de eerste die eruit vliegt, dan zijn we die tenminste kwijt.'

Er werd op de deur geklopt. '*Kto?*' zei Alice. 'Wie is daar?'

'*Kto, kto, ded Pichto.*' Het was een nonsensrijmpje: 'Grootvader Pichto, die staat hier.' Lev kwam binnen en nam in de deuropening een denkbeeldige hoed af. Zijn dikke haar was vanaf zijn voorhoofd naar achter gekamd; onder in zijn nek krulde het op. Alice stak een vinger op: een minuutje.

'Ja, die kun je maar beter kwijt zijn,' zei ze rustig in de hoorn. 'Doe maar rustig aan, ik ben misschien ook wel laat thuis.'

Lewis hing op. Andere mannen zeggen voor ze ophangen tegen hun vrouw dat ze van haar houden, en soms stoorde het Alice dat Lewis niet zo'n type man was. Maar vandaag was ze er blij om – het zou gênant zijn geweest om iets dergelijks te moeten terugzeggen waar Lev bij stond.

Ze dronken Sibirskaja, gedestilleerd van wintertarwe en herhaaldelijk gefilterd door berkenhoutskool. Ze rook anijszaad en proefde het ook, deze keer had het iets dropachtigs; een licht en verfijnd aroma maakte plaats voor een rijke, geurige smaak, heel zoet en bijna romig, totdat de alcohol brandde in haar keel.

'Ik zag je gisteren op televisie,' zei hij.

'En?'

'Je was knapper dan Arkin.'

Ze schoot in de lach. 'Zo voelde ik me ander niet.'

'Het is een beroerd idee, van die bonnen.'

'Het heeft gewerkt in Oost-Europa – ik weet het, ik weet het, in Rusland is alles anders. Waarom is het een slecht idee? De mensen kunnen er mee doen wat ze willen.'

'Ze zouden verplicht moeten worden ermee te investeren in de bedrijven waar ze werken.'

'Ik weet zeker dat de meesten dat ook doen. Maar als ze het niet doen, kun je ze niet tegenhouden.' Lev zweeg; Alice bespeurde een trekje van geamuseerdheid in zijn gezicht. 'Zelfs hier niet,' zei ze.

'Waardoor ben je daar zo zeker van?'

'Wat wou je dan doen? Ze verplichten hun bonnen aan jou te verkopen?'

'Ja.'

'Dat kun je niet doen.'

'Jawel, en ik doe het al. Ik heb het al in hun contracten laten zetten.'

'Dat is illegaal.'

'Helemaal niet. Ik betaal hun de nominale waarde, dus ze verdienen er allemaal aan. Er bestaan al speciale voorzieningen voor de arbeiders. Ik zorg er alleen voor dat alle bonnen op de juiste plaats terechtkomen. Hoe zou het er voor de buitenwereld uitzien als werknemers van Rode Oktober niet zouden willen investeren in hun eigen bedrijf?'

'Alle werknemers?'

'Alle werknemers.'

Er kwam iets bij haar op. 'Alle werknemers die op de loonlijst staan?'

'Dat zei ik.'

Licht onpasselijk liep Alice naar de fabriekshal van de stokerij. Het beviel haar niet wat Lev deed, het beviel haar helemaal niet, vooral niet omdat ze het niet kon rijmen met de man die haar zoveel deed. Maar pas als ze zeker wist wat er gaande was, zou ze hem ermee confronteren.

De eerste die ze zag was German Kullam, die voor zich uit stond te staren. Het was het begin van de maand, de productie moest dus pas over een paar weken klaar zijn in plaats van over enkele dagen of zelfs uren, en haast was dan ook nauwelijks te bespeuren.

'Wat ben jij van plan met je privatiseringsbon?' vroeg ze. Hij keek eerst haar aan, en toen omhoog naar Levs kantoor; precies zoals de vrouw op de bottelafdeling had gedaan, herinnerde ze zich. 'En ben je er blij mee?'

'Lev weet wat het beste is.'

'German, dit is een fabriek, geen verdomde eredienst. Ben je er blij mee hem je bon te verkopen?'

'Wil je weten waar ik níét blij mee ben? Dat we worden lastiggevallen door westerlingen over alle ongemakken hier. Jullie krijgen luxe appartementen, de beste kaartjes voor ballet en theatervoorstellingen, restaurantvergoedingen, een salaris van zes cijfers – en daarboven op ook nog eens vergoedingen wegens "geleden verliezen". Dat zijn geen ongemakken, stelletje zeikerds dat jullie zijn. Ga maar eens wonen waar ik woon, ga maar werken waar ik werk, verdien maar eens wat ik verdien – dat zal jullie verdomme leren wat ongemakken zijn.' Hij trommelde op zijn borst, als een soldaat die aan zijn medailles voelt. 'Wij zijn de mensen zonder tranen. Eerlijker dan jullie, trotser. Kijk maar naar me – hoe oud denk je dat ik ben?'

Zijn gezicht vertoonde veel rimpels, evenzeer van de zorgen als van de wodka; zijn handen waren doorploegd van miljoenen ervaringen.

'Vijfenveertig?'

German snoof verachtelijk. 'Eenendertig. En zij?' Hij wees naar een vrouw die aan een werkbank stond.

'Tweeënvijftig,' zei Alice.

'Veertig,' zei German, niet zonder triomfantelijkheid, alsof hij zojuist had bewezen hoe verwend westerlingen zijn.

'Jij lijkt me niet al te hard bezig,' zei ze.

'Ik wacht op leverantie.'

'Kun je niet iemand anders gaan helpen?'

German keek haar zonder uitdrukking aan. Het was niet dat de vraag hem niet aanstond, zag Alice; meer dat hij hem niet begreep. Een Russische arbeider voelde zich alleen verantwoordelijk voor het werk dat hem opgedragen was. Als de een zijn taak af had en een ander had nog veel te doen, zou de nummer één nooit nummer twee helpen, hoe makkelijk het werk ook mocht zijn, en nummer twee zou ook nooit om hulp vragen. Onder de sovjetwetgeving was iedere burger die gezond was van lichaam en geest verplicht geweest om een baan te hebben, anders werd hij vervolgd. Dit hield in dat er voldoende werk moest worden gecreëerd voor iedereen, wat weer tot gevolg had dat iedere arbeider louter en alleen zijn eigen, specifieke aandeel leverde. 'Wij doen net of we werken, en zij doen net of ze ons betalen,' hadden de mensen geklaagd over een systeem dat weinig loon betaalde voor hard werk en luiheid niet afstrafte. Plotseling werd er van hen verwacht dat ze zich gedroegen als vertegenwoordigers die op provisiebasis werkten; dat zou domweg niet gebeuren.

Alice ging weer naar boven waar ze Harry aantrof die prestatie-initiatieven en bonussen stond aan te prijzen.

'Jullie begrijpen er niets van,' snauwde Lev. 'Helemaal niets. Wat jij voorstelt, zou het einde van deze fabriek betekenen. Zodra je mensen verschillende lonen gaat betalen, creëer je afgunst, antipathie, verdeeldheid. Deze fabriek drijft op gelijkheid, meneer Exley, gelijke lonen voor de hele groep. Er is geen ruimte voor individuele ambitie.'

Harry probeerde het nog eens. 'In dat geval moet u de prijzen verhogen. Hogere prijzen vragen voor uw wodka.'

'En wie koopt die dan nog? Hoeveel doorsnee werknemers heb je hier op straat zien lopen met miljoenen op zak? Onze prijzen zijn al hoog, om ons product te onderscheiden van de derderangs rotzooi die inferieure stokerijen en particuliere oplichters op de markt brengen. Als we de prijzen nog verder verhogen, lopen de mensen naar de concurrent of ze gaan zelf wodka stoken. In beide gevallen verdienen we dan helemaal geen cent meer. Er bestaat een oud raadsel: 'Als de prijzen van wodka zo hoog worden als die van een kostuum, wat zou je dan kopen?' 'Nou, wodka natuurlijk. Wat zou ik met zo'n duur kostuum moeten?'

Irk had drie dagen lang geprobeerd een bezoek te regelen in het Belgradohotel; nu kwam eindelijk het telefoontje dat hem een half uur de tijd gaf, anders was zijn kans verkeken. Grijp je kans, zei de Tsjetsjeense maffia.

Ze begonnen weer met het omslachtige gedoe met de blinddoek, bovendien fouilleerden de Tsjetsjenen hem nu ook om te zien of hij geen opsporingsapparatuur bij zich had. Hun paranoia nam kennelijk toe. De rit duurde langer dan de vorige keer, en al voordat de auto stopte wist Irk al dat ze ergens op het platteland waren; de geluiden en geuren van de straten in Moskou ontbraken, en er hadden zoveel kuilen en hobbels in de weg gezeten dat hij twee keer zijn hoofd had gestoten.

Toen ze hem uit de jeep haalden, waren ze hardhandiger dan de vorige keer. Irk deed de blinddoek af en knipperde tegen de verblindende sneeuw. Ze stonden op een veld, aan twee kanten begrensd door populieren en aan de andere twee door sintelbanen. Het kon overal zijn.

'Waar is Karkadann?' vroeg hij.

Vier mannen hielden hun geweer op hem gericht. Geen van hen reageerde. Hij knikte in de richting van de wapens. 'Waar denk jullie dat ik naartoe zou kunnen vluchten?'

Ze bleven tien minuten in stilte wachten toen er, zigzaggend als een dronkeman over de landweg, nog een jeep aankwam waar Zjorzj uit stapte. Hij tastte in zijn zak terwijl hij op Irk af stapte en haalde er een stapeltje dollars uit, waar hij een flinke stapel van af pakte – die volgens Irk in gelijke mate de last van de handschoen als zijn vrijgevigheid weerspiegelde. Zjorzj stopte het geld behoedzaam in de borstzak van Irks overjas. Met evenveel zorg haalde Irk het eruit en gaf het terug. Zjorzj reageerde met een norse blik.

'Je moet ons niet beledigen door onze vrijgevigheid te weigeren,' zei de gewapende man die het dichtst bij Irk stond.

'En jullie moeten mij niet beledigen door me voor een oneerlijk man te houden.'

'Laat de zaak rusten.'

'Ik zou het niet kunnen, al zou ik het willen. De minister-president zelf heeft me er op gezet.'

Zjorzj kneep zijn lippen op elkaar, dacht even na, en knikte toen naar de gewapende mannen. Degene die zojuist had gesproken schopte Irk plotseling van achteren tegen zijn knieën, zodat hij voorover op de grond viel. Toen hij probeerde overeind te komen, waarbij de sneeuw tegen zijn wangen plakte, voelde hij een metaal cirkeltje tegen zijn achterhoofd: het uiteinde van een loop, heel, heel koud.

Irk hield zijn adem in en wachtte, wachtte, alsof hij wilde uitproberen hoe lang hij onderwater kon blijven. Hij was nooit zo'n avontuurlijk man geweest die vond dat het leven niet compleet was als je de dood niet in de ogen had gezien. Het leek hem oneerlijk dat de dood hem zou overvallen terwijl zo veel anderen hem zochten. Oneerlijk, meer niet. Oneerlijk, zo'n prozaïsch woord. Als je op het eind een grootse openbaring te wachten stond, ontging die Irk in elk geval, en hij was teleurgesteld over het banale van zijn gedachten. Hij was niet eens heel erg bang. Als je een niet al te geweldig leven had gehad, waarom zou je dan bang zijn om het te verliezen?

Lange stiltes, een zwoegende ademhaling die van hemzelf afkomstig was, voetstappen die duidelijk door anderen werden veroorzaakt.

Irk hoorde motoren starten en het kraken van sneeuw onder banden. Pas toen besefte hij dat er geen wapen meer tegen zijn hoofd aangedrukt werd, maar hij verroerde zich niet totdat de stilte weer als een deken over hem heen lag. Toen hij opkeek, waren de Tsjetsjenen verdwenen.

Het kostte Irk een uur om de snelweg te vinden. Met een biljet van tien dollar tussen zijn trillende vingers wist hij binnen een minuut een auto voor hem te laten stoppen die hem helemaal naar Petrovka reed.

Denisov bood hem vierentwintig uur bescherming aan, wat Irk afsloeg. Een paar woest kijkende jonge kerels in een gammele dienstwagen konden hem niet behoeden voor alles wat gevaarlijker was dan de gebruikelijke kou.

Ook Lev bood hem dag en nacht bewaking aan, en wederom sloeg Irk het af, niet omdat hij de effectiviteit ervan in twijfel trok maar omdat hij wist dat het het einde zou betekenen van zijn eigen neutraliteit.

Svetlana maakte zich ongerust om hem en zei hem dat hij moest oppassen, er was toch al een tekort aan fatsoenlijke mannen in Moskou.

'Als je tijd gekomen is, kun je er toch niets tegen doen,' zei hij tegen haar, en vroeg zich af of hij dat echt geloofde.

45

Het gebruik van tijdelijke bonnen – de bonnen zelf werden pas een week voor de veiling uitgegeven, zogenaamd omwille van de veiligheid maar in werkelijkheid omdat ze werden gedrukt op persen die oud en onbereken-baar waren – was enorm toegenomen sinds Arkins spotjes waren uitgezon-den. In het Westen zou niemand warmgelopen zijn voor het idee dat bon-nen levens zouden kunnen veranderen, maar Russen trapten erin. Mensen die niet langer in politiek of in een nationaal bewustzijn geloofden, ver-trouwden op een reclamespot waarin hun werd voorgespiegeld dat ze in één klap rijk werden. Hun verlangen om deze omgekeerde wereld te betreden was zo groot dat ze vergaten zichzelf de belangrijkste vraag te stellen: zou daar melk zijn? En als die er was, zouden ze die dan wel kunnen drinken?

Sabirzjan kwam binnen met een arm vol dossiers die hij met een overdreven zwierig gebaar en een theatrale veeg langs zijn voorhoofd bij Alice op haar bureau legde. Ze glimlachte hem dankbaar toe en begon al aan de eerste map voordat hij de kamer had verlaten. Ze liepen achter op het schema, Harry kon al dat werk niet alleen af, en Alice had indertijd op Wall Street bewezen dat ze net zo goed als ieder ander de financiële situatie van een be-drijf kon interpreteren.

De dossiers waren een routineaangelegenheid, saai doch belangrijk: con-tracten over onroerende zaken met het stadsbestuur van Moskou, afspraken met leveranciers, budgetten voor onderzoek en ontwikkeling. Alice kreeg het ritme vlug te pakken, waarbij ze tijdens het lezen bewust haar ademha-ling onder bedwang hield zodat ze niet overhaast te werk ging en iets over het hoofd zou zien. Ze was er de hele ochtend en het grootste deel van de middag mee bezig. Tegen het einde begonnen al die wazige, slecht geko-pieerde documenten haar te duizelen. Toen ze bij het laatste dossier was aangekomen, vond ze het eigenlijk wel genoeg voor die dag; maar nu ze al zover was gekomen, zou ze anderhalf uur concentratie ook nog wel volhou-den.

Het dossier heette 'Sujumbika', en Alice zag onmiddellijk dat de inhoud schokkend was.

Het was ondenkbaar dat Sabirzjan had gewild dat ze dit onder ogen kreeg, dacht ze. Rode Oktober was natuurlijk wel verplicht hun volledige mede-werking en opening van zaken te geven, maar Alice werd steeds realistischer over de hoeveelheid werk die ze moesten doen en de beperkte tijd die ze er-voor hadden. Er moest een volkomen plausibel alternatief dossier zijn ge-weest dat Sabirzjan haar in plaats hiervan had moeten geven, ze zou het ver-schil niet hebben opgemerkt.

Het was duidelijk wat Alice te doen stond: alle dossiers terugbrengen naar Sabirzjan, hem ervoor bedanken en ze aan hem teruggeven. De ver-koop was al over minder dan een maand, waarom zou ze dan nu slapende honden wakker maken?

Ja, waarom eigenlijk? Omdat ze zo in elkaar zat: een graver, een zoeker, rusteloos en ambitieus, en je kon evenmin van haar verwachten dat ze, als ze een dossier als Sujumbika in handen kreeg, niet tot actie overging als van een alcoholist die een fles wodka kreeg dat hij hem niet opdronk.

In het damestoilet zag Alice dat zij niet de enige was die stiekem dingen van kantoor meenam. Twee vrouwen schonken wodka over in thermosflessen die ze daarna n op hun borst bevestigden. Ze gingen er gewoon mee door toen ze Alice zagen, tot haar ergernis.

'Hoe heten jullie?' zei ze. 'Ik ga jullie aangeven.'

'Waarvoor?' vroeg de een. 'Als alles van iedereen is, heeft niemand er wat over te zeggen.'

'Zo is het niet meer, en dat weten jullie heel goed.'

'Zo is het nog altijd. We pakken wat we pakken kunnen: daarin is niets veranderd.'

'Geef ons maar aan,' zei de ander. 'Het kan de bewakers niets schelen. Ie-dereen weet tot hoever hij kan gaan.'

Was dat niet de waarheid? dacht Alice. Diefstal werd door de vingers ge-zien zolang het een aanvaardbaar niveau had.

Voor het metrostation Poesjkinskaja moest Alice zich door een rij heen worstelen die tot halverwege het huizenblok leek te lopen. Ze volgde hem helemaal tot aan het begin, bij het postkantoor. Postkantoren hadden niet genoeg geld om pensioenen uit te betalen, dus wachtte het personeel tot er iemand kwam die iets kwam storten en betaalden daarmee de volgende wachtende in de rij. Als je vertrok en de volgende dag terugkwam, kreeg je te horen dat je pensioen veel minder waard was dan de dag ervoor, dus durfde niemand op te stappen, en werden de rijen steeds langer.

Er racete een politiewagen langs waarvan blauw neonlicht de mistige
duisternis even oplichtte. Alice ving een glimp op van twee Tsjetsjenen achterin, elk met handboeien vastgezet, elk starend uit het raam met de norse,
gedesillusioneerde blik van buitenaardse wezens die zich afvragen op wat
voor wereld ze geland zijn.

'We hebben er genoeg om een paar voetbalteams te vormen, en geen van
hen zegt verdomme een stom woord.' Denisov hoestte slijm op en spuwde
het in de prullenbak. 'Ik vertel hem niet hoe hij het land moet regeren, dus
wat verschaft hem het recht mij te vertellen hoe ik mijn werk moet doen?'
Omdat hij de minister-president is, dacht Irk, maar hij zei het niet. 'O, dat
vergat ik bijna – jij bent zijn nieuwe favoriet, ja toch?'

Irk kon Denisovs woede volledig begrijpen. Arkin had geëist dat de politie niet alleen iets deed, maar ook dat het werd gezien. Het bevel had dus
geluid: houd alle Tsjetsjeense gangsters aan. Een opdracht die totaal geen
zin had. Iedere Tsjetsjeense maffioso die zich liet pakken was per definitie te
onervaren om ook maar iets te kunnen zeggen over de plaats waar Karkadann zat. Er was dus niets bereikt, en iedereen had de pest in: een groep
Tsjetsjenen in leren jacks die wel wat beters te doen hadden; Denisov, die
zijn gezicht was verloren doordat hij gedwongen was om deze farce te laten
uitvoeren; Jerofejev, die de hele rataplan moest uitleggen aan de hoogst geplaatsten in de Tsjetsjeense pikorde die zijn steekpenningen betaalden; en
Irk, die vijanden leek te verzamelen alsof het voetbalplaatjes waren.

46

Alice kon ongestoord tot in de kleine uurtjes lezen, aangezien Lewis nacht-dienst had. Tegen de tijd dat ze uitgelezen was, waren haar ergste angsten in elk geval bevestigd. Rode Oktober verkocht wodka tegen kunstmatig laag gehouden prijzen aan een lege vennootschap, Sujumbika, die de wodka daarna exporteerde tegen veel hogere (en belastingvrije) internationale prij-zen, en het verschil in eigen zak stak. Alleen al in het afgelopen jaar had Su-jumbika meer dan twaalf miljoen dollar opgestreken. Het dossier bevatte honderden vrachtbrieven met bijzonderheden over de aard, hoeveelheid, afkomst en bestemming van elke zending.

Er was vrijwel niet één land in de Eerste Wereld waaraan Sujumbika niet had geleverd – en naar het scheen, evenmin in de vroegere Sovjet-Unie. De veertien republieken die samen met Rusland de USSR hadden gevormd wa-ren nu het buitenland, en wodka die daaraan werd verkocht was dus export geworden in plaats van binnenlandse handel. Alice vond vrachtbrieven naar Jerevan, Tasjkent, Riga, Tallinn, Tbilisi, Kiej en Minsk. Het uiteenval-len van de unie was kennelijk lucratief voor Sujumbika.

In tegenstelling hiermee vermeldden de officiële cijfers van Rode Okto-ber over dezelfde periode een exportwaarde van minder dan vier miljoen dollar. De winst ging naar de stokerij en was daardoor meegerekend in de privatiseringsbeoordeling, terwijl de winst van Sujumbika waarschijnlijk direct verdween in de zakken van Lev en wie er verder aan deze zwendel meedeed. Volgens Alice waren ze er technisch gesproken niet op te pakken.

Zo werkte dat hier nu eenmaal. Dat was het gemakkelijkst. Alice kon al-lerlei excuses bedenken voor Lev. Dit was de man met wie ze naar bed ging, dit was de man voor wie ze gevaarlijk veel voelde; dit was de man die zijn ei-gen bedrijf bestal.

Sabirzjan zat haar op te wachten toen ze in Rode Oktober aankwam.
'Ik vroeg me net af of je al klaar was met die dossiers,' zei hij.
'O, jazeker.' Ze gebaarde naar de stapel op haar bureau. 'Ga je gang.'

Sabirzjan pakte ze op en liet ze als een croupier snel door zijn handen gaan. 'Er ontbreekt er een.'

'O ja?'

'Een met de naam "Sujumbika".'

'Die heb ik niet gezien.'

'Heb je dat dossier niet gelezen?'

'Nee. Niet dat ik me kan herinneren.' Ze lachte. 'Als je ze allemaal achter elkaar leest, weet je niet meer wat wat is.' Ze keek naar de grond. 'O, daar ligt hij.' Ze hurkte snel neer, maar wel zo dat ze aan het zicht onttrokken was door het bureau voor haar. Ze haalde snel het Sujumbika-dossier uit haar tas. Terwijl ze weer overeind kwam, gaf ze het aan Sabirzjan. 'Het was zeker op de grond gevallen.'

'Ja, dat zal wel.' Ze kon niet zien of hij sarcastisch deed.

'Moet ik het niet lezen?' vroeg ze quasi-onschuldig.

'Dat hoeft niet. Het is maar een duplicaat van deze.' Hij tikte op de bovenste map en liep weg. Jij kunt even gemakkelijk liegen als ik, dacht Alice. Natuurlijk: hij was een KGB-er.

'Ben jij iets tegengekomen met de naam Sujumbika, Harry?' vroeg Alice.

'Sujumbika? Wat is dat?'

'O, een naam die ik dacht ergens gezien te hebben.'

Hij schudde zijn hoofd. 'Niet dat ik me kan herinneren. Met al die wodka kun je je dingen gaan verbeelden.'

'Dat zal best.' Alice was nog niet zover dat ze haar ontdekkingen kon delen met Harry en Bob. Ze wist wel dat ze dat eigenlijk had moeten doen, maar ze had het gevoel dat dit iets was tussen haar en Lev. Ze had haar collega's niet verteld dat ze al op de hoogte was geweest van de kindermoorden voordat *Pravda* met het verhaal kwam; wat hen betrof wisten zij evenveel als zij, en vice versa. Ze waren per slot van rekening een team.

'De boeken kloppen niet,' zei hij. 'In de verste verte niet. Voorzover ik kan zien, hebben we te maken met schulden van honderden miljoenen roebels, zelfs tegen de oude waarde.'

Hij liet haar zijn bevindingen zien: de bedragen die aan leveranciers verschuldigd waren liepen in de negen cijfers, die aan de banken en de staat in de acht cijfers. Het was niet zo verbazingwekkend. Bedrijven hadden zulke hoge schulden omdat het hun mogelijk werd gemaakt. De schuldeisers die hen tot betaling konden dwingen – staatsinstellingen – deden dat niet omdat de regering bang was dat de daaruit volgende faillissementen en sluitingen sociale onstabiliteit zouden veroorzaken. Wat de banken en de leveranciers betrof – als die niet bij machte waren om een betaling af te dwingen, wie kon het dan wat schelen wat zij dachten?

'Het heeft me tien dagen gekost, ik heb vier pennen leeg geschreven, en eerlijk gezegd zou ik er eindeloos mee door kunnen gaan zonder te weten of ik iets dichter bij de waarheid kwam,' zei Harry. 'Het is alsof je in een oerwoud in de bomen staat te turen. Er zit daar iets, en hoewel je door de camouflage niet kunt zien of het een tijger is of een slang, weet je dat het weinig goeds belooft. Als dit een potentiële Mergers & Acquisition in de States was, zou ik er nog niet met rubberhandschoenen en een vaarboom aan willen komen.'

'Ja, maar dat is het niet. En het heeft ook geen zin om die normen hier toe te passen. Wat heb je gevonden?'

'Ik heb uitgerekend dat het wettelijke kapitaal van Rode Oktober 45.214.000 roebel is. Gedeeld door een nominale waarde van 1.000 roebel komt dat uit op 45.214 aandelen. Gewone aandelen in handen van bestuur en arbeiders beslaan 51% van het totaal, dat komt neer op 23.059 aandelen. Wij bieden 29% procent – 13.112 – bij de verkoop; en de resterende 9.043, de laatste 20%, worden vastgehouden door de staat. Dat is het.'

Cijfers maakten het officieel, dacht Alice; cijfers betekenden dat het echt ging gebeuren. Ze wilde dat de verkoop door zou gaan, daarop had ze haar zinnen gezet, als kroon op haar carrière tot nu toe. Maar tegelijkertijd wilde ze erachter komen wat voor duistere kant er in het hart schuilging, wat voor schade dat ook betekende voor haar. Deze tegenstrijdige hang naar prestatie en kennis speelde Alice parten; net zoals ze heen en weer werd getrokken tussen liefde en schuldgevoel, loyaliteit en verraad, begeerte en ambitie, vriendschap en lust. De tijd naderde dat ze, vastgelopen tussen deze strijdige stromen, met haar neus dichtgeknepen een sprong moest wagen in het diepe.

47

Behalve Levs penthouse, bevond zich in het Kotelniki-gebouw ook de bioscoop Illusion, ten tijde van de sovjets de enige in Moskou waar buitenlandse films niet werden nagesynchroniseerd. Nu werd op een schildering *The Silence of the Lambs* aangekondigd; de schilder had het op onverklaarbare wijze voor elkaar gekregen om Anthony Hopkins op Ivan Lendle te laten lijken, en Jodie Foster op Pinocchio.

Lev had Alice te eten gevraagd. Ze zou sterk zijn, hield ze zich voor toen ze in de lift stapte, sterk en professioneel. Ze zou zeggen dat ze zijn zwendelarij had ontdekt, dat het Westen dat niet zou accepteren, en dat hij maar beter met een plausibele verklaring kon komen. Ze zou geen wodka van hem aannemen, en ze zou zich niet door hem laten uitkleden.

Ze streek met haar hand over zijn buik en bewonderde zijn gespierdheid.

'Als ik die niet had, zou ik elke keer bij het gewicht heffen mijn rug breken,' zei hij.

Hij kuste haar achter in haar nek, vlak onder haar haargrens; hij kuste haar oogleden, en likte ze vanaf het midden naar de zijkant; hij kuste haar oren, blies zacht in het ene en ging met zijn neus langs het andere; hij kuste haar handen, en keek haar aan terwijl zijn tong lome cirkeltjes trok over haar handpalmen; en hij kuste heel licht de slagaderen in haar pols.

Zijn liefde was verschroeiend, een vlam die diep in haar brandde.

In Gozo had Alice jaren geleden door het Azuurblauwe Raam gezwommen – een grot die van de zee naar een kleine lagune leidde. Terwijl ze door het water was gegleden, had ze diep onder haar belletjes voelen opstijgen. Toen ze omlaag had gekeken, had ze niets dan steeds donker wordende tinten blauw gezien, tot in een oneindige duisternis. Toen had ze geweten dat ze, als ze zou ophouden met zwemmen en zich liet zinken, nooit de bodem zou bereiken – het monster dat de belletjes blies zou haar al voor die tijd hebben opgeslokt.

Nu voelde ze iets dergelijks, een spanning, alsof ze zich vlak boven de afgrond bevond van een vreemde, gevaarlijke wereld.

Op Levs rechtervoet waren allemaal katten getatoeëerd, een symbool dat aangaf dat hij het leven leidde van een dief. Verschillende katten boven aan de voet betekenden dat hij deel uitmaakte van een bende, terwijl de kop van een kater op zijn wreef voor geluk stond en waarschuwde dat er niet te spotten viel met de drager.

'Vertel eens wat over hem,' zei hij.

'Over wie?'

'Lewis.'

Alice dacht aan de bruiloftsfoto in haar woonkamer: zij tweeën lachend terwijl ze gebukt onder een regen van confetti door liepen. Lewis was mooi – zo knap dat het bijna weer lelijk was, alsof hij zo uit een glossy tijdschrift kwam, zo'n man uit een advertentie. Wat zijn uiterlijk betrof was hij veel en veel knapper dan elke andere Rus die ze kende. Maar nu vond Alice dat hij iets oppervlakkigs en steriels had. Levs gezicht was veel doorleefder dan dat van Lewis; Alice had het gevoel dat ze er eeuwig in kon opgaan.

Ze had geen zin om op zijn vraag in te gaan. 'Waarom wil je dat weten?'

'Waarom niet?' Voor Lev was het een volkomen normale vraag.

'Nou, goed dan. Wat wil je precies weten?'

'Wat is hij voor iemand?'

'Hij is in alles anders dan ik. Hij is rustig, ik luidruchtig, hij is betrouwbaar terwijl ik er een rommeltje van maak, hij is matig waar ik geen grenzen ken, hij is deel van het meubilair, ik wil het pronkstuk zijn.'

'Weet hij niets van mij?' Ze schudde haar hoofd. 'Vermoedt hij iets?'

'Nee.' Alice had zichzelf ervan overtuigd dat ze haar leven in aparte vakjes kon indelen. Levs bestaan, haar drankzucht – het was het gemakkelijkst om Lewis niets te vertellen. De beste manier om de harmonie te bewaren was hem in onwetendheid te laten. 'Het is al erg genoeg dat hij denkt dat hij me kwijtraakt aan Moskou.'

'Hij heeft gelijk.'

Ze haalde haar schouders op. 'Weet je waarom ik hier eigenlijk naartoe wilde? Twaalf jaar geleden werkte ik bij de Olympische Spelen in Lake Placid. Ik was student, het wat een vrijwilligersbaantje, je verdiende er bijna niets, maar het was enorm leuk. Ik was een van de wedstrijdcommissarissen bij het ijshockey op de dag dat we jullie versloegen…'

'Dat team speelde onder de hamer en sikkel. Dat was niet míjn team.'

'… en toen het eindsignaal klonk, heb ik niet naar de Amerikanen staan kijken maar naar de sovjets. Ik had nog nooit een team gezien dat zo van streek was – ze waren er totaal kapot van.'

'Wat had je dan verwacht?'

'Automaten. Dat hadden wij altijd gehoord, snap je: dat die mensen die niet konden lachen de gouden medaille zouden komen winnen, zonder ook maar een greintje emotie te laten zien, en weer teruggaan naar huis, naar hun grauwe steden. Alleen bleken ze geen robots te zijn, maar mensen. Vanaf dat moment wilde ik hier naartoe. Vorig jaar, toen ik werd gevraagd voor het privatiseringswerk, smeekte Lewis me om nee te zeggen. Hij wilde hier niet heen, zelfs niet toen het Sklifosovski hem benaderde. Ik heb hem er toen van overtuigd dat dit het land van de kansen was. Thuis kwamen we niet veel verder. Ik wilde weer die opwinding, zoals ik die had ervaren in Oost-Europa; die sensatie op het scherp van de snede te balanceren, waar geschiedenis wordt gemaakt.'

'En maar goed ook. Buitenlanders die naar Rusland worden gehaald of gestuurd, bouwen mee aan onze geschiedenis, met al zijn onrust en onvoorspelbaarheid, hoe graag we ook doen alsof dat niet zo is.'

'Maar hoeveel van hen beseffen dat? De meeste stommelingen hier beschouwen het gewoon als een buitenlandse betrekking. Ze vinden het misschien wel opwindend, maar worden ze er net zo door gegrepen als ik?'

'Dat is jammer voor hen, daar kun je niets aan doen. Een dwaas blijft altijd een dwaas. Deel uitmaken van de geschiedenis is eenvoudig. Er vorm aan geven is minder gemakkelijk – dat privilege is voorbehouden aan enkele uitverkorenen. Heb je ooit Alexander Blok gelezen?' Alice schudde haar hoofd. Lev citeerde uit zijn hoofd: "Lieve bezoekers van overzee, ga slapen. Mogen jullie dromen zegenrijk zijn; vergeet het duister dat valt over de kooi waarin wij worstelen."'

'Is het ook niet mijn worsteling? We – ík – ben hier gekomen met de beste bedoelingen; om iets te veranderen, om deze maatschappij te hervormen. Het Westen had de Koude Oorlog gewonnen, het was aan ons om de edelmoedig overwinnaar te spelen, en te helpen in het uur van onze triomf.'

'Alice, Russen stellen het niet op prijs om buitenlanders zo te horen praten.'

'Maar het is wáár, Lev – ik kan er niets aan doen. Het is gewoon zo dat het leven in Moskou verschillende dingen met ons heeft gedaan. Hoe verder mijn horizon zich uitstrekt, hoe meer die van Lewis lijkt te krimpen. Ik ben tweemaal een buitenstaander, een Amerikaanse vrouw in een wereld die gedomineerd wordt door Russische mannen; maar ik voel me hier meer thuis dan ik me ooit thuis heb gevoeld in Boston, in D.C., zelfs in New York – en als er twee plaatsen op aarde zijn die je, als je niet goed kijkt, gemakkelijk door elkaar zou kunnen halen, zijn het Moskou en New York. Kijk naar hun... kijk naar de vuiligheid die ze delen, denk aan die mentaliteit van krijg-de-tering, kijk naar alle Mercedesen en Beemers en limousines die er rijden. Ik hou van Moskou, Lev, ik hóú van die stad. Ik zou hem moeten haten. Ik zou de dronkelappen en het racisme en die kapotte wegen, de kille autoriteiten en het geweld moeten haten – en dat dóé ik ook, ik haat dat allemaal – maar toch hou ik van deze stad.'

'Natuurlijk. Wat heeft het leven te bieden als alles vlak is? Geen diepe dalen, toegegeven, maar ook geen pieken. Je kunt net zo goed dood zijn. Pieken en dalen bewijzen dat je leeft. Vlakke lijnen zie je op grafieken van patiënten in ziekenhuizen van wie het lichaam het heeft opgegeven.'

'Zeg dat maar tegen Lewis: die brengt hele dagen door met turen naar dat soort grafieken.'

'Waarom ga je niet bij hem weg?'

'Wil je dat ik dat doe?'

'Dat vroeg ik niet.'

Ze haalde diep adem. 'Goed. Als ik bij hem wegga, zou ik toegeven dat ik heb gefaald. Ik heb nog nooit van mijn leven gefaald, en ik wil daar nu niet mee beginnen. Ik wil nog steeds dat hij evenveel om deze stad gaat geven als ik. Hij heeft het al over teruggaan naar Amerika. Als hij dat doet, ga ik bij hem weg, of ga ik hier weg.'

'En als je hier weggaat, dan ga je bij mij weg.'

'En dat kan ik niet.'

Alice dronk haar glas leeg en wiebelde het heen en weer. 'Schenk nog eens in.'

Hij wachtte even, keek haar aan, en schonk in. 'Je weet er wel raad mee.'

'Ik heb er geen moeite mee, en het voelt goed.' Ze dronk het laagje wodka in één teug op.

'Wanneer ben je begonnen met drinken?' vroeg hij.

Voorzover Alice zich kon heugen, was Lev de eerste die haar dit ooit had gevraagd. De meeste mensen accepteerden zonder meer het feit dat ze dronk als iets wat gewoon bij haar hoorde.

'Als tiener al, geloof ik. Het was toen heel stoer, uitgaan en dronken worden – je kent het wel, een soort ritueel, experimenteren, dat soort dingen. Jongens vonden het echt geweldig als een meisje hen onder tafel kon drinken. Als ze eenmaal over die slag voor hun machismo heen waren, zagen ze me als een feestbeest. Het maakte me heel populair en gewild – en ook seksueel aantrekkelijk, natuurlijk. Het hief mijn geremdheid op, maakte me wellustiger, en de meeste tienerjongens wisten van toeten noch blazen, die gedroegen zich tegenover meisjes zo onhandig en klungelig, dus ging het gemakkelijker als je dronken was.' Ze wachtte even, alsof ze die gedachte zojuist voor het eerst had verwoord. 'Dat is het, denk ik: het was gemákkelijker om dronken te zijn. Het is nu meer een ingebakken gewoonte geworden, maar op die manier is het begonnen. Er was altijd drank in huis, er was zo gemakkelijk aan te komen.'

'Dronken je ouders?'

'Mijn moeder vooral.' Alice pakte haar glas op. Het was leeg, even was ze van haar stuk gebracht, ze kon zich niet herinneren dat ze het leeg had gedronken. 'Ze was... ze was alcoholiste. Ik weet het, ik weet het, alcoholisme kan genetisch bepaald en erfelijk zijn, en het wordt vaker van moederskant dan van vaderskant doorgegeven – dat weet ik allemaal. Ik heb geloof ik geluk gehad dat ik eraan ben ontkomen.'

'Kun je je herinneren dat ze dronk toen jij nog klein was?'

'O, jazeker. En ik ken al dat psychologische gezwets, al dat gelul over de manier waarop kinderen zich in dat soort situaties gaan gedragen is er bij me in gestampt. Ofwel ze proberen de held uit te hangen en ze gaan presteren op school of in sport of toneel of wat ze ook doen; of ze gaan zich gedragen als de ouder die voor het kind zorgt, en nemen de verantwoordelijkheid en de zorg op zich voor het gezin, en doen dat door zich rustig op de achtergrond te houden en zoveel mogelijk de vrede te bewaren.'

'Daar heb ik nooit van gehoord.'

'Jij bent geen Amerikaan. In Amerika kun je geen stap zetten zonder dat je wordt overvallen door zielenknijpers. Het is allemaal gelul. Therapeutisch geneuzel. Laten we al die rottigheid in Amerika laten, waar het hoort, en over iets anders praten, oké?'

Lev hoorde de pijn die ze hiermee probeerde weg te wimpelen, en stemde toe, ook al had hij er liever meer over gehoord. Op het eerste gezicht was Alice echt zo'n brutale, ongevoelige Amerikaanse *bitch* – zo wilde ze althans bij iedereen overkomen. Maar de zwakke plekken in haar wapenrusting lieten een aantrekkelijke glimp zien van de vrouw daarachter. Een vrouw van een heel ander kaliber.

Misschien was het gewoon voor een enig kind, die behoefte om ergens bij te horen en toch alleen te zijn. Alice kon op de vingers van één hand haar vrienden tellen: echte, waarachtige vrienden. Er waren natuurlijk een heleboel anderen in haar leven die weer vertrokken, zoals Bob en Harry, die kwamen en gingen. Alice had in het verleden geprobeerd om zich aan te sluiten bij andere groepjes, maar dat was niet gelukt. Ze was te veel een eenling. Haar schoonheid en kwetsbaarheid waren vrouwelijk; haar kapsel en kleding mannelijk. Een kind zonder broers en zusjes trekt grenzen en bouwt muren. Alice was eenzaam geboren en was nog eenzamer opgegroeid.

Schuldgevoel kende Alice totaal niet. Dat was het enige waarover ze zich schuldig voelde. Wat zij en Lev hadden, viel buiten alle wetten. Het was iets waarbij niet kon worden onderhandeld als in een verdrag, het kon niet worden gerantsoeneerd als een voedselpakket of genegeerd als achtergrondruis.

'Ik wil alleen mezelf redden,' zei ze tegen hem, 'maar ik weet niet hoe.'

Zijn ogen waren grijs. Zijn huid onder zijn kaken zakte uit en trok plooien rond zijn mond. Hij had geen antwoorden, geen vragen, maar slechts één vaststelling.

'Ik hou van je,' zei hij.

Het was de reactie waarnaar Alice met haar hart had verlangd en die ze met haar verstand had gevreesd.

'Waar zat je?' vroeg Lewis. Zijn stem klonk van ver; hij was in de slaapkamer.

'Overwerken.' *Bij mijn minnaar.*

Het was warm en benauwd in de woning. Alice zette de luchtbevochtiger aan en het raam open. Ze liep naar de slaapkamer, en zoals altijd sloeg het schuldgevoel in alle hevigheid weer toe zodra ze Lewis' fraaie, vriendelijke, uitdrukkingsloze gezicht zag. Maar nu waren zijn trekken niet zoals ze die kende, ze waren op de een of andere manier veranderd. Alice keek nog eens en besefte dat zij, en niet hij, degene was die was veranderd. Ze merkte dingen aan hem op die haar niet eerder waren opgevallen. De lelletjes van zijn oren liepen met een knik omhoog vlak voordat ze overgingen in zijn kaak — hoe kon ze dat ooit over het hoofd hebben zien? En die enigszins opgezette huid onder zijn wenkbrauwen die tot over zijn oogleden zakte. Lewis was een van de middelpunten van haar leven, maar nu leek dat ineens niet meer te kloppen: een tweeling die niet helemaal identiek was, een kamer die doorzocht was en helemaal overhoop achtergelaten, een stem op een band in plaats van uit de mond van de spreker.

Dit was hun thuis, hun leven, dat van haar en Lewis, waar alles zijn eigen poëzie, oprechtheid en warmte bezat. Alice wilde niets liever dan dat het allemaal weer veilig en compleet was.

Lewis bladerde intussen een medisch tijdschrift door. 'Je zult wel blij zijn als het achter de rug is, hè?

'Het duurt niet meer zo heel lang, en…'

En daarna, verlamd door de herinnering aan haar verraad, hoorde ze geen woord meer van wat ze zei. Ze voelde dat haar zenuwen zich spanden als stroomdraden die steeds strakker werden aangedraaid. Haar tenen wiebelden zenuwachtig in haar schoenen. Het kwam door haar passie voor Lev, een wit licht waarbij vergeleken haar wereld van vroeger, die zonder genade of respijt werd beschenen, een doods landschap leek op een uitgestorven planeet. Ze zag hoe Lewis het tijdschrift omvouwde en zich installeerde om een artikel te lezen, en ze wilde tegen hem schreeuwen dat het er niet toe deed, dat niets ertoe deed. Hij kon niets weten van haar geluk, en vanuit het diepst van haar hart voelde ze medelijden met hem.

Het licht was al uit toen ze uit de badkamer terugkwam. Alle vormen en geluiden in het halfdonker troffen haar met een ongewone heftigheid. Haar gedachten spookten door haar hoofd en liepen voortdurend in elkaar over. Heel lang lag ze roerloos aan Lev te denken, met haar ogen wijdopen en zo helder dat ze het idee had dat ze in het donker kon zien.

48

'Ik wil ermee ophouden,' zei Alice.

Arkin was uitermate professioneel. Hij toonde zich niet verbaasd, en al helemaal niet verontrust. Hij hield alleen zijn hoofd schuin en zei: 'Wat zei je?' alsof ze een slechte verbinding hadden tijdens een telefoongesprek.

'Ik wil ermee ophouden,' herhaalde ze. 'Met het privatiseringsprogramma – ik heb er genoeg van.'

Arkins blik zei genoeg; dit was de vrouw met wie hij eerder die week op een podium had gezeten, een en al trots toen ze de wereldpers meedeelden dat de privatisering hoe dan ook doorging, ongeacht alle tegenstanders. Ze had hem haar erewoord gegeven dat ze het niet zou laten afweten – en nu, als een lariks in een storm, begon ze te wankelen. 'Mag ik vragen waarom?'

'Omdat het proces te ver af is gedwaald van ons uitgangspunt.' *Omdat ik bezig ben verliefd te worden op Lev.* 'Omdat twee maffiabendes vechten om de stokerij.' *Omdat ik bezig ben verliefd te worden op Lev.* 'Omdat er kinderen om vermoord worden.' *Omdat ik bezig ben verliefd te worden op Lev.* 'Omdat we niet genoeg tijd hebben om het naar behoren te doen.' *Omdat ik bezig ben verliefd te worden op Lev.*

Achter zijn bureau dacht Arkin met zijn lippen op elkaar even na over wat Alice had gezegd voordat hij reageerde. 'Alice, de openbare verkoop van Rode Oktober is over drie weken. Ook al zou je nu vertrekken, dan nog zou wat je tot nu toe hebt bereikt als een heldendaad worden gezien. Maar als je nu vertrekt, wie kan het dan in vredesnaam overnemen? Niemand. Je bent onmisbaar, en dat weet je net zo goed als ik.'

In het schaarse licht waren zijn ogen bijna niet te zien. 'Ik heb gehoord wat je wilde zeggen, en ik begrijp je bezwaren, maar ik vraag je er nog eens over na te denken. Dit is niet alleen iets wat jou aangaat, of mij. We zijn aan het werk voor het Russische volk, zodat zij in een normaal land kunnen leven, dat niet geregeerd wordt door leugens en bedrog. We moesten altijd zo lachen om de zes paradoxen van het socialisme. Ken jij ze?'

Alice schudde haar hoofd. Arkin begon ze op te noemen: 'Er is sprake van geen werkloosheid, maar niemand werkt; niemand werkt, maar de productiviteit neemt toe; de productiviteit groeit, maar de winkels zijn leeg; de winkels zijn leeg, maar de koelkasten zitten vol; de koelkasten zitten vol, maar niemand is tevreden; niemand is tevreden, maar iedereen stemt unaniem hetzelfde. Wil je dat Rusland weer die kant uitgaat? Zou je daarmee kunnen leven, als je er nu uitstapt?

'Daar gaat het niet om.'

'Waar dan wel om?'

Ze kon het hem niet vertellen. Hij had alle bezwaren die ze had geopperd van tafel geveegd, natuurlijk, wat zij had gezegd was immers niet de waarheid, ze kon hem de waarheid niet zeggen, dus kon ze er niet met een gerust geweten uitstappen. Arkin had haar in zijn macht.

'Ik blijf,' zei Alice. 'Ik blijf totdat het achter de rug is.'

49

Lev lag te slapen toen de telefoon in zijn slaapkamer ging. Al voordat hij opnam wist hij dat het iets belangrijks was; heel weinig mensen kenden zijn privé-nummer, alleen mensen die macht hadden. Toen hij opnam, was hij aanvankelijk verbaasd toen hij hoorde dat het Karkadann was. In tweede instantie was hij geschrokken toen hij hoorde dat het Karkadann was.

'De waterreservoirs. Kaliumcyanide,' zei Karkadann, en hing op.

De waterreservoirs waar het om ging waren die van Red Oktober, bij de Mitisjtsji-bronnen, met het zachte, kalkvrije water dat de stokerij van Kazan vanaf de vorige maand niet meer gebruikte. In een paar minuten tijd had Lev een konvooi bij elkaar van twaalf voertuigen met in elk vijf man. Zo vroeg op de zondagochtend was het nog niet druk op de weg, hoewel het weinig zou hebben uitgemaakt als het vrijdagmiddag tijdens de spits was geweest: het konvooi reed door alle rode lichten, negeerde eenrichtingsverkeerborden en reed soms driemaal zo snel als maximaal was toegestaan, en geen verkeersagent in Moskou die ze had durven tegenhouden.

De reservoirs van Mitisjtsji werden rondom beschermd door twee lagen prikkeldraad en een permanente bewaking van gewapende mannen in uniform met honden. Lev liep meteen naar de dienstdoende veiligheidsagent: V. Golovin, zoals op het gelamineerde plaatje op zijn borst stond. In zijn haast om in de houding te springen klapte Golovin bijna dubbel.

'Is er ingebroken?'

'Nee.'

'Geen alarm, vreemde incidenten?'

'Niets.'

'Geen Tsjetsjenen in de buurt?'

'Dat is het eerste waar we op letten.'

'Je weet waar alle mannen zich bevinden?'

'Ja.'

'Ga dan de omheining controleren, elke centimeter. Neem monsters uit elk reservoir en laat ze analyseren bij Petrovka; experts doen het daar tegen een vergoeding.'

De telefoon ging in het wachthuisje bij de hoofdingang. Golovin gebaarde verlegen in die richting. 'Mag ik?'

'Natuurlijk.'

Golovin haastte zich het huisje in en greep de hoorn. Lev zag Golovin verstijven, zijn gezicht was strak terwijl hij geluidloos achter het zware kogelvrije glas woorden snauwde. Onmiddellijk was Lev erbij, rukte de hoorn uit Golovins hand en vulde de kleine ruimte met zijn woede. Het was Sabirzjan die belde: er had een aanslag plaatsgevonden op een konvooi van de 21e Eeuw dat met graan op weg was vanuit Krasnodar, het was één groot bloedbad.

Blauwe en rode zwaailichten draaiden langzaam rond in het bleke licht van een winterochtend. De aanslag had plaatsgevonden bij het Serpoechovskaja-plein, waar de snelweg uit het zuiden uitkomt op de Tuinring. Het was een voor de hand liggende plek voor een hinderlaag: al het verkeer dat van Krasnodar naar Moskou op weg was, moest daar langs.

Er stonden wel dertig voertuigen op de plaats van het drama: ambulances en politiewagens, met overal rondom personenauto's. Er waren geen vrachtwagens; de Tsjetsjenen hadden ze waarschijnlijk allemaal ingepikt. Lev liep boos rond het politiekordon. Een jonge agent wilde hem tegenhouden, bedacht zich toen en liep weg.

De grond lag bezaaid met lichamen. Lev herkende de bestuurders en hun bijrijders, hun armen en benen gespreid in plassen bloed dat steeds donkerder kleurde. Het zag eruit als een oefening, iets wat in scène werd gezet om reddingswerkers alles bij te brengen over veiligheidsprocedures. Jonge mannen, dacht Lev, jonge mannen die in andere tijden tweemaal zo lang hadden kunnen leven, maar die als maffiosi, als ze geluk hadden, niet ouder dan dertig werden. Hun moed om de dood in de ogen te zien was niet meer dan hij had verwacht. Wie zich aansloot bij de krijgselite werd rijkelijk beloond voor een leven vol spanning en een onvermijdelijk gewelddadig einde. Ze hadden gekozen voor het snelle leven en een vroege dood. Voor Russen is de dood veel te bekend; toen er twee miljoen omkwamen bij de verdediging van het land tegen de nazi's, stuurde Stalin er gewoonweg nog eens twintig miljoen op af.

De waarschuwing over het gif in de reservoirs was een lokmiddel geweest. Karkadann had ervoor gezorgd dat Lev zich bezighield met een loze dreiging, en daarmee had hij de Tsjetsjenen de kans gegeven om de Slavische alliantie op een andere plaats te treffen.

Levs mannen waren voorbereid geweest op de aanval op de opslagplaats van de week daarvoor, maar deze keer waren ze volkomen verrast. Hoewel alle mannen van het konvooi gewapend waren geweest, zag Lev geen dode Tsjetsjenen. Hoe was dat in vredesnaam mogelijk in een massaal vuurgevecht?

De ambulancebroeders droegen een man naar een brancard aan de stoeprand. Te oordelen naar de voorzichtigheid waarmee ze met deze patiënt omgingen, wist Lev dat deze nog in leven was – doden lichamen wierpen ze neer als vuilniszakken. Toen hij dichterbij kwam, zag hij dat het Butuzov was, zijn grauwe gezicht parelend van zweet en bloed.

'Wat is er verdomme gebeurd?' vroeg Lev.

'Politie.'

'Polítie?!'

Butuzov schudde zijn hoofd, waarbij zijn gezicht vertrok van de pijn. 'Geen echte. Zwarte mannen. Verkleed als agenten.' Het was niet zo gek als het klonk; de politie haalde overal rekruten vandaan, zelfs bij diegenen die ze meestal tot slachtoffer maakten. 'Verschenen uit het niets, overvielen ons, stuurden ons weg, ontwapenden de bewakers.'

'En toen?'

'Toen schoten ze ons neer.'

'Zijn alle anderen dood?'

'Ik denk het wel. Iemand viel boven op me, daarom lig ik hier nog steeds.'

'En de vrachtwagens?'

'Hebben ze meegenomen.'

Er schoot een straaltje bloed uit Butuzovs mond, en de broeders waren er meteen bij. Lev draaide zich om. Hij had genoeg mannen zien sterven om te weten dat Butuzov het niet zou halen. Hij herinnerde zich hoe Butuzov het microfoontje had aangebracht in Karkadanns kantoor en had meegeholpen om Sjarmoechamedov van Sjeremetjevo te halen; hij herinnerde zich ook hoe Karkadann Butuzov had teruggestuurd naar Lev met de Tsjetsjeense gangsterbelofte naklinkend in zijn oren. Butuzov was bijna vanaf het begin bij dit conflict betrokken geweest – het was niet eerlijk dat hij nu het einde niet zou meemaken.

Lev keek om naar de brancard. Butuzov lag met open ogen op zijn rug, terwijl het bloed op zijn huid droop zonder dat hij dat nog voelde, en staarde met nietsziende blik naar de hemel.

50

Het was nog donker, maar rondom het beeld van Vera Moechina was het even licht als in een televisiestudio. Irk zag lege doosjes van McDonald's liggen, drie halveliterflessen wodka – leeg, natuurlijk – en een jong meisje, spierwit, in de eerste plaats vanwege het bloedverlies en in de tweede plaats door het meedogenloze schijnsel van de booglichten.

Het meisje lag op haar rug. Irk liep naar voren en keek in haar ogen. Ook dit keer was er niets in te zien van de moordenaar; het enige dat hij zag was hijzelf, verbitterd, woedend, verbijsterd en dood en doodmoe. Alles wat hij deed, was zinloos tegen een vijand die zowel alom aanwezig als onzichtbaar was. Hij vervloekte Arkin, omdat die hem zo nodig weer op de zaak had moeten zetten.

Vera Moechina's roestvrijstalen weergave van de arbeider en het boerinnetje is een van de beroemdste beelden van heel Rusland. De arbeider heeft een hamer in zijn hand en de boerin een sikkel; ze houden hun hand in een gebaar van solidariteit hoog in de lucht terwijl ze moedig de geweldige sovjettoekomst tegemoet gaan, waarbij zijn stofjas en haar rok in horizontale plooien achter hen aan wapperen. Stalin had de gewoonte 's avonds urenlang naar dit beeld te kijken. Het gerucht ging dat Trotski's profiel te zien zou zijn in de plooien.

De agenten die hier aanwezig waren wipten van de ene voet op de andere, en roken bij elke uitademing naar wodka. Als de flessen rond het beeld niet al leeg geweest waren, waren ze dat nu in elk geval.

Irk keek van het meisje naar het VDNCH, de Tentoonstelling der Verworvenheden van de Volkseconomie. Marx zelf zou trots geweest zijn op de namen van het paviljoen: Atoomenergie, Kolenlindustrie, Biologie, Educatie, Natuurkunde, Vakbonden, Elektrotechnologie, Landbouw en Graan. Maar de grootse architectuur bespotte nu de leeggehaalde hallen waar geïmporteerde auto's en televisie de lokale producten hadden verdreven en waar kooplieden hun waren verhandelden alsof ze in de soek stonden.

Dood van een kind, dood van een volk. Irk vroeg zich af of hij het verschil nog wist.

Niet zeker wetend of hij het geruststellend of verwerpelijk moest vinden dat hij nog steeds trek had, liep Irk de kantine van Petrovka in. Zijn honger duurde zo lang als zijn vreugdeloze zoektocht naar iets substantieels in de waterige goulasj. Waar het dode lichaam van het meisje had gefaald, had de keuken van de Petrovka meer succes. Zijn honger was verdwenen.

Hij liep de trap op naar Denisov, die zo aandachtig tv zat te kijken dat het even duurde voordat hij Irk zag. Vrachtrijders van de US Air Force kwamen aan op de luchthaven Domodevo met de eerste hulpgoederen van de operatie Provide Hope. Vrachtvliegtuigen landden waggelend voordat ze de inhoud van hun dikke buiken uitspuwden op de smerige sneeuw. De pallets werden uitgeladen door USAF-soldaten in smetteloze uniformen, met vierkante kaken en rechte rug. Naast hen zagen de Russische dienstplichtigen eruit als speelgoedsoldaten, terwijl ze bleek en bibberend flessen wodka rond lieten gaan om de ergste kou te verdrijven.

'Wat zijn het voor spullen?' vroeg Irk.

'Levensmiddelen. Blikken soldatenvoer die ze over hebben van de Golf-oorlog, en waar ze vanaf willen voordat de uiterste houdbaarheidsdatum is verstreken. Als wij ze niet willen, gooien ze ze weg. Wat een belediging. Restjes geef je aan dieren, niet aan mensen.' Denisov schraapte weer zijn keel, maar deze keer gebeurde er niets; zijn slijm kwam niet zo snel omhoog als zijn gal. 'We zijn een groots volk, Juku. We regelen alles zelf, met onze staat en onze regering. Er is een wereld van verschil tussen hulp en aalmoezen. Het Westen geeft ons dit vandaag – wie weet wat ze morgen in ruil daarvoor van ons willen? Het is een hapje in een muizenval. Als je het mij vraagt, is dat vlees vergiftigd. Ik zou het nog niet aan mijn hond geven.'

'Ik wist niet dat je een hond had, Denis Denisovitsj.'

'Heb ik ook niet.'

Rodjon wachtte in de hal van Petrovka op Irk, en negeerde de starende blikken van mensen die gezond van lijf en leden waren. 'Ik heb het op het nieuws gehoord,' zei hij. 'Ik dacht dat je wat morele steun wel zou waarderen.'

'Een borrel zou ik nu in elk geval kunnen waarderen.'

Rodjon moest lachen. 'Je wordt nog eens een echte Rus, Juku.'

'Je moet dit niet verkeerd opvatten, Rodja, maar hoe langer dit duurt, hoe prettiger ik het vind dat ik een Estlander ben. Ja, ik zou dolgraag wat drinken, maar ik moet terug naar de VDNCh.'

'Ik ga met je mee.'

'Het is een plaats delict, Rodja.'

'En ik ben… kroongetuige – heet dat niet zo?'

'Je hebt te veel naar politieseries gekeken.'

'Ik maak in elk geval deel uit van het onderzoek.'

Irk dacht even na. Twee weten meer dan een, en hij kon, zoals altijd, wel wat gezelschap gebruiken. 'Goed dan.'

Het beeld van de arbeider en de boerin is een van de twee beelden die voor het VDNCH staan; het andere is de ruimteobelisk, een glanzende raket met een breed uitlopende straalstroom achter zich aan, die is bekleed met platen titanium die zelfs bij het kleinste zonnestraaltje in vuur en vlam lijken te staan. Aan de ene kant van de sokkel proberen ingenieurs en wetenschappers een kosmonaut in zijn raket te krijgen; aan de andere kant leidt Lenin de massa de ruimte in terwijl een vrouw haar baby aan de zon offert.

Terwijl Irk en Rodjon erlangs liepen, stond een man bij de obelisk eindeloos in zichzelf te declameren: 'Ik was kosmonaut. Ik heb Gagarin gekend, ik heb in de *Vosjkod I* gevlogen. Ik ben helemaal in de kosmische ruimte geweest, en weer helemaal terug. Ik heb de hele aardbol gezien – de woestijnen, de zeeën, alle plaatsen waar ik van had gehoord maar die ik nooit met eigen ogen had gezien. En van alle plaatsen op aarde waar ik kon landen, had ik de pech weer in de Sovjet-Unie terecht te komen.'

De man zag Rodjon en schrok zichtbaar. Rodjon staarde recht voor uit met de vastberadenheid van iemand die wel gekwetst is maar zich heeft voorgenomen daar niets van te laten merken. Tegenover gehandicapten gebruiken Russen geen eufemismen noch geven ze blijk van een beschaamd soort medelijden. Als je invalide bent, word je gerekend tot de krankzinnigen, de imbecielen en de idioten – mensen die niet passen in het sovjetexperiment, onvolmaakt materiaal in een volmaakte maatschappij. Het is een mentaliteit die als enige verdienste heeft dat hij verstoken is van iedere vorm van hypocrisie.

'Weet je zeker dat je dit wilt?' zei Irk, die hem de gelegenheid wilde geven om te vertrekken zonder zijn gezicht te verliezen.

'Wat, denk je dat ik me laat wegjagen door dat soort eikels? Ik heb jaren de tijd gehad om daaraan te wennen. Ik verwacht allang niet meer dat mensen het begrijpen. Hoe zouden ze ook? Afghanistan is de vergeten oorlog, de bedekte oorlog, de oorlog waar niet over gepraat wordt. Overlevenden van de Grote Patriottische Oorlog – dat zijn de echte veteranen, niet de *afgantsi*. Zij hebben medailles gekregen omdat ze in Stalingrad, Leningrad, Berlijn zijn geweest; wij zijn aan het kruis genageld om boete te doen voor de zonden der natie. Als ze me naar het loket voor oorlogsveteranen zien gaan, zeggen mensen: "Hé daar – je staat in de verkeerde rij!" Tegen mij, zonder benen, lazer op! "Ik heb het vaderland verdedigd," gaan ze dan door, en wat heeft híj gedaan?" Het is tijdverspilling om met hen te gaan praten over trauma en stressstoornis, dan doen ze laatdunkend en zeggen ze dat zij daar nooit last van hebben gehad, net alsof ze van een sterker materiaal zijn gemaakt of zoiets. Ik heb geen tijd voor dat soort achterlijke klootzakken.'

De plaats delict was nog steeds afgezet, hoewel de enige politieman die dienst had meer belangstelling leek te hebben voor een kletspraatje met voorbijlopende vrouwen dan voor de veiligheid van het gebied. Hij rechtte zijn rug toen hij Irk zag, en probeerde zijn gezicht in de plooi te trekken, maar het was te laat. Op de plek waar geen een burger mocht komen, had Irk een kind gezien aan de voet van het beeld.

'Wat doe je hier in godsnaam?' vroeg Irk. 'Dit is een plaats delict, geen popconcert.'

'Het is hier veilig, inspecteur. Ik ben hier de enige aanwezige.'

'Wat doet dat kind daar dan?'

'Welk kind?'

'Dat kind,' zei Irk, en wees naar het beeld. De agent draaide zich om en volgde zijn vinger.

'Daar is niemand, inspecteur.'

Hij had gelijk – er was niemand.

Irk haastte zich naar het standbeeld. Het kind was weg, maar waar was het gebleven? Tot honderd meter rondom had hij vrij zicht. Het kind moest een olympisch kampioen zijn als hij zich zo snel uit de voeten had weten te maken.

Irk schudde zijn hoofd en sloeg tegen zijn wangen. Hij zag spoken, hij hallucineerde. Hij had te hard gewerkt, iedereen in Petrovka zei dat.

Rodjon was naast Irk komen staan – hij was snel voor een man zonder benen – en wees omhoog.

'Wat bedoel je, Rodja – dat hij is weggevlogen?'

'Nee. Kíjk –' Rodjon wees op de plooien van de rokken van de boerin. Na een ogenblik zag Irk het ook: de omtrekken van een opening. 'Een doorgeefluik,' zei Rodjon, en hees zichzelf op de rand. Hij begon in het linkerbeen van het meisje te klimmen. Het metaal was glad, maar de contouren van het beeld boden genoeg houvast. Rodjon klemde zich eraan vast met de nonchalante zelfverzekerdheid van een orang-oetan. De pezen van zijn onderarmen puilden uit als pianosnaren. Hij reikte naar de greep van het luik en trok het open. 'Kom op,' riep hij naar Irk.

Irk was nooit een klimmer geweest, maar als een man zonder benen daar kon komen, kon hij het ook. Hij sprong op de sokkel, stapte op een stapel *Jest Vichod*-tijdschriften – daklozen verkochten die in de straten van Moskou – om wat hoger te komen, en nam toen dezelfde weg die Rodjon had afgelegd. Zwetend, buiten adem en met pijnlijke schenen van het schrapen over de krachtige kuit van de boerin, gleed hij door het luik het standbeeld in.

Het was verrassend ruim binnen. Het grootste deel was hol gemaakt. Bij het licht van drie paraffinelampen op de grond zag Irk een stuk of zes kinderen, misschien meer, tegen de welving van de maag van de boerin zitten. Ze keken zwijgend naar Irk. Na een ogenblik bespeurde hij Rodjon in de schaduwen. Hij was natuurlijk even groot als de kinderen, en naast hen zag zijn gezicht er absurd oud uit, alsof hij het slachtoffer was van een verschrikkelijke verouderingsziekte.

Rodjon zat – zat hij wel, kon hij wel zitten met die stompjes? – naast een jongen die niet veel ouder dan twaalf kon zijn geweest. De ogen van de jongen waren bijzonder gevoelvol, en werden beteugeld door een koele, taxerende opslag.

'Dit is de jongen die je hebt gezien,' zei Rodjon.

'Hoe heet hij?'

'Geen namen,' zei de jongen. Hij ging met een hand onder zijn gescheurde T-shirt en krabde onder zijn oksel – vlooien.

'Hoe ken je hem?' vroeg Irk aan Rodjon.

'Hij komt af en toe in het weeshuis.' Rodjon gebaarde om zich heen. 'Zoals de meesten van hen.'

'Hoe heet híj?' De jongen knikte in de richting van Irk. 'Hij lijkt mij van de politie. Rodja, waar ben je mee bezig?' Hij sprak snel met zijn volle, meisjesachtige lippen. 'Je weet dat ik me verstop voor de politie. Daarom ben ik hier, om in het niets te verdwijnen.'

'Hij heet Juku,' zei Rodjon. 'Hij is een vriend van me.'

'Hij is van de politie.'

'Inspecteur,' zei Irk.

'Het interesseert hem niet wat jij hebt gedaan,' zei Rodjon. 'Hij wil iets weten over het meisje.'

'Hoezo?'

'Ze is dood,' zei Irk. De jongen streek een haarlok uit zijn ogen en haalde zijn schouders op. Irk kon het niet geloven. 'Doet dat je niets?'

'Je leeft, en je gaat dood. De doden zijn beter af. Ze missen niet veel, de arme stakkerds.'

'Hoe heette ze?'

'Nelli.'

'Nelli hoe?'

De jongen haalde zijn schouders op: geen idee.

'Heb je Tsjetsjenen in de buurt gezien?' vroeg Irk.

De anderen kwamen in beweging, mompelden. Hun stemmen klonken onafgebroken, en hun mouwen reikten tien centimeter verder dan hun vingertoppen. De Tsjetsjenen; altijd weer de Tsjetsjenen.

'Komen jullie hun wijk overnemen, juut? Is dat het? Het doet er niet toe, zeker? Het doet er niet toe wie de macht heeft, er is altijd wel iemand die de kleintjes naait, ja toch?'

'De Tsjetsjenen – zou je die herkennen?'

'Die zwartjoekels? Die lijken allemaal op elkaar.'

Twaalf jaar en nu al racist; de jongen zou een fijne Rus worden, als hij dat al haalde, dacht Irk. 'Was Nelli hier vaak?'

'Soms. We zwerven rond. Je ziet wel eens iemand.' Hij wreef in zijn ogen. 'Dat is wel genoeg, inspecteur. U kunt ons nu wel met rust laten.'

Rodjon omhelsde de jongen, en kuste een paar andere kinderen op beide wangen, op z'n Russisch. Ze kusten hem allemaal hartelijk terug. Het raakte Irk om te zien hoe goed de kinderen op Rodjon reageerden. Misschien omdat hij zelf zo klein was, of omdat ze niet zo snel als volwassenen iemand op zijn uiterlijk beoordeelden.

Rodjon en Irk klommen langs het been van de boerin naar beneden tot de sokkel, en vandaar op de grond. Ver van Prospekt Mira schitterde feestverlichting rond de hoefijzervormige omtrek van het Kosmos Hotel.

'Ze mogen je graag,' zei Irk.

'Niet meer dan een ander. Het zijn asfaltbloemen, die kinderen. Ze weten dat de wereld zich niet echt om hen bekommert, Juku. Als ze niet voor zichzelf zorgen, doet niemand anders het. De meesten zijn niet eens bang voor de politie. Ze weten dat ze pas vanaf hun veertiende vervolgd kunnen worden.'

'Die jongen was bang. Hij wilde mij daar niet zien.'

'Hij is zestien, daarom.'

'Dat kan niet. Hij ziet eruit als twaalf.'

Rodjon haalde zijn schouders op. 'Niemand is zo oud als hij eruitziet in Rusland.'

Een motorfiets reed brullend langs, de onafgedekte uitlaat knalde. Irk schrok en legde zijn handen op zijn oren, maar hij hoorde Rodjon nog net gillen. Toen hij naast hem keek, zag hij dat Rodjon met het zweet op zijn gezicht naar adem stond te happen.

'Wat is er?' vroeg Irk. 'Wat is er, Rodja? Rustig, jongen, het is maar een motor.'

Rodjon wreef in zijn ogen; Irk hoorde dat zijn ademhaling kalmeerde. 'Sorry,' zei Rodjon. 'Sorry.'

'Wat dacht je dat het was?'

Rodjon keek hem schuin aan. Hij antwoordde met een klein stemmetje. 'Een machinegeweer.'

'Afghanistan?'

'Het laat je nooit meer los. De oorlog is geen filmfragment, je kunt het niet uit je geheugen snijden.'

Zelfs de pracht van het Komsomolskaja Station kon Irk niet opvrolijken. Sommige metrostations in Moskou hebben meer weg van een balzaal of een museum dan van een ondergrondse treinhalte. Komsomolskaja is een van de mooiste, een groots paleis dat heroïsch triomfalisme uitstraalt. Vooral de benedenhal is monumentaal, met zijn gewelfde plafond dat door honderden pilaren wordt gestut. De dikke kleren tegen de kou die alle forensen droegen, leken hier ongepast; ze hadden door de gemarmerde zaal moeten schrijden op muziek van Rachmaninov, vrouwen in ruisende zijde en mannen in jacquet onder de kroonluchters. Irk verloor zich meestal in dit soort romantische fantasieën, maar vandaag was hij er niet zo gevoelig voor. Het enige dat hij registreerde waren de negatieve aspecten, de podia waar Beria, Stalin en Chroesjtsjov ooit de massa begeesterd hadden toegesproken voordat ze weg geretoucheerd werden uit de geschiedenis én het station.

Svetlana was in een vreemde bui: half blij, half bedroefd, af en toe allebei tegelijk.

'Het is vandaag vaders sterfdag,' zei Rodjon bitter. 'Geen dag om feest te vieren.'

'Zes jaar geleden,' zei Svetlana, terwijl ze met een stamper ingrediënten in een vijzel fijn wreef. 'Zes jaar, precies op de dag – ook een maandag, net als vandaag. De stomme klootzak was het hele weekend gaan drinken en hield pas op toen hij omviel. Ik ben beter af zonder hem, Juku, echt waar.'

'Dat mag je niet zeggen,' zei Rodjon.

'Alles deed ik voor hem – ontbijt maken, afwassen, zijn kleren wassen, boodschappen halen, Rodja van en naar school of naar de oppas brengen, alles wat hij niet als mannenwerk beschouwde. Maar wat dan wel mannenwerk was, was helemaal niet duidelijk – behalve natuurlijk in bed, en dat gebeurde steeds minder toen hij steeds vaker dronken werd.'

'Je mag verdomme blij zijn dat hij nog de moeite deed, ma.'

'Jij zou blij moeten zijn. Anders was je hier niet.' Sveta goot de inhoud van de vijzel in een kom. Toen ze wat op de grond morste, greep ze een bezem uit de hoek en veegde het op. 'Op de dagen dat hij vrij was, bleef hij lang in bed. Als hij dan eindelijk opstond, deed hij niets anders dan de krant lezen en televisie kijken. Nergens deugde hij voor. Een luiwammes was het. Begrijp me niet verkeerd – hij was geen gewelddadige drinker, hij raakte gewoon bewusteloos. En hij was geen slechte vader voor Rodja, toen die eenmaal wat groter werd. Mannen vinden kinderen maar niets tot ze een jaar of twee zijn, weet je dat? Voor die tijd zijn het domweg buitenaardse wezens voor ze, klompjes vlees. Mannen weten daar geen raad mee. Mijn vriendinnen benijdden me, wil je dat geloven? Hij sloeg mij niet, hij sloeg Rodja niet, hij verdiende meer geld dan hij op kon zuipen. Ze zeiden tegen me dat ik geluk had.'

Iemand prijzen om wat hij niet had in plaats van wat hij wel had; typisch Russisch.

'Dat heeft natuurlijk niets met jou te maken. Jij bent een Estlander, een beschaafde vent. Jij zult alle Moskouse vrouwen wel achter je aan hebben!' Ze streelde over Irks wang. 'Hier, kijk eens in de spiegel. Wat een knappe man.'

'Ja,' zei Irk, maar wat hij zag was een statige man die volkomen uitgeput was, te moe om een afslag te zien, te trots om er een te nemen.

51

Karkadann had Lev een boodschap gestuurd: *Als je toegeeft, houdt het op.*

Lev begreep zowel de boodschap als de bedoeling erachter. Karkadann was ervan uitgegaan dat Ozers en Butuzov naar hem toe waren gekomen om zijn gezin om te brengen – dat was natuurlijk niet het geval geweest, maar zo zagen Tsjetsjenen Russen en vice versa – dus had hij ze zelf gedood. Het was zijn keuze geweest: op die manier ging het sneller, misschien minder pijnlijk. Zijn eigen keuze, die hem kapot had gemaakt, zijn laatste beetje menselijkheid aan flarden gescheurd.

Lev begreep dat allemaal, maar hij kon het niet tegen Karkadann zeggen, omdat hij niet wist waar hij hem kon vinden. In zijn onzichtbaarheid leek het alsof Karkadann overal achter zat: hij was een gerucht, een legende, een vloek, vleesgeworden angst.

Kanaal Twee hield tussen de programma's in straatinterviews, waarin mensen die te verschillend waren om willekeurig te zijn uitgekozen aan de camera vertelden hoe weinig ze ophadden met de privatisering. Gosja, vierentwintig, was de eerste. 'Als de staat iets weggeeft,' zei hij, 'kan het niet de moeite waard zijn.'

Alice wilde bij Lev zijn, om hem te helpen en te steunen terwijl hij probeerde iets te doen aan de kindermoorden, maar de verkoop kwam steeds dichterbij en ze had al zoveel te doen. Galina had gevraagd of ze meeging naar het tentoonstellingencomplex in Krasnaja Presnja, vlak bij de dierentuin in het westen van Moskou, waar Bob een van de conferentiezalen had gehuurd voor de verkoop. Alice zou dan tevens als vertaler kunnen optreden; Bobs Texaanse tongval was het personeel net iets te veel.

Zo te zien had Galina woord gehouden. Ze had honderdvijftig jonge mensen gevonden. Toen Alice wat beter keek, zag ze combatbroeken, stoppelbaarden, neus- en oorringen – niet echt doorsnee kantoorpersoneel. Sommigen haalden herinneringen op aan de verdediging van het

Witte Huis tijdens de staatsgreep in augustus.

'Kijk dat stel nou,' zei Bob. 'Ik heb wel beter geklede types gezien op het politiebureau.'

'Het zijn vrienden van Galja, en ik vertrouw haar. We hebben geen tijd om hen aan grafologische of leugentests te onderwerpen, Bob. Op de bewuste dag zullen ze er wel fatsoenlijk uitzien, daar gaat het om.'

'Ik zou er graag een paar onder handen willen nemen. Jezus, Alice, waarom heb ik ook naar jou geluisterd?' Bob schraapte zijn keel en draaide zich om naar de zaal. 'Luister, allemaal.'

Er kwam geen reactie; iedereen bleef gewoon doorpraten. Bob draaide zich om naar Alice en gebaarde naar zijn handen, zijn gezicht; de kleur van zijn huid. 'Waarom delen we geen bananen uit, dan kunnen ze die naar me gooien. Nee, nee, niet zeggen: omdat er geen vers fruit te krijgen is in deze klotestad, daarom niet.' Hij richtte zich weer tot de menigte. 'Hallo! De lichten zijn aan, hoor. Kunnen we nu alstublieft beginnen?'

Langzaam en met tegenzin nam het geroezemoes af terwijl de vrijwilligers in hun stoel leunden en afwachtten tot hij begon.

'Bedankt.' Het sarcasme droop van zijn stem. 'We gaan jullie straks in groepen verdelen, dus luister goed en bepaal in welke categorie je het beste past. We hebben veertig man nodig bij de ingang, om de bieders welkom te heten en eventuele vragen te beantwoorden. Vijftig mensen die elk bod noteren, de bieders een ontvangstbewijs geven, en alle details invullen op formulieren.' Hij schreef intussen de aantallen op een bord, alsof hij voor een groep kleuters stond. 'Vijfentwintig man om te controleren of de inschrijvingen goed zijn ingevuld. Tien mensen die de papieren sorteren: inschrijvingen gaan naar de vijf sorteerders, de tally-formulieren naar de twee computeroperators. Dan hebben we nog een EHBO'er nodig, een secretaris, een vertaler, en vijftien medewerkers die hand- en spandiensten kunnen verlenen.'

Jarik, vijfenveertig jaar, zei: 'Ik koop bonnen van bepaalde mensen en verkoop ze aan andere. Daarmee verdien ik op een dag evenveel als wanneer ik een maand werk. Ik heb een goed stel hersenen, maar ik moet ze gebruiken om te overleven – verder kan ik niets bijdragen aan de maatschappij. Ik zou kunnen werken in een fabriek of een instituut.'

Bob legde de vrijwilligers de principes uit van beide manieren van bieden, passief en actief. Passieve bieders moesten de uitoefenprijs – de prijs die aan het eind van de verkoop wordt bereikt – accepteren, maar ze hadden de garantie van ten minste één aandeel. Actieve bieders zouden een prijs noemen waarvoor ze bereid waren een bepaald aantal aandelen per bon te kopen. Aangezien bij actief bieden het voorspellen van een volkomen onbekende markt kwam kijken, ging men ervan uit dat de meerderheid van de biedingen passief zou zijn. Bob besprak een aantal waarschijnlijke scenario's met een theoretisch model van eenduizend aandelen in verschillende verhoudingen van passieve en actieve biedingen, de laatste op een glijdende schaal van één aandeel tot vijf per bon.

De uitoefenprijs zou berekend worden op basis van drie principes: ten minste één aandeel voor ieder passief bod; eventuele resterende aandelen te verkopen aan actieve bieders boven de uitoefenprijs; en geen splitsing van aandelen. Naarmate het aantal resterende aandelen geleidelijk werd opgesoupeerd, zouden de aandelen verhoudingsgewijs per bon afnemen in de richting van of helemaal tot aan de ondergrens: één. Door dit alles bestond de kans dat een grote investeerder later op de dag van de verkoop zou binnenkomen en de uitoefenprijs drastisch zou laten dalen door de resterende aandelen in één keer op te slokken. Niet dat het veel verschil maakte: de bonnen waren gratis en de inflatie steeg, dus de aandelen zouden vrijwel waardeloos zijn, ongeacht de uitoefenprijs. Het zou een weggeefactie worden.

'Ik ben te oud om daar iets van te begrijpen,' zei de eenenvijftigjarige Nellja. 'Ik zou veel liever hebben dat de regering me een paar nieuwe schoenen gaf.'

'Mag ik even iets tegen hen zeggen, Bob?' zei Alice.
  'Ga je gang.'
  Alice stond op en wees een man aan op de voorste rij. 'Jij, met dat sikje. Wat zijn de drie principes achter het berekenen van de uitoefenprijs?'
  Hij keek niet-begrijpend. 'Eh… passieve bieders krijgen een… nee, ik bedoel actieve aandelen…' en liet het verder afweten. De anderen schoten in de lach; het was alsof ze op school zaten. Alice koos het meisje dat het hardst lachte.
  'Goed dan, slimmeriken, wat is de ondergrens van de verhouding van de aandelen ten opzichte van bonnen?'
  'Die is er niet?'
  'Die is er wel, en het is één. Wie denken jullie verdomme wel dat je bent? Ik heb eens rondgekeken toen Bob jullie uitlegde hoe de verkoop in zijn werk gaat, en ik kon degenen die iets heeft genoteerd op één hand tellen. Zo wordt het niets. Als jullie niet willen meewerken, rot dan op, dan vinden we wel iemand anders – er zijn duizenden mensen die er een moord voor zou-

den doen om in jullie schoenen te staan. We betalen jullie ervoor, en goed ook, afhankelijk van jullie prestaties. Maar daarvoor verwachten we wel dat jullie op tijd zijn en je werk doen totdat alles klaar is, of dat nu om vijf uur 's middags is of om vijf uur 's ochtends. Wat jullie hiervoor ook gewend waren, onthoud dit: het kan me niet schelen. Problemen moeten jullie zelf uitzoeken, niet ik. Ik wil geen gezeur horen over de boiler die niet werkt of je nicht die in het ziekenhuis ligt. Van nu af aan zijn dit de regels: een keer in de fout, officiële waarschuwing, twee keer in de fout, en je ligt eruit.'

Overdonderd bleven ze zwijgen. Ze hadden niet verwacht dat een westerse bankier gebruik zou maken van bolsjewiekachtige intimidatietechnieken. Toen Alice naar Galina keek, keek Galina naar de vloer.

'Het is gewoon weer iets waarmee de overheid het volk voor de gek kan houden,' zei Stopja, drieënzestig.

Irk was de hele dag tegen muren van maffiastilte en uitvluchten opgelopen, en hij had even weinig kleur in zijn gezicht als de slachtoffertjes van het monster waar hij achteraan zat. Hij had het gevoel dat hij alleen nog bestond in clair-obscur.

Toen hij Svetlana op de kachel zag liggen – 'de beste manier om warm te blijven, Juku,' zei ze – zag hij plotseling Baba Jaga in haar, de lelijke oude heks met haar grote, misvormde neus en lange tanden. Deze vrouw, volgens de geruchten de grootmoeder van de duivel, zou ook op kachels liggen om warm te blijven. Ze zou ook in een boshut wonen die op kippenpoten stond, dezelfde kippenpoten als Svetlana de vorige maand had gebraden; ze zou mensen opeten die zich niet aan hun afspraak hadden gehouden, net zoals Svetlana Irk had gedreigd toen ze elkaar voor het eerst ontmoetten; en ze zou zich verplaatsen in een gigantische vijzel waarmee ze op hoge snelheid over de bodem van het woud racete, met de stamper als stuur in haar rechterhand en alle sporen van haar tocht uitwissend met een bezem in haar linkerhand, net zoals Svetlana gisteren de ingrediënten had fijngestampt en daarna van de grond had opgeveegd.

Irk schudde de beelden uit zijn hoofd. Dit was absurd. Sveta was een vriendin: een lieve, bedrijvige, eenzame vrouw die een zwaar leven had gehad. Ze was net zo min een vijand als hij. Het kwam door zijn oververmoeidheid dat hij dit soort dingen dacht. Hij wilde alleen nog maar slapen.

52

Alice werd een paar uur nadat ze door de wodka was gevloerd wakker; lang genoeg om haar een paar rusteloze uren te bezorgen voordat ze weer insliep tot het ochtend was. Misschien had ze het een maand geleden nog aardig of opwindend gevonden, toen alles nog nieuw en spannend was, maar nu was het alleen maar vervelend, weer een probleem waar ze niet op zat te wachten. Alles leek haar ineens vervelend en moeilijk. De glans was eraf, dat stond vast. Alice sprak hun taal, maar ze snapte nog niet hoe de mensen hier leefden. Zo ver en zo lang van huis, had ze het gevoel dat ze al een deel van haar identiteit kwijt was zonder dat ze die door iets had vervangen. Misschien zou haar dat wel nooit lukken. Wat was Lev: de weg naar een nieuw leven, of de architect van haar ondergang?

Alice hield de tijd in de gaten tot aan de lunch, zich er terdege van bewust wat haar te doen stond en vol angst voor het moment dat het zover was. Om half een, toen ze het wachten niet langer uithield, sleurde ze Galina bijna van haar stoel en nam haar mee de trap af naar buiten, waar het zo koud was dat ze zich er amper op konden kleden, naar een klein café waar ze alleen dollars accepteerden en dagelijks één schotel serveerden, geen menu. Vandaag was het een niet nader omschreven variatie op rundvlees. Alice wierp er een blik op en bestelde er een wodka bij.

Ze vonden een halflege tafel, naast een stel bouwvakkers die naar hen knipoogden toen ze gingen zitten. Galina tilde een been op tot boven de tafel en kneep in het suède van haar broek. 'Mooi?'

'Heel mooi.'

'Goed, want hij heeft een fortuin gekost. Veel meer dan ik kan betalen, maar ik zag hem in de winkel hangen, en hij was zo prachtig, en…'

Alice begreep het maar al te goed. Zo gaat dat in Rusland; door geld uit te geven aan luxe artikelen in plaats van aan basisbehoeften blijf je mens. Russen zijn de grootste dromers van de wereld, en de gekste consumenten, ook al – of misschien juist daardoor – kunnen ze het zich niet veroorloven.

In het nummer van de Russische *Vogue* van die maand stond een brief van een kinderarts in Omks; met haar zorg voor twee kinderen had ze geen geld om ook maar iets te kopen uit het tijdschrift – ze moest zelfs sparen om de *Vogue* te kunnen kopen – maar in de vier uur die ze ermee zoet was, waarbij ze elk woord las, van voor naar achter, inclusief het colofon, voelde ze zich in de zevende hemel.

'Sorry van gisteren,' zei Galina. 'Ik heb die mensen bij elkaar gezocht, ik zei dat ze het goed zouden doen, en ik dacht niet dat ze… ik bedoel, dit is iets nieuws, nietwaar, en niemand weet wat ze ervan moeten verwachten.' Ze keek zo gepijnigd dat Alice haar wel even had willen knuffelen, maar dat zou de reden waarom ze Galina hier mee naartoe had genomen ondermijnen. 'Ik heb daarna met een paar mensen gepraat, vrienden van me, en gezegd dat ze tegen iedereen moesten rondvertellen dat ze hun best moesten doen. Wat jij zei, is volgens mij hard aangekomen. Het zal niet meer gebeuren.'

Alice knikte even, tweemaal. 'Nee, dat mag ik hopen.'

Hun borden werden met een plof voor hen op tafel gekwakt door een meisje met groen haar.

'Ik ben uitgenodigd om een lezing te houden op een conferentie in Londen over de risico's van het zakendoen in Rusland,' zei Alice. 'Ik mag het *Guinness Book of Records* wel inlichten.'

'Sorry?'

'Het zou wel eens de langste lezing ooit kunnen worden.'

'O.' Galina giechelde wat schaapachtig. 'Door wie ben je uitgenodigd?'

'Een politieke verzekeringsmaatschappij, vorig jaar heb ik tijdens een manifestatie van hen gesproken. Ze bieden me een onkostenvergoeding, accommodatie, duizenden dollars en ik mag ook nog een collega meenemen. Voel je er wat voor?'

Galina's ogen werden zo groot als bij een stripfiguurtje. 'Meen je dat echt?'

'Natuurlijk. We gaan een dag naar de conferentie, een dagje winkelen, en de derde dag gaan we naar jouw twee favoriete plaatsen in Londen.' Galina keek zonder uitdrukking; ze was nog nooit in Londen geweest, dus hoe kon ze daar een favoriete plek hebben?' 'Abbey Road,' zei Alice plagerig.

'Waar ik met blote voeten over het zebrapad kan lopen?'

'En Baker Street 221B…'

Galina klapte verrukt in haar handen. Sherlock Holmes en de Beatles – ze zou de hele weg terug naar Heathrow tranen van vreugde huilen. 'Dat klinkt fantastisch!' Ineens keek ze sip. 'Als Lev me laat gaan.'

'Waarom niet? Je bent toch met mij mee?'

De bouwvakkers stapten op. Alice en Galina duwden hun stoel naar achteren om de mannen te laten passeren, en beseften te laat dat ze beter op hadden kunnen staan. Alice kreeg een kruis vol verfspatten voor haar neus, Galina een stoffig achterwerk. Ze zaten al te gieren voordat de mannen de deur uit waren.

Het stond Alice tegen wat haar te doen stond, het maakte haar misselijk, alsof iets in haar maag rondjes draaide voor het een geschikt plekje vond om toe te slaan. Het was nog niet te laat, ze kon nog terug, ze kon het hierbij laten, haar oprechte warmte en vriendschap voor Galina. Maar we zijn in Rusland, hield ze zich voor; hier was vriendschap gebaséérd op wie er wat voor je kon doen.

'Je bent dan toch met mij,' herhaalde Alice.

'Ja, dat is wel zo,' zei Galina, alsof ze er weinig vertrouwen in had.

'Je zult Londen geweldig vinden, echt. Na Boston – en Moskou, natuurlijk – is het mijn favoriete stad. Misschien kun je er op een dag ook wel gaan werken. Of in Amerika.'

'Zonder Rodja? Of Sveta? Nee, Alice, nee.'

'Die kunnen toch ook mee?'

'Zij zouden hier nooit weggaan.'

'Wil je een kind, Galja?'

'Wie niet?'

'En als je een kind hebt, denk je dan dat Lev je baan voor je vrijhoudt?'

'Natuurlijk.'

'Weet je het zeker?'

'Hij is een loyaal man.'

Alice liet de stilte voor zich spreken, en nu wist Galina niet goed raad. Ze was natuurlijk op de hoogte van Alice en Lev, maar ze wist ook waar Alice op doelde. In veel Russische bedrijven staat het moederschapverlof gelijk aan het verliezen van je baan. Tegen de tijd dat je weer aan het werk wilt, is je baan ingenomen. Moeders worden beschouwd als onbetrouwbare werkneemsters: kinderen zijn vaak ziek, en mensen die regelmatig op korte termijn een vrije dag moeten opnemen, zijn een ramp voor de werkroosters. Verscheidene vriendinnen van Galina hadden al een abortus laten doen uit angst dat ze hun baan kwijtraakten.

'Natuurlijk doet hij dat,' herhaalde Galina, maar nu met minder overtuiging. 'Hij heeft nooit "zonder complexen" op mij losgelaten.'

'Zonder complexen' lees je vaak in personeelsadvertenties: sollicitanten die niet bereid zijn het bed te delen met hun baas, hoeven niet te reageren.

'Galja, het Westen is niet perfect, maar wat de mentaliteit tegenover vrouwen betreft zijn ze er lichtjaren vooruit.'

'Voor jullie is het gemakkelijk. Russen moeten nu eenmaal narigheid doorstaan. Wij hebben niet dat machtsgevoel dat jullie hebben. Jullie Amerikanen denken dat jullie de wereld kunnen veranderen.'

'Dat is een van de redenen waarom ik doe wat ik doe, en' – Alice haalde diep adem –'een van de redenen waarom ik je hulp nodig heb.'

'Mijn hulp? Waarvoor?'

Dit was Alice' laatste kans, soepel nam ze de laatste hindernis.

Ze beschreef wat ze had ontdekt bij Rode Oktober. Galina keek verbaasd op toen ze hoorde over de doden die als werknemer te boek stonden; ze bleef roerloos zitten toen Alice haar vertelde van de bonnen; ze hield haar adem in toen ze hoorde van de zwendel met Sujumbika. Ze had wel iets geweten van Levs plannen, besefte Alice, maar niet alles – misschien een combinatie van wat Lev voor haar achterhield en dingen waar ze liever haar ogen voor sloot.

'We moeten die verkoop snel houden, maar we moeten het ook goed doen,' zei Alice. 'Ik moet weten – het is verschrikkelijk om je dit te moeten vragen, we hebben allebei iets bij dit bedrijf te verliezen, ook bij de man die de leiding heeft – maar ik moet weten of er nog iets anders gaande is. Als dat zo is, moet ik dat nú weten.'

In het café ging het geroezemoes door, het opstapelen van borden klonk boven het gerammel van bestek uit.

Alice had al een gevecht geleverd met haar geweten, en gewonnen. Nu was het Galina's beurt om de strijd aan te gaan. Haar loyaliteit tegenover Lev, haar ambities, haar ontluikende vriendschap met Alice, haar verlangen naar een beter Rusland, schuldgevoelens over wat er gisteren was gebeurd met de medewerkers, de belofte van een reisje naar Londen en misschien meer – het speelde allemaal mee.

'Ik kan niet geloven dat je me dit vraagt,' zei Galina. Toen Alice zweeg, vroeg Galina: 'Is het echt zo belangrijk?' Toen wist Alice dat ze over de streep was.

'Ik zal nooit vertellen van wie ik het heb gehoord.'

Het verschaffen van inlichtingen zat in de aard van de Russen, dacht Alice, zelfs bij degenen die ertegen in opstand kwamen.

Galina viste een pen uit haar tas en schreef twee nummers op een servetje. 'Bel dit nummer,' zei ze, en duwde het servet over de tafel naar Alice, waarbij ze wees op de eerste reeks cijfers. Alice zag dat er een internationale code voor stond, maar niet een die ze herkende. 'Vraag hun naar details over overschrijvingen op dit rekeningnummer.' Dat was het tweede getal. 'Het wachtwoord is "Lefortovo", zei ze, en duwde intussen haar stoel naar achteren, stond op en vertrok, haar biefstuk onaangeraakt en even koud als hun vriendschap achterlatend.

Sidoroek hiel met de eerbied van een Azteekse priester een druipend hart in zijn handen.

'Juku!' De patholoog was zijn normale, opgewekt naargeestige zelf. 'Wat leuk om je te zien.' Hij legde het hart op een roestvrijstalen blad en liep met een uitgestrekte hand waar het bloed vanaf droop op hem toe. Irk deinsde achteruit in een beweging die veel weg had van paniek.

'Sorry!' Toen Sidoroek de bebloede handen zag waar Irk zo van was geschrokken, grinnikte hij bij zichzelf, draaide zich om en liep naar de wastafel. 'Mijn fout. Ik heb vroeger in het abattoir gewerkt, weet je. 's Winters als het echt guur werd, twintig of dertig graden onder nul, was er maar één manier om warm te blijven: door je armen in de ingewanden van een pasgeslacht beest te steken, helemaal tot aan de schouders.'

Het hart lag als een neutronenster te glimmen op het blad. 'Hoe staat het leven, Sjoma?' vroeg Irk.

'Ze geven je een roebel, en rekenen er twee.' Sidoroek schrobde krachtig zijn handen. 'Het gaat z'n gangetje. Er wordt elke week ingebroken en dan stelen ze alles wat ze kunnen vinden.' Hij spoelde zijn handen af en pakte een handdoek.

'Daar zit nog wat.' Irk wees op de rode plekken op Sidoroeks vingertoppen.

'O, dat is geen bloed.' Sidoroek lachte. 'Ik neem elke dag de gloeilamp van huis mee naar mijn werk en weer terug – anders wordt hij gestolen. Die brandplekken loop ik op als ik hem uit de fitting draai. Zo. Je bent zeker gekomen voor dat meisje?'

'Natuurlijk.'

'Ze ligt daar.' Hij ging Irk voor naar de tafel bij de achterste muur, terwijl hij intussen doorpraatte. 'Ze is seksueel misbruikt. Dat is de eerste keer in deze zaak, hè?'

'Heeft de moordenaar haar verkracht?'

'Niet per se. De wonden rond en in haar openingen zijn ouder dan die in haar nek en borst – die de dood hebben veroorzaakt.'

'Hoeveel ouder?'

'Genoeg om al half genezen te zijn.'

'Dus als de moordenaar haar een paar dagen heeft vastgehouden...'

'Dan zouden ze er wat verser hebben uitgezien. Ik zou zeggen dat ze een paar weken geleden zijn aangebracht.'

Irk moest denken aan Nelli's vrienden – de 'asfaltbloemen', had Rodjon hen genoemd – bij elkaar gekropen onder de rokken van het beeld van de boerin. Wat had die jongen ook weer gezegd als antwoord op zijn vraag over de Tsjetsjenen? *Het doet er niet toe wie de macht heeft, er is altijd wel iemand die de kleintjes naait.*

Alice ging naar huis; ze kon niet het risico lopen dat ze werd afgeluisterd of onderschept in de stokerij. Een telefoontje naar inlichtingen buitenland – een dienst die in de USSR niet had bestaan – bracht aan het licht dat het het telefoonnummer was van Nicosia, en Alice wist meteen met wie ze te maken had. Zakelijk gesproken is Nicosia samen met Vaduz en Grand Cayman de plaats waar vragen over de herkomst van geld afnemen naarmate de bedragen hoger worden.

Ze belde het nummer, zenuwachtig als iemand die weet dat je maar één kans hebt dat je het goed hebt.

Een man nam op. 'Bank Kormakitis-Plakoti.' Hij sprak Engels met een zwaar accent: een plaatselijke bewoner.

'Goedemiddag,' zei Alice. 'Ik wil graag een en ander weten van de overschrijvingen op deze rekening.' Ze noemde het nummer.

'Kunt u het wachtwoord zeggen?'

'Lefortovo.'

'Ben jij dat, Galja? Je klinkt anders.'

'Beetje verkouden,' zei Alice, blij dat Galina's Engels goed genoeg was voor een praatje, en dat ze zich dus gemakkelijk voor haar kon uitgeven.

'Dat verbaast me niet, met dat weer van jullie. Wat wil je weten?'

'Bijschrijvingen en afboekingen.'

Hij vroeg niet waarom ze dat wilde weten; dit soort bankmedewerkers vroegen daar nooit naar. 'Van welke periode?'

'De afgelopen zes maanden?'

'Geen probleem. Ik fax ze je wel.'

'Naar mijn werk? Nee. De machine is kapot. Gebruik deze maar.' Alice gaf hem haar nummer thuis en zette de fax op 'ontvangst'.

'Ik stuur ze je meteen door. Verder nog iets?'

'Nee, dat is alles.'

'Doe Lev de groeten van me.'

'Zal ik doen.'

Ze trilde toen ze de hoorn neerlegde, een nerveuze reactie gecombineerd met triomf. Alice had blijkbaar aanleg voor speurwerk, ook de uitvluchten en het bedrog die erbij kwamen kijken, gingen haar goed af. Een goed doortimmerde leugen bezorgde haar zelfs plezier; ze bewonderde het vakmanschap en de elegante eenvoud waarmee alle onderdelen van een leugen in elkaar pasten. Er was een tijd geweest dat ze liegen haatte en bedrog haar vreemd was geweest, maar nu ging het haar zo eenvoudig en gemakkelijk af alsof een onzichtbare macht haar hielp, haar van een ondoordringbare wapenrusting van leugens voorzag. Tegelijkertijd wist ze dat het geen ondoordringbare wapenrusting was maar een kaartenhuis, dat steeds hoger en hoger zou worden – na klein te zijn begonnen, zou ze hem steeds groter uit-bouwen – totdat op een dag het hele zaakje in zou storten.

Ze wachtte en wachtte, stijf van de zenuwen. Was er iets misgegaan? Had-den ze haar door? Had ze argwaan gewekt bij die man in Nicosia?

De tijd kroop. Ze dronk een paar glazen wodka, om haar zenuwen te be-dwingen en om iets in haar handen te hebben.

Het duurde vijfenveertig minuten voordat de fax binnenkwam, een uit-stel dat Alice, met de logica die het gevolg is van opluchting, toeschreef aan de armzalige telecommunicatie in Moskou in plaats van aan iets onheilspel-lends. Het waren zeven vellen, en op elk daarvan stonden de bijzonderhe-den van drie of vier transacties. Ze waren, voorzover Alice kon zien, tame-lijk evenredig verdeeld over de periode. Het kleinste bedrag was iets minder dan drieduizend dollar, het grootste meer dan zevenhonderdvijftig duizend dollar. Alles bij elkaar had Lev de afgelopen zes maanden meer dan vijf mil-joen dollar naar de bank overgemaakt.

Vijf miljoen? Het leek veel, maar voor een bendeleider was het een peu-lenschil. Het geld had overal vandaan kunnen komen, uit elk van Levs dui-zenden belangen. Maar als het niets te maken had met Rode Oktober, waarom zou Galina het haar dan hebben verteld? En belangrijker nog, hoe zou Galina het te weten zijn gekomen? Ze was alleen verantwoordelijk voor Levs zaken in de distilleerderij; er zouden anderen zijn die de zaken elders behartigden, meende Alice, maar alleen Lev zelf zou het overzicht hebben – een nalatenschap van het leven in de goelag, waar je alleen op jezelf ver-trouwde en waar je je leven in vakjes indeelde.

Alice durfde niet nog eens naar Nicosia te bellen. Ze was er nu één keer mee weggekomen, en ze wist tot hoever ze kon gaan. Er was maar één ma-nier om erachter te komen wat die cijfers betekenden, en dat was Lev zelf ernaar vragen.

53

Lev zat de hele dag in zijn kantoor. Alice kon er onmogelijk naar binnen om te zoeken naar de informatie op grond waarvan ze kon bepalen wat de cijfers uit Nicosia betekenden. Toen ze hem daar opzocht, zei hij dat hij het druk had en haar later wel zou zien. Normaal gesproken zou ze dat onmiddellijk hebben geaccepteerd, maar vandaag riep het twijfels en vragen bij haar op. Hij gaf niets om haar. Wist hij waar ze mee bezig was? Had Galina het hem verteld?

Galina zelf zou niet erg behulpzaam zijn, dat wist Alice vanaf het moment dat ze haar zag. Galina vermeed oogcontact en antwoordde op Alice' vragen alleen met eenlettergrepige woorden.

Harry zat in de zijkamer met een ei, dat hij aan Galina gaf. 'Dit heb ik gekocht van een vent buiten,' zei hij. 'Het is een vruchtbaarheidssymbool.' Hij knipoogde onbeholpen.

'Nou, Harry, volgens mij is het een vruchteloze poging,' zei Alice.

Galina sloeg geen acht op haar en gaf Harry een kus, zijn bedoeling was haar totaal ontgaan. 'Dank je wel. Ik zal er een gezichtje op tekenen, en dat kijkt dan toe als Rodjon en ik het blijven proberen. Het zal onze icoon worden.'

Als Galina een kind had, zou ze dan nog wel wíllen werken, vroeg Alice zich af. Zou Rodjon dat willen? Een paar kinderen verder, en Alice kon zich een heel andere Galina voorstellen, wier glans en pracht langzaam zouden verdwijnen onder druk van de zware huishoudelijke eisen die aan haar zouden worden gesteld: boodschappen doen, koken, wassen, schoonmaken, orde handhaven in haar huis en haar gezin. Ze zou harder worden, praktisch, verstandig. De grappige, moreel pure Galina die Alice in haar armen wilde sluiten en beschermen, zou niet meer bestaan. O jawel, ze zou zich nog wel eens laten verleiden door sentimentele muziek of een of ander niet te betalen modeartikel, maar ze zou in haar uitzinnigheden geremd worden door haar plichten tegenover haar gezin.

'Haar vind ik nou echt een schat van een secretaresse. Waarom wil ze niet een keer met me uit?' vroeg Harry geërgerd aan Alice.

'Omdat ze getrouwd is. En omdat ze smaak heeft.'

Alice' pogingen om het goed te maken waren te doorzichtig. Galina liet zich niet vermurwen.

Alice wachtte die middag tot Lev haar zoals beloofd kwam opzoeken. Als een kind dat de dagen aftelt tot Kerstmis, kleurde dit vooruitzicht haar hele doen en laten. Ze woog Lev af tegen haar andere liefde. Ze zou niets drinken tot hij kwam. Ze zou juist wel iets drinken, want dan zou hij eerder komen. Ze moest helder blijven om met hem te kunnen praten. Ze moest een paar slokken nemen om haar zenuwen tot bedaren te brengen.

Om vijf uur ging de telefoon. Het was Jelena, de receptioniste; er was een man voor haar. Toen ze naar de hal liep, zag ze daar Lewis in een tijdschrift bladeren, zonder iets te merken van de broeierige blikken die Jelena hem toewierp. Jelena had een gezicht als een volle maan, geaccentueerd door de band die haar haar plat op haar schedel drukte, en een felrode lipstick maakte van haar mond een bloedrode vlek. In het Westen zou ze alledaags zijn geweest; in Moskou was ze op het randje van lelijk.

Alice maakte onwillekeurig een paniekerige beweging, die Lewis net miste toen hij een fractie later opkeek. 'Schat,' zei ze opgewekt. 'Wat een verrassing.'

'We gaan eten bij de Craigs.' Hij keek haar onderzoekend aan. 'Dat ben je toch niet vergeten?'

'Nee, nee.' Ze was het glad vergeten. 'Ik… ik dacht alleen dat we eerst nog naar huis zouden gaan.'

'Ik heb je vanochtend toch gezegd dat ik onderweg hierlangs zou komen.'

'Ja, inderdaad. Druk dagje gehad; het is me zeker ontgaan.'

'Is Harry zover? Die gaat volgens mij ook mee. Kom, we mogen onze vrienden niet laten wachten.'

Vrienden? Alice wist niet of het wel vrienden waren. De gedachte aan een avond in hun gezelschap, waarbij ze zou moeten luisteren naar Christina's klaagzang over de ongemakken waar je als expat mee te maken kreeg – veilig weggestopt in haar schitterende huis, compleet met jacuzzi en bioscoop – vervulde Alice met angst. Maar voor Lewis waren ze vreemdelingen in een vreemd land, zendelingen in een grensstad, en was je veilig als je je eigen mensen opzocht. Toen ze zijn opgewekte blik zag, had ze niet de moed om een van de smoezen te gebruiken die bij haar opkwamen. Ze veinsde enthousiasme, en haastte zich naar boven om haar spullen te pakken. Per slot van rekening was een avondje boetedoening wel het minste wat ze voor Lewis kon doen.

54

Een vrouw met rode naaldhakken en een staalblauwe blouse trippelde de weg over langs Petrovka, waarbij ze even wankelde toen haar hakken slipten op het ijs. Haar haar, een coupe met een pony, omsloot haar hoofd als een legerhelm, en ze had zoveel kohl rond haar ogen dat ze wel voor een panda kon doorgaan. 'Hé, smeris,' schreeuwde ze naar Irk. 'Wacht even.'

Een hoer. Irk zuchtte. Wedden dat ze hem zou vragen een boodschap door te geven aan wie het ook was van de zedenpolitie die een graantje meepikte van haar werk. Bij overzeese politiekorpsen gingen agenten undercover als hoer; in Moskou waren ondernemende agenten van de zedenpolitie onlangs begonnen dit proces om te draaien, en hoeren te laten werken als undercover agent. Op die manier kon de politieman zijn veelvuldige contacten met de prostituees rechtvaardigen, en de prostituees konden zeggen dat ze niet de wet overtraden maar dat ze juist voor de wet aan het werk waren. Het was een geniaal idee, op zijn manier. Irk wou dat hij het had bedacht.

Een van de agenten die uit Petrovka kwamen stak zijn tong in zijn wang toen de hoer langs hem liep. 'Wil jij een hapje, liefje?' vroeg hij.

Ze liep gewoon door. 'Niet als jouw pik net zo leeg is als je hoofd.'

Irk grinnikte en besloot toen haar toch maar aan te spreken. Als een hoer hulp wil bieden, kan ze de politie goede diensten bewijzen. Prostituees zijn door de wol geverfd. Ze kijken en luisteren; dat is hun manier om in leven te blijven.'

De agent die haar zijn voorstel had gedaan, riep naar Irk: 'Hé, baas, niet naar Aldona luisteren. Ze kan wel een enge ziekte hebben.'

'Als ik al een ziekte heb,' schreeuwde ze terug, terwijl ze haar middelvinger opstak, 'dan heb ik die van jou gekregen.'

Irk zag hoe zwaar Aldona was opgemaakt. Zwaar genoeg om blauwe plekken te maskeren, laat staan puistjes. 'Onderzoek jij de moord op die arme Nelli?'

Irks hartslag nam toe. 'Heb jij haar gekend?'

'Ze hing wel eens bij ons rond.'

'Werkte ze voor dezelfde pooier?'

'Ze hing niet voor werk bij ons rond,' zei Aldona verontwaardigd. 'Waar zie je me voor aan?' Irk hief zijn hand op in een verontschuldigend gebaar. 'Alsof er al niet genoeg concurrentie is,' ging ze door. Haar mondspieren trokken, een omberkleurige glimlach. 'Nee. Nelli hield ons gezelschap omdat ze verder niets had.'

'Weet je ook waar ze woonde?'

Aldona knikte. 'Kom maar mee, ik zal het je laten zien.'

Zodra Irk het *internat* binnenstapte aan de Akademika Koroleva, hoefde hij zich niet meer af te vragen waarom Nelli zo graag bij Aldona en de andere prostituees verbleef.

Het internat is een combinatie van een weeshuis en een opvangtehuis. Op de schaal van gruwelijkheden houdt het het midden tussen legerbarakken en een gevangeniscel. Russen klagen over hun bestaan, dacht Irk, maar wie in zijn leven nooit de binnenkant heeft gezien van een internat, barak of gevangenis – en dat zijn er velen – zou zich gelukkig moeten prijzen en zijn mond moeten houden.

Hij liep door de gangen alsof hij in een nachtmerrie terechtkwam. Twee meisjes, van onderen naakt vanaf hun middel, schoten krijsend langs hem heen. Irk zag een jongen op de grond zitten, aan een ketting, zijn knieën zo hoog opgetrokken dat het was alsof ze vastzaten aan zijn hoofd. Open deuren boden uitzicht op afschuwelijke taferelen: kinderen die languit op smerige lakens lagen, luciferdunne ledematen in onmogelijke hoeken. Onder geschoren schedels staarden nietsziende ogen hem aan door wolken vliegjes. De kamers waren slecht verlicht, de bedden dicht tegen elkaar aan gezet. 's Nachts zou verkrachting hier schering en inslag zijn. De lucht was bedompt door allerlei soorten stank: adem, zweet, pis en stront; achteloosheid, verwaarlozing en verval.

Nelli moest een van de kleinste kinderen in het internat zijn geweest, een prooi, geen roofdier. Het bewijs van seksueel misbruik dat Sidoroek had gevonden, betekende geen andere signatuur of modus operandi, zoals ze hadden aangenomen. Het was irrelevant, dacht Irk, en hij stikte bijna van schuldgevoel omdat hij een dergelijk trauma zo lichtvaardig afdeed.

Op een veranda zaten kinderen in elkaar gedoken klaaglijk te wiegen in hun eigen ellende, zonder acht te slaan op de kou. Irk liep weg toen een van hen naar hem wuifde en 'papa' tegen hem probeerde te zeggen. Het zou zo makkelijk zijn om een van deze kinderen over te halen met hem mee te gaan.

Aldona stond zacht met een paar personeelsleden te praten. Toen Irk dit met verbazing aanschouwde, keek ze hem vol minachting aan. 'De meisjes helpen hier zoveel mogelijk,' zei ze. 'Wij verschoppelingen moeten elkaar steunen, inspecteur.'

Ze ging hem voor naar een keuken met een tafel die te groot en een kachel die te klein was. Er stond een pan met knoedels te borrelen. Irk tilde het deksel op en liet zijn neus even in de stoom hangen; het was het eerste wat hij hier rook dat hem niet bijna aan het huilen of braken maakte.

'Dimenkova,' zei Aldona, zo luidde Nelli's achternaam. 'Zo stond ze geregistreerd, in elk geval. Zoals de meeste kinderen hier, kwam ze gewoon aanwaaien. Ze komen hier aan en worden opgenomen, en er is nooit plaats genoeg. Het is onbegonnen werk.'

'Het wordt toch gesubsidieerd door de staat?'

'In theorie wel. Als die blaaskaken geld sturen, laat het mij dan weten.'

Rusland is geen land voor een kind zonder ouders, wist Irk. De enkele gelukkigen worden naar een fatsoenlijk weeshuis gestuurd – waarbij fatsoenlijk in dit geval staat voor voldoende geld, en voldoende geld voor particuliere financiering, van buitenlandse verenigingen of van plaatselijke filantropen als Lev, en wie maakt het wat uit waar het geld vandaan komt? De rest wordt verdeeld tussen de straat en de internats, hun kans op een fatsoenlijk leven is toch al verkeken. Iedereen vindt dat het een schande is. Iedereen zei twintig jaar geleden al hetzelfde; iedereen zal over twintig jaar nog hetzelfde zeggen.

Een van de oudere jongens liep langs de keuken, terwijl hij intussen uit een fles wodka dronk.

Irk zag hoe hij zich voorover boog naar een ander kind, kleiner, dat op de vloer lag te slapen. 'Kom, slaapkop. We gaan.'

De slaapkop deed een oog open, zag de fles wodka en schudde zijn hoofd. Aldona leunde naar voren en volgde Irks blik. 'De jongsten drinken niet,' zei ze. 'Ze denken dat het hen remt in hun groei. Ze willen zo groot mogelijk worden.'

Timofei had dat ook gezegd over Vladimir Kullam. Goeie god, dacht Irk; alleen de angst om niet voor zichzelf te kunnen zorgen houdt onze kinderen van de fles. Het beloofde niet veel goeds voor de toekomst.

'Wanneer heb je Nelli voor het laatst gezien?' vroeg hij.

'Vorig weekend.'

'Is hier iemand die haar vermoord zou kunnen hebben?'

Aldona lachte even, een korte blaf. 'Is hier iemand die het níét gedaan zou kunnen hebben?'

Het was de avond van Valentijnsdag, en de enige manier waarop Alice die kon doorbrengen was alleen. Lewis had haar gevraagd wat ze van plan was; ze had gezegd dat ze lang moest overwerken. Lev, een en al excuus omdat hij gisteren verstek had laten gaan, had haar ook gevraagd naar haar plannen; tegen hem had ze gezegd dat ze het niet redde. Beide antwoorden waren waar. Beide lieten meer ongezegd dan dat ze onthulden.

Haar gezond verstand zei Alice dat ze op dit tijdstip niet in de stokerij kon gaan rondneuzen. Stel dat ze gesnapt werd? Wat zou Lev zeggen? Wat zou hij dóén? Zou hij haar iets aandoen? Ze was natuurlijk zijn minnares, maar ze zou dan ook een spion zijn, en hij was de leider van een bende. Het privatiseringsproces was zo al lastig genoeg – wat zou de pers zeggen als die erachter kwam? Was Watergate ook niet begonnen met een inbraak?

Haar gezond verstand zei haar ook dat ze tegen Arkin moest zeggen dat hij zijn mannen eropaf moest sturen om alle dossiers van Lev in beslag te nemen. Maar zou hij dat doen? Ze was er niet zo zeker van. Met iedereen die ze er nog eens extra bij betrok, steeg de kans dat de boel in het honderd liep exponentieel. Ze kon de zaak pas aanhangig maken als het een voldongen feit was.

De stokerij was tijdens het weekend gesloten voor schoonmaakwerkzaamheden. Vanavond zou er niemand zijn.

Rode Oktober zag er 's avonds, zonder verlichting en zonder arbeiders, nog spelonkachtiger en intimiderend uit dan overdag. Vanaf de plek waar Alice stond, voor het binnenraam in Levs kantoor, leken de enorme machines in de hal beneden op te doemen als donkere schildwachten. Alice draaide zich om en ging aan de slag.

Het kantoor dat haar was toegewezen had een extra opslagruimte, waar ze zich had verstopt totdat iedereen naar huis was. Ze had een creditcard meegebracht voor het geval ze het slot van Levs kantoor moest openmaken, maar de deur was open; hij ging er kennelijk vanuit dat zijn eigen personeel te veel respect had en de westerlingen te gewetensvol waren om achter zijn rug naar binnen te glippen. Vreemd, voor iemand die zo achterdochtig was, dacht ze; maar zelfs de angstigste mensen raken soms gewend aan hun zwakke punten.

Alice zocht de bureauladen en dossierkasten een voor een door, blij dat Lev geen computer gebruikte. Omdat ze wilde voorkomen dat iemand haar bezig zou zien, liet ze de lichten uit en schermde ze de lichtbundel van haar zaklantaarn af met haar hand; Rode Oktober werd bewaakt door veiligheidsmensen van de 21e Eeuw, en die zouden niet aarzelen om te komen kijken als ze iets verdachts zagen. En zou een van hen weten dat zij met de baas naar bed ging? Verdomme, dit was nog gevaarlijker dan een hongerige wezel in een zwembad vol nudisten.

Er lag een fles Stolitsjnaja in de vrieskast. Alice haalde hem eruit en schonk een glas in, terwijl ze toekeek hoe de wodka zich als olie over de ijsklontjes verspreidde: bevroren lava.

Persoonlijke overwegingen vervlochten zich met beroepsmatige, schuldgevoelens hechtten zich aan gevoelens van rechtvaardigheid; ze zag zelfs niet hoe ze die dingen uit elkaar moest houden. Beelden van wat zij en Lev in dit kantoor hadden gedaan, op dit bureau, tegen dit raam. Ze sloot alle gedachten buiten en richtte zich weer op haar taak.

Alice bracht uren door met het doornemen van Levs papieren, op zoek naar documenten die de overschrijvingen van de bank bevestigden. Het spoor dat ze volgde was fragmentarisch, onvolledig of verwarrend – Lev hanteerde geen bepaalde volgorde, toevallig of opzettelijk – en het was al in de kleine uurtjes voordat Alice had uitgevist waar hij mee bezig was. Het drong met kleine beetjes tegelijk tot haar door: hier een aanwijzing, daar een verwijzing, waardoor ze het dan weer wel en dan weer niet geloofde, voordat ze zich uiteindelijk bij het idee moest neerleggen. Het was beter dat het langzaam doordrong dan in één keer, want het was veel erger dan ze had gedacht. Toen ze het plaatje overzag, was ze totaal verbijsterd – en ondanks zichzelf, vol bewondering voor – over zijn stoutmoedigheid.

Lev was bezig Rode Oktober systematisch van zijn activa te ontdoen.

Hij had een nieuwe firma in het leven geroepen, Krestjach, ook geregistreerd in Nicosia, waar hij de gebouwen en de apparatuur van de stokerij naar overhevelde. De data op de correspondentie klopten met die van de bankoverschrijvingen, en lieten zien dat hij een verstandig tempo aanhield: niet zo snel dat hij argwaan zou kunnen wekken, niet zo langzaam dat hij het risico liep om gepakt te worden vlak voor de privatisering. In dit tempo zou Rode Oktober – het proefkonijn voor het hele hervormingsprogramma, het bedrijf waarop de toekomst van Rusland rustte – op de dag van de veiling weinig meer zijn dan een lege dop.

Tijdens het communistische regime werden directeuren van staatsfabrieken die geld van de staat verduisterden doodgeschoten. Nu, met de slecht draaiende economie, kon iemand die hard genoeg was in de kortste keren onvoorstelbaar rijk worden. Rusland, in zijn uitgestrektheid en met zijn talloze grondstoffen, was als een omgevallen wagen vol ruw goud waarvan de inhoud op de grond lag en waar passanten elkaar verdrongen om zoveel mogelijk weg te graaien – terwijl de bewakers daarbinnen opgesloten zaten, en zinloos om hulp riepen.

Haar ogen deden pijn van het lezen bij het licht van haar zaklantaarn – ze had al een keer de batterijen moeten vervangen – en in haar opwinding en angst was ze vergeten om wat te eten. Ze haalde tevoorschijn wat ze had meegebracht: kaas, ham, zoute koekjes en wat oud brood.

Geen probleem, dacht ze, daar was een eenvoudige oplossing voor: brood, geweekt in wodka. Ze was per slot van rekening in een stokerij, er was hier genoeg wodka om het een jaar uit te zingen… misschien een maand… nou ja, een week… in elk geval tot de zon opkwam.

55

De zon kwam op toen ze binnendruppelden, en ze zagen er niet uit als schoonmakers. Lev en Sabirzjan waren een van de eersten. Sabirzjan was niet iemand die zich bezighield met alledaagse dingen als schoonmaak-werkzaamheden, en zelfs Levs neiging om alles te controleren wat er om-ging in de stokerij ging niet zo ver. Vlak naast het raam in Levs kantoor, uit het zicht, probeerde Alice haar op hol geslagen hart tot bedaren te brengen. Haar schuldgevoel gold niet langer alleen Lewis. Nu betrof het ook Lev, als-of de nacht die ze zojuist had doorgebracht een soort relatie was die ze er achter zíjn rug op nahield, waarin ze de man bedroog met wie ze samen haar man bedroog.

Ze zag hoe Lev en Sabirzjan de lopende band aanzetten, heel achteloos. Ze hoorde geluiden die haar vertrouwd genoeg waren geworden om deel uit te maken van haar onderbewustzijn: het gesis van de wodka die door de machines werd gespoeld, het gerinkel van flessen die over de lopende band werden vervoerd. Boven het lawaai uit klonken lachen en grappen. Ten tij-de van de Sovjet-Unie was het eenmaal in de maand Zwarte Zaterdag – een verplichte werkdag. Maar de mensen die hier vandaag bezig waren, waren bepaald niet somber gestemd. Wat kon dit anders betekenen dan een paral-lelle productie, waarvan de omzet noch de winst in de boeken van de stoke-rij terechtkwam, pure winst voor hen die het geluk hadden hieraan mee te werken?

Ze werkten sneller dan normaal, zag Alice. Waarom ook niet, als het nu om hun eigen geld ging? Langzaam voor de staat, snel voor zichzelf. Ze kon zelfs de energie niet opbrengen om zich te verbazen, laat staan verontwaar-digd te zijn.

Geen wonder dat Lev aanvankelijk tegen privatisering van Rode Okto-ber was geweest. Het verbaasde haar dat hij er uiteindelijk toch nog had mee had ingestemd. De verkoop van waardevolle activa, de bonnen, niet-geregistreerde export, en nu dit. Hij moest al kapitalen hebben verdiend aan deze stokerij, laat staan aan al zijn andere bedrijfsbelangen. Alice vroeg zich af hoe vermogend hij in werkelijkheid was – rijk genoeg waarschijnlijk om er bankrekeningen op na te houden in Zwitserland en in het Caribische gebied, en ook nog de onderneming op Cyprus. Misschien wist Lev zelf niet eens hoeveel hij precies bezat.

Voor Rusland is één zwarte markt twee te weinig. Je hebt de schaduw-economie van clandestiene zaken, niet vastgelegd, niet opgegeven, waar alleen contant geld omgaat. Je hebt de virtuele economie uit de sovjetperiode, die zich beschermt tegen de druk van de markt door zich eruit terug te trekken en in plaats daarvan werkt met ruilhandel, creditnota's en subsidies. En je hebt de buitenlandse economie, waar echt heel veel geld in omgaat.

Drie zwarte markten, en Lev werkte aan alledrie mee.

Alice was zeker even met haar gedachten ergens anders geweest. Toen ze weer naar beneden keek was Lev nergens in de hal te bekennen. Ze stond nog te kijken toen ze de branddeur aan het eind van de gang hoorde. Dat was Lev, ze wist het zeker; ze kon het horen aan zijn manier van lopen, de korte pauze tussen stap die hij zette terwijl zijn eindeloos lange benen naderbij kwamen, en zo dadelijk zou hij haar in zijn kantoor aantreffen als ze niet gauw iets deed, nú.

Levs kantoor kwam uit op het kamertje waar Galja altijd zat, en die zijkamer had twee deuren – de hoofddeur kwam uit op de gang waarover Lev nu liep, en de kleine deur op een galerij die hoog boven de fabriekshal langs liep. Alice had weinig keus. Ze had al een tas vol gepropt met de meest bezwarende papieren. Ze hing hem over haar schouder, rende snel het kantoor uit naar de zijkamer, en meende dat ze de grote deur al open hoorde gaan toen zij de deur achter zich sloot en op de galerij klom.

De galerij was vanaf beneden goed te zien, dat wist ze zeker. De reling reikte slechts tot haar middel, en het stalen rooster zag er lang niet zo veilig uit als Alice hoopte dat ze in werkelijkheid was. Toen ze omlaag keek, kon ze door de gaatjes helemaal tot beneden kijken; als ze viel zou ze er een paar seconden over doen – of als ze werd geduwd. Hoe lang zou Lev in zijn kantoor blijven? Als het maar een paar minuten was, zou ze hier stilletjes wachten tot hij wegging, en dan snel weer via dezelfde deur teruggaan. Als het langer duurde, zou ze een beter plekje moeten vinden om zich te verstoppen.

Alice verschoof de tas op haar heup en voelde onderin een harde bobbel. Het duurde heel even voor ze weer wist wat het was; ze had een camera bij zich voor het geval ze documenten zou moeten fotograferen. Nu ze die al had gestolen, had ze totaal niet meer aan de camera gedacht. De papieren waren bewijsmateriaal van alle andere zaken, maar ze had nog niets dat het bestaan van deze illegale productie kon bewijzen. Foto's zouden de kroon op het werk zijn, een garantie zelfs. Arkin zou kunnen weigeren om documenten te lezen, maar zelfs hij kon niet om bewijsmateriaal van achttien bij dertien heen.

De galerij was hoog genoeg om vanuit de juiste hoek opnamen te maken van de gezichten – van de profielen, althans – in plaats van anonieme kruinen. Ze wilde Lev er ook bij hebben, maar ze kon hem daar fotograferen wanneer hij, áls hij, terugkwam. Ze voelde zich net een detective die een man betrapt met zijn maîtresse toen ze de camera uit haar tas haalde, aanzette, instelde, en afdrukte.

Hij flitste, zo fel dat je dat onmogelijk over het hoofd gezien kon hebben, zelfs op twintig meter afstand. Het was een automaat; Alice was vergeten de flits uit te zetten. Zelfs terwijl haar maag vol zelfverwijt verkrampte, bleef ze de lens richten op de gezichten die naar boven keken, naar haar wijzend, fel, nu boos schreeuwend waar ze eerst hadden gelachen. Ze hoefde zich niet langer te verstoppen; ze moest zich nu in veiligheid zien te brengen, en snel ook. Lev zou elk moment achter die deur vandaan kunnen komen. Het verrassingselement waarop ze had gerekend was verdwenen. Het was nu domweg zaak om haar huid te redden.

Alice rende weg.

De galerijvloer deinde licht onder haar voeten, maar ze kon zich maar druk maken om één ding te gelijk, en het belangrijkste was op dit moment dat ze niet gepakt werd. Ze had het grootste deel van de gang al afgelegd toen ze de deur achter haar hoorde opengaan, en Lev hoorde schreeuwen. Alice keek niet eens om. De galerij splitste zich in twee delen en daarna weer eens, aftakkingen boven de vaten met in elk een inhoud van ruim een miljoen liter. Als ze haar te pakken kregen, zouden ze haar daar dan in gooien? Wat een manier om aan je eind te komen, dacht ze; dan hoefde ze alleen maar haar mond open te doen om zich letterlijk dood te drinken. Dat was nog eens een vorm van inmaak.

Ze liep zigzaggend boven de zee wodka die bedoeld was om voeding te geven aan felle gesprekken, dwaze ruzietjes, hysterisch gelach, melodramatische tranen, vernietigende katers, familieschandalen, bittere scheidingen, gewelddadige verkrachtingen en pijnlijke levercirrose.

Alice rende als een haas door een landschap van roestvrij staal. Na de vaten kwam ze in de boomtoppen van de filtratiekolommen, en toen ze achterom keek om te zien of Lev haar volgde – wat niet het geval was – voelde ze haar huid prikken toen er uit een kolom verschroeiende damp opsteeg. Ze keek omlaag en zag Sabirzjan ver beneden, met een van de hogedrukspuiten die ze gebruikten om de filtratiekolommen schoon te maken. Het scheelde een haar of hij had er een stuk van haar huid mee afgespoten, zelfs op die afstand.

Als ze het nog niet had geweten, dan was het haar nu wel duidelijk: die kerels lieten niet met zich sollen.

Hoe verder Alice rende, hoe minder bang ze werd. Het kwam zeker door al die wodka die ze in haar lichaam had. Ze besefte wel het gevaar waar ze aan blootstond, maar op de een of andere manier voelde ze zich er ver van af staan, alsof het een ander overkwam.

Een met bouten bevestigde stalen ladder liep langs elke filtratiekolom. Alice koos voor het exemplaar dat het meest in de hoek stond, het meest uit het zicht – als ze daar meer kans liep om gepakt te worden, moest ze dat risico maar nemen – en ze klauterde naar beneden, met armen en benen, als een viervoeter. In de grote open ruimte beneden klonken harde, verwrongen stemmen van mannen die haar achterna zaten. Onder aan de kolom – ze was zo snel naar beneden gekomen dat haar oren bijna knapten – keek Alice naar links en naar rechts, zag niemand, en spitste toen haar oren om erachter te komen waar haar achtervolgers zich bevonden.

Tien meter daarvandaan, over een deel van de hal dat ongeveer even uitnodigend was als een sluiproute, zag Alice een nis vol houten vorkheftruckpallets waarop kratten met wodka gestapeld stonden. Gebukt rende ze erop af. Tussen de pallets en het plafond zat ongeveer een meter ruimte, genoeg voor Alice om zich schuil te houden zonder dat iemand haar kon zien. De kratten op de achterste pallet waren oplopend gestapeld, als een soort traptreden. Ze hees zich omhoog en ging er languit bovenop liggen, waarbij ze zich zo plat mogelijk hield, alsof ze zichzelf door pure wilskracht onzichtbaar kon maken.

Tien seconden later renden ze langs, onder haar, zo dichtbij dat ze met een uitgestoken arm hun kruin had kunnen aaien. Alice had zin om hen uit te lachen, naar hen te gluren en fluiten en dan weer weg te duiken; in haar gedachten zag ze de Keystone Cops voor zich.

Ze was nu op de onderste verdieping. Het enige dat ze moest doen was een uitgang vinden. Erop lettend dat ze geen geluid maakte, keek ze om zich heen. Het beloofde niet veel goeds. De nis omsloot haar aan drie kanten, en de grote fabriekshal lag onder de filtratiekolommen. Ze probeerde zich de plattegrond van de fabriek voor de geest te halen. De hoofdingang was het dichtstbij, maar daardoor kon ze niet naar buiten. Nu er constant gevaar dreigde van de Tsjetsjenen, zou die zwaar bewaakt zijn, zelfs in het weekend. En een zijuitgang? Ze kon er zich geen herinneren, althans niet een waar ze naartoe kon komen.

Tijdens het rennen had ze geen angst gevoeld. Nu haar lichaam niets kon doen, gingen de gedachten weer vol angst door haar hoofd. Dat ze alleen was, was het ergste. Niemand om zich druk om te maken, dat wel, maar ook niemand die iets voor háár kon doen. Ze wilde ineens dat er iemand bij haar was, ongeacht wie – Lewis, Bob, zelfs Harry.

Harry.

Plotseling drong zich een beeld bij haar op: Harry, op de eerste dag dat ze hier waren, toen hij per ongeluk het damestoilet binnengestapt was. De toiletten waren in een gang die uitkwam op de entreehal, daar zou vast een raam zijn, ook al was het maar een kleintje voor de ventilatie.

Ze kroop heel langzaam over de kratten om een kijkje te nemen. De gang was niet al te ver, misschien twee keer de afstand tussen de nis en de filtratiekolommen. Er stonden drie mannen bij de receptie, maar als ze zich dicht tegen de muur aandrukte terwijl ze liep, zou ze uit hun gezichtsveld blijven. Het was het risico waard; ze kon hier niet de hele dag blijven liggen, dan zouden ze haar uiteindelijk toch vinden.

Alice greep de rand van de pallet en schoof op haar armen verder. Het was een meter of drie, vier tot aan de grond; als ze languit ging hangen, hoefde ze niet zo ver te springen. Een aantal losse flessen stonden in een rij op de grond. Alice pakte er twee om zich te kunnen verdedigen – een kapotte fles was van dichtbij een even goed wapen als elk ander, en iedereen die een beetje bij zijn verstand was zou een radeloze vrouw met een kapotte fles in haar hand willen mijden. Als ze hier ongeschonden vandaan kwam, zou ze ze leegdrinken om het te vieren.

Een opvallende beweging zou de aandacht van de bewakers trekken, maar ze moest het risico nemen. Ze liep snel naar de muur en schoot met een scherpe bocht de gang in. Niet te gehaast, niet te heimelijk, niets wat de indruk kon wekken dat ze hier eigenlijk niet hoorde. Ze liep het damestoilet in, ging het eerste wc-hokje binnen en deed de deur achter haar op slot. De deur en het slot zouden met alle gemak ingetrapt kunnen worden, maar het was beter dan niets.

Het raam scharnierde aan de bovenkant, en ging maar net ver genoeg open om erdoorheen te kunnen. Met tegenzin zette Alice de twee flessen wodka neer – ze kon ze niet kwijt in haar tas, en er was geen andere manier om ze zonder brokken te vervoeren. Ze knoopte de riem van de tas als een lus rond haar pols, gooide die eerst door het raam en toen, zonder veel vertrouwen in de goede afloop, perste ze zich erdoorheen, eerst met haar hoofd, als een duiker tegen wil en dank. Het raampje was te hoog om bij de grond te kunnen. Ze moest zich laten vallen, en zich intussen omdraaien om de klap met haar schouder op te vangen in plaats van haar vingers, waarna haar benen volgden en weinig zachtzinnig naast haar op het trottoir ploften.

Even later, nadat ze de sneeuw van zich had af geveegd en over haar zere plekken had gewreven, wandelde ze de straat op en hield de dichtstbijzijnde auto aan: een smerige witte Moskvitsj, de Ford Fiesta van Rusland, zo alom aanwezig dat hij bijna niet meer opviel. Een afbeelding van de Maagd Maria en een topless glamourmeisje verdrongen elkaar op het dashboard.

'Waarheen?' vroeg de chauffeur, terwijl hij met zijn hand het ruitje naar beneden duwde.

'Patriarchenvijver.' Het zweet stond op haar voorhoofd, haar hart hamerde onder haar blouse. Ze stapte achterin, waarbij ze een vioolkist opzij moest duwen om ruimte te maken. 'Een viool of een machinegeweer?' vroeg ze.

Hij lachte. 'Een viool. Een van mijn vele talenten.' Hij stak zijn hand in zijn jaszak en haalde er een stapeltje visitekaartjes uit, die hij liet uitwaaieren tussen zijn duim en wijsvinger als een goochelaar die haar vroeg er een kaartje uit te kiezen, maakt niet uit welke. Alice las wat erop stond: Petropavlovsk, Sergej Michailovitsj, chauffeur, vioolspeler, fotograaf, preparateur, verzekeringsagent, therapeut, cateraar, televisie postproductie.

'Ik was altijd taxichauffeur, maar dat kostte te veel. Je moet iedereen omkopen: de standplaatsmanager voor een fatsoenlijke auto; de monteur om de wagen geschikt te maken voor passagiers; de garagehouder, om reparaties te laten uitvoeren; de controleur, voor een gunstige ploegendienst en om met de prikklok te kunnen sjoemelen; en de kerel bij de uitgang, om weg te kunnen. Als je dat allemaal hebt betaald, levert het gage en de fooien niet genoeg op, dan moet je nog extra uren draaien voor wodka, tripjes, hoeren.'

Hij schoot links en rechts tussen twee auto's door, en de Moskvitsj slingerde in protest als klotsend badwater. Ze reden voorbij reclameborden op de trottoirs voor varkenslapjes, puree, vanillepudding – straattentjes met warme maaltijden voor arme mensen, ouden van dagen, invaliden, al diegenen voor wie de winter extra zwaar is. Alice gokte dat het eten werd verstrekt door Operation Provide Hope, maar ze kon nergens uit opmaken of de maaltijden werden verkocht of weggegeven.

Ze had zich in een leeuwenkuil begeven, en was er heelhuids uit gekomen. Ze voelde triomf, en ze moest zich beheersen om het niet even uit te gillen. In plaats daarvan wees ze op de stapel kaartjes. 'Doe je dat echt allemaal?'

'Niet alles. Maar ik ken wel mensen die dat doen. Er zijn er een hoop die radeloos zijn, en voor niets gaat alleen de zon op. Onlangs nog kreeg ik panne, ergens in niemandsland, op de terugweg van Kiev. Vroeger was het een ongeschreven wet dat de eerste chauffeur die langs een auto met pech reed, stopte om hem te helpen. Hoe moet je het anders redden, als je met een rot-wagen zulke enorme afstanden moet afleggen over slechte wegen? Dus de eerste chauffeur stopte, zoals gewoonlijk. Maar nog voordat hij de theepot had gezien' – dit symbool op de ruit betekent dat de bestuurder niet kan sleutelen; Russen scheppen daar een pervers genoegen in – 'vroeg hij: "Heb je geld?" Ik vraag me af waar het met dit land naartoe moet.' Hij draaide zich even om en nam haar op. 'Je ziet eruit alsof je wel een borrel kunt ge-bruiken.'

'Daar heb je verdomd gelijk in.'

Petropavlovsk stak zijn hand in het bagagenet aan de passagierskant en haalde er een fles en een glas uit. Alice maakte de fles open, schonk zich in en dronk het leeg, alles in één beweging.

'Nou, nou,' zei Petropavlovsk met een knipoog. 'Je drinkt als een Rus.'

Alice was blij dat ze niemand thuis trof. Haar hoofd stond nu niet naar een praatje met Lewis. Ze typte een verslag over haar bevindingen bij Rode Ok-tober, haalde de meest bezwarende papieren door de fax om er kopieën van te maken, en deed ze erbij als bijlagen. Daarna belde ze Arkin om te zeggen dat ze hem moest spreken, onmiddellijk. Ze vroeg niet of ze hem tijdens zijn weekendbezigheden stoorde; Arkin zou van elke dag achtenveertig uur maken als dat betekende dat hij harder kon werken.

Op zijn kantoor keek ze toe terwijl hij las in een stilte die alleen werd on-derbroken door het doffe getik van een wodkaglas tegen haar tanden.

'Wat wil je hiermee?' vroeg hij toen hij uitgelezen was.

Wat een vraag, dacht ze. 'Ik wil niets. Als er niets te vinden was, zou ik het ook niet hebben gevonden.'

'Denk je dat dit de privatisering goed doet?'

'Als dit soort dingen gebeuren, is die privatisering niet eens meer de moeite.'

'Wat stel je dan voor?'

'Dit is geen kwestie van incompetentie of zomaar wat jatwerk. Het is structurele fraude.'

'Vind je dat ik hem moet ontslaan?'

'Heb je een keuze?'

'Wat voor zin heeft het hem te ontslaan? Denk je dat we iets van dat geld ooit terugzien? Hij zal het wel heel goed verborgen hebben. En bovendien, Alice, hebben we Lev nodig om de privatisering te laten slagen. Als we hem ontslaan, kunnen we dat wel vergeten. Als we hem ontslaan, kun je net zo goed de sleutels aan Karkadann geven en hem uitnodigen zichzelf te bedienen. Je had dit moeten laten liggen.'

'En het Russische volk een rad voor ogen draaien? Geen denken aan.'

'Alice, dit is…'

'… Rusland, ik weet het, maar dat betekent niet dat we alles maar onder het tapijt moeten vegen. Waarom hebben we Lev nodig voor de privatisering? De bonnen zijn uitgedeeld, de verkoopdatum is vastgesteld. Dat is veel belangrijker dan één man. Als hij stennis trapt, kunnen we hem publiekelijk kapotmaken. Zijn ontslag zal voor eens en altijd duidelijk maken dat dit echt een revolutie is, dat mensen ter verantwoording worden geroepen als ze een misstap begaan. Hiermee zou de privatisering niet van de rails lopen. Juist niet – die zal erdoor gered worden.'

'Zo werkt het hier niet.'

'Wil je dat ik hiermee naar de president ga, Kolja?'

'Ga je gang. Van hem hoef je niets zinnigs te verwachten.'

'O?'

'Hij vertrekt vaak vroeg uit het Kremlin, soms direct na de lunch, naar zijn datsja in Barivcha, en geeft opdracht dat hij niet gestoord wil worden. Hij is verschrikkelijk om mee om te gaan als hij zo is, en het is volslagen onmogelijk om hem ergens toe aan te zetten. Hij komt alleen boven water als er een crisis is.'

'Wat is dit dan verdomme, als het geen crisis is?'

'Dit is nog niet ernstig genoeg. Het moet een regelrecht alarm zijn – tanks op weg naar het Witte Huis, commandoposten. Dan is hij op zijn best: hij verslindt papieren als een computer, de dagen zijn te kort voor hem.'

'Kolja, als jij Lev niet ontslaat, stap ik naar de media en vertel ik het hun zelf.'

Er stonden vier boodschappen op het antwoordapparaat toen ze thuiskwam, allemaal van Lev: de eerste keer verbijsterd, de tweede keer kwaad, de derde keer gefrustreerd, en de vierde keer met een vleugje wanhoop die ze nooit eerder bij hem had bespeurd. Lewis lag te slapen na een nachtdienst in het Sklifosovski. Hij had de telefoon waarschijnlijk niet horen gaan; hij stond in de woonkamer en, omdat het een prullig sovjettoestel was, belde hij zacht en soms helemaal niet.

Op weg naar de keuken waar ze zich een wodka wilde inschenken, ving ze een glimp op van haar spiegelbeeld, ze wist niet zeker wat ze zag. Iemand die onbevreesd vocht voor waarheid en rechtvaardigheid? Misschien. Deels. Maar ze was nog niet zo ver heen dat ze niet kon zien wat daaronder verborgen lag, dat ze ergens diep vanbinnen zichzelf haatte omdat ze een man van wie ze hield bedroog, omdat ze afhankelijk was van een man bij wie ze weg moest, omdat ze ervoor zorgde dat Lev haar zo ging haten dat hij hun verhouding zou beëindigen, met het doel te laten gebeuren waar ze zelf niet de moed voor kon opbrengen.

56

Alice ging kijken naar Lewis die tussen de middag een wedstrijdje bezembal speelde. Ze zocht de veilige nabijheid van mensen die ze kende, ook al verloochende ze die nog zo vaak.

Bezembal is een soort ijshockey, maar dan minder hard, en voor Alice was het de perfecte microkosmos van het leven van expats. Het is lang niet zo gevaarlijk als ijshockey: er wordt gespeeld met bezems, vastgebonden aan tape of touw in plaats van stokken, schoenen met rubber zolen in plaats van schaatsen, en pucks van plastic in plaats van gevulkaniseerd rubber. Ondanks dat waren helmen en gezichtsbescherming verplicht, ook al is de kans dat je in Moskou bruin wordt groter dan dat je gewond raakt tijdens bezembal.

Lewis bewoog zich met meer enthousiasme dan techniek over het ijs. Alice lachte toen hij onderuitging, en juichte toen hij de puck in het doel wist te krijgen, maar ze had meer het gevoel dat ze naar een zoon zat te kijken dan naar een echtgenoot. Ze verzweeg dingen voor hem, dus wist ze meer dan hij zoals een volwassene ook meer weet dan een kind, en zijn onschuld had daardoor ook iets kinderlijks. Kennis schept macht en macht schept medelijden – en medelijden, zo dacht Alice, is het enige dat je nooit zou moeten voelen tegenover je eega. Ze wilde nog steeds met Lewis praten en zijn maatje zijn, met hem wandelen en naar het theater gaan, hem knuffelen en beschermen, alles waarbij geen opwinding kwam kijken, omdat ze de dingen die haar opwonden juist niet met hem wilde delen. Wat ze niet wilde, ook al had ze nog steeds oog voor zijn knappe uiterlijk, was met hem naar bed gaan.

Lewis' team stond tot de laatste minuut voor, tot hij een penalty veroorzaakte waarop de andere partij scoorde en gelijkspel maakte. Later, terwijl de spelers hun spullen langs de lijn bij elkaar zochten, voer een van zijn ploeggenoten, een attaché van de Duitse ambassade, tegen Lewis uit.

'Als jij die penalty niet had veroorzaakt, hadden we het spel gewonnen.'

'Als jullie Rusland niet waren binnengevallen,' zei Alice, 'hadden jullie de oorlog gewonnen.'

Het was een perfecte winterse dag, de kou werd slechts geëvenaard door de schittering van de zon en de zuiverheid van een wolkeloze hemel. Alice en Lewis gingen een stuk wandelen in een stilte die hij aangenaam vond en zij beklemmend. Ze liepen als toeristen door de Opstandingspoort en over het Rode Plein, een geplaveide woestijn die veel te weids leek voor een stad. Het Rode Plein zag eruit alsof het was neergedaald uit de hemel en domweg een hele wijk had weggevaagd. De leegte en de hoge muren maken iedereen die er loopt nietig. Op de kasseien, die daar zijn gelegd omdat ze de kromming van de aarde weerspiegelen, kan men zich zowel in het middelpunt van de aarde wanen als aan de rand. Het is geen gezellig, vriendelijk plein; het is architectuur in oorlog.

Het viel Alice op hoe het Kremlin heel Moskou naar zich toe leek te trekken, als een zwembad waar de stad in leegloopt. Eigenlijk staat het Kremlin – weer een van die miljoenen absurditeiten in Moskou – op een heuvel, als een enorme tekening van Escher waarin een heuvel lager kan zijn dan het gebied eromheen. Het fort is groot en kil, en heeft niets verfijnds. Het imponeert, met torens die de horizon doorboren, de gouden koepels bol en blinkend. Het intimideert, een Mekka voor hen die gelovig waren, een Hades voor hen die zich ertegen verzetten. Meer dan wat ook in Moskou, in Rusland, misschien wel in de hele wereld, zegt het Kremlin simpelweg, 'ik ben de macht', en bij Alice maakte het iets atavistisch los.

De mannen kwamen op hen af toen ze bij de rivier stonden. Het waren er twee, en toen ze dichterbij kwamen bekeek Alice hen met de nieuwsgierige objectiviteit van iemand die lichtelijk aangeschoten is. Ze zagen er volkomen normaal uit, vormeloos onder zware donkere jassen en bontmutsen, maar hun doelbewuste tred zond alarmsignalen uit die door de wodkasluiers in haar hoofd heen drongen. Toen ze vlakbij waren en een van hen neerknielde om zijn schoenveter vast te maken terwijl de ander doorliep, stond Alice al een waarschuwing te schreeuwen naar Lewis – ze wist dat het onmogelijk was om je schoenveter te strikken met dikke handschoenen aan – en had de eerste belager haar van achteren te pakken. Hij legde zijn ene arm rond haar hals en de andere rond haar middel, zodat hij haar stevig in zijn greep had. Zijn maat, die snel aan kwam lopen, raakte Lewis keihard in zijn gezicht zodat die tegen de grond sloeg voordat hij zich kon omdraaien naar Alice.

Een paar auto's die langs de oever tuften, een gezinnetje aan de andere kant van de snelweg, een vrouw die langsliep in de richting van de brug – alles was even ver weg en onbereikbaar als Mars.

Een schittering in het zonlicht, een mes in een geschoeide hand.

Alice was meer nieuwsgierig dan bang. Ze verkeerde in een perfecte staat van bedwelming: te beneveld om angst of pijn te laten doordringen, niet dronken genoeg om geen beheersing meer te hebben over haar coördinatie en reactievermogen. Ze wierp met een felle stoot haar hoofd naar achteren en hoorde de klap tegen de tanden van de man die haar vasthield meer dan dat ze hem voelde. Voornamelijk door de schrik verloor hij even zijn greep, maar meer had Alice niet nodig. Ze tastte door de dikke stof van zijn broek naar zijn ballen en kneep er zo hard mogelijk in. Toen hij in een reflex een stap naar achteren deed, schopte ze hem keihard tegen zijn knie en hoorde zijn pijnkreet boven het gekraak van zijn botten uit.

De man met het mes stak op Alice in. Ze zag het lemmet in haar jas verdwijnen, maar ze voelde dat het niet verder ging. Ze spartelde, en hij had ruimte nodig om te kunnen uithalen om door al die lagen heen te komen – als het zomer was geweest, had ze dit niet overleefd. Hij trok het mes uit de jas en bracht het tot boven zijn oor, om bovenhands toe te kunnen steken. Ze greep hem bij zijn pols en gaf hem een knietje in zijn lendenen, zo hard als ze kon, en met de vingers van haar andere hand klauwde ze in zijn gezicht, ballen en ogen, ballen en ogen, en nu reden de auto's langzaam voorbij om te zien wat er gebeurde, en hij liet zijn mes vallen en ging ervandoor.

Alice ging hem achterna, uit woede gillend zonder te weten wat ze riep. Toen ze langs een vrijend paartje kwam, besefte ze door hun verbaasde blikken hoe ze eruit moest zien; een krankzinnige vrouw, die vrij rondliep in de stad. Op hetzelfde moment wist ze dat ze hem niet te pakken zou krijgen, en ze bleef staan terwijl de adrenaline afnam.

Lewis liep naar haar toe. Het verbaasde haar hoe ver hij van haar af was, en dat ze dus een heel eind moest hebben gerend. Het bloed stroomde over zijn gezicht, en hij schreeuwde haar iets toe. 'Levensgevaarlijk,' tierde hij. 'Zie je nou? Zie je nou wel?'

Het gevaar waar hij op doelde was Moskou, maar het zat ook in Alice; een vrouw die uitzinnig was van woede, die de man die haar had achtervolgd had kunnen doden als ze hem te pakken had gekregen. Die duistere kant van haar deelde ze met de stad, daarom vond Lewis het hier zo vreselijk. Ze pakte hem vast toen hij dichtbij genoeg was. 'Hoe gaat het?' vroeg ze hijgend. 'Ben je in orde?'

'Ja, ja.' Hij duwde haar hand weg. 'Niets gebroken.'

Alice zag de andere man, degene die ze had geschopt, dubbelgevouwen in een auto. Ze stond te ver weg om het nummerbord te kunnen zien – niet dat het iets zou hebben uitgemaakt. Die auto was natuurlijk gestolen, niet geregistreerd, of beide. Ze richtte zich weer tot Lewis.

'Aardig dat je vraagt hoe het met míj gaat,' zei ze bitter.

57

Drie bedelaars van een jaar of achttien liepen op Irk toe, licht zwaaiend op hun benen door het schommelen van de wagon in de trein die fluitend door de tunnels reed. Er hadden nooit kinderen op straat gezworven tijdens het communistische regime – correctie, ze waren nooit te zien geweest tijdens het communisme. Nu reden ze in de metro als kleine landlopers, wegduikend voor de spoorwegpolitie en bedelend om geld bij passagiers die niets van hen wilden weten. Zwerfkinderen riepen bij volwassenen evenveel angst als medeleven op. Dakloze kinderen waren buitenstaanders, de veronachtzaamden. De meesten hadden twee opties, wist Irk: bedelen of stelen. Toen Irk zijn *Argumenti i Fakti* opensloeg, zag hij Arkin daarin geciteerd: 'Het aantal dakloze kinderen en hun criminalisering heeft gevaarlijke proporties aangenomen. Er moeten hier snel maatregelen tegen genomen worden.'

Die laatste opmerking deed Irk huiveren. Maatregelen konden maar twee dingen inhouden: loze woorden of domme wreedheid, en met geen van beide zouden de kinderen iets opschieten. En dat in een samenleving die zo dol is op kinderen. Irk dacht aan Levs weeshuis, een van de weinige plaatsen waar men het probleem constructief kon aanpakken – en kijk wat daar gebeurde.

De vrouw naast hem knikte hem toe. 'Wat kunnen we eraan doen?' vroeg ze. 'Wat kunnen we eraan veranderen?' Ze wuifde de kinderen weg. Irk gaf de dichtstbijzijnde een dollar en schudde zijn hoofd naar de anderen. Ja, wat konden ze eraan doen? Mensen hadden het gevoel dat ze niets konden veranderen aan sociale problemen – in het verleden waren ze er niet bepaald toe aangemoedigd – en ze voelden er niets voor om betrokken te raken bij andermans problemen. Het was al moeilijk genoeg om zelf het hoofd boven water te houden.

Alice had niet veel werk gemaakt van haar uiterlijk: geen make-up, haar haren ongekamd en de meest onflatteuze kleren die ze kon vinden. Ze strafte zichzelf voor haar schoonheid, zonder te weten dat deze trotse vijandschap tegenover zichzelf haar in de ogen van Lev alleen maar aantrekkelijker maakte.

Lev, als altijd zonder haast, nam haar bij de arm mee naar zijn kantoor. Hij moest zijn papieren al hebben gecontroleerd, hij moest hebben beseft wat ze had meegenomen en wat ze had gezien. Ze vroeg zich af of hij zou proberen haar om te kopen, af te persen of chanteren zodat ze de hele zaak vergat.

'Ik ben zo blij je te zien, Alice. We zijn bezig een nieuwe wodka te ontwikkelen, met een nieuwe smaak. Ik zou graag willen dat je hem proeft en zegt wat je ervan vindt.'

'Lev, hier hebben we geen tijd voor. Er zijn dingen...'

Hij klakte afkeurend met zijn tong tegen zijn verhemelte, alsof ze zojuist een verschrikkelijke grofheid had begaan. 'Net als ik even heb kunnen vergeten dat je een Amerikaanse bent, moet je me er weer aan herinneren. Altijd maar haast, nooit eens tijd voor de eenvoud in het leven. Je gaat nu zitten, Alice, en dan ga je dit samen met mij proeven.'

Ze ging op het puntje van een stoel zitten, mokkend als een schoolmeisje, terwijl hij haar glas volschonk. 'Dit is peerdrupwodka. Het proces is eigenlijk heel eenvoudig; we doen een handvol peerdrups in een zeef, zetten de zeef in het vat en laten de alcohol eroverheen lopen. Onzuiverheden van esters zijn lekker fruitig – we hebben er een klein aantal in gelaten, als aanvulling voor de peerdrops. Sommige stokers geven de voorkeur aan maceratie, maar ik heb altijd meer gezien in circulatie: zes maal per dag, een week lang, en dan wordt de wodka in tonnen gepompt om de smaken een paar maanden in te laten trekken. Natuurlijk krijg je te maken met verdamping en als gevolg daarvan een verlies van het percentage – zo'n tien procent, wat we weer rechtzetten voor het bottelen.' Hij gaf haar het glas. 'Wat vind je ervan?'

Als het al naar peerdrups rook, ging dat schuil onder een pittig aroma, zoiets als bouillonblokjes. Alice wist dat dit veroorzaakt werd door onverteerd gist tijdens het distilleren. Ze raakte er steeds bedrevener in. Lev daarentegen leek het niet meer zo goed te weten. Misschien wees dit op een verandering.

Ze zette het glas neer en haalde diep adem. ' Zo is het wel genoeg. Heb jij geprobeerd me gisteren te laten vermoorden?'

'Pardon?'

'Twee mannen, aan de rivier. Wat je er ook van vindt wat ik hier vrijdag heb gedaan...'

'Alice, ik heb geen idee waar je het over hebt.' Uit zijn gezicht viel niets op te maken. Hij nam haar kalm op en liet de stilte in alle rust voortduren. 'Ben je aangevallen?' vroeg hij ten slotte.

'Twee mannen, een vooropgezette aanslag. Ze wilden geen geld, ze wilden me vermoorden. Mannen van jou?'

'Als je me daarvoor aanziet, kun je nu beter weggaan en nooit meer terugkomen.'

Ze beeldde zich in, hoopte, zag dat hij de waarheid sprak. 'Het spijt me.'

'Ben je gewond geraakt?'

'Lewis is in zijn gezicht geslagen. Hij maakt het goed. Ik – ik heb ze van me af geslagen.'

'Ik had niet anders verwacht. Ik ben blij dat het hun niet is gelukt.'

'Als het jouw mannen waren geweest, zou het wel gelukt zijn, denk ik.'

Hij nam haar op om te zien of ze het echt meende. 'Ik mag toch hopen van niet.'

'Ik wil dat je dit leest…' Snel, voordat het gesprek een andere kant op ging, gaf ze Lev een kopie van wat ze Arkin had gegeven: haar verslag, met de bijlagen.

Lev las het door, zijn gezicht bleef onbewogen zelfs toen hij de fotokopieën van zijn eigen documenten zag. Alice wachtte – waarop? Een boze beschuldiging van diefstal, verontwaardigd protest over verkeerde conclusies, een woeste aanklacht tegen haar verraad, maar er gebeurde niets van dat alles, en juist dat deed pijn, want ze hád hem verraden, als hij dat nu maar ten minste erkende. Ze wist niet zeker wat erger was: dat hij echt niet begreep wat haar verraad inhield, of dat hij gewoonweg vastbesloten was haar geen enkele reactie te gunnen.

Toen Lev alles had gezien, schudde hij het stapeltje op tafel tot het recht lag en keek Alice toen met een glimlach aan. 'Het is jammer dat de Koude Oorlog voorbij is. De CIA zou veel hebben gehad aan mensen als jij.'

Net als Arkin had hij geen kritiek geuit op wat ze had gedaan. Als dit in Amerika was gebeurd, zou iedere politicus er afstand van hebben genomen en zou iedere jurist haar hebben beschuldigd van gebruik van ontoelaatbaar bewijsmateriaal en inbraak. De Russen haalden er hun schouders over op. Wat ze had ontdekt, daar ging het om; niet de manier waarop ze het had ontdekt.

Ze gaf hem een envelop met het zegel van de minister-president. Lev maakte hem open met de gekmakende traagheid van iemand die de oscar uitreikt. In de envelop zat Arkins bevel van ontslag uit zijn functie bij Rode Oktober; gedateerd op de dag ervoor, en die ochtend bij haar huis bezorgd. Hij las hem met nog steeds diezelfde gelijkmatige uitdrukking op zijn gezicht.

'Ik moet eerlijk zeggen,' zei hij, 'dat ik niet precies snap wat ik nu ver-keerd heb gedaan.'

'Meen je dat echt?'

'Absoluut.'

Mijn god, dacht ze, wat was er nog veel dat ze niet van hem wist. 'Je pikt van je bedrijf – nee, je pikt het bedrijf in. Zonder mij zou er op de dag van de verkoop niets over zijn geweest van Rode Oktober. Het zou één grote farce geweest zijn.'

'Hoezo?'

'Wat is niets gedeeld door vijfenveertigduizend aandelen? Niets.'

'Ik steel het bedrijf niet.'

'Wat doe je dan?'

'Ik houd het intact.'

'Je houdt het intact? Vertel me dan eens precies hoe.'

'Die verkoop – wie weet wat daar gebeurt?'

'Dat verloopt allemaal zoals het hoort.'

'Daarna, bedoel ik. Je laat buitenstaanders binnen, je trekt een heel blik wormen open. Maar als alles veilig weggeborgen is in Nicosia, onder mijn beheer, weet ik dat het veilig is.'

'En?'

'En ik kan de zaak blijven beheren zoals vroeger, zonder dat een van mijn werknemers zijn baan kwijtraakt.' Hij gebaarde naar haar verslag. 'Zeker, dat is allemaal waar. Maar ik steel alleen van een overheid die anders van mij zou stelen.'

'Je steelt geld van je werknemers – dezelfde werknemers over wie je je steeds zo druk maakt.'

'Stélen? Van hen? Je hebt me toch met hen bezig gezien, Alice. Ze heb-ben toch respect voor me? Dat zouden ze niet hebben als ik hun geld afhan-dig maakte.'

'Ze weten niet dat je hun geld afhandig maakt.'

'Ze krijgen hun aandeel.' Haar verbazing amuseerde hem. 'Dacht je dat ze dat niet kregen?'

'Allemaal?'

'Indirect, ja.'

'Je vriendjes vooral.'

'Ik verdeel de inkomsten onder de werknemers op grond van hun be-hoeften en hun leeftijd. Een getrouwde man met zes kinderen krijgt meer dan een alleenstaande vrouw, dat is toch eerlijk?'

'Maar jij krijgt het meeste. Jij en je vriendjes.'

'Natuurlijk. Hoe meer verantwoordelijkheid je hebt, hoe meer je krijgt. Dat ligt voor de hand.'

'Dat maakt nog geen Robin Hood van je.'

'Maar ook geen Ceaucescu. Maar leg eens uit: waarom denk je dat ik van hen stéél?'

'Door hen te dwingen jou hun bonnen te verkopen.'

Het was zo lang geleden dat Lev zijn zelfbeheersing was verloren, van het ene op het andere moment helemaal over de rooie, dat hij Alice ervan liet schrikken. 'Bedoel je dat? Dát? Ik bewijs hun een gunst! Zij krijgen iets waar ze wat aan hebben – contanten. Ik krijg een stukje papier dat – zoals alle andere papieren van de overheid – waardeloos is. Bonnen zijn waardeloos, roebels zijn waardeloos, en dit –' hij zwaaide met Arkins ontslagaanzegging – 'is ook waardeloos.'

'Dat ontslag blijft geldig zolang er een onderzoek van Strafzaken loopt.'

'Je kunt me niet vervolgen. Ik ben afgevaardigde. Ik ben onschendbaar.'

'Niet voor een bevel van hogerhand.' Lev haalde zijn schouders op. Alice ging verder: 'Er zijn twee manieren om dit op te lossen. Je kunt nu vertrekken, of ik bel Arkin en die stuurt zware jongens en televisiecamera's op je af, zodat heel Moskou te zien krijgt hoe je als een crimineel door de politie wordt afgevoerd.'

Misschien begreep Alice nu voor het eerst dat of Lev zou moeten vertrekken of zij; ze konden niet allebei blijven. Alleen als hij weg was kon ze de verkoop en haar leven weer zelf in handen nemen. Ze vroeg niet wat dit betekende voor hun relatie. Dit was de weg die zij had gekozen, en de gedachte aan de alternatieven kon ze niet verdragen.

Lev knikte langzaam. Een gladde grijns verspreidde zich over zijn gezicht. Hij stak zijn handen in de lucht. 'Heel goed, Alice.' Hij was even kalm als hij een minuut daarvoor woedend was geweest. 'Jij wint. Mag ik nog wel een en ander uitleggen aan mijn werknemers voor ik vertrek?'

'Een andere keer.'

'Sta me dan ten minste toe dat ik hun nog even gedag zeg.'

Alice dacht hierover na. Ze zouden met vragen komen, maar als Lev eenmaal was vertrokken, zou ze die wel aan kunnen. 'Natuurlijk.'

'Misschien wil je met me meegaan door de fabriek.'

'Als je dat graag wilt.'

'Ja, dat wil ik.'

Ze namen de lift naar de fabriekshal, zonder een woord tegen elkaar te zeggen. Vreemd genoeg was het geen pijnlijke stilte, meer een stilte tussen oude vrienden die aan het eind gekomen zijn van een lange weg die ze gezamenlijk hebben afgelegd. Alice was verbaasd over Levs gebrek aan vijandigheid. Hij verkeerde misschien in een shock, dacht ze. Rationeel was het misschien wel tot hem doorgedrongen dat zijn tijd hier erop zat; in emotioneel opzicht, wist ze, zou het langer duren om dat te verwerken. Het zou ook voor de arbeiders het einde van een tijdperk betekenen, besefte ze. Voor de jongste werknemers was Lev de enige baas die ze ooit hadden gehad. Na vijf jaar zouden misschien zelfs enkele van de ouderen zich met moeite kunnen herinneren wat er voor hem was geweest.

Toen ze in de grote hal van de stokerij kwamen, bleef ze een halve meter achter hem. Dit was zijn moment, en ze begreep wel dat ze hem dit alleen moest laten doen. Ze keek op en om zich heen: naar de galerijen rondom in de hoogte, de pallets, opgestapeld tegen de muren, alle plekjes waar ze naartoe was gerend om zich te verstoppen voor hem, voor zijn handlangers, voor haar gevoelens.

Lev bleef staan bij German Kullam, boog zich naar hem toe en fluisterde iets in zijn oor. German keek Alice recht aan, en ze zag zijn emoties wisselen als fladderende vleermuizen: verbazing, realisering, vastberadenheid. Hij knikte, resoluut.

'Wat zei je tegen hem?' vroeg Alice aan Lev.

Lev reageerde niet. German liep al weg, naar degene die het dichtst bij hem stond; weer werd er gefluisterd en geknikt, daarna liepen ze samen verder naar de anderen, gaven de boodschap door, en zo verder.

Het gefluister bereikte Alice' oren alsof het werd meegedragen door de westenwind. *Zabastovka*, zeiden de arbeiders, *zabastovka*.

Staking.

Als Alice al onder de indruk was geweest van de snelheid waarmee Lev op zaterdagochtend de machines in werking had gezet, nu was ze niet minder geïmponeerd door de snelheid waarmee zijn werknemers alles stil zetten. Lopende banden kwamen piepend en schuddend tot stilstand; flessen wiebelden als dronkemannen heen en weer toen hun eindeloze reis ineens werd gestaakt, het gegorgel en gesis van de distilleertoestellen werd langzaam minder, alsof ze in slaap vielen. Alice hoorde alleen maar voetstappen en gedempte stemmen, als bij een sterfgeval. Terwijl ze vol verbazing en niet zonder ontzag toekeek toen Lev voorging door de hoofdingang – had de poster onder de Opstandingspoort haar niet afgebeeld als de rattenvanger van Hamelen? – onderdrukte ze een opwelling om te applaudisseren.

Zelfs Arkin kon op zo'n korte termijn niet genoeg personeel vinden. Alice stelde voor een groep werknemers te halen uit een van de meer verwesterste oostbloklanden, zoals Estland of Polen. Volgens Arkin zou dat geen zin hebben. Levs werknemers waren niet zozeer onvervangbaar omdat ze alles wisten van de laatste ontwikkelingen op het gebied van het distilleren, maar

346

omdat alleen zij wisten hoe ze moesten omgaan met de verouderde toestellen die Rode Oktober nog moest vervangen.

'De verkoop is over twee weken,' zei Arkin. 'We hebben geen keuze. We moeten hem terughalen.'

'Met al die rottigheid die hij uithaalt? Geen denken aan.'

'De verkoop moet gewoon doorgaan. Het kan me niet schelen wat je hebt ontdekt, we kunnen niet zonder Lev. We hebben het geprobeerd, we hebben gefaald, we redden het niet – accepteer het maar. Liever dat dan de hele boel naar de bliksem laten gaan.'

'Ik…'

'Je hebt dit over jezelf uitgeroepen. Luister, Alice. Alles hangt af van die verkoop. Als jij er een puinhoop van maakt, zal er geen enkele internationale organisatie meer zijn die jou werk geeft, tot aan het volgende millennium. Ga naar hem toe, kijk wat je nog kunt redden, maar haal hem terug. Tegen iedere prijs.'

'Ga dan met me mee.'

'Nee. Jij hebt met hem gewerkt, jij zult hem eerder kunnen overhalen. Gooi je charme in de strijd.'

Het was niet zo dat Arkin iets vermoedde van hun verhouding, hij wilde zich er alleen maar verre van houden, net zoals Borzov had gedaan door uit Moskou weg te gaan. Arkin zou Alice de schuld kunnen geven voor alles wat er misging, hij zou zeggen dat hij er verkeerd aan had gedaan om zijn vertrouwen te stellen in een buitenlander. En juist omdat ze een buitenlander was, omdat haar leven en haar carrière niet hier plaatsvonden, was ze vervangbaar. Als het allemaal toch nog goed kwam, zou Arkin dat aan zichzelf toeschrijven; zo niet, dan was ontbinding de enige hoop die hij zou hebben om het parlement ervan te overtuigen de hervormers er niet uit te gooien. De hervormers hadden geen machtsbasis die die naam waardig was; het was een grillig clubje dat probeerde de Everest te beklimmen, en hun enige kleding bestond uit kleine reepjes wetgeving die elk moment weggescheurd kon worden.

Alice begreep Arkins redenering wel, en ook dat die niet persoonlijk tegen haar gericht was. Werk en privé mochten dan bij Lev door elkaar heen lopen, maar niet hij Arkin.

Lev leek zowel blij als niet verbaasd toen ze bij hem voor de deur stond, en Alice meende de reden daarvoor te weten. Toen ze Levs trucs en gemanoeuvreer had ontdekt en aangewend om zijn ontslag te veroorzaken, had Alice laten zien hoe sterk, standvastig en meedogenloos ze kon zijn; ze had laten zien dat ze met machtige mannen werkte; en ze had zich bereid getoond zich aan te passen aan de plaatselijke omstandigheden. Dit waren allemaal eigenschappen die Lev bewonderde. Ja, ze waren minnaars, maar ook tegenstanders.

'Je wilt dat ik terugkom,' zei Lev. 'Anders was je hier niet gekomen.' Alice haalde haar schouders op.

'Ik kan dit doen wanneer ik maar wil. Mijn werknemers laten staken, bedoel ik. Ik kan ze laten opzitten en pootjes geven.'

'Dat weet ik.' Ze had beseft dat Lev het hart, de ziel en het geweten van zijn werknemers had gekocht.

'Dus wat bied je me aan?'

'Op deze manier heeft niemand er wat aan.'

'Wat bied je me aan?'

'Je moeten Krestjach wegdoen en de activa aan Rode Oktober teruggeven. We kunnen geen verkoop houden als er niets is, dat is waanzin.'

'En wat krijg ik daarvoor?'

'De rest. Je kunt de rest allemaal houden.' Het was geen moreel, maar een praktisch vonnis. Alice dacht eraan hoe ver ze was afgedwaald van haar oorspronkelijke idealen. Het was geleidelijk gegaan, met zulke kleine beetjes tegelijk dat ze het nauwelijks had opgemerkt, omdat er een goede reden was geweest voor elk compromis dat ze had gesloten. 'Je kunt Rode Oktober niet eeuwig houden. Mettertijd zul je als meerderheidsaandeelhouder in een goed beheerde particuliere onderneming meer geld verdienen dan nu. Als je het hiermee eens bent, wordt je ontslag ingetrokken.'

Hij glimlachte naar haar. 'Haal me maar over.'

'We hebben je nodig, maar jij bent verzot op die fabriek. Eerlijk is eerlijk.'

'Nee. Je moet me écht overhalen.'

Ze begreep nu waar hij naartoe wilde. 'Nee.'

'Waarom niet?'

'Dat zou niet gepast zijn.'

'Niet gepást?' Hij grinnikte, en ze voelde dat ze wankelde. Hij was als drijfzand, hij was een maalstroom. 'Weet je wat niet gepast is: je de hele nacht verstoppen in fabrieken. Niet gepast is je minnaar ervan beschuldigen dat hij heeft geprobeerd je te laten vermoorden. Kom.' Hij stak een hand uit, een krachtveld dat haar naar hem toe trok. 'Je kunt heel overtuigend zijn, als je je best doet. En ik heb heel wat overtuiging nodig.'

Ze wreef met haar neus in zijn hals. 'Zoveel?'

'Meer.'

Ze kuste hem zachtjes vlak naast zijn mond. 'Zoveel?'

Hij schudde zijn hoofd met een blik alsof hij zeer teleurgesteld was, en lachend maakte ze zijn overhemd open en liet haar hand erin glijden. 'Zo dan?'

'Ah. Eindelijk zie ik iets te zien in dat voorstel.'

Ze maakte zijn broekriem los. 'Zo?'

'Kijk, Alice, nu ben je tenminste effectief bezig!' Zijn bulderende lach deed haar goed.

58

Onder het communistische regime hadden de mensen geklaagd over de autoriteiten; nu klaagden ze bíj de autoriteiten. Het was alsof iedereen met een klaagverhaal naar Petrovka belde. Irk had de pech dat hij werd opgezadeld met een bijzonder lastige bemoeial.

'Waarom doen jullie niets aan die zwartjoekels, dat wil ik nou wel eens weten?' schreeuwde ze. 'Er zijn er honderden hier in de buurt, ze rijden rond in die snelle wagens en zorgen voor allemaal rottigheid.'

'Dit is een vrij land, mevrouw.'

'Daarom juist. Ze zijn hier dag en nacht, en jagen fatsoenlijke mensen de stuipen op het lijf. Het is een schande, dat is het. Ik verlies mijn kinderen niet uit het oog natuurlijk – niet zolang híj daar zit.'

'Hij?'

'Die gangster. Die op tv heeft staan tieren en schreeuwen. U weet wel.'

In Irks kantoor was het net zo heet als overal in Moskou, maar nu huiverde hij toch even. 'Waar woont u precies, mevrouw?'

'Sjoebinskistraat.'

'Waar is dat?'

'Een zijstraat van het Smolenskiplein, net om de hoek van het Belgradohotel. Daar zitten ze.'

Natuurlijk zaten ze daar – dat was hun hoofdkwartier. 'Dus als ik het goed begrijp,' zei Irk, die het nauwelijks durfde geloven, 'is Karkadann daar?'

'Karkadann, ja, dat is hem.'

'Hebt u hem zelf gezien?'

'Met mijn eigen ogen, en daar is niets mis mee. Ik stond in mijn keuken, vandaar heb ik uitzicht op de achterplaats van het Belgrado. Ik stond naar buiten te kijken, niet om het een of ander, hoor' – ja ja, dacht Irk – 'en daar zag ik hem, hij stapte uit zo'n jeepachtige geval, met een heel stel van die roetmoppen achter hem aan, alsof hij de tsaar is of iets dergelijks.'

Irk was al halverwege de gang.

Bij Moordzaken hadden ze niet genoeg mensen. Bij Georganiseerde Misdaad wel.

'Een anonieme tipgeefster?' zei Jerofejev. 'Je bent getikt.'

'Laten we ervan uitgaan dat dat niet zo is. Ze klonk behoorlijk echt.'

'Dan is dit een klus voor de OMON, misschien zelfs voor de Spetsnaz.' OMON was de mobiele eenheid; Spetsnaz bestond uit speciaal opgeleide militairen.

'En tegen de tijd dat we toestemming hebben om die in te zetten, is Karkadann allang verdwenen. Hij is constant onderweg, dat weet je.' Jerofejev haalde zijn schouders op, het was niet zijn probleem, en Irk begreep de reden van zijn apathie. 'Zo wil je het ook, hè?' snauwde hij. 'Je wilt Karkadann helemaal niet laten oppakken, omdat hij je smeergeld betaalt.'

'Weet je wat jij moet doen, Juku? Bel Lev maar en laat hem zíjn mannen maar sturen.'

'En daarmee partij kiezen in een maffiaoorlog? Nooit.'

'Zij zijn daar veel beter in dan onze mensen.'

'Ik heb jóúw mannen nodig, en wel nu.'

'Nee.'

'Dan ga ik naar Arkin en vertel ik hem hoe goed je samenwerkt.'

Vier vrachtwagens, met in elk zes man, en twee auto's met in elk vier, reden allemaal met zwaailichten en alarmsignalen over de Tuinring.

'Ik wil op elke hoek wegversperring,' blafte Irk in zijn radio. 'Geen verkeer, niet in en uit – is dat begrepen?'

Geen van de mannen achter in de wagen keek naar hem. Er waren half zoveel kogelvrije vesten als mannen; ze hadden erom moeten loten. Degenen met vest leken even nerveus als degenen zonder. 'Die vesten zouden net zo goed van krantenpapier kunnen zijn, *Pravda* zelfs, met al die verhalen over hoe kogelvrij ze zijn,' zei een van Jerofejevs mannen. 'Puh! Ze zouden nog geen papieren vliegtuigje tegenhouden.'

Wat deed Karkadann in het Belgrado? Dat was de laatste plaats waar ze hem verwachtten, en dus, dacht Irk opgewonden en ondanks zichzelf met een vleugje bewondering, de slimste plek om naartoe te gaan. Eén kans, één kans. Irk verbaasde zich er even over hoe vijandig hij gestemd was tegenover Karkadann, tot hij zich herinnerde dat doen alsof je iemand neerschiet vijandigheid kweekt.

Het Smolenskiplein kwam in zicht, het Belgrado lag in de schaduw van een van Stalins vampierachtige wolkenkrabbers. Irk zag een half afgebouwde wegversperring. 'Geen omstanders raken,' zei hij. 'Denk aan je rugdekking.' Links en rechts schoten troepen toe als adrenaline.

De grote en kleine politiewagens kwamen slippend tot stilstand voor het gebouw van het ministerie dat eruitziet als een bruidstaart; mannen sprongen eruit; voorbijgangers stonden er schreeuwend omheen. 'Politie – wegwezen,' schreeuwde Irk naar de menigte. 'Blijf laag, niet lopen.' Juku Irk, de schaakspeler die gratie had gekregen, leidde nu een politieoverval en genoot ervan, wraakzuchtige gal kwam in hem naar boven. Lopen over het trottoir, rennen, weer lopen. Een bus en een vrachtwagen stopten op het plein, een perfecte dekking waardoor hij kon bekijken wat er gebeurde.

Een razend salvo; Tsjetsjenen op straat, gewaarschuwd door de wegversperringen hadden ze gewacht op de politie; vlammen spatten uit hun machinegeweren, gebruikte patronen kletterden op de grond. Doffe klappen van neervallende mannen, al dood voordat ze de grond raakten: een Tsjetsjeen, twee agenten. Wapens knalden in betonnen ravijnen; kogels troffen doel en ketsten af, de echo's vormden patronen. Voertuigen zakten in elkaar en maakten slagzij nadat kogels de banden hadden lek geschoten. Nog meer mannen gingen neer, languit over elkaar als dronkelappen. Glas van reclameborden waarop modellen in silhouet stonden afgebeeld versplinterde. Een western, een oorlogsfilm, nu in de straten van Moskou.

En daar was hij, alsof Irk hem louter door zijn wilskracht had opgeroepen: Karkadann zelf, met de fascistoïde torens van staal en glas op de achtergrond, de reus van het onbeteugelde eigenbelang, zijn benen gespreid om stevig te kunnen staan en handen waaruit vuur spoot, met geweren die een bloedbad aanrichtten terwijl Zjorzj dekking zocht achter een van de jeeps van de Tsjetsjenen. Irk signaleerde in Karkadann vernielzucht, een koortsachtige gekte om alles kapot te maken wat hem voor de voeten kwam, de duisternis van de monsterlijke passies die diep verscholen liggen in de mens, en die tevoorschijn komen zodra het betere ik het even laat afweten. De menselijke beschaving zelf liet het hier afweten; de wetten die Karkadann gehoorzaamde waren oerwetten, en zijn dromen waren die van prehistorische grotbewoners. Als zijn geweren leeggeschoten waren, zou hij de agenten met messen en ijzeren balken te lijf gaan. Als hij die niet meer had, zou hij met zijn blote handen vechten. Als hij stierf, zou hij een twintigtal mannen met zich meenemen. Maar hij zou niet sterven, hij was onschendbaar, alsof hij een krachtveld om zich heen had. Achter Irk stond een agent als versteend te brabbelen, onsamenhangend, over demonen en duistere krachten. *Dit is ons slagveld*, had Karkadann gezegd. *Hier zullen wij winnen*.

Het was Zjorzj' beurt om dekking te bieden met zijn geweer, ook al kon hij amper iets zien vanwege het bloed dat in zijn ogen stroomde. Nu pas kwam Karkadann in beweging, in volle snelheid ging hij er met zijn manke been vandoor, al leek het alsof hij rustig liep. Hij hurkte neer en veegde het bloed van Zjorzj' voorhoofd. Drie Tsjetsjenen trokken hen in de jeep en daar gingen ze, in de richting van de rivier, de enige route die de politie niet had kunnen blokkeren.

Irk liet zich van frustratie tegen de eerste de beste muur vallen. Uit Jerofejevs ogen schoten blikken vol beschuldiging, en Irk kon het niet opbrengen hem aan te kijken.

Alice voelde zich pas een echte Moskoviet als ze in de metro zat, en het Plein van de Revolutie was een van haar favoriete stations. De bronzen figuren onder de bogen gaven haar het aangename gevoel dat ze gezelschap had; er stonden zeelieden, soldaten, boeren en vliegeniers, allemaal met hun wapens in de hand om het vaderland te verdedigen, Moskou te verdedigen, Alice te verdedigen. De roltrap bracht haar en Galina omhoog tussen heroïsche mozaïeken van sovjetinspanning. Een man met een gasmasker op zijn hoofd passeerde hen op de trap naar beneden, op weg naar de ingewanden van de stad. Alice vroeg zich af of hij dat masker droeg omdat hij afzichtelijk misvormd was, of omdat hij iets wist dat zij niet wist: was hij een krankzinnige, of de enige in het gekkenhuis die bij zinnen was?

Voor het station stonden overal auto's onder borden waarop stond GEEN PARKEERZONE. Galina wees naar de borden. 'Niemand schenkt er aandacht aan, zoals gebruikelijk. Maar ze zouden het wel moeten doen.'

'Wat, aandacht schenken aan parkeerverboden?'

'Nee. Aan de zóne. De zone betekende vroeger de goelags en de gevangenissen, maar tegenwoordig leven we allemaal volgens de wetten van de zone, we zijn allemaal bang. Kijk naar wat er is gebeurd in Prospekt Mira. Kijk naar wat er vandaag is gebeurd op het Smolenskiplein – tweeëntwintig doden, zeiden ze, en twee keer zoveel gewonden. Lees de kranten maar, kijk naar de tv: bombardementen, moorden, afrekeningen van de maffia...'

Lev doet dat niet, wilde Alice zeggen. Ze voelde een duistere behoefte hem te verdedigen, ook al was hij niet het onderwerp van gesprek; ze wilde zijn naam zo vaak mogelijk zeggen.

'... berovingen, aanslagen, maniakken op drift. De rijken maken elkaar af met behulp van lijfwachten en automatische geweren, de armen gebruiken wodka en keukenmessen, maar het resultaat is hetzelfde, en mensen zoals ik zitten ertussenin.' Galina zocht in haar tas en haalde er een busje traangas uit. 'Alle meisjes die ik ken, hebben er zo een bij zich. Sommigen hebben ook nog een stroomstok. Op elke hoek van de straat staat een griezel, Alice. Heb ik je verteld wat er pas is gebeurd? Ik trof een man voor onze flat, met hoge hakken aan – en verder niets.'

'Shit,' zei Alice. 'Ik wou dat ik wat meer tijd had voor een sociaal leven.'

Ze lachten zo hard als het grapje en hun aarzelende verzoening rechtvaardigden.

In de oren van de meeste Russen doet de naam 'Loebjanka' denken aan een geweerschot aan het einde van een donkere gang – de traditionele methode om gevangenen te doden in het beruchte bolwerk van de KGB. Loebjanka, waar elke steen een graf markeerde. Maar voor een paar gelukkigen was Loebjanka Moskous nieuwste en meest trendy nachtclub. Alice had een uitnodiging gekregen voor haarzelf plus een introducé. Lewis had er, zoals te verwachten, niet veel zin in gehad – een nachtclub was voor hem een hel – dus had ze Galina mee gevraagd, in de hoop het weer met haar te kunnen goedmaken.

Ze werden door een onopvallende deur binnen geleid, door een donkere, bouwvallige gang vol puin – een truc om ongewenste gasten af te schrikken die zich misschien aangetrokken zouden voelen tot een nieuwe nachtclub. Bovendien is het heel Russisch om je licht onder de korenmaat te zetten, om te bewijzen dat de eerste indruk niet klopt. In Rusland is wat je ziet bijna nooit hetzelfde als wat je krijgt.

De gang kwam uit op een hal waar het naar schimmel rook. Hij liep plotseling breed uit in een groot atrium met volop neonlicht waar het trilde door het gebonk van een loeiharde bas. Ze waren binnengekomen op het eerste balkon, een galerij die hoog boven de dansvloer liep. Er hing een enorm hoofd aan het plafond, met levenloze bronzen ogen die recht in die van Alice staarden. Het duurde even voordat ze besefte dat het Feliks Dzerzjinski was – IJzeren Feliks, de oprichter van de KGB – en dat de lus waaraan hij hing dezelfde was waarmee het standbeeld van zijn sokkel was getrokken, tegenover het oude Loebjanka, vlak na de coup in augustus.

Alice schreeuwde Galina in haar oor. 'Het is een atoomkelder. Het is nog steeds van het ministerie van Defensie; de managers hebben moeten beloven binnen zes uur weg te zijn als het ooit oorlog wordt.'

Galina haalde haar schouders op. 'Het ministerie van Defensie moet waarschijnlijk net als ieder ander aan zijn geld zien te komen.'

De muren gaven een imitatie weer van de buitenkant van Loebjanka: geschutbrons bekleedde de gladde zwarte basissteen; sombere, naargeestige tinten die deden denken aan militaire uniformen. Het was een kleurenschema dat volgens Alice niet echt uitnodigde tot vrolijke activiteiten, maar overal waar ze keek leek iedereen zich volop te vermaken. Zwemmers gleden naakt door een enorm reservoir naast de ene muur, een dreunende technobeat weerklonk tegen de glazen plafonds en door de met fluweel beklede stoelen, terwijl grijze mannen met bobbels in hun jaszakken hijgend rondsprongen met kortgerokte meisjes die jong genoeg waren om hun dochter te zijn. Afgezien van de locatie was het een typisch Russische nacht-club: de muziek ondergeschikt aan het idee, performance art en mode, ver-pakt in zelfbewuste spot, en op de een of andere manier incompleet, de som minder dan de delen.

Alice boog zich over naar de man die hen door de massa heen leidde, en schreeuwde in zijn oor: 'Het is wel hard!'

'Hoe bedoel je? Dit is een rustige avond.'

'O ja?'

'Zeker. Er is nog niemand neergeschoten.' Zijn das vertoonde allemaal kogelgaten en bloed. Alice moest nog eens kijken voordat ze zag dat het bij het dessin hoorde.

Het nam hen mee naar een privé-vertrek achter een spiegelwand van de grote zaal. Een enorm buffet besloeg de hele breedte van een muur. Banken en leunstoelen stonden rondom tegen de wanden, en een eettafel als een ei-land in het midden boog door onder schalen champignons in zure room en gezouten vis; gerookte zalm en zure augurken; haring en gehaktballetjes; koude vlees- en visschotels; gekoelde soepen met fijngehakte uitjes; en na-tuurlijk kaviaar, de zwarte *zirnistaja* van de Kaspische steur en de rode *keot-vaja* van de hom van de Siberische rivierzalm.

Sabirzjan zat aan de tafel, en glimlachte naar hen. Alice dacht dat het toe-val moest zijn, niet iets waar ze blij mee was. Ze draaide zich verbaasd om naar Galina, maar zag bij haar slechts beschaamde medeplichtigheid.

'Goed gedaan, Galja,' zei Sabirzjan. 'Ga zitten, allebei. Alsjeblieft.'

Alice viel meer op de stoel neer dan dat ze erop plaatsnam, en met dezelf-de snelheid daalde haar humeur. Ze was boos op Galina, maar ze wist dat ze er zelf verantwoordelijk voor was; in Rusland verraadt iedereen elkaar. Sa-birzjan wreef over haar blote arm, zijn vingers trokken een vochtig slakken-spoor dat haar deed huiveren. Toen hij naar haar glimlachte, leken zijn lip-pen gezwollen maden. Ze had zin om hem in zijn gezicht te spugen.

'Bevalt het je hier?' vroeg hij.

Door het raam zag Alice dat er op het podium een schijnproces werd op-gevoerd. 'Nee.'

'Jammer. Het zal zeker aanslaan.'

Alice keek Galina aan. 'Wat stelt dit allemaal voor?'

Sabirzjan schonk glazen wodka in. Galina wachtte totdat Alice haar glas leeg had en er nog een vroeg voordat ze begon te praten. 'Je hebt me gezegd dat er dingen zouden veranderen,' zei ze.

'Ik heb… wát?'

'Je zei dat er dingen moesten veranderen – in de fabriek, in Rusland. Ik heb iets heel slechts gedaan, omdat ik geloofde wat je zei. En wat gebeurde er? Niets.'

'Het personeel is weggelopen. We kunnen geen nieuwe arbeidskrachten vinden.'

'Het is weer precies hetzelfde als vroeger. Waarvoor heb ik het dan gedaan? Waarom heb je me laten liegen, Alice?'

'Ik...'

'Het is niet jouw schuld? Dat is niet voldoende. Nou, waarom?'

Er kwam geen antwoord.

'Dank je, Galja.' Sabirzjan zond haar snel een glimlach toe. 'Ik neem het vanaf hier van je over.'

Alice keek toe terwijl Galina het vertrek verliet en zich een weg baande door de dansende paartjes. Alice had dit allemaal in gang gezet door Galina ertoe te bewegen Lev te verraden, dus moest ze nu niet klagen. Ze had geweten dat ze door Galina te gebruiken de vriendschap op het spel zou zetten. Het deed haar pijn, omdat Galina de enige in Rusland was met wie ze zich een beetje op haar gemak voelde – afgezien van Lev, natuurlijk. Toch had Alice nooit gedacht dat het zo ver zou komen.

Het had haar pijn gedaan om te zien hoe Galina's bewondering voor haar was afgenomen vanaf het moment dat ze haar over Lev had verteld. Wat had Galina er mee te maken? Lev hoorde bij Alice en verder bij niemand. Wat zij samen hadden, hun intimiteit, was het enige in haar leven dat echt geheim was. Als ze Galina vertelde hoe ze zich voelde – ervan uitgaande dat ze daar de woorden voor zou kunnen vinden – zou ze de waarde ervan dan niet tenietdoen? Bovendien, het zou clichématig klinken. Iedere verliefde vrouw vindt de man van haar dromen uniek.

Sabirzjan praatte. Alice luisterde niet echt, totdat ze hem aan de ober om nog een fles wodka hoorde vragen – en een infuus voor de Amerikaanse zuipschuit.

'Genoeg,' zei ze. 'Hoe vaak moet ik nog blozen voordat je weggaat?'

Ze stond op. Hij greep haar bij de arm, en ze ging liever weer zitten dan dat ze die glibberige hand nog een minuut langer zou moeten voelen.

'Stop die plannen,' zei hij. 'Blaas die verkoop af.'

'Of anders?'

'Of heel Rusland zal weten dat je met Lev naait.'

'Ik heb geen idee waar je het over hebt.'

'Je vriendinnetje heeft het me verteld.' Sabirzjan knikte naar de deur waardoor Galina zojuist was weggegaan. 'Je hebt haar geloof ik nogal teleurgesteld.'

'Waarom is ze verdomme naar jou gegaan?'

'Dat is ze niet.'

'Waarom heeft ze het je dan verteld?'

'Ik kom elke week bij de Kormakitis-Plakoti-bank. Daar vertelden ze me gisteren dat Galja afdrukken had gevraagd van alle overschrijvingen. Ik vroeg haar waarom ze die nodig had. Ze kon niets aannemelijks bedenken.' Hij trok een grimas. 'En toen sloeg ze door. Er bestaat geen verraad zonder medewerking, weet je. Ik heb gedreigd het tegen Lev te zeggen. Daarna was ze overal toe te bewegen.'

Hij vertelde haar alles; Sabirzjan, de KGB-er, altijd en eeuwig vol achterdocht.

Sabirzjan, die had gezegd dat niet voldoende informanten bij Rode Oktober bereid waren hem te helpen. Vroeger waren ze bang van de KGB, nu waren ze bang om met hem gezien te worden.

Sabirzjan, die tegen Lev had gezegd dat hij geen wrok koesterde na wat er in Petrovka was gebeurd, en daarna achter zijn rug de privatisering wilde ondermijnen. Hij had Lev loyaliteit toegezegd, en wat had hij ervoor teruggekregen? Drie dagen in een cel, terwijl Irk probeerde hem de moorden op de kinderen in de schoenen te schuiven.

Sabirzjan, die Alice 'per ongeluk' het dossier van Sujumbika in handen had gespeeld.

Sabirzjan, die *Pravda* had ingelicht over de moorden bij Prospekt Mira en de rest.

Sabirzjan, die bereid was geweest het aanzienlijke kapitaal dat hij kon verdienen aan privatisering te laten voor wat het was, zolang hij Lev daarmee kon treffen.

'Hoe moet ik de plannen tegenhouden?' vroeg Alice.

'Dat is jouw probleem. Je hebt vierentwintig uur.'

Een kozakkendanser trad op, zo goed dat zelfs Sabirzjan vol bewondering applaudisseerde. Met zijn benen recht naar voren schoppend en zijn armen gevouwen over zijn borst, wist de danser uitstekend zijn evenwicht te bewaren. Hij had bloemen kunnen plukken in een mijnenveld zonder er een te missen, dacht Alice, en vergeleek de situatie met die van haarzelf; wat was haar leven anders dan één lange strijd om haar evenwicht te bewaren, waarbij ze over het allerdunste koord moest lopen zonder zelfs maar een stok, laat staan een net om haar op te vangen.

Om precies middernacht stopte de muziek en werd het nationale sovjetvolkslied gespeeld. De bezoekers juichten en joelden, genietend van de ironie. Ze brulden de woorden mee met het elan van overwinnaars die de ge-

vallenen bespotten. 'Onverwoestbare Unie van vrije republieken, voor altijd verenigd door het grootse Rusland! Gegroet, machtige Sovjet-Unie,
ontstaan uit de wil van het volk! Lof aan het vrije vaderland. De vriendschap van volkeren is ons veilige bolwerk, de partij van Lenin, de macht van
het volk, zal ons tot de zege van het communisme leiden!'

Sabirzjan was gaan staan en zong uit volle borst mee. Dit was nog steeds
zijn leer. Toen het lied was afgelopen, wendde hij zich tot Alice. 'We hebben
ons opgeofferd voor de idealen van een beter leven onder het communistische bewind,' barstte hij uit. 'We hebben gepland en gepland, allemaal voor
niets. We zijn bedrogen. We leefden voor een idee. Jullie Amerikanen leven
alleen voor geld. Nu blijkt dat jullie al die tijd gelijk hebben gehad. Hoe
denk je dat ik me daardoor voel?'

59

Alice ging op zoek naar Sabirzjan op zijn kantoor, en belde daarna naar zijn huis, maar allebei zonder succes. Ze liep zich de hele ochtend op te vreten. Uiteindelijk ging ze tussen de middag naar Lev, waar ze eerst tien minuten moest wachten terwijl hij Irk uitkafferde aan de telefoon.

'Arme kerel, ik denk dat hij vandaag van iedereen de wind van voren krijgt,' zei ze toen Lev had opgehangen.

'Dat is zijn verdiende loon. Wij hadden het voor hem kunnen oplossen, dat weet hij. Nu is Karkadann weer verdwenen –' hij knipte met zijn vingers. 'En wie weet wanneer hij weer boven water komt?'

'Ben je kalm genoeg om even naar me te luisteren?'

Zijn zware schouders gingen omlaag toen hij uitademde. 'Ja.'

Ze gaf hem een verkort verslag van wat er de vorige avond was gebeurd; verkort in die zin dat ze de nachtclub en Galina verzweeg, zodat alleen zij en Sabirzjan als hoofdpersoon overbleven. De hele waarheid zou Galina haar baan hebben gekost, misschien ook die van Rodjon en Svetlana, en dat wilde Alice niet op haar geweten hebben.

'Die smerige klootzak,' gromde Lev. 'Hij vraagt gewoon om een flinke afstraffing. Hoe heb ik zo stom kunnen zijn, ik had hem veel korter moeten houden. Kleine mannetjes hebben Rusland altijd veel ellende bezorgd. Kijk maar naar Napoleon, naar Hitler. De enige mensen die nog meer ellende teweegbrengen dan kleine mannetjes zijn Georgiërs. Sabirzjan is beide, net als Stalin. Dat verklaart alles, lieveling.'

'Wat moeten we nu?'

Lev zetten zijn vingertoppen tegen elkaar aan. 'Meedoen.'

'Hoe dan?'

'Als jij vanavond thuiskomt, vertel je Lewis van onze relatie.'

'Ben je gek geworden?'

'Helemaal niet. Waar denk je dat Sabirzjan op rekent? Dat je alles in het werk stelt om te voorkomen dat je man het te weten komt. Als dat wegvalt, heeft hij geen macht meer.'

'En dan publiceert hij het alsnog.'

'Nou en?'

'Nou, dan stelt de hele zaak in een kwalijk daglicht. Je weet hoeveel oppositie er is tegen dit programma. Als het uitkomt van jou en mij – een heimelijke verhouding op het hoogste niveau – lijkt het helemaal een farce. Het zou net die ene druppel kunnen zijn. Als je genoeg druk uitoefent op deze regering, wie weet wat er dan gebeurt? Als Borzov nu eens opstapt? Volgens Arkin is hij onvoorspelbaar.'

'Die verkoop gaat door.'

'Hoe weet je dat zo zeker?'

'Dat weet ik gewoon.'

'Vertel op.'

'Het Westen trekt zich niet terug. De publieke opinie in Rusland is niet sterk genoeg om daar iets aan te veranderen. Het parlement kan niet tijdig ingrijpen. Die verkoop gaat door.

'Nee. Ik wil weten waarom je daar zo zeker van bent.'

'Alice…'

'Zég het.'

Met een diepe zucht zei hij: 'Omdat het een beklonken zaak is.'

Een beklonken zaak? Ze begreep het niet.

'Je weet toch van de presidentiële uitvaardigingen af?'

'Ja.' Bij afwezigheid van een echte wetgeving stelde de president vele wetten op. Borzov kon iets besluiten, op papier zetten en voilà – weer een wet. Dat hij die dan de volgende dag weer kon herroepen of tegenspreken, en dat ook deed, sloeg nergens op.

'Nou, volgens decreet nummer 182 is de Sportacademie vrijgesteld van alle soorten belastingen en accijnzen.'

'De Sportacademie?

'Waar ze trainingen geven, kampen, dat soort dingen. Sport is de enige manier om het volk te redden. Het is voor het algemeen welzijn, een zaak die iets waard is. Daardoor dus zijn we vrijgesteld.'

'Nou en? Niemand betaalt toch belasting?'

'Nee, maar op deze manier hoeven we geen belastinginspecteurs en douanebeambten om te kopen.'

'Maar ik begrijp nog steeds niet wat dat ermee te maken heeft.'

'De Sportacademie is de grootste importeur en exporteur van wodka in dit land.'

'Wodka? Lekker sportief.' Het sarcasme droop ervan af. 'En de reden dat hij zo groot is dat… jullie totaal geen in- of uitvoerrechten betalen.'

'Precies.'

'Over hoeveel hebben we het hier?'

'Tien miljoen dollar, iets meer of minder.'

'Dat is niet zo heel veel.'

'Per maand.'

'Aha.' Alice begon te begrijpen waar het naartoe ging. 'Dat is verdomd niet niks.' Hij wachtte tot ze zelf in haar eigen tempo begreep hoe het zat. 'En als Borzov dat voor jullie heeft geregeld,' redeneerde ze hardop, 'zullen jullie daarvoor wel iets van gelijke strekking hebben moeten terugdoen.'

'En wat zou Borzov dan willen?'

Nu begreep ze het, en ze sloeg zich met een gebaar van plotseling inzicht tegen het voorhoofd. 'Het kwartje is gevallen! Dus dat is de prijs die ervoor betaald wordt? Borzov ziet af van belasting voor de Academie, en jij stemt in met de privatisering van Rode Oktober. Dat is de prijs van jullie samenwerking.'

Het was even cynisch als smeergeld in kleine coupures. Lev glimlachte maar zei niets. Noch schaamte, noch een geestige reactie kon haar milder stemmen. Hij zat nog te wachten, besefte ze, totdat ze het laatste stukje van de puzzel vond.

'En wat heb ik dan verdomme al die tijd gedaan, als alles vanaf het begin al voorgekookt was?'

'Het legitiem gemaakt.' Hij spreidde zijn handen. 'Jij maakt het vertrouwenswaardig, Alice. Zolang jij er bij bent betrokken, zal men er in het Westen van overtuigd zijn dat alles volgens het boekje wordt gedaan. Zonder jou denken ze allemaal, van Dublin tot Rome, dat een stelletje profiteurs bezig is met duistere achterkamerpraktijken.'

Wat zou Machiavelli naar Moskouse normen zijn geweest? Een cynicus? Absoluut niet. Een realist? Zeker. Een liberaal? Misschien.

'En al die tijd… al die tijd dat wij hebben liggen neuken heb je me daar nooit iets over gezegd?'

'Hoe had ik dat kunnen doen?'

'Je zegt dat je iets voor me voelt. Maar ik ben niets anders dan een laagje fatsoen.'

'Luister, schat…'

'Waag het niet me schat te noemen. Ik ben gevraagd voor dit werk omdat ik er verdomd goed in ben. Ik ben met jou in bed terechtgekomen omdat je iets voor me betekent. Ik ben echt in de wolken.' Ze wachtte even. 'Je kunt oplazeren.'

'Denk je dat ik het erop aangestuurd heb dat het tussen ons zo is gelopen? Je was de laatste die ik wilde… en toch is het gebeurd. Het heeft geen invloed op mijn gevoelens voor jou.'

'Doe niet zo idioot. Het heeft allemaal met elkaar te maken.'

'En heb jij je dan zo netjes gedragen, Alice? 's Nachts in mijn kantoor rondsnuffelen? Proberen mij te laten ontslaan?' Zijn ogen boorden zich in de hare om haar te herinneren aan haar eigen verraad: Sabirzjan en het Sujumbika-dossier, Galina en de bankoverschrijvingen. 'Nee, ik heb me niet netjes gedragen. En jij ook niet. Laten we dit vergeten en uitzoeken wat we moeten doen.'

'Ik kan… ik kan het niet zo gemakkelijk afdoen.'

'Je zult wel moeten. Sabirzjan belt je vanavond. Je moet bepalen wat je tegen hem gaat zeggen.'

'Is Sabirzjan hiervan op de hoogte?' vroeg ze. 'Van decreet 182?'

'Sabirzjan is overal van op de hoogte.'

Levs bondgenootschap met Borzov was zeven jaar geleden ontstaan, aan het begin van Gorbatsjovs ambtsperiode. Ze hadden in elkaar een bondgenoot gezien voor het ontmantelen van de Sovjet-Unie. Beide mannen hadden een band met het communistische systeem, de een door zijn deelname eraan en de ander door zijn verzet ertegen. Beiden hadden ook het ironische van die situatie ingezien; ondanks hun onverzoenbare tegenstelling hadden de partij en de vori meer overeenkomsten gehad dan verschillen. Beiden zaten in een paramilitaire hiërarchie, beiden hadden vijandig gestaan tegenover buitenstaanders, beiden hadden hun eigen mensen beloond, en beiden hadden de wet als een last ervaren.

Hoewel Lev zijn bijdrage had geleverd om Gorbatsjov weg te krijgen, hadden hij en de andere vori ook geholpen het systeem drijvende te houden. In de laatste twaalf maanden van de Sovjet-Unie hadden de vori een zwarte markt geleid die zestig miljard dollar waard was aan reserveonderdelen, automobielen, hout, kaviaar, edelmetalen, juwelen, en natuurlijk wodka. De afspraak die in 1987 was gemaakt tussen de KGB en de 21e Eeuw over het beheer van Rode Oktober, herhaalde zich in de hele unie, soms voor kleine coöperaties, soms voor enorme fabrieken zonder welke hele steden leeggelopen zouden zijn. Door goederen en diensten door het hele land te laten circuleren, had de smokkelhandel van de vori's het industriële apparaat ervan gevrijwaard vast te lopen in zijn eigen bureaucratie – het was het enige dat nog een beetje in de buurt kwam van een soort dienstverlening. De vori hadden het natuurlijk voor zichzelf gedaan; ieder bijkomend voordeel voor het regime was totaal onbedoeld geweest.

En nu werkten Lev en Borzov, nadat ze geholpen hadden de unie om zeep te helpen, mee aan een goede vervanging. Niet voor niets, natuurlijk; niets gebeurt in Rusland voor niets. Criminelen en politici, politici en zakenlieden, zakenlieden en criminelen – de nieuwste trojka.

Alice kookte een maaltijd en at zonder er iets van te proeven. Lewis was spraakzaam, wat haar in twee opzichten goed uitkwam: daardoor had hij niet in de gaten dat ze er met haar gedachten niet bij was, en ze hoefde zelf niets te berde brengen, zoals haar ontrouw bekennen. Toen de telefoon ging, dwong ze zichzelf er rustig naartoe te lopen in plaats van erop af te vliegen.

'Hallo?'

'Heb je een besluit genomen?'

Sabirzjan sprak zacht, maar daardoor niet minder dreigend. Hij was een schepsel uit een schimmenrijk, dacht Alice. Zou hij de strijd werkelijk willen uitvechten in het openbaar, zoals hij dreigde te doen? Ze kon de privatisering niet tegenhouden, en ze zou haar man niet over Lev inlichten – waarom zou ze, zolang het niet absoluut noodzakelijk was? Ze moest hem uitdagen; een dwingeland kon van iemand die zich niet bang liet maken, niets gedaan krijgen. 'Ik denk dat u het verkeerde nummer hebt gedraaid,' zei ze, en ze hing op.

60

De waarheid drong plotseling in alle eenvoud tot Alice door. Ze zat te kijken hoe Lewis zijn tas inpakte voor de volgende nachtdienst in het Sklifosovski – hij draaide de laatste tijd veel nachtdiensten – toen ze zich iets realiseerde dat haar zowel diep triest maakte als opluchtte: ze hield niet meer van hem. Ze had altijd gedacht dat wat Lev haar ook gaf, wat voor problemen zij en Lewis ook hadden, Lewis haar echtgenoot was en dat zij van hem hield. Maar nu, terwijl Lewis zijn overhemd stond dicht te knopen, een weinig opmerkelijk en alledaags huiselijk moment, besefte Alice ineens dat dat niet waar was. Het was zoiets als wanneer je ogen slechter worden; dat gebeurt zo geleidelijk dat je het nauwelijks opmerkt, totdat je op een dag een bril opzet en alles ineens weer haarscherp ziet, zoals het altijd zou moeten zijn.

Alice had tegen Lewis gelogen en dingen voor hem achtergehouden vanaf het moment dat ze Lev had ontmoet, en misschien ook al voor die tijd. Ze besefte nu dat ze ook de waarheid voor zichzelf verborgen had gehouden. Het is verschrikkelijk om niet te houden van iemand die wel van jou houdt. Het idee dat ze iemand om wie ze veel gaf – want ze kon en zou altijd van Lewis houden, ook al was ze niet meer verliefd op hem – zo'n vernederende, vernietigende slag zou moeten toebrengen, was genoeg om Alice de zenuwen op het lijf te jagen. Ze behoorde natuurlijk van hem te houden, maar bestond er iets heerlijkers dan verliefd te zijn op de verkeerde man? Liefde is net een stuk steenkool, dacht ze: als het heet is, brand je je eraan; als het koud is, krijg je vieze handen.

Ze wist zoveel van Lewis: dat hij graag in bed biografieën las; dat hij ketchup wilde op zijn hamburger, maar nooit mayonaise, en mosterd op zijn hot dog, maar nooit ketchup; dat hij vlak voordat hij in slaap viel altijd drie keer even snufte; dat hij een tikje scheef liep, zodat de hak van zijn rechterschoen altijd tweemaal zo snel versleet als die van de linker. Die dingen wist ze allemaal, en nog veel meer, maar het was niet meer genoeg. Er was geen hoop meer voor haar en Lewis. Lewis paste niet in Moskou, en

Moskou was de plaats waar zij juist wilde zijn. Ergo, Lewis paste niet bij haar.

Bij Lewis kon ze er alleen maar domweg zijn, zoals ze nooit zou kunnen bij Lev. Als ze Lev zag, was dat altijd iets bijzonders: dan was ze op haar best, in topvorm, een supervrouw. Zij en Lev hadden nooit een avond op de bank voor de televisie gehangen of in gezapige stilte zitten lezen. Het was alsof ze bang was dat Lev haar, zodra ze pas op de plaats maakte of zelfs maar gas terugnam, haar voor niet meer dan een maîtresse zou houden. Als hij wist hoe verachtelijk ze was, zou hij niet meer van haar houden, en niets vreesde ze meer dan het verliezen van zijn liefde.

De Hongerige Eend was een westerse bar aan Poesjetsjnaja waar men er alles aan deed om de reputatie in stand te houden als een van de meest ontaarde clubs van Moskou. Vanavond was het ladies' night – alleen voor vrouwen, en gratis drankjes tot negen uur. Voor Alice was het de perfecte plek om even stoom af te blazen. Ze had nog niets gehoord van Sabirzjan, en ze had het idee dat ze gek werd als ze nog langer bleef zitten wachten tot de hamer viel.

Ze vond een rustig hoekje – rustig voor de Hongerige Eend althans – en schonk wodka in haar glas. De muur boven haar hoofd zat volgeplakt met aankondigingen voor andere thema-avonden: Tsaar in de Bar, waarbij een acteur in kostuum door het zaaltje rondliep om zich ervan te overtuigen dat er geen glas leeg bleef staan, of Countdown, waarbij de prijzen voor de drankjes heel laag begonnen, vijf voor de prijs van één tussen acht en negen uur, vier voor de prijs van één tussen negen en tien uur, enzovoort totdat tegen middernacht weer normale prijzen gehanteerd werden.

Niemand vroeg haar bij hen te komen zitten, wat Alice maar al te goed uitkwam. Ze wilde alleen zijn; ze wilde omringd zijn door mensen.

Om precies negen uur vloog de deur open en kwam er een vloedgolf mannen binnen gestuiterd. Een man of twintig, vol met wodka en testosteron, gulpte de bar in met de snelheid en onstuitbaarheid van een gezwollen bergstroom, snuffelend en keffend en likkend naar iedere vrouw die de pech had zich niet op tijd uit de voeten te kunnen maken.

Men ging niet naar de Hongerige Eend voor een kletspraatje, maar om zich te ontspannen. Dit was de pas verworven Russische vrijheid. Iedere avond zat het hier stampvol expats en Russen die erop uit waren zich laveloos te drinken, iemand te vinden om mee te neuken, en misschien wat te knokken – kortom, alles wat onder het communistische regime verboden was geweest.

Alice zat aan de bar toen de eerste knokpartij uitbrak. Twee stomdronken Russen begonnen ineens op elkaar in te beuken. Ze had er totaal geen erg in gehad, er was geen opgewonden geschreeuw aan voorafgegaan, geen waarschuwende geluiden, geen geduw en getrek. Ineens stonden ze te meppen.

Er braken nog twee vechtpartijen uit, en toen nog twee, als cellen die zich vermenigvuldigen. Alice klauterde op de bar om te voorkomen dat ze ook een oplawaai kreeg. Haar maag kwam even omhoog toen ze bijna uitgleed over een plas bier. Een van de mannen die met vechten begonnen waren slaagde er uiteindelijk in de ander tegen de grond te werken en stond hem tegen zijn hoofd te trappen toen de veiligheidsagenten binnenkwamen, hem bij de ander vandaan trokken en vervolgens in elkaar trapten – deels voor hun eigen genoegen, deels om anderen ertoe aan te zetten de benen te nemen. De menigte die bij de bar stond, begon naar Alice te roepen dat ze moest gaan dansen.

'O nee.' Ze stak haar middelvinger naar hen op.

'Misschien kijk we dan niet meer onder je rok,' schreeuwde er een.

'Ik ben je type niet,' pareerde ze. 'Ik ben niet opblaasbaar.'

Ze zag geen plek waarlangs ze eraf kon, dus liep ze schuifelend van de ene kant naar de andere, oppassend dat ze niet uitgleed – ze was er dronken genoeg voor, een verkeerde beweging en ze kon vallen – terwijl de omstanders op de maat mee klapten, floten en joelden, zodat ze sexy bewegingen begon te maken; ze draaide met haar heupen draaide en streek met haar handen langs haar dijbenen. Nu genoot ze er evenveel van als zij – het deed haar goed om al die wellustige kerels daar bezig te zien, te weten dat ze er een had kunnen uitkiezen, naar hun haantjesgedrag te kijken terwijl zij elkaar verdrongen om bij haar te komen.

Iemand deed haar een oneerbaar voorstel. Ze hield haar hand met haar trouwring vlak voor zijn gezicht, en op dat moment dacht ze aan al het gehuichel, ondanks de herrie en de hitte en de wodka, ze moest maken dat ze weg kwam, onmiddellijk. Ze gebaarde naar de menigte dat ze haar erdoor moesten laten, ze hielpen haar omlaag en bepotelden haar intussen, maar het enige dat ze wilde was zo snel mogelijk hiervandaan, ze wilde zelfs geen moment verspillen aan het wegslaan van die graaiende klauwen.

Op de trap was het al even vol als bij de bar. Alice baande zich een weg naar beneden en was bijna op de benedenverdieping toen ze zag wat er gaande was. Meisjes gleden van de leuning, helemaal van boven af, spiernaakt en schrijlings, en onderaan stonden mannen in de rij met hun tong uit hun mond of hun erectie tegen het hout gedrukt.

Een meisje bovenaan verloor haar greep en viel in het trapgat omlaag, vijf meter naar beneden, en kwam met een doffe klap neer. Ondanks haar staat van dronkenschap, waardoor ze slap en ontspannen op de grond terecht kwam, zou ze toch minstens een ledemaat hebben gebroken, naakt en languit zoals ze lag, van iedere waardigheid ontdaan. Geen mens die een vinger uitstak om haar te helpen. De mannen stonden nog luidkeels te schreeuwen naar een ander meisje dat naar beneden gleed, dat ze verdomme voort moest maken.

'Hoe natter ze zijn, hoe sneller ze beneden komen,' hoorde Alice iemand zeggen.

Ze probeerde door de massa heen bij het gewonde meisje te komen, maar er stonden te veel mensen in de weg, dicht tegen elkaar aan, rijen glurende perverselingen Ze hoorde ook Amerikanen – watjes, opgegroeid in de buitenwijken, mannen die in de metro nog niet over een draaihekje durfden springen, en nu stomdronken stonden te pochen, kerels die zichzelf een hele bink vonden. Er was een woord voor dat soort mannen, dacht ze bitter: suflullen.

Alice liep terug door lege, ijskoude straten; maar zij werd vanbinnen verwarmd door één grote kern van wodka. Haar gedachten leken mee te stromen over eindeloze rivieren van drank. Wodka was haar beste vriend. Niemand anders begreep haar echt, zelfs Lev niet. Maar wodka wel, wodka maakte alles beter. Alles beter, dacht ze, alles beter – tot het alles kapot maakte.

Ze verstopte zich voortdurend: 's avonds achter de wodka, overdag achter haar professionele persona. En soms, heel af en toe, tuurde ze in het vacuüm daartussen en zag ze wat er over was gebleven van haar ware zelf, dat probeerde zich daardoorheen te bewegen, verward en angstig en eenzaam, smekend om hulp en met een wanhopig verlangen naar vrijheid.

Als ze bij Lewis was, voelde ze zich schuldig; als ze bij Lev was, voelde ze zich afhankelijk. Hoe meer ze door schuldgevoel van Lewis verwijderd raakte, hoe afhankelijk ze werd van Lev; hoe afhankelijker ze werd van Lev, hoe schuldiger ze zich voelde tegenover Lewis; hoe schuldiger ze zich voelde tegenover Lewis, hoe verder ze van hem af raakte, enzovoort. Ze wilde die verwarring weg drinken, de schaamte en het wegebben van haar integriteit die haar dubbelhartigheid met zich meebracht. Ze voelde zich verdorven, het ging bergafwaarts met haar leven, waarbij wodka als smeermiddel fungeerde en gevoelloosheid het draaglijk maakte.

Het maakte niet uit hoe snel of langzaam Alice liep. De verwarring bleef, een schaduw die met reuzenstappen voor haar uitliep, bij de volgende lantaarnpaal ineenkromp, daarna weer tevoorschijn sprong. Een telefoonpaal die vol verlangen naar de sterren reikte, zijn draden gekoppeld aan andere –

stroomdraden, buskabels – als een afdak boven haar hoofd, eindeloos lange draden naar alle punten in de stad die gebouwen met elkaar verbonden, verdeeld over allerlei architectonische stijlen en hun eigen plaats in de geschiedenis.

Hier waren ronde koepels van kerken en enorme keizerlijke gebouwen van rond 1900, in roze en groen, of grote vlakken lichtgeel en lichtblauw; hier stonden functionele bouwwerken vol machines en zonder enig overbodig aspect, granieten, kale ruïnes die het gevolg waren geweest van de wrede dromen en wilsbeschikkingen van de meest succesvolle tirannen uit de afgelopen eeuw; hier triomfeerde classicisme dat naoorlogse trots weerspiegelde in culturele waarden en erfgoederen; hier stonden de gemoedelijkere socialistische flatgebouwen uit de tijd van Chroesjtsjov en Brezjnev; en hier was ook de donkere schittering van nieuwe kantoorgebouwen van chroom en in glas.

Alice had het gevoel dat ze, net als de gebouwen om haar heen, soms het een was en dan weer het ander, een geheel ondanks de verschillende elementen die met elkaar botsten binnen in haar. Ze was de weg kwijt. Ze wist niet meer wie ze was, niet echt. Soms kon ze niet zeggen wat ze verachtte en wat ze bewonderde. Ze had het gevoel alsof alles in haar geest zich verdubbelde, zoals vermoeide ogen alles dubbel kunnen gaan zien. Sommige schizofrenen herkennen zichzelf in de spiegel niet meer – zou dat ook met haar gebeuren? Wat zou zij zien? Haar eigen gezicht, verwrongen en vervormd? Zichzelf twee keer, als eeneiige tweeling? Een heel ander persoon? Of gewoon niets?

61

Alice' katers waren ruwweg onder te verdelen in drie categorieën van hevigheid. De eerste was de lichte kater, waarbij haar hoofd bonsde als een kermisgenerator en haar gortdroge mond aanvoelde alsof er een klein vuurtje in gestookt was. Deze symptomen waren te verdrijven, zij het niet helemaal, door een combinatie van paracetamol, water, cola en vitamine C.

Dan had je de matig-tot-ernstige kater, waarin de algehele malaise begeleid werd door paranoia (wat had ze in vredesnaam de vorige avond allemaal gedaan?) en het gevoel dat lilliputter agentjes de hele nacht op haar hoofd en lichaam – vooral op haar nieren – hadden lopen timmeren met kleine, maar zeer efficiënte rubberknuppels.

Ten slotte was er de megakater, waarbij ze om vijf uur in de ochtend wakker schrok, overvallen door paniek, angst, en de stellige overtuiging dat de rest van de dag, en misschien ook wel de daaropvolgende nacht, verloren zou gaan aan spijt, pijn, zelfmedelijden, voortdurende angst en slapeloosheid. Tenzij ze natuurlijk nog een wodka nam – het enige afdoende middel, althans tijdelijk, totdat de uitgestelde kater haar uiteindelijk toch weer te pakken kreeg.

Deze ochtend was haar kater die van het tweede kaliber. Ze schuifelde naar de badkamer met benen die aanvoelden als watten, en bekeek haar gezicht in de spiegel. Op haar neus en wangen waren adertjes gesprongen; haar handen trilden toen ze die naar voren stak. Ze kokhalsde boven de wasbak, en zag haar spiegelbeeld terug in het gebogen metaal van de kranen. Haar gezicht was strak en verwrongen; even was het lang en vlak, daarna werd het rond, en ineens was het weer een geheel.

De telefoon ging. Het was nog vroeg, niemand belde haar op dit tijdstip zonder een dringende reden. Alice liep snel de woonkamer in, met een hoofd dat uit protest bonkte.

'Hallo?' Haar stem klonk alsof ze zojuist een hap stroop had genomen.

'Met mij,' zei Lev, en haar hart maakte een sprongetje. Het was altijd weer een belevenis om zijn stem te horen, alsof hij niet helemaal echt was, iemand van wie ze alleen zoveel kon houden als hij een hersenspinsel was. 'Je hebt zeker de *Pravda* van vandaag nog niet gelezen?' ging hij door.

'Hoezo?'

'Omdat je anders mij wel zou hebben gebeld.'

Alles stond breed uitgemeten in de *Pravda*, elk detail, althans zo leek het: het presidentiële decreet 182, getuigenverklaringen van bronnen uit zowel de distilleerderij als de regering, bijzonderheden over de zwendel die Alice had ontdekt, de poging om Lev te ontslaan en de daaropvolgende staking, en natuurlijk Levs affaire met Alice. Het verhaal besloeg de eerste zeven pagina's, en de verslaggevers hadden hun werk even grondig en efficiënt gedaan als bij de kindermoorden, waar dit nieuws natuurlijk naar verwees.

Alice werd ontboden op het Kremlin. Borzov zelf wilde haar spreken.

Lev en Arkin waren er ook. Het was zelfs voor Borzov nog te vroeg om te drinken, maar niet om al helemaal over zijn toeren te zijn. 'Wat is dit verdomme?' Hij sloeg met de rug van zijn hand tegen de *Pravda*. 'Waar zijn jullie verdomme mee bezig, om met elkaar naar bed te gaan? Zijn jullie krankzinnig?'

Nee, dacht Alice, alleen maar verliefd. Maar het leek haar niet verstandig om dat nu te zeggen.

'Stelletje stommelingen, allemaal,' zei Borzov. 'Als Anatoli Nikolajevitsj het voor het zeggen had, zou hij jullie allemaal ontslaan en helemaal opnieuw beginnen. Maar daarvoor is het te laat, de verkoop is al over tien dagen, we hebben geen tijd meer. Aan de andere kant, tien dagen duurt niet lang, we zingen het nog wel uit tot die tijd. Dus ik zeg wat ons te doen staat.'

Dat had Arkin dus bedoeld, begreep Alice, toen hij had gezegd dat Borzov iemand was die alleen in actie kwam als er problemen dreigden. Dit was een crisis, een reële bedreiging voor zijn macht; op dit soort momenten kwam hij in actie. Hij wees naar Arkin. 'Kolja, jij gaat een verklaring afleggen bij de regering. Ontken alles. Zeg maar dat het allemaal gezwets is dat door de tegenstanders van de hervorming is verzonnen. Zeg tegen *Pravda* – en alle andere kranten en televisiezenders – dat we hun de volgende keer dat ze weer met zulke leugens komen de mond snoeren.' Alice wilde al protesteren, maar besloot het toch maar niet te doen. Ze wist wat ze dan zouden zeggen, dat dit Rusland was, en dat ze die dingen op hun eigen manier oplosten. 'Gewoonweg ontkennen. Doe maar alsof het je zelf moeite kost om je te verlagen tot een niveau waarop je moet ingaan op dat gezwets.'

Borzov richtte zich tot Lev. 'Rode Oktober: de president wil die mensen niet in de steek laten, verdomme. Zeg hun dat je alles doet voor hun bestwil, geef de schuld maar aan die geestdriftige hervormers. De president weet dat je veel macht hebt over je arbeiders – gebruik die dan nu, houd ze koest.'

'En u, mevrouw Liddell... U gaat zich bezighouden met het Westen. Zij hopen dat het nieuwe Rusland een dankbare dienares wordt. Op dit moment is het één grote rotzooi, maar vertel maar dat het zo niet altijd blijft en dat het hun steun voor de hervorming niet mag ondermijnen. Waar het op aan komt, is dat het doorgaat, niet op wat voor manier – en je kunt geen omelet bakken zonder eieren te breken, dat soort dingen. Praat met Washington, Londen, Parijs en al die cijfervreters in Frankfurt en Genève. Zij zijn degenen tegenover wie jij verantwoording moet afleggen.'

'U vergeet mijn echtgenoot,' zei ze.

Het lukte Alice nauwelijks om de ene voet voor de andere te krijgen. Het was of de knopen in haar maag vastgebonden zaten aan haar ledematen. Het kostte haar vijf pogingen voordat ze er uiteindelijk in slaagde haar sleutel in het slot te steken, en ze viel bijna letterlijk met de deur in huis. Ze hoorde *De Bruiloft van Figaro* op de stereo – dat zei genoeg van Lewis' gemoedsgesteldheid; hij haatte Mozart. Niet echt een bruiloftsstemming, dacht ze, en probeerde een glimlach op te plakken.

Ze liep de woonkamer in. Lewis keek haar aan zonder een woord te zeggen, en juist die stilte, vol beschuldiging, gekwetstheid en verraad, werkte meer op haar zenuwen dan geschreeuw en getier zouden hebben gedaan. Ze barstte in tranen uit: diepe snikken, zoals een kind huilt.

Genadeloos in zijn stilzwijgen, vertrok Lewis geen spier. Hij wachtte totdat Alice weer wat was gekalmeerd en haar tranen had gedroogd. Ze had het idee dat hij de hele dag had kunnen wachten.

'Dus het is waar,' zei hij.

Ze maakte een snelle hoofdbeweging, iets wat op een knikje leek. 'Ja. Het is waar.'

'Hou je van hem?'

'Ja.'

'En hou je van mij?'

'O, Lewis.' Hij wachtte weer tot ze iets zei. Ze haalde diep adem, in de wetenschap dat, hoeveel pijn de waarheid ook zou doen, leugens nog erger waren.

'Hou je van me?' herhaalde hij.

'Nee.' Ze keek van hem weg, ze wilde zijn gezicht niet zien. 'Ik heb geprobeerd van je te houden. Maar ik kan mezelf niet meer voor de gek houden, Lewis. Ik hou van hém.'

Het was, dacht Alice, alsof ze haar hele leven lang op dun ijs had geschaatst. De scheurtjes in het ijs laten je een glimp zien van wat daar werkelijk onder ligt, maar uit angst voor gevaar maak je dat je wegkomt. Dan ineens scheurt een van die barsten open en sleurt je omlaag – en dat is het leven, koud en smerig en schokkend, een puur gevecht om te overleven. En hoe langer je vecht, hoe meer je voelt dat je leeft.

Lewis schudde zijn hoofd, hij was overdonderd. Het was nooit bij hem opgekomen dat hij van iemand anders kon gaan houden, en daarom was het ook nooit bij hem opgekomen dat Alice dat wel zou kunnen doen; dat was de manier waarop hij dacht. 'Nee,' zei hij, meer in zichzelf dan tegen haar. 'Nee. Je moet van me houden – kijk toch eens, anders zou je niet zo'n verdriet hebben.'

'Natuurlijk heb ik verdriet, Lewis. Mijn hele leven staat op zijn kop.'

'Hoe lang is dit al gaande?' Precies vier weken, dacht ze, maar het leek wel vier jaar. 'Wat wil je, Alice? Spanning? Glamour en schittering, ben je daarvoor door de knieën gegaan? Wil je een gevaarlijk leven?'

'Zo is het niet.'

'Natuurlijk wel. Ik snap het helemaal, Alice, ik ken je toch. Ik ben te saai voor je, nietwaar? Niet spannend genoeg, te afhankelijk? Bedenk wel: als je je hoofd op hol laat brengen, kom je daarna meestal verdomd hard op je achterwerk terecht.'

'Lewis, jij zou nooit mijn hoofd op hol brengen. Hij geeft me het gevoel...'

'Je moet niet míj de schuld geven, Alice. Wijt het liever aan – weet ik veel, al die uren dat je aan het werk was, of mijn diensten in het ziekenhuis. We zijn onze plek kwijt, Alice, wij allebei. We hebben ons huwelijk niet genoeg tijd gegund. We kunnen er nog wat aan doen, als we er nu mee beginnen. Ik neem een paar maanden vrijaf, we gaan erover praten. We gaan alles uitpraten, opnieuw beginnen, jouw drankprobleem aanpakken. Daardoor is dit allemaal ontstaan – drank en leugens.'

'Wat voor leugens?'

'Achter mijn rug met een ander neuken – zijn dat geen leugens? Het komt door de drank...'

'Zeg dat niet!'

'Alice, je hebt een drankprobleem. Daardoor ben je gaan liegen – dat doen mensen met een drankprobleem altijd. Ze draaien en liegen. Je hebt zo vaak gelogen dat je niet meer weet wat er precies waar is.'

'Lewis, hou op met naar excuses te zoeken. Het is te laat. Ja, ik voel me schuldig over het feit dat ik tegen je heb gelogen en je heb gekwetst. Ja, ik voel me daarvoor verantwoordelijk. Maar ik houd niet van je.'

'En wel van hem?'

'Ja.'

'Ik ben je echtgenoot, en ík hou van jou.'

'Liefde!' zei ze. 'Je weet niet wat het is, Lewis. De liefde die ik voel voor Lewis zul jij nooit begrijpen.

Bob, Christina en Harry zouden allemaal partij voor Lewis trekken. Ze waren al op weg om hem te troosten. Alice' vriendschap met Galina was verleden tijd. Ze ging terug naar Lev. Hij was de enige die ze had.

62

Voor Lewis waren niet die eerste paar uur het ergst; dat was de ochtend na een slapeloze, eenzame nacht, waarin de schok langzaam afnam en de realiteit zich aan hem opdrong. Hij ging naar het ziekenhuis, zonder op te letten waar hij reed. Hij had de eerste vierentwintig uur geen dienst, maar hij wist niet wat hij anders moest doen, nu kon hij in elk geval anderen helpen.

Lev en Alice brachten de dag samen door in het penthouse van Kotelniki, waar ze probeerden zich af te sluiten voor de rest van de wereld. Ze wachtten tot de ergste storm achter de rug was, wat konden ze anders? Ze hadden allebei gedaan wat Borzov had gevraagd, net als Arkin. De regering ontkende alles, de arbeiders van Rode Oktober waren gerustgesteld, en het Westen wist weer wat realpolitik inhield.

'Dit land is slecht voor mij,' zei ze.

'Dit land zit in je bloed. Je bent dol op dat dramatische.'

'Toch is het slecht voor me. Als jij er niet was, zou ik weggaan.'

'Alice, je zou hier zonder mij ook blijven.'

'Denk je?'

Ze lag op haar buik, naakt. Hij pakte haar rechtervoet, hield haar hiel in zijn ene hand terwijl hij met de andere hand haar zool wreef, haar ziel wreef, langzaam boog hij elk teentje naar hem toe, glimlachend toen ze huiverde onder zijn aanraking. Nadat hij met haar andere voet hetzelfde had gedaan, begon hij de achterkant van haar benen te kussen, helemaal naar boven tot de ronding van haar billen, waar hij even bleef dralen, daarna naar het zachte dons onder aan haar ruggengraat, dat hij aanraakte met het droge puntje van zijn tong.

Alice rolde op haar rug en stak haar armen naar hem uit. Haar hoofd hing vlak naast het bed, haar genot groter doordat het bloed naar haar hoofd stroomde.

'Ja,' zei Lev, toen ze even later uitgeput lagen te hijgen. 'Dat denk ik.'

Hij gaf haar een glas Smirnoff Black, zo ongeveer de beste wodka van Rusland. Hij is gemaakt van de beste kwaliteit granen, gedistilleerd in een koperen vat om de natuurlijke zachtheid en de smaken te bewaren voordat hij gefilterd wordt door Siberische houtskool van de zilverberk. Alice proefde een vleugje rogge, en daarbovenuit romige houtskool en een zweempje aceton, een smaak die even iets scherps had.

'Jij bent mijn wodka,' zei ze tegen hem.

'Hoezo?'

'In hoeveel opzichten? Hoe vaak ik je ook zie, ik wil altijd meer; het is nooit genoeg. Ik tel de uren tussen het moment dat ik je voor het laatst zag en het tijdstip dat ik je weer zal zien. Je maakt me druppel voor druppel weer levend. Het gaat om het gevoel dat je me geeft, hier –' ze wees op haar hoofd – 'en hier –' ze wees op haar hart. 'De manier waarop je me laat stralen, de manier waarop je ervoor zorgt dat ik mijn problemen vergeet…'

'Ook al ben ik zelf het grootste probleem?'

'Ook al ben je zelf het grootste probleem.'

63

ZONDAG, 23 FEBRUARI 1992

Het was de dag van de Verdedigers van het Vaderland, ingesteld ter herinnering aan een Russische overwinning op Duitse troepen in Sint-Petersburg in 1918, en nu de belangrijkste militaire feestdag op de Overwinningsdag zelf na. Vanuit zijn kantoor in het Kremlin keek Borzov door zijn blauw getinte kogelvrije ramen neer op de menigte op het Rode Plein. Het blauwe glas, aangebracht om de Kremlin-schatten te beschermen tegen zonlicht, maakte de wereld buiten nog kouder en somberder dan hij al was. Het kogelvrije glas bolde op en brak het licht; als je erdoor keek was het alsof de menigte zich herhaalde, een vervorming die een bespottelijke belichaming leek van de manier waarop de man daarboven ver boven de mensen beneden stond. Borzov vroeg zich af wat hij had ontketend.

Het Rode Plein was stampvol. Boven een zee van bontmutsen en platte petten zwaaiden banieren in de grimmige kleuren van het protest: communistisch rood en de nationalistische combinatie van zwart, zilver en goud. Het was moeilijk om te bepalen wie er meer geschokt zou zijn door deze onwaarschijnlijke samenkomst van uiterst links en uiterst rechts: de Romanovs of de revolutionairen die hen hadden vermoord.

De veiligheidstroepen hadden geruzied over wie er wat zou moeten doen, dus waren ze totaal onvoorbereid geweest toen de demonstranten waren aangekomen en met beschamend gemak het kordon, opgericht ter beveiliging van het Rode Plein, hadden afgebroken. Nu konden de politie, de OMON en de soldaten weinig anders doen dan een norse kring vormen rond de demonstranten en proberen hun uitroepen en beschimpingen te negeren. Hun ogen vlogen nerveus heen en weer onder hun slecht passende helmen; toen ze met hun knuppels op gebarsten schilden begonnen te rammen, was dat meer om zelf de moed erin te houden en warm te blijven dan om de demonstranten te intimideren.

Borzovs vlezige, rode gezicht plooide zich tot een sluwe glimlach. Door deze combinatie leek hij aangeschoten, ook al was hij volkomen nuchter, berekenend, terwijl hij juist open was, en dreigend, ook al was hij nog zo vriendelijk – niets hiervan was op dit moment op hem van toepassing.

'De president zal de mensen persoonlijk toespreken,' zei hij. 'Het is tijd om die ondankbare honden eens te laten zien wie er de baas is.'

Er was een tijd dat Borzov de mensen toesprak als een professional, en met iedereen een praatje kon houden. Zijn charme was uit hem weggestroomd als vloeibaar goud. Zijn gezicht, dat in rust iets hooghartigs en heldhaftigs had, was veranderd in dat van een ondeugende jongen als hij glimlachte. 'Laten we een vraag-en-antwoordspel doen,' zei hij altijd. 'Alles is toegestaan.' Geen Russische politicus had dat ooit eerder gedaan, en Borzovs spontane openheid had hem de bewondering en genegenheid van het volk opgeleverd. Raadsheer, vertrouweling, gebedsgenezer – ze hadden hem hun problemen verteld, en hij had geluisterd. Als ze wanhopig op zoek waren naar waarheid en hoop, had Borzov hun beide gegeven; in ruil daarvoor hadden zij hem aanbeden.

Maar nu niet meer. Met zijn pafferige gezicht, omringd door een schare lijfwachten en ambtenaren, leek Borzov tien jaar ouder geworden. Afgeschermd als hij was van de wereld door een muur van spierkracht en eerbied, was hij die dierbare band met het volk kwijtgeraakt. Nu stond hij op Lenins mausoleum en predikte het kapitalisme.

'Als de distilleerderij wordt geprivatiseerd, en de reactionairen de voordelen ervan hebben ingezien en niet langer in opstand komen tegen degenen die iets voor dit land willen doen, dan kan Rode Oktober wodka voor het volk gaan maken. Een goede kwaliteit wodka die de man in de straat kan betalen.' Hij liet zijn borst zwellen. 'Volk van Rusland, Anatoli Nikolajevitsj belooft dit plechtig als jullie president: jullie zullen in alle rust en veiligheid kunnen drinken. De naam van Anatoli Nikolajevitsj wordt op het etiket gezet, en daarboven zijn foto, zodat de fabrieksarbeider in Jekaterinburg, de verkoper in Irkoetsk, de voetbalcoach in Vladivostok, de soldaat in Kazan – zodat die allemaal, elke keer als ze een slok nemen, met dankbaarheid aan hun president denken.'

De mensen lachten en Borzov glimlachte, niet bereid of niet in staat om te beseffen dat ze hem uitlachten in plaats van om hem lachten. Demonstranten joelden en scandeerden teksten. Ze hielden spandoeken op waarop Borzov afgeschilderd stond als een gier die aan een karkas pikt, en zijn kabinet als joden met keppeltjes, lange baarden, brede lippen en haakneuzen, allemaal dicht op elkaar in een synagoge.

De ontberingen die men in Rusland leed waren zeer zwaar, maar niet echt onbekend. Nu de westerse welvaart binnen bereik leek, viel het hun echter zwaarder dan ooit. De Tocqueville kreeg met een soortgelijke verschijnsel te maken tijdens de Franse Revolutie: het gevaarlijkste moment was niet toen het volk op zijn armst was, maar toen de hoop op betere tijden die was gewekt de bodem werd ingeslagen.

De demonstranten begonnen te scanderen: 'Borzov, vertrek!' De leuze door steeds meer mensen overgenomen tot de hele meute hetzelfde schreeuwde. Behalve dat klonk er een metalig gerinkel, toonloos maar met toch iets orkestraals: het geluid van duizenden lege potten en pannen, die de honger van de demonstranten symboliseerden.

Rond het Rode Plein deinsde de politie achteruit, raakte het OMON in de war, werden de militairen zenuwachtig.

Meer lawaai en nog meer, zo hard als maar kon, en nog harder. Dit nam de vorm aan van een geheel eigen macht. Politie en soldaten trokken zich terug achter hun schilden en drukten zich tegen hun voertuigen. Sommige mannen waren bang, andere leefden mee, weer andere tolereerden het niet, hun handen jeukten; een schot weerklonk toen een paniekerige vinger een trekker overhaalde – het was ondenkbaar dat iemand boven dit lawaai uit een bevel had kunnen horen – en toen waren de poppen aan het dansen: het bekende geratel van machinegeweren, demonstranten die achteruitweken en weer naar voren drongen, oude vrouwen die probeerden te ontsnappen en skinheads die naar voren stormden, ledematen vielen over en op elkaar, traangasbommen trokken sporen in de lucht, mensen hapten naar adem, sloegen om zich heen en vertrapten elkaar.

Het kabaal drong door tot aan de rivier de Jauza en door de dikke ramen van Levs penthouse. Alice rende de woonkamer in en zette de televisie aan. Op Kanaal Eén, de staatszender, was een Oezbeekse film; Kanaal Twee, die achter het protest stonden, deed live verslag van de toestand. De geluiden van buiten vermengden zich met die van de televisie, met griezelige, zigzaggende echo's.

'Jezus christus, Lev, kom gauw.'

Alice had nog nooit zoveel afschuwelijk verwrongen gezichten gezien, zoveel haat en vijandigheid. Ze haatten datgene waar zij voor stond, hetgeen zij voor hen zou willen doen. Ze wiegde heen en weer op haar hurken en kwam overeind, terwijl ze nog steeds naar het scherm keek.

'We proberen jullie verdomme te hélpen,' riep ze.

Dit was niet alleen de dag van de Verdedigers van het Moederland, het was ook de achtenveertigste gedenkdag van de Tsjetsjeense deportaties, toen Russische troepen vrouwen en kinderen, plus de mannen die niet naar het front waren, hadden opgepakt om te vechten tegen de nazi's. Volgens volkslegendes was die dag voorspeld door stamoudsten die hadden gezegd dat er sneeuw op hun rug zou vallen – en inderdaad, hoewel het lente was, had een plotselinge sneeuwbui die profetie werkelijkheid gemaakt.

Dorpen waren toen geïsoleerd, en communicatieverbindingen verbroken terwijl lend-lease Studebaker vrachtwagens aankwamen om iedereen te vervoeren naar het station van Grozni, waar honderden vrachttreinen stonden te wachten. De Russische soldaten waren dronken geweest. Ze hadden de Tsjetsjenen vijfentwintig minuten gegeven om zich gereed te maken voordat ze hen wegstuurden, duizenden kilometers door de verlaten woestenij. De gedeporteerden werden eenmaal per week gevoed, ze konden zich nergens wassen, nergens pissen, nergens schijten, er heerste tyfus in de wagons, de strenge Kazakse winters waren even koud als de Kazakken zelf, die te horen hadden gekregen dat hier kannibalen waren die hun bloed kwamen drinken.

Karkadanns grootvader had bij een station de trein verlaten om gesmolten sneeuw te drinken, en een Russische soldaat had hem ter plekke doodgeschoten. Nu zat de Tsjetsjeense warlord in een anonieme kamer in een anoniem deel van de stad te zieden van woede.

Er was niemand in Petrovka – iedere beschikbare agent was op het Rode Plein. Irk zat dus helemaal alleen en had alle tijd en ruimte om na te denken – hoewel hij die beter niet had kunnen hebben. Wat er was gebeurd op het Smolenskiplein zou hem zijn baan hebben gekost als Arkin niet in de zaak geïnteresseerd was gebleven. Jerofejev klaagde tegen iedereen die het maar horen wilde over het verlies van zoveel mannen, en dat was niet zo vreemd. En nog steeds wachtte Irk vol angstige spanning op het volgende lijk van een kind.

Nu de verkoop dichterbij kwam, verwachtte hij dat de Tsjetsjenen nog meer moorden zouden plegen. Het uitstel leek onbegrijpelijk, en dat was wat Irk verontrustte. Hij kon er niet tegen als hij iets niet begreep.

'Wat heeft het voor zin, Kolja?' Borzov staarde somber in het bezinksel van zijn wodkaglas. 'Waarover zwaait de president de scepter?' Hij gebaarde in het rond. 'Niet over Rusland, zelfs niet over Moskou, alleen over dit kleine fort.'

'Anatoli Nikolajevitsj, je moet nu niet negatief gaan denken. Die idioten die het Rode Plein bezetten, zijn niet representatief voor het volk.

'Anatoli Nikolajevitsj is nooit afgevaardigde geweest, weet je, altijd de baas. Niet een of andere apparatsjik – de baas. In duizend jaar tijd is Anatoli Nikolajevitsj de eerste politicus die het zo ver heeft geschopt omdat het volk van hem houdt. Dat zegt toch wel wat?'

'Het zegt alles, Anatoli Nikolajevitsj.'

Borzov schonk zich weer in en dronk, en iedere druppel bracht hem dieper in de put. 'Misschien zijn we onze tijd vooruit, Kolja. Wij zien wat anderen niet zien. Je speelt toch schaak?'

'Natuurlijk.'

'Bij schaken speel je het spel nooit tot het eind. Als je gaat verliezen, leg je je daarbij neer, je gaat niet helemaal door tot de laatste zet om je door je tegenstander te laten vernederen.'

Borzov werkte zich uit zijn stoel omhoog en ging weer voor het raam staan kijken. 'Ze hielden altijd van hun president, Kolja. Weet je nog? En nu verwachten ze wonderen van hem. Ze verwachten dat hij de zieken geneest, de misdadigers straft, de armen voedt. Wat willen ze nog meer? Een menselijk offer? Moet Anatoli Nikolajevitsj op het mausoleum gaan staan en zichzelf doodschieten?'

Arkin kwam naast hem staan. 'Anatoli Nikolajevitsj, als je hieraan toegeeft, schiet ik je zelf dood.'

64

Het was even na tien uur 's ochtends toen vier Tsjetsjenen het filiaal van de Sberbank op Ostozjenka binnen liepen. Ze doken onder een groot bord door waarop de privatisering werd aangeprezen en passeerden de maandag-ochtendrijen, waarna de directeur zelf hen snel zijn kantoor binnen duwde – want wie weet wat die Tsjetsjenen zouden doen als hij hen liet wachten? Ze haalden papieren uit hun zak waaruit bleek dat ze vertegenwoordigers waren van het ministerie van Financiën in Grozni, en deelden de directeur mee dat ze gekomen waren om de privatiseringsbonnen op te halen die vandaag zouden worden uitgedeeld.

'Bonnen, waarvoor?' vroeg de directeur. 'Voor Grozni?'

'Voor de hele Tsjetsjeense Republiek.'

De directeur trok een wenkbrauw op. 'Dat zijn meer dan een miljoen bonnen.'

Ze wezen naar een vloot voertuigen buiten. 'We hebben ruimte genoeg.'

'Er zijn niet genoeg elastiekjes om ze te bundelen; is dat een probleem?' vroeg de directeur. 'De meisjes zijn al condooms in repen aan het knippen; volgens hen is het geen groot verlies, hun mannen willen ze toch niet gebruiken.' Hij pakte een vel papier uit een la. 'Ik moet jullie wel deze volmacht laten tekenen. Daarmee krijgen jullie toestemming de bonnen weg te halen, en wordt de verantwoordelijkheid voor de veilige bewaring aan jullie overgedragen.'

'Geen probleem,' zeiden ze, en elk van hen zette met zwier een onleesbare handtekening.

Er kwam weer een partij bonnen binnen bij Rode Oktober, maar deze keer enkele duizenden, geen miljoenen: voor iedere arbeider, bestaand of niet-bestaand. Lev nam de pakketten mee naar zijn kantoor en zette ze in de safe.

De intercom zoemde. Hij leunde over zijn bureau en drukte de knop in. 'Ja?'

'Tengiz aan de telefoon,' zei Galina.

'Zeg maar dat hij de pest kan krijgen.'

'Hij wil u echt dringend...'

'Je hebt me gehoord, Galja.'

Galina zette de intercom uit en richtte zich weer tot Sabirzjan. 'Hij wil niet met je praten, Tengiz.'

'Galja, ik moet hem spreken.'

'Waarover?'

'Het is al veel te erg uit de hand gelopen. Iemand moet de eerste stap doen in de richting van een verzoening, maar als hij me niet in de stokerij wil zien, wat moet ik dan doen?'

Ze ging rechtop zitten. 'Ik doe niets meer voor je.'

'Vertel alleen even... gaat hij niet ergens naartoe waar ik hem kan bereiken?'

'Tja...' Ze zoog lucht naar binnen door haar tanden. 'Je weet dit niet van mij, maar ik heb zojuist een tafel voor hem besproken in het Vek. Morgenavond, acht uur. Je zou daar met een stel mensen kunnen gaan eten, hem dan zogenaamd toevallig tegen het lijf lopen, en heel verbaasd kijken.'

'Dat doe ik. Mondje dicht, hè? Je bent geweldig. Bedankt, Galja.'

'Je moet me nu met rust laten.'

Sabirzjan liep over het Rode Plein, waar een groep gemeentewerkers nog steeds bezig waren de rommel van de vorige avond op te ruimen. De etalages van warenhuis GUM vertoonden gapende wonden. Vlakbij was een man in een duffels jasje bezig een vlek weg te schrobben die overduidelijk door bloed was veroorzaakt, wat zelfs te zien was op de donkerrode keien.

De rel had de regering geschokt, maar meer ook niet. Borzov was nog steeds aan de macht; Arkin had de oproerkraaiers uitgekafferd voor raddraaiers en reactionairen die de vooruitgang wilden tegenhouden; het Westen steunde het privatiseringsprogramma nog steeds; en Lev was nog steeds de baas van de distilleerderij. Er was niets veranderd. De verkoop vond over een week plaats, meer tijd had hij niet.

Sabirzjan had nog één mogelijkheid over. Het was iets wat hij in het verleden altijd had afgewezen, maar nu was het echt zijn laatste redmiddel. Hij stapte in zijn auto en reed in westelijke richting – naar het Smolenskiplein, waar de Tsjetsjenen zaten.

65

Hetzelfde bankfiliaal, dezelfde directeur als de vorige dag; vier andere Tsjetsjenen, deze keer in het uniform van de politie van Grozni. 'Er hebben zich onregelmatigheden voorgedaan in het schema voor het ophalen van de bonnen,' zei een van hen. 'Heb je de machtiging nog?'

'Natuurlijk.'

'Geef me die. We willen hem laten nakijken op vingerafdrukken.'

De directeur van de bank trok een la open. 'Nee,' zei de Tsjetsjeen. 'Niet aanraken – dit moet volgens de regels gebeuren.' Hij opende een klein tasje en haalde er een paar rubberhandschoenen, een tangetje en een doorzichtige plastic envelop uit. De handschoenen trok hij aan, met de tang pakte hij het papier op, de machtiging verdween in de envelop.

'Moeten we dit niet aangeven?' zei de bankdirecteur, met uitpuilende ogen vanwege zijn bijrol in een dergelijk drama. 'Bij Petrovka – het Kremlin zelfs?'

'In wiens opdracht denk je dat we hierheen zijn gestuurd? Laat ons dit nu maar afhandelen, dan ben je een brave kerel.'

De Tsjetsjenen waren binnen het uur terug in het Belgrado. Ze hadden een miljoen bonnen en de machtiging. Sberbank had geen enkel bewijs dat ze er zelfs binnen waren geweest. Toen Karkadann het nieuws hoorde, plooide hij zijn gezicht in iets dat begon als een grimas en eindigde als een glimlach – de eerste die in lange tijd bij hem was gezien.

Officieel konden bonnen worden gekocht met contant geld, geïnvesteerd in een onderneming naar keuze, of belegd in een bonneninvesteringsfonds. Officieus, en volkomen voorspelbaar, had zich een vierde markt aangediend: bonnen konden worden ingeruild voor wodka, meestal één bon tegen drie flessen. In heel Moskou hingen kioskeigenaren bordjes op waarop stond: KOOP HIER UW BONNEN. In het oude hoofdpostkantoor, waarin nu de beurs voor grondstoffen en handelswaren was gehuisvest, keek een borstbeeld van Lenin ondoorgrondelijk toe terwijl handelaars bonnen bijschreven op de lijst van aangekochte en verkochte goederen. Buiten op het trottoir probeerde Arkin een oude man met klem af te raden zijn bon te verkopen, maar hem in plaats daarvan verstandig te investeren.

'Nikolaj Valentinovitsj,' antwoordde de oude man, 'ik zou hem hier ter plekke aan jou verkopen als ik dacht dat je stom genoeg was om hem te kopen.'

De maître d'hôtel van het Vek begroette Lev als een oude vriend die hij lang niet had gezien. Het was voor het eerst dat Lev er kwam sinds oudejaarsavond. Lev en Alice hadden zich allebei met zorg gekleed voor de gelegenheid. Dit soort tenten gedijen op hun exclusiviteit en van de uitbaters werd verwacht dat ze daar alles aan deden.

Zelfs na alles wat er de afgelopen paar dagen was gebeurd, zat geen van de andere gasten fluisterend naar Lev en Alice te kijken. Alice zou bijna willen dat iemand dat wel deed, alleen om hem eens goed de waarheid te kunnen zeggen; ze werd binnenkort ongesteld, en een flinke tirade zou iets van de premenstruele spanning wegnemen.

Ze kregen een tafel toegewezen, de stoelen werden naar achteren getrokken, wodka en menukaarten werden gebracht. De lijfwachten zaten aan tafeltjes naast hen, dichtbij genoeg om hen in de gaten te houden, te ver om hen te horen. Lev koos gans gevuld met appel, Alice nam baars, gevuld met gehakt, en olijven op de plaats van de ogen. Een jazzcombo kabbelde voortdurend zachtjes op de achtergrond. Buiten wierp het schaarse natriumlicht van de straatlantaarns een bijpassende sombere gloed op de eeuwige stroom voorbijgangers. Van huis naar het werk, van het werk naar huis, zonder iets daartussen, alleen maar overleven.

Was het niet verderfelijk, dacht Alice, dat ze naar een dergelijk restaurant gingen en per persoon tweehonderd dollar uitgaven? Natuurlijk. Maar ja, veel Moskovieten waren zo arm dat een bezoekje aan McDonalds al iets buitensporigs was.

Ze waren halverwege hun voorgerecht toen de aanval werd ingezet.

Drie auto's, zo te zien BMW's, passeerden in hoog tempo, Tsjetsjenen hingen uit de ramen terwijl hun geweren vlammen spoten naar het raam van het Vek. 'Op de grond!' schreeuwde Lev. 'Iedereen op de grond!' en ze doken allemaal naar beneden. In de halve seconde die het duurde om van zijn stoel op het tapijt te kruipen, zag Lev alles met een opmerkelijke scherpte: voorbijgangers buiten die uiteenvlogen en zich in doodsangst op het trottoir lieten vallen; zijn eigen lijfwachten die in gefrustreerde onmacht met hun wapens zwaaiden, niet in staat om af te vuren omdat de auto's al verdwenen waren en er mensen in de weg stonden; Alice, met haar gezicht tegen de grond, haar ogen dichtgeknepen van angst.

Nee, dacht Lev, er klopt iets niet. Hij kroop met de vastberadenheid van een beer overeind, en negeerde de waarschuwing van een van zijn lijfwachten dat hij moest blijven liggen. Hij had iets gehoord, of liever, hij had juist iets niet gehoord, zoals de hond die niet blafte. Hij had niet gehoord wat hij verwacht had: hij had geen glas horen breken, geen gekerm of geschreeuw van mensen die een kogel in hun lijf hadden gekregen. Lev kende die geluiden even goed als hij Poesjkin kende, en er was maar één verklaring: de Tsjetsjenen hadden losse flodders gebruikt.

De anderen kwamen langzaam overeind. Ze klopten hun kleren af en keken verwilderd naar de ramen van het Vek, totaal onbeschadigd, en naar de mensen buiten, die nerveus lachend elkaar overeind hielpen. 'Het waren losse flodders!' schreeuwde iemand, en dat begrepen ze allemaal, maar Lev was in gedachten al een stap verder. Inderdaad, ze hadden losse flodders gebruikt – maar waarom?

Het antwoord kwam vooral voort uit intuïtie. Hij wist de reden al voordat zijn hersenen er woorden aan hadden kunnen geven, en het was zeker geen bewuste gedachte die hem onmiddellijk weer op de grond deed belanden, een heel eind voor zo'n boom van een kerel. Hij sleurde Alice mee en brulde nogmaals dat iedereen op de grond moest gaan liggen, maar ze begrepen het niet. Het gevaar was toch geweken? Het was een heel eenvoudige truc, die zij niet doorzagen, en zijn stem ging verloren toen zijn lichaam weer op de grond landde en de eerste lading echte kogels door het raam werd afgevuurd.

Er waren in totaal vijf auto's die met tussenruimten van drie meter langs het Vek reden alsof ze deel uitmaakten van een begrafenisstoet. Twee mannen hingen uit elke wagen, en in het voorbijgaan doorzeefden ze het restaurant van boven naar beneden, en nog eens. Ze schoten een rij kogels af op ooghoogte, nog een op borsthoogte, en vanuit Levs positie op de grond kon hij afleiden wat er gebeurde aan de hand van het helse lawaai van versplinterend glas en het gejammer van mensen.

De seconden leken uren te duren, toen ging de achterste auto er in hoog tempo vandoor en kreeg de tijd zijn normale verloop weer terug. Lev keek om zich heen. 'Alice! Alice!'

Ze lag op haar zij, overdekt met eten. 'Nou, was dat even jammer van al die make-up.'

'Je leeft nog,' zei hij, en hij wist dat ze de ongerustheid in zijn stem had gehoord waaruit bleek dat zijn liefde voor haar echt was. Hij keek voorzichtig naar boven en om zich heen voordat hij zijn hoofd durfde op te tillen en daarna zijn bovenlichaam. De stoep lag bezaaid met zowel lichamen als delen van lichamen. De gangsters waren profs, door hun langzame en methodische werkwijze waren hoofden en ledematen van rompen gescheurd.

De jazzband speelde nog steeds door. Ze zouden zich de melodie later niet herinneren, en hun kleren waren zo doordrenkt van angstzweet dat ze zelfs andere schoenen moesten aantrekken, maar als ze waren gestopt voor de afgesproken tijd, zouden ze contractbreuk hebben gepleegd. Het Vek zou hun dan niet hebben uitbetaald – zelfs niet na het bloedbad dat vlak voor hun neus was aangericht.

Binnen in het restaurant zaten mensen te jammeren en te gillen, maar het was niet om hen dat Lev zich zorgen maakte. Hij zocht naar mensen die juist niets zeiden, want die zijn er altijd het ergst aan toe. Nee, iedereen leefde. Degene die het hardst schreeuwde was een van de lijfwachten.

'Wat heb je?' vroeg Lev.

'Een kogel in mijn schouder.'

'Hoe erg is het?'

'O, niet zo heel erg. Ik maak me meer zorgen om mijn jasje.' Hij plukte aan het leer zodat Lev het kogelgat kon zien. 'Het was pas nieuw, vorige week gekocht. Nu kan ik het weg sodemieteren.'

'Kan jou dat jasje wat schelen.' Lev staarde kwaad door het kapotte raam naar de aangerichte vernieling daarachter, en zag dat de hoofdregel die hij had gesteld voor maffiagevechten weer eens grof was geschonden: er waren niet alleen onschuldige burgers geraakt, ze waren zelfs gewond, gedood. Het gebrek aan onderscheid van de Tsjetsjenen kwetste Lev. Toen hij in het kamp had gezeten, had hij problemen gehad met het sovjetsysteem, niet zozeer met de mensen. Zijn omstandigheden en tegenstanders mochten dan veranderd zijn, maar zijn principes niet.

Lev richtte zich tot zijn lijfwachten. 'Breng alle gewonden naar het ziekenhuis, nú. Wacht niet op ambulances, het mag lijden dat die er voor kerst zijn. En breng ze ook niet naar die waardeloze gemeenteziekenhuizen. Breng ze allemaal naar het Sklifosovski, en vertel ze daar maar dat ik alles betaal.'

Het was een puinhoop in het restaurant, en er bestonden geen verzekeringspolissen in Rusland die de naam waardig waren. Terwijl de mannen snel aan de slag gingen, riep Lev de directeur van het Vek.

'Ik zal alle schade vergoeden,' zei hij tegen hem. 'Tot op de laatste cent – daar hebt u mijn woord voor.'

66

Het penthouse en Rode Oktober waren de enige twee plaatsen waar Lev zich veilig voelde. Hij parkeerde Alice in zijn kantoor in de stokerij met vier lijfwachten. Nog eens acht lijfwachten zaten in de kamer waar Galina werkte. Lev belde Sabirzjan en vroeg hem – sommeerde hem – daarheen te komen.

'Alleen als jij persoonlijk mijn veiligheid garandeert,' zei Sabirzjan.

'Dat doe ik.'

Er werden geen kleffe handen geschud en er werd geen wodka aangeboden bij Sabirzjans komst; ze kwamen meteen ter zake. 'Heb jij tegen de Tsjetsjenen gezegd waar ze me konden vinden?' vroeg Lev.

'Hoe kon ik weten waar jij zat?' Sabirzjan reageerde noch boos noch defensief, en zijn ogen flikkerden niet. De twijfel die zijn onbewogenheid zaaide was genoeg om Alice kalm te houden. Ze zou Galina niet veroordelen zolang ze geen zekerheid had.

'Dat is geen antwoord.'

'Nee. Ik heb niets tegen de Tsjetsjenen gezegd.'

Dit was de reden waarom Lev Sabirzjan hier had ontboden in plaats van het hem aan de telefoon te vragen: zo kon hij hem recht in zijn gezicht kijken wanneer hij hem de vragen stelde. Maar hij merkte net als Irk in Petrovka hoe weinig zin dit had. Je kon een man die zo bedreven was in ondervragingen niet geloven; Sabirzjan kende trucjes waar Lev nog nooit van had gehoord. Lev had Sabirzjan steeds weer opnieuw dezelfde vraag kunnen stellen, tot laat in de avond, zonder dat hij er ook maar iets wijzer van was geworden.

Het was puur geluk voor Sabirzjan dat juist toen hij uit de distilleerderij vertrok een man met een chauffeurspet waarop OLD GLORY stond bij de receptie aan kwam lopen.

'Ik kom Alice Liddell ophalen,' hoorde Sabirzjan hem zeggen.

'En u bent...?' vroeg de receptioniste.

'Ik ben van de Amerikaanse Ambassade.

De limousine reed in westelijke richting naar de ambassade, met de Amerikaanse vlag fier en uitdagend wapperend op de motorkap. Alice zat achterin en probeerde te bedenken wat ze moest zeggen tegen de ambassadeur wanneer hij haar vroeg naar de moordaanslag en haar – niet voor de eerste keer – zou vertellen hoe bezorgd Washington was over de gang van zaken. Een eenzame Range Rover begeleidde hen, nu eens naast de limousine, dan weer erachter, nooit ervoor. Het was een eenvoudige rit van Rode Oktober naar de ambassade; over de Kammenibrug, langs Znamenka naar Arbatskaja, over Novy Arbat en Novinski. Ze draaiden net de laatste bocht om, van Novy Arbat naar Novinski, toen de aanval werd ingezet.

Heb je ooit orka's, zwaardwalvissen, zien aanvallen? Ze laten zwart-witte flitsen zien wanneer ze met staart en vinnen boven het wateroppervlak opduiken rond een grijze walvis en haar jong. De orka's werken samen om hun prooi uit te putten en de moeder van het kalf te scheiden. Ze komen steeds terug, onafgebroken en heftig rammen ze herhaaldelijk uit alle macht kracht tegen het jong terwijl de moeder probeert zich tussen de aanvallers en haar jong in te werken, of eronderdoor te zwemmen en het van hen vandaan te houden. Uiteindelijk begint het kalf te buitelen in roodgevlekt water, zijn vinnen bloedend en vol tandafdrukken op de plekken waar de orka's hem onder water hebben willen sleuren om hem te laten verdrinken. De moeder zwemt langzaam naar de kust. Haar kind is verloren.

De Tsjetsjenen kwamen aanrijden met vier Landcruisers. Nummer een reed snel voor het Amerikaanse konvooi langs en remde heftig; nummer twee en drie probeerden zich tussen de Range Rover en de limousine te dringen; nummer vier sloot achteraan aan om het achteropkomende verkeer te weren.

De limousine van de ambassade zwenkte met zo'n scherpe bocht langs de eerste Landcruiser dat Alice op de grond viel. Ze zag tijdens het vallen het gezicht van een Tsjetsjeen, en werd heen en weer geslingerd tussen angst en bewondering. Was er helemaal niets waar die kerels voor terugschrokken?

De eerste Landcruiser schoot snel naar rechts en klapte langszij tegen de limousine aan. De volgende twee stelden de Range Rover buiten gevecht door en steeds tegenaan te rijden en hem geen weg meer terug te gunnen naar zijn jong, waarna ze hem uiteindelijk naar de berm van de weg dwongen. De vierde reed tot vlak achter de limousine. Samenbrengen, scheiden en vernietigen; admiraal Nelson zou trots op hen zijn geweest.

Alle vier de orka's sloten het kalf in.

De limousine kon niets anders doen dan tot stilstand komen. Mannen stapten uit, hun geweer in de aanslag, onder het slaken van kreten die in elke taal op de hele wereld hetzelfde betekenen. De chauffeur draaide zich om naar Alice: 'Maakt u geen zorgen, mevrouw,' zei hij. 'We krijgen u hier wel weg.'

'Als je dat gelooft, beste man, heb je vast en zeker meer gedronken dan ik.'

De Tsjetsjenen gebaarden naar Alice dat ze naar buiten moest komen of dat ze anders het slot kapot zouden schieten, met haar erbij. Ze had er geen idee van wat ze wilden, maar zolang zij erbij in leven werd gelaten, was het beter dan achter in de limousine zitten wachten tot een kogel in haar slaap drong.

Ze deed zelf het portier open en stapte naar buiten. Haar bevalligheid ondanks de grote druk verraste de Tsjetsjenen; het duurde een fractie van een seconde voordat de eerste man naar voren schoot en haar vastgreep. Het was vreemd, maar ze voelde niet veel angst, vooral nieuwsgierigheid. Dat was de verdienste van een paar wodka's.

Alice werd achter in een van de Landcruisers gegooid. Terwijl de wagen met draaiende motor stond te gieren, werd zij geblinddoekt en gekneveld door Tsjetsjenen die naar benzine en sigaretten stonken. Ze probeerde in haar geheugen te prenten welke kant ze uit reden en hoe lang ze reden, maar algauw gaf ze het op. Ze kon nu niets doen. Ze wist dat ze eigenlijk in shock moest verkeren, en dat het uiteindelijk wel tot haar zou doordringen wat er allemaal voor verschrikkelijks gebeurde, maar voor het moment gaf ze zich over aan verbijsterde aanvaarding.

Er werd hard geremd, een wijde bocht en toen werd er weer hard geremd. Deuren gingen open, mannen kwamen in beweging. Alice werd naar buiten getrokken en vervolgens ergens binnengebracht, waarbij de kou even in haar huid beet. Ze voerden haar haastig mee door donkere gangen zodat haar voeten slechts af en toe de grond raakten, schaatsend als een reiger wanneer hij op het water landt. Een kamer, neergezet op een stoel. Ondanks de lap voor haar ogen kon ze merken dat het hier lichter was. Ze hoopte dat het door zonlicht kwam, maar toen ze haar de blinddoek afdeden, zag ze de gloed van een videocamera in de handen van een man met een witte lok in zijn haar.

Nog steeds was Alice vreemd genoeg nieuwsgierig. Het was alsof haar hersenen een bouwwerk vormden dat in verschillende appartementen was verdeeld; elk appartement had zijn eigen bewoners, iedere bewoner deed iets anders.

Er kwam een man binnen. Zijn gezicht bestond alleen uit hoeken en lijnen. Alice herkende hem aan de beschrijving die ze van anderen had gehoord, ze wist wie het was. Karkadann, de aartsvijand van haar minnaar. En nu had hij het dierbaarste bezit van Lev in handen.

Karkadann zei niets tegen Alice, hij bekeek haar zelfs niet, maar zij schrok van de opgejaagde indruk die hij maakte. Ze dacht aan Repins beroemde schilderij van Ivan de Verschrikkelijke, de grote ogen vol radeloos berouw, met zijn zoon in zijn armen die hij zojuist heeft gedood; het schilderij dat volgens Repin zelf geïnspireerd was door het zoeken naar een uitweg uit de ondraaglijke tragiek van de geschiedenis.

Karkadann gebaarde naar Zjorzj dat hij de camera op Alice moest richten, voordat hij zelf controleerde of hij tevreden was met het beeld dat hij zag. Toen draaide hij zich om en begon te praten.

'Dit is een bericht voor Anatoli Nikolajevitsj Borzov, president van de Russische Federatie. We houden hier de Amerikaanse Alice Liddell vast en we laten haar gaan op twee voorwaarden: dat de privatiseringsverkoop die voor maandag op het programma staat wordt afgeblazen, en dat alle bezittingen van distilleerderij Rode Oktober worden overgedragen aan de groep die de Tsjetsjeense belangen in Moskou vertegenwoordigt en waarvan ik aan het hoofd sta. Jullie hebben tot morgenmiddag de tijd om deze eisen in te willigen, anders wordt mevrouw Liddell gedood.'

Die middag sommeerde Borzov de belangrijkste figuren bij hem op kantoor: Arkin, Lev en de Amerikaanse ambassadeur Walter Knight. Een glas wodka voor iedereen, zelfs voor Knight – na twee jaar in Moskou was zijn weerstand om op elk uur van de dag te drinken wel verdwenen. Hij was hier zowel naar aanleiding van de augustuscoup als na de moorden in Vilnius en Riga geweest, maar dit was de eerste crisis waarbij een Amerikaans burger de hoofdrol speelde, en zijn gezicht was strak van de spanning.

'Onze stellingname is heel eenvoudig,' zei Borzov. 'Karkadanns eisen gaan alle perken te buiten en kunnen niet worden gehonoreerd. Dit is een daad van terreur. We kunnen en zullen er niet op ingaan.'

'Is dat de stellingname die u publiekelijk voorstaat?' vroeg Knight.

'Welke anders?'

'De stellingname die je er zelf op nahoudt.' Borzov gebaarde dat hij verder moest gaan. 'Publiekelijk zijn de regering van de VS en de meeste westerse landen het volkomen eens. Maar we moeten ook denken aan de invloed die dit kan hebben op de buitenlandse investeringen in uw land. Als mevrouw Liddell het niet...' Hij slikte even en koos zorgvuldig zijn woorden. 'Als haar het ergste overkomt, zal de moord op een adviseur van het IMF niet echt een veelbelovend signaal uitzenden naar instellingen die hier zaken willen doen.'

'Dat is nu niet direct het grootste dilemma waar we mee zitten,' zei Arkin.

'Maar wel een dat u in gedachten moet houden. Ik hoef u niet te vertellen wat de eh, echtgenoot van mevrouw Liddell' – hij keek recht voor zich, vastbesloten Levs blikken te mijden – 'en haar vrienden hiervan vinden.' Knight kwam net terug van het appartement aan de Patriarchenvijver, waar Lewis weinig te zeggen had gehad. 'Ze willen dat ze hier veilig en wel uitkomt, wat er ook voor nodig is. Het zou mij niet verbazen als ze hierna het eerste het beste vliegtuig naar huis nemen.'

'Hoe dacht je dan dat ze zouden reageren? We kunnen hun gevoelens niet laten meetellen. Trouwens, zover komt het niet. We zijn al andere manieren aan het bekijken om de zaak tot een goed einde te brengen.'

'Bij vuurgevechten komen meer gegijzelden om dan waar ook,' zei Knight.

'Maar het zou onachtzaam zijn als we niet gewapend ingrijpen. Intussen laten we Karkadann praten en proberen we hem zover te krijgen dat hij de uiterste termijn opschuift zolang we onderhandelen. Vergeet niet, deze gijzeling is zijn enige pressiemiddel. Als hij haar vermoordt, heeft hij niets meer over.'

Lev maakte een diep keelgeluid; om precies te zijn, er klonk een geluid, en het was moeilijk te zeggen of hij dat bewust had voortgebracht, en hoeveel instemming of wanhoop erin door klonk. 'Anatoli Nikolajevitsj heeft gelijk,' zei hij. 'Karkadanns eisen inwilligen – daar is geen sprake van. Er is niet één arbeider bij Rode Oktober die wil dat de fabriek in handen komt van de Tsjetsjenen. Hoe zou ik aan zijn eisen kunnen toegeven zonder hen allemaal te verraden? Hoe zou ik sowieso aan zijn eisen kunnen toegeven?'

'Precies,' zei Arkin. 'Het is per slot van rekening niet je echtgenote.'

Irk werd naar het Kremlin geroepen om de video te bekijken. Moord, niet ontvoering, was zijn specialiteit, maar in Rusland leidt het een al te vaak tot het ander. Bovendien, was dit niet een variant op de kindermoorden? De hoofdpersonen waren hetzelfde, net als hun doelen; ze verhoogden de inzet, dat was het enige verschil. Men moest de Tsjetsjenen nageven, dacht Irk, dat het echte volhouders waren.

'Hoe kom je hier aan?' vroeg hij.

'Iemand belde naar het Kremlin en zei dat ze onder een bepaalde bank in Gorkipark moesten gaan kijken,' zei Arkin. 'We hebben twee lijfwachten van de president gestuurd. De videocassette was onder de bank vastgeplakt.'

'Is er een manier om met de ontvoerders in contact te komen?'

'Nog niet.'

Irk bekeek de hele video drie keer. Hij lette op of er iets was wat hem een idee kon geven van de plaats waar de opname was gemaakt: een uitzicht door een raam op een herkenbaar punt, geluiden van buiten. Vliegtuigen konden wijzen op een aanvliegroute, verkeer op een snelweg, machines op een fabriek. Er was niets dergelijks te bespeuren, althans niet voor het blote oor en oog, en in Moskou waren zintuigen zo ongeveer het enige waarover een wetsdienaar beschikte. Met geavanceerde technische apparatuur had hij geluiden kunnen isoleren of beelden kunnen uitvergroten, maar Irk had, zelfs met de volledige steun van het Kremlin net zo goed kunnen vragen om een avondje uit met Miss World.

Borzov verscheen op de televisie, in zijn presidentiële kantoor, met het bijbehorende machtsvertoon, de driekleur en de tweekoppige adelaar op de achtergrond.

'De president laat zich niet chanteren een programma af te blazen waarbij de belangen van het volk in het geding zijn,' zei hij. 'Hoe kunnen we onderhandelen als het recht aan onze kant staat?'

De Tsjetsjenen hadden Alice al haar kleren uitgetrokken en in een kamer gezet die niet veel groter was dan een gemiddelde wc. Onder de grond, dacht ze, te oordelen aan de vochtigheid en het ontbreken van ramen. Ze hadden haar niets te eten gegeven – niet echt een ramp, aangezien de angst haar maag in een kramp hield – en de deur achter haar op slot gedraaid. Ze had om haar heen getast om zich ervan te overtuigen dat er niemand meer bij haar was.

Haar geest was een dorsmachine die probeerde het koren van de hoop te scheiden van het kaf van de twijfel. Vóór overleving: dit waren beroepsgangsters, die zouden dus niet in blinde paniek handelen. Tegen overleving: ze wist dat de kans dat Borzov op hun eisen zou ingaan heel klein was. Bovendien, haar ontvoerders hadden niet de moeite genomen zich te vermommen, en zouden er dus geen moeite mee hebben om haar te doden als het hun uitkwam. Daar kon ze beter maar later over nadenken.

Ze hadden haar haar kleren afgenomen om haar te vernederen, haar bang en weerloos te maken. Daar kon ze echter wel mee leven. Als ze tenminste niet steeds van die heimelijke blikken op haar lichaam wierpen. Als ze haar wilden verkrachten, zou ze proberen zich te bevuilen om ze daarvan te weerhouden – als haar verwachte menstruatie daar al niet voor had gezorgd, dacht ze wrang.

Ze voelde zich schuldig dat ze iedereen van wie ze hield hieraan blootstelde. Ze had meteen moeten proberen te ontsnappen. De waardigheid waarmee ze uit de limousine was gestapt was allemaal goed en wel, maar wat had dat haar opgeleverd? Mensen waren afhankelijk van haar, en zij had hen laten zitten. En de verkoop? Die was voor het hele land, voor het heden en zijn toekomst. Was er iets dat zwaarder telde dan dat?

In het donker raakte de wodka uitgewerkt. De keelklanken van haar ontvoerders achter de deur klonken haar in de oren als wolven die een karkas verslinden. Alice drukte haar nagels in haar dijbenen om zich eraan te herinneren dat ze leefde, en probeerde niet te denken aan de verering die Russen hun martelaren toedragen.

67

Karkadann zelf kwam Alice haar ontbijt brengen.

'Ik moet naar de wc,' zei ze. 'Ik heb het de hele nacht opgehouden.'

Hij bekeek haar van top tot teen met een dierlijke nieuwsgierigheid, en schudde toen zijn hoofd. 'Na het eten.'

'Dat houd ik niet meer vol.'

'Je zult wel moeten.'

Alice wist dat vijandschap tot vijandschap leidde. Tot dusver had ze gedaan wat haar was opgedragen, en had ze zich niet al te tam en ook niet al te uitdagend gedragen. Ze hadden alle reden om haar te haten; meer wilde ze hun niet geven. Maar ze had ook haar trots.

'Als jullie me als een beest gaan behandelen,' zei ze, 'dan gedraag ik me ook zo.'

Alice hurkte neer. Karkadann staarde haar aan, alsof hij haar uitdaagde om zich te vernederen.

Het zou moeilijk moeten zijn om zich genoeg te kunnen ontspannen om naakt voor de ogen van een vreemde te urineren, maar Alice was zo ten einde raad dat de stroom al vloeide voordat ze het wist. Een hele opluchting, warm opspattend van de vloer tegen haar enkels. Karkadann zei niets tot ze klaar was, toen legde hij zijn hand op haar buik en duwde haar terug in de plas die ze had veroorzaakt.

'Eet je ontbijt,' zei hij, en gaf haar een grauwe pannenkoek en een draderig brouwsel dat ergens in de verte aan soep deed denken. Het was het eerste wat ze kreeg sinds ze hier was aangekomen, maar de aanblik benam haar iedere eetlust. 'Heb je geen wodka?' vroeg ze.

Karkadann hield zijn hoofd schuin, alsof hij een of ander exotisch dier in de dierentuin opnam. 'Meen je dat echt?'

'Als je me dood gaat maken,' zei ze, 'dan ben ik liever dronken.'

'Wie zegt dat we je dood gaan maken?'

'Jij, gisteren, voor de camera.'

'We hebben de termijn opgeschoven.'

'Zijn ze aan het onderhandelen?'

'Het zaakje zit vast. Geen van hen wil de eisen inwilligen, Lev nog het minst van allemaal.' Karkadann lachte vals toen hij een pijnlijke trek op Alice' gezicht zag. 'Laat me je iets vragen. Als je hier levend uitkomt, blijf je dan in Moskou?'

'Natuurlijk.'

'Waarom?'

'Omdat ik van deze stad houd.'

'Dan heb je geen smaak. Moskou is afschuwelijk. Je zou naar de Kaukasus moeten komen.'

'Is dat een uitnodiging?' Ze voelde zich weinig op haar gemak met haar poging bij hem in de smaak te vallen.

'Sneeuw op de bergtoppen, het hele jaar door. Zonlicht dat elk uur van kleur verandert. Lucht, zo zuiver dat je hem zou kunnen drinken. Rozen en granaatappels groeien in de dalen, en je kunt er geen stap zetten zonder een wijngaard tegen te komen. We lanterfanten en eten vlees met brood en kruiden en specerijen, dat we wegspoelen met cognac. Sla je een hoek om, dan is er een bron, een fontein, een tuin. Oude vetes, uitgevochten met messen, paarden waarop je de avond in kunt rijden. Dat is het echte leven.'

Hij liet een nummer van *Pravda* bij haar achter. Alice vroeg zich af wat er de afgelopen week zonder haar voor koppen in hadden gestaan. Dit was alweer voorpaginanieuws. Ze las een interview met Lewis – 'de bedrogen echtgenoot', zoals er onder zijn foto stond – waarin hij zei dat hij bad om haar veilige terugkeer. En op een pagina binnenin stond Lev, die achter zijn lijfwacht boze blikken naar de camera wierp. Alice keek naar zijn gezicht tot ze alleen nog maar een waas zag.

Nog meer uren alleen. Alice probeerde haar gedachten bezig te houden en weer leeg te maken; het werkte allebei niet. In haar hoofd klonken steeds weer Karkadanns woorden: 'Geen van hen wil aan de eisen toegeven, Lev nog het allerminst.'

Alice wist dat Lev van haar hield – ze had het gehoord aan zijn stem in het Vek toen hij bang was dat ze gewond was geraakt – maar ze kende ook zijn trots met betrekking tot Rode Oktober en zijn haat tegen Karkadann. Als hij alles opofferde voor haar, zou hij haar dat later absoluut kwalijk gaan nemen. Hij zou dus vast niet niet ingaan op Karkadanns eisen. Maar als hij het niet deed – de man die van haar hield – wie dan wel? Als Karkadann nu eens gelijk had? Per slot van rekening was ze nog niet vrij, of wel soms?

Twijfel holde je uit, net als verveling Ze was zo gewend om aan de gang te blijven, elk ogenblik te benutten met haar werkzaamheden. De verkoop was over vijf dagen. Arkin had haar gezegd dat ze onmisbaar was. Er waren nog duizenden dingen te doen. Hoe kon ze iets doen als ze hier vast zat?

Ze probeerde oefeningen te doen. Opdrukoefeningen, sit-ups, kniebuigingen, ze hield het maar een paar minuten vol, omdat ze geen energie meer over had. Ze dacht aan Lev en begon over hem te fantaseren, maar zelfs in een lege kamer voelde ze zich niet genoeg op haar gemak om zichzelf aan te raken. Er waren misschien wel geheime kijkgaatjes. Er was geen wodka.

Na wat uren leek te duren, kwamen ze haar halen en namen haar weer mee naar de kamer waar ze gisteren was gefilmd. Karkadann en Zjorzj waren er weer. Zjorzj droeg een plank met spelden en spijkers, en zette die achter Alice op de grond.

'Dit is de zogenaamde zilveren stoel,' zei Karkadann. 'Het is een veelbeproefde straf van het Rode Leger. Ze pasten het toe bij ons volk tijdens de deportaties. Je moet erboven gehurkt zitten totdat de spieren in je bovenbenen het begeven. De spierpijn is erg genoeg, maar wat je voelt als je in de spijkers valt is vele malen erger.'

Het menselijke trekje dat Alice eerder in hem had gezien was verdwenen, alsof het was weggevaagd door een passerende wolk. Ze had voor ze het wist al diep adem gehaald, en hij zag haar angst. Het spijkerbed was bevlekt met bloed; ze was kennelijk niet het eerste slachtoffer.

'Geef me dan minstens een paar kleren,' zei ze.

'Voeten plat op de vloer, knieën meer dan negentig graden buigen.' Hij knikte om aan te geven dat ze moest beginnen.

'En als ik weiger?' vroeg Alice.

'Dat zul je wel gauw afleren.'

'Als klootzakken konden vliegen, zou het hier een luchthaven zijn,' zei ze.

Alice sloot even haar ogen en ging toen in de vereiste positie staan. Karkadann knielde neer om te controleren of haar benen niet te recht stonden, en kwam tevreden weer overeind. Achter de spiedende lens brandde het rode lichtje van de camera. Haar marteling was niet alleen voor dit moment. Over een paar uur zou ze die opnieuw doormaken voor het oog van vier mannen in het Kremlin.

De pijn begon een paar minuten later. Alice zette liever haar kiezen op elkaar dan dat ze iets liet merken; ze wilde niet dat Karkadann iets van haar gezicht kon aflezen. De spanning trok door de voorkant van haar benen en opzij, stekend en tergend, en verdween van de ene plaats om weer in alle hevigheid op een andere toe te slaan.

Karkadann stond er met zijn armen over elkaar vreugdeloos bij te glimlachen. Ze keek naar hem met alle minachting die ze in haar blik kon leggen. Door de pure inspanning leek ze even haar evenwicht kwijt te raken, en ze dacht zelfs dat ze zou omvallen, maar ze herstelde zich en verdubbelde haar pogingen om de pijn te negeren.

'Die punten zijn verschrikkelijk scherp,' zei Karkadann.

Alice keek niet naar beneden. Ze had ze al gezien, en ze waren inderdaad scherp. Sommige waren ook gekarteld, andere bruin van roest of opgedroogd bloed. Ze vroeg zich af wat voor infecties er onder die dreigende punten schuilgingen.

De tape draaide.

Toen het gebeurde, was het snel voorbij. Alice voelde haar benen even trillen voordat ze bezweken, en met alle wilskracht in de wereld had ze geen ogenblik langer overeind kunnen blijven.

De zilveren stoel had een hoop narigheid veroorzaakt. Er zaten zes of zeven steekwonden op de plaats waar Alice was gevallen, diepe vleeswonden. Bovendien waren er scheuren en sneeën ontstaan toen ze zich in haar doodsangst in bochten had gewrongen, toen ze had geprobeerd zich overeind te werken en erachter kwam dat haar gevoelloze benen gewoon niet wilden, zodat ze wijdbeens voor hen lag als de eerste de beste hoer. De huid rond de wonden glom van het vocht, uitnodigend rood, en toen de camera daarboven bleef dralen had Alice het gevoel alsof ze daadwerkelijk verkracht werd.

Weer een bijeenkomst om vijf uur in het Kremlin; weer een rondje wodka; weer een videotape, waar ze in stilte naar keken, eerst weinig op hun gemak en daarna in absolute verlegenheid gebracht toen de opnamen te zien waren van Alice's onderlichaam, een close-up die bijna voyeuristisch aandeed, zo intiem. Lev stond op en liep weg, zijn keel dichtgesnoerd van de pogingen om zich te beheersen. Het duurde een paar minuten voordat hij weer terug was.

'De onderhandelingen gaan door,' zei Arkin. 'Tot dusver heeft Karkadann geen duimbreed toegegeven.'

'En als hij dat morgenmiddag nog niet heeft gedaan?' vroeg Lev.

'Dat doet hij wel. Of anders zal hij de uiterste termijn wel weer verder opschuiven. Zoals ik al zei, zij is het enige dat hij heeft.'

'En worden er nog militairen ingezet?' vroeg Knight.

'Een team van Spetsnaz staat klaar. Zij komen op het geschikte moment in actie.'

'Wat betekent dat?'

'Precies zoals ik het zeg.'

'Waarom zijn ze nu niet in actie?'

'Was jij niet degene die gisteren nog waarschuwde voor een militair ingrijpen omdat er bij schietpartijen altijd mensen gewond raken? Bovendien is het nu niet het geschikte moment.'

Ontkennen en met gespleten tong spreken, dacht Knight. Als je eenmaal wist hoe je dat soort informatie moest interpreteren, was het een fluitje van een cent. 'U weet nog steeds niet waar ze zitten?'

'Daar zijn we mee bezig.'

'Maar u wéét het niet.'

'Ze maken het niet gemakkelijk, moet ik zeggen. Iemand belt naar de centrale en zegt dan waar we de tapes kunnen vinden. Gisteren was het in Gorkipark, vandaag in Novi Arbat. Karkadann belt een van mijn privé-lijnen als hij me wil spreken, maar nooit lang genoeg om na te kunnen gaan waarvandaan. Het is onmogelijk voor ons om zelf contact met hen op te nemen.'

'Deskundigen hebben de tapes en de opnamen van de telefoontjes onderzocht,' zei Irk. 'Maar tot dusver hebben ze niet kunnen achterhalen waar ze vandaan komen.'

'Een detachement van OMON heeft vanmiddag een inval gedaan in het Belgrado Hotel,' zei Arkin.

'Daar zitten ze natuurlijk niet,' zei Lev.

'Het OMON heeft gezocht naar aanwijzingen over de plek waar ze kunnen zitten.'

'En, hebben ze iets gevonden?'

'Het was niet helemaal zinloos.'

'Nee, dus.'

'Ze hebben wel íéts gevonden. Zakkenvol privatiseringsbonnen, om precies te zijn. Bonnen die afgelopen maandag uit het filiaal van de Sberbank in Ostozjenka zijn gestolen.'

Weer alleen, en voor de eerste levensbehoeften, eten, water en een dak boven het hoofd, overgeleverd aan anderen. Zij bepaalden wat ze haar gaven. Waar ze ook om vroeg, ze kreeg het niet. Dat was de reden waarom ze geen verband had, ook al telde haar lichaam de dagen nog. Haar tranen stroomden tegelijk met het bloed; ze wilde dat het bleef stromen tot er niets meer van haar over was.

68

De volgende tape moest de afgelopen nacht zijn opgenomen. Het telefoontje naar het Kremlin kwam voor het ontbijt, en verwees naar een locatie vlak bij het Jermolov Theater. Er werden auto's gestuurd om Arkin, Lev en Knight op te halen; binnen twintig minuten waren ze allemaal in het kantoor van de president.

De video begon met een opname van Karkadann die een rubberslang vasthield. Alice zat vastgebonden op een stoel. Ze probeerde zich onder de touwen uit te werken, waarschijnlijk meer om de druk van haar gewonde lichaam te verlichten dan om zich te bevrijden. Karkadann liep naar Alice toe, strekt zijn vrije hand uit, maakte een vuist en stompte haar in haar maag.

Niemand in het kantoor van Borzov durfde naar Lev te kijken.

Toen Alice naar adem snakte, stak Karkadann het ene uiteinde van de slang in haar mond. Alice probeerde haar mond dicht te houden, maar ze snakte te zeer naar adem. De slang ging verder naar binnen, eerst tot achter in haar mond, toen in haar keel. Karkadann duwde hem langzaam omlaag, ervoor oppassend dat hij de slang in haar maag bracht en niet in haar longen. Alice gehoest nam geleidelijk af tot een lage fluittoon. Als een goochelaar die konijnen uit een hoge hoed tovert, greep Karkadann ineens een plastic trechter uit zijn zak en bevestigde die aan het einde van de slang.

Alice' ogen werden even groot als haar mond. Knight wreef over zijn gezicht.

Karkadann bukte zich, zodat hij even uit beeld was, en dook weer op met een fles wodka. Hij draaide hem open, hield hem boven de trechter, en begon te gieten. Zjorzj hield de camera net ver genoeg van Alice' gezicht dat hij de fles ook in beeld kon nemen, en bleef standvastig filmen, alsof het geluid van een fles wodka die klokkend leegliep hem hypnotiseerde.

Alice probeerde iets te zeggen en keek alsof ze een grimas trok. Alleen Lev besefte dat ze in werkelijkheid probeerde te glimlachen, en hij begreep het woord dat ze niet goed kon uitspreken.

'Meer,' zei ze, 'meer', met de onverschilligheid van iemand die niets te verliezen heeft.

Zowel onder invloed van de rubberslang als van de wodka kwam haar maag in opstand, maar het braaksel kon maar weinig kanten op. Een beetje verliet haar mond, het spoot naar opzij op haar wangen en kin, maar evenveel slikte ze weer meteen in, en de wodka bleef maar stromen, zonder ophouden en zonder mededogen.

Toen de fles eindelijk leeg was, stak Karkadann hem omhoog naar de camera en liet hem op de grond vallen. Achter hem lag Alice te spartelen als een vis op het droge.

'Dit is jullie laatste kans,' zei Karkadann. 'Ik heb de termijn tweemaal verschoven. Jullie hebben nu nog tot morgenochtend acht uur de tijd. Daarna wordt er niet meer geschoven. Als mijn eisen dan niet zijn ingewilligd, zal ik er persoonlijk voor zorgen dat mevrouw Liddell een traditioneel Tsentralnaja-afscheid krijgt.'

Het beeld flikkerde nog even en verdween.

'Wat betekent dat, een traditioneel Tsentralnaja-afscheid?' vroeg Knight.

Lev keek hen aan met de harde blik van een ervaren man die nietsvermoedende mensen moet shockeren. 'Dat is heel eenvoudig. Ze wikkelen prikkeldraad om je naakte lichaam en gooien je dan in de kofferbak van een auto, die ze vervolgens in brand steken. Je komt ofwel om in het vuur of je scheurt jezelf aan repen als je probeert te ontsnappen.'

Arkin had gezegd dat het onmogelijk was om zelf contact op te nemen met Karkadann.

De man had zijn eigen vrouw en zoon vermoord. Voor de minnares van zijn vijand zou hij zijn hand niet omdraaien.

Lev ging terug naar Rode Oktober en bleef een uur achter zijn bureau zitten voordat hij het Belgrado belde.

Voor een man die gewend is alles gedaan te krijgen door alleen maar met zijn vingers te knippen, leek het wachten eindeloos. Lev dwong zich terug te denken aan de goelag. Hij had er jaren doorgebracht, elke dag weer precies zelfde als de vorige en de volgende. Een paar uur was daarbij vergeleken niets.

Karkadann belde laat in de middag. Lev wist niet of zijn boodschap nu pas was aangekomen, of dat Karkadann hem al eerder had ontvangen en had besloten Lev nog even te laten zweten voordat hij reageerde. Het kon hem niet schelen hoe het zat. Het was genoeg dat Karkadann belde.

'Wat wil je?' vroeg Karkadann.

Lev dacht aan de manier waarop Karkadann Alice had gestompt. Hij dacht aan de traditionele Tsjetsjeense cultuur die vendetta's voorschreef tegen vrouwen. Hij dacht eraan wat de Tsjetsjenen haar nog meer hadden kunnen aandoen toen de camera niet draaide. Hij dacht aan de aanslag op hem in het Vek, en aan de geitenwollen trui. En daarna borg hij al die gedachten ergens diep in zijn ziel weg.

'Ik wil praten over een akkoord,' zei hij, en klonk volkomen neutraal.

'Geen discussie mogelijk. Je kent mijn eisen – je gaat erop in, of ik hang op.'

'Ze zullen de verkoop niet afblazen, en ze geven mij geen toestemming om Rode Oktober aan jou over te dragen, ook al zou ik het willen; dat moet je weten. Ik zal je het meest redelijke aanbod doen dat je kunt verwachten.'

'Ik kan krijgen waar ik om heb gevraagd,' zei Karkadann, maar zijn stem klonk al iets minder fel. Lev wist dat hij de eerste persoon in twee dagen was die tenminste luisterde naar de Tsjetsjeen.

'Als de verkoop eenmaal loopt, is het te laat voor je, dan is het bedrijf al voor een groot deel in handen van anderen. Daarom zorg ik dat op maandagochtend, op het laatste moment, een andere locatie wordt ingenomen. Als excuus voer ik de miljoen bonnen aan die je bij Sberbank hebt gestolen; ik zal zeggen dat de verandering van locatie jammer maar noodzakelijk is om Rode Oktober te beschermen tegen de Tsjetsjenen. Het publiek zal niet weten waar de verkoop precies is, dus krijgen ze ook geen aandelen. Daarna kan ik in alle rust Rode Oktober aan jou overdoen.'

'Dat is gekkenwerk. Borzov en Arkin zullen het je nooit vergeven.'

'Borzov en Arkin zijn bereid Alice te laten sterven. Ik ben degene die hún nooit zal vergeven.'

'Ze zullen ons allebei de oorlog verklaren.'

'Met een mislukte verkoop, geen privatisering, stijgende prijzen, een parlement dat bloed ruikt – zullen ze straks niets meer te zeggen hebben.'

De lijn ruiste in Levs oor terwijl Karkadann over de mogelijkheden nadacht. De rivaliserende bendeleiders tegen het Kremlin: het was een onwaarschijnlijk partnerschap, maar ja, dat waren de meeste bondgenootschappen in Rusland.

'Wat wil je daarvoor van mij?' vroeg Karkadann.

'Dat je Alice laat gaan. En dat die kindermoorden ophouden.'

'Hoe kan ik haar laten gaan als niemand hier iets van mag weten?'

'Je laat haar ontsnappen. Laat het voorkomen alsof ze op eigen kracht is weggekomen.'

Weer een stilte. 'Oké...'

'En de moorden. Daar moet je een einde aan maken.'

'Waarom doe je dit?'

'Zoals ik al zei: omdat zij het niet doen. Tijdens onze gesprekken zijn ze zich er volledig van bewust dat we het over mijn minnares hebben. Ze zien haar naakt, en het kan ze geen donder schelen. Ze betekent helemaal niets voor hen.'

'Ik dacht dat de vori niets om vrouwen gaven.'

Lev keek naar de getatoeëerde woorden op de binnenkant van zijn linkerarm: *Weg met de sovjetwetten; de enige regels die ik volg, bepaal ik zelf.*

'Dat dacht ik ook altijd,' zei hij.

69

Alice deed alsof ze sliep toen ze in de kleine uurtjes de deur hoorde open-gaan. Ze rook aan de vage geur van verrotting dat het de man was met de witte lok in zijn haar. Onder de dunne beschermlaag van haar oogleden stelde ze zich voor hoe hij boven haar zijn lippen stond af te likken. Hij zei niets; hij zei nooit iets.

Ze wist dat de termijn bijna was verstreken, maar ze dacht er niet bewust aan. Ze kon zich net zo min indenken dat haar leven nog maar een kwestie van uren of minuten zou zijn als dat ze zich een leven in een ander melk-wegstelsel kon voorstellen. Hier te sterven, alleen en ver van degene van wie ze hield – nee, dat was niet te bevatten, daar sloot haar gedachtewereld zich voor af, en hoe meer ze probeerde dit te beseffen hoe moeilijker het werd, totdat ze het uiteindelijk maar opgaf en dacht aan verdorven Tsjetsjenen die haar zouden verkrachten, omdat dat dichterbij was, omdat dat gemakkelij-ker was. Gemakkelijker!

Ze hoorde Zjorzj weer teruglopen. Hij deed de deur open, twee passen, en trok hem achter zich weer dicht. Ze kende de geluiden maar al te goed: het piepen en kraken van de scharnieren, de klank van metaal in het frame, de roestige klik van het slot – alleen, nu was er geen klik.

Alice deed haar ogen open. Geen klik, ze wist het zeker, en ook geen ge-luid meer achter de deur.

Er waren altijd geluiden van de bewakers die met elkaar praatten en heen en weer liepen.

Het was een truc, natuurlijk. Zodra ze de deur opendeed, zouden ze haar grijpen.

Waarom zouden ze dat doen? Ze hadden haar toch waar ze haar hebben wilden, of niet?

Ze wachtte een paar lange minuten, terwijl haar gedachten heen en weer gingen als een slinger, van het ene uiterste naar het andere. Het was een truc, het was een vergissing. Dit waren haar laatste minuten, dit was haar kans op vrijheid.

In haar borstkas voelde ze een vreemd soort opwinding. Het ging erom dat ze moest overleven, ontsnappen, en haar opleiding en prestaties en schoonheid en succes deden er niet meer toe.

Wat had ze te verliezen? Daar kwam de slinger ten slotte bij uit: wat had ze te verliezen?

Ze greep de kruk van de deur stevig beet, en nog steviger toen haar hand er bijna afgleed vanwege het zweet. De kruk ging omlaag en de deur zwaaide open met een lawaai dat haar in de oren klonk als een machinegeweer. Alice hield haar adem in en wachtte op kreten van woede, of erger. Ze durfde pas weer uit te ademen toen de deur open stond en ze de lege gang had afgespeurd.

De tijd verdichtte zich; elke stap duurde een eeuwigheid. Ze had in drie dagen nauwelijks een stap gezet en geen hap gegeten, om nog maar te zwijgen over de zilveren stoel en de slang in haar maag. Ze zou niet eens iets kunnen beginnen tegen een kind of ervoor weg kunnen vluchten, laat staan voor een bende Tsjetsjenen. Wodka zou haar energie geven, wodka zou haar moed geven.

Alice herinnerde zich iets dat Lev haar had verteld over het Siberische dilemma. Bij veertig graden onder nul heeft een man die door het ijs zakt twee opties: in het water blijven en binnen een minuut doodvriezen, of eruit klimmen en onmiddellijk doodvriezen. Een echte Siberiër zou eruit moeten klimmen, ook al zou hij dan sneller sterven. Het is beter om de dood maar meteen in de ogen te zien dan er domweg op te wachten.

Alice ging op onderzoek uit om te zien hoe haar kansen lagen.

De gang door, een trap op, langs een raam waardoor ze een glimp opving van een donkere straat en pulserende lantaarns. Lawaai links, ruziënde stemmen in de kamer boven haar, er was ook een vrouw bij, en Alice was even verbijsterd – als hier een vrouw was, waarom had ze die dan niet gezien? – voordat ze het blikkerige geluid van een televisie herkende. Ze liep gebukt langs de open deur en durfde niet naar binnen te kijken. Ergens aan de rand van haar blikveld zag ze vier achterhoofden, allemaal verdiept in het tv-programma.

Er klonk een harde boer, ze bleef stokstijf staan, maar hij was afkomstig van een van de televisiekijkende mannen.

Alice was nu bij de voordeur. Ze deed hem zo zachtjes mogelijk open. Een vlaag kille, vochtige lucht kwam van de gemeenschappelijke galerij en weg was ze, zich bedwingend om het niet op een lopen te zetten omdat ze wist dat ze niet sneller zou kunnen. Een hoek om, naar de hoofduitgang, de straat op langs een kleurig klimrek, waarbij de kou als schuurpapier langs haar huid schampte en ijskristallen in haar keel vormde.

Vrijheid was iets wat ze kon proeven tegen haar gehemelte, vrijheid was iets onbekends. Hoe gemakkelijk raakte je eraan gewend geen beslissingen te hoeven nemen. Even kon Alice niet bepalen welke kant ze uit zou gaan. Het was de kou die haar dwong in actie te komen. Naakt in een Russische winter, haar gijzelnemers konden haar afwezigheid elk moment ontdekken – het maakte niet uit welke kant ze opging, als ze maar ging. Nu ze eenmaal zo ver was gekomen mocht ze niet doodgaan van de kou.

Ze liep om warm te blijven en om verder te komen; het kon haar niet schelen waar ze was. Straatnaambordjes, het ene na het andere – Doebininskaja, Zatsepskaja, Stremjanni – en steeds liep ze door, een krankzinnige vrouw naakt op straat als in een droom, zwaaiend naar bestuurders die gas terugnamen zodra ze haar zagen, totdat het ergens in haar achterhoofd opkwam dat een auto precies was wat ze nodig had. Toen de volgende twee wagens naar de stoeprand gleden, koos ze de auto waarin een vrouw achter het stuur zat.

'Kotelniki,' zei ze, en voelde tot haar vreugde de naar benzine geurende warmte toen ze achter instapte. 'Ik heb geen geld.'

De vrouw nam haar op. 'Bent u niet…'

Alice knikte. 'Ik moet naar mijn minnaar.'

Een Amerikaanse zou erop hebben gestaan met Alice naar de politie te rijden, en alles volgens het boekje te doen. Deze Russische vrouw begreep Alice maar al te goed: wat kon een vrouw op zo'n tijdstip anders willen dan haar minnaar? De bestuurster lachte en reed weer de weg op.

Lev sloot Alice in zijn enorme armen en hield haar vast alsof hij haar nooit meer los zou laten. Ze was besmeurd en ze stonk naar vuil en angst, en hij klemde haar vast alsof hij dat allemaal van haar wilde overnemen. Hij zette haar teder en liefdevol in bad, zoals je een kind in bad doet, en waste alle narigheid van haar af, even zacht als hij het vuil uit haar wonden spoelde. Hij vroeg niet wat er was gebeurd, en zij vertelde het niet; het was genoeg voor haar om te weten dat zijn zwijgzaamheid voortkwam uit respect voor haar privacy en niet uit gebrek aan belangstelling.

Tegen de tijd dat hij haar een ontbijt had gebracht, lag ze te slapen in zijn bed, totaal van de wereld. Hij werkte de telefoontjes af.

'God zij dank,' zei Borzov, opgelucht door een sluier van wodka.

'Mooi.' Arkin klonk wat gespannener. 'Ik wist dat het recht zou zegevieren.'

'Ik ben zo blij dat ze veilig terug is,' zei Knight. 'Ik zal het nieuws doorgeven aan haar echtgenoot, als je wilt.'

Arkin belde terug. 'We zullen haar moeten ondervragen,' zei hij. 'Breng haar meteen naar het Kremlin.'

'Ze is door een hel gegaan,' zei Lev. 'Kom jij maar hier, als ze wakker wordt.'

Alice sliep tot aan de lunch. Toen ze wakker werd, wilde ze weer in bad; ze voelde zich nog steeds smerig.

'Je zou je man moeten bellen,' zei Lev terwijl ze in het dampende water lag, en legde een vinger tegen haar lippen om een woordenwisseling te voorkomen. 'Nee, echt. Dat weet je.'

Lewis hield de hoorn een stukje van zijn oor, zodat Alice in de hele kamer zou klinken die zo afschuwelijk leeg was zonder haar. Hij was blij dat ze in veiligheid was, zei hij; dat was het belangrijkste. Hij vroeg haar niet hoe het was geweest, en of ze nog thuiskwam. Evenmin vertelde hij haar dat hij niet een keer had gehuild, niet tijdens haar gevangenschap, niet sinds ze hem had verlaten. Misschien had hij dat wel moeten doen. Iedereen had zijn eigen manier. Ze zouden elkaar gauw spreken, zei hij.

Toen ze was aangekleed en een kop koffie voor zich had staan, kon Alice Arkin te woord staan.

'Lukt het je om maandag bij de verkoop te zijn?' vroeg hij.

'In vredesnaam,' zei Lev. 'Is dat het enige waar jij aan denkt?'

De uiterste termijn was minder dan drie uur geleden verstreken. Als Arkin al een vermoeden had van wat Lev had gegaan, zei hij daar niets over – en dat zou hij wel hebben gedaan als hij het had vermoed. Maar Arkin zou niet zijn gecapituleerd voor Karkadann, en dat zou Lev nooit vergeten.

'Ik voel me daar prima toe in staat,' zei Alice.

'Lieverd, je hebt net iets verschrikkelijks…' begon Lev.

'Ik zei toch dat ik me prima voel.'

Alice vertelde Irk wat ze zich kon herinneren van het appartement waar ze was vastgehouden. De straatnamen die ze had gezien gaven Irk een idee van de locatie, en ze stemde toe om in een onopvallende politiewagen mee te rijden om hem te laten zien uit welk gebouw ze was ontsnapt.

'Dat is waanzin,' zei Lev. 'Je kunt haar daar niet mee naartoe nemen.'

'Dat lukt best,' zei Alice stellig.

De omgeving zag er bij daglicht heel anders uit: veiliger, onbekend. Irk keek of Alice het wel aankon, maar met een paar wodka's had ze haar zenuwen gekalmeerd.

'Dat daar…' Ze wees.

'Weet je het zeker?'

'Absoluut.' Ze herkende het klimrek.

Irk nam geen risico's met de mannen van Petrovka, niet na het voorval op het Smolenskiplein. Evenmin zou hij gebruikmaken van de mannen van de 21e Eeuw, ook al dwong Lev hem daar bijna toe. Een team van OMON viel een uur later het gebouw binnen. Het appartement was leeg.

70

ZONDAG, 1 MAART 1992

Alice had een complete generale repetitie van de verkoop gepland in het tentoonstellingencomplex Krasnaja Presnja, en ze was vastbesloten, tegen alle adviezen in om alles aan Harry en Bob over te laten, er zelf bij aanwezig te zijn alsof er niets was gebeurd.

Het begon slecht. Ze was haar auto nog niet uit of een van de vrijwilligers holde op haar af.

'Mevrouw Liddell, ik wil graag drie maanden verlof.'

'Fedosia, na morgen mag je doen wat je wilt.'

'Morgen is te laat; ik moet vandáág al. Ik kan in mijn plaats wel mijn zus sturen.'

'Zonder dat ze een training heeft gevolgd? Doe niet zo gek.'

'Ze is heel goed, dat garandeer ik u.'

'Wat is er zo dringend?'

'Er is momenteel werk in Kazachstan.'

'Kazachstan? Wat wil je in godsnaam in Kazachstan gaan doen?'

'Een satelliet lanceren.' Fedosia glimlachte verlegen. 'Ik heb luchtvaartkunde gestudeerd.'

Alice moest bijna lachen. Fedosia was eigenlijk raketwetenschapper, maar hier zou ze helpen bij de verkoop, iets wat iedere jonge Moskoviet volgens Alice als het hoogtepunt van zijn beginnende carrière zou hebben beschouwd. Alice vroeg zich af hoeveel van de honderdvijftig vrijwilligers dit alleen maar deden omdat ze niets beters te doen hadden. De Russen noemen het een afgang als je gedwongen bent om een baan te nemen die ver onder je niveau ligt. In Moskou is het heel normaal. Ze kon het wel af met een persoon minder. 'Goed,' zei ze. 'Ga maar. Ga maar naar Kazachstan. Veel succes.'

Er stonden al een paar demonstranten, die hun plekje bezet hielden als mensen die op een uitverkoop af komen. Ze zwaaiden met een spandoek toen Alice langs liep – *Yankee, go home!* – maar ze merkte het nauwelijks op omdat ze problemen verwachtte. Harry stond ruzie te maken met een bewaker. Alice ging sneller lopen.

'Wat is er aan de hand?' vroeg Alice, en ging tussen hen in staan.

'Deze kerel wil me niet doorlaten,' zei Harry. 'Ik versta niet wat hij zegt, maar hij maakt me dol.' Hij keek over Alice' schouder en zei, in het Engels, tegen de bewaker: 'Luister, knaap, deze dame hier is de baas, ik hoor bij haar, en dus kan ik gaan waar ik wil. *Capisce?*'

Hij wrong zich door de deuropening, en toen hij daardoorheen was, zakte hij weg, alsof hij van een klein trappetje viel. De bewaker trok een grimas: *dat zei ik toch.*

'Wat is er gebeurd?' vroeg Alice.

Harry trok eerst zijn ene voet, en toen de andere uit het slijk. Dit ging gepaard met uitzinnige, zuigende geluiden van drie lettergrepen, als van ossen die door de modder waden. Zijn broekspijpen en schoenen zaten vol modder, natte cement en verf. Hij was een bouwterrein binnen gegaan, en daarom had de bewaker hem tegen willen houden.

Alice liep al naar een andere deur, die toegang gaf tot de grootste zaal van de expositieruimte. Harry kwam soppend achter haar aan, terwijl hij probeerde de blikken van de bewaker te mijden. 'Ik hield die vent voor zo'n typisch Russische eikel die me de wet wilde voorschrijven,' zei hij.

'Nee, Harry.' Alice wist niet goed of ze nu boos moest worden of in lachen uitbarsten. 'Jij was een typisch Amerikáánse klootzak die niet geloofde wat hij zei, gewoon omdat hij een Rus was.'

Harry werd met de week dikker. Alice kon het zien aan de kwabben die over zijn kraag heen vielen, aan de manier waarop zijn hemd zich spande boven zijn riem. Ze had gedacht dat hij met al die seks waar hij het steeds over had wel op gewicht zou blijven. Zijn gebruinde huid – niemand was bruin tijdens de winter in Moskou – had een oranje gloed, en was het donkerste op zijn slapen, vlak onder de haargrens. Typisch zonnebank, dacht Alice. Harry had bijna iets van een sekstoerist in Thailand. Ze vroeg zich af in hoeverre hij op de hoogte was van wat haar was overkomen, of van de video. Bekeek hij haar met mededogen of met wellust? Ze wilde het niet eens weten. Als ze deze dag wilde doorkomen, en de dag van morgen, en de rest van haar leven, dan moest ze deze hele onverkwikkelijke zaak achter zich laten.

'Hoe gaat het met je?' vroeg hij. 'Na al die... ik bedoel...'

'Doe me een lol, Harry. Vraag maar niks, dan hoef ik ook niets te vertellen.'

Bob stond bij de hoofdbalie op hen te wachten. 'Hoe gaat het met je, Alice?'

'Vraag maar aan Harry.'

'Heb je Lewis gezien? Hij was ziek van ongerustheid over je.'
'We moeten hier een verkoop houden.'

De verkoop zou plaatsvinden in paviljoen II, hal 3; drieduizend vierkante meter die voor de gelegenheid vol zat met vlaggetjes, posters, tafels en mensen. Alice sloeg geen acht op de stilte die haar komst veroorzaakte. Ze stapte op het podium, zocht steun van de katheder en begon het personeel met vragen te bombarderen om te controleren of ze alert genoeg waren.

Waar moesten de aanvraagformulieren naartoe? Naar de sorteerders, die ze zouden rangschikken en archiveren.

En de turfstaatjes? Naar de hoofdrekenaars, voor een laatste controle voordat ze door de computeroperators verwerkt werden.

Een voorbijganger zonder bon; wat deden ze daarmee?

Ze vulde voorbeeldformulieren in, maar liet expres dingen open om te zien of ze dat in de gaten hadden; ze liet een adres weg, een identiteitsnummer, het bodnummer of de opmerking passief of actief bod, zelfs de naam van de aanvrager.

Hoeveel rijen zouden er buiten staan? Twee: een voor particulieren, en een voor bedrijfslieden, en die twee mochten onder geen beding door elkaar gehaald worden.

Wat voor identiteitsbewijs moesten bieders bij zich hebben? Particulieren een paspoort; zakenlieden moesten opdrachtformulieren kunnen overleggen, gelegaliseerde kopieën van documenten, verklaringen van overheidsbelangen, en natuurlijk toestemming met handtekening van degene die zij vertegenwoordigden.

Ze schreeuwde en gilde om te controleren of de bewakers oplettten.

Achttien uur nog, en nog steeds ging er een aantal dingen verkeerd. 'Als jullie het niet zeker weten,' schreeuwde Alice, 'doe dan iets heel on-Russisch: vraag het!'

De repetitie duurde tot in de avond. Alice had het idee dat ze oefende voor een examen, en het moment naderde nu dat ze gewoonweg moest ophouden zich zorgen te maken en erop te vertrouwen dat alles misschien niet perfect, maar toch goed genoeg zou verlopen. Ze zou een lint doorknippen om de verkoop de volgende morgen om precies negen uur te openen – Borzov en Arkin, die zich klaarblijkelijk nog steeds in wilden dekken, hadden allebei dringende redenen om voor die eer te kunnen bedanken – en daarna moest ze maar afwachten hoeveel mensen er kwamen: tien of tienduizend.

Ze kon niet meer. Als ze zich niet aan de katheder had kunnen vastgrijpen zou ze onderuitgegaan zijn. Ze kon niet meer doen dan hopen en bidden – en natuurlijk haar zenuwen kalmeren met een flinke slok.

Lev was op pad voor maffia-aangelegenheden en kwam pas laat terug.
'Hoe ging het?' vroeg hij.
'Ging wel.'
'Eerlijk?'
'Eerlijk gezegd doe ik het in mijn broek.'
'Het komt wel goed,' zei hij, en drukte een kus boven op haar hoofd. 'Het kom wel goed.'
'Je hebt er meer vertrouwen in dan ik.'
Hij zapte alle kanalen langs en at verstrooid een paar zure haringen.
'Je bent er niet helemaal met je gedachten bij,' zei ze.
'Ik? Met mij gaat het uitstekend.'
'Vertel op.'
'Wat?'
'Vertel eens wat je me niet vertelt.'
Hij glimlachte plagerig. 'Er zijn zoveel dingen die ik je niet vertel.'
'Zoals wat?'
'Zoveel. Ik weet de helft zelf niet eens. Jij bent een Amerikaanse, Alice; ik ben een Rus. Jij hebt één ziel, ik heb er twee – een in het openbaar en een voor mezelf.'
'Denk je dat dat voorbehouden is aan Russen? Je zou het eens moeten meemaken op Wall Street. Op de beurs durft niemand medeleven, zwakte, kwetsbaarheid, menselijkheid te laten zien.' Elke dag had zijn eigen beproevingen meegebracht. Ze herinnerde zich dat collega's foto's van harde porno op haar bureau hadden gelegd om te zien hoe ze zou reageren, en bedrogen uit waren gekomen toen ze na een blik daarop tegen de man die het dichtst bij haar zat had gezegd dat zijn zus er goed uitzag.
Aan Levs gezicht was te zien dat die vergelijking voor hem niet opging. Hij boog zich voorover en zong zacht in haar oor:

Waarvan is uw schild gemaakt, meneer de schildpad?
Zei ik, en keek hem recht in zijn ogen.
Van de lessen die ik heb geleerd van de angst,
Kreeg hij als antwoord te horen.
In Rusland zoeken we onze weg in een web van leugens.
Het masker van de glimlach kan de duivelsklauwen van je naaste niet verborgen houden.

De groeven in zijn gezicht waren diep; littekens en putjes markeerden een latente agressie, ontstaan uit noodzaak, en in al die jaren, laag na laag, gevormd tot een pantser tegen de vijandelijke wereld. Lev wilde haar niet meer laten zien dan hij verkoos, het topje van de ijsberg. Van tijd tot tijd draaide de ijsberg een stukje, en bracht dan andere delen aan de oppervlakte, maar hij was te groot om elk deel lang genoeg aan de zon bloot te stellen. Er zouden altijd verborgen diepten zijn, gebieden die nooit ontraadseld werden.

71

Alice had op goed weer gehoopt – als de zon scheen waren er altijd meer mensen op de been – maar toen ze de gordijnen open trok, werd ze teleurgesteld. Het was een van die ochtenden waarop het een bijzondere, bijna heroïsche inspanning vergt om de dag te beginnen. Een grijs wolkendek waaruit fijne motregen viel spreidde zich uit over de hele stad, verzwolg elk straaltje licht, elk zweempje kleur, en veranderde alles in een grauwe, ondefinieerbare massa. Het was dag, maar het was alsof het nog steeds nacht was.

Op dit soort dagen was Moskou niet een stad waarmee het de goede kant op ging, maar een stad die diep in de communistische eenvormigheid was ondergedompeld. Mensen liepen met gebogen hoofd, en liepen haastig weg van het verleden in plaats van dat ze hun toekomst tegemoet gingen. Hoewel Alice gewend was aan grote vlakten die weinig meer waren dan bouwterreinen, leek het plotseling of de bouwvakkers scheuren verdoezelden in plaats van fatsoenlijke funderingen legden. Toen ze naar de horizon keek, zag ze amper ergens een kraan. Ze kon niet geloven dat er ergens ter wereld een hoofdstad was, zeker in Europa en al helemaal van een groot land, waar minder tot stand werd gebracht.

Ze had een ontbijtafspraak met Harry en Bob in Hotel Oekrainja, aan de overkant van de rivier ter hoogte van het tentoonstellingencentrum. Het was druk en lawaaiig in de lobby toen ze aankwam, politieagenten schreeuwden tegen gangsters, gangsters schreeuwden tegen hotelpersoneel, hotelpersoneel schreeuwde tegen politieagenten. De enige die niet schreeuwde was Harry, die eruitzag alsof hij moest overgeven, en vier mannen in trainingspak die op de grond lagen – dood. Alice liep snel naar Harry.

'Wat is er gebeurd?' vroeg ze. 'Is alles goed met je?'

Hij keek haar wazig aan voordat hij weer tot zichzelf kwam en haar een nonchalante glimlach toezond met een air van dit gebeurt me elke dag. 'Schietpartij. Ik was net binnen toen ze begonnen.' Nu hij een luisteraar had, wilde hij zijn verhaal toch wel graag kwijt. 'Iemand schreeuwde, een kerel duwde een andere man omver, een vierde haalde zijn pistool tevoorschijn en schoot – en iedereen zocht dekking op de grond. Het was net *The Alamo*. Ik zou hier niet graag schoonmaker zijn.'

Het was even na zeven uur 's ochtends. De mannen, ongetwijfeld maffialui van het laagste allooi, hadden vrijwel zeker de hele nacht zitten drinken. Alice keek naar het lichaam dat half onderuit tegen de muur leunde alsof hij stomdronken was. Zijn gezicht was dik en pafferig, en het vertoonde zelfs in de dood een stompzinnige uitdrukking. In Moskou zag je heel wat van dit soort mannen, die eigenlijk veel te weinig hersenen hadden om ze in aanraking te laten komen met drank, laat staan met een machinepistool.

Alice zag ectoplasma op de muur achter het hoofd van de man langzaam naar beneden druipen, en ze had even een opwelling van schuldgevoel; haar gedachte dat hij te weinig hersenen had, had ze niet letterlijk bedoeld.

'Wil je ergens anders ontbijten?' vroeg ze.

'Nee, nee. Het gaat best.' Harry keek nog even naar de grijze brei. 'Maar ik neem maar geen roereieren.'

Bob kwam binnen door de hoofdingang. Alice liep snel op hem af voordat hij het bloedbad kon zien en duwde hem met zachte dwang in de richting van de eetzaal. De maître d'hôtel wenste hun goedemorgen en bracht hen naar een tafeltje. Er was niet aan hem te merken dat er zojuist iets was gebeurd – hij beschikte over het Russische talent om net te doen alsof er niets aan de hand was.

Harry liep naar het buffet alsof hij deelnam aan een wedstrijd in een supermarkt waar je een minuut de tijd krijgt om je wagentje vol te stouwen met zoveel mogelijk boodschappen. Van alles nam hij wat: pap van boekweitmeel, beignets met Hüttenkäse, gebakken eieren en natuurlijk een hele berg blini's. Geen wonder dat hij zo dik werd.

Alice nam een klein bordje en at er niet meer dan de helft van op. Ze kon nauwelijks een hap weg krijgen uit bezorgdheid, maar niet door de vraag of de verkoop wel of geen succes zou zijn. Het waren allemaal banaliteiten die door haar hoofd spookten: over de insignes voor de medewerkers, een extra generator, eten en drinken – thee en koffie dan, geen wodka! – en nog tal van andere dingen.

'Hoe voel je je?' vroeg ze aan Bob.

Hij slikte nerveus. 'Als een kat met een lange staart in een kamer vol schommelstoelen.'

Het eerste wat Alice, verward maar niet ongerust, dacht, was dat ze de verkeerde hal was binnen gelopen. Hij was leeg: geen tafels, geen stoelen, geen podium voor de controleurs. Ze klakte geërgerd met haar tong en draaide zich om om weg te gaan, toen haar twee dingen min of meer tegelijk opvielen: het bordje op de deur, waarop stond dat dit toch echt Paviljoen II, hal 3, was; en een paar privatiseringsposters die aan de achterste muur waren blijven hangen als om haar te tarten.

Ineens kreeg ze het ijskoud, en ze had het gevoel dat ze in een gat viel.

Over minder dan een uur zou ze het lint moeten doorknippen, en de hal waarnaar hopelijk duizenden Moskovieten zouden stromen – er stonden er al minstens honderd buiten, die ze op weg naar binnen had zien staan – was even leeg als de Siberische vlakte. Gisteren nog had het hier gezoemd van bedrijvigheid, toen ze de generale repetitie had gehouden. Vanaf dat moment, ergens tussen zeven uur de vorige avond, toen ze was vertrokken, en nu, was alles – tja, wat? Gestolen? Verplaatst? In vlammen opgegaan?

Bob zag eruit alsof hij zojuist de geest van Stalin had gezien.

'Het is bijna acht uur. Waar ís iedereen?' zei Harry, en Alice wilde hem al corrigeren vanwege zijn irrelevante vraag – waar was álles, kon je hier beter vragen – toen ze besefte wat hij bedoelde. De controleurs moesten hier nu toch zeker al zijn, en alle anderen zouden binnen enkele minuten moeten arriveren, maar zij drieën waren de enige aanwezigen in de hal.

'Knijp me even, Harry,' zei Alice, met onvaste stem. 'Sla me, bijt me, doe iets, als ik maar wakker word. Dit is toch alleen een nachtmerrie?'

Hij schudde zijn hoofd. 'Niet als ik precies dezelfde heb.'

Ze vond de bewaker die de vorige dag had geprobeerd Harry ervan te weerhouden het bouwterrein in te gaan. 'Mijn hal is leeg,' snauwde ze. 'Waar is alles gebleven? Wat is er in vredesnaam aan de hand?'

De bewaker keek verbaasd op. 'De verkoop is verplaatst.'

'Verpláátst?'

'Natuurlijk.' Hij knikte in de richting van Harry. 'Hij zei dat u de leiding had.'

'Vertel nou maar wat er is gebeurd,' zei Alice, die de woorden nadrukkelijk met gelijke tussenpozen uitsprak, alsof daardoor alles goed zou komen.

'Een stel kerels is gisteravond alles weg komen halen.'

'Heb je niet gevraagd wat ze kwamen doen? Waar ze naartoe gingen?'

'Het was niet het type mannen die dat soort vragen waarderen, als je begrijpt wat ik bedoel.'

'En jij dacht dat ik daar iets mee te maken had?'

Hij haalde zijn schouders op. 'Natuurlijk. Ik lees ook kranten, weet je. Het is toch je vriendje?'

Alice belde de nummers van de plaatsen waar Lev zou kunnen opnemen –

het penthouse en de stokerij – en nog een stel waar hij dat waarschijnlijk niet zou doen, zoals het Vek, omdat ze daar met hem geweest was, het was een wilde veronderstelling, maar je wist maar nooit.

Waar hij ook zat, hij nam niet op. Ze liet Harry en Bob achter bij Krasnaja Presnja, samen met een toenemend aantal stomverbaasde journalisten en cameraploegen, en ging zelf op pad om Lev te zoeken, terwijl ze de tranen van paniek van haar gezicht veegde.

Ze was nog niet de hoek om toen ze moest stoppen om over te geven in de goot, en bleef nog een tijdje kokhalzen nadat haar maag zich had geleegd. Het was niet alleen omdat het hoogtepunt van haar werk – op dit moment zelfs het enige waar ze mee voor de dag kon komen – een fiasco was geworden; maar het feit dat Lev degene was die haar had verraden.

Lev, de man die vaker dan ze zich kon herinneren had gezegd hoeveel hij van haar hield.

Lev, die haar gisteravond nog had gezegd dat alles goed zou komen, terwijl hij vlak daarvoor een bom onder de verkoop had gelegd.

Lev, die haar had gezegd dat ze met Harry en Bob moest gaan ontbijten, omdat hij een en ander te doen had, en dat hij haar wel zou zien in de hal.

Lev, die had gelogen, gelogen, gelogen.

Alice ging eerst naar Rode Oktober, omdat die het dichtstbij was. Ze rende langs een stel bewakers de trap op, met twee treden tegelijk, naar de verdieping van de directie. Die was zo leeg als de *Marie Celeste*. Toen naar zijn penthouse, waar ook niemand was.

Lev had het postuur van een klerenkast, en hij leek in rook opgegaan.

Voor de tentoonstellingshal was het niet zo'n pandemonium als in Alice' hoofd, maar het scheelde niet veel. Het was nu een half uur later dan de verkoop was gepland, en Harry en Bob probeerden aan journalisten en de mogelijke bieders uit te leggen wat er aan de hand was. Alice sloeg het portier van de auto dicht en rende op hen af.

'Wat? Wat is er gaande?' zei ze.

'Wat denk je?' zei Harry. 'De zaal is leeg, en er is geen een medewerker verschenen.'

Alice bekeek de geagiteerde menigte: agenten probeerden hun lachen te houden, speculanten die tegen elkaar zeiden dat ze altijd al hadden geweten dat dat kapitalistische gedoe te mooi was om waar te zijn, en journalisten die zich bijna zichtbaar verlekkerden aan het sensatieverhaal.

'Bekijk het van de zonnige kant,' voegde Harry toe. 'Erger kan het in elk geval niet worden.'

Om tien uur hield Alice een persverklaring. Ze had besloten dat ze maar beter eerlijk kon zijn. Moskovieten zijn zo gewend aan leugens, dat ze zich krom lachen om smoesjes als 'we hebben technische problemen'. Ze kwam overal eerlijk voor uit: dat haar medewerkers, faciliteiten en spullen nergens te vinden waren, en dat, tenzij er een wonder gebeurde dat voor een volk dat tot het vorige jaar niet in een god mocht geloven ongekend was, de verkoop van de Rode Oktober vandaag niet doorging. Ze werd uitgejouwd en uitgefloten, natuurlijk ook omdat ze een buitenlandse was, maar hier en daar applaudisseerden er ook een paar mensen voor haar openheid, wat haar goed deed.

Tegen de middag was de menigte uitgedund. Ongeveer een derde van de speculanten was vertrokken nadat hun hoop de bodem was ingeslagen, een gevoel dat ze maar al te goed kenden. Sommigen hadden hun bonnen nog in hun hand, anderen hadden ze verscheurd en Alice in het gezicht gegooid. Een deel van de verslaggevers was ook vertrokken, ervan overtuigd dat er niets meer te verslaan viel. Degenen die waren overgebleven, in beide kampen, waren daar vooral omdat ze niets anders te doen hadden.

Tussen de middag dronk Alice wodka, drie glazen, bijna achter elkaar, en begon toen te lachen – wat kon ze anders doen? Het was zo'n ramp dat het grappig was. Borzov en Arkin moesten iets van dit fiasco hebben geroken; ze hadden zich niet laten zien, zelfs geen contact met haar opgenomen.

Ze probeerde Lev elk half uur te bellen op al zijn nummers, zonder resultaat. Ze liet woedende boodschappen achter; ze had geen energie om verder nog iets te doen.

Om zes uur, het tijdstip waarop de verkoop had moeten eindigen, verliet ze onwillig samen met Bob en Harry de hal en vertrokken ze naar het Oekrainja, waar Alice van plan was de hele bar leeg te drinken.

Om kwart over zes, toen ze net over de Kalininskibrug reden, belde Lev.

Levs zitkamer had een immense oppervlakte, maar Alice liep eroverheen alsof ze de grond amper raakte. Ze wierp zich met haar handen gekromd tot klauwen op hem. Ze wilde hem in stukken scheuren, de ogen uitkrabben. Tot dat moment had ze nooit helemaal begrepen wat het gezegde 'tussen liefde en haat loopt een dunne lijn' betekende, maar nu was het haar helemaal duidelijk. Hij greep haar polsen beet en duwde haar tegen de muur zodat ze niet genoeg kracht kon zetten om hem te schoppen.

'Hoe kon je?' schreeuwde ze. 'Hoe kon je?'

'Ik had toch geen keus?' zei hij eenvoudig. Hij hield haar dicht tegen zich aan, zowel om haar onder bedwang te houden als om haar te troosten. Hij was zoveel groter dan zij dat ze geen kans meer had om hem pijn te doen.

'Laat me los,' zei ze.

Hij deed het. 'Laat het me je ten minste uitleggen,' zei hij.

'Dat wil ik meemaken.'

Hij vertelde haar wat er was gebeurd, zo snel en eenvoudig als hij kon. Er waren natuurlijk kopieën van de lijst met mensen die meewerkten aan de verkoop van Rode Oktober. De vorige avond had hij naar elk adres twee mannen van de 21e eeuw gestuurd – bij elkaar zo'n driehonderd maffialeden. Alle deelnemers waren thuis geweest; iedereen die aan de verkoop zou meewerken zou daarmee niet eens genoeg verdienen om er een avondje van uit te kunnen. Levs mannen hadden al die mensen honderd dollar gegeven op voorwaarde dat ze de volgende dag thuisbleven en de telefoon niet opnamen. Het geld was bedoeld als lokkertje; het dreigement kwam in de vorm van vergeldingsmaatregelen van de maffia voor het geval ze zich niet aan de instructies hielden. Vijf mensen – een teller, een controleur, een counter, een chef-counter en een supervisor – hadden nog eens half zoveel gekregen als ze de volgende ochtend om half acht bij het metrostation van Tsvetnoj Boelvar zouden staan. Vandaar zouden ze meegenomen worden naar de ondergrondse wodkaopslag van de 21e Eeuw onder de Tuinring, vlak bij de kruising met Prospekt Mira, waar de bloedvlekken van de slachting van de Tsjetsjenen inmiddels waren weg geboend.

Daar had de verkoop plaatsgevonden. De opslagruimte was de hele dag open geweest, volgens de voorschriften van de verkoop, maar aangezien niemand wist hoe je daar moest komen – of wat er allemaal gaande was – was het niet zo gek dat er maar één bieder was geweest. Deze bieder had de procedure natuurlijk nauwgezet gevolgd, en had een passief bod gedaan, type één. Daarmee had hij ingestemd met de eindprijs, maar in ruil daarvoor was hem ten minste één aandeel gegarandeerd. Aan het eind van de dag, toen het totale aantal nog steeds op één stond, had Lev negenentwintig procent van de aandelen van Rode Oktober voor een totaal van tienduizend roebel in handen – wat, met de huidige wisselkoersen, nog heel wat minder was dan een Amerikaanse cent.

Alice had een soortgelijk aandeel in een Poolse frisdrankenfabriek voor vijftig miljoen dollar verkocht aan Pepsi.

'Waarom?' barstte ze uit. 'Waaróm?'

'Voor jou.'

'Voor mij? Je hebt álles kapot gemaakt. Hoe kon dat dan voor mij zijn?'

'Karkadann zou je hebben omgebracht.'

'Heb je dit met hém afgesproken?'

Lev vertelde over het gesprek dat hij met hem had gehad, en dat de Tsjetsjenen haar hadden laten ontsnappen.

'Je had me daar moeten laten doodgaan,' zei ze.

'Doe niet zo belachelijk.'

'Ik meen het serieus.'

'Vind je die verkoop meer waard dan je leven?'

'Die verkoop ís mijn leven.'

'Dat meen je niet, je bent dronken.'

'Ik ben niet dronken.'

'Wel waar. Ik ruik het van hier. Het spijt me wat er is gebeurd, echt waar, maar wat kon ik anders? Ik heb hier mijn eigen waardesysteem, dat is de zuivere waarheid. Het nieuwe Rusland is te kwetsbaar voor westerse zeden en gewoonten. Er zijn harde pragmatici nodig, mannen als ik, die hun handen vuil willen maken en hun geest willen bezoedelen, om dit land te laten overleven. Mijn keuze was een zaak van leven of dood. Ik heb besloten dat jouw leven meer waard was dan onze verkoop. Dat zou ik een volgende keer weer zo doen.'

'Je had het me kunnen vertellen.'

'En dan het risico lopen dat je naar Arkin zou gaan? O nee.'

Ze werd weer kalm en zag alles wat helderder. 'Wanneer heb je dit precies afgesproken?'

Hij keek haar recht aan. 'Vrijdag.'

'Drie dagen geleden.'

'Ja.'

'Dus al die tijd dat je voor me zorgde heb je geweten wat je zou gaan doen?' Haar woede kwam weer boven. Hij was nog niet echt bekoeld, en raakte weer snel tot het kookpunt. 'Toen je me in bad deed, en toekeek hoe ik sliep, en voor me zorgde, toen wíst je dat al?'

'Natuurlijk.'

'Wat een klootzak ben jij. Ik hoop je nooit meer te zien.'

'Je reageert overdreven.'

'Ik vind dat ik volkomen redelijk ben.'

'Hier aangeschoten binnenkomen en proberen mijn ogen uit te krabben, is dat redelijk? Als je me niet meer wilt zien, best.'

'Best? Is dat alles wat je erop te zeggen hebt? Bést? Ik zou eigenlijk naar het Kremlin moeten gaan om daar te vertellen wat jij en Karkadann hebben bekokstoofd.' Hij trok wit weg; dit was zijn zwakke punt, en ze zag dat hij haar ertoe in staat achtte haar dreigement uit te voeren.

'Als je dat doet dan… dan…'

'Dan wat? Ga je me vermoorden?'

'Drijf me niet tot het uiterste.'

'Of misschien ga ik wel naar Sabirzjan. Hij zou het maar wat graag horen, denk je niet? Ik weet hoe hij je haat. Hij zou je graag op zijn marteltafel zien.'

'Alice, hou op.'

'Misschien moet ik me door hem laten neuken. Dan zou jij kunnen toekijken.'

'Genoeg! Je hebt hulp nodig.'

'Waarvoor?'

'Je moest jezelf eens horen. Dat ben jij niet, die die zieke praat uitslaat, ook al ben je nog zo gekwetst. Dat doet de wodka, die je hersenen vergiftigt, die je in de war maakt.'

'In de war? Na wat jij hebt gedaan is dat ook niet zo gek, vind je wel?'

'Daar begin je weer. Altijd kom je met een excuus, altijd geef je een ander de schuld. Dit heeft niets met mij te maken, zie je dat niet? Dit doe je jezelf aan. Wil je me niet meer zien? Best. Gebruik de tijd die je anders met mij had doorgebracht maar om iets aan je verslaving te doen.'

'Ik ben niet verslaafd!'

'Je verkloot alles, Alice. En als je zo doorgaat, kun je het wat mij betreft verder zelf uitzoeken.'

'Dat is precies wat ik ga doen. Lazer op. Lazer toch helemaal op.'

Dronken en half verblind door tranen nam Alice haar intrek in het Boedapest Hotel. Het was het enige hotel dat volgens haar niet uitkeek op het Kremlin, het tentoonstellingencentrum, de distilleerderij, het Kotelniki of de Patriarchenvijvers. Met andere woorden, het enige waarin ze niet herinnerd werd aan haar leven.

Ze bestelde een fles wodka en zette de televisie aan. Terwijl ze langs alle kanalen zapte, zag ze dat er in elk nieuwsprogramma aandacht werd besteed aan het fiasco van de verkoop. Ze zapte weer terug voordat ze afstemde op Kanaal Eén, de staatszender. Aangezien het een initiatief van de staat was geweest, zouden zij misschien nog iets van medeleven laten zien.

Daar stond ze, toen ze iedereen moest vertellen wat een puinhoop het was geworden. Interviews met teleurgestelde speculanten, een verslaggever die naging wat er kon zijn gebeurd, en daarna kwam Borzov in beeld, op zijn kantoor, die weer eens de grote staatsman uithing.

'Wat er vandaag is gebeurd, was een schertsvertoning, en daarvoor wil Anatoli Nikolajevitsj zijn verontschuldigingen aanbieden. Hierbij heeft hij te veel vertrouwen gesteld in het Westen, en in het bijzonder in de mooie woorden van mevrouw Liddell.' Alice knoeide wodka toen ze naar voren schoot. Dat Borzov zich distantieerde van deze zaak was een ding, maar dat hij Alice expliciet als schuldige aanwees voor de nationale televisie was iets

heel anders. 'De president is niet de eerste man die zich heeft laten verblin-
den door de beloften van een mooie vrouw, en hij zal ook niet de laatste
zijn. Anatoli Nikolajevitsj geeft ronduit toe: de duivel heeft hem zand in de
ogen gestrooid.' Terwijl ze tegen het scherm vloekte, maakte ze uit Borzovs
toon op dat hij nog meer te zeggen had. 'Burgers van Rusland, wees er gerust op dat uw regering, zoals altijd, uiterst besluitvaardig te werk is gegaan.
Uw president heeft mevrouw Liddell per onmiddellijk uit haar functie ontslagen, en zij zal verder geen rol meer spelen bij de grote hervorming, waaraan zij alleen maar schade heeft toegebracht.'

Ze had Borzov verdedigd. Nu hij te lafhartig, ongevoelig, onbeschoft en
vooral te Russisch was geweest om haar zelf haar ontslag aan te zeggen, begreep ze eindelijk wat men op hem aan te merken had gehad. Rusland had
als hun eerste democratische president niet iemand met een hoog moreel
aanzien gekozen, zoals de Tsjechen hadden gedaan met Vaclav Havel, en zoals de Zuid-Afrikanen zeker zouden doen met Nelson Mandela. Rusland
had een provinciale voorzitter van de communistische partij gekozen. Dat
hadden ze gewild, en dat hadden ze gekregen. Borzov werd deze maand zeventig, te oud om nog bijgeschoold te kunnen worden. Natuurlijk had hij
veel geleerd, maar zoals ieder ander had hij zijn grenzen, en als hij daar tegenaan liep deed hij wat voor de hand lag – hij viel terug op zijn oude, communistische gedachtepatroon. Dat was de manier waarop hij het land re-
geerde. Dat was de manier waarop hij Alice had behandeld.

Ze schonk zichzelf nog eens in en dronk. De wodka gleed door haar keel,
warm en onweerstaanbaar geruststellend. Haar minnaar en haar opdracht-
gever hadden haar beiden verraden; de fles zou dat nooit doen.

Alice werd helder in haar hoofd. Het was bijna een fysieke gewaarwording,
alsof de binnenkant van haar schedel werd gereinigd. Ze had medelijden
gehad met de miljoenen Russen toen ze beseften dat alles waarin ze hadden
geloofd en waarvoor ze hadden geleefd verkeerd was. Maakte zij nu niet
precies hetzelfde door? Nu ze zonder werk zat en haar credo aan flarden
was, had ze eindelijk dat moment van openbaring dat iedereen krijgt die
lang genoeg in Rusland verblijft, het moment waarop blanke westerlingen
eindelijk inzien wat de rest van de mensheid altijd al wist: dat er plaatsen op
deze wereld zijn waar het vangnet dat ze zo lang hebben gekend ineens weg-
gerukt kan worden, waar het juiste accent, opleiding, ziektekostenverzeke-
ring en een buitenlands paspoort – al die vertrouwde talismans die kwaad
afweren – niets meer voor je doen, en waar je welzijn afhangt van de min-
zaamheid van anderen.

De Russen haalden Napoleon en Hitler onderuit; ze konden iedereen onderuit halen.

Alice dronk steeds meer. Wodka begint volgens de Russen pas echt te werken na de tweede fles. Wodka in overvloed, verstand op nul. Het was niet alleen zo dat ze haar zelfmedelijden èn haar falen niet meer wilde voelen, ze wilde ook boeten.

Ze dronk glas na glas leeg, zonder water of sinaasappelsap tussendoor, met een tweeledig doel: de volgende ochtend wakker te worden met een allerverschrikkelijkste kater, en die avond zo snel mogelijk alles te kunnen vergeten.

Het nummer 'Comfortably numb' speelde door haar hoofd, en na een tijdje merkte ze dat Pink Floyd gelijk had: ze voelde geen pijn, en ze zakte langzaam weg.

72

Moskou, toneel van een eindeloos drama, een geweldige stad voor de schaamtelozen.

Borzov beschuldigde Lev er in het openbaar van dat hij de hervorming de nek had omgedraaid. In het geheim ontnam hij de Sportacademie zijn belastingvrije status met een haast die riekte naar wrok.

Arkin kreeg te horen dat Lev in feite geen enkele wet had overtreden. De privatiseringsakte had aan de directeur van het bedrijf de beslissing gelaten waar de verkoop werd gehouden, en niet een van de juristen die zich over het document hadden gebogen had dat in twijfel kunnen trekken. Toen hij dat hoorde, ging de premier meer dan een uur tekeer tegen iedereen die hem kon horen.

Nu zijn minnares was vertrokken en de regering hem op zijn nek zat, bleef Lev in zijn penthouse zitten broeien als een slapende vulkaan.

Alice keerde op haar knieën terug naar de Patriarchenvijvers. Ze wist er alles te vinden, ze voelde zich er thuis, en dat was voor dit moment genoeg. Ze had genoeg spanningen meegemaakt, wat ze nu wilde was dat Lewis haar in zijn armen hield, haar wiegde, en alles weer goed maakte. 'Ik was fout,' zei ze. 'Ik was fout, ik heb me laten verleiden, ik wilde iets zijn wat ik niet ben, het spijt me zo verschrikkelijk.'

'Heb je er enig idee van wat je hebt aangericht?'

Ze knikte. 'Een beetje.'

'En je verwacht serieus dat je ik zonder meer terugneem?' Zijn trots dwong hem dit te zeggen. Ze wisten allebei dat hij haar zonder problemen weer terug zou nemen.

'Ik verwacht niets van je. Maar ik heb spijt vanuit het diepst van mijn hart; jij bent mijn echtgenoot.'

'En je houdt niet van me.'

'Lewis, daar kunnen we iets aan doen.'

'Niet hier. We moeten weg uit Mosou.'

Moskou, haar Moskou, de stad waar Alice van hield, de stad die haar afwezigheid nauwelijks zou opmerken. Zo weinig mensen, vooral hersenloze westerlingen, hebben waardering voor de sombere, ongrijpbare schoonheid van Moskou. De ontdekking van die stad is als het openmaken van ontelbare *matrosjka*-poppen: je kunt er eindeloos mee doorgaan, er is nooit een einde.

Maar dat was wel waarnaar Alice op zoek was, het antwoord, de waarheid, en daarmee bedoelde ze niet simpelweg de alledaagse *pravda* waarheid maar de onsterfelijke *istina*, het innerlijke licht van de waarheid. *Istina* is een van de weinige woorden in het Russisch waar niets op rijmt. Er hoort geen werkwoord bij en het kent geen afleidingen; het staat op zichzelf. Als *istina* bestond, zou Alice die hier vinden.

73

Lev was aan het trainen. Gekleed in slechts een korte broek liep hij met krachtige tred door de kamer, zijn enorme armen zwaaiden mee met het optrekken van zijn enorme dijbenen, en zijn hoofd ging, bedaard maar verwaand, bij elke stap heen en weer. Onder zijn sleutelbeenderen stond een spreuk: 'Hij die nooit van zijn vrijheid is beroofd, weet niet wat die waard is.' Hij straalde absolute rust en zelfverzekerdheid uit. Zijn gezicht was kalm en vertoonde de goedaardige, zelfs vrome uitdrukking van een ouderwetse koning die zeker is van zijn goddelijk troonrecht. Wat muziek zou er goed bij hebben gepast, het 'Halleluja' misschien, maar was niet echt noodzakelijk.

Hij had de vloer in een van de kamers in zijn penthouse laten verstevigen zodat hij er gewichten kon heffen. Hij ritste een tasje los, haalde er een witte leren riem en een busje talkpoeder uit. Hij gordde de riem om onder zijn buik, om de enorme spanning op zijn maagspieren te verlichten wanneer hij de gewichten van de grond tilde, en bestrooide zijn handen met talkpoeder, waarna hij het overtollige poeder eraf schudde door zijn handen in elkaar te slaan.

Daarna richtte hij zijn aandacht op de gewichten zelf, grote, metalen schijven die tegen een muur lagen. Hij bekeek ze even nadenkend, pakte er twee van elk vijfentwintig kilo op alsof het serviesgoed was, schoof ze vast aan de uiteinden van de halterstang en tilde die met gemak drie keer op.

Hij bracht nog meer schijven aan op de stang: in totaal negentig kilo. Hij spuugde in zijn handen, bukte zich en greep de stang vast. Hijgend en grommend hief hij hem tot aan zijn schouders, wachtte even, en tilde hem daarna boven zijn hoofd, waar hij hem een ogenblik vast bleef houden voordat hij hem met een enorme klap op de grond liet neerkomen. De zware klap was even zenuwslopend als een ontploffende granaat

Hij pauzeerde even en leunde in stilte op een beklede bok. Hij leek uitermate geconcentreerd, alsof een zekere mate van trance noodzakelijk was om dit soort bovenmenselijke prestaties te verrichten. Zijn borst en buik zetten uit bij elke inademing, waarbij de letters van de boodschap DE KERK IS HET HUIS VAN GOD, DE GEVANGENIS HET THUIS VAN DE DIEF uit-rekten.

Sommige mannen vinden een ontsnapping in wodka; Lev vond iets dergelijks wanneer hij zijn kolossale spieren voelde spannen tegen nog kolossalere gewichten. Daarin vond hij zijn genade, daarin was hij een van de besten. Drie keer hadden ze hem gevraagd deel te nemen aan de Olympische Spelen: In München, in Montreal en daarna in Moskou. Ze waren in de goelag bij hem gekomen en ze hadden gezegd dat hij tijdelijk vrijgelaten zou worden voor de duur van de Spelen. Drie keer hadden ze hem gevraagd; drie keer had hij gezegd dat ze naar de pomp konden lopen. Wat had hij anders kunnen doen? Er was geen denken aan dat hij de vlag van het systeem zou hebben gedragen.

Nog meer schijven op de stang. Nu was het bij elkaar iets meer dan honderdvijftig kilo. Deze keer leek het alsof hij zou knappen toen hij de stang boven zijn hoofd hief; zijn buik drukte tegen de leren riem, de spierbundels in zijn bovenarmen kronkelden en vervormden de getatoeëerde swastika's die blijk gaven van zijn stoerheid. Daarna liet hij het gewicht met weer dezelfde afgrijselijke dreun vallen, hurkte hij neer, hief hem weer omhoog, en liet hem weer vallen. Zijn borst glom van transpiratie. Het zweet stond op de kloosters, kathedralen, kastelen en forten die over zijn huid krioelden, hun torens en spitsen vertegenwoordigden het aantal jaren dat hij gevangen had gezeten.

De stang woog nu honderdtachtig kilo. Met een oerkreet hief hij hem tot aan zijn schouders, aarzelde, zoog adem in en schreeuwde van inspanning en vreugde toen hij hem boven zijn hoofd uit torste. Toen het gewicht deze keer op de mat terechtkwam, liet hij zijn borst zwellen, stak een arm omhoog en brulde als een uitdaging naar de hemel: 'Overwinning of dood!'

Lev en Karkadann hadden weer in dezelfde banja afgesproken. Net zoals de vorige keer was Lev er het eerst; net zoals de vorige keer wachtte hij lange minuten in de stomende hitte op Karkadann. Deze keer zei hij er echter niets over dat de Tsjetsjeen te laat was.

'Je bent een man van je woord,' zei Lev. 'Je hebt Alice laten gaan, daar wil ik je voor bedanken.'

'Wat dacht je dan? We zijn geen beesten.'

De zilveren stoel? Iemand wodka in zijn keel gieten? Lev moest zich even verbijten. 'En de kinderen?'

'Zijn er nog meer vermoord?'

Lev haalde zijn schouders op, nee, dat niet.

'Nou dan. Ben jíj een man van je woord?'

'Ik heb gedaan wat ik heb beloofd te zullen doen.'

'En nu? Nu is Rode Oktober toch van mij? Heb je de papieren bij je?'

De rode kleur op Karkadanns gezicht werd niet alleen veroorzaakt door de warmte, maar ook door de opwinding omdat hij nu eindelijk kreeg wat hij wilde hebben. Er is weinig dat zoeter smaakt dan de overwinning.

'Heerlijk om na het trainen in de banja te zitten,' zei Lev. Zijn armen, dik als boomstammen, waren gebogen, de kolossale spieren rustten. 'Ik weet nooit van tevoren wanneer ik ga trainen. Soms midden in de nacht, soms in de ochtend. Ik volg geen vast patroon. Alleen ikzelf weet wat goed voor me is. Ja, ik heb wel last gehad van verrekkingen en breuken, maar ik ben gewoon doorgegaan met gewichten heffen. Die blessures deden er niet toe. Die gingen wel weer over.' Hij glimlachte. 'Gooi eens wat water op de stenen, wil je?'

Karkadann wilde in eerste instantie weigeren – een kinderlijke weerzin om iets voor iemand te doen, maar hij aarzelde maar heel even voordat hij zich naar voren boog om het water te pakken. Hij zat per slot van rekening het dichtst bij de stenen, en hij had gewonnen; hij kon zich wel wat grootmoedigheid veroorloven.

Hij verloor Lev niet langer dan een paar seconden uit het oog, maar dat was genoeg. Lev kromde zijn arm rond Karkadanns nek en trok hem met een ruk naar achteren. Karkadann greep in een reflex niet naar die trapleuning rond zijn hals, maar tastte naar de wapens op zijn naakte lichaam die er niet waren, op zijn rechterdij, onder zijn linkeroksel. Tegen de tijd dat hij zijn vergissing bemerkte, lag Levs rechterarm al over Karkadanns nek, zijn linkerhand op de rechter biceps en vice versa.

Voor een man die bijna tweehonderd kilo kan tillen was het breken van de nek van de ander een peulenschil. Karkadanns lichaam schokte tweemaal en bewoog toen niet meer. Lev liet los en legde Karkadann op een bank. Hij was mors, morsdood.

'Beledigingen tolereer ik nog, zelfs een aanslag op mijn leven,' zei Lev, 'maar een vrouw ontvoeren en mij dreigen haar het leven te benemen, haar uit te kleden en te vernederen – nee, nee, dat doet een man niet.' Zijn zwarte ogen glinsterden onder zijn zware wenkbrauwen, en hij grijnsde van oor tot oor.

Hij stapte uit de banja de kleedkamer in, zijn huid tintelde door de plotselinge overgang naar koelte. De twee stellen lijfwachten stonden te wachten. Lev schudde even met zijn hoofd om aan te geven dat ze er niet in waren geslaagd het eens te worden. Karkadann had deze bijeenkomst voorgesteld, hij zou dus in de banja blijven totdat Lev had gedoucht, was aangekleed en vertrokken, volgens de voorgeschreven regels. Net als de eerste keer, toen Karkadann als eerste was vertrokken, was het ongemakkelijk om samen te zijn met een man met wie je het niet eens hebt kunnen worden.

Hij douchte snel, maar zonder zich opvallend te haasten. Hoewel de Tsjetsjenen niet naar binnen zouden gaan om Karkadann te halen totdat Lev het gebouw had verlaten, wilde Lev geen risico nemen. Binnen zeven minuten was hij aangekleed en liep hij met zijn beschermende falanx door het restaurant, de voordeur uit, de stoep op en de wagen in. Het gaf hem een kick toen hij zich voorstelde dat hij de eerste kreten van woede hoorde toen zijn auto wegreed.

Het thema uit *The Godfather* werd gedraaid toen Karkadanns dood op de televisie bekend werd gemaakt.

'Het is een schande!' Lev bekeek de opnamen met samengeknepen ogen. 'Hij was een omhooggevallen stuk tuig, geen peetvader. Het is geen lofbetuiging die je kunt aantrekken als een mantel – het is een titel die je moet verdienen. Dit is de muziek die ze moeten spelen bij míjn dood.'

74

Vlak bij de moerassige uitloper van de wijk Loezjniki ligt de begraafplaats Novodevitsjii, en in heel Moskou is alleen de Kremlinmuur een prestigieuzere plek om begraven te worden. Nikita Chroesjtsjov, de enige sovjetleider die niet onder het Kremlin is begraven, ligt hier onder een bronzen kanonskogel tussen witte en zwarte monolieten, die goed en kwaad in zijn leven symboliseren. Dichter bij de hoofdingang ligt Nikolaj Gogol, de grote schrijver met zijn pathologische doodsangst, die per abuis levend werd begraven na een aanval van katalepsie. Aan de binnenkant van zijn doodskist is te zien hoe zijn nagels zich wanhopig in het hout hebben geboord. Hier liggen ook Tjsechov, Stanislavski, Boelgakov, Sjostakovitsj, Molotov, Eisenstein, Majakovski – en nu Karkadann, die zich van zijn plek hier had verzekerd met geld, als de weerspiegeling van een tijdperk, even genadeloos raak als Tjsechovs toneelstukken of Eisensteins films van hun tijd te zien gaven.

Karkadann stierf zoals hij had geleefd, alleen in naam een moslim. Moslims moeten worden begraven tussen hun eigen mensen; Karkadann had ervoor gekozen tussen de orthodoxen en de goddelozen in te liggen. Moslimgraven moeten op eenvoudige wijze worden gebouwd en gemarkeerd, buitensporigheden wijzen immers op valse ijdelheid; Karkadanns marmeren grafsteen was bezet met diamanten en beeldde hem af met de sleutels van zijn Mercedes bungelend in zijn rechterhand. Dode lichamen van moslims moeten worden bedekt met effen witte, katoenen lakens; Karkadann droeg zijn fraaiste pak van Savile Row. Moslims moeten op hun rechterzij liggen, met hun gezicht naar Mekka; Karkadann lag op zijn rug, alsof hij een dutje deed. Moslimtradities staan het gebruik van een kist alleen toe als de aarde nat of los is; Karkadanns doodskist was versierd met zilver en brons, het deksel was een zware glasplaat, en het lichaam lag op een bed van wit satijn en kussens met kwastjes. Het rouwpodium werd omhuld door zwart fluweel, afgezet met goudbrokaat en zilveren kwastjes, en geflankeerd door twee piramides van roze satijn.

Een geur van bloemen steeg uit Karkadanns graf op als van chemisch afval. Een manshoog hart van bloemen stond op een dekbed van orchideeën, en het geheel bood een spectaculaire aanblik: zacht lila scabiosa, grijs-blauwe distels en vollere tinten hortensia's en ridderspoor; zuring, wolfsmelk, ligusterhagen en hopbloemen in alle tinten groen; witte wolken gladiolen, lelies, anjers en korenbloemen; roze en rode ridderspoor, anjers, geraniums, leeuwenbekken en rozen; chrysanten in tinten geel, brons, paars, abrikoos en champagne.

De bloemisten moesten de hele nacht hebben doorgewerkt, dacht Irk. Ook al was het meeste al voor zijn dood geregeld – gangsterleiders regelden als vanzelfsprekend hun eigen begrafenis – dan nog was het indrukwekkend. Alleen zeer vermogende mensen konden dit zo snel voor elkaar krijgen. De lijkenhuizen in Moskou zaten met duizenden lichamen die niet werden opgeëist omdat er niemand was die hun begrafenis kon betalen; zelfs de meest eenvoudige begrafenis, met wodka voor de grafgravers, een gastvrij onthaal voor de rouwklagers en een eenvoudige kist kostte drie keer zoveel als het minimummaandloon. Als je arm was tijdens je leven, was je dat waarschijnlijk ook in de dood.

Irk zou het eigenlijk moeten vieren met de anderen van Petrovka. Karkadann had achter de kindermoorden gezeten. Karkadann was dood. Er zou dus geen moord meer volgen. Jerofejev had natuurlijk meteen zijn aandeel opgeëist, hoewel Irk de meeste felicitaties ten deel was gevallen. Alsof hij er aan mee had gewerkt, dacht hij bitter. Hij voelde alleen maar leegte: de 21e Eeuw had gedaan wat hem, de hoofdinspecteur van het OM in Moskou, niet was gelukt. Nee, het was meer; zij hadden gedaan wat hij hun had verboden. Irk voelde zich als een man die met vastgebonden handen en voeten op een hoop stront zit. Hij zag de stront zien, hij rook de stront, maar hij kon er verdomme helemaal niets aan doen.

Volgens de traditie moeten de bendeleiders het dode lichaam van een van hun collega's kussen. Wie dat niet doet, geeft toe verantwoordelijk te zijn voor diens dood. Deze schertsvertoning wordt opgevoerd, zelfs als de identiteit van de dader bij allen bekend is. Dus keek Irk toe hoe de leiders een voor een naar voren kwamen, de koningen van de Russische gangsters, zich allemaal bukten om het lijk te kussen, waarbij sommigen ook nog een envelop met geld achterlieten om Karkadann in het hiernamaals verzorgd achter te laten. Ze waren afkomstig uit het hele vroegere rijk: Testarossa uit Moskou, Ivan de Hand uit Sint-Petersburg, Lentsjik het Bevende Hoofd uit Vladivostok, Gibboes uit Moermansk. Sommigen dankten hun naam aan hun uiterlijk: De Cycloop, die bij een aanslag een oog was kwijtgeraakt; De Klauw had een kunsthand; De Baard, De Kale, De Jood, Het

Litteken. Anderen hadden hun pseudoniem ontleend aan de literatuur: De Bezetene, De Idioot, Zjivago, Oblonski, Raskolnikov. De enige die ontbrak was de Jap, die volgens de geruchten in New York was, waar hij ongezond veel aandacht trok van de FBI. De Jap zou zoveel tijd hebben doorgebracht met de Japanse maffia dat hij hun gewoonte had overgenomen om parels onder de huid van zijn pik te stoppen, één voor elk jaar dat hij in de gevangenis had doorgebracht. Het aantal jaren dat híj daar had gezeten in aanmerking genomen, moest zijn pik er als een soort kerstboom hebben uitgezien.

De laatste mannen die naar voren kwamen waren degenen die het meest te winnen hadden bij Karkadanns dood. Zjorzj boog zich zwijgend en kuste het lijk: het had iets spookachtigs, alsof hij een vampier was. Alleen Lev stond er nog. Hij liep met doelbewuste stappen op de kist af. Er viel opeens een diepe stilte over de begraafplaats, de levenden waren even stil en roerloos als degenen die onder de grond lagen. Het was alsof iedereen zijn adem in hield en zijn ogen wijd open hield toen Lev neerkeek op Karkadanns lichaam.

Lev zag onder de gesloten ogen van de dode man de schaamteloosheid en de overmoed die hem hadden verteerd. Als hij hem kuste, zou daaruit respect en genegenheid spreken, en beide had hij nooit voor Karkadann gevoeld. 'De meeste mensen hebben weinig vertrouwen in de dag van morgen,' zei hij, half in zichzelf, 'dus willen ze alles vandaag. Ze willen alles hebben, alles uitgeven, allemaal tegelijk. Ze zoeken en vinden genoegen in hun eigen onmatigheid, omdat ze nooit weten wanneer iemand het allemaal van hen afneemt. Zo was het ook in de goelag. We geloofden niet in de dag van morgen, dus schatten we onze overleving in met halve dagen, het opkomen en ondergaan van de zon. Bij zonsopgang hoopte je dat je het zou redden tot de avond. In de avond keek je uit naar de zonsopgang. Het was een systéém.' Hij keek neer op Karkadann. 'Maar jij, jij hield er niet zo'n systeem op na. Jij dacht dat de wereld om jou draaide. Dat is de reden waarom je aan je einde bent gekomen.'

Met opgeheven hoofd liep Lev van de kist weg.

Een fractie van een seconde, misschien twee, en de Tsjetsjenen brachten hun geweer in de aanslag, maar Levs lijfwachten waren sneller, ze hadden zich al om hun baas heen verspreid en leidden hem haastig weg van de begraafplaats. Daar klonk het vuur, daar waren de oorverdovende geluiden van blaffende geweren in de handen van Slaven en Tsjetsjenen; scheuren in hemden, bloed uit de borstkassen, doffe klappen van mannen die op de grond vielen terwijl het leven uit hen vloeide. Lev was binnen enkele seconden van de begraafplaats af. Toen het vuurgevecht ophield, was de stilte nog groter. De begraafplaats was een woestenij.

Irk ging naar de woning van de Chroeminstsjes. Ze hadden gehoord wat er in Novodevitsjii was gebeurd; ze waren blij dat Karkadann dood was, en ze begrepen niet waarom Irk zo teleurgesteld was. 'Het leven verloopt netjes volgens bepaalde regels,' zei Sveta. 'Wat kan het je schelen hoe Karkadann aan zijn eind is gekomen, als hij maar dood is.'

Irk zei dat hij voor het eten een half uurtje wilde dutten. Hij sliep door tot de volgende ochtend.

75

Alice had dagen in bed doorgebracht, met de fles wodka tegen zich aangedrukt, als een kind met zijn lievelingsbeer. De ontvoering leek nu pas, vertraagd maar niet minder realistisch en heftig, tot haar door te dringen. Ze was tot niets in staat, ze kon geen gesprek voeren of uit huis weggaan; zo zwak zelfs dat ze een bezoekje aan het toilet maar net aankon; op de vreemdste moment voelde ze opluchting, en grijnsde dan als een idioot, en dan weer angst, waarbij ze bij het minste geluidje opsprong. En boven alles voelde ze zich vervreemd en onthecht, alsof haar huid en lichaam niet echt meer van haarzelf waren.

Toen Lewis aanbood iets voor haar te doen, draaide ze zich om en staarde naar de muur, beschaamd dat ze zoveel narigheid had veroorzaakt. Toen hij zei dat ze zich moest vermannen en geen medelijden met zichzelf moest hebben, gilde ze naar hem dat hij op kon rotten en haar met rust moest laten. Hij begreep nergens iets van, krijste ze, hij wist helemaal níéts. Het was alsof ze hem zover probeerde te krijgen dat hij haar er weer uit gooide, om daarmee te bevestigen dat ze van een echtgenote in een feeks was veranderd. Maar dat deed hij niet; hij was vastbesloten er iets van te maken, zelfs als zij niet meewerkte. Toen hij weg was en de telefoon ging, liet ze het antwoordapparaat opnemen, en luisterde zonder enig enthousiasme of gevoel naar de blikkerige stemmen: Harry, Bob, Christina, Lewis zelf vanuit het ziekenhuis, zuchtend van frustratie omdat ze niet opnam.

Niet Lev. Niet één keer. Niet dat ze nog iets om hem gaf. Ze had haar hele lichaam, tot aan het allerlaatste vezeltje, opdracht gegeven hem niet de minste blijk van liefde te geven. Ze had haar liefde weggestopt in haar hart, onder tien sloten, om daar te verstikken. Haar relatie met Lev was voorbij, en zij had gefaald. De verkoop was voorbij, en ook daarin had ze gefaald. Rauwe, schrijnende wonden, allebei, nog te vers om al littekenweefsel te hebben gevormd.

Het was niet de eenzaamheid die Alice het eerst bij de keel greep; het was de stilte. Ze schuifelde de woonkamer in, met haar blik recht naar voren zodat ze niet in de spiegel zou hoeven zien hoe vreselijk ze eruitzag, en keek de post door die ze niet meer had geopend sinds ze veertien dagen geleden bij Lewis was weggegaan. Hij had het allemaal voor haar bewaard, netjes opgestapeld – typisch Lewis, dacht ze.

Een van de brieven was afkomstig van een arrondissementsrechtbank in Moskou. Alice vroeg zich al af wat ze verkeerd kon hebben gedaan toen ze zag dat het ging om de rechtszaak van ene Oevarov, Grigori Edoeardovitsj. Oevarov? Oevarov... Nu wist ze het weer, Oevarov was die verkeersagent die een paar weken geleden haar koplamp had ingeslagen. Wéken, dacht ze; weken, tegenover maanden of jaren, de normale tijdsduur van een ijsperiode. Ze moesten hem in allerijl opgespoord hebben, waarschijnlijk omdat zij erbij betrokken was geweest. Ze was politiek belangrijk – geweest.

Alice bekeek snel naar de datum die werd vermeld. De hoorzitting was vandaag.

Het hof liep uit. Oevarovs zaak had tien minuten daarvoor moeten beginnen, maar er kwam eerst nog een andere hoorzitting – buiten de zitting die nog bezig was – en dan zou hij voor drie aanklachten worden voorgeleid: afpersing (op onwettige wijze Alice geld afhandig gemaakt); moedwillige vernieling (haar koplamp ingeslagen); en de sovjetachtig klinkende 'activiteiten die niet strookten met zijn status' (een extra aanklacht voor het geval de officier niet in staat was om de eerste twee te bewijzen).

Er was amper een zaal in het gerechtsgebouw die niet in verval was. De plafonds zaten vol vochtplekken, grote stukken behang kwamen half naar beneden zetten. Het was een bouwwerk dat bij elkaar gehouden werd door pleisterkalk.

Alice nam voorzichtig plaats op een harde, houten bank in de publieke tribune boven de rechtszaal en probeerde haar aandacht in plaats van op de pijn te richten op de trieste gevallen die daar beneden voorbij kwamen: eerst een rechterlijke dwaling, daarna een ploert. Rechter Petrenko – jury's waren afgeschaft door de bolsjewieken – legde een vriendelijk uitziende oude man uit dat de overheid het Leger des Heils verboden had op grond van het feit dat ze zichzelf openlijk 'leger' noemden, en daardoor een militaire organisatie was die de Russische regering omver zou willen werpen. De oude man protesteerde dat het Leger des Heils niets anders wilde dan in gemeenschapscentra voedsel, onderdak en kleding verschaffen aan daklozen en arme, oude mensen.

Daar had je het, dacht Alice: de wetgeving van Rusland in een notendop. De meeste Russen vinden hun wetten veel te hardvochtig en onzinnig, en het enige goede eraan is dat ze zelden ten uitvoer worden gebracht. Decennialang hadden onrechtvaardige en onredelijke regels een heel volk tot wetsovertreders gemaakt. Kon een systeem dat zo slaafs de staat en de partij ten dienste had gestaan nu een neutrale arbiter zijn van de samenleving, een verdediger van de grondwet, een beschermer van civiele vrijheden, contracten en het recht op particulier eigendom?

Als dat systeem het Leger des Heils bestempelde als een terroristische organisatie, was het antwoord duidelijk. De rechter schudde zijn hoofd als reactie op de protesten van de oude man en sloeg met zijn hamer. 'Volgende zaak!' schreeuwde Petrenko. 'Oevarov, Grigori Edoeardovitsj.'

Alice haastte zich van het balkon naar beneden en nam plaats in de getuigenbank. Toen Oevarov binnen werd geleid, ging er een schok door haar heen. Zonder uniform leek hij kleiner, gekrompen. Hij moest tien kilo zijn afgevallen sinds ze hem had gezien, en hij was al niet erg dik geweest. Zijn haviksneus leek tussen zijn holle wangen nog groter geworden.

Oevarov keek niet naar Alice totdat hij in de beklaagdenbank stond. Ze had vijandige blikken verwacht, maar wat ze erin las, was vreemd genoeg verdriet. Petrenko las de drie aanklachten voor en vroeg Oevarov daarop te reageren.

'Schuldig. Schuldig. Schuldig.' Oevarov sprak met een zachte, geknepen stem; de stem van een gebroken man.

'Mooi.' Petrenko hield er wel van als iemand schuld bekende. 'Laten we hier dan niet meer tijd aan vuil maken.'

'Mag ik de beklaagde iets vragen?' zei Alice.

'Moet dat?' zei Petrenko.

'Ik zou het graag willen.'

'Ik neem aan dat u het recht hebt. Ga uw gang.'

'Waarom heb je het gedaan?' vroeg ze aan Oevarov, en hoorde Petrenko zuchten waardoor ze begreep wat hij dacht: dat was nu weer echt zo'n stomme vraag die alleen een buitenlander kon stellen. Voor het geld, sufferd, wat anders?

Oevarov dacht eerst – Alice zag het aan zijn ogen – dat Alice hem wilde bespotten of zich ten koste van hem wilde vermaken. Ze knikte hem toe, om te laten zien dat ze het echt meende. 'Ik wil het werkelijk weten,' vervolgde ze, terwijl ze bij zichzelf dacht, wanneer wilde ze eigenlijk iets níét weten?

Oevarov greep de rand van het hekje vast. 'Omdat ik sinds december niet meer ben uitbetaald. Tien dollar per maand – dat was mijn salaris. Je zou denken dat ze dat bij de politie wel hadden kunnen opbrengen, nietwaar. Niet voor mij, in elk geval. Was dat te veel gevraagd – genoeg geld om van te leven? Het valt niet mee, met een vrouw en kinderen. Weet u hoe dat voelt, als je elke ochtend wakker wordt met de vraag of je ze die dag wel te eten kunt geven? Toen ik u zag, besefte ik dat u een buitenlandse was, en buitenlanders hebben geld, dat weet iedereen. Honderd dollar was voor mij de redding. En wat betekende het voor u? Een avondje uit.' Hij keek of hij elk moment in tranen kon uitbarsten. 'Het was geen persoonlijke actie tegen u.'

Oevarov had gelijk, dacht Alice. Wat betekende honderd dollar nu helemaal voor haar? Voor hem was het bijna een jaar salaris, als hij dat al had gekregen – zelfs als hij niet was ontslagen zodra ze hem had aangegeven. Er was natuurlijk een reden waarom agenten zo weinig salaris kregen: ze gingen ervan uit dat ze het tekort zelf compenseerden met steekpenningen. Ze werkten bijna op provisie, godbetert. Wat kon je anders verwachten in een land waar corruptie zo wordt aangemoedigd?

Alice zag het allemaal ineens even helder als in een flits. Het ging er niet alleen om dat Oevarov niet langer als agent werkzaam was; in zijn ogen was hij niet langer een man. Zonder werk kon hij geen broodwinner zijn, en zorgen voor je gezin is de sine qua non van de Russische mannelijkheid. Was Oevarov niet precies het soort man die baat had moeten hebben van de privatisering? De gemiddelde man die onder zware omstandigheden probeerde de kost te verdienen? Bovendien was het niet zo dat Alice schuldeloos was. Ze had inderdaad tegen de richting in gereden; ze had zich met een grapje uit de problemen proberen te werken, tweemaal. Hij had zijn werk gedaan, althans min of meer; zij had gewoon moeten betalen en weer op weg moeten gaan.

Oevarov was hier omdat het een politieke zaak was. Zij had meer macht dan hij, haar plaats in de pikorde was hoger. Iedereen zei haar steeds hoe zwak de staat was. Toegegeven, de staat was zwak waar het ging om invloedrijke, georganiseerde belangengroepen, maar ter compensatie kon hij, waar het ging om de particuliere burger, ook te sterk zijn.

Als Alice genoeg macht had om Oevarov hierheen te krijgen, dacht ze, had ze ook macht genoeg om hem weer te laten gaan, zelfs nu. Ze richtte zich tot Petrenko.

'Edelachtbare, er is een vergissing in het spel. Dit is niet de agent die me heeft aangehouden.'

Petrenko fronste zijn wenkbrauwen. 'Wat bedoelt u?'

'Ik heb me vergist. Grigori is een onschuldig man, dat is duidelijk.' Alice keek van Petrenko naar Oevarov en weer terug. Het was moeilijk te zien wie er meer geschrokken was; makkelijker om te zien wie er het kwaadst was.

'Kom naar het altaar,' siste Petrenko.

'Het altaar?'

436

'Mijn zetel. Nú.'

Alice stapte van de getuigenbank af en liep naar de plek waar de rechter zat. Petrenko boog zich naar voren, zij ging op haar tenen staan; ze hadden wel minnaars kunnen zijn bij een raam.

'Waarom doet u dit?' fluisterde Petrenko.

'Dat zei ik u toch.'

'Die man is schuldig, ik laat hem niet vrijuit gaan.'

'Ik ben de enige getuige, het is mijn woord tegen het zijne. Wat kunt u daartegen doen?'

'U aanklagen wegens het verspillen van tijd van justitie.'

'Justitie kan heel goed tijd verspillen zonder dat ik daar aan meewerk.'

'Ik kan hem niet laten gaan, mevrouw Liddell.'

'Waarom niet, verdomme?'

'Justitie hanteert… normen.'

'Normen?'

Petrenko ging nog zachter praten. 'Aantallen.'

'Juist ja.' Alice knikte; ze begreep het. 'En als u die aantallen niet haalt…'

Op onopvallend wijze, zodat niemand het kon zien, wreef Petrenko zijn duim tegen zijn middelvinger. 'We krijgen ervoor betaald. En dat geld zou u me nu ontnemen.'

Alice zuchtte. 'Hoeveel?'

'Tweehonderd.'

'Dat is absurd.' Nee, dacht ze, wat pas echt absurd was, was het feit dat ze moest onderhandelen om Oevarov vrij te krijgen. 'Grisja vroeg maar honderd; dat geef ik u ook, als u de zaak laat vallen.'

'Goed.' Ze zag dat het meer was dan Petrenko had verwacht, maar het was te laat om daar nu nog iets aan te veranderen. Hij leunde achterover in zijn stoel en hanteerde de hamer.

'De zaak tegen Oevarov, Grigori Edoeardovitsj, is niet ontvankelijk verklaard, en mijn persoonlijke aanbeveling is dat hij zonder verdere bezwaren weer in zijn functie wordt hersteld. Het hof wordt nu verdaagd voor de lunch.' Hij boog zich weer naar Alice. 'Die privatisering lijkt me een geweldig idee, weet u, zelfs na wat er onlangs is gebeurd. U hebt zeker geen bonnen meer over?'

76

Alice probeerde de tijd door te komen. Ze moest wat eten, dus stopte ze bij een *gastronom*, een groot, vierkant gebouw met een gebutste metalen deur, een modderige vloer, en muren die zowel een lik verf als een schrobbeurt konden gebruiken. Er waren maar weinig dingen zo tijdrovend als boodschappen doen bij een *gastronom*. Eerst ging Alice de zeven toonbanken langs om de prijzen te bekijken van de boodschappen die ze wilde hebben; daarna wachtte ze in de rij voor een loket om voor elk artikel een ontvangstbewijs te kopen; en ten slotte ging ze weer langs de zeven balies, waar ze steeds op haar beurt moest wachten. Toen ze vooraan stond, scheurde de winkelbediende het ontvangstbewijs doormidden voordat hij haar het artikel aanreikte; Alice herinnerde zich dat haar leraren op school dat ook altijd deden bij onvoldoende proefwerken.

In een Amerikaanse supermarkt zou het haar vijf minuten hebben gekost; hier was ze bijna een uur kwijt. Alice was blij dat ze niets anders te doen had. Ze leefde niet; ze existeerde.

Zjorzj kwam naar het Kotelniki. Hij kwam alleen, ongewapend en ogenschijnlijk onbevreesd voor zijn persoonlijke veiligheid, zodat hij ofwel heel moedig was ofwel heel roekeloos. Lev permitteerde zich een lachje, niet zozeer uit triomf als wel uit een rechtvaardigheidsgevoel voordat hij de Tsjetsjeen binnen liet.

'Ik ben hier om tot een akkoord te komen,' zei Zjorzj. Nu Karkadann er niet meer was, stond Zjorzj aan het hoofd van de Tsjetsjeense bendes; hij had eindelijk iets te vertellen.

'Waarom zou ik daaraan meedoen?' vroeg Lev.

'Omdat het je een aantal moeilijkheden zal schelen, en ook een paar doden. We zouden ons niet zonder strijd gewonnen geven. Waarom zou je risico's willen lopen als je die op deze manier gemakkelijk kunt vermijden? Ik ben nu de baas. Je zult merken dat ik redelijker ben dan mijn voorganger. Wat je met Karkadann hebt gedaan was volkomen juist. Je kunt met dat soort mannen niets beginnen, je kunt ze alleen maar zien kwijt te raken.'

Ze waren er opvallend snel uit. Het Slavische bondgenootschap zou de Tsjetsjenen vijfentwintig miljoen dollar betalen voor al hun bestaande belangen in Moskou. Het was een fractie van wat de Tsjetsjeense portefeuille waard was, maar Lev had ook de hele boel kunnen innemen voor niets als hij ervoor had gekozen om de strijd voort te zetten. Met het geld wilde hij zijn waardering laten blijken voor Zjorzj' verstandige initiatief, en Zjorzj vatte dat ook als zodanig op. Er was meer dan genoeg om mee terug te nemen naar Grozni en daar te investeren.

'Je hebt een week de tijd om Moskou te verlaten,' zei Lev. 'Anders gaat de deal niet door.'

77

Karkadanns dood zat Irk nog steeds niet lekker. Hij wilde alleen zijn; weg uit Moskou, weg van andere mensen, en ook, als dat mogelijk was geweest, weg van hemzelf.

Het water in het riool was veel dieper dan anders. Het duurde even voordat hij besefte dat dit het spitsuur was, waarop het water drie keer zo snel als gemiddeld en zes keer zo snel stroomt als 's nachts. Bovendien was het boven gaan regenen, wat betekende dat het water nog sneller stroomde terwijl het water de goten in liep, klotsend rond Irks knieën op weg naar de afvoerkanalen die het verder vervoerden naar de lager gelegen, smerige riolen.

Irk kon zijn adem niet meer zien, waaruit hij afleidde dat het hier beneden warmer was dan boven. Maar de kilte leek zich vanbinnen te hebben genesteld, want hij had het koud, hoe ver hij ook liep, en hij liep urenlang, als een pelgrim. Hij kwam bij een verlaten laboratorium waar de vloer bezaaid lag met kristallen; uit de scheve positie van de stokoude bakelieten telefoon en de stapels primitieve gasmaskers die hier en daar verspreid lagen maakte hij op dat de ruimte inderhaast was achtergelaten, maar of dat vijf minuten of vijftig jaar gebeurd was, was niet te zeggen. Even later hoorde hij in de verte echo's van gregoriaanse liederen. Toen hij behoedzaam dichterbij kwam, zag hij een groepje mensen, gekleed als monniken met toortsen rond een stenen altaar staan. Plotseling gleed hij weg in het slijk en smakte tegen de zijkant van de tunnel. Tegen de tijd dat hij weer overeind was gekrabbeld waren de gelovigen verdwenen.

Irk kwam weer boven bij het Rode Plein, waar eindeloze rijen mensen leken op te duiken uit de schemering, en in grote zwermen op hem toe en om hem heen liepen. Hij had het gevoel alsof hij op de bodem van de zee lag, zonder contact met de oppervlakte, en nooit meer terug zou keren. Het plein stond vol zonen en moeders, mannen en hun vrouwen – het was Internationale Vrouwendag. In de tijd van de sovjets, hadden ze op tv stofzuigerwedstrijden uitgezonden; nu liepen alle vrouwen rond met bloemen. De meest imponerende boeketten waren die van de vrouwen of vriendinnen van verkeersagenten, die de afgelopen dagen een orgie van vermeende verkeersovertredingen hadden bespeurd om de noodzakelijke vijftig dollar bijeen te schrapen voor de mooiste bloemen van de buurt. Irk zelf kocht bloemen voor Sveta en Galja, die hadden gevraagd of hij 's avonds kwam eten. Dertig pop voor twee zielige bosjes – hij kreeg zin om de bloemenverkoper erbij te lappen wegens afpersing.

Internationale Vrouwendag is de enige dag in het jaar waarop van mannen wordt verwacht dat ze alle vrouwentaken overnemen. Het gebeurt zelden. Als er kinderen zijn, verlangen ze dat de moeder een ontbijt voor hen maakt; doet ze dat niet, dan zal zij zich zo ongerust maken over alle vreemde geluiden en rare luchtjes in de keuken, dat ze opstaat om een ramp te voorkomen. Veel mannen maken er doelbewust een zootje van om het volgend jaar van dit soort verplichtingen verschoond te blijven – niet voor niets noemen Russische vrouwen hun man soms 'het andere kind'.

Irk wist dat allemaal, maar met de steriele kennis van iemand die het uit de tweede hand heeft en het nooit aan den lijve heeft ondervonden. Misschien was dat maar goed ook, dacht hij.

78

MAANDAG, 9 MAART 1992

Borzov wist dat hij alle politieke knowhow nodig had als hij de week zonder kleerscheuren wilde doorkomen. Het Zesde Congres van Volksafgevaardigden, een vijfdaagse buitengewone zitting van het parlement, zou juist beginnen. Al het negatieve – stijgende prijzen, duizenden extra die onder de armoedegrens waren geraakt – werd op Borzovs bordje gelegd. Al het positieve – het eind van de kindermoorden, vrede tussen de Slavische en Tsjetsjeense bendes, zelfs het falen van een impopulaire privatiseringsverkoop – werd aan Lev toegeschreven.

Al had hij zijn best willen doen om een vrolijk gezicht te trekken, dan nog was onmogelijk vol te houden wanneer je tegen de wind en de felle sneeuw in moest kijken. Het was een van die ochtenden waarop de winter vastbesloten leek om nog een laatste wanhopige poging te wagen. Onderweg in een sneeuwstorm, zonder enige warmte of zonneschijn, leken de omstandigheden een reflectie van de ontvangst die Borzov te wachten zou staan. Zeven maanden daarvoor had hij voor het Witte Huis gestaan en het uitgeroepen tot een bastion van vrijheid en democratie; nu leek datzelfde gebouw vol te zitten met zijn meest onverzoenlijke vijanden.

De zomer is het jaargetijde van de hervormers; de winter van de voorstanders van de harde lijn. Op dagen dat het ijs vijftien centimeter dik is en het licht al rond de lunch begint af te nemen, hebben de sombere weergoden zo hun eigen manier van doen: chaos, verloedering en mislukking, niets is hun te dol.

Ruim duizend afgevaardigden uit alle hoeken van de federatie waren voor het congres bijeengekomen. Veel van de provinciale vertegenwoordigers beschouwden deze tweejaarlijkse bijeenkomsten als een hoogtepunt: alle onkosten werden vergoed, gratis tickets voor het Bolsjoi, en de kans om een klein deel van de publieke opbrengsten te besteden aan luxe goederen voor moeder de vrouw en – om die attentie in balans te brengen – de mooiste meisjes die Moskou te bieden had. De nieuwe pakken en glimmende schoenen van de afgevaardigden verrieden hun opwinding. Ze stonden in groepjes bijeen te praten, te lachen en te schreeuwen als kinderen die wachtten tot de meester hun tot de orde roept.

Lev behoorde met een groepje vori tot de afgevaardigden. De meeste vori stelden zich niet verkiesbaar om over de toekomst van de natie te debatteren, maar omdat de positie van afgevaardigde hun vrijwaarde van vervolging. Inspecteurs van politie klaagden dat er meer beroepsmisdadigers te vinden waren in het parlement dan in de cellen van Boetjoerka.

Om precies negen uur stapte Arkin vol zelfvertrouwen het podium op. Het harde licht accentueerde de trekken die cartoontekenaars graag uitvergrootten: de volle lippen, de zware oogleden, de wipneus, en vooral het slordige zwarte haar. Hij keek met nauwverholen afkeuring naar de vertegenwoordigers, in de wetenschap dat ze het hem moeilijk zouden maken, ongeacht wat hij zei. Hij schraapte zijn keel en begon:

'Ondanks zware beproevingen, ben ik blij te kunnen zeggen dat het hervormingsprogramma nog steeds in volle gang is. Als we ermee door mogen gaan, vertrouw ik erop dat de inflatie in het derde kwartaal van dit jaar zal afnemen. De strenge maatregelen zijn zwaar geweest voor iedereen...'

De afgevaardigden joelden hem uit. Arkin probeerde eerst hen te laten uitrazen, daarna hen te overschreeuwen, maar geen van beide tactieken werkte. Hij keek naar Borzov om steun te zoeken, en zag alleen maar gelatenheid, alsof de ergste angsten van de president werkelijkheid werden.

Een regen van roze agendapapieren ging de lucht in en een voor een kwamen de afgevaardigden overeind om de regering uit te kafferen en Arkin de wind van voren te geven. Intussen hield Arkin stand en ging tekeer tegen iedereen die de plannen in de weg zou staan.

Om precies een uur was de lunch, en negentig minuten lang was de inhaligheid van de afgevaardigden vooral letterlijk waarneembaar. De regering uitjouwen, daar kreeg je honger van, en met zijn allen dromden ze de cafetaria binnen op zoek naar gebakken champignons, met vlees gevulde pannenkoeken, pruimentaart en slagroomsoezen. Al die lekkernijen, maar niemand die hun kon bedienen omdat de medewerkers van de cafetaria zelf lunchpauze hadden. Dus grepen en graaiden en schepten en pakten de afgevaardigden zelf, zo snel mogelijk, voordat alles op was.

Na de lunch kwam Lev onder luid applaus naar voren. Velen in de zaal beschouwden hem als een heldhaftige vaandeldrager, met de geloofwaardige gelouterdheid die hij had opgedaan in de goelag.

'Ik treur niet om het oude systeem,' zei Lev. 'We werden behandeld als honden, we leidden een schaduwleven, ons enige recht was het recht om te sterven. Ik heb vastgezeten met historici, wiskundigen, astronomen, literatuurcritici, geografen, experts op het gebied van kunst, linguïsten met kennis van het Sanskriet en oude Keltische talen. Ik heb een man gekend die tien minuten te laat op zijn werk was gekomen, twee keer – en daarvoor tot vijf jaar in Vorkoeta was veroordeeld. En hoe brachten deze mensen hun tijd door? Als handenarbeiders, of als geestelijk vertrouwenspersoon, of ze deden iets aan cultuur of een opleiding, of ze zaten gewoon maar hun tijd uit, terwijl ze niets konden doen met hun enorme kennis – kennis die niet alleen voor Rusland maar voor de hele wereld waardevol had kunnen zijn.

Daarom heb ik onze president en minister-president gesteund bij hun inspanningen om een nieuw Rusland op te bouwen. Ik dacht: nou ja, het zal niet perfect zijn, en misschien werkt het niet eens, maar het zal toch zeker beter zijn dan wat we hiervoor hadden. Ik geloofde dat het goede mensen waren die goede dingen wilden bereiken. Maar nu niet meer.'

Ze waren bereid geweest Alice te laten sterven; dat zou hij hun nooit, nooit vergeven.

Hij keek naar Arkin. 'Kolja, je bent je geschiedenislessen vergeten. Je zou nog moeten weten wat er is gebeurd met Valse Dmitri, de tsaar uit de zestiende eeuw die alles uit het Westen verafgoodde – zijn onderdanen vermoordden hem en schoten zijn restanten de lucht in met een kanon op het Rode Plein, om Rusland eraan te herinneren niet te ver naar het Westen te buigen. Weet je wat je nog meer bent, Kolja? Je bent een slapjanus. Je staat met je ene voet in Rusland en de andere in Amerika, dus je pik moet ergens in de Beringzee hangen.'

De afgevaardigden trappelden ter instemming met hun voeten. Lev stak zijn arm omhoog om nog meer applaus uit te lokken, en sloeg er toen mee door de lucht om aan te geven: genoeg, hij wilde verder gaan. Als een reus achter de katheder richtte hij zich tot Borzov. 'En wat jou betreft, Anatoli Nikolajevitsj, we hebben zoveel vertrouwen in je gesteld, zoveel vertrouwen. Door jou te kiezen meende Rusland niet alleen een politicus te hebben die de structuur van de staat kon vernietigen, maar een individu die zijn oude gewoonten en vooroordelen zou willen inruilen voor democratische waarden. Je was eerste secretaris van de regionale partij van Sverdlovsk, eerste secretaris van de stadspartij van Moskou, kandidaat-lid van het Politburo, lid van het centrale comité van de CPSU – en toen, op vijfenzestigjarige leeftijd, *oplja!* Toen besloot je dat je een democraat was, en de hele wereld geloofde je. Als je een wijnetiket op een fles wodka plakt, heeft dat geen invloed op de inhoud. De enige manier om echt verandering teweeg te brengen is de wodka eruit gieten, en de wijn erin. Als er al democratie in Rusland zal komen, Anatoli Nikolajevitsj, is dat niet dankzij jou maar ondanks jou.'

Het was bravoure, en de afgevaardigden waren door het dolle. Lev richtte zich nu tot hen.

'Ik geloof dat Anatoli Nikolajevitsj noch Nikolaj Valentinovitsj geschikt is voor zijn functie. Als ik het voor het zeggen had, zouden ze allebei de laan uitgestuurd worden. Maar het volk heeft al genoeg onzekerheid gehad. Ze zouden ons niet dankbaar zijn als we hen overleverden aan nog meer onzekerheden door hun president te onttronen. Een minister-president is echter iets anders. Hij kan worden vervangen, hier, nu. Een stemming is het enige dat ervoor nodig is. Ik dien een motie van wantrouwen in tegen Nikolaj Valentinovitsj, laten we daarover stemmen.'

Er was geen vooraankondiging geweest, geen langzame opbouw, geen geroffel om deze zet kracht bij te zetten, maar Arkin voelde de schok al door hem heen gaan bijna voordat Lev was uitgesproken. Borzov, met zijn stenen pijp die van verbazing slap in zijn mondhoek hing, keek paniekerig van Arkin naar Lev.

Het werd onrustig in de zaal. Er werd door sommigen gejuicht, maar anderen keken angstig en verbijsterd.

Arkin wist hoe kwetsbaar zijn positie was. Ook al waren er velen die vertrouwen in hem stelden, er waren er nog veel meer die alles haatten waar hij voor stond. In de wetenschap dat het parlement een enorm politiek spektakel was, een circus waar alleen de meest dramatische en adembenemende acts de aandacht trekken, richtte hij zich tot Lev.

'Als zo'n stemming wordt gehouden,' zei Arkin, 'ongeacht de uitslag, dan loop ik weg uit het gebouw, en uit de regering. Alleen een markteconomie kan de rijkdom en dynamiek genereren die Rusland zal hervormen; alleen een markteconomie zal in staat zijn dit land tot een grootse wereldmacht te maken. Als jullie mij wegstemmen, brengen jullie Rusland daarmee veel meer schade toe dan mij.'

Arkin had zich maar net verstaanbaar kunnen maken in het tumult dat was gevolgd op Levs voorstel; nu nam het lawaai proporties aan die de kant opgingen van een lancering in Baikonoer. Borzov, hooghartig als een populair volksmenner, keek woedend voor zich uit na deze belediging van zijn gezag. In de regel hield hij zich verre van zulke onenigheden om niet het risico te lopen dat hij zijn populariteit verloor. Maar hij wist dat dit niet het tijdstip was om zich op de vlakte te houden. Wie er het hardst schreeuwt, het wildst gebaart, de grofste taal bezigt, die wint. De enige manier om Levs aanval te pareren was met een tegenaanval. Hij stond op.

'Een minister-president ontslaan omdat je dat goed uitkomt is een schijnvertoning, geen democratie. De leider laat zich niet de wet voorschrijven door een stelletje woestelingen die menselijke offers eisen.'

De afgevaardigden schreeuwden tegen Borzov, en waren niet van plan om het erbij te laten. Hij had gelijk; ze waren woestelingen, en het offer dat ze wilden was Arkin. Nee, zei Borzov; ze konden meebeslissen bij de benoeming van bepaalde ministers, op kleinere posten, maar ze hadden niets te vertellen over de minister-president. Ze begonnen nog harder te joelen en te schreeuwen. Hij probeerde het op een akkoordje te gooien: hij bood hun medezeggenschap aan in de voornaamste portefeuilles, zoals die van Veiligheid en Financiën. Een man in blinde paniek die compromissen wilde sluiten en zijn eigen ministers wilde ontslaan om tijd te rekken. Hij was in paniek, en dat wisten ze.

Om tien voor zes stemden de afgevaardigden met een meerderheid van 254 voor het ontslag van Arkin.

79

Toen Borzov op de tweede ochtend van de conferentie het woord wilde nemen, probeerde een groot aantal afgevaardigden hem weg te honen. Het was Lev die hun tot stilte maande: hij wilde genieten van de vernedering die de president ten deel viel. Toen de afgevaardigden kalmeerden, knikte Borzov dankbaar naar Lev.

'Geachte afgevaardigden,' begon Borzov, 'het moment is gekomen dat Anatoli Nikolajevitsj zich wil verontschuldigen. Jullie president is niet krachtig genoeg geweest in het kwijten van zijn taken. Hij heeft tussenoplossingen gekozen en geaarzeld. Dat is niets voor hem. Het is tijd dat Anatoli Nikolajevitsj weer Anatoli Nikolajevitsj wordt. En daarmee gaat hij nu beginnen.' Toen hij zweeg, heerste er stilte; niemand verstoorde de orde. 'De president weigert het ontslag te aanvaarden van Nikolaj Valentinovitsj Arkin. De Baas laat hem niet gaan voordat Rusland de kans heeft gekregen om de oogst binnen te halen van zijn visie en moed. Hij zal aanblijven als minister-president totdat de Baas anders beslist.'

Er stroomden energieën door de zaal als in een elektrische centrale. De hitte die opsteeg vanaf de plek waar Borzov en Lev elkaar weer aankeken, was bijna radioactief.

'De president heeft de afgelopen maanden vele beoordelingsfouten gemaakt,' zei Lev. 'Nu hij expliciet weigert de wensen van het parlement in te willigen, is hij te ver gegaan. Het is duidelijk dat hij niet langer geschikt is om zijn functie te behouden. Gisteren hebben we hem het voordeel van de twijfel gegeven. Door zijn eigen handelwijze heeft hij zich die niet waard getoond. Daarom moeten we stemmen of we willen dat hij wordt afgezet. We moeten zelfs twee keer stemmen: de eerste keer om te bepalen of er sowieso over afzetting gestemd moet worden, en als die motie wordt aangenomen, dan stemmen we over de vraag of hij wel of niet wordt afgezet.'

Lev had de regels erop nagelezen, dat was duidelijk. Parlementaire functionarissen begonnen haastig te overleggen en waren het erover eens: de afzettingsprocedure was precies zoals hij had omschreven. Ze gingen over tot de eerste stemming.

Van de 1012 stemgerechtigden waren er 338 nodig om de motie aan te kunnen nemen; Lev kreeg er 712. Bij de tweede stemming was een meerderheid van tweederde vereist. Als diezelfde afgevaardigden zich bij de volgende stemming tegen Borzov uitspraken, zou de president – althans, technisch gesproken – niet langer in functie zijn.

'De motie is aangenomen als 675 afgevaardigden vóór stemmen. Willen degenen die ervoor zijn dat de president wordt afgezet, hun rechterhand opsteken.'

Er was natuurlijk wel een voorzitter, maar Lev leek deze rol te hebben overgenomen. Borzov keek naar de afgevaardigden die hun armen omlaag hadden gehouden, omdat die gemakkelijker te tellen waren. Als hij genoeg stemmen kreeg om dit te overleven, zou het met een krappe meerderheid zijn. Er viel een lange stilte terwijl de tellers hun werk deden, toen nam Lev weer het woord.

'Willen allen die ertegen zijn dat de president wordt afgezet, hun rechterhand opsteken.'

Borzov kreeg steun van hier en daar wat groepjes opgestoken handen, tussen vijandig blikkende omstanders. Zijn positie leek nu helemaal hopeloos.

'Willen al degenen die zich van stemming onthouden…' zei Lev, op een toon die meer dan duidelijk maakte dat die er maar beter niet konden zijn; en die waren er dan ook niet.

De tellers overlegden kort, en knikten tevreden: hun cijfers klopten. Een van hen liep naar de voorzitter, met lange, doelbewuste stappen terwijl de camera's hem volgden; dit was zijn momentje roem, hij was zich er duidelijk van bewust. Hij fluisterde het resultaat in het oor van de voorzitter, met zijn hand eromheen om zijn lippen aan het zicht te onttrekken. De voorzitter schraapte zijn keel.

'De uitslagen van de stemming over de afzetting van Anatoli Nikolajevitsj Borzov zijn als volgt: onthoudingen: nul; aantal stemmen tegen: 338…' Er klonk wat geroezemoes onder degenen die snel genoeg waren om de som in hun hoofd uit te rekenen. De voorzitter ging meteen door en verloste daarmee de anderen uit hun lijden: 'Aantal stemmen voor: 684.' Hij stak zijn hand op om iedereen tot kalmte te manen, maar de afgevaardigden waren te opgewonden om daaraan aandacht te besteden; ze hoefden de rest niet meer te horen. 'Hiermee verklaar ik dat Anatoli Nikolajevitsj Borzov, op last van dit parlement, met onmiddellijke ingang wordt ontslagen als president.'

Er volgde een daverend applaus. Borzov keek naar de handen die als in een waas tegen elkaar aan sloegen om hun waardering te laten blijken, de monden die zich opensperden om hun goedkeuring te laten horen, en hij dacht aan de woorden van de dichter Tjatsjev: 'Rusland is niet te begrijpen, het staat niet open voor redelijkheid. Het is een land waarin je domweg moet geloven.'

Russen houden van hun leider wanneer hij pas is aangetreden, maar mettertijd gaat die liefde altijd over in haat. Elke keer hopen ze dat de nieuwe leider hun aanbidding eindelijk waard zal zijn; en elke keer mopperen ze dat ze zijn bedrogen. Ze hielden van de tsaren vanwege de grandeur van hun rijk; ze hielden van Lenin omdat hij het gehate tsarendom tot een einde bracht; ze hielden van Stalin omdat hij een volksimperium wist te herstellen en de gehate Leninisten verdreef; ze hielden van Chroesjtsjov omdat hij een einde maakte aan het gehate stalinistische juk en de massaterreur, ze hielden van Brezjnev omdat hij een einde maakte aan de stommiteiten en eigenzinnigheden van Chroesjtsjov; ze hielden van Gorbatsjov omdat hij een einde maakte aan de stagnatie van Brezjnev en omdat hij de vrijheid introduceerde; ze hielden van Borzov omdat hij een einde maakte aan de gehate weifelingen en hervormingsideeën van Gorbatsjov, en nu haatten ze hem om de vernedering, de chaos en de armoede waarmee zijn bewind hun had opgezadeld.

'Wat dacht je van moord?' zei Arkin.

'Op Lev?' Borzov zwaaide afwijzend met zijn glas wodka. 'Doe niet zo dwaas, Kolja. Het laatste wat we willen is dat Lev een martelaar wordt. Nee, hij is volgens de grondwet te werk gegaan, en op dezelfde manier zullen wij reageren.'

'Goed,' zei Arkin. 'Laten we het aan het volk vragen. Een referendum, met één vraag: wie moet er president worden?'

'Nee. Borzov is president, dat staat buiten kijf. De enige manier om hier onderuit te komen is direct presidentieel bewind: het parlement ontbinden, nieuwe verkiezingen uitschrijven, en per decreet regeren.'

'En het Westen?'

'Die willen dat de president tegen elke prijs in functie blijft, zoals je heel goed weet.' Hij gluurde boven zijn glas uit naar Arkin. 'Je wilt Anatoli Nikolajevitsj op de proef stellen, hè? Je wilt je ervan overtuigen dat hij even standvastig is als jij.'

Arkin glimlachte vol bewondering over het inzicht van de oude man.

'De Baas wist dat hij er verstandig aan deed jou te steunen,' zei Borzov, en schonk zichzelf nog eens in.

80

Borzovs televisieoptreden op Kanaal Eén voor de zwaarste toespraak van zijn hele presidentschap was een studie in onverschilligheid.

'Medeburgers, uw president,' – begon hij maar meteen, om duidelijk te maken wie er nog steeds het bewind voerde – 'spreekt tot u op een moeilijk en beslissend moment. De opperste sovjet wordt ontbonden. Zij heeft haar vermogen verloren om haar belangrijkste functie als vertegenwoordigend lichaam uit te voeren, die van het organiseren van publieke belangen, en is niet langer een wetsorgaan van het volk. Zij duwt Rusland naar de afgrond. Dit kan niet langer worden getolereerd zonder in te grijpen.

Het is de plicht van Anatoli Nikolajevitsj als president om onder ogen te zien dat de huidige afgevaardigden het recht hebben verloren om de touwtjes in handen te houden. Om de staatsveiligheid te garanderen heeft Anatoli Nikolajevitsj – die zijn gezag heeft verworven bij de volksverkiezingen in 1991 – een presidentieel decreet ondertekend waarmee de uitoefening van de wetgevende, bestuurs- en controlefuncties door de senaat wordt opgeheven. De senaat zal niet meer bijeenkomen, en de macht van de afgevaardigden van de Russische Federatie wordt ingetrokken. In de tussenperiode zal Anatoli Nikolajevitsj het absolute bewind voeren over Rusland, met steun van Nikolaj Valentinovitsj Arkin, die aanblijft als minister-president.

Jullie president neemt zijn beslissing tot absolute heerschappij met een zwaar hart, maar hij ziet geen andere uitweg uit deze impasse. Hij schuift de democratie opzij om haar te kunnen redden.

Anatoli Nikolajevitsj doet een beroep op de leiders van buitenlandse mogendheden om begrip op te brengen voor de ingewikkelde situatie hier. De maatregelen die hij heeft moeten nemen zijn de enige manier om de democratie en vrijheid in Rusland veilig te stellen, om het hervormingsproces en de nog steeds zwakke Russische markt te verdedigen. Een ander doel heeft hij niet.

En, medeburgers, uw president doet vooral een beroep op u. De tijd is gekomen dat we, met gezamenlijke inspanning, een eind kunnen en moeten maken aan de diepe crisis waarin de Russische staat zich bevindt. Jullie president rekent op jullie begrip, steun, gezond verstand en burgerzin. We hebben een kans om Rusland te helpen, en Anatoli Nikolajevitsj is ervan overtuigd dat we die kunnen aanwenden om vrede en rust in ons land te brengen. We zijn de erfgenamen van een schitterende cultuur, en de mogelijkheid tot een nieuw, modern en waardig leven hangt nu van ons allen af. Laten we, door gezamenlijke inspanning, Rusland behouden voor onszelf, onze kinderen en kleinkinderen. Dank u.'

Het Witte Huis was omsingeld door een lange rij mannen, die afwisselend chagrijnig, behoedzaam en uitdagend keken. Ze waren niet van de OMON of van het ministerie van Defensie; het waren bewakers van het parlement en de 21e Eeuw. Ze lieten afgevaardigden, parlementariërs en journalisten met een vergunning het Witte Huis binnen – verder niemand. Ze wierpen provisorische barricades op rond het Witte Huis met behulp van alles wat ze maar te pakken konden krijgen: bussen waarvan de banden kapotgesneden waren, trolleywagens, vuilniswagens, hekken, betonblokken, stalen rekken, bankjes, armaturen, steigerpalen, zelfs boomstammen. Het parlement werd belegerd, voor de tweede keer in zeven maanden.

Tegen de avond liet Borzov licht, verwarming, water en telefoon in het Witte Huis afsluiten.

De vergaderzaal, met normale verlichting al immens groot, leek nog groter in het flakkerende licht van honderden kaarsen. De duisternis achter de ellipsvormige gloed van groepjes kaarsen leek eindeloos. Zonder microfoon redde Levs zware bas het zelfs maar net tot achter in de zaal.

'De regering is bang,' schreeuwde hij. 'Ze weten dat ze het onderspit moeten delven, daarom nemen ze hun toevlucht tot dit soort dreigende tactieken, al zo vroeg in de strijd – dat zegt genoeg over hoe bang we ze hebben gemaakt. Vrees niet, vrienden; met elk moment dat er voorbijgaat, hebben we de situatie meer in de hand. Maar ik zal niet zeggen dat het makkelijk wordt. We kunnen hier wel dagen vastzitten, weken zelfs. Als jullie daar niet tegenop zijn gewassen, kun je nu beter weggaan. Ik heb mensen nodig die vierkant achter me staan, anders hoeft het niet. Dus zeg ik voor de laatste keer: ga nu, of blijf tot aan het eind bij mij.'

Zijn inzicht was juist; beter vijfhonderd fanatieke medestanders dan duizend weifelaars. Als hij de halfslachtigen tegen hun wil hier hield, riskeerde hij ontgoocheling en onenigheid. Lev had zijn halve leven opgescheept gezeten met anderen, en hij wist dat zowel positieve als negatieve gedachten zich in dergelijke omstandigheden verspreidden en vermeerderden; waar bereidwilligheid en geestdrift lafaards moed kunnen geven, kunnen ontgoocheling en gemopper van de sterkste mensen twijfelaars maken. En hij maakte zich ook geen illusies over de persoonlijke eigenschappen van veel van de kleine, hebberige mannetjes die zichzelf afgevaardigden noemden. Als hij de keuze had, zou Lev nog niet met de helft van hen een cel willen delen, laat staan een parlementsgebouw.

Toen het donker werd, kwamen demonstranten bijeen in de straten rond het Witte Huis. Ze kwamen in alle verschijningsvormen die Rusland kende – kinderen, oude vrouwen, boeren met grove trekken, en jonge intellectuelen, rillend in hun dunne regenjas – en de meerderheid steunde Lev. Verscheidene mensen droegen spandoeken mee waarop Borzov werd afgebeeld als Hitler, met naar voren gekamd haar en een snor, een glas wodka in de hand, een pentagram tussen zijn ogen en het duivelsgetal op zijn voorhoofd.

Het was amper een half jaar geleden dat ze – vrijwel zeker met een aantal dezelfde mensen – hier waren gekomen om de man te steunen die ze nu uitjouwden. Russen houden meer van verdedigers, mensen die iets beschermen, dan van agressors. Het afgelopen jaar had Borzov het Russische volk beschermd tegen de antisociale krachten van een ingeslapen regering; nu was Lev aan de beurt.

81

Patriarch Alexej wierp zich op als bemiddelaar toen hij aanbood de onderhandelingen te leiden tussen de twee partijen, en stelde het klooster Dani-
lovski voor als neutrale locatie. Imposant in zijn zwarte gewaden en witte
hoofdtooi liet Alexej met zijn voorstel zien hoe volledig de Kerk zich had
gerehabiliteerd sinds de atheïstische jaren van het communisme. Dat de
Kerk zich nu opwierp om nationale stabiliteit te garanderen verraadde de
zwakte van de politieke instituten van Rusland.

Beide partijen wezen het voorstel af.

'De elementaire voorzieningen worden ons onthouden,' zei Lev. 'Borzov
heeft midden in Moskou een politiek concentratiekamp gecreëerd.'

'Het parlement bestaat niet,' beweerde Borzov. 'Dus hoe kan de president het woord tot hen richten?'

Alexej vroeg Borzov licht, verwarming en water weer aan te sluiten.

Lev controleerde de voorraden wapens die overal in het Witte Huis lagen
opgeslagen. Waar je je ook bevond, zo luidde de theorie, met een paar minuten flink doorstappen had je alweer een wapen te pakken. De parle-
mentsbewaker had er een stel gebracht. Levs eigen bende van de 21e Eeuw
had er ongeveer evenveel geleverd. Er waren zestienhonderd automatische
geweren, tweeduizend pistolen, twintig machinegeweren en vijf granaat-
werpers alleen al in het Witte Huis, zonder de honderden, of misschien duizenden, die al om de nek en schouders van mannen buiten hingen.

Elke keer dat Lev naar buiten keek, leek het aantal mensen dat daar sa-
menstroomde om hem te steunen groter: er waren drie bataljons Moskouse
reservisten, honderd keurtroepen die gediend hadden in Moldova, politie-
manschappen uit Riga, een detachement Kozakken, en paramilitairen van
de Arbeiders van de Russische Unie.

Verderop, rond het hele gebouw, stond de politie.

Alice staarde naar de televisie totdat haar ogen begonnen te tranen, toen liep ze naar het raam en keek in westelijke richting, alsof ze de gebouwen, als ze maar lang en intens genoeg keek, zouden verdwijnen zodat ze het Witte Huis kon zien, als Saturnus omringd door bewakers en politieagenten: strijdperk, slagveld, maalstroom, een manifestatie van deze krankzinnige plek die haar hinderde als een wond die niet genas.

Ze zag weer hoe geschiedenis zich voor haar ogen ontrolde. Dat was het, meer niet. Ze dacht niet aan Lev, die het verzet leidde; het kon haar niet eens schelen wat er met hem gebeurde. Dacht, kon. Wat haar betrof mocht hij daar dood blijven. Misschien was het wel beter als dat gebeurde. Hij speelde niet langer een rol in haar leven, dus wat deed het ertoe?

Zoals elke impasse was deze belegering doodsaai en zenuwslopend tegelijk. Minuten kropen, uren vlogen voorbij. Het enige dat iedereen wist was: zodra het eerste schot viel, zou de situatie onmiddellijk escaleren, als een raket die vanaf Baikonoer de lucht in schiet, en was er geen houden meer aan.

Alexej probeerde weer te bemiddelen. Borzov weigerde te praten totdat Lev alle wapens in het Witte Huis had overgedragen; Lev weigerde te praten totdat Borzov de ontbinding van het parlement terugdraaide.

Borzov ontbood Sabirzjan naar het Kremlin en gaf hem, per presidentieel decreet, de leiding van Rode Oktober. Sabirzjans pogingen om de verkoop te saboteren waren verleden tijd. Hij en Borzov waren verenigd in hun haat tegen Lev, en zoals altijd was de vijand van een vijand een vriend.

Lev had absolute macht in de stokerij wanneer hij daar was, maar tijdens zijn afwezigheid ging Rode Oktober gewoon door – niet zonder verwarring of spijt misschien, maar de mensen die onder aan de ladder staan, houden Rusland gaande, ongeacht wat er bovenaan gebeurt. De arbeiders hadden geen tijd om zich zorgen te maken over politiek en een strijd om de macht; zij moesten hun werk doen, wodka maken.

Lev had bekeken wat de mogelijkheden waren om te ontsnappen voor het geval Borzov het leger zou weten over te halen het Witte Huis te bestormen. Hij liet de afgevaardigden niet merken hoe weinig opties er waren. Er was een atoomkelder – gebouwd toen de angst voor een nucleaire aanval uit Amerika zeer gegrond was geweest – maar de deuren waren hermetisch op slot en niemand kon ze open krijgen. De metro reed recht onder het gebouw door – het stond op de ringbaan, tussen de stations Kievskaja en Krasnopresnenskaja – maar er waren geruchten dat de tunnel vanuit de kelder van het Witte Huis opgeblazen zou worden. Als Lev uit het Witte Huis wilde ontsnappen, moest hij ook echt buiten op straat terechtkomen, en alleen als overwinnaar, als Borzov zich had overgegeven. Als hij het onderspit moest delven, zou hij het gebouw niet levend verlaten. Hij ging liever strijdend ten onder dan dat hij zich overgaf.

Laat in de middag was er weer energie en water in het Witte Huis. Borzov had met tegenzin toegegeven, pas toen hij ervan doordrongen was dat Lev als martelaar gezien zou worden als hij hun die voorzieningen nog langer onthield. Hij deed er iets aan af door er een ultimatum bij te stellen: 'Aan de criminelen die nog steeds in het Witte Huis zitten – jullie hebben tot morgenmiddag de tijd om het gebouw te verlaten. Anatoli Nikolajevitsj zelf garandeert jullie een vrije aftocht. Voor wat er daarna gebeurt is hij niet verantwoordelijk.'

Onder begeleiding van plotseling aanflitsende lampen en bonzende radiatoren gingen allerlei elkaar tegensprekende geruchten als een lopend vuurtje door de verlichte gangen: Borzov had zich overgegeven, Borzov bereidde een inval voor, de Amerikaanse speciale troepen waren op het dak. Vreemd genoeg leken licht en water eerder een negatieve dan een positieve invloed te hebben op Levs pogingen om de moed erin te houden. Door de verdedigers te confronteren met typisch Russische ontberingen, hadden de kou en de duisternis een gevoel van solidariteit gevoed. Nu begon de slijtageslag in zijn ergste vorm.

Lev riep iedereen weer bij elkaar in de grote zaal, alleen al om te laten zien dat zijn gezag hier absoluut was. 'Wij moeten nuchter blijven!' schreeuwde hij. 'Of die gek van een Borzov de aanval gaat inzetten, hangt waarschijnlijk af van de hoeveelheid die hij gedronken heeft. De hemel verhoede dat wij ons verlagen tot zijn niveau.'

Links van Lev begon een ruzie. De toestand escaleerde, er raakten meer mensen bij betrokken totdat de situatie explodeerde en er nog meer mensen bij betrok. De afgevaardigden waren mannen van middelbare leeftijd die al twintig jaar geen conditie meer hadden, en zo vochten ze ook, zonder enig effect met hun armen zwaaiend, jasjes en hemden over elkaars hoofd trekkend, ongericht, zonder dat ze er in slaagden om meer dan een enkele rake klap uit te delen.

Lev liep erop af, koos twee mannen die zich in het midden van het gevecht bevonden, greep ieder van hen in de kraag en sloeg hun koppen tegen elkaar, met zo'n kracht dat alleen zijn beheerste greep ervoor zorgde dat ze niet door de halve zaal heen zeilden. Toen hij hen losliet, vielen ze neer als zakken graan. De rest hield op met vechten.

'Zo is het genoeg!' schreeuwde hij.

Hij nam plaats op de stoel van de voorzitter en ging de afgevaardigden voor met een medley van Russische volksliederen: 'Ruisend riet', 'Rode

456

maan' en 'Lied van Stenka Razin'. Zijn stem stokte even toen hij tussen het zingen door moest glimlachen; ze zouden als overwinnaars uit de bus komen.

De politie had opdracht niet te schieten. Iedereen wist nog wat er was gebeurd op de dag van de Verdedigers van het Moederland, toen iemand in paniek de trekker had overgehaald. Die herinnering leek de demonstranten eerder op te hitsen dan angst aan te jagen. Ze begonnen tegen de agenten aan te duwen, in het stellige vertrouwen dat die niet met vechten zouden beginnen, en zo was het ook. De agenten keken elkaar met grote, angstige ogen aan. Dit was niet de reden waarom ze bij de politie waren gegaan, die had niets te maken met omkoperij of afpersing, en ze waren ook nog eens ver in de minderheid, er was bijzonder weinig blauw op straat, en al helemaal geen OMON-zwart of legergroen. Het terugtrekken begon bijna ongemerkt, terwijl de demonstranten sommige agenten ontwapenden en andere sloegen. Toen de spanning toenam en escaleerde tot er geen houden meer aan was, vluchtten de agenten weg met wapperende jassen, half marcherend, half rennend, als bange pinguïns. Een van hen struikelde en viel. Rodja en Galina, die waren gekomen om Lev te steunen, wierpen zich onmiddellijk op de gevallen man – niet om hem pijn te doen, maar om te voorkomen dat hij onder de voet werd gelopen.

82

Een spookachtig bleek licht kroop door de stille straten, en temperde de vuren: de schaduw van een verschrikkelijke dageraad trok grijsgrauw over Moskou. Oppervlakkig gezien was alles rustig, en verliep de routine van het dagelijks leven zoals altijd. Maar onder die oppervlakte begon de dag in een stad die bijna barstte van spanning en verwarring, en torste de bevolking op tegen zware stormen. De cirkels van onrust en opwinding werden steeds groter, weer een revolutie, in zijn moeilijkste, beslissende uur, de onzekerheid van zijn ultieme invloed.

Kanaal Eén had de hele programmering aangepast en zond het *Zwanenmeer* uit – een slecht voorteken; Tsjaikovski is de verkondiger van oorlogen en staatsgrepen. Om zeven uur verdween het *Zwanenmeer* van het scherm en kwam Borzov in beeld om de noodtoestand af te kondigen in Moskou, dat nu verdeeld was in zeven militaire districten: Borovistski, Stretenski, Tverskoi, Vorobjori, Triochgorja, Taganka en Lefortovo.

Het leger had de functies van de politie overgenomen, en in Moskou kwamen elk uur meer troepen aan. De eerste T-72-tanks doemden in de vroege ochtend op in de buitenwijken, en de bleke zon stond al hoog in het oosten tegen de tijd dat ze bij Koetoezovski Prospekt aankwamen, langzaam om niet weg te glijden om het glibberige beton, waar ze stopten op de Kalininski-brug tegenover het Witte Huis. Het was dezelfde route die de plegers van de staatsgreep het jaar daarvoor hadden genomen; dezelfde route trouwens waarover Napoleon in 1812 Moskou was binnengekomen.

De troepen, meest jonge jongens met ogen die traanden van de wind, kwamen overal vandaan: de Tankdivisie van de Vierde Garde Kantemirovskaja uit Narofominsk, de 27e Gemotoriseerde Infanterie uit Moskou, de 106e Luchtinfanterie uit Toelskaja, en de Tweede Garde Tamanskaja Gemotoriseerde Infanteriedivisie uit Golitsino, alom beschouwd als de felste van allemaal. Hun commandanten hadden de opdracht te schieten als dat nodig was.

Het leger had alle grote bruggen en toegangswegen naar Moskou bezet, en liet witte kronkelsporen achter op de wegen in de stad. Ze namen hun stellingen rond het Witte Huis in, waar de politie de vorige avond was weggejaagd. Het gebouw heeft negentien verdiepingen, en de tanklopen knikten langzaam in de richting van alle bezienswaardigheden, alsof ze zich afvroegen waar ze zich nu eens het eerst op zouden richten. De boodschap aan de parlementsbewakers die nog steeds rond het gebouw cirkelden was helder: het was binnenkort afgelopen met die aanstellerij, het was tijd voor actie.

Rond het middaguur liep de termijn voor overgave van de afgevaardigden af zonder dat er iets gebeurde. Borzovs besluit kwam en ging, als vloed en eb. Hij had het ultimatum laten verstrijken zonder er nog over na te denken. Nu het was verstreken, was hij opeens voorzichtiger. Er was zoveel dat mis kon gaan, en hij had nog niets terug van zijn oude slagvaardigheid die hem bij al zijn grote beslissingen had geholpen. Moest hij een nieuw ultimatum stellen? Moest hij nog meer troepen laten komen om de druk op te voeren? Of moest hij roeien met de riemen die hij had, en hen verrassen met een bliksemaanval? Bij dat laatste idee kwam trok zijn maag samen; hij was geen onbezonnen type, en hij wist dat iedere Rus, ongeacht zijn politieke overtuiging, hem dankbaar zou zijn als hij deze impasse kon opheffen zonder zijn toevlucht te nemen tot geweld.

Hij wilde zijn hoofd helder maken, dus ging hij naar de banja van het Kremlin, naar men zegt het meest luxueuze stoombad van heel Rusland, met bankjes bekleed met leer, en dikke kussens overal op de vloer. De kachel was zo breed als een vrachtwagen en reikte drie meter hoog; erin lag een enorme hoop ronde stenen te gloeien, als kleine kanonskogels. Borzov gooide wat wodka op de hete stenen, snoof gelukzalig de damp op, en schonk zich een glas in.

'Heraut!' Borzov gooide de deur open. '*Heraut!*' Een heraut was iemand die erop uitgestuurd werd om drank voor zijn vrienden te kopen. Een van de bewakers van de president kwam aanrennen. Borzov, met zijn ronde drankkop, keek hem met samengeknepen ogen aan en begon weer te schreeuwen, ook al stond hij niet meer dan een meter van de man vandaan. 'Haal een nieuwe fles voor me, en opschieten een beetje!'

Thuis bekeek Irk de beelden van het Witte Huis gelaten. Het was weer zover, dacht hij. Was dit de manier waarop het altijd zou gaan met de Russen, werden hun pogingen tot beschaving elke keer de kop in gedrukt als een onenigheid niet opgelost kon worden?

Denisov had de politie opdracht gegeven Borzov te steunen, en officieel moest Irk zich daar nog steeds aan houden. Niet dat hem dat gezegd had hoeven worden, natuurlijk. Als hij, een progressieve Estlander, de hervorming niet zou steunen, dan zou helemaal niemand het doen. Maar als ze tot de aanval zouden overgaan – en met al die troepen die er nu op de been waren zou dat zeker gebeuren, misschien niet vandaag maar dan toch zeker vannacht, in het donker – dan kwam Borzov daar domweg uit naar voren als iemand die in niets verschilde van zijn voorgangers. Als hij bereid was bloed te laten vloeien om onbeperkte macht te verwerven, als hij bereid was om zijn eigen volk te bombarderen, dan was hij geen haar beter dan het regime waar hij zich tegen had verzet.

Irk werd overweldigd door onbekende gevoelens. Natuurlijk, Lev deed foute dingen, maar deed niet iedereen dat? Hij deed ook heel veel goeds. Hij stond voor zijn zaak, hij hield zich strikt aan zijn erecode, en hij was een waarachtig filantroop – kijk maar naar dat kindertehuis, bijvoorbeeld. Het was niet moeilijk om hem te respecteren en te bewonderen. Technisch gesproken was Lev een crimineel. Nou en? De hele samenleving werd gecriminaliseerd, gewoon om te kunnen overleven. En Lev en zijn mannen waren in elk geval competent, in tegenstelling tot Denisov en die halve zolen van Petrovka. En wat Rusland vooral nodig had was competentie.

Irk had Karkadann niet kunnen tegenhouden, maar misschien kon hij nu wel iets doen. Weinig mensen waren gevaarlijker dan idealisten die hun helden zijn verloren, dacht hij, en ging op zoek naar zijn veiligheidskleding.

Voor de hoofdingang van het Witte Huis keek Sveta stuurs door haar opgemaakte wimpers naar de troepen en legde de etenswaren uit haar boodschappentas op de voorkant van de dichtstbijzijnde tank. Ze begon de soldaten tegelijkertijd uit te schelden en eten te geven, zoals alleen een baboesjka dat kan. 'Wie komen jullie hier overhoop schieten? Je moeder? Hebben we jullie daarvoor grootgebracht? Hier, jij daar – neem een worstje. Je ziet eruit alsof je in maanden niet hebt gegeten.'

Een kolonel kwam naar voren om Sveta weg te duwen, maar ze wist hem te ontwijken. 'Blijf van me af, stommeling,' snauwde ze.

'Ga naar huis, grootmoeder,' zei hij. 'Je hoort in de keuken, ga borsjt maken. Laat de politiek maar aan het manvolk over.'

'Dat doen we al vanaf Catherine de Grote. En kijk eens wat het ons heeft opgeleverd.'

De kolonel wist wanneer hij had verloren en liep weg.

Nadat zijn pogingen tot onderhandeling waren mislukt, verlegde patriarch Alexej zijn bemiddelingspogingen naar een hoger niveau. Gevolgd door priesters in zwarte gewaden waarin ze op een stel kraaien leken, ging hij naar de Jelochovski-kathedraal en liep met de stoet naar Onze Vrouw van Vladimir. Dit beeld van de Maagd met het Christuskind is de heiligste icoon van de hoofdstad. Volgens velen zou Moskou hierdoor zijn verlost van Timoer de Lamme. Nu, met de aanbedene tegen hem aan gedrukt, bad Alexej dat Rusland gevrijwaard mocht blijven van een volgende ramp.

De tocht kostte Irk meer dan een uur. Hij moest de hele weg ondergronds afleggen om de troepen te omzeilen die op elke straathoek en bij elke ingang van elk metrostation leken te staan. Hij was natuurlijk wel hoofdinspecteur, dus hij zou verdomd veel pech hebben gehad als ze meer hadden gedaan dan zijn papieren controleren om hem daarna door te laten. Maar pech leek Irk te achtervolgen, en hij besloot het risico niet te nemen.

Het rioolwater stond lager dan de vorige keer, alsof Moskou zelf geconstipeerd was en wachtte tot er een overwinnaar uit de strijd kwam. Irk waadde door rechte en kronkelende watervalletjes, en berekende op basis van het aantal schotten in de tunnels hoe ver hij was. Terwijl hij zich door zwaar geroeste delen van de gietijzeren pijpen haastte, spatte hij water op rond vissen zonder vinnen en zonder ogen. En al die tijd zag hij niemand. Alleen een muurschildering van een regenboog met rode gitaren en dansende muzieknoten verraadde dat hier beneden wel degelijk leven was.

Hij dacht aan Moskous wankele funderingen: een alluviale bodem, waarvan de ondergrond flexibel en zanderig was. Bovendien was het grondwaterpeil te hoog. Er zijn ondergrondse meren die totaal gevormd worden door lekkende leidingen en armzalige afvoeren. De brug bij het Beloroesski-station kon elke minuut instorten, en dat was niet de enige. Elke dag kwam de stad dichter bij de ondergang. Nou, dacht Irk, hij hoefde geen speleoloog te zijn om dat te weten.

Misschien moest hij zijn baan als inspecteur opgeven en als gids excursies houden door de riolen: korte, lange, ondiepe, diepe. Hoe lang zouden mensen beneden willen blijven? Minder dan een uur zou niet echt de moeite waard zijn. Een hele nacht? Hij zou ze twee keer laten betalen: een keer aan het begin, en nog een keer om hun de weg naar boven te wijzen als ze niet beneden wilden blijven. Hij kon ook tentoonstellingen houden, in het gemeentehuis van de stad of in het Ostrovski-museum. Een cabaret onder het Rode Plein, of een veiligheidstraining voor nieuwelingen. Hij kon naar de Internationale Speleologische Vereniging in Alabama gaan, een nieuwe Landrover kopen, nieuwe pakken, helmen uit Frankrijk – die kostten per stuk vijf honderd dollar, maar het waren de beste.

Dit was geen hobby; het was een geestestoestand. De plaatsen die hij hier bezocht waren vol duisternis en ongemak. Toen hij het water in de buizen hoorde klotsen, was het alsof hij Moskous voorouders hoorde. Hij hoorde hun gefluister, het bracht hem dichter bij hen. Mensen dachten dat ze niet afhankelijk waren van dit soort krachten, maar dat was niet zo. Iedereen had banden met het ondergrondse. Of ze wilden of niet, ze werden bepaald door alles wat er vroeger was geweest.

Irk sloeg drie keer verkeerd af voordat hij vond wat hij zocht: een deur die naar het Witte Huis leidde. Het vorige jaar had hij die bij toeval ontdekt, toen hij een manier zocht om in de Devjati Moetsjenikov-kerk te komen. De deur zat natuurlijk op slot. Irk tastte in zijn zaak naar de loper die alle hoofdinspecteurs hadden, en duwde hem met gemak in het slot. Hij voelde even een trilling toen de tuimelaars klikten, en draaide daarna tegen de richting van de klok in, terwijl hij hoopte dat de deur niet vastgeroest was. Het slot gaf mee. Irk greep de deur en trok; met tegenzin kwam de deur uit het frame los en stond toen wagenwijd voor hem open.

De tunnel liep schuin omhoog en was smal, maar hoger dan hij had verwacht. Hij hoefde alleen maar zijn hoofd in te trekken en iets door zijn knieën te buigen om erdoorheen te kunnen, waarbij hij op de bal van zijn voeten balanceerde om te voorkomen dat hij weer omlaag gleed. Bij het licht van zijn hoofdlamp liep hij ongeveer twintig passen, sloeg rechtsaf en volgde toen weer een scherpe bocht naar links, deed nog eens twintig passen en stond toen voor de volgende deur. Deze ging gemakkelijker open; verbaasd constateerde hij dat deze deur zelfs niet op slot was geweest. Hij liep erdoor en bevond zich toen in een kelderruimte die even donker, koud en vochtig was als de tunnel hiernaartoe, maar hier was onmiskenbaar vaste bodem. Hij was weer terug uit de omgekeerde wereld.

Irk stond zich net af te vragen of hij zijn steriele kleding moest uittrekken toen er ineens fel wit licht verscheen, en tegelijk klonk er geschreeuw en het klikken van veiligheidspallen – ze hadden in elk geval veiligheidspallen, dacht hij vreemd genoeg, terwijl hij tegelijkertijd probeerde zijn ogen te bedekken en zijn handen omhoog te steken. 'Liggen!' riepen ruwe stemmen. 'Liggen!'

Irk liet zich op zijn knieën zakken en daarna – niet uit vrije wil, maar omdat iemand hem hard tegen zijn achterste trapte – op zijn buik. Hij wachtte tot hij zou worden gefouilleerd, maar daar leek geen sprake van, misschien, besefte hij later, omdat zijn kleren besmeurd waren met Moskous beste kwaliteit afvalwater.

'Wie ben je?' blaften ze. 'Wat moet je hier?'

'Mijn naam is Juku Irk,' zei hij, en hoorde zelf hoe akelig plechtstatig klonk. 'Ik ben...' hij wilde zeggen 'hoofdinspecteur bij het OM' maar Denisovs openlijke steun aan Borzov bracht hem op andere gedachten – 'hier gekomen om Lev te helpen.'

'Kent hij je?'

'Ja.'

'Hoe zei je ook weer dat je heet?'

'Irk. Juku Irk. Maar zeg wel dat ik hier uit eigen naam ben. Zeg hem dat vooral zo.'

Hij voelde zich net Rudolf Hess, die stiekem naar Engeland vertrok zonder iets tegen Hitler te zeggen. Voetstappen keerden om en stierven weg, iemand die Lev ging vertellen wie ze hadden aangetroffen. Toen Irk zijn hoofd hief om rond te kijken, bracht een voet achter op zijn schedel hem tot andere gedachten. Ze wilden duidelijk geen enkel risico nemen.

Als Lev hem niet wilde zien, dacht Irk, was hij zo dood als Lenin.

Niemand zei iets. De stilte duurde steeds langer. Hele steden hadden kunnen verrijzen en weer verdwijnen voordat de voetstappen terugkwamen.

'Opstaan,' zei dezelfde stem die hem zijn naam had gevraagd. 'Draag je kleren onder dat oranje ding?'

'Ja.'

'Trek het dan uit.'

Irk kwam overeind en keek om zich heen. Het waren vier kerels, allemaal ongeschoren, bleek en nerveus. Hun ogen schoten als muskieten rond en bleven nooit langer dan een tel op dezelfde plaats. Hij had geluk gehad dat ze hem niet meteen hadden neergeschoten.

Toen het veiligheidspak op de vloer lag, namen ze hem mee naar Lev.

Het was alsof hij door een militaire barak liep. Elke hoek die ze omgingen en elke trap die ze beklommen werd bewaakt door twee of drie gewapende mannen, soms meer; de meesten van hen spreidden een bestudeerde nonchalance ten toon die je alleen als je heel nerveus bent kunt voorwenden. Ze waren ervan overtuigd dat ze zouden worden bestormd, en dat zelfs de duizenden wapenen waarover ze beschikten niets voorstelden tegenover zwaar tank- en mortiergeschut. Hun enige hoop was dat Lev het zou kunnen klaarspelen het leger op andere gedachten te brengen voordat de eerste schoten werden gelost. Als hij daar niet in slaagde, was het beste waar ze op konden hopen dat ze een paar vijanden meesleepten in de dood tijdens hun verdediging van het Witte Huis.

Lev was in een van de conferentiezalen ergens midden in het gebouw. Hij trommelde met zijn vingers op het tafelblad en staarde in het niets – het was niet duidelijk of hij energie zat op te doen of de hoop liet varen.

'Wat wil je?' zei Lev, op een toon waaruit irritatie noch nieuwsgierigheid bleek.

'Jou helpen,' zei Irk.

'Hoe dan?'

'Door je hier weg te halen.'

'Ik wil hier niet weg.'

'Lev, Rusland heeft je nodig, om de boel weer op poten te zetten. Als jij hier sneuvelt, heeft niemand daar iets aan.'

'Nee. Ik heb plechtig beloofd dat ik dit gebouw alleen als overwinnaar of als lijk verlaat. Deze mensen wagen hun leven voor me, ik kan ze niet in de steek laten. En waarom bekommer jij je om ons, inspecteur? Je bent toch een Estlander?'

Waarom bekommer jij je om ons? Die vraag stak Irk. Waarom nam hij deel aan de strijd voor een land dat niet eens zijn eigen land was? Rusland was hem dierbaar geworden, hij besefte dat nu pas. Hoe meer mensen hem er-aan herinnerden dat hij geen Rus was, hoe meer hij de neiging kreeg dat goed te maken.

'Waarom geloof je niet in Borzov?' vroeg Lev.

'Dat deed ik wel.'

'Maar…?'

'Nu niet meer. De nieuwe kleren van de keizer, denk ik.'

Ze kwamen bij iedereen voor, dacht Irk, zelfs bij degenen die in de ogen van het volk onfeilbaar leken: momenten van zwakte. Of anderen deze mo-menten wel of niet zagen, hing slechts af van kans en tijd. Irk zag de twijfel in Levs ogen, en nam meteen het heft in handen. 'Luister.'

'Waarnaar?'

'Wat hoor je?'

Mensen, buizen waarin het borrelde, vloerplanken die kraakten, een constante ruis; met andere woorden, het ritme van een stad. 'Niets.'

'Precies. Het is veel te stil.'

Het ging van man tot man als een lopend vuurtje: 'Er komt een aanval. We moeten de boel verduisteren – doof alle lichten. Mannen die een gasmasker hebben, moeten die opzetten. Wie die niet heeft, moet natte doeken om zijn neus en mond binden.' In de plotselinge duisternis klonk het gerom-mel van honderden mensen die veiligheidsbrillen opzetten en sjaals en zak-doeken voor hun mond knoopten. Na een ogenblik waren de lichten vervangen door piepkleine rode puntjes die opgloeiden en weer afnamen.

Lev onderdrukte een lach. Alleen de Russen konden, na een tweeledig bevel onzichtbaar te blijven en de effecten van een gasaanval tot een minimum te beperken, sigaretten als een noodzakelijke behoefte beschouwen in plaats van als de kortste weg naar het hiernamaals.

Er stonden vier T-80-tanks op de Kalininski-brug, hun geschuttorens ronddraaiend met de synchroniciteit van goed getrainde koormeisjes terwijl ze 150-mm geschut afvuurden dat het Witte Huis zwart blakerde. De eerste granaten raakten het gebouw met doffe dreunen, die te kalm en gedempt leken om zo'n enorme schade tot gevolg te hebben. Ruiten barstten uit elkaar en huilden roettranen, muren en vloeren trilden, waterbuizen knapten en overstroomden gangen, intussen enkele vuurtjes blussend die veroorzaakt waren door de granaten.

De protesterende burgers waren de eersten die vertrokken. Ze hadden de politie weggejaagd, maar artillerie was een heel ander verhaal. Ze renden voor hun leven en verdwenen in de omringende straten. De soldaten lieten hen gaan, ze hadden belangrijkere zaken aan hun hoofd. De parlementsbewakers en andere paramilitairen bleven op hun post totdat een aantal van hen onder vallend puin waren gedood en nog veel meer gewond waren geraakt; daarna trokken ze zich terug in het Witte Huis. De meeste granaten troffen doel op de bovenste verdiepingen, te hoog om de structuur van het bouwwerk echt in gevaar te brengen. Misschien deden de tanks een wedstrijdje om te zien wie de klokkentoren eraf kon schieten.

Het leger bombardeerde het Witte Huis tot het daglicht afnam, en tegen die tijd hadden de commandanten het idee dat het gebouw en de bezetters wel voldoende verzwakt waren. Toen het donker viel werden alle televisiecamera's van het Witte Huis weggehaald, om te voorkomen dat een van Levs mannen nog zou zien wat er buiten gaande was. De troepen maakten gaten in de barricades waardoor speciale Spetsnaz-strijdkrachten het Witte Huis zelf konden bereiken. Ze brachten plastic explosieven aan op de deuren, onderling met elkaar verbonden door ontstekingskoord.

De aanval van de infanterie begon een half uur na zonsondergang. Een van de Spetsnaz-jongens stak het ontstekingskoord aan, dat met zes kilometer per seconde brandde. Zelfs voor een gebouw dat zo groot was als het Witte Huis, was het voor het blote oog alsof de explosies gelijktijdig plaatsvonden in plaats van vlak na elkaar. De soldaten kwamen meteen hierna in actie, gooiden granaten met bedwelmend gas in de plotseling wijd openstaande deuren en bestookten de gangen met geweervuur terwijl hun cilindervormige toortsen door de rook sneden. Er was niemand bij de ingangen, en dat was vreemd – ze hadden verwacht hier na de explosies enkele lijken aan te treffen. De verdedigers moesten hebben geraden wat er zou komen en zich dieper in het huis teruggetrokken hebben.

De troepen renden de lege gangen door, elkaar dekkend bij elke bocht en voor elke deuropening. Ook hier was niemand. Er werd niet eens op hen geschoten. De eerste zeven verdiepingen waren allemaal leeg. Er waren daarboven wel mensen, maar die waren allemaal dood, opengereten door rondvliegend glas of simpelweg aan flarden gescheurd door granaten – de ongelukkigen die de volle laag hadden gekregen. Het werd nu wel erg vreemd. Er hadden ruim duizend mensen in het Witte Huis gezeten, de meesten gewapend, en die lieten zich er niet onder krijgen zonder iets terug te doen; maar nergens was iemand te zien.

Het kostte de Spetsnaz en hun minder elitaire collega's veertig minuten om het gebouw van onder tot boven te doorzoeken, waarna ze, met nauwverholen ongeloof, rapporteerden dat de verdedigers domweg waren verdwenen.

Precies op dat moment, toen de legercommandanten op de Kalininski-brug knapten van woede toen ze het verhaal van hun troepen aanhoorden, werkte Lev zich omhoog door een mangat in de Gasjekastraat, ten noorden van de dierentuin. Toen hij zich eenmaal had gerealiseerd dat er tijd genoeg was om allemaal veilig naar buiten te komen, was er weinig meer voor nodig geweest om hem over te halen Irks plan uit te voeren. Hij had geweten dat de troepen pas met bombarderen zouden beginnen als de avond viel; er was geen reden om de infanterie er bij daglicht op af te sturen, en alleen een bijzondere omstandigheid, zoals het doden van gijzelaars of een politiek bevel, had hen eerder in actie kunnen brengen.

Irk had de mannen door de riooltunnel naar buiten geleid. Bij elkaar had dit twee uur geduurd, waarbij ze elkaar op een paar passen afstand volgden, snel maar niet overhaast. Het enige dat Irk moest doen was hen van het militaire kordon rond het Witte Huis vandaan houden; vanaf dat punt konden ze zelf wel de weg naar boven vinden en de tocht voortzetten, gebruikmakend van het donker om aan eventueel patrouillerende soldaten te ontkomen. Geen van hen droeg natuurlijk beschermende kleding, en waarschijnlijk zouden ze over een dag of twee allemaal ziek worden. Maar voor een veilige ontsnapping leek dit Irk een lage prijs.

Borzov was razend. Hij gaf iedere wetsdienaar in Moskou opdracht uit te kijken naar de ontsnapte afgevaardigden – met name Lev – en hij dreigde iedere agent die met lege handen terugkwam met ontslag. Daarna probeerde hij zijn positie te stabiliseren door zichzelf aan het hoofd te stellen van de Nationale Veiligheidsraad en een hele reeks nieuwe maatregelen tegen misdadigers uit te vaardigen.

De politie kon waar ze maar wilde controles uitoefenen, verdachten zonder aanklacht een maand vasthouden, kantoren en woningen doorzoeken zonder huiszoekingsbevel, en de financiële situatie onderzoeken van iedereen die iets te maken zou kunnen hebben met de georganiseerde misdaad. Er moesten weer verblijfsvergunningen worden ingesteld in elke stad met meer dan een miljoen inwoners. Rechters moesten beter beveiligd worden. De fiscale recherche zou worden beheerd door een speciaal rechtsorgaan, de Tijdelijke Buitengewone Commissie, ofwel VCHK – een naam die opzettelijk was bedacht om belastingfraudeurs bang te maken; vroeger heette de KGB de VCHK.

'Ik deel de lakens uit,' verkondigde Borzov. 'Ik laat me niet aan de kant schuiven. Het is mijn taak iedereen in de hand te houden en te vertellen wie de baas is. Als hun dat niet aanstaat, kunnen ze hun ontslagaanvraag indienen.'

De politie – een twaalftal mannen van Jerofejev, tot de tanden gewapend – kwam naar de Patriarchenvijver. 'Hebt u Lev gezien?' vroegen ze.

'Alsof ik die klootzak hier binnen zou laten,' gilde ze. 'Stel je voor! Lazer op, allemaal.' Ze negeerden haar, duwden haar opzij en keerden de hele boel ondersteboven. 'Die man is twee meter twintig,' krijste Alice. 'Hoe kan die zich hier nu schuilhouden.'

'Het is niets persoonlijks,' zei Jerofejev.

'Doe niet zo belachelijk. Natuurlijk is het iets persoonlijks.'

'Integendeel. We zoeken overal: in Rode Oktober, in het penthouse van Kotelniki, in de datsja van Testarossa, in elke gerenommeerd hotel en elk restaurant in de stad.' Hij verzweeg de logische gevolgtrekking: verder waren ze nog niet gekomen.

'Wat gaan jullie met hem doen, mochten jullie hem vinden?'

'Natuurlijk vinden we hem.'

'Wat je maar wilt.'

'Hem arresteren, natuurlijk.'

'Niet doden?'

'Natuurlijk niet.'

'Een paar uur geleden waren jullie anders nog van plan hem te doden – hem en alle anderen in het Witte Huis.'

De politie liet modder achter op de tapijten, vuile handafdrukken op de muren en ijs tussen Alice en een laaiende Lewis. Dat zijn woning overhoop was gehaald en zijn privacy geschonden vanwege iemand van wie zijn vrouw hield, maakte alles nog erger.

83

De Russische Orthodoxe Kerk begraaft haar doden zaterdags. Duizenden kwamen erop af om de gevallenen van de vorige dag te gedenken en om te protesteren tegen Borzovs stompzinnige optreden, zowel wat betreft de manier waarop hij de belegering had aangepakt als vanwege de maatregelen die hij daarna had aangekondigd. Voor een nog nasmeulend Witte Huis lag de stoep bezaaid met spontane gedenktekens: bloemen, afbeeldingen, vruchten, brood, chocolade en sigaretten. De rouwenden kwamen vol waardigheid en stilte, maar hun afkeuring was duidelijk merkbaar. Er was geen sprake van euforie nu de impasse voorbij was; alleen maar schaamte, terughoudendheid en zelfverachting. 'Hoe hebben wij Russen elkaar zoiets kunnen aandoen?' vroegen ze.

Sommige demonstranten droegen spandoeken met Levs afbeelding en de slogan *genaaid door de partij, genaaid door het leger.* Veel afgevaardigden waren gearresteerd of hadden zichzelf aangegeven, maar Lev was ondergedoken, en de afbeelding was het enige dat ze van hem hadden. Plus een boodschap die hij had gestuurd: 'Ik vraag om vergiffenis aan familie en vrienden van de gesneuvelden; vergiffenis dat ik niet in staat was hen te behoeden voor de tragedie die hun ten deel is gevallen. Mogen zij rusten in vrede, terwijl ik mijn respect betuig voor hun wilskracht, hun burgermoed en hun geesteskracht.'

Het was allesbehalve vreemd dat een maffialid een volksheld was. Russen zagen in maffialeden stoutmoedige, roekeloze, sterke mannen; ze zagen mannen die de omstandigheden naar hun hand zetten, in plaats van andersom. Ze verafgoodden hen, zelfs al namen ze aanstoot aan hun successen en hun methodes.

Het was zo erg, dat Irk wenste dat Karkadann nog leefde. Vier mensen in een smerig klein appartement hadden een drinkgelag gehouden en alles achterover geslagen wat ze maar te pakken konden krijgen: wodka, eau de cologne, remvloeistof, ruitenreiniger. Het ging om een getrouwd stel, Valdemar en Astra Chrinin, en twee broers, Grigori en Pjotr Stonkoes.

In een van Petrovka's sjofelste verhoorkamers was Valdemar constant aan het woord. Dit was niet zo gek, aangezien hij de enige was die nog gewoon kon praten. Astra was de agenten die hen arresteerden te lijf gegaan en beperkte nu haar getuigenis tot een reeks bijzonder creatieve vloeken; Pjotr Stonkoes zat onder de kalmerende middelen; en van Grigori Stonkoes waren niet minder dan acht aparte delen.

Volgens Valdemar was de zwelgpartij snel verlopen totdat de gebroeders Stonkoes buiten westen raakten. 'Die zopen zich helemaal rondom,' zei Valdemar. 'Astra en ik gingen door.' Na een paar uur, mogelijk met een korte onderbreking voor seks (dat wist hij niet meer), had het gelukkige paartje grote honger gekregen. 'Mijn maag knorde als een varken, dat zal ik je vertellen. En wat was er in huis? Geen moer.'

Wat doe je dan in zo'n situatie? Ze hadden de bewusteloze broers eens goed bekeken, waren tot de conclusie gekomen dat Grigori het meeste vlees had (een marginale beslissing, moest Valdemar toegeven) en de bijl in hem gezet. Grigori's vlees was in pannen gegaan, de rest in de centrale verwarmingsketel van het flatgebouw. Tegen de tijd dat het vlees gaar was, was Pjotr bij bewustzijn gekomen. Waar was Grisja? Naar huis, hadden ze gezegd. Dan hadden zij des te meer te eten, had hij gezegd; hij had honger als een paard. Wat waren ze trouwens aan het braden?

Ze hadden gezegd dat het een hond was.

Gealarmeerd door de stank uit de ketel hadden de buren de politie gebeld. Die waren gekomen, hadden uitgedokterd dat de haute cuisine van de Chrinins afkomstig was van een hogere levensvorm, hadden Pjotr hiervan met een verbazingwekkende ongevoeligheid op de hoogte gebracht, en daarna Moordzaken gebeld. 'Zonde van al dat vlees, toch?' vroeg Valdemar. 'Het was kakelvers.'

Irk was nog bezig een antwoord te bedenken toen de deur openging en de dienstdoende sergeant hem wenkte. 'Kan het niet even wachten?' zei Irk.

'Ben bang van niet.'

Irk zuchtte, stond op, en volgde de sergeant naar de gang. 'Wat is er?'

De sergeant slikte, waarbij zijn adamsappel wel een vlotterkraan leek. 'Weer een.'

'Wat bedoel je?'

'Weer een kind. In het riool. Een meisje. Dood.'

Het was weer begonnen. Het was onmogelijk dat het weer was begonnen. Het lichaam zou er vast al een tijd liggen, vermoord vóór Karkadanns dood en nu pas gevonden. Of het lag er pas; en er was iemand bezig die zijn methode had overgenomen. Logica en emotie streden om het hardst. Zoals naar zijn zin al te vaak was gebeurd, merkte Irk dat zijn emoties hem de baas waren.

Eindeloze gangen, druipende plafonds, het flakkerende licht van lantaarns. Plotseling fladderden er zeemonsters in Irk gezicht: tentakels die hem aanvlogen, vinnen die zomaar een arm konden afhouwen, karteltanden als van een zaag, starende ogen die zich in hem boorden. Hij schrok zo dat hij het bijna uitschreeuwde, maar toen hij nog eens keek zag hij dat het pijlinktvissen en haaien waren, bewegingloos in formaline, en dat er dikke glasplaten tussen hem en de vissen in zaten. Een bordje leerde hem dat hij in het magazijn was van de Academie van Oceanologie. Al die jaren dat hij hier beneden kwam, had hij er nog nooit van gehoord, maar er waren dan ook miljoenen kilometers riooltunnels; het verbaasde Irk dat iemand hier ooit iets vond.

Het lichaam van het meisje lag bij een ruimte die bedoeld was om olie, vettigheid en chemicaliën op te vangen zodat die stoffen niet te veel schade zouden toebrengen aan de riolering. De arbeider die haar had gevonden stond er onzeker bij, van de ene voet op de andere wippend, alsof hij liever ergens anders was. Zijn gezicht, pafferig in het schaarse licht en verborgen onder een pet met een klep, was bijna onzichtbaar.

'Wanneer heb je haar gevonden?' vroeg Irk.

'Een paar uur geleden.'

'Wat voor werk doe je hier?'

'Ik voorkom dat de buizen instorten. We doen alles, noem maar op: nieuwe voegen aanbrengen, kapotte stenen vervangen, pleisteren, ze met plastic bekleden. De buizen in dit deel van het stelsel zijn namelijk gemaakt van vuurvaste klei…'

'Het kan me geen donder schelen waar die buizen…'

'… die beter absorbeert dan aardewerk, en minstens even sterk is. Vuurvaste klei moest gevernist worden met zout, maar kom momenteel maar eens om zout; een beetje ironisch, niet, als je denkt aan al die arme stakkers die de mijnen in gestuurd worden.'

Irk duwde de politiefotograaf opzij en ging op zijn hurken zitten, waarbij hij ervoor oppaste dat hij zijn achterwerk boven de ondiepe stroom rioolslib hield. Hij bescheen het lijk met zijn lantaarn, en met het licht vervloog ook zijn laatste beetje hoop. De ontbinding was nog maar net begonnen. Hij schatte dat het meisje vierentwintig uur, op zijn hoogst achtenveertig uur geleden was vermoord. Karkadann was al tien dagen dood; hij had onmogelijk iets te maken kunnen hebben met deze dode, die er net zo bij lag als de andere, met het hamer-en-sikkel-teken in haar borst die wit was vanwege het bloedverlies.

Er was nog meer: twee rode kringen op de maag van het meisje, volmaakt rond, met een doorsnee van zo'n tien centimeter. Het zag eruit alsof er ronde potjes op waren gedrukt, als een koffiekop die een kring achterlaat op een bureau.

Bloed. Potjes. Bloed.

Alle lijken waren deels leeggebloed, maar dat was niet ongewoon voor slachtoffers van een moord; zelfs uit het kleinste wondje kon verbazend veel bloed wegstromen. Maar als dat bloed er nu opzettelijk uit was gehaald? Bloed was een kostbaar goed in Moskou, dacht Irk, en de prijzen op de zwarte markt waren hoog, vooral voor niet-besmet plasma.

De fotograaf botste tegen Irk op, struikelde bijna over hem. 'Hé!' zei Irk. 'Kijk uit.'

De man reageerde niet; hij was te druk bezig met foto's maken. Irk kreeg het idee dat de man op zijn eigen bruiloft minder foto's genomen zou hebben dan hier.

'Je moet er een meetlat bij houden,' zei hij tegen de kiekjesmaker. 'Anders zie je de juiste verhoudingen niet.'

'Heb ik niet.' Zijn accent verraadde dat hij uit Minsk kwam – typisch een Wit-Rus, om zo moeilijk te doen.

'Gebruik dan je voet.'

'Ik weet zelf wel hoe ik mijn werk moet doen, ja?'

Het is een standaardprocedure bij forensisch onderzoek: elke opname moet twee keer gemaakt worden, eenmaal met een meetlat ernaast om aan te geven hoe groot het voorwerp is, en nog een keer zonder meetlat omdat die eventueel bewijsmateriaal kan blokkeren.

'Hoe heet je?' vroeg Irk.

'Sloetsjek.'

'Nou, Sloetsjek, heb je opvallende dingen gezien?'

'Honderden.' De camera verschoof een stukje voor Sloetsjeks gezicht.

'Vergeet niet alle voetafdrukken van opzij te nemen.'

'Die zijn er niet.'

'Alleen op die manier kun je details zien.'

'Ik zei toch dat die er niet zijn.'

'Ze moeten er zijn. Is de dader soms in rook opgegaan?'

Sloetsjek negeerde Irk en bleef klikken. Zijn fotografische techniek was even therapeutisch als zijn karakter ergerlijk was; een lichte spanning in zijn wijsvinger als de lens knipperde, de elegante kromming van zijn duim om de film door te spoelen. Spannen, klik, krommen. Spannen, klik, krommen.

In Irks gedachten klikte er iets met dezelfde soort mechanische eenvoud.

Al die tijd dat hij nu achter elkaar foto's stond te maken, was Sloetsjek niet één keer gestopt om een ander rolletje in het apparaat te doen.

Irk deed twee snelle stappen en rukte de camera voor Sloetsjeks gezicht vandaan. De belichtingsmeter gaf een grote dikke nul aan. Irk tastte opzij van de camera en liet de camera open springen. Het magazijn gaapte hem leeg aan.

Irk schudde de camera kwaad heen en weer. 'Je kunt er een bal in laten rollen.'

Sloetsjek haalde zijn schouders op. Irk prikte met zijn vinger in zijn borst, en volgde de man toen hij achteruitstapte, een trage dans rond het lijk van een kind. 'Je hebt die films op de zwarte markt verkocht, hè? En over een paar uur zou je me hebben verteld dat iemand de verkeerde chemicaliën heeft gebruikt in de donkere kamer en dat de foto's mislukt zijn. Geen wonder dat jullie klootzakken weer bij Rusland willen komen. Jullie passen er heel goed bij.' Hij duwde de camera met geweld weer terug in Sloetsjeks hand. De achterkant hing open, als een hondentong.

'Zijn alle Estlanders van die arrogante klootzakken, of alleen jij?'

Irk maaide met zijn hand vlak voor Sloetsjeks gezicht. 'Rot op hier. Laat me mijn werk doen.'

Irk kwam precies op tijd in het Belgrado. De week die Zjorzj van Lev had gekregen om Moskou te verlaten was bijna verstreken. Nog tien minuten, en Zjorzj was op weg geweest naar Sjeremetjevo; nog een paar uur en hij zou in de lucht zijn, op weg naar Grozni.

Ademloos vertelde Irk aan Zjorzj wat hij in het riool had aangetroffen. Zjorzj dacht lang na voordat hij reageerde – althans, voor Irk was het lang, maar in werkelijkheid was het minder dan een minuut. 'Wij hebben daar nooit iets mee te maken gehad,' zei Zjorzj simpel.

'Wát?'

'Nooit. We hebben geen idee wie het deed, of waarom.'

'Maar jullie hebben de verantwoordelijkheid opgeëist.'

'Natuurlijk. Het kwam ons goed uit.'

Irk schudde zijn hoofd, meer om helder te worden dan omdat hij het niet eens was met Zjorzj. 'Je wilde iedereen in die waan laten?'

'Zoals Karkadann al zei, inspecteur: wij zijn Tsjetsjenen. Ze denken toch al slecht over ons.'

'Oké. Vertel dan eens: als jullie het niet zijn geweest, waarom hebben jullie dan geprobeerd me zo bang te maken dat ik de zaak uit handen zou geven?'

Zjorzj ging met een hand door de witte lok in zijn haar. 'Juist omdat wij het niet waren. Karkadann wist dat je, als je lang genoeg rondsnuffelde, zou beseffen dat alle bewijzen tegen ons niet klopten. Erger nog, je zou de echte moordenaar kunnen vinden. Als dat gebeurde, zou alle druk die we op Lev uitoefenden verdwijnen. Het was niet omdat we bang waren dat je zou bewijzen dat wij het hadden gedaan; we waren bang dat je erachter zou komen dat wij níét schuldig waren.'

Doorgaan, almaar doorgaan; ophouden, of zelfs een langzamer tempo volgen, zou Irk het vernederende gevoel hebben bezorgd dat hij alles helemaal fout had gezien.

Inspecteurs kennen chirurgen, dat brengt hun beroep met zich mee. Irk ging van ziekenhuis naar ziekenhuis met de vraag – in vertrouwen, natuurlijk – wat ze van de zwarte handel in bloed wisten. Sommigen ontkenden stellig er iets van te weten; alles wat ze verzwegen kon hun ook niet in de problemen brengen. Anderen gaven hints omtrent de ware gang van zaken en lieten het aan Irk over om uit alle informatie en ontwijkende antwoorden op te maken wat hij wilde. Ja, ze hadden gehoord dat het een probleem was in andere ziekenhuizen, maar niet hier, hemel nee, hun eigen werkwijze werd naar behoren gecontroleerd.

Slechts één chirurg gaf opening van zaken, en als dat kwam omdat hij een Amerikaan was en daardoor gewend was aan transparantie, of dat het kwam omdat Irk, toen hij een foto van zijn echtgenote op zijn bureau zag staan, had gezegd dat hij het genoegen had gehad haar te ontmoeten en dat haar schoonheid werd geëvenaard door haar charme, nou, dan moest het maar zo zijn; hij mocht ook wel eens geluk hebben. Soms kon Irk Lewis niet helemaal volgen vanwege zijn accent, maar dat werd weer goedgemaakt door zijn trage manier van spreken.

'Niet dat ik iets tegen uw land heb, inspecteur...' zei hij.

'Ik kom uit Estland. Dit is niet mijn land.'

'Nog beter. Zwarte handel? Ja, dat is een probleem. Ik heb onlangs iemand moeten ontslaan die onze voorraad plunderde en verkocht. En natuurlijk moet ook al het bloed dat binnenkomt worden gecontroleerd – je kunt niet zonder meer op de leverancier vertrouwen. Ik heb bloed weg moeten gooien dat besmet was, virussen had, niet goed was ingevroren, of om andere reden was afgekeurd.'

Bloed van kinderen zou niet snel afgekeurd worden, meende Irk; kinderen hadden minder tijd en minder gelegenheid om het te verpesten met wodka, heroïne en aids.

'U handelt rechtstreeks met de leveranciers?'

'U weet beter hoe het hier toegaat dan ik, inspecteur. Zelfs de tussenpersonen hebben tussenpersonen. Daar houd ik me verre van.'

Natuurlijk, dacht Irk. Je bent een Amerikaan; jouw handen zijn schoner dan die van Pontius Pilatus.

'Ik neem aan dat je die kringen op het lichaam hebt gezien?' zei Sidoroek.

'Ik ben net alle ziekenhuizen af geweest om te vragen naar de zwarte handel in bloed.'

Sidoroek zweeg even. 'Ik zou niets durven suggereren, Juku, maar...'

'Je doet het toch maar?'

Sidoroek gebaarde naar het lijk. 'Kijk eens naar haar hals.' Irk keek. Hij zag kleine spatjes opgedroogd bloed. 'Kom eens dichterbij.' Donkerbruine sporen op de huid. 'En nu naar de linkerslaap, vlak naast de wond.' Daar zat wat opgedroogd speeksel.

Speeksel, bloedsporen: likken, dacht Irk, likken, proeven... Ineens zag hij het verband. De moordenaar wilde geen bloed om op de zwarte markt te verkopen; hij wilde bloed om het te drinken.

Als een vampier ergens moest toeslaan, zei Sidoroek, waarom dan niet in Rusland. In Russische volksverhalen komt een dreigende geest voor, genaamd Mjertovjec, een wreedaard met een paarsrood gezicht wiens slachtoffers zonen zijn van weerwolven of heksen, of diegenen die hun eigen vader of de Kerk hebben vervloekt. Mjertovjec reageert altijd hetzelfde, op een zachte of harde aanpak: als het strooien van papaverzaad op de weg van het graf naar het huis van de overledene niet helpt, moet men een houten stok door de borst heen steken om het monster vast te zetten in zijn doodkist.

Vampiers zouden zwakkeren van wil in hun macht hebben; dit was althans iets wat Irk aansprak. Deze vampier had Irks energie opgeslokt, zoals hij zijn gedachten had beheerst. Irks lethargie had hem uitgeput. Op sommige dagen had hij zich op de trappen naar zijn kantoor moeten vastgrijpen aan de leuning om zichzelf tree voor tree omhoog te hijsen, alsof hij een anker aan boord van een schip trok.

Waarom kinderen? Ze waren kleiner dan volwassenen, natuurlijk, en gemakkelijker te onderwerpen. Maar waarom hun blóéd? Voor een verjongingseffect? Verversing? Keerde de vampier – de móórdenaar, vampiers bestaan niet, hield hij zich voor – keerde de moordenaar terug naar zijn eigen kinderjaren, een idylle, werkelijk of vermeend? Of wentelde hij misschien de zonden van een afschuwelijke volwassene af op deze kinderen?

Híj? Waarom zou het geen vrouw zijn? Sidoroek vertelde het verhaal van de Transsylvaanse gravin Erzsebet Bathori, die ruim zeshonderdvijftig jonge vrouwen had vermoord en zich had gebaad in hun bloed, waardoor ze volgens haar idee eeuwig jong bleef. Ze was tot levenslang veroordeeld in een cel zonder ramen, en drie jaar later gestorven.

De moordenaar kon net zo goed een vrouw zijn, dacht Irk. En menstruatie? Vrouwen verliezen elke maand bloed, zou een gestoorde vrouw dat misschien willen vervangen? De slachtoffers waren kinderen; had het iets te maken met een zwangerschap?

Nee, dit was bespottelijk. Hoe moest Irk daar iets van weten? Hij was een man, mannen weten niets van vrouwen, en het zou nog wel een generatie duren voordat ze bij de politie zo verstandig werden om vrouwen een hogere functie te geven dan administratief medewerker.

Hij ging er dus vanuit dat de moordenaar een man was en niet een vrouw of een bovennatuurlijk wezen. Hij zou een schaduw werpen, een spiegelbeeld hebben, en Irk zou hem via speurwerk vinden. De moordenaar zou niet kunnen vliegen, en tijdens een onweersbui geen mooie vrouw hypnotiseren om het bed uit te komen; hij zou niet in mist op kunnen lossen en door sleutelgaten glijden, of de elementen naar zijn hand zetten, of louter leven van menselijk bloed. Hij zou niet zo sterk zijn als twintig mannen, noch over de eeuwige jeugd beschikken. Hij zou geen heer en meester zijn van vleermuizen, motten, wolven, ratten, vossen en uilen, en hij zou niet als een insect tegen muren klimmen.

Irk was van één ding zeker: de moordenaar zou er niet uit vrije wil mee ophouden. Alleen zijn eigen dood of arrestatie zou de perverse passie die hem tot moorden aanzette kunnen stoppen. Hij was de ultieme verslinder, die zich door niets liet remmen, behalve de noodzaak om niet gepakt te worden, en hij speelde de zwakheden en morele tegenstrijdigheden uit die de maatschappij van onder tot boven verscheurde. De vampier had het duisterste pad gekozen, en was bereid hiermee door te gaan tot aan het einde.

Moskou bij nacht is een en al schim en schaduw, een stad in duistere sferen wier burgers rondzwerven in een leegte van morele gewichtloosheid. Op Tverskaja stond het vol met hoeren, vijf of zes rijen met bijna niets aan hun lijf. De kou kleurde hun blote benen blauw onder felgroene minirokjes. Op het Poesjkin-plein stonden twaalfjarigen in de rij voor hamburgers bij McDonald's en verkochten ze daarna met winst. De rijen reikten tot voorbij het blok; de naam fastfood kreeg hier iets ironisch.

Een oude vrouw liep heen en weer langs de rij en mopperde in zichzelf voordat ze Alice bij de arm greep. 'Ik wou dat ik gauw stierf. Ik zal niet smeken, ik hoef geen medelijden. Weet je waarom mensen medelijden hebben met bedelaars? Omdat ze, vergeleken met bedelaars, dan zelf niet zo zielig lijken.'

Ik wou dat ik gauw stierf. Alice herhaalde de woorden in zichzelf terwijl ze de stoep af wankelde. Ze had iets nodig om zich aan vast te houden, als een radio die begint te ruisen zodra je je hand van de antenne haalt. Ze moest geaard worden.

Ik wou dat ik gauw stierf. Het zou zoveel problemen oplossen, en het zou zo gemakkelijk zijn. Het enige dat Alice ervoor moest doen was over de leuning van de brug klimmen en zich laten vallen, door het dunner wordende ijs, haar longen vol water laten lopen, en weg zou ze zijn.

Je kon over het water schaatsen wanneer de rivier bevroren was, maar in Moskou verliep alles in vier dimensies, en de tijd trok haar mee omlaag en liet haar de donkere kern van het bestaan zien, zoals aan iedereen die niet alleen maar passeerde. Misschien kon ze zich gewoon voor een trein gooien, de volgende keer dat ze in de metro was. Duizenden waren gedood in de haast om in de jaren dertig de eerste metrolijn te voltooien, wat maakte eentje meer dan nog uit? De metro was meedogenloos efficiënt; ze zou niet langer dan drie minuten hoeven wachten.

Nee, nee, het was stom om zo te denken. Hoe rot ze zich ook voelde, zo ver zou ze nooit gaan. Alice kon zich niet voorstellen dat ze ooit zo radeloos zou worden dat ze daardoor haar uitzinnige, misschien zelfs onbetamelijke, levenshonger zou verliezen.

84

De cartoon in de *Izvestija* zei genoeg. Drie tekeningen, van links naar rechts: Lenin met enkelhoge laarzen, omdat in zijn tijd Rusland nog maar enkelhoog in de stront zat; Stalin met zijn cavalerielaarzen tot aan zijn knieën; en daarna Borzov, in lieslaarzen rond zijn dijen terwijl hij peinzend keek naar een van de bodysuits die de onderhoudsploeg van het riool droeg.

Borzov was dronken en sentimenteel. 'Ken je Shakespeare, Kolja? Ken je *Macbeth*? Wat heeft een man op leeftijd nodig? Respect, liefde, gehoorzaamheid en een stel vrienden. En wat heeft de president? Niets daarvan. Kijk eens naar buiten, Kolja. Die sukkels in het parlement bezorgen het volk alleen maar ellende, maar als de president hen op te vingers tikt, keert het volk zich tegen hem. Kranten, televisie, mensen op straat met spandoeken, ze zeggen allemaal hetzelfde.'

Arkin kon niet veel anders doen dan de oude man aanhoren. Hij kende het probleem maar al te goed: het gapende gat tussen werkelijkheid en hoop bleek zowel voor het volk als voor de president te veel. Borzov was, als gevolg van zijn eigen fouten, de onverzoenlijke haat en weerstand van zijn vijanden, en bovenal door zijn onvermogen om wonderen te verrichten in dit enorme, verpauperde land, te zwak om de revolutie te leiden en het vertrouwen van het volk te rechtvaardigen.

De artsen van het Kremlin hadden geopperd dat Borzov manisch-depressief was. Nu eens was hij depressief, passief en wanhopig; dan weer energiek, opgetogen en actief. Niemand had sneller een plan bedacht, niemand had het met meer gemak weer opgegeven.

Als om Arkins angsten te bevestigen, begon Borzov weer te praten. 'Anatoli Nikolajevitsj heeft overhaast gereageerd op de belegering, Kolja. Misschien moeten we een paar van die nieuwe beleidsregels laten schieten voordat ze te stevig verankerd raken.'

'Anatoli Nikolajevitsj, dat is absurd. Zo ging Gorbatsjov te werk, weet je nog? Van het ene uiterste naar het andere doorslaan, concessie na concessie doen. Hij probeerde het iedereen naar de zin te maken en kon uiteindelijk niemand tevreden stellen.'

'Nu is het anders.'

'De menselijke aard is altijd hetzelfde.'

'Waarom hebben die stomme idioten Lev nog niet gevonden?' De discussie was afgelopen.

'Hij heeft een netwerk van helpers die niet dol zijn op de politie. Hij zal moeilijk op te sporen zijn.'

'Vind hem, Kolja. We willen niet dat hij rottigheid veroorzaakt.'

De kranten stonden vol artikelen over de vampier, en alle bloederige details werden met kennelijk plezier en vol wilde speculaties aan hun lezers voorgeschoteld. Een georganiseerde misdadigersbende had met een andere bende verloren bij een spel kaarten met als inzet vijftig kinderlevens; joden offerden christenkinderen voor hun rituelen; de moorden waren het werk van een hooggeplaatste regeringsfunctionaris die rondreed in een zwarte Volga sedan met een speciale nummerplaat met de letters SSO – het Russische acroniem voor *Dood aan sovjetkinderen.*

Moskovieten vraten alle bijzonderheden en wilden nog meer. De vampier was volgens Irk te beschouwen als een passende vorm van vergelding voor het fanatisme van de hervormers. Moskovieten, Russen, mensen willen liefde, leven en macht, maar doordat ze die willen, riskeren ze juist het tegenovergestelde: haat, dood en uitbuiting. Als je dat begreep, begreep je de vampier, het ware symbool van een maatschappij die in verval verkeerde en oorlog voerde met zichzelf.

Zeven uur lang in Petrovka sporen natrekken die nergens heen leidden was meer dan genoeg. Irk liep naar buiten, ten westen van de begraafplaats Vagankovskoje, waar vampierjagers, gewapend met kruisen, schoppen en puntige stokken van espenhout dicht bij elkaar zaten rond kleine vuurtjes en wodka dronken. Ze wachtten op het kraken van een deksel van een doodskist of het geluid van aarde die verplaatst werd onder de sneeuw. De veiligste en beste manier om de onsterfelijkheid van een vampier op te heffen was hem te volgen naar zijn schuilplaats. Ze waren al over het hele kerkhof getrokken op zoek naar lege kisten waarin ze kruisen konden leggen die ervoor zorgden dat de vampier er niet meer in terugkeerde en waardoor hij bij de eerste zonnestralen als stof uiteen zou vallen. Volgens het Russische geloof is de aarde puur en heilig; de grond wil geen dode zondaars opnemen. 'De aarde zal je weigeren,' mompelden de burgerwachten tegen hun onzichtbare vijand. 'De aarde zal je weigeren.'

Aan de andere kant van een stel graven zag Irk een bekende figuur. Blij dat hij even weg kon, haastte hij zich als een zwemmer op weg naar de kant naar hem toe. 'Rodja! Wat doe jij hier?'

Rodjon gebaarde naar de twee graven waar hij bij stond. 'Maten van me; omgekomen in Afghanistan.' Er waren een paar vrouwen bij hem, als mummies in lappen gewikkeld tegen de kou. 'Dit zijn hun moeders, Ira en Lena,' zei Rodjon. 'Dit is Juku – hij is inspecteur bij het OM.'

'Rodjon is een vriend van me,' zei Irk.

'Hij is een goed man,' zei Ira. 'Hij komt hier altijd, weet u. Twee, drie keer in de week. Een heleboel anderen doen dat niet.'

'Ik zou het absoluut niet willen missen,' zei Rodjon. 'De moeders zijn hier altijd, Juku. De een komt 's avonds na haar werk uit de bus aanhollen terwijl de ander al bij het graf zit te huilen, en een derde het hekwerk rond het graf van haar zoon aan het verven is. Zo hebben ze elkaar leren kennen, zo hebben ze mij leren kennen.'

Lena gaf Irk een vel papier dat op de vouwranden doorgesleten was van het steeds weer open- en dichtmaken. 'Dit heeft de overheid me gestuurd,' zei ze. Hij vouwde het papier open en las: *Uw zoon is omgekomen tijdens het vervullen van zijn taak als dienstplichtige in Afghanistan.* 'Niet erg troostend, vind je wel?' zei Lena.

'Vertel ons hoe het was, Rodja,' zei Ira. 'De waarheid, deze keer. Je vertelt ons nooit de waarheid, je jokt om onze gevoelens te ontzien.'

'Moedertje, vertrouw me. Je zou de waarheid niet willen horen als je er niet bent geweest, en als je er wel was geweest zou je er niet naar hoeven vragen.'

'Waarom is híj niet teruggekomen, waarom ben jíj niet gedood?' zei Lena ineens, en toen was het stil. Iedereen was geschokt en niemand wist waar hij moest kijken. 'Het spijt me, het spijt me,' zei ze.

'Het is al goed, moedertje,' zei Rodjon. 'Ik begrijp het wel. Tot de volgende keer. Kom mee, Juku.'

Irk volgde hem over de begraafplaats. 'De volgende keer?' zei hij.

'Er is altijd een volgende keer, want die zal er nooit meer zijn voor de arme stakkers die we hier komen gedenken. Zij zal er zitten, met een fles wodka en een hele berg verontschuldigingen, ze zal me omhelzen alsof ik haar eigen zoon ben, en steeds weer zeggen dat ze het niet meende. Verdriet doet rare dingen met mensen, we zullen elkaar daarna weer huilend omhelzen. De moeders proberen het in elk geval te begrijpen, Juku. Verder doet niemand dat, niet echt. "Wij hebben jullie er niet naartoe gestuurd," zeggen ze. "Wij hebben jullie niet naar Afghanistan gestuurd."'

In het appartement van de familie Chroeminstsj installeerden ze zich voor een crimeserie op tv, *Zeshonderd seconden*, die stuk voor stuk weggetikt werden door een klokje onder in het beeld terwijl de presentator – Alexander Nevzorov, een ex-stuntman en zoon van een KGB-er – verhalen vertelde waarbij geen detail hem te gruwelijk was. Deze avond was dat zeker het geval, toen Nevzorov elk van die zeshonderd seconden besteedde aan de vampier van Moskou.

'Wanneer de neiging tot doden opkomt,' zei Nevzorov, 'kan de vampier er net zo min voor kiezen niet te doden als een normaal mens ervoor kan kiezen niet te eten wanneer hij honger heeft of niet te drinken als hij dorst heeft. De vampier kan een plan bedenken en tot uitvoer brengen om een slachtoffer te vinden, een geraffineerd en goed doortimmerd plan zelfs. Maar tot het moment dat hij de voldoening kan smaken die het doden hem bezorgt, zal hij neerslachtig en geïrriteerd zijn, en lijdt hij misschien aan hoofdpijn en slapeloosheid. Bloed zal hem niet verzadigen, het zal het verlangen ernaar juist nog sterker maken, een dodelijk sneeuwbaleffect waarbij geldt dat hoe meer hij krijgt, hoe meer hij wil.'

Net als de beste programma's was *Zeshonderd seconden* afkomstig uit Sint-Petersburg. Het was totaal onmogelijk voor Moskouse journalisten om behoorlijke televisieprogramma's te maken. Moskou mag dan steeds groter worden, zij zal in wezen altijd een dorp blijven, met al haar primitieve bijgeloof. Geen wonder dat de vampier hierheen kwam, dacht Irk, want iedereen hier geloofde erin. In tegenstelling daarmee is Peter een vreemde, verloren zoon, beschaamd voor zijn moeder met haar plattelandsideeën. De vampier zou in Peter geen kans hebben gekregen.

Op de bank in slaap gevallen, te moe om zich uit te kleden, had Irk een vreselijke nachtmerrie.

Hij wandelde door rood verlichte gangen, toegangswegen naar de hel. Er waren vandalen en rubberfetisjisten, mannen vol tatoeages en vrouwen, gepiercet als speldenkussens. Wenkbrauwen waren afgeschoren en opnieuw met eyeliner aangebracht; lippen waren bloedrood gemaakt en met zwart omlijnd.

Irk was met een meisje dat Roza heette; haar wangen waren wit als sneeuw en haar lippen scharlakenrood. Mensen begroetten haar hartelijk, Irk meer behoedzaam; hier, zonder make-up of versiering, was hij de buitenstaander. 'Als je hier wilt blijven,' fluisterde Roza, en trok hem mee een zijkamer in, 'dan moeten we zorgen dat je niet opvalt.' Ze duwde hem omlaag in een stoel. 'Het duurt niet lang.' Ze rommelde in een rieten mandje, bracht net zo weinig make-up bij hem op als ze zelf droeg en hield hem toen een spiegel voor.

'Mooi?' Irk knikte. Hij vond dat hij eruitzag als een clown.

Ze liepen terug de gang in, waarna ze uitkwamen in een spelonkachtige hal waar een band stond te spelen op een verhoogd podium dat vol lag met schedels en beenderen. Irk zag vier muzikanten, naakt tot op hun middel en drijfnat van het zweet. Op de vloer onder het podium genoot de menigte. Toen de zanger gilde, zag Irk dat zijn tanden in glanzende punten gevijld waren. In kooien die boven het podium hingen, zwaaiden danseressen met zweepjes en handboeien, en kronkelden ondersteboven als vleermuizen.

De band beëindigde het optreden met triomfantelijke kreten en rende weg van het toneel. In hun plaats verscheen er iemand in het zwart, een vrouw met griezelig echte hoorntjes op haar hoofd.

'Plastische chirurgie,' zei Roza. 'Dat is de Meesteres, zij is de opperheks.'

'Ze lijkt me wat jong om de leiding te hebben, vind je niet?'

Roza glimlachte. 'Ze is tachtig.'

'Nonsens. Ze is hooguit half zo oud.'

De stem van de Meesteres galmde door de speakers. 'Het leven op aarde is kort, maar wij zijn niet van deze wereld. We moeten onze ziel bevrijden van het menselijk vlees. We drinken bloed om ons lidmaatschap van de religie van heersers opnieuw te bekrachtigen. We zijn vampiers, onsterfelijke meesters van de aarde. We drinken om macht, overgave, onsterfelijkheid te verwerven. Wie faalt, is overgeleverd aan de adem der tijd.'

Irk zag dat er voorwerpen met een metallieke glans van de een aan de ander werden doorgegeven: scalpels en koppen. Er werd hem een aantal voorwerpen in zijn handen gedrukt; ze maakten hem duidelijk dat hij er van elk één bij zich moest houden en de rest doorgeven. Mouwen werden opgerold, scalpels op de huid gezet. Drie sneetjes parallel op de binnenkant van de linker onderarm, een kopje eronder om het bloed op te vangen. Irk was de enige uitzondering.

Toen de koppen vol waren, werden ze doorgegeven. Irk weigerde en schuifelde dicht naar Roza. De deelnemers dronken gulzig en snel; wie te langzaam dronk zou bemerken dat het bloed begon te stollen. Irk voelde gal in zijn keel omhoog komen.

'Ik zie een man die alleen wil toekijken,' schreeuwde de Meesteres.

Het moment bleef heel even hangen, als een bloeddruppel die op een tegel valt. Irk besefte dat de Meesteres naar hem wees.

'U wenst overgeleverd te worden aan de adem van de tijd, vriend?'

Haar blik deed Irks maag ineenkrimpen. Langzaam begon het tot hem door te dringen dat ze geen spelletje meer speelden – als het al een spelletje was geweest.

'Het bloedritueel kan leiden tot een dieper inzicht in jezelf.' De stem van de Meesteres was meedogenloos. 'Als je niet actief deelneemt, dan gebruiken we je als passieve deelnemer.'

'Wat bedoelt ze daarmee?' siste Irk.

'Als je ons bloed niet wilt drinken, drinken we het jouwe.'

'Nee. Geen denken aan.'

'Ik dacht dat je je bij ons wilde aansluiten.'

'Misschien moeten we een heilige voeding doen,' zei de Meesteres.

Roza keek de andere kant uit. Irk moest haar twee keer toeknikken voordat ze het uitlegde. 'Een heilige voeding,' zei Roza langzaam, 'is wanneer de hele menigte zich voedt met één donor.'

Iedereen keek nu naar Irk, met gezichten vol verwachting. Hij voelde hun woede en angst. Hij had hier niets aan zijn penning; hier was hij de indringer, de buitenstaander.

Irk spande zijn spieren om ervandoor te gaan.

'Mijn vriend is terughoudend en onwillig,' zei Roza.

'En dus is zijn bloed bezoedeld,' antwoordde de Meesteres. Verbeeldde Irk het zich, of klonk er teleurstelling in haar stem? 'Heel goed. We zullen wel een vrijwilliger vinden die zich gaarne bereid toont om deze allerhoogste dienst te verlenen. Roza, zou je je vriend even de deur willen wijzen?'

Irk werd wakker met een schok, zoals een kurk uit een champagnefles knalt, en hapte naar lucht alsof die in Moskou net zo puur en fris was als in de bergen.

In zijn tas zat het boek *De Meester en Margarita*, het klassieke verhaal van Boelgakov over de verwoesting die de duivel aanrichtte in de hoofdstad. Als satan nu terugkeert in Moskou, dacht Irk, zou hij zien dat zijn werk al voltooid was.

85

Testarossa belde Lev al vroeg in de ochtend. 'Borzov wil je een voorstel doen,' zei hij.

'Waarom?'

'Hij vindt het beschamend dat ze je niet kunnen vinden. Daardoor staat hij zwakker. En ik begrijp daaruit dat hij zich ook ongerust maakt over de beperktheid van zijn macht. Er zijn heel wat mensen die jou steunen. Hij heeft je liever op een plek waar hij je in de gaten kan houden dan dat hij zich constant af moet vragen wat je aan het bekokstoven bent.'

'Wat heeft hij te bieden?'

'Amnestie voor wat er in het parlement is gebeurd.'

'En wat wil hij daarvoor hebben?'

'Dat je je terugtrekt als afgevaardigde. Dat je je helemaal terugtrekt uit de politiek, zelfs. En dat je al je belangen opgeeft in Rode Oktober.'

Lev dacht lang na. 'Het eerste is acceptabel. Het tweede zeer zeker niet.'

'In zijn ogen is alle ellende begonnen met Rode Oktober. Daarom heeft hij Sabirzjan daar nu de leiding gegeven.'

'Praat me niet van dat stuk schorem. Wat nog meer? Wat biedt Borzov nog meer, bedoel ik.'

'Meer niet.'

'Meer niet?!'

'Je mag de rest houden. Als je het mij vraagt, is het een waanzinnig aanbod. Die oude man wordt nog weekhartig.'

'Die oude man wordt bang dat hij zijn populariteit kwijtraakt.'

Lev dacht een uur na over het voorstel. Hoe langer hij erover nadacht, hoe meer hij besefte dat Testarossa gelijk had: het was inderdaad een waanzinnig aanbod. Borzov was oud, zijn gezondheid ging achteruit, hij was niet opgewassen tegen zijn werk. Over een paar jaar zou hij niet meer aan het bewind zijn, en dan waren alle kansen verkeken.

Tussen de middag werden de president en de vor samen gefotografeerd in het Kremlin, lachend en handenschuddend. Het was een nieuw begin voor de Russische politiek, zei Borzov: verzoening tussen vijanden. Rusland was nog niet zo rijkelijk bedeeld met mensen die het land weer konden opbouwen dat het zich kon veroorloven ze in de gevangenis te gooien, voegde hij eraan toe. De flits van oprechtheid in zijn ogen had Lev er bijna van overtuigd dat hij het meende.

Het was benauwd, rokerig en veel te warm in Petrovka. Irk ging een frisse neus halen.

Het sneeuwde weer hevig. Toen hij achterom keek, zag hij dat de sneeuw zijn voetafdrukken alweer bedekte, elk spoor van zijn voortgang uitwiste. Het verhaal van mijn leven, dacht Irk, het verhaal van mijn –

Ineens nam hij een spurt, de voetafdrukken konden hem niet meer schelen, hij glibberde als een pinguïn door het hek van Petrovka, met twee treden tegelijk rende hij de trap op langs zijn stomverbaasde collega's.

Wat had die hufter van een fotograaf uit Minsk ook weer gezegd? Dat er geen voetafdrukken waren. 'Die moeten er zijn,' had Irk geantwoord. 'Denk je dat hij kan zweven?'

Die moeten er zijn, maar ze waren er niet, bij het vorige slachtoffer ook al niet – althans geen voetafdrukken die niet afkomstig waren van de zware laarzen van agenten die alle bewijzen plat trapten alsof ze voor elk vernietigd voorwerp werden betaald. Het stoorde Irk – nee, het vervulde hem met weerzin – dat hij niet eerder had beseft wat dit te betekenen had. Het was iets dat je alleen bij toeval ontdekt. Hij had nog wekenlang naar de dossiers kunnen staren zonder dat het bij hem was opgekomen. De werkelijkheid zit in wat je niet ziet. De waarheid bevindt zich bijna, maar niet helemaal, daar waar je net even wegkijkt, waar het detail je bijna ontgaat, het detail dat je verbeelding blijft prikkelen totdat je er oog voor krijgt.

Irk pakte de foto's van Nelli's lichaam op en bekeek ze nog eens goed met het vergrootglas totdat zijn ogen pijn deden. Als er iets te zien was, zou het hier zijn, op droog land, bij het beeld van de VDNKh, waar de eindeloze stroom van het riool geen enkel bewijs had weggespoeld.

Daar – sporen op de grond, vaag en enigszins geribbeld. Wielen misschien, met smalle banden. Een fiets? Irk hield de foto dichterbij. De lijnen liepen parallel, voorzover hij kon zien. Als het om een fiets ging, dan waren het de sporen van twee aparte exemplaren – onwaarschijnlijk – of een en dezelfde die steeds hetzelfde traject reed. Maar nee, de lijnen waren symmetrisch, volmaakt symmetrisch. Twee wielen, met daartussen een as. Geen fiets. Te klein voor een auto, natuurlijk. Een kinderwagen?

Nee, alle slachtoffers waren te oud geweest voor kinderwagens.

Wat had er nog meer wielen?

Een rolstoel, om te beginnen.

Dat sloeg nergens op. Geen van de slachtoffers was gehandicapt, en de vampier kon dat natuurlijk ook niet zijn.

Waarom niet?

De kinderen waren klein en zwak, geen partij voor een volwassene, zelfs als die gehandicapt was.

Hoe zou je met een rolstoel in het riool kunnen komen?

Dat leek vrijwel onmogelijk.

Irk keek alle foto's nog eens door, met extra aandacht voor elk bandenspoor. De vlakken leken overal even breed. Rolstoelbanden zouden diepere sporen achterlaten aan de buitenkant dan aan de binnenkant, aangezien ze enigszins in een hoek stonden ten opzichte van de bestuurder.

Als het geen rolstoel was, wat dan?

Irk dacht aan Rodjon en zijn karretje, en toen wist hij het. Er waren honderden van die arme stumpers op dingen die niet veel meer waren dan dienbladen. Je zag ze in de metro en op hoeken van straten, waar ze oorlogsliederen speelden of simpelweg met gebogen hoofd hun hand ophielden.

Die kon hij toch niet allemaal gaan verhoren? Bestond er een lijst met veteranen uit Afghanistan?

Irk durfde niet verder te denken. Een gehandicapte veteraan op een karretje; een man die in elk geval de eerste drie slachtoffers had gekend; een man die met het grootste gemak het vertrouwen van kinderen kon winnen; een man die zijn hulp had aangeboden bij het onderzoek; een man die zich Irks vriend noemde.

Geen van de Chroeminstsjes was thuis. Irk voelde zich de meest achterbakse man op aarde toen hij zijn loper gebruikte om de deur open te maken. Het was midden op de dag, dus het zou nog aardig wat uurtjes duren voordat een van hen thuiskwam, maar hij merkte dat hij desondanks zijn adem inhield en op zijn tenen liep.

Waar was hij naar op zoek? Hij wist het niet precies: een aanwijzing, iets dat Rodjon van elke blaam zuiverde of hem nog verdachter zou maken. Irk trok een la open, ging met zijn handen door alle kledingstukken, bladerde alle boeken door – en eindelijk, in de marge van een memo over het werven van personeel in Prospekt Mira, vond hij iets: *Stoedenetski, woensd. 12, 18.30.* Een naam, een datum, een tijdstip – een afspraak. Rodja's handschrift, herkende Irk.

Hij keek in zijn eigen agenda. In februari was de twaalfde op een woensdag gevallen; de keer daarvoor in juni, en het memo was van januari van dit jaar, dus juni viel af.

Niet dat Irk hier veel verder mee kwám. Wie of wat was Stoedenetski? Speculeren had geen zin; het kon iedereen zijn. Irk wist zelfs niet of die naam van belang was, en of Rodja op die afspraak was verschenen. Een telefoonnummer zou helpen. Een telefoonnummer was nu juist wat Irk niet had. Tenzij…

Hij dacht terug aan Sveta, hoe ze had staan ratelen nadat de Tsjetsjenen de katten hadden vermoord – goeie god, dacht Irk ineens, bloeddorst was bloeddorst, of het nu om mens of dier ging. Als het nu eens Rodja was geweest in plaats van de Tsjetsjenen die de Archangels in stukken had gesneden? – maar goed, Sveta had staan ratelen dat ze nooit iets weggooide, en *dat ze haar belangrijke papieren altijd in vergieten en zeven bewaarde.*

Hij liep naar de keuken.

De telefoonrekeningen zaten in het derde vergiet dat hij bekeek, onder een koekenpan met kruiswoordpuzzels uit oude kranten, niet ingevuld, en boven een steelpan waarin een brief zat. Telefoonrekeningen waren vanaf dit jaar gespecificeerd – een van de dingen waar Arkin zich voor op de borst klopte, een moderne stad moest over een fatsoenlijk telecommunicatiesysteem beschikken. Dat verkeerde nummers evengoed nog een stuiver per tien kostten kon Irk nu niet schelen, het enige dat hij wilde horen was de naam Stoedenetski.

Hij werkte van achter naar voren, en lette goed op dat hij een nummer niet twee keer draaide. Na drie keer 'u hebt het verkeerde nummer gedraaid', twee keer niemand thuis en een stortvloed van vloeken, had hij geluk.

Stoedenetski was specialist in het psychiatrisch ziekenhuis Serbski.

Irk zat in metrostation Elektrozavodskaja en liet zijn blikken rond dwalen. Hij begon bij het gewelfde plafond met elektrische verlichting in kleine koepeltjes, langs doorgangen vol marmeren reliëfafbeeldingen, en eindigde bij de zwart met grijs geplaveide platen, omlijst door roze met geel Krimmarmer. Wat woog zwaarder: zijn vriendschap met Rodja of zijn werk? Hij moest een keuze maken.

Het Serbski-ziekenhuis bestond uit een stel vergeelde gebouwen aan Kropotkinskaja, halverwege de lus van de rivier bij het Loezjniki-stadion. Jevgeni Stoedenetski's witte haar was slordig naar achteren gekamd. Hij leek meer op een gepensioneerde kolonel uit het Rode Leger dan op een psychiater, vond Irk, maar kon hij daar wel iets over zeggen? Mensen zeiden altijd over hem dat hij meer op een schaakgrootmeester leek dan op een inspecteur bij Moordzaken.

'Ik weet niet of deze gang van zaken me wel aanstaat,' zei Stoedenetski. 'Het zou toch tussen Rodjon Chroemintsj en mij moeten blijven wat voor relatie ik met hem onderhoud? Er bestaat zoiets als beroepsgeheim, inspecteur – of bestaat de gedachtepolitie hier nog steeds?'

Een dergelijke opmerking vormde meestal de opmaat tot omkoping, maar Stoedenetski had niet dat cynische dat Irk had verwacht, en zijn gezicht vertoonde niet de minieme trekjes van een Rus die niet van plan is informatie te verstrekken zonder dat hij er iets voor krijgt. Stoedenetski was niet uit op geld; hij bekommerde zich echt om Rodjons privacy. Een onkreukbaar man, dacht Irk, kon zijn gelijke gemakkelijk herkennen; het was bijna een geheim genootschap.

'Het gaat om het volgende, Jevgeni Pavelevitsj,' zei hij. 'Rodja is een vriend van me, en ik zou er wat voor geven als ik zijn gangen niet hoefde na te gaan, maar het is niet anders. Ik zou hier niet zijn gekomen als ik het niet absoluut noodzakelijk achtte. Het gaat om een seriemoordenaar.'

'Dat weet ik.'

'Als Rodja onschuldig is, blijft alles wat u me vertelt binnen deze vier muren, dat beloof ik u. Ik zal zelfs niet vermelden dat ik hier ben geweest. Als hij wel schuldig is, zal zijn geestestoestand – of hij wel of niet gestoord is – van cruciaal belang zijn om te bepalen of hij een proces kan doorstaan. Hoe dan ook, ik wil dit liever op een beschaafde manier afhandelen, onder vier ogen, dan dat ik een stel agenten op u af stuur om beslag te laten leggen op uw dossiers.'

'Is dat een dreigement?'

'Ik doe een beroep op uw redelijkheid. Uw inlichtingen zijn voor mij belangrijker dan Rodja's privacy voor hem; dat probeer ik u te laten inzien.'

Stoedenetski zetten zijn vingertoppen tegen elkaar, en Irk wist dat hij het pleit had gewonnen.

'Waarvoor is Rodja naar u toe gekomen?' vroeg Irk.

Stoedenetski stootte een klein lachje uit. 'Waar wilt u dat ik begin?'

'Bij het begin.'

'Goed dan. Rodja lijkt aan bloedwaan.' Goeie god, dacht Irk, daar gaat de eerste spijker in het deksel van de doodkist. Sovjetrechters hadden mensen op grond van half zoveel bewijsmateriaal ter dood veroordeeld. 'Het wordt langzamerhand steeds erger, vooral sinds Rodja half januari met zijn pillen is opgehouden.

'Pillen?'

Stoedenetski telde ze op zijn vingers af. 'Desipramine, fenothiazine, benzodiazepine, lithium, xanax, doxepin hydrochloride, thorazine. Een halve apotheek, en de meeste lang voorbij de uiterste verkoopdatum, bij ons gedumpt door de Verenigde Staten of afkomstig uit onze eigen verouderde farmaceutische fabrieken voordat die als een gevaar voor het milieu werden bestempeld en gesloten. Sommige van die medicijnen hielpen, andere niet. Rodja slikte er nog maar een paar tegen de tijd dat hij ervanaf raakte. Nou ja, misschien is 'vanaf raakte' een misleidende uitdrukking. Hij wilde er niet vanaf – ík wilde ook niet dat hij ermee ophield – maar ze kostten domweg te veel geld. De kliniek kon ze niet langer betalen, Rodja evenmin, en het spul op de zwarte markt is te duur en versneden met allerlei rotzooi – die doen meer kwaad dan goed. Je kunt zeggen wat je wilt over het oude systeem, inspecteur, maar Rodja kreeg toen nog wel zijn pillen en kon zijn problemen dus wel onder controle houden.'

'En het is de afgelopen dagen niet bij u opgekomen om contact op te nemen met Petrovka?'

'U kent mijn mening daarover, inspecteur, daar hebben we het al over gehad.'

Irk had erover door kunnen gaan, maar besloot dat hij beter zoveel mogelijk informatie van Stoedenetski kon proberen los te krijgen. 'Vertelt u eens over die bloedwaan.'

'Nou, dat is begonnen in Afghanistan. Om precies te zijn, vanaf het moment dat zijn benen eraf geschoten zijn. De artsen daar hadden geen morfine meer, dus injecteerden ze hem in plaats daarvan met wodka. En vanaf dat moment is hij bang geworden dat zijn bloed – waarvan hij nu minder heeft dan andere mensen, natuurlijk – in wodka verandert.' Stoedenetski zag de sceptische blik in Irks ogen. 'Geloof me, inspecteur, Rodjons waan is geen grapje. Deze obsessie met zijn bloed is zo hevig dat we hem niets meer kunnen inspuiten – hij is te bang voor naalden. Ik heb hem een keer zien kijken naar een angiogram; het bloed dat door zijn aderen werd gepompt hield hem helemaal in de ban. Ik stond al tien minuten naast hem voordat hij er erg in had. Het was alsof hij in een trance verkeerde.'

Stoedenetski verliet de kamer en kwam vijf minuten later terug met een videoband.

'We nemen soms sessies op,' verklaarde hij.

'Met medeweten van de patiënt?'

Stoedenetski trok een grimas. 'Het beleid van het ziekenhuis is dat de patiënten per definitie niet kunnen bepalen wat goed voor hen is.'

Irk dacht heel even aan Stoedenetski's schimpscheut over de gedachtepolitie. Stoedenetski stopte de band in een oude videorecorder en rommelde met knoppen op het apparaat en op de televisie voordat er een beeld verscheen. Rodjons gezicht vulde het scherm, volledig ingezoomd door een stilstaande camera, en Irk schrok letterlijk even op in zijn stoel toen hij het zag, zo plotseling en onverwacht – zo écht.

'Ik probeer het te onderdrukken,' zei Rodjon, 'maar soms is het te moeilijk. Donkere gedachten, slechte gedachten komen steeds op, ze knallen tegen de binnenkant van mijn schedel. Het is buiten nu kil, maar ik heb het niet al te koud, en dat baart me zorgen, want dat betekent dat ik weer te veel wodka in mijn bloed heb. Mijn bloed verandert in wodka, daarom kan het niet bevriezen, want wodka bevriest alleen bij heel lage temperaturen. Als ik niet snel extra bloed krijg, dan is het met me gedaan.'

'Wanneer is deze opname gemaakt?' vroeg Irk.

Stoedenetski keek omlaag. 'Twaalf februari.'

'Hij heeft dit soort dingen vaak gezegd. U zegt dat u Rodja kent, inspecteur. Dan weet u dus hoe hij kan zijn…' Stoedenetski zocht naar woorden: 'Zo volhardend, zo… uitzinnig.' Dat was maar al te waar, dacht Irk. 'Hij kwam hier een keer binnen en hield vol dat iemand zijn longslagader had gestolen. Bij de behandeling van deze waan moeten we dus rekening houden met zijn neiging tot overdrijving.'

Irk schudde zijn hoofd en richtte zijn aandacht weer op Rodjon.

'Toen ik jong was,' zei Rodjon, 'kon ik alles drinken en eten, zonder dik te worden. Nu mijn benen weg zijn, heb ik nog maar een half lichaam. Er is steeds meer wodka, steeds minder bloed. Ik voel dat het bloed oplost in wodka. Als ik naar de aderen onder mijn huid kijk, zijn die niet meer donkerrood van het bloed dat erdoorheen stroomt, maar lichtrood, als doorzichtige plastic buisjes. En als ik dan naar de vaten en de apparaten en buizen in de stokerij kijk, denk ik: zo ziet mijn lichaam er vanbinnen uit. Zonder bloed vergaat mijn lichaam, alles stopte ermee: het bloed houdt op met stromen, mijn hart houdt op met kloppen, nieren en lever werken niet meer…'

Rodjon bleef praten, van het ene onderwerp sprong hij over op het andere; Irk keek en luisterde, opgetogen bij het idee dat hij iets op het spoor was, verdrietig om de manier waarop zijn vriend hem teleurstelde.

'Het was een geweldige dag om mee te maken. Honderd bergtoppen, schitterend wit in de zon; libellen die rond zoemden als miniatuur Mi24-helikopters; het geluid van een rivier die onder ons ruiste; de mooiste bloemen – dieproze, paars, donkerblauw – en bloesems, overal waar je keek. En overal vogels in de lucht: gele kwikstaarten met citroenkleurige kopjes, hoppen met gestreepte borst... Maar onder al die zoemende vliegen, fladderende vogels, schaapherders die ons nakeken, zag je de raketkraters, de granaatlittekens, de verwrongen staalmassa van een helikopter die met napalm was neergehaald zodat hij niet in handen viel van de Afghanen, verkoolde dakspanten die uit verbrande gebouwen staken. Daarom haastten we ons door dat gebied.

Maar haasten betekende risico, gevaar. Een konvooi was een paar dagen daarvoor op dezelfde weg te grazen genomen, en we gingen ervan uit dat de Afghanen in die tijd niet opnieuw mijnen hadden kunnen leggen. Ik hing buiten aan de trawler, klaar om te springen en mijnen te vegen zodra ik het bevel kreeg. Om er niet aan te hoeven denken dat we aangevallen konden worden, zongen we steeds:

Hier in de bergen geldt maar één gebod,
Afghanen in de pan hakken;
En krijg je geen lood in je borst,
Dan later misschien een medaille.

Dat hadden we net gezongen toen de wagen plotseling omhoog klapte. Ik dacht dat we over een steen waren gereden, en ik was zo stom dat ik me niet goed genoeg had vastgegrepen. Mijn armen hield ik gestrekt voor me. Maar toen ik omlaag keek, zag ik dat mijn lichaam van de trawler af werd gesleurd, mijn handen achterna. Het moest wel een enorme kei geweest zijn, dacht ik; de trawler was totaal vernield.

Mannen lagen overal verspreid, hun armen en benen bungelden aan hun lichaam, en de stenen waren rood en glibberig van de ingewanden. Ik keek omlaag en zag onder mijn middel niets meer, alleen maar bloed. Ik ben mijn ballen kwijt, dacht ik. Ik dacht niet aan mijn benen, alleen maar aan die verdomde ballen. Ik keek om me heen, tastte rond. Ik vond er een, maar de andere niet. Hitler had maar één bal, hadden de veteranen uit Stalingrad ons verteld. Maar toen vond ik de andere, tussen mijn benen geklemd – tussen mijn stompjes, liever gezegd. Een, twee, allebei waren ze er nog.

Ik riep naar een van mijn maten, de eerste die ik zag. 'Hé! Filja! Ik ben mijn benen verloren.'

"Nee hoor," zei hij. "Die liggen daar."

Hij had komediant moeten worden, die Filja. Ik volgde zijn hand, en zag dat hij gelijk had: daar lagen mijn benen, met het identiteitsplaatje glimmend rond mijn rechterenkel – alleen zat het nu ergens bij mijn linkerknie. We droeg altijd twee van die plaatjes, een om je nek en een om je enkel. Op die manier konden ze je, als je in twee stukken geschoten was, toch nog als een heel lijk naar huis sturen.

De artsen trokken mijn hemd open. Mijn borstkas was spierwit, op de rode zweren na die de luizen hadden veroorzaakt. Ze moesten me wodka inspuiten, want ze hadden geen druppel morfine meer. Ze zeiden dat ze me dronken zouden voeren en buiten westen slaan, alles tegelijk. Er waren vier mannen nodig om me in bedwang te houden, ik spartelde te veel tegen. Ze duwden een tak in mijn mond om mijn tanden op te zetten; ik had anders iemands hand eraf gebeten. Ik weet nog dat de naald erin ging, hoe de wodka rondgepompt werd in mijn lichaam en dat ik mijn bloed op de weg zag stromen – bloed eruit, wodka erin, bloed eruit, wodka erin, eruit, erin, bloed, wodka. De pijn werd steeds erger, totdat ik bijna bewusteloos raakte. En toen werden alle gedachten die in mijn hoofd rondgingen glashelder, als nieuw. Het was een heerlijk gevoel.

Ik wist dat ik niet meer bang hoefde te zijn dat sterven het allerergste was. Ik hoefde geen kogel of granaat meer voor mezelf achter te houden voor het geval de moedjahidin me te pakken kregen. Die haalden verschrikkelijke dingen met je uit. Ze doodden mannen met een hooivork, ze scheurden de huid van zijn lichaam en gooiden hem in het hete zand, of ze sneden zijn maag open, en duwden hem voorover met zijn gezicht in zijn eigen ingewanden...

En wie kan het ze kwalijk nemen, als je weet wat wij hun hebben aangedaan? Ze ondervroegen krijgsgevangenen met drie man tegelijk, namen hen mee in een helikopter, geblinddoekt. De eerste werd eruit gegooid, zonder verder verhoor; de anderen hoorden alleen nog zijn geschreeuw. De tweede wilde soms wel, soms niet praten – zo niet, dan ging hij er ook uit. De derde wilde altijd praten. En wij sneden de oren af van de moedjahidin die we hadden gedood, zodat we ze laten op de grafstenen van vrienden konden leggen die nooit teruggekomen waren. Dat was onze manier om onze maatjes te vertellen dat ze konden rusten in vrede, dat we hen hadden gewroken.

Op de basis gaven ze me nog meer wodka. Het duurde zo lang om me bewusteloos te krijgen dat mijn lichaamstemperatuur een heel stuk daalde, en mijn polsslag en ademhaling waren zo oppervlakkig dat de artsen dachten dat ik dood was. Ze legden me in een zinken kist en zetten me in een zwarte tulp – zo noemden we de vliegtuigen waarin de dode sovjetmannen werden teruggevlogen. Aan elke kist werd een strook papier bevestigd, waarop zoiets stond als – ik weet het niet meer precies – "type zending: kist met lichaam van soldaat van Defensie. Gewicht: driehonderd kilo. Waarde: nul roebel." Waardeloos, met andere woorden. Was dat niet de waarheid?

Maar goed, halverwege de vlucht werd ik wakker. Bijkomen en beseffen dat je levend begraven bent... dat is het ergste wat je je kunt voorstellen. Ik bonsde tegen het deksel van de kist, maar natuurlijk zat er niemand bij om over de kisten te waken, en de piloten konden me niet horen door het brullen van de motoren. Ik werd helemaal gek in die kist. Ellebogen, vingers, stompjes – ik sloeg alles kapot in mijn strijd om eruit te komen. Pas toen het vliegtuig in Tasjkent landde en de motoren zwegen, hoorden ze me eindelijk. En weet je hoe ik het zo lang heb kunnen uithouden? Omdat de zinken kist waarin ik lag, van slechte kwaliteit was. Hij was niet luchtdicht. In een gemiddelde, dichtgeschroefde kist, was ik binnen een uur dood geweest. Als er een echt lijk had gelegen in die kist, zou het de tent uit gestonken hebben. Mijn leven is gered door slecht sovjetwerk.'

Stoedenetski betastte het kuiltje in zijn kin. 'U denkt misschien dat we meer voor hem hadden kunnen doen, inspecteur, en in vele opzichten ben ik dat met u eens. Dit instituut is een van slechts twee psychiatrische ziekenhuizen die veteranen uit Afghanistan mogen behandelen – het andere is in Sint-Petersburg. Wat heb je daar aan, als je Magadan woont, of in Kazan, of Siktivkar? Maar bedenk ook hoe ver we al zijn gekomen. Tien jaar geleden zou Rodja niet eens voor behandeling in aanmerking zijn gekomen. Dat we dit gesprek voeren, is al een wonder.'

De vampier was niet uit het niets opgedoken. Hij was gecreëerd door het oude systeem en gevoed door het nieuwe, gesmeed in de gloeiende hitte van een revolutie die was ontstaan zonder er eerst aan te denken wat dat zou inhouden voor mensen zoals hij, de onbeduidende, vergeten mensen. Rodjon was niet een product geweest van zijn eigen natuur maar van de waanzinnige maatschappij waarin hij leefde.

De vampier moest niet worden gezocht in Moskou, dacht Irk bitter; de vampier wás Moskou.

Irk keerde terug naar het appartement van de familie Chroeminstsj, langs huizen waar dode katten en honden voor de deur lagen omdat de bewoners geloofden dat de vampier moest stilstaan om alle haren van de kadavers te tellen, wat hem bezig zou houden tot aan het ochtendgloren waar hij voor op de vlucht zou moeten slaan.

De vampier: Rodjon.

Nelli was een maand geleden vermoord. De sporen waren zichtbaar naast haar lichaam. Irk had toen een einde aan de moorden kunnen maken, en Rodja hebben laten opsluiten. Hij had gefaald.

Svetlana en Galina waren inmiddels thuisgekomen. Ze wisten niet waar Rodja was. Rodja, dacht Irk. Mijn vriend, mijn mysterie – mijn doelwit. Irk had gezien hoe gemakkelijk Rodjon met kinderen omging. Jonge mensen hebben een heldere blik; zij weten dingen met één oogopslag, en die arme jongens en meisjes die met Rodjon waren meegegaan hadden dat gedaan omdat ze hadden gezien wie hij was: een slachtoffer.

Wat voor keuze had hij, gezien de omstandigheden, dan zich over te geven aan het duister, en aan zijn verslavingen: wodka, dood, leven, bloed… Het onschuldige, zuivere bloed van de kinderen, dat niet bezoedeld was door wodka. Daarom had Rodja kinderen gekozen, besefte Irk. Geen van de slachtoffertjes had gedronken; ze waren bang geweest dat het hen in hun groei zou remmen, of ze waren nog niet gewend aan de smaak. Rodjon bedronk zich om de misdaden te kunnen plegen, en hoe meer hij dronk, hoe groter zijn angst werd dat zijn bloed in wodka veranderde, en hoe groter zijn aandrang werd om erop uit te gaan en te moorden.

De kinderen waren dood en hij was in leven. Ze waren zelfs gestorven om hem te kunnen laten leven. Maar wat voor leven was dit? Rodjon was al voor een deel aan de andere kant. Hij was zijn ziel kwijtgeraakt in Afghanistan, en wat was een man zonder ziel? Rodjon was dood noch levend, een levende dode. Hoe angstig is het lot van een vampier die geen rust vindt in het graf, maar die is gedoemd op levende wezens te azen. Kan een mens slachtoffer en demon tegelijk zijn? Maar al te gemakkelijk. Rodjon werd uit noodzaak gedreven tot eindeloze, vruchteloze herhaling. Zonder deze vluchtweg had hij er een einde aan kunnen – maar wat een verspilling zou dat zijn geweest, nadat hij al dat andere had overleefd. Hij was bang om te sterven. Rodjon wilde leven.

Rodja zou om zeven uur thuiskomen. Om half negen belde hij op: er waren problemen in het weeshuis, hij zou de nacht daar doorbrengen. Galina sprak met hem; Irk maakte haar duidelijk dat hij hem ook even wilde spreken, maar Rodja had al opgehangen voordat Irk bij de telefoon was.

'Ik moet weg,' zei Irk.

'Waarheen?' vroeg Sveta.

'Terug naar Petrovka.' Het was de halve waarheid: hij zou eerst bij Petrovka langs gaan.

Hij verzamelde twaalf agenten en ging met hen naar het weeshuis. 'We komen voor Rodjon Chroeminstsj,' deelde hij mee aan de bewaker van de 21e eeuw die bij de deur stond.

'Rodja? Die is al uren geleden naar huis gegaan.'

'Hij heeft zojuist van hier uit gebeld.'

'Hij is om zes uur vertrokken. Sindsdien heb ik hem niet meer gezien.'

Irks maag begon op te spelen. 'Hij zei dat er hier problemen waren.'

De bewakers gebaarde naar het gebouw. 'Ga maar kijken, als je wilt. Je zult hem er niet vinden.'

Hij had gelijk. Ze vonden hem niet.

86

Er waren een heleboel dingen die Rodjon niet mocht doen voordat hij op pad ging. Hij mocht niet het woord 'laatst' gebruiken, zich niet scheren, geen handen schudden, zich niet laten fotograferen. Zo was het in Afghanistan gegaan; zo ging het nu.

De hele nacht was hij vreugdeloos in het riool op zoek naar een prooi. Nu was hij bovengronds, verstopt in de vlakke ochtendschaduwen, en hij verroerde geen vin. Hij kon zo lang wachten als nodig was. Het verlangen naar bloed werd pas echt hevig als hij een prooi had, maar als het dan eenmaal zover was, was hij niet meer te houden. Ook al wist hij wat de prijs was als hij werd betrapt – de Tsjetsjenen waren niet langer de zondebokken – hij was niet meer te houden.

Een hele sliert kinderen liepen langs hem, op weg naar school, en ze zongen vrolijk:

Maroesjka vroeg haar minnaar waar zijn woning was gelegen,
Zijn donkere ogen lachten slechts; een antwoord bleef verzwegen.
Dus bond ze een draad aan een van zijn glanzende knopen,
En volgde het garen, door er snel achteraan te lopen;
Het leidde haar het dorp uit, door een bosje zilverberk,
Naar de vergrendelde deur van een stille kerk;
Ze klom op een ladder en tuurde door een raam, o smart,
Want wat ze daar ontwaarde, verkilde haar hele hart.
Daar op het altaar, stond een kist van hout,
Met daarin een dode man, zijn huid was kil en koud;
Gebogen over het lichaam stond haar aanstaande echtgenoot
Die zich te goed deed aan wat de dode man hem bood.

Een jongetje bleef een paar passen achter bij de anderen. Mensen haastten zich van alle kanten naar hun werk, geen van hen zou hem verdenken. Niemand verdacht hem ooit, een halve man die zo goed met kinderen kon omgaan. 'Hé!' siste hij.

De jongen draaide zich om, en Rodjon wenkte hem. 'Help me even, wil je?'

De jongen keek snel naar zijn klasgenoten die steeds meer voorsprong kregen.

'Je kunt toch wel een momentje missen voor een man zonder benen, vriend,' zei Rodjon.

De jongen deed een stap dichterbij, en bleef weer staan. Zijn ogen waren rond als schoteltjes onder zijn schoolpet.

Een op een, Rodja en de jongen; zo was het altijd, en zo was het ook geweest in Afghanistan.

Wanneer je een mijn vond, werd alles opeens doodstil, alsof iemand in één keer het volume had uitgedraaid. Zoals wanneer een violist de strijkstok van de snaren tilt en de laatste noot wegsterft in het auditorium, maar nu vervaagde de noot vanbinnen in plaats van buiten.

Een mijnenveger moest alleen werken – zelfs als de mijn waar je mee bezig was explodeerde, moesten de anderen de weg die voor hen lag blijven controleren. Je werkte op terreinen van zestig graden met een omtrek van vijftig meter; niemand mocht die zone betreden. Het was jij en de mijn, een op een, elk probeerde de ander te doorzien. Soms was je zo geconcentreerd dat je niet doorhad hoe je handen bloedden op de plekken waar je ze had geschramd. En als de mijn afging – tja, dan was er niets anders meer over dan je hoofd, intact binnen je helm. Als hij afging, hoopte je dat hij zo groot was dat hij je doodde, en snel ook, want de spanning werd niet veroorzaakt door de gedachte dat het je dood kon zijn, maar dat je verlamd zou zijn als je het overleefde.

Vind je het gek dat we alles offerden wat ons voor de voeten kwam? Schapen, koeien, paarden, honden – we gooiden eten voor hen neer in een gebied dat we van mijnen verdachten, en bleven wachten om te zien wat er gebeurde als ze erop af gingen. En ja, we gebruikten ook kinderen. Een hand snoepjes hoog in de lucht, en ze renden er al op af voordat je je hand weer in je zak kon steken. Je bent geschokt. Zelfs kinderen? Júíst kinderen. Elk kind dat op een mijn stapte, was er een minder die ons in de jaren die volgden te grazen zou nemen. Want iedereen was daar je vijand. Ze glimlachten naar je voordat ze je een kogel in je rug schoten, of een mijn onder je auto aanbrachten. Zo ging het daar; er waren geen grenzen tussen burgers en militairen, tussen hard en zacht, tussen wettig en niet wettig. Het waren allemaal guerrillastrijders, en het was wij of zij.

'Ik moet gaan,' zei de jongen, en hij rende achter zijn vriendjes aan, terwijl Rodjon van onmacht zijn handen tot klauwen kromde.

Het was druk in Gorkipark – de toegang was per slot van rekening gratis. Uitlaatgassen vervlogen in de vage geur van gebrande suiker; ondanks de temperatuur voerde een man, slechts gekleed in een lendendoek waarop TARZAN stond, bungeejumps uit vanaf een kraan, waarbij hij zich tijdens de val jodelend op zijn borst sloeg. Alice liep snel langs trieste rijen sjacheraars die droefgeestige dieren aan kettingen lieten poseren voor een kiekje met giechelende jongelui, en ze was nog bezig straatventers van zich af te slaan toen ze ineens recht tegenover een kolossale Duitse bierhal stond, waarvan alle tweeduizend zitplaatsen leeg waren. Waar het de Sovjet-Unie ook aan had ontbroken, dacht Alice, er was altijd hoop geweest, maar hier leek zelfs die verdwenen.

De sneeuw lag manshoop opgestapeld op de zijkant, en de paden waren bezaaid met sombere grijze brokken ijs. Langs wit gras en struiken die met jute waren bedekt tegen de winterkou, gleden schaatsers sereen over de ijsbaan. Toen ze Lewis en de anderen in de rij zag staan voor de schaatsenverhuur, sloot Alice zich bij hen aan.

Alice had altijd goed kunnen schaatsen – kunstrijden, natuurlijk, niet hardrijden, want daarvoor had je dijspieren nodig waarmee je de Concorde kon aantrappen. Voor Alice was schaatsen vrijwel de enige manier van voortbewegen die niets lomps had, en als het goed ging, had ze het gevoel dat ze kon vliegen.

Op het ijs vertoonden ze verschillende staaltjes van bevalligheid en succes: Harry was verbazingwekkend goed, Christina, niet zo verbazingwekkend, slecht en er ontstond bijna een internationaal geschil toen Lewis tot stilstand kwam via de eenvoudige doch weinig sociale methode waarbij je recht tegen de dichtstbijzijnde baboesjka aan botst. Een voor een gingen ze langs de kant van de ijsbaan hun meegebrachte hapjes opeten, en lieten Alice, wier gedachten net zoveel rondjes draaiden als haar schaatsen, alleen op de baan achter.

Met Lev was het afgelopen, haar werk was afgelopen. Moest ze bij Lewis weg, of bij hem blijven, uit Moskou vertrekken of daar blijven, in de financiële wereld werkzaam blijven of de journalistiek ingaan – of gewoon blijven schaatsen, drinken, draaien, totdat ze nog maar één keuzemogelijkheid over had?

Alice schaatste door. Haar neus en lippen waren koud en zouden ongetwijfeld paars kleuren, maar de rest van haar lichaam was warm van de wodka. Ze stelde zich voor dat haar binnenste pulseerde als de kern van een reactor. Was niet een van de eerste privatiseringsvoorstellen afkomstig geweest van een bedrijf dat 'Thermonucleair' wodka had willen maken?

Haar blik werd plotseling gevangen door een man die zichzelf voortduwde op een karretje. Hij had geen benen, zag ze, maar hij maakte zich verbazingwekkend snel uit de voeten – nou ja, uit de wielen – waarbij hij aan de zijkant van de baan bleef. Het was Rodjon, besefte ze, die zich vooruit duwde met zijn kolossale armen.

'Rodja!' Ze schaatste naar de zijkant. 'Rodja!'

Hij minderde vaart en glimlachte naar haar. 'Je schaatst goed. Ik zag je bezig.'

Ze lachte. 'Dank je wel.'

'Je bent er ook goed op gekleed.' Hij wees naar haar kleren: schaatsen, bontjas, handschoenen, bontmuts – en daarna keek hij naar Josh die achter haar stond. 'Jouw kind?'

Alice wees naar Bob en Christina. 'Hun kind.'

Josh, altijd even nieuwsgierig, kwam al naar hen toe, smakkend op een toffee. 'Al dat snoep.' Alice maakte een afkeurend geluidje. 'Plakt je reet daar niet van dicht?'

Christina stond luidkeels te verkondigen dat Moskou geen stad was voor kinderen, althans niet voor Amerikaanse kinderen; ze liet Josh elke dag onder een hoogtezon zitten, ze zei, om het tekort aan zonlicht en vitamine D goed te maken.

Steeds wanneer Alice zich ongerust afvroeg of ze een slecht mens was, werd ze weer gerustgesteld als ze merkte dat Josh nog even dol op haar was als altijd. Kinderen konden toch als geen ander verschil zien tussen goed en kwaad? Kwaadaardigheid kan de knapste kop misleiden, maar, hoe slinks dat ook verborgen mag zijn, een kind zal het aanvoelen en er voor terugdeinzen. Alice mocht dan dwars, beneveld, stuurloos en verward zijn geweest – maar zeker niet kwaadaardig of van zins om anderen te kwetsen. Juist niet, zelfs. Waarom zou ze anders al die leugens hebben opgehangen tegen Lewis?

Josh kletste met Rodjon als tegen een lievelingsoom. Rodjon grinnikte naar hem en begon met een rare kopstem te zingen, en Josh klapte in zijn handen en lachte. Rodjon vroeg of hij een snoepje mocht, en toen Josh hem er een gaf, deed hij of hij het doorslikte en toverde het intussen weer uit Josh' oor tevoorschijn.

'Wat gebeurt daar, Alice?' schreeuwde Christina.

'Alles goed,' antwoordde Alice, die zich moest bedwingen om niet haar middelvinger naar Christina op te steken.

'Je hebt er nog een in je oor,' zei Rodjon tegen Josh.

Josh voelde in allebei zijn oren. 'Niet.'

'Toch wel.' Rodjon boog zich naar voren en plukte weer een snoepje achter zijn oor vandaan.

'Nog een keer!' riep Josh uit. 'Nog een keer!'

Rodjon deed de draagdoek af die hij omhad om zijn spullen in te vervoeren, sprong van zijn karretje en draaide, met zijn handen plat op de grond, langzaam zijn hoofd en bovenlichaam helemaal rond, als een turner aan de ringen. Toen begon hij te buitelen, terwijl Josh probeerde hem bij te houden, helemaal tot aan de eerste bocht en weer terug.

'Tante Alice,' zei Josh, 'mag ik even op je rug? Op het ijs?'

'Natuurlijk.'

Langs de kant van de baan stonden wodkaflessen – lege, natuurlijk –opgestapeld. Alice pakte acht flessen bij de hals, vier in elke hand tussen haar vingers, en plaatste ze naast elkaar op de baan, op een paar passen afstand van elkaar. Toen hurkte ze neer, liet Josh op haar rug klimmen, en klemde zijn benen vast onder haar armen terwijl ze rechtop ging staan.

'Alice, wat doe je?' vroeg Christina.

'Ach, mama, het gaat allemaal goed,' zei Josh.

'Breng haar dat maar aan haar verstand, Josh.' Alice giechelde. Ze schaatste de baan een keer helemaal rond, waarbij ze er steeds voor zorgde dat ze haar evenwicht bewaarde wanneer Josh op haar rug bewoog, voordat ze zonder vaart te minderen bij de lege flessen aankwam en er behendig tussendoor slalomde.

'Jippie!' schreeuwde Josh. 'Goed zo, tante Alice! Ga door!'

Ze keerde en begon aan een tweede ronde, alleen draaide ze nu op het laatste moment rond haar as en schaatste achteruit, waarbij ze voor elke fles haar ene been over het andere sloeg en weer terugzette.

'Pas je wel op,' zei Christina. 'Het ziet er vreselijk gevaarlijk uit.'

De wodka danste in Alice' hoofd; ze voelde zich onoverwinnelijk. Ze hield Josh' benen nog steviger vast. 'Ben je klaar voor de sprong?'

'Jaaaa!'

'Goed dan, daar gaat-ie. Hier kan Katja Witt nog een puntje aan zuigen.'

Alice had al jaren niet meer gesprongen, maar ze wist nog wel wat er voor nodig was: snelheid en zelfvertrouwen, snelheid en zelfvertrouwen. Ze strekte haar benen en maakte lange halen om vaart te maken, voelde de spanning in haar quadriceps, en ging toen over op kleinere halen om op snelheid te blijven. Een keer diep ademhalen, en daar gingen ze.

Alice voelde dat het helemaal fout ging zodra haar schaatsen van het ijs af kwamen. Ze verloor haar evenwicht, en het gewicht van Josh op haar schouders maakte het nog erger. Ze viel naar achteren, als ze op haar rug terechtkwam zou Josh met een klap op het ijs neerkomen – dat mocht niet gebeuren. Maar als ze ervoor zorgde dat ze voorover viel, zouden zijn knieën zowel haar gewicht als het zijne moeten opvangen, en dat mocht ook niet gebeuren. Al die gedachten gingen in fracties van seconden door haar hoofd, maar de oplossing volgde meteen. Alice trok haar hoofd in en hield Josh daarboven vast, zodat zij als eerste op het ijs viel en hij boven op haar landde.

De pijn was niet zo erg als ze had verwacht. Ze was dronken genoeg om haar spieren redelijk ontspannen te houden, en de voering van haar jas en muts ving de eerste klap op. Ze hapte in dons toen Josh op haar gezicht te-rechtkwam. Maar hij mankeerde niets, en zij ook niet. Hij sprong met een juichkreet van haar af.

'Geweldig! Nog een keer, tante! Doen we het nog een keer?'

Alice bleef even stil liggen, haar ogen namen de meedogenloze grijs van de Moskouse hemel in zich op, en toen begon ze hysterisch te lachen.

'Josh! Josh!' Het was Christina. 'Gaat het?'

'Natuurlijk, mam. Het was te gek.'

Lewis verscheen op zijn knieën naast Alice. 'Ik stond daarginds bij de ro-delbaan, ik heb niets gezien. Wat is er gebeurd?'

'Ik ben gevallen. Niets aan de hand, hoor.'

'Ik wil even kijken. Waar ben je met je hoofd terechtgekomen?' Hij haal-de de muts van haar hoofd en betastte haar schedel om te zien of er verwon-dingen waren. Ze pakte zijn hand en bracht hem achter op haar hoofd. 'Daar.'

Zijn vingers bewogen als die van een pianist. 'Het is niet zo erg. Je zult er een buil en wat hoofdpijn aan overhouden.'

'Dat heet een kater, Lewis.'

'Niet zo leuk doen, Alice.' Hij voelde nog eens. 'Je hebt geluk gehad, het is niet erger dan een zuigplek.'

'Een zuigzoen?' zei Harry. 'Ik zou me zorgen maken als je vrouw een zuigplek heeft… ik bedoel…' Hij hield op en er viel een stilte; de herinne-ringen aan Alice en Lev waren nog te vers.

Lewis stond op, en Christina nam nu zijn plaats in bij Alice. 'Wat was dat in vredesnaam voor een spelletje, Alice? Hoe kon je zo onverantwoorde-lijk doen?'

'Waarschijnlijk omdat ik dronken ben,' zei Alice giechelend.

'Je hebt gelijk, verdomme. Het is een schande.'

'Christina…' Alice steunde nu op een elleboog … 'het was een ongeluk-je. Josh heeft er niets van overgehouden, en ik ook niet.'

'Dacht je dat jij me iets kon schelen? Hij heeft puur geluk gehad; en jij hebt niets omdat je zo stomlazarus bent. Ik wil niet dat je mijn zoon ooit nog met een vinger aanraakt, is dat duidelijk?'

'Ik hou van jouw zoon alsof hij mijn eigen kind was.'

'Misschien zou je een eigen kind moeten hebben.'

'Misschien zou jij je bek moeten houden.'

'Kom, Alice,' zei Lewis. 'Ik breng je naar huis.'

'Naar huis? Waarom?'

'Ga nu niet zo beginnen.'

'Naar huis, omdat een vrouw daar nu eenmaal hoort? Mij niet gezien. Ik heb hersenen, en ik heb lef, en daar doe ik wat mee; krijg allemaal de pest maar.'

'Ik geloof dat we beter allemaal naar huis kunnen gaan,' zei Bob. Hij gebaarde met zijn handen om iedereen te kalmeren. 'Kom mee, Christina. Josh! Naar huis!'

Alice keek nog eens naar Lewis, en ze zag de flits van paniek in zijn ogen toen het tot hem doordrong.

'Josh!' schreeuwde Bob nog eens, en draaide snel om zijn as om zijn zoon te zoeken.

Josh was nergens te bekennen. En Rodjon trouwens ook niet.

'Alles is vast goed met hem,' zei Alice weinig overtuigend.

'Nou, kennelijk niet, stomme trut,' snauwde Christina.

'Zullen we het later over de schuldvraag hebben?' zei Bob. 'Waar ze ook naartoe zijn gegaan, ver kunnen ze nog niet zijn. Laten we in groepjes zoeken. Christina en ik gaan daarheen –' hij wees naar het noorden, in de richting van het Kremlin. 'Harry, jij gaat die kant op –' westelijk, in de richting van de rivier. 'En Alice en Lewis, jullie die kant –' naar het zuiden, waar het park was. Het oosten was aan de andere kant van de ijsbaan, en ze konden zo wel zien dat Josh en Rodjon daar niet waren. 'Als jullie een agent zien, vertel hem dan wat er is gebeurd. We komen hier over een kwartier weer bij elkaar.'

Het was al moeilijk genoeg om als je gewoon liep je evenwicht te bwaren op de met ijs bedekte paadjes in Gorkipark; angst en haast maakten het twee keer zo lastig. Harry en Christina gleden al na een paar stappen uit, en Bob en Lewis dreigden hen snel te volgen. Alice was de enige die nergens last van leek te hebben. Terwijl ze rende, vroeg ze zich af of het kwam omdat ze liep als een Rus, met aangespannen buikspieren.

Door de bomen heen hoorde ze Christina weeklagen, een moeder die huilde om haar kind.

Alice rende alsof de duivel haar op de hielen zat. De wodka en de adrenaline maakten haar buitengewoon alert. Toen ze open plekken afspeurde waar ze geschrokken voorbijgangers en lege speeltoestellen zag, had ze het gevoel dat haar hersenen in één oogopslag nog massa's informatie konden verwerken. Lewis kon haar nauwelijks bijhouden. Ze hoorde hem roepen en toen ze omkeek, dook hij op achter een hoop smerige ijsresten.

Ze bleven staan, keken rond en renden verder; bleven staan, keken rond en renden verder; maar niets, geen spoor. Er liepen te veel mensen – perfect voor een man zonder benen die zich met een kleine jongen aan het zicht wilde onttrekken. 'Hebben jullie hen gezien?' vroeg ze buiten adem aan voorbijgangers. 'Hebben jullie hen gezien?' Schouderophalen, niet-begrijpende blikken, medelijden; niets waar ze iets mee opschoten.

Nog een bocht om, en daar waren ze, meer dan honderd meter voor hen, een glimp van hen tussen de menigte. Het leek erop dat Rodjon Josh over zijn schouder had gelegd. Alice zette haar handen aan haar mond en schreeuwde: 'Rodja! Josh!'

Rodjon keek om en maakte zich uit de voeten. Ze wilde net weer gaan schreeuwen toen ze hen in de aarde zag verdwijnen, en geschrokken bleef ze staan. *In de aarde?*

Later kon Alice zich niet eens herinneren dat ze de afstand tussen de plaats waar ze toen had gestaan en de plek waar zij verdwenen waren had afgelegd. Ineens stond ze bij een deksel van een mangat dat scheef lag omdat het niet goed was teruggelegd, en toen begreep ze het.

Lewis stond naast haar. 'Wat is dat –'

'Snel!' beval ze hem. 'Geef me een munt van twee kopeken!'

Irk had niet genoeg mannen voor een grootschalige zoektocht door het riool, dus had hij twee opties. Of hij ging zelf achter Rodja aan, en hij wist niet zeker of hij daar geestelijk en lichaam sterk genoeg voor was; of hij kon eindelijk door de zure appel heen bijten en naar Lev gaan, om een stuk of tien maffialeden vragen en blij zijn met hun hulp.

Russen mochten het dan nog zo vaak over opties hebben, ook hier was daar geen sprake van.

Alice stond bij het mangat op hem te wachten. Het duurde twintig minuten voor hij er was, en elke minuut leek wel een eeuw te duren. Als Josh… als hem iets overkwam…

Lewis was teruggegaan naar de ijsbaan om de anderen te halen. Ze stonden toe te kijken terwijl Irk met zijn tijdelijke bondgenoten onder de grond verdween. 'Zorg dat jullie hem vinden!' schreeuwde Christina. 'Jullie moeten hem vinden!' En toen waren ze verdwenen.

Het riool was een labyrint. Irk moest gokken wat Rodjon ging doen, anders zouden ze hem nooit te pakken krijgen.

Rodjon had Alice horen schreeuwen, dus hij wist dat de jacht was ingezet. Hij zou niet het risico nemen Josh te doden op een plaats waar hij gevonden kon worden. Dus zou hij hem meenemen naar ongekende dieptes. Aan de andere kant, hij moest wel wanhopig zijn om bij klaarlichte dag een kind bij een vrouw die hem kende mee te nemen. Irk dacht heel even aan Sveta en Galja, die nog in de zalige onwetendheid verkeerden dat ze respectievelijk een monster hadden gebaard en gehuwd. Toen dacht hij aan de keren dat Rodja hem 'hulp' had geboden, en dat sterkte hem alleen nog maar meer.

Irk bescheen met zijn lantaarns drie tunnels voordat hij vond wat hij zocht: sporen. Ze vertoonden onderbrekingen en waren soms vaag te zien, maar ze waren er in elk geval. Sleepsporen van de punten van Josh' kinderlaarsjes; sporen van Rodja's handen; wielsporen van Rodja's karretje.

Irk ging voorop. In de grotere buizen konden vier mannen naast elkaar lopen; in de kleinere moesten ze gebukt achter elkaar lopen, langs elektrische pompen waardoor het water tot aan hun enkels klotste en daardoor de sporen uitwiste die de enige redding voor Josh konden betekenen. Irk verloor het spoor uit het oog, vond het weer, vond het weer en verloor het weer – hij had Theseus' draad nodig. Irk schrok toen ze bij een water kwamen dat rood kleurde; het eerst wat hij dacht was dat hij door bloed waadde, maar de chemische geur bracht hem weer bij zinnen. De rode stroom werd veroorzaakt door de uitstoot van een verffabriek.

Stalactieten van vet sierden de ingang van een tunnel; gloeiwormen op een rij, zo groot als ringslangen, oplichtend in het duister. Het fosfor verlichtte op zijn beurt weer de piepkleine horentjes op hun kop, vreemde mutaties, een gevolg van het chemisch afval.

Na een half uur, een uur, misschien twee – Irk had geen idee van de tijd, maar plotseling klonk er gespat in de tunnel die voor hen lag. Toen hij zijn lantaarn erin liet schijnen, zag Irk een man zo groot als een dwerg die zich voortbewoog op zijn handen, bijna aan het eind van de lichtbundel, en Josh lag over Rodjons schouder, vastgebonden met de draagriem – het was onmogelijk om op die afstand te zien of hij bewusteloos of dood was. Het geluid droeg in de holle buizen, dacht Irk, en hij besefte ineens dat dat voor beide partijen gold: Rodja moest hen aan hebben horen komen.

De jacht werd ingezet.

De bergketens afspeuren, om te zien of er geen stofwolk opdwarrelt op de helling, geen kleine ongerechtigheid op de bovenste heuvelrug, maar er was niets anders te zien dan de bloemen, blauwe lucht en bergen; dan het weerlicht boven de rotsen, een donderslag door het dal, en daar volgde de aanval: een maanoppervlak vol wegglijdende voeten en vlijmscherpe stukjes steen in schenen en knieën en handen en ellebogen, moedjahidin in allerijl op weg naar de vuurlinie, kogels die fonteinen stof lieten opdwarrelen, en je bedacht hoe weinig het had gescheeld, dat je dit moest schrijven aan je vrienden, niet aan je moeder natuurlijk, die mocht je niet bang maken, maar zo was het wanneer je zo dicht bij de dood leefde, dan dacht je er niet meer aan – niet meer denken, niet denken, de eerste die nadacht kwam om, blijven lopen als je in leven wilde blijven, lopen en schieten, lopen en schieten, de trekker glom van slijtage, nooit achterom kijken, kogels in de rotsen schieten, hopen dat ze meteen tot ontploffing kwamen omdat ze dan niet zouden terugketsen en je alsnog raken, als een kogel iemand trof was het geluid onmiskenbaar, dat vergat je nooit, een vette klap en je maat vlak naast je ging onderuit, de eerste keer dat het gebeurde, reageerde je als in een droom, maar algauw was er niets meer van je over dan je naam, je was iemand anders geworden, iemand die niet bang was voor een lijk, iemand die zich alleen afvroeg hoe hij in godsnaam een man van honderd kilo met zijn uitrusting van de rotsen moest krijgen, en dan nog in die hitte.

Rodjon vluchtte voor zijn achtervolgers, als een vos voor de honden uit. Natuurlijk was het een afschuwelijk ongelijke strijd. Zij waren met velen, en hij was alleen, zij hadden benen, hij niet, zij waren gewapend, hij niet, en zij werden niet gehinderd door het gewicht van een kind. Maar hij kon zich snel voortbewegen op zijn sterke handen, en die gebruikte hij goed, door alleen smalle tunnels in te gaan, heen en terug, zodat hij in rondjes voor hen uit ging en probeerde in te schatten wat de mannen zouden doen om hem vast te laten lopen. Hoeveel tunnels ze ook bewaakten, Rodjon wist er altijd nog wel eentje, en als een vis verdween hij weer door een maas van het net. Hij slingerde zich over paadjes en gleed langs watervallen met ladders die hij als touw gebruikte. Op plaatsen waar stromen in grotere kanalen bij elkaar kwamen, sprong hij zo snel mogelijk over het water, en lette niet op de echo's die tegen de wanden teruggekaatst werden en de lichten die hem dansend volgden, met geluiden en schimmen die vreemde vormen aannamen waar licht en schaduw in elkaar overgingen. Toen ze vlak achter hem waren, hoorde hij hen hijgen.

'Geef het op, Rodja!' schreeuwde Irk, maar hij wist dat hij zijn tijd verspilde.

Rodjon wist dat hij niet eeuwig kon blijven rennen; er zaten te veel mensen achter hem aan. Geleidelijk werden zijn kansen kleiner. Drie keer wilde hij net een tunnel ingaan toen hij zag dat ze van de andere kant op hem af kwamen. Ze organiseerden zich beter; in plaats van hem te volgen, hadden ze zich verspreid en sloten ze hem nu langzaam in.

Steeds dichterbij kwamen ze, en Josh werd een zware last voor Rodjon, maar hij kon het kind niet laten gaan. Hij stoof een zijtunnel in en besefte te laat dat die doodliep. Toen waren ze bij hem, en het enige dat hij kon doen was zich plat tegen de muur drukken – hij wilde niet van achteren beschoten worden – en een mes tegen Josh' hals drukken toen Irk op hem af kwam.

'Ik snijd 'm zijn keel door, ik zweer het je,' schreeuwde hij. Hem de keel doorsnijden en daarna de hamer-en-sikkel erin kerven, zoals ze hadden gedaan met de lichamen van de moedjahidin – een soort handtekening, om te laten zien dat het Rode Leger en niet de Afghaanse regeringstroepen de moorden had gepleegd. Het was niet iets waar je thuis over liep te pochen. De meeste dingen uit de oorlog kon je het beste maar op het slagveld achterlaten.

In de tunnels gonsde het van het lawaai, de jagers verzamelden zich, riepen naar elkaar; het enige dat ze nog misten waren jachthoorns. Irk zag Josh' borst op en neer gaan; hij leefde nog.

'Laat hem gaan, Rodja.' Irks stem trilde.

'Laat míj gaan,' antwoordde Rodjon, 'anders vermoord ik hem.' Het mes drukte tegen Josh' huid, bloeddruppels welden op als rozenblaadjes. Rodjon boog zich naar Josh' hals en likte de druppels af.

Irk zocht oogcontact met de maffioso die het dichtstbij stond. Hij hield zijn pistool gereed en keek neer op de loop.

'In de schouder,' fluisterde Irk. 'Schiet hem in de schouder.'

De man keek vragend, maar het enige dat Irk deed was knikken: *Doe het nou maar, vraag niet waarom.*

'Je krijgt een eerlijk proces,' zei Irk tegen Rodjon. 'Ik zal getuigen dat je geestelijk gestoord bent. Je gaat naar een ziekenhuis, niet naar de gevangenis. Dat is het beste waar je op mag hopen.'

Rodjon schudde zijn hoofd en boog zich weer om de wond van Josh af te likken. Het schot van het pistool van de maffioso was zo hard dat Irk verschrikt opsprong.

Het schot drukte Rodjon tegen de muur, maar wat was niet de reden dat hij Josh losliet, het was de donkere vlek die zich plotseling in zijn hemd verspreidde, het vocht waar zijn handen naar grepen terwijl hij in doodsangst schreeuwde dat hij zijn bloed verloor, zijn bloed verloor, ze moesten hem helpen anders ging hij dood.

Er waren vier maffiosi nodig om hem in bedwang te houden, zo ging hij tekeer. Pas toen een van hen hem met een pistool aftuigde, hield Rodjon zich koest.

Overal waar Rodjon kon zien stonden kratten wodka, en hij wist waar hij was: de ondergrondse opslag, een steenworp van het weeshuis vandaan. Lev trok aan de tourniquet om Rodjons arm om te kijken of hij strak genoeg zat.

'De kogel is recht door je schouder gegaan,' zei hij. 'Geen blijvende schade.'

'Waar is Juku?' vroeg Rodjon.

'Weer terug naar de echte wereld.'

De mannen van de 21e Eeuw hadden Irk en Josh naar boven begeleid, en daar hadden ze tegen Irk hadden gezegd dat zij zich verder met Rodjon zouden bezighouden. Irk had hem natuurlijk willen arresteren zodat het recht zijn beloop kon krijgen. Lazer op met je recht, hadden ze gezegd; rechtszaken waren zinloos, de maffia was het enige dat hier effect had, ze zouden zelf wel recht spreken. Irk had benadrukt dat Rodja zijn zaak was; hij was er wekenlang dag en nacht mee bezig geweest. Ja, hadden ze gezegd, maar zonder hun mannen zou Josh nu dood zijn geweest en zou Rodjon nog steeds onder de grond op zoek zijn naar zijn volgende slachtoffer. Bovendien waren de aanvallen tegen Lev gericht geweest. Nu was Lev iets met hem van plan – daar ging het om.

Realistisch gesproken had Irk niets kunnen doen, behalve Josh terugbrengen naar zijn ouders en daarna proberen versterking te laten komen, alsof dat enig nut zou hebben. De mannen van de 21e Eeuw hadden hem niet verteld waar ze Rodjon naartoe brachten, en al helemaal niet wat ze met hem van plan waren. Tegen de tijd dat Irk hen weer zou hebben gevonden, zou het te laat zijn.

Alle maffiosi die aan de achtervolging hadden meegewerkt, waren aanwezig om te zien wat voor lot Rodjon te wachten stond. Ze bekeken hem met verbijsterde nieuwsgierigheid, alsof hij een exotisch dier in een dierentuin was.

Lev kwam binnen, en alle mannen kwamen overeind. Hij koos een stoel in het midden en verzocht hun te gaan zitten.

'Dit is een dievenrechtbank,' zei hij, 'hier bijeengekomen voor hen die onze wetten overtreden. Je bent natuurlijk geen vor, Rodja, maar je hebt mijn kinderen vermoord en mijn vriendschap verraden, daarom zul je volgens de dievenwetten worden berecht. Ik zal optreden als rechter, jury, en zo nodig als beul. We zullen het proces volgens de regels uitvoeren. Je kent de aanklacht: je hebt minstens zes kinderen vermoord. Je kunt om een advocaat vragen of jezelf verdedigen, dat is jouw keuze.'

'Ik eis dat ik een echt proces krijg,' zei Rodjon. De woorden leken niet uit hemzelf te komen; misschien was het de moed van een wanhopig man die hem deed spreken.

'Je verkeert niet in de positie om iets te eisen. Dit ís een echt proces, en verdomme heel wat beter dan dat zootje dat moet doorgaan voor de officiële justitie.'

'Dit is geen echt proces, het is een schijnproces. Stalin zou er trots op zijn geweest. Je hebt me hier naartoe gebracht door geweld te gebruiken, en alleen op grond daarvan heb je je het recht toegeëigend om me te kunnen veroordelen en beschuldigen. Waarom zou je eigenlijk nog een proces houden? Het is wel duidelijk wat het resultaat zal zijn.'

'Is dat het enige dat je te zeggen hebt?' vroeg Lev.

Rodjon dacht even na en schudde zijn hoofd. Hij schraapte zijn keel en begon aarzelend te spreken in een poging zijn leven te redden.

'Afghanistan was een vreemd, helder land. Alles was er gemakkelijk te begrijpen, ik wist wat mijn doel was. In een oorlog moet je je naar de regels leren voegen, en hoe sneller je dat leert, hoe langer je je ernaar moet voegen. Ik dacht er niet bij na of ik de revolutie verdedigde of het vaderland. Ik schoot gewoon op iedereen die op mij schoot. In de bergen was het altijd duidelijk wie wie was. In een oorlog valt de schijn weg. Ik leerde niet in woorden, maar in daden te geloven.

Ik vond het verschrikkelijk in Afghanistan; nu vind ik het hier verschrikkelijk. Zodra ik thuiskwam, wilde ik terug. De plek die me had gehalveerd was de enige plek die me weer heel kon maken. Hier vecht ik voortdurend tegen mezelf, loop ik achter mezelf aan. De enige bevrijding krijg ik door te moorden, net zoals een alcoholist alleen bevrijding vindt in het drinken. Voor mij is wodka bloed geworden, en is bloed moord geworden – ik heb mijn dosis nodig, zo simpel is dat. Als ik die bevrijding voel, doet niets er meer toe, het is alsof plaats en tijd in elkaar overgaan. De aanvallen lijken maar een paar seconden te duren, maar als ik weer bijkom merk ik dat ik uren weg geweest ben. Als de adrenaline weer is afgenomen, ben ik zo moe dat ik nauwelijks mijn ogen kan openhouden.

Mijn misdaden zijn niet van een kaliber dat afgestraft kan worden, niet door justitie en ook niet door die onderwereld van jullie, dus wat moeten jullie met me? Ik ben een monster, een psychopaat. Ik handel buiten de wet – buiten de wet van de regering, buiten jullie wet, buiten alle wetten, behalve die van mezelf.

Als vor, Lev, heb jij ervoor gekozen buitenstaander te zijn. Ik heb die keuze niet. Ik word bezeten door het kwaad, dus ben ik niet langer verantwoordelijk voor mijn daden. Dat heeft de oorlog me aangedaan. De oorlog in Afghanistan, de oorlog tegen het communisme, de oorlog tegen het kapitalisme, de oorlog die we altijd voeren, de oorlog tegen onszelf – die hebben me dat allemaal aangedaan.

Ik weet dat ik hier niet levend weg zal komen. Dat accepteer ik. Ik verwelkom die gedachte zelfs, omdat ik erdoor van deze eindeloze marteling bevrijd zal worden; het zal een kinderleven redden, misschien twee, meerdere, vele. Ik wil dat jullie weten dat ik ze nooit heb gemarteld – het was al erg genoeg dat ik anderen moest doden om te kunnen overleven, dus heb ik het zo snel en zo menselijk mogelijk gedaan. Ze vertrouwden me namelijk. Mensen zoals ik, kreupelen en invaliden, wij zijn eraan gewend dat volwassenen ervoor terugdeinzen ons aan te raken, ons in het beste geval negeren en in het ergste geval misbruiken. Maar kinderen, die zijn nieuwsgierig naar ons, die voelen zich niet bedreigd. Hoe anders kon ik zo goed met hen opschieten, hoe anders had ik hen aan me kunnen onderwerpen?

Ik had dat niet met volwassenen kunnen doen, die zouden voor me weggelopen zijn, mannen zouden te sterk voor me zijn geweest. Bovendien zitten ze allemaal vol wodka, in tegenstelling tot de kinderen. Ik bood hun eerst altijd een slokje aan, alleen om te kijken of ze dronken, en zo niet, dan was hun lot bezegeld. Die kinderen waren slachtoffers van de oorlog in Afghanistan, maar zonder dat ze daar iets aan konden doen, net zoals wij, die daar vochten, slachtoffers waren. De kinderen stierven als gevolg van die oorlog, op dezelfde manier als wanneer ze op een landmijn waren gelopen of neergeschoten waren door een sluipschutter.

Een ding nog betreur ik: dat ik het zo dicht bij huis heb gezocht. Jullie zijn altijd goed voor me geweest, Lev, en het was nooit tegen jullie gericht. De eerste slachtoffers waren degenen die het dichtstbij, het gemakkelijkst te doden waren, en dat betekende dus Prospekt Mira. Daarna, toen jullie de Tsjetsjenen verdachten en Karkadann dat tegen jullie gebruikte, kwam mij dat heel goed uit, ik kon doorgaan in de wetenschap dat anderen erop werden aangekeken. Ik legde het lichaam van Modestas in de opslagruimte – hier dus – na de aanslag van de Tsjetsjenen, in de wetenschap dat die twee zaken met elkaar in verband gebracht zouden worden. Het waren niet de Tsjetsjenen die bij ons thuis inbraken en de blauwe katten vermoordden – dat was ik. Ik was radeloos, ik dacht dat ik, door hun bloed te drinken, niet weer een kind zou hoeven doden, maar het werkte niet, mijn lichaam weigerde het. Het wilde alleen mensenbloed.

Ik vraag nog één ding: als jullie me doodmaken, doe het dan goed. Hak mijn hoofd af en leg het tussen mijn benen. Misschien dat ik nog even, althans nog een ogenblik, hoor hoe mijn eigen bloed uit mijn hals gutst. Of boor een houten stok door mijn hart, begraaf me bij een kruising, nagel mijn lijk vast in het graf, bind mijn armen aan elkaar om te voorkomen dat ik zal ontsnappen, snijd mijn lichaam in stukken en begraaf ze apart, verbrand mijn lijk, ruk mijn hart uit, giet kokende olie over mijn graf, begraaf me met mijn gezicht naar beneden, of met een wilgenkruis onder elke arm en een op mijn borst, stop knoflook in mijn mond, breek mijn nek, bind wilde rozen rond mijn kist. Zorg ervoor dat je me overal van verlost.'

In de opslagplaats bleef het doodstil.

Na een lange poos stond Lev op en liep naar Rodjon. Hij was drie of vier keer zo groot als hij; een man verschilde meestal zoveel met zijn hond.

'Je hebt je eigen regels gemaakt, Rodja, en ernaar geleefd ook. Maar het is niet aan jou om te bepalen hoe je sterft. Ik zal je wens om je te onthoofden niet inwilligen, maar ik zal je ook niet onnodig laten lijden. Je hebt genoeg geleden. Ik veroordeel je tot tien jaar zonder recht op correspondentie.'

Tien jaar zonder recht op correspondentie was de eufemistische uitdrukking waarmee de sovjets het doodsvonnis uitspraken.

Lev ging achter de man zonder benen staan, hield Rodjons hoofd met een hand in bedwang, hief met de andere zijn eigen revolver, en boorde een enkele kogel door Rodjons hersenen.

Rodjons lichaam werd toen de avond viel voor Petrovka neergegooid.

Sveta en Galja hadden Irk niet willen zien. Hij had de jacht op Rodja geleid, en dus gaven ze hem er de schuld van dat Rodja was gepakt en gedood. Hij had Rodja laten stikken en overgelaten aan de maffia, hadden ze gezegd, en nu zou er nooit iemand worden berecht voor de moord.

Nee, had Irk gezegd, hij had hem niet laten stikken. Hij had domweg geen andere keuze gehad.

Ze hadden niet naar hem willen luisteren. 'Eruit, eruit!' hadden ze geschreeuwd. 'Lazer op, laat ons alleen met ons verdriet!' Het was niet redelijk, het was niet de manier waarop hij zou hebben gereageerd, maar wat kon hij anders doen dan gehoorzamen? En als ze het al hadden geweten, wat zouden ze dan hebben gedaan? Een vrouw zou misschien haar man aangeven, maar een moeder haar zoon? Nooit.

Irk dacht aan de opluchting en de vreugde op de gezichten van de Amerikanen toen hij Josh bij hen thuis had afgeleverd, maar het was een schrale troost. De Chroeminstsjes waren de enige vrienden geweest die Irk in Moskou had. Hij was weer op zichzelf teruggeworpen.

87

Toen ze thuiskwam ging de telefoon, maar ze sloeg er geen acht op. Alice had geen zin om op te nemen, wie het ook mocht zijn. Ze borg de etenswaren op in de koelkast, en nog steeds ging de telefoon; ze hield haar handen onder de kraan en droogde ze af aan een doek, en nog steeds ging de telefoon. Ze hadden natuurlijk net opgehangen als ze erop af liep, maar nee, hij bleef gaan.

'Hallo?'

'Ik moet je zien.'

'Het was Lev die haar met zijn stem overdonderde en een bliksemschicht door haar hart schoot. Het leek een eeuw te duren voordat Alice iets kon uitbrengen.

'Nee.'

'Ik moet je zien,' herhaalde hij.

'Het gaat goed zo. Ik heb rust. Ik wil niet alles weer overhoop halen.'

'Alice, alsjeblieft.'

Voorzover ze zich kon herinneren had hij haar nooit eerder gesmeekt.

Je kunt jezelf wijsmaken dat je niet verliefd op iemand bent, je kunt in gedachten duizenden barrières tegen die persoon oprichten, en als je maar goed genoeg je best doet, kun je jezelf ervan overtuigen dat je over die heel dunne lijn van liefde naar haat bent gegaan. Alice had dat ook allemaal gedaan, maar soms is het domweg niet genoeg.

'Waar ben je?' vroeg ze.

Lev nam haar in zijn armen en hield haar minutenlang in stilte vast. Eerst verstarde ze, maar langzamerhand begon ze onder zijn warmte te ontdooien. Toen hij begon zich te verontschuldigen, draaide ze hem haar gezicht toe en kuste hem om hem tot zwijgen te brengen.

Een soort thuiskomst. Ze waren twee weken uit elkaar geweest; voor hen leek het een heel leven.

Alice dronken haar eerste en tweede glas om de schok Lev terug te zien te verwerken, en haar derde en vierde om hun hereniging te vieren. Ze was halverwege het vierde glas toen hij er zijn hand overheen legde.

Ze keek hem eerst verontwaardigd, daarna met een onzekere behoedzaamheid aan. Ten slotte maakte zijn stilzwijgen haar duidelijk wat hij bedoelde.

'Denk je dat ik hulp nodig heb?' vroeg ze.

Dat was eruit. Het bleef als de slinger van een klok tussen hen hangen.

'Ja.'

'Waarom?' Het klonk te defensief, het was niet het antwoord dat ze had willen horen.

'Al die tijd dat ik je nu ken, lieverd, heb ik je nooit één keer dit zien doen–' Lev ging met zijn hand langs zijn hals alsof hij er een snee in maakte, het gebaar dat Russen maken om aan te geven dat ze genoeg hebben gehad. 'Je drinkt maar door. Nooit zeg je: "Nu heb ik genoeg."'

'Als ik hulp nodig heb, ga jij me dan dwingen die te zoeken?'

'Nee.'

'Waarom niet?' Verbaasd.

'Hoe zou ik je ergens toe kunnen dwingen, Alice? Je zou alleen maar je hakken in het zand zetten en precies het tegenovergestelde doen. Je weet toch hoe je bent. Als ik je zou vrágen iets te doen, zou je de oceaan overzwemmen; als ik je zou ópdragen iets te doen, zou je de kamer nog niet door lopen. Je gaat hulp zoeken als jij dat wilt, eerder niet, en alleen jij kunt bepalen wanneer dat is. Maar inderdaad, ik vind wel dat je hulp nodig hebt. En ja, als je die hebt gevonden, zal ik er voor je zijn.'

Alle kille, medische feiten waren haar bekend; als tiener had ze geprobeerd haar moeder ermee om de oren te slaan. Alcohol kan je hersenen, lever, nieren, maag, ingewanden, alvleesklier, hart en aderen aantasten. Het kan leiden tot geheugenverlies, black-outs, voortijdige aftakeling, chronisch hoesten, ondervoeding, delirium tremens, tintelende tenen en vingers, huidproblemen en maagzweren. Afgezien van sociale belangen, lopen vrouwen meer risico dan mannen; omdat ze lichter zijn, nemen ze alcohol sneller op, en daardoor ondervinden ze er uiteindelijk meer schade van, ook al drinken ze minder.

'Ik drink 's avonds, soms ook 's middags – op feestjes, of als het van me wordt verwacht op het werk, of als ik bij jou ben, lekker ontspannen en gelukkig, zoals nu,' zei ze. 'Ik weet wat alcoholisme is – mijn moeder dronk, weet je nog? Echte alcoholisten drinken voortdurend: 's ochtends, 's middags en 's avonds. Ik heb nooit een dag verstek laten gaan vanwege de drank; ik heb me nooit ziek gemeld, ik heb nooit naar huis hoeven gaan omdat ik zo'n vreselijke kater had dat ik me niet op mijn werk kon concentreren. Echte alcoholisten houden het niet vol op hun werk, ze kunnen 's ochtends niet hun bed uit komen. Soms slapen ze zelfs in de goot. Dat heb ik al helemaal nooit gedaan.'

'Ik heb nooit het woord "alcoholist" gebruikt, Alice.' Lev sprak zachtjes. 'Dat heb je zelf gedaan.'

Alice nam snel een slok uit de fles terwijl Lewis zijn jas haalde, en liep achter hem aan naar de auto. Zij had de sleutels; met tegenzin ging ze op de passagiersstoel zitten. Ze hadden best kunnen lopen, maar het was niet echt een avond voor een wandeling: de wind waaide alsof hij het hart uit hun lijf en de kleren van hun lichaam wilde rukken.

Ze gingen naar het Aragvi, een Georgisch restaurant aan Tverskaja naast een standbeeld van Joeri Dolgoroeki, de stichter van de stad Moskou. Georgiërs beweren graag, half serieus, dat Dolgoroeki in elk geval zo verstandig was geweest zijn stad vlak bij een goed restaurant op te richten.

Een autoalarm loeide vlak bij de ingang van het restaurant, een geluid dat om de paar seconden veranderde – een gewone tweetonige hoorn, en dan weer een politiealarm, indringers uit de ruimte, een geluid dat iets weg had van een imitatie van Tarzan. Het hield op vlak voordat Alice en Lewis er langs liepen.

'Jammer, zeg,' zei ze. 'Ik hoopte net dat we nu Ouverture 1812 te horen kregen.'

Zodra ze in het Aragvi waren, begonnen ze hun laagjes kleren af te pellen. Het was er, net als in alle andere gebouwen in Moskou, bloedheet. Sommige gebouwen hadden constant airco aan, zelfs in de winter, om te voorkomen dat het er een sauna werd. De temperaturen binnen en buiten waren zelden goed op elkaar afgestemd.

De garderobejuffrouw gaf Lewis en Alice de nummers 40 en 42 voor hun jassen; er bestond geen 41, aangezien dat het jaar was waarin Hitler Rusland was binnengevallen, en ook geen 45, omdat de overwinning op de gehate Nazi's heilig was, een feest voor iedereen en niet voor een enkele individu.

Een ober leidde hen naar hun tafeltje en vroeg wat ze wilden drinken.

'Ik neem een glas rode wijn,' zei Lewis.

'Ik graag een Smirnoff Black,' zei Alice.

De ober knikte goedkeurend. 'Een groot of een klein glas?'

'Een fles.'

'Dat lijkt me niet, Alice,' zei Lewis. Hij richtte zich tot de ober. 'Een glas is voldoende.'

'Een fles,' herhaalde Alice.

'Een echte man zou meedrinken in plaats van er ruzie over te maken,' mompelde de ober in zichzelf, en Alice schoot in de lach toen hij wegliep.

Ze bleven in een onaangenaam stilzwijgen zitten. Alice pakte een paar verpakte suikerklontjes uit de kom en draaide ze om en om in haar handen. De wikkeltjes waren bedrukt met een naargeestig bruin, wit en zwart motiefje waardoor het op het eerste gezicht sigarettenpeuken leken. Lewis bekeek de kunstbloemen.

Toen de ober terugkeerde, graaide Alice de fles Smirnoff bijna uit zijn handen. Ze dronk haar eerste glas in één keer leeg en was halverwege haar tweede toen ze Lewis zag kijken.

'Blijf je de dit hele avond doen?' vroeg hij.

Onder invloed van zijn toon reageerde ze kinderlijk defensief. 'Ik denk het wel.'

'Nou, misschien wil jij geen leuke avond, maar ik wel.'

De ober stond nog te wachten om hun bestelling op te nemen en deed alsof hij hun woordenwisseling niet hoorde. Alice bestelde champignons in zure room en forel met noten en pruimensaus. Lewis koos een aantal koude visdelicatessen met een kruidige bonenschotel.

Alice was nog net nuchter genoeg om zich niet door Lewis op de kast te laten jagen. Om verdere ruzies te voorkomen, begon ze over neutrale onderwerpen – films, boeken, plannen voor de zomer – eigenlijk alles behalve de hete hangijzers die ze nu zo zorgvuldig vermeed.

Het niveau van de wodka in de fles daalde gestaag. Ze werd uitermate dronken.

'Ik geloof dat het tijd is om weg te gaan,' zei Lewis.

'Waarom? We krijgen nog een dessert en koffie.'

'Ik bedoel niet hier – maar uit Moskou. Ik geloof dat het tijd is om weg te gaan uit Moskou.'

'Waarom?'

'Omdat ik het hier verschrikkelijk vind. En ik geloof dat jij ook geen reden meer hebt om te blijven, toch?'

Lewis kon de meest terloopse opmerkingen nog kwetsend laten overkomen. Alice beet op haar lip. De wodka brandde onder haar tong.

'Nou?'

Het bruiste vanbinnen in haar, als een vloed die opkwam: *Vertel het hem, vertel het hem, dan is het eruit.* Alice tilde de kaars van het midden van de tafel en begon ermee te spelen, ze draaide hem zo dat het kaarsvet er in verschillende patronen langs liep.

'In godsnaam, Alice, dat is toch niet zo'n moeilijke vraag.'

In haar gespannenheid maakte ze een onverhoedse beweging, waarbij ze zonder het te willen gesmolten kaarsvet op haar vingers knoeide, precies op haar trouwring. Ze uitte een kreet van pijn en probeerde de ring, die aan alle kanten heet was geworden, af te schuiven. Ineens schoot hij van haar vinger en rolde over de tafel terwijl Alice met haar hand schudde om de pijn te verminderen. Een vuurrode striem markeerde de plek waar de ring had gezeten. Ze was gebrandmerkt.

'Ik heb hem vandaag gezien,' gooide ze eruit. 'Ik heb hem gezien, ik heb Lev gezien, en ik doe je weer pijn, het spijt me, het spijt me zo vreselijk, maar hij is de man van wie ik hou, zonder hem kan ik niet leven, en ik wil bij hem zijn, hier in Moskou.'

Alice stond op en was al de deur uit voordat Lewis iets kon zeggen. Ze kon het niet verdragen zijn gezicht te zien of zijn antwoord te horen, ze kon het niet aanzien dat zijn hart weer werd gebroken. Ze nam niet de tijd om haar jas uit de garderobe te halen; ze bekommerde zich zelfs niet om het laatste beetje wodka.

Er waren naargeestige flitsen die wel of niet het gevolg konden zijn van hallucinaties als gevolg van dronkenschap; Alice, wegvluchtend voor zichzelf als een hond met rabiës, wist het niet meer. De wilde flarden rook, afkomstig van straatvuurtjes, het kraken van voetstappen en het geclaxonneer van voorbijrijdende auto's gaven haar allemaal de indruk dat ze al eeuwen op weg was naar een afschrikwekkend verre plaats.

Ze passeerde een lange rij baboesjki die schouder aan schouder hun voeten warm stonden te stampen terwijl ze met nietsziende ogen in de verte staarden. Met hun grijze haren en zwarte, enkellange jassen zagen de vrouwen eruit als kraaien, en hun ruwe handen boden waren te koop aan die gevarieerd genoeg waren om een aantal bazaars mee te vullen: broden, Oekraïense worstjes, Chinese zakdoeken, T-shirts, oude laarzen, oude camera's, kranen, douchekoppen, melk, waspoeder, lampen, wastafels, deurknoppen, koekenpannen, tandpasta, lijm, touw, oude schoenen en nagemaakte designerkleding.

Naast de baboesjki lagen twee mannen aan de voet van een standbeeld van Lenin, die zijn rechterarm recht naar voren hield alsof hij het verkeer leidde. Er was per slot van rekening niets anders meer waar hij leiding aan kon geven. De mannen zwaaiden met een fles wodka. Toen Alice strompelend langs hen liep, riepen ze haar toe. 'Hé, jij daar. Ja, jij, wil je niet de derde man zijn?'

Aha, dacht ze – een wodkatrojka. Bij het delen van de fles is drie het geluksgetal. Ze veranderde van richting, slagzij makend als een galjoen, en ging op weg naar haar nieuwe maatjes.

Een goedgeklede vrouw siste Alice toe: 'Het is al erg genoeg dat mannen dat doen, laat staan jij.'

Alice stak haar rechterduim tussen haar wijs- en middelvinger in en hief die op in de richting van de vrouw. 'Krijg de tering,' snauwde ze.

Ze knielde neer bij de stromende wodka en dronk gulzig, in een poging zichzelf te verdrinken.

Ze moest in slaap zijn gevallen, want ineens was ze alleen in de kou en lag ze in het donker. Er lag iets zwaars op haar borst; het bleek een ruige, zware jas te zijn; iemand moest die over haar heen hebben gelegd, toen hij zag hoe weinig kleren ze aanhad. Naast haar stond een fles wodka. *Drink me*, fluisterde die haar toe op verleidelijke toon, en ze wist dat ze, als ze dat deed, zou sterven, ofwel aan alcoholvergiftiging of aan de kou. Ze had geen werk en ook geen man meer. Zou het verkeerd zijn om de gifbeker leeg te drinken? Het enige dat ze ervoor hoefde te doen was hier blijven wachten op de dood; het zou niet lang duren voordat hij haar vond.

Alice bevond zich in die ijle wereld tussen slapen en waken, waarin haar omgeving bestond uit visioen en gedachten die slechts even opkwamen en oplosten in bewusteloosheid; een vrouw tussen twee werelden in een land tussen twee werelden.

Een man in uniform boog zich over haar heen, toen werd alles zwart.

88

Toen Alice wakker werd, merkte ze al voor ze haar ogen had geopend aan de scherpe geur en de nattigheid in haar liezen dat ze zich had bevuild, en niet weinig. Een afschuwelijk moment lang dacht ze dat ze weer gevangen zat, maar de stemmen die ze hoorde waren afkomstig van vrouwen, Russische vrouwen, geen Tsjetsjeense. Toen ze haar ogen met moeite open wist te krijgen, was het alsof ze een visioen zag van de hel: een kamer vol oude feeksen, met dronken koppen, lethargisch en onvrouwelijk, hun kleren stijf van het vuil, die allemaal gore taal uitsloegen tussen hysterische lachbuien door. Alice wist niet waar ze was, of hoe laat het was; ze was al die vermogens kwijt, en als ze niet oppaste raakte ze zichzelf ook nog kwijt.

Met die speciale tederheid en geduldigheid die een Rus kan opbrengen voor een dronkaard had iemand een kussen onder Alice' hoofd gelegd en wat kranten onder haar benen uitgespreid.

Een jonge vrouw in een spijkerbroek en een trui kwam naar haar toe. Haar zwarte haar vertoonde grijze strepen en was heel kort geknipt; haar voortanden stonden scheef, en haar neus was zo breed dat haar kleine ovale bril er nauwelijks overheen paste. Het was geen knap gezicht, maar wel vriendelijk.

'Waar ben ik?' vroeg Alice.

'Je bent in het aquarium' zei de vrouw, en toen ze Alice niet-begrijpend zag kijken: 'een van de afkickcentra. Ik werk hier als vrijwilliger. Ik heet Nadhezda.'

'Nadhezda' betekent hoop. Alice keek nog eens rond. Hopeloos zou toepasselijker zijn geweest. 'Wie zijn al die mensen?' vroeg ze.

Nadhezda wees snel achter elkaar vijf vrouwen aan, van rechts naar links. 'Dat is Ivana Baboesjkina. Ze is zevenentwintig, technisch assistente; ze is midden op de weg aangetroffen, kon niet meer lopen. De vrouw naast haar lag in het portiek van een flat; die daarnaast lag bij de uitrit van een markt; en die...' ze wees op een bejaarde vrouw, die haar hond in haar armen geklemd hield ... 'werd binnengebracht uit de buitenwijken; en de ergste van

517

allemaal, die daar in de hoek, wilde haar kind wegdoen voor drank. Een lief jong, vier jaar oud, en zij bood hem te koop aan voor een fles wodka.'

Alice kneep haar ogen dicht, in de hoop dat ze, wanneer ze ze opendeed, in haar eigen bed zou liggen, veilig en schoon en warm. 'Ik hoor hier niet, weet je,' hoorde ze zichzelf zeggen.

'O, jawel,' reageerde Nadhezda eenvoudig. 'Iedereen is hier gelijk.'

Alice deed haar ogen weer open. De oude feeksen stonden nog steeds in een rij voor haar.

'Ik moet overgeven,' zei ze.

Met een lege maag en een pijnlijke keel vroeg ze Nadhezda hoe ze hier was binnengekomen.

'Een agent heeft je binnengebracht. En geen moment te vroeg. Een paar minuten later en je was er geweest.' Een agent; Alice herinnerde zich vaag een man in uniform die over haar heen gebogen stond. 'O, ja!' Nadhezda's mond vormde een volmaakt cirkeltje. 'Ik moest je zijn naam doorgeven. Ik zei nog dat het niet belangrijk was, maar hij stond erop.' Ze stak twee vingers in de zak van haar spijkerbroek – die te strak zat om haar hele hand erin te kunnen krijgen – en haalde er een stukje papier uit.

'Oevarov, Grigori Edoeardovitsj,' las ze. 'Hij zei dat je hem uit de rottigheid had gehaald, en dat jullie nu quitte staan.'

Het was de eerste keer dat Alice de onderbuik van Rusland had gezien, met al zijn uitwassen. Op de muur boven haar hoofd hing een poster van een vrouw die voorover lag in een plas, haar schoenveters vormden de boodschap KEN JE GRENS. Naast de poster hing een prikbord vol met recepten van brouwsels van de bewoners. Alice las ze met afgrijzen: Balsem van Kanaän – 10 cl methylalcohol, 20 cl zoet bier en 10 cl heldere vernis; Geest van Genève – 5 cl eau de toilette, witte seringen, 5 cl deodorant, 20 cl Zjigoeli-bier plus 15 cl terpentine; De Traan – 1,5 cl lavendelwater, 1,5 cl Verbena, 3 cl eau de cologne dennengeur, 15 cl mondwater en 15 cl limonade; en ten slotte, spectaculair genoeg, Hondennieren – 10 cl Zjigoeli-bier, 3 cl shampoo, 7 cl antirooswater, 1,2 cl superlijm, 3,5 cl remvloeistof en 2 cl insecticide.

Moskou had tientallen van dit soort 'aquariums' – opvangcentra waar de politie 's nachts dronkelappen afleverde – maar slechts een ervan is alleen voor vrouwen. Alice besefte dat hierin de Russische opvatting wordt weerspiegeld dat het erger is voor een vrouw om aan de drank te zijn. Een man kan er rustig op los zuipen, maar een vrouw niet. Een vrouw die drinkt, is mislukt als vrouw, maar een man die drinkt niet als man; mannen bewijzen hun mannelijkheid met wodka, net zoals de man die met veel verschillende vrouwen naar bed gaat een echte kerel heet te zijn, terwijl zijn vrouwelijke tegenvoeter als hoer wordt bestempeld.

Een vrouw die aan de drank is, is bezoedeld, ze wordt gezien als iemand die haar identiteit verliest en niet langer beschouwd als symbool van morele zuiverheid. In Rusland zijn vrouwen niet alleen verantwoordelijk voor de verzorging, het huishouden en de boodschappen; ze gelden ook als de bewaaksters, voorvechtsters, beschermsters en behoedsters van de moraal van de samenleving. Als een vrouw uit de maatschappij wordt verstoten, valt ze harder en dieper dan een man.

Nadhezda nam een polaroidfoto van Alice die ze aan haar gaf. Als Alice niet had gezien dat de foto van haar werd genomen, had ze nauwelijks geloofd dat zij het was. Haar gezicht was helemaal opgezwollen; builen puilden uit haar huid als heuvels, paars getint door de ondergaande zon.

'Gevochten of gevallen?' vroeg Nadhezda.

'Stoepziekte.' Gestruikeld.

Nadhezda's ogen verraadden wat ze dacht: dat zeiden ze allemaal, zelfs degenen die door hun man in elkaar geslagen werden. 'Hoeveel heb je gedronken?'

'Zoveel als een paard.' Een heleboel.

'Hier...' Nadhezda gaf Alice een klembord met een vragenlijst en een pen die er met een touwtje aan vastzat. 'Hier staan acht vragen. Beantwoord ze eerlijk – het eerste wat bij je opkomt, en je mag er niet bij nadenken. Oké?'

Alice knikte. Ze pakte de pen en zag hoe hij trilde tussen haar vingers, en ze begon.

Denk je altijd aan de volgende gelegenheid dat je kunt drinken?
    Drink je als je alleen bent?
    Drink je om het effect of om de smaak?
    Gebruik je drank om je zenuwen te kalmeren of om in slaap te komen?
    Verberg je drank?
    Drink je meer dan je van plan was?
    Heb je een hogere tolerantie dan mensen die even oud als jij en van hetzelfde geslacht zijn?
    Heb je wel eens last van black-outs?

Pas toen ze onder aan de lijst was, besefte Alice dat ze overal 'ja' had aangevinkt.

Het was voor het eerst dat Alice er niet meer omheen kon. Alles wat haar altijd had onderscheiden van een alcoholist – haar geweldige baan, haar goedverzorgde uiterlijk, haar georganiseerde leventje, en dat ze niet op straat zwierf – was niet meer op haar van toepassing. Ze was niet beter dan de mensen op wie ze had neergekeken. Ze was precies haar moeder, hoe ze ook had geprobeerd zich anders voor te doen.

Het was voor het eerst dat ze volkomen eerlijk tegenover zichzelf was wat het drinken betrof. Eenvoudig vragen, eenvoudige antwoorden. Zo moeilijk was het niet, als je je er niet tegen verzette.

Het was voor het eerst dat ze haar keel had geschraapt en de woorden had uitgesproken die er tot dan toe in blijven waren steken.

'Ik ben een alcoholiste,' zei ze tegen de kamer.

Alice voelde zich een stuk lichter zodra ze het had gezegd. Ze was door de spiegel van haar ultieme bedrog heen gebroken. Dat ze niet meer van Lewis hield was al een poosje geleden tot haar doorgedrongen, maar meer dan één zo'n besef tegelijk had ze niet aangekund.

Het was alsof haar perspectief, dat zo verwrongen was geweest, ineens weer normaal was. Ze zag in een flits dat al haar problemen het gevolg waren van de wodka in plaats van andersom. Ze was zo veel gaan drinken omdat ze ongelukkig was, een fysieke oplossing voor een emotioneel probleem; maar naarmate ze meer was gaan drinken, was het middel de kwaal geworden, en kon ze de stelling omkeren. Nu was ze ongelukkig omdat ze zoveel dronk.

Alcoholisme is een parasiet die alles kapotmaakt: hoop, vertrouwen, liefde en relaties – en die zich uitermate arrogant opstelt met zijn eis alles onder controle te willen hebben, vastbesloten alle antwoorden in elke discussie te weten, vastbesloten ieder ander op te zadelen met een gevoel van hulpeloosheid, woede, frustratie en isolement. Het was alsof Alice bezeten was geweest, en ook al voelde ze weinig voor een dergelijk melodramatische analogie, ze wist dat het klopte. Ze moest dat vreemde wezen dat in haar huisde en dat zich vervlocht met haar persoonlijkheid uitdrijven.

Er was geen andere oplossing meer. Ze kon niet minder gaan drinken of alleen op bepaalde dagen drinken, ze moest er helemaal mee stoppen. Alice wist dat ze in een lift zat die alleen maar lager ging. Ze kon er elk moment uit stappen, maar als ze dat niet deed, zou ze meegevoerd worden tot aan het eindpunt: twee meter onder de grond. Ontwennen zou een lang en pijnlijk proces zijn, en ze had geen garantie dat het werkte, maar het probleem onder ogen zien was de eerste stap in de goede richting. Was zij niet die vrouw die zo graag uitdagingen aanging? Was dit dan niet een geweldige kans?

Een was te veel. Een miljoen was niet genoeg.

Er werden westerse groepsbijeenkomsten van de AA gehouden in de Anglicaanse Kerk in de Voznesenski-laan, van dinsdag tot zondag – waarom niet op maandag, dacht Alice, de ergste dag voor alcoholisten?

Er waren Russische AA-groepen in de hele stad. Daar wilde ze ook niet naartoe. Daar zouden allemaal mannen zitten, en daar zou ze zoveel tijd en energie kwijtraken aan hun ellende dat ze zich niet meer op zichzelf zou kunnen concentreren. En ze vond het ook geen prettige gedachte dat ze haar verhaal moest doen aan vreemden. Door de ontvoering was ze zo bang geworden dat ze het gezelschap van vrienden, laat staan van vreemden, niet aan kon zonder een paar borrels in haar maag. De herinnering aan het gevoel naakt bekeken en vernederd te worden – in de wetenschap dat ze constant werd gefilmd – maakte het haar onmogelijk om dat stukje te laten zien dat van haarzelf was gebleven, verborgen voor het oog van alle anderen.

Nee. Ze zou dit zelf oplossen, op de harde manier, in één keer, en ze wilde maar van één iemand hulp: van de enige man die sterk genoeg was om haar aan te kunnen. Ze had twee verboden affaires gehad, een met Lev en een met de fles, en ze had uiteindelijk de eerste opgebiecht aan haar man op het zelfde moment dat ze de andere aan zichzelf had bekend. Het leek niet meer dan logisch dat ze de een zou gebruiken om de ander te verslaan.

Ze wist dat Levs liefde voor haar onvoorwaardelijk was. Daarom had hij gewild dat ze haar zaken zelf op een rijtje zette, en daarom was hij bereid geweest om haar te laten gaan. Lewis zou haar eindeloos in bescherming blijven nemen, omdat hij er alles voor overhad om de confrontatie uit de weg te gaan. Twee mannen, zo verschillend, die allebei van haar hielden; maar slechts een van hen zou er op de juiste manier mee omgaan, althans voor haar.

De genezing kon zich alleen maar voltrekken vanuit de kern van de wond zelf. Alice moest die wond onder ogen zien en erachter komen waarom ze dronk, hoe ze zich gedroeg als ze dronk, en welk deel van haarzelf ze dan kwijtraakte. Als ze er echt van wilde genezen, moest ze eerst heel goed naar zichzelf kijken, en dat betekende dat ze op zoek moest naar datgene waarmee ze de haat, de minachting, de ontkenning van het goede dat ze in zich had kon overwinnen. Haar huwelijk was verleden tijd, haar vrienden en haar werk waren dat ook. De liefde voor zichzelf kon ze maar van één iemand krijgen.

Nadhezda wees Alice de telefoon. Ze belde Lev.

Hij leek totaal niet verbaasd haar te horen. Toen ze hem vertelde wat er was voorgevallen, zei hij niets. Toen ze hem het adres van de kliniek noemde, moest hij lachen. 'Die ken ik.'

'Echt?'

'Zeker weten. Die is van ons.'

'Wat?'

'Die kliniek is van de 21e eeuw.'

'Dus die bende van jou doet in wodka en heeft een ontwenningskliniek?'

'Zeker. Het heeft geen zin om mensen aan de drank te hebben, sociaal noch economisch. De meeste vrouwen die daar zitten, zijn van wodka overgegaan op die afschuwelijke brouwsels die daar op de borden geschreven staan.' Mensen drank verkopen en ze vervolgens laten ontwennen; alleen een Rus kon die zin lezen zonder de tegenstelling ervan in te zien.

'Wil je me helpen?'

'Natuurlijk. Maar alleen als je me vertrouwt, alleen als je doet wat ik zeg.'

'Mijn leven in jouw handen leggen?'

'Als je het zo wilt zien, ja.'

'Wat ben je van plan – een torpedo implanteren?' Een torpedo was een capsule die onder de huid werd aangebracht . 'Ik wil geen chemische troep.'

'Nee, geen torpedo's. Maar je moet me geloven; je moet erop vertrouwen dat ik het juiste voor je doe, ook al lijkt het wreed.'

'Ik wil geen gevangene zijn,' zei ze.

'Jouw keuze, Alice.'

Ze was sterk en onafhankelijk, althans zo had ze zichzelf altijd gezien. Ze had nooit iemand om hulp gevraagd. Alice had zichzelf nooit eerder naakt aan Lev willen laten zien, figuurlijk dan. Ze had hem wel alles over zichzelf verteld, maar ze wist dat ze bij dit proces veel meer van zichzelf zou moeten blootgeven dan ze na weken in bed met haar minnaar had gedaan. Zou hij minder van haar houden als hij zag hoe ze in werkelijkheid was?

'Doe wat je wilt, Alice, wat je nodig hebt.' Hij had haar gedachten gelezen, ze was er zeker van. 'Ik hou van je, en wat je ook doet, mijn liefde wordt niet meer of minder. Wat je me ook bekent, het zal niets afdoen aan mijn liefde voor jou.'

In het oog van elke storm heerst rust en stilte.

'Ik rook het aan je,' zei hij, 'de geur van een alcoholist. Niet letterlijk de geur van drank, maar het emotionele aroma, de manier waarop je vragen over drank ontweek en negeerde. En die diepe, vreselijke stilte. Ik voelde dat je er niet over wilde praten, er niet eens over kón praten, het was verboden terrein. Ik hoorde alleen de stilte, de woordeloze schaamte, of ontkenningen die genoeg zeiden.'

'Vind je me een slecht mens?' zei ze.

'Slecht? Goed? Wat betekenen die woorden, Alice? Ik weet dat mensen dingen doen om redenen die het begrip goed of kwaad te boven gaan. Ik geloof dat wat ik doe goed is, maar dat betekent niet per se dat mensen die het anders doen fout bezig zijn. Begrijp je wat ik bedoel?'

'Ik geloof het wel.'

'Mooi. Want het is een typisch Russische denkwijze.'

Hij zag beter wie zij was dan zij zelf. Het was een van Levs sterke punten, zijn vermogen de mentaliteit, de identiteit en de geestesgesteldheid van anderen te zien, en tegelijkertijd was een van zijn zwakke punten dat hij dat bij zichzelf niet kon. Zijn bewustzijn was een lichtstraal die naar buiten gericht was, die de weg voor hem verlichtte, zodat hij niet zou struikelen. Maar als je, als bij de koplampen van een locomotief, de straal naar binnen zou richten, zou er een ramp volgen.

Het mocht dan erger zijn voor vrouwen dan voor mannen om aan de drank te zijn, zei Lev, maar zij herstelden zich ook gemakkelijker. Vrouwen waren niet zo bang om zich klein te maken als mannen. Om te ontwennen zou Alice zich moeten overgeven. Ze moest accepteren wie ze was en wat ze zichzelf had aangedaan. Een man – met name een Russische man – zou zich verzetten tegen die houding, maar zelfs de sterkste vrouw heeft niet geleerd hoe ze zichzelf moet redden. Het beeld van de prins op het witte paard die de arme maagd in het woud komt redden waar zij de weg kwijt is geraakt, is te diep verankerd in de vrouwelijke psyche. En dat is hierbij de redding van een vrouw.

Alice moest lachen toen hij dit zei. Het herinnerde haar eraan dat alle Russische mannen chauvinisten zijn.

Tussen de middag kwamen ze Lewis ophalen. Het was heel eenvoudig: een groepje zware jongens van de 21e Eeuw wandelde het Sklifosovski binnen en vertelde hem dat Alice veilig en wel was, en dat Lev hem graag wilde spreken. Lewis was aanvankelijk zo opgelucht dat hij er nauwelijks bij nadacht. Hij was Alice in eerste instantie niet achterna gegaan toen ze uit het Aragvi was weggelopen, in de veronderstelling dat ze zich aanstelde en wel weer gauw thuis zou komen. Toen hij daarna tien minuten in zijn eentje had zitten wachten, was hij met een toenemend gevoel van paniek, toch maar de straat op gegaan. Natuurlijk was ze tegen die tijd allang uit het zicht verdwenen. Hij had alles politiebureaus en alle ziekenhuizen in het centrum gebeld, maar niemand had Alice gezien.

Echtgenoot en minnaar, samen in de zitkamer van een penthouse. Lev bood hem een stoel aan; Lewis zei dat hij liever bleef staan. 'Waar is Alice?' vroeg hij.

'Ze is veilig, en het komt allemaal goed met haar, dat is het belangrijkste.'

'Ik ben haar man.'

'Alice is alcoholiste.'

'Dat is niet waar.'

'Alice is alcoholiste.'

'Ze heeft een drankprobleem, dat wel, en ik zou liever hebben dat ze minder dronk, maar daardoor is ze nog geen alcoholiste.'

'Jij bent arts, je zou als geen ander moeten weten dat ze volledig beantwoordt aan de medische omschrijving van het begrip. Alice is een alcoholiste. Ze weet precies hoe laat ze haar laatste drankje heeft gehad. Ze kan het niet in de hand houden. Ze kan niet van tevoren zeggen wat er gebeurt na de eerste wodka. Elke dag zegt ze dat ze maar twee glazen drinkt en dan naar huis gaat, en elke dag verzint ze wel weer een uitvlucht om meer te drinken – iets op het werk, een zware dag, ze is neerslachtig, of boos, of er is iets te vieren, wat dan ook. "Eentje nog" – heb ik haar horen zeggen, en dat zul jij ook gehoord hebben: de gevaarlijkste woorden in jouw taal of mijne, omdat je het dan niet meer onder controle hebt. Wanneer heb je haar horen zeggen dat ze genoeg had gehad?'

'Vaak genoeg.'

'Nee. Nóóit. Alcoholisme is meer dan een kwaal; genoeg is als je bewusteloos raakt.'

'Ik heb geprobeerd haar te helpen.'

'Nee, dat heb je niet.'

'Hoe durf je dat te zeggen?'

'Je hebt haar helemaal niet geholpen. Je hebt alleen haar probleem gespiegeld. Zij is verslaafd aan alcohol; jij aan haar. Je hebt het voor haar opgenomen, excuses voor haar gemaakt, je hebt haar het idee gegeven dat ze hier altijd mee door kan gaan. In plaats van haar te laten inzien wat een rotzooi ze van haar leven maakt, heb je haar het idee gegeven dat wat zij doet normaal is. Jouw liefde voor haar is te slap.'

'Denk je dat ik niet zie wat jij met haar wilt?'

'Ik probeer Alice te helpen.'

'Nee. Je probeert haar van me af te pakken. Wat denk je dat ik doe? Mijn handen in de lucht gooien en zeggen: oké, je mag haar hebben? Ik heb haar trouw beloofd, in goede en in slechte tijden, en beide zal ik doorstaan – daar draait het in een huwelijk om. Het komt door die klotezooi hier die jullie een stad noemen. Ze heeft mij haar trouw beloofd, niet jou. Jij bent niet in de positie om me te zeggen wat ik moet doen.'

Nu sloeg er bij Lev een stop door. 'Ik zou je in een handomdraai kunnen vermoorden als ik dat wilde, er zou geen haan naar kraaien. Ik heb je hierheen laten komen omdat je de man bent van Alice, en het is niet meer dan fair om je te laten weten dat ze het goed maakt. We houden allebei van dezelfde vrouw, dat is zo, maar dit is geen wedstrijd om te zien aan wie ze de voorkeur geeft. Ze moet eerst zichzelf helpen voordat ze een van ons om hulp kan vragen, snap je dat? Begrijp me niet verkeerd, ik snap waarom je niet naar me wilt luisteren. Maar omwille van Alice vraag ik je na te denken over de positieve gevolgen van mijn voorstel, niet over de oorsprong.'

'Dat heeft niets te maken met…'

'Ik zorg ervoor dat Alice afkickt,' zei Lev op een toon die geen tegenspraak duldde. 'Ik zorg dat ze weer op haar beide benen komt te staan. Daarna is ze natuurlijk vrij om te kiezen.'

'Nee.'

'Je hebt jaren de tijd gehad om iets van je huwelijk te maken, en die heb je niet benut. Het spijt me, maar zo is het. Als je echt van Alice houdt, ben je het haar verschuldigd om het haar met een ander te laten proberen.'

Alice had zich voorbereid op de hel, en dat was het ook. De symptomen begonnen 's avonds, nog geen vierentwintig uur na haar laatste glas, en nog voordat de alcohol helemaal uit haar lichaam was – een teken van redelijk ernstige verslaving. Ze voelde zich onprettig, gevangen in haar eigen lichaam zelfs. Als het had gekund, zou ze uit haar vel gekropen zijn, zoals de neushoorn in Kiplings *Just So Stories*. Haar handen trilden, ze voelde zich gejaagd en zo gespannen dat zelfs het kleinste geluidje, een deur die openging of een venster dat kraakte, haar deed opschrikken.

Lev nam haar temperatuur en fronste. Ze had negenendertig, en het zweet bleef op haar voorhoofd parelen. Haar polsslag was gejaagd, en haar aderen bonsden van het bloed dat erdoorheen gepompt werd. Toen hij weer wegging, probeerde ze te slapen, en gaf het na een half uur draaien en woelen op. Ze probeerde wat te eten, het lukte haar een half stukje geroosterd brood naar binnen te werken en toen voelde ze zich even vol als na een maaltijd van acht gangen.

Alle symptomen deden zich een voor een voor, een symfonie waarin alle instrumenten van het orkest zich vlak na elkaar lieten horen. Daarbovenuit klonk de kwellende stem van de solist: 'Ga hier weg, ga drinken, ga hier weg.'

Drank, dat was het enige dat ze wilde, een miezerig bodempje wodka. Het was het enige dat zou helpen. Het was het enige dat ze niet mocht hebben. Lev had alles waar maar een druppel alcohol inzat uit het huis verwijderd, tot aan de toiletartikelen in de badkamer toe. Er was niets meer in huis waar een spoortje alcohol in zat – geen mondwater, geen tandpasta, geen aftershave en geen eau de cologne. Een slechte adem en riekende oksels vond hij een lage prijs.

'Ik wil drank,' zei Alice.

'Nee.'

'Eentje maar, om de scherpe kantjes weg te halen.'

'Nee.'

'Lev, geef me wat te drinken, alsjeblieft.'

'Nee.'

'Ik haat je! Geef me verdomme wat!'

'Nee.'

Ze hield zijn hand vast als een klein meisje dat bang is om in de massa te verdwalen. Hij veegde het zweet met droge lippen van haar gezicht en fluisterde in haar oor: 'Laat me bij je zijn in je donkerste uur, ik zal je nooit verlaten.'

89

Sabirzjan had Levs kantoor bij Rode Oktober overgenomen, maar hij zag er klein en gekrompen uit in de enorme stoel van de vor, als een kleine jongen die aan het bureau van zijn vader mag spelen. Er was nog veel te doen voordat Sabirzjan zich zeker voelde in zijn positie, ook al leek alles – althans, aan de oppervlakte – normaal te verlopen. Hij had er echter wel vertrouwen in dat alles uiteindelijk goed zou komen op de manier die hij voorstond. De arbeiders waren dan wel dol geweest op Lev, maar hij had hen als geen ander voor de gek gehouden. Het zou even duren voordat ze gewend waren aan een nieuwe baas, maar uiteindelijk zouden ze ook van hem houden.

Er werd op de deur geklopt, die hij graag gesloten hield. 'Binnen!' schreeuwde hij, installeerde zich in zijn stoel en zette zijn vingertoppen tegen elkaar onder zijn kin alsof hij nadacht over bijzonder zwaarwichtige kwesties. De deur ging open en Galina liep binnen. Het was voor het eerst sinds dagen dat Sabirzjan haar zag – ze was niet meer op het werk geweest sinds de dood van Rodja – en de verandering die ze had ondergaan was een schok. Ze had diepe kringen van vermoeidheid onder haar ogen, en ze liep alsof elke beweging haar de grootste inspanning kostte.

Sabirzjan stond onmiddellijk rechtovereind. 'Galja. Gaat het wel met je?'

Ze ontweek zijn blik. Misschien was ze beledigd door de snelheid waarmee hij zich Levs kantoor had toegeëigend.

'Ik heb je hulp nodig,' zei ze.

Alice hoopte dat het beter zou gaan, dat het begin het zwaarst was geweest, en dat de pijn langzaam zou wegebben. Maar in feite werd het erger. Tijdens een slapeloze nacht waren alle bestaande symptomen nog groter en heviger geworden. Ze zweette geen parels meer maar stromen, die kwalijke geuren voortbrachten nu het gif haar lichaam verliet; het was niet haar normale lichaamsgeur maar een lucht die deed denken aan lijken of chemisch afval. Het trillen beperkte zich niet tot haar handen; haar armen beefden van haar vingertoppen tot haar schouders, zodat ze nog geen glas water of een kop slappe thee kon drinken zonder te knoeien. Toen ze heel lichte attaques begon te krijgen, leek de paniek haar in zijn greep te krijgen in kortdurende verlamming.

Laat me alles van je zien, zei Lev, laat me alles van je zien. Ik ken die duisternis.

Daarna kwamen de hallucinaties, maar die kon ze tenminste nog duiden. Ze waren goedaardig, amusant zelfs, zoals een droom waarin je weet dat je droomt. Ze zag de vegetariër Tolstoi staan, met zijn gewatteerde jas en zijn nepzilveren baard. 'Kijk,' hoorde Alice zichzelf zeggen, 'jij zweet even erg als ik.' Tolstoi hield Soerikons schilderij *De ochtend van de executie van de Streltsi* in zijn hand, en terwijl ze daarnaar keek veranderde hij in de imitator van Lenin die ze wel eens op het Rode Plein bezig had gezien.

Alice had altijd gedacht dat ze droomde over dingen die een onuitwisbare indruk op haar hadden gemaakt, maar nu kreeg ze het gevoel dat het net zo goed precies andersom kon zijn. Haar hallucinaties betroffen meestal dingen waaraan ze altijd relatief weinig aandacht had geschonken: vage gedachten die ze niet de moeite waard had gevonden om verder uit te werken, woorden die zonder gevoel waren gesproken en die min of meer onopgemerkt waren gebleven en nu bij haar terugkwamen in menselijke vormen, alsof ze haar er nu toe wilden aanzetten haar gebrek aan aandacht goed te maken.

Ze zag hoe een fuchsiaroze bankbiljet langs het plafond vloog: vijfhonderd roebel, eens een enorm bedrag, nu bespottelijk weinig waard. Stemmen kaatsten van de muren: Borzov, onvermurwbaar 'we zullen de hoop niet verliezen – want hoop hebben we'; weer Borzov, nu rustiger maar even hardnekkig 'er blijven altijd achttien druppels wodka over in een fles. Altijd.' Waanvoorstellingen doemden op in de kamer. Er lag een plank op een houten bank, waaruit ze opmaakte dat het dak erboven schoongemaakt werd, en toen ze opkeek sneeuwde het, of althans dat dacht ze, maar toen ze nog eens keek, zag ze dat de sneeuw in werkelijkheid witte pollen waren van de populier, die in juni van de bomen dwarrelen, ze had altijd sneeuw willen zien vallen in de zomer, en toen die vlokken op de grond vielen, werden het visitekaartjes waarmee mensen aan het pokeren waren, en die mensen waren Lev en Bob en Harry, en daar kwam de fiscale recherche en zwaaide met dikke bundels boeteclaims, met aan de buitenkant dollars en aan de binnenkant stukken krantenpapier, en Alice zei: 'Jullie zijn in de oudste truc getrapt' – het was haar stem, het waren haar voeten die weerklonken toen ze over de metalige paden rende, en weer Borzov, die gniffelend zei:

'Anatoli Nikolajevitsj vreest dat je met je hoofd op het westen hebt geslapen.'

Het werd zelfs nog erger. Het trillen van haar armen en benen was overgegaan in heftig schokken, als van knipmessen, waardoor haar lakens van het bed af gleden. Toen ze naar de wc strompelde, leek de vloer te hellen onder haar voeten, eerst de ene kant op, toen de andere. Haar hart ging tekeer, het hamerde in haar borstkast stoelen, banken, televisietoestellen verschenen en verdwenen constant in haar gezichtsveld.

En het ergst van alles was dat de hallucinaties niet langer op Don Quichotachtige hersenschimmen leken; ze waren dreigender geworden, ze dacht dat ze echt waren, niet goedaardig of amusant maar afschrikwekkend, met kettingen en stokken en messen en knuppels en boksbeugels. Levs suite was veranderd in het Terem-paleis in het Kremlin, vol met engelen en demonen, ridders en maagden, allemaal zwevend langs het plafond en neerglijdend van de muren. Elektrische tramleidingen ontploften met kleine knalletjes boven haar, en de vloer was bekleed met kandelaars die gloeiden als smeulende bomen. Arkin zat bij haar bed en stak met zijn stiletto in haar richting, ze wierp haar handen in de lucht om zich te beschermen toen een geelbruine Borzov, slechts gekleed in een klein zwembroekje dat aan het oog onttrokken werd door zijn overhangende buik, druipend over haar machteloze lichaam klauterde, ze voelde zijn gewicht op haar maag drukken, en achter hem kwam een Japanse familie die zich voortbewoog in paarse en citroengele vlekken en die in het voorbijgaan boeken naar haar gooide; Alice sloeg Agatha Christie en James Bond weg, computerhandleidingen en analyses van de val van de USSR, vertalingen van Smith, Keynes, Hayek en Galbraith, bijbels, boeken over yoga en meditatie, de autobiografie van Sacharov.

Lenins borstbeeld stond op het nachtkastje, rondtollend alsof het iets te vaak naar *The Exorcist* had gekeken. Het hield er opeens mee op toen Sabirzjan de stekker uit de muur trok, terwijl hij met zijn tong klakte alsof hij zijn minachting wilde laten blijken over de prullerige bedrading, en daarna lachte toen Galina met haar handen over zijn achterwerk wreef. Galina die spottend tegen Alice kirde 'jij bent zo *glamorous*, Alice, wat zou ik graag jou zijn', terwijl ze boodschappen aannam die Lewis haar gaf en ze over Alice uitsmeerde – marmiet, vruchtensap, eisalade, corned beef – en Alice dook onder de dekens toen Lewis weer de kamer in kwam met een jachtgeweer en in het rond begon te schieten, ze hoorde glas breken, het was Oevarov die met zijn knuppel tegen haar koplamp sloeg, het hoge gerinkel ging over in een falset, Rodja die 'in de Peterskajastraat' zong voordat hij een uitval deed naar Alice en een snoepje uit haar oor toverde, en toen ze haar hoofd wegdraaide probeerde hij haar bontmuts te pakken en sprong hij zonder benen de kamer uit.

Lev streek haar haar weg van haar voorhoofd; het plakte in vochtige krullen aan zijn vingers. 'Alice?' Het was alsof hij naar een wassen beeld keek. 'Alice?'

Ze begon weer te trillen, over haar hele lichaam, alsof ze was aangesloten op het elektriciteitsnet.

Delirium tremens kan fataal zijn als er niets aan wordt gedaan. Lev wist dat Alice onmiddellijk opgenomen moest worden; hij wist ook dat de beste plaats daarvoor in Moskou het Sklifosovski was, waar Lewis werkte. Hij aarzelde geen moment. Hij belde zijn lijfwachten en zij reden haar erheen in konvooi, op de maffiawijze. Ze zouden de weg niet sneller hebben afgelegd als er politie was meegereden.

Lewis had geen dienst, en al zou hij die wel hebben gehad, hij mocht niet voor een patiënt zorgen met wie hij een emotionele band had. Een Russische arts boog zich over Alice, hij was snel en efficiënt. Hij legde haar aan een infuus om uitdroging te voorkomen, onder meer vitamine B; en hij gaf haar een flinke dosis valium. Ze raakte buiten bewustzijn. Ze was niet veel meer dan een bewusteloze die giftige stoffen loosde en heilzame stoffen toegediend kreeg.

Lev belde Lewis thuis en vertelde hem wat er was gebeurd.

90

De ochtend brak aan en verstreek zonder dat Alice bijkwam. Haar toestand was nu echter stabiel, en de arts maakte zich niet ongerust. Haar vitale functies – temperatuur, bloeddruk en ademhaling – waren allemaal goed. Ze was nog redelijk jong, ze had een sterk gestel, en ze zou het zonder problemen overleven.

Daar hield de expertise van de arts op. Hij zei niets over het ongebruikelijke beeld van de twee mannen die op de gang zaten, de een een collega, en de ander bekend in heel Rusland; beiden overduidelijk slecht op hun gemak in elkaars gezelschap, beiden gretig uitkijkend naar informatie die hij hun kon geven.

Toen de arts weg was, bleven ze samen in stilte zitten, minnaar en echtgenoot. Wat moesten ze zeggen? Misschien hadden ze onder andere omstandigheden tot elkaar kunnen komen, hadden ze begrepen dat wat er was gebeurd niet de schuld van de ander was en dat de verantwoordelijkheid hoofdzakelijk bij het tengere figuurtje in het bed achter de deur lag. Maar hoe zouden ze dat kunnen, als hun liefde voor haar zoveel pijn deed?

Lev draaide zijn hoofd van Lewis weg voordat hij glimlachte, niet omdat hij bang was dat Lewis het zou zien maar omdat hij het verkeerd zou kunnen opvatten. Het zou wel heel erg Russisch zijn geweest, dacht Lev, om, nadat je het al zo ver had gebracht, te sterven aan het afkicken van iets waarvan je wist dat het uiteindelijk je dood had kunnen worden.

Er stond een televisie in de gang, en samen keken ze naar het nieuws. Een ex-kolonel had toen zijn spaargeld verdwenen was een bank beroofd en de kassiers in gijzeling gehouden. Verleid door de sirenenzang van de nieuwe kapitalisten in Rusland had de kolonel het geld dat hij had verstopt, en dat de Russen zijn 'onafhankelijke fonds' noemden, geïnvesteerd in de Ejnabe-jan-bank, een nieuwe vestiging die fenomenale rente op investeringsgelden had beloofd. Toen er miljoenen dollars waren geïnd, hoofdzakelijk van de spaargelden van zijn cliënten, was de bank simpelweg verdwenen. Pas toen besefte een televisieverslaggever dat het woord Ejnabejan van achteren naar voren gespeld *najebanje* werd – 'krijg de pest'.

De kolonel had het geld nodig gehad voor een operatie die moest voorkomen dat zijn vrouw blind zou worden. De politiemannen die op hem inpraatten om de gijzeling op te geven gaven hem wodka en zorgden voor hem. De functionarissen van het ministerie van Financiën haalden hun schouders op en zeiden dat ze de namen van de bestuursleden van de Krijg-de-pest-bank op een lijst met gezochte figuren hadden gezet waar er al een paar duizend opstonden. Ejnabejan was niet bepaald de eerste bank die er met de poet vandoor ging, en zou ook wel niet de laatste zijn.

'Wat een rotzooi,' zei Lewis. 'Wat is dit voor land, waar mensen tot zoiets komen? Een verdoemd land, dat naar de bliksem gaat, wie er ook de leiding heeft.'

Alice kwam later die dag bij, en toen dat gebeurde, was het Lev naar wie ze vroeg. Hij ging zonder triomf, van buiten noch van binnen. Hij hield haar in zijn armen en vertelde haar wat er was gebeurd, waar ze was, en dat Lewis haar wilde zien; toen verliet hij de kamer zodat Alice even wat tijd alleen had met haar man. Hij deed het in elk geval voor Lewis.

Alice werd die middag uit het ziekenhuis ontslagen. Lewis kwam naar de uitgang om haar gedag te zeggen. Ze stapte achter in de Mercedes 600 van Lev, en keek niet één keer om toen het konvooi zich in het verkeer begaf en naar het Kotelniki reed.

Levs liefde was als een luchtbel waarin Alice niets kon overkomen. Hij begreep dat ze de structuur van de verslaving miste, de manier waarop haar drinkrituelen haar tijdsindeling hadden bepaald. Om die structuur in stand te houden, zorgde hij ervoor dat ze altijd iets te doen had, hoe weinig ook. Ze dronken thee, ze keken videofilms, ze lazen elkaar voor – alles waarmee ze de tijd kon vullen.

Diep in haar was natuurlijk nog steeds een leegte. Haar fysieke verlangen nam langzamerhand af, maar geestelijk bleef het even sterk. Haar leven was in haar ogen banaal en kleurloos, en ze was bang dat ze zich niet alleen voor mensen, maar voor het leven zelf had afgesloten. Pas nu ze de drank liet staan, realiseerde Alice zich hoezeer haar leven daar om had gedraaid. Ze was bang dat alles wat ze waardeerde – plezier maken, intieme gesprekken, grootse plannen bedenken voor sociale veranderingen – haar voor altijd ontzegd zou worden, omdat alles doordrenkt was met wodka.

Ze herinnerde zich waarom ze altijd dronk: om te veranderen in iemand die ze mocht. Alice Mark II leek daarbij vergeleken vervelend en onaantrekkelijk; emotioneel kwetsbaar, iemand die op eieren liep en bang was dat ze paniekaanvallen kreeg. Zonder haar beschermer in de fles was alles anders en angstaanjagend. Alice merkte dat ze nog steeds meer neigde naar de warme, troostende wodka dan naar de koude, dreigende geheelonthouding. Het enige waar ze moed uit kon putten, was haar nu juist verboden.

Bij de angst en onzekerheid kwam ook nog woede, die zich richtte op verschillende doelen: dat zij nu juist aan die kwaal moest lijden, dat ze niet in staat was om er baas over te zijn, ook al had ze daar nog zo haar best voor gedaan, dat ze gedwongen werd de nederlaag te aanvaarden en te ontwennen, dat ze met dingen werd geconfronteerd die ze wilde vergeten. Ze schreeuwde en sloeg met haar vuist in de kussens; ze vergoot zoveel tranen dat ze het gevoel kreeg dat ze er geen een meer overhield. Bij het avondeten, toen een van haar tranen op tafel viel, tekende Lev daar teder een hartje mee. Er was niet genoeg traanvocht om de laatste ronding af te maken; ze lachte door haar tranen heen, en doordat ze met haar hoofd schudde viel er nog een traan, waarmee de hartvorm compleet werd.

Lev had oneindig veel geduld. Ze moest haar leven weer in de hand krijgen, legde hij uit. Ze kon zich pas weer mens voelen als ze alle ideeën die de drank haar had bijgebracht, van zich af kon zetten. Het verwrongen beeld dat ze van zichzelf had, had het haar moeilijk gemaakt om te begrijpen dat iemand van haar kon houden om wie ze was. Ze had zich zo gefixeerd op haar eigen tekortkomingen dat haar leven een leugen was geweest. Dat was wat de Russen te horen hadden gekregen toen het oude systeem ineengestort was, vertelde hij; hun leven was een leugen geweest, dat moesten ze simpelweg accepteren en hun leven daaraan aanpassen.

Ja, antwoordde ze; en kijk eens hoe goed dát lukt.

Hij zorgde ervoor dat ze de polaroidfoto die Nadhezda van haar in kliniek had gemaakt bewaarde, zodat ze niet kon vergeten wat de drank bij haar had aangericht, en weer zou aanrichten als ze eraan toegaf. Net als de soldaten in Afghanistan of de mannen in de goelag moest Alice haar leven per dagdeel van twaalf uur inrichten, zodat ze nooit verder hoefde te kijken dan de volgende ochtend of avond. Zodra ze te ver vooruit keek, zou de opdracht haar te zwaar vallen en was de kans dat ze zou terugvallen heel groot. Haar herstel zou een leven lang duren. Hoe meer haast ze daarmee wilde maken, hoe groter de kans dat ze het zou verpesten.

Lev kwam met Oligarchie thuis – een plaatselijke variant van Monopoly. 'Het doel van dit spel,' zei Lev, toen hij de gebruiksaanwijzing voorlas, 'is, via legale en illegale wegen, zoveel mogelijk geld te verwerven, handel en pers in handen te krijgen, je tegenstanders bankroet te verklaren, en ten slotte het hele bord in je macht te hebben.'

Het idee van Monopoly sluit perfect aan bij de Russische mentaliteit; het probleem is dat er te veel regels en voorschriften bij horen. Oligarchie heeft daarin verandering gebracht. Voor een pion kon je kiezen uit een Mercedes 600, een TT-pistool, een mobiele telefoon en een Armani-kostuum. Het vakje met START was veranderd in VS HULP, VRIJ PARKEREN was nu een Zwitserse bankrekening; huizenbezitters eisten steekpenningen in plaats van huur van de spelers die op hun straat kwamen; spoorwegen en openbare nutsbedrijven waren vervagen door ministers, die natuurlijk net zo gemakkelijk voor geld te koop waren; en kaarten met KANS en ALGEMEEN FONDS waren vervangen door respectievelijk *KOMPROMAT* en PRESIDEN-TIËLE DECRETEN.

Lev koos de Mercedes 600, Alice het Armani-kostuum. Zelfs zoals ze er nu bij zat, nuchter en onverzorgd en met haar mouwen opgerold terwijl ze de dobbelstenen kuste om geluk af te dwingen, waarbij ze ze overdreven lang heen en weer schudde, joeg ze hem bijna angst aan met haar schoonheid. Ze speelden tot diep in de nacht, maar al hun plezier en grappen konden niet verhullen dat het een machtsspelletje was. In alles wat ze deden zat die kolkende intensiteit; ze zaten nooit zo maar wat bij elkaar zonder iets speciaals te doen, zoals ze met Lewis had gedaan, zelfs toen het misliep.

In een aangenaam stilzwijgen bij elkaar zitten is een van de genoegens van een echtpaar, maar bij Alice en Lev voelde een dergelijk doods tijdverdrijf als een verwaarlozing van hun plicht, een verspilling van de energie die er tussen hen zinderde. Ze had hem ooit vergeleken met wodka, en nu zag ze dat die vergelijking niet helemaal mank ging. Net zoals ze altijd had geweten wanneer en waar ze voor het laatst had gedronken, zo kon Alice zich altijd herinneren wanneer ze Lev voor het laatst had gezien, wat hij had gedragen, waar ze het over hadden gehad of wat ze hadden gedaan, hoe ze elkaar hadden bemind...

... alleen hadden ze dat laatste niet meer gedaan sinds ze bij hem terug was. Niet alleen haar fysieke verlangen naar wodka was verdwenen, maar ook het verlangen naar seks. Alice ging in gedachten alle keren dat zij en Lev hadden geneukt na, maar nog voordat ze halverwege was, wist ze dat er geen uitzonderingen waren geweest. Ze hadden nooit met elkaar gevrijd als ze van tevoren niet minstens één drankje had gehad. Geheel nuchter maakte het idee van lichamelijke intimiteit haar bang.

Toen ze na uren spelen nog steeds ongeveer even sterk waren en speels ruzieden over de straat waar Lev op was terechtgekomen, had zij de Mercedes van het bord geplukt en weigerde hem terug te geven totdat hij haar gelijk gaf. Toen hij haar had beetgepakt, was ze ineens verstard, en haar lach was achter in haar keel blijven steken. Het kwam door de manier waarop hij haar aanraakte, te erotisch voor haar nuchtere stemming, ook al deed hij het alleen maar om zijn pion terug te krijgen, en ze had zich omgedraaid en was in tranen uitgebarsten. Ze bleef zich verontschuldigen: hij was zo lief voor haar geweest en ze kon niet verklaren waarom ze nu zo reageerde, maar het was nu eenmaal zo, en ze had tijd nodig en ze bad God dat hij bij haar bleef want ze wist niet wat ze zonder hem zou moeten...

'Alice, maak het jezelf niet zo moeilijk. Je verwacht meer van jezelf dan ik. Het komt vanzelf wel goed, je moet niets overhaasten. We hebben alle tijd van de wereld.'

91

Toen Alice wakker werd en zag hoe Lev vol aanbidding naar haar lag te kijken, voelde ze zich ongemakkelijk.

'Hoelang lig je al zo naar me te kijken?' vroeg ze.

'Uren.'

Ze zag er zo vredig uit in haar slaap, zei hij, al haar zorgen waren even helemaal verdwenen. Slapen is iets heel persoonlijks; hij zag nu werkelijk alles van haar, de grenzen tussen hen waren opgeheven. Hoe kon ze bang zijn voor haar privacy, als die er niet meer was? Zij waren twee helften van een geheel, die om elkaar heen bewogen en altijd weer bij elkaar kwamen.

Hij moest een paar uurtjes weg. Ze probeerde zich geen zorgen te maken en niet boos te zijn – ze begreep dat hij dingen te doen had, zelfs nu – maar zonder hem was er niet genoeg om haar gedachten te verzetten. Ze lag half te slapen toen hij vertrok; toen ze wakker werd en de slaapkamer uit wilde gaan, merkte ze dat hij de deur van buiten af op slot had gedaan. Ze was een gevangene. Kon hij er niet op vertrouwen dat ze zich gedroeg als een volwassene? Nee, dacht ze, terwijl ze stampend door de kamer liep, op zoek naar maar het kleinste beetje wodka dat hij misschien vergeten was weg te halen; niets. Waarom wilde ze drank? Om haar lagere behoeften te bevredigen en hem te laten merken hoe boos ze was, twee even kinderlijke reacties.

De kleur geel waarin de residentie van de president is geschilderd, lijkt met het uur van de dag te veranderen. Bij het zachte ochtendlicht heeft het de kleur van een eidooier; het scherpere licht van de ondergaande zon verdiept het tot mosterdgeel. Nu, rond het middaguur, had het de rijke glans van citroen.

Sabirzjan was met Galina mee gekomen, en hij hield het kort: ze zaten met vier mensen rond de tafel en Lev had hen allemaal verraden. Eerst had hij geprobeerd Arkin en Borzov weg te krijgen; hij had Sabirzjan er min of meer van beschuldigd de kinderen te hebben vermoord; en hij had de ware dader, Rodjon Chroeminstsj, Galja's echtgenoot, gepakt en overgeleverd aan de maffia zonder ook maar een echt proces te overwegen. Lev had hun allemaal een reden gegeven om hem voorgoed weg te willen hebben.

De president had een akkoord gesloten met Lev, zei Borzov. Dat moest hij wel naleven.

Ja, dat begreep Sabirzjan wel, maar wat hij wilde voorstellen had niets te maken met dat akkoord. Sinds dat was gesloten, was Rodjon gedood, vrijwel zeker door Lev zelf, hoewel niemand die bij dit tribunaal aanwezig was geweest dat zou toegeven. Galina zou dus naar Lev gaan. Lev vertrouwde haar nog steeds; hij wist niet dat zij Alice had geholpen zijn zwendelpraktijken aan het licht te brengen – hoewel Sabirzjan dit natuurlijk verzweeg voor Arkin en Borzov. Misschien had Lev zelfs wel het gevoel dat hij haar in elk geval een verklaring schuldig was, en wellicht meer. Galina zou met een opnameapparaat naar Lev gaan en hem zover krijgen dat hij haar vertelde wat er was gebeurd. Dat gesprek zou dan als bewijsmateriaal tegen hem gebruikt kunnen worden.

Galina knikte instemmend; dat wilde ze wel doen.

'Geen sprake van.' Borzov was fel tegen. 'Je hebt geen enkele ervaring; het is veel te gevaarlijk. Je strooit zout onder haar staart, Tengiz – je brengt haar in moeilijkheden. Als ze wordt betrapt voordat ze hem een bekentenis heeft ontlokt, is alles verloren. Dan is het verrassingselement verdwenen.'

'Ik ben het niet met je eens, Anatoli Nikolajevitsj,' zei Arkin. 'Galja is de enige die dit kan doen. Tengiz is ervaren, maar Lev zou hem niet eens vertellen wat voor dag het is. Als Lev vertrouwen stelt in Galja, waarom zou hij haar er dan van verdenken dat ze apparatuur bij zich heeft?' Hij richtte zich tot Galina. 'Het lukt je heus wel om hem tot een bekentenis te krijgen, en het lukt je ook om het op te nemen; daar bestaat geen twijfel over.' Het was Arkin op zijn meest marxistische toer: de doelen heiligden de middelen, en de manier waarop het resultaat werd behaald duldde geen obstakels.

Nadat de vraag of er wel of niet opnameapparatuur zou worden gebruikt was opgelost, debatteerden ze over het soort apparaat. Er waren twee mogelijkheden: de Nagra-taperecorder of de T-4 zender, beide van de modernste makelij waarover de Russische autoriteiten beschikten, beide reeds lang geleden als verouderd bestempeld door de FBI. Welke van de twee Galina ook zou meenemen, ze zou tegelijk ook allerlei omgevingsgeluiden opvangen – ruisende kleren, voeten en stoelen, radio's, televisie. Ze konden niet eerst uitproberen hoe sterk de geluiden daar overkwamen; ze zou Lev niet zo kunnen neerzetten als haar het beste uitkwam voor een optimale opname;

ze zou hem niet kunnen vragen harder te praten of langzaam te herhalen wat hij zei.

De Nagra was relatief groot, vijftien bij tien bij twee centimeter. Het met de hand bediende apparaat gebruikte een band van drie uur en kon alleen maar opnemen, zodat de opname daarna op een ander apparaat moest worden afgeluisterd. De microfoon van de Nagra was ongeveer zo groot als een potloodgummetje, en met zijn lange snoer kon hij ergens op Galja's lichaam verstopt worden. Met een Nagra had Galja verder niemand nodig. Als ze Lev eenmaal zover kreeg dat hij binnen de tijdspanne van de opnametijd toegaf haar man te hebben vermoord, en daarna een manier vond om de band aan de autoriteiten door te spelen, konden ze Lev op elk tijdstip daarna arresteren.

De T-4 was half zo groot als de Nagra – negen bij zes bij een centimeter – en hoewel het apparaat zelf niet kon opnemen, kon het de informatie doorgeven aan agenten die vlakbij in de buurt zaten en alles konden opnemen. Het maximale bereik was misschien twee huizenblokken, maar stalen constructies, slecht weer en voorbijrijdend verkeer konden een negatief effect hebben. De antenne was klein en flexibel, met een piepklein microfoontje aan het uiteinde, en met nieuwe batterijen kon hij vier uur meegaan. De T-4 zou minder snel opvallen dan de Nagra. Zodra een arrestatieteam zou horen dat Lev de moord op Rodjon toegaf, konden ze bij hem binnenstormen.

Galina koos de Nagra omdat daar minder mee mis kon gaan. Sabirzjan wilde dat ze de T-4 meenam. 'De opnamekwaliteit van de Nagra is slecht,' zei hij. 'Als die opname niet goed doorkomt, kom je daar pas achteraf achter, en dan is het te laat. Met de T-4 kunnen de technici nog wat verbeteren aan de geluidskwaliteit zonder dat je je daar zorgen over hoeft te maken.'

'De kans is groter dat het misloopt met de T-4.'

'In dat geval halen we je weg. Met de Nagra moet je het helemaal alleen doen.'

Ze had totaal geen ervaring, ze had alle hulp nodig die ze kon krijgen; zo dachten alledrie de mannen. Galina zuchtte toen haar voorkeur werd weggestemd. Dit was Rusland, hield ze zich voor, waar je het beste hoopte en je op het ergste voorbereidde.

Tegen Arkins wil – hij wilde alleen een bekentenis – werkten ze aan een codezinnetje als signaal om de Spetsnaz in actie te laten komen, zonder verdere vragen. Het werd aan Galina's discretie overgelaten of en wanneer ze die zin zou zeggen: wanneer ze vond dat Lev genoeg had gezegd, of als ze echt in de problemen zat en daar onmiddellijk weggehaald moest worden. Het moest een zin zijn die niet te gemakkelijk in een normaal gesprek zou voorkomen, maar ook niet te opvallend en uit de context wanneer Galina hem zou zeggen. Ze speelden wat met ideeën – grapjes, beroemde citaten, verwijzingen naar zaken binnen Rode Oktober – voordat ze het eens werden over iets korts en krachtigs: *'in vodka veritas'.*

92

Boven Alice' hoofd knetterden de tramleidingen. De gemeente had zelfs nog meer chemische stoffen gestrooid dan normaal als de dooi inzette, om de straten zo snel mogelijk schoon te krijgen, en waardoor de buitenste laag isolatiemateriaal van de bedradingen werd aangetast. De thermometer bleef bij zeven à acht graden boven nul steken, maar Moskovieten waarschuwden somber dat het vrijwel zeker een valse voorjaarsbode was. De lente in Rusland stak meestal al een paar keer de kop op voordat de winter haar echt wilde toelaten.

Waterdruppels trommelden op het metaal van de afvoerbuizen en de daklijsten, alsof het ene dak codes doorseinde aan het andere. Zoals de auto's in Moskou meestal besmeurd waren tot aan de deurgreep, zo werden nu de voetgangers van hun enkels tot hun knieën met modder gespat. Mannen in dikke jacks hakten blokken ijs weg met ijzeren staven en schoppen; planken op houten banken of schragen gaven aan dat daarboven daken werden schoongemaakt. Evengoed kwamen er elk jaar nog mensen om door vallende ijspegels, scherp als messen, meestal op plaatsen waar de waarschuwingen waren gestolen – planken, banken en schragen waren waardevolle artikelen.

De gedachte haar verontschuldigingen aan te bieden aan Lewis had door Alice' hoofd gespeeld, en hoe langer ze niets deed, vooral zonder het dempende effect van wodka, hoe dringender die behoefte werd. Het was iets wat ze moest doen, niet alleen voor Lewis maar ook voor haar eigen gemoedsrust.

Ze had een lijst gemaakt met alles waarmee ze Lewis had tekortgedaan, bladzijden lang. Toen ze het zwart op wit zag staan, drong voor de eerste keer pas echt tot haar door hoeveel schade ze had aangericht, en dat ze onmogelijk ooit nog terug kon, gesteld dat ze dat zou willen en dat hij haar terug zou willen. Het beste waar ze op kon hopen was een voorzichtige, berouwvolle verzoening; dat was wel het minste wat hij verdiende.

Ze ging vroeg in de avond naar hem toe, onaangekondigd en alleen. Ze wandelde snel naar het bekende flatgebouw aan Patriarchenvijver en stak de sleutel als een dolk in het slot, scherp en snel, voordat ze de moed verloor. Als ze een slok op had gehad, zou het geen probleem geweest zijn, bedacht ze wrang.

De woning kwam haar tegelijkertijd vertrouwd en vreemd voor, en het duurde even voordat ze besefte waarom. Dit was de plaats waar ze zich stomdronken had kunnen drinken, dit was de plek waar ze op de lakens had overgegeven, waar ze lazarus vol woede tegen Lewis had staan razen. Deze woning zou ze altijd in verband brengen met drank.

Het hele clubje was er: Bob, Christina, Harry, en natuurlijk Lewis. Ze draaiden zich om toen Alice binnenkwam, en er viel een ijzige stilte.

'Wat doe jíj hier?' vroeg Christina bits. 'Heb je nog niet genoeg narigheid veroorzaakt?'

'Christina, alsjeblieft.' Lewis stond al overeind. 'Het is mijn huis, ik zal dit afhandelen. Excuseer me even, allemaal.' Hij pakte Alice bij de arm en stuurde haar de slaapkamer in. Ze keek snel om zich heen, om te kijken of ze iets zag wat op de aanwezigheid zou duiden van een andere vrouw, besefte ze, maar niet zozeer uit jaloezie als wel om te weten of zijn leven net zo drastisch was veranderd als het hare.

'Wat dóé je hier?' vroeg hij.

'Het spijt me, Lewis, ik wilde je avond niet verpesten, ik ga, en kom een andere keer wel terug. Christina had gelijk.'

'Wat Christina vindt is niet jouw zorg. Zeg maar waarvoor je hier bent gekomen.'

'Om sorry te zeggen.' Het klonk zo eenvoudig.

'Sorry?' Hij ademde luidruchtig uit door zijn neus. 'Oké. Je hebt sorry gezegd. Bedankt.'

'En dat is het? Wil je niet meer horen?'

'Wat valt er nog te horen, Alice? Ik hou van jou en jij niet van mij. Ik blijf me afvragen waarom me dit overkomt, ik wil het begrijpen. Ik kijk naar mezelf, ik denk na over ons leven samen, alles wat ik van jou weet, van mij, van ons samen, en ik begrijp het niet. Ik kan me niet herinneren wat ik fout heb gedaan en of ik dit over mezelf heb afgeroepen. Ik hou van je – als je eens wist hoeveel. Er is niemand op de wereld die ik liever heb dan jij, zelfs na alles wat je hebt gedaan. Maar jij houdt van een ander. Wat moet ik doen?'

'Je zou ertegen kunnen vechten.'

'Waarom?'

'Lewis, waardoor is het zover gekomen?'

Lewis moest bijna lachen. 'Door hem.'

'Hém?'

'Door Lev. Toen hij me die dag liet komen nadat jij uit het Aragvi was weggelopen, om me te vertellen waar je was en dat alles goed met je was, heb ik niet naar hem willen luisteren, maar toen ik was gekalmeerd en had nagedacht over wat hij zei, begreep ik het. Door hem ging ik iets beseffen wat ik tot dan toe niet had gezien: ik was net zo verslaafd aan jou als jij aan wodka. En door dat niet onder ogen te willen zien, had ik jou, noch mij, noch ons een dienst bewezen.'

'Lewis, je kunt jezelf hier niet de schuld van geven. Ik heb met dat drinken alles verpest.'

'Ja, maar er zijn manieren en methoden om daarmee om te gaan, en ik heb daar geen enkele van uitgeprobeerd.'

'Dit is...'

'Verslaving is verslaving, het maakt niet uit waaraan. De enige manier om er mee af te rekenen is ermee stoppen. Om te beginnen heb ik ontkend dat jij een probleem had. Toen ik inzag dat er iets mis was, heb ik het probleem eerst gebagatelliseerd, daarna heb ik andere dingen er de schuld van gegeven, toen heb ik het gerationaliseerd, het met redenen omkleed; daarna volgde het stadium van vijandelijkheid.'

Alice hoorde Christina door de deur ernaast, schel. Er zou heel wat moeten gebeuren voordat die een keer haar mond dicht zou houden. Alice maakte een gebaar met haar hoofd in de richting van de zitkamer. 'Het verbaast me dat Christina en Bob hier nog zijn, na wat er is gebeurd met Josh. Hoe gaat het met hem?'

'Een lichte hersenschudding, maar verder uitstekend. Hij heeft geen idee wat er met hem is gebeurd – Bob heeft hem verteld dat hij op het ijs was geklapt en zijn hoofd had gestoten. Het was niet moeilijk hem ervan te overtuigen dat die dwerg die hem zijn grot in sleepte een nachtmerrie was geweest.'

'En de anderen? Die zien me zeker als een soort duivelin na wat er is gebeurd?'

'Wil je het echt weten?'

Het waren in feite zijn vrienden, niet de hare. Alice schudde haar hoofd. 'Nee.'

'Goed. Je kunt het trouwens wel raden.'

'Alleen jouw reactie is voor mij belangrijk.'

Het klonk afgezaagd, maar ze wist dat ze hier niet naartoe zou zijn gekomen als het niet waar was. 'Nou, zoals je ziet, is er nog een stadium na vijandelijkheid.'

'En dat is?'

'Aanvaarding. Jij bent alcoholiste, ik niet; ik hou van jou, jij niet van mij. Zo liggen de zaken, en ik heb niet de energie om het voor je verborgen te houden of je erom te haten. Ik ben je al lang geleden kwijtgeraakt. Als je een scheiding wilt, zal ik je niets in de weg leggen.'

Alice snikte het uit totdat ze bang was in haar eigen tranen te verdrinken.

93

De T-4 schuurde tegen Galina's huid. Het zendertje zat vastgeplakt onder op haar rug, verstopt onder een blouse en een trui, maar ze had het gevoel dat het net zo opviel als wanneer ze het eruit had gehaald, roze geschilderd en rond gezwaaid. Ze wist zeker dat Lev zou merken dat er iets aan de hand was. Liep ze niet raar, klonk haar stem niet gespannen? Het enige dat ze hoefde te doen was weggaan, zeggen dat het haar speet, dat het niet belangrijk was; weglopen en hem, niets wijzer geworden, achterlaten.

Niets wijzer geworden, maar nog wel steeds vrij. Ze dacht aan Rodja, die nu dood was omdat zijn krankzinnigheid hem kapot had gemaakt. Ze dacht aan Sveta, op de school in Prospekt Mira omdat het leven door moest gaan, zij moest volhouden, zelfs nu haar enige zoon dood was en zij zelf nooit grootmoeder zou worden. Galina had Sveta niet op de hoogte gebracht van haar plan, omdat die het haar uit het hoofd zou hebben willen praten. Galina dacht aan wat Alice had gezegd toen zij haar ertoe had overgehaald om het telefoonnummer in Nicosia aan haar door te spelen, namelijk dat je dingen op de juiste manier moet oplossen: dingen op de juiste manier oplossen betekende dat je mensen niet ongestraft liet als ze anderen hadden gedood. Ze vermande zich en besloot het volgende te doen: ze zou naar Lev gaan en ervoor zorgen dat hij toegaf, bekende, opbiechtte dat hij Rodja had gedood. Hierop wachtte ze al vanaf het moment dat Irk haar was komen vertellen dat Rodja dood was, en nu zij het besluit moest nemen, leek het toch nog veel te vroeg.

De Spetsnaz waren gekomen, vrachtwagens vol. Sommigen waren vermomd als onderhoudsmonteurs en glazenwassers. Anderen waren helemaal in het zwart gekleed naar de brandtrappen en liftschachten in het Kotelniki gegaan, met hun pistool in de aanslag. Levs lijfwachten waren de beste die je kon krijgen, zij zouden de meeste aanvallen die waren bedacht door andere maffiabazen af kunnen slaan, en aanvallen van de politie helemaal, maar een grootschalige aanval van speciaal opgeleide militairen was een ander verhaal.

Galina had verschrikkelijke dorst. Ze moest iets drinken – geen wodka natuurlijk, ze moest helder blijven – maar er stond nergens mineraalwater, en het leidingwater in Moskou kun je niet zonder risico drinken zonder het eerst te koken, vooral niet in de lente, wanneer met de smeltende sneeuw een hoop vervuiling in de rivier terechtkomt.

Lev keek Galina recht aan. Hij weet het, dacht Galina, hij weet hij. Doe niet zo stom, zei haar verstand, natuurlijk kijkt hij je aan, je bent de enige die hij tegenover zich heeft.

'Heeft die Georgische gluiperd mijn stokerij al de vernieling in geholpen?' vroeg hij.

Galina haalde haar schouders op. 'Je weet hoe dat gaat.'

'Werk je nu voor hém? Wat is daar gaande?'

Galina wilde het niet met Lev over Rode Oktober hebben, en ze wist niet hoe een professioneel iemand het zou aanpakken – hem laten praten, of het gesprek een bepaalde kant op sturen – maar ze was zich ervan bewust dat de batterijen in de zender niet eeuwig meeingen, dus deed ze wat er in haar opkwam: ze gooide eruit wat ze op haar lever had. 'Wat is er met Rodja gebeurd?'

Lev bleef even stil, leunde toen achterover en knikte wat voor zich uit. 'Dáárvoor ben je hier gekomen. Natuurlijk.' Hij keek naar het plafond, alsof hij erover nadacht wat hij haar zou vertellen. Was hij in verlegenheid gebracht? Dat zou dan voor het eerst zijn, dacht Galina.

'Hij was mijn man,' zei ze. 'Iedere vrouw zou het willen weten.'

'Rodja was ziek,' zei Lev. 'Nee, hij was meer dan ziek. Hij was gewond, het was een kwelling.'

'We hadden hulp voor hem kunnen zoeken. Niet hier – in het buitenland, waar ze de juiste medicijnen hebben.'

'Met medicijnen was hij niet te genezen, Galja. Dit… het is moeilijk voor je te begrijpen. Vat het niet verkeerd op, maar in mijn ogen was Rodja een gewond dier. Hij heeft zo vreselijk geleden. Er is maar één ding dat je kunt doen met een gewond dier, Galja. Als je een hond op straat ziet liggen die is aangereden, maar nog wel leeft, wat doe je dan? Rijd je eromheen? Niet als je een hart hebt. Je rijdt over hem heen om hem uit zijn lijden te verlossen.'

'Nee!' Het gewonde dier klonk door in Galina's kreet.

'Het was het beste voor hem, Galja. Het was een genadige beslissing.'

Ze huilde, en Lev stond op en sloeg zijn enorme armen om haar heen. De beul van haar man, dacht ze, probeerde haar te troosten om wat hij had gedaan. Ze wilde hem wegduwen, en toen hij niet wilde wijken gaf ze zich over, en begroef haar gezicht tegen een borstkas die zo reusachtig was dat ze zichzelf erin kon smoren. Hij trok haar dichterbij, zodat de zender nog harder tegen haar huid aan schuurde.

Door haar tranen heen schrok Galina op. Zou hij het zendertje onder haar kleren voelen? Waarom waren de Spetsnaz hier nog niet? Lev had haar nu toch verteld wat er was gebeurd, althans min of meer... Dat was het, dacht ze: min of meer. Hij had het gesuggereerd, maar wat had hij feitelijk gezegd? Ze zouden niet binnenkomen totdat ze een echte bekentenis hadden gehoord, en ze zouden geen bekentenis te horen krijgen als hij het zendertje vond. Ze maakte zich los uit zijn armen.

'Ik zal wat wodka voor je inschenken,' zei Lev.

'Heb jij Rodja vermoord?' vroeg ze. Te recht op de man af?

Hij liep door de kamer naar de kast en beantwoorde haar vraag zonder zich om te draaien. 'Wat ik heb gedaan was het beste, Galja. Vraag alsjeblieft niet verder.'

'Ik moet het weten.'

Hij schonk twee glazen vol en liep ermee terug. 'Waarom?'

'Omdat... dat is toch duidelijk?'

Hij gaf haar het glas en ging zitten. 'Je moet jezelf dit niet aandoen, Galja.'

'Vertel het me nu maar gewoon. Alsjeblieft.'

Alice liep de kamer binnen.

'Galja! Ik wist niet dat jij hier was.' Alice wilde al over het vloerkleed naar haar toe lopen, maar bleef toen staan. Haar instinctieve reactie toen ze Galja zag, was blijdschap geweest; pas daarna had ze beseft dat hun vriendschap voorbij was, en waarom. Ze hadden elkaar ooit graag gemogen. Voor Alice was het alsof hun ruzies – net als al het andere – in een ander leven hadden plaatsgevonden.

Lev zal Alice' verwarring en legde die verkeerd uit. 'Het is voor medicinaal gebruik, schat,' zei hij, gebarend naar de wodka. 'Ik moet Galja iets heel naars vertellen. Misschien wil je hier liever niet bij zijn.'

'Ik wil zien wat er op de wereld gebeurt,' zei Alice, en zette de televisie aan.

Lev, die niets wist van de breuk tussen Alice en Galina; Galina, die niet niets wist van het drankmisbruik van Alice en van haar moeizame ontwenning; Alice, die niets wist van het enorm grote belang van Galina's bezoek. Lev wilde zijn mond opendoen om Alice weg te sturen, maar dat zou een woordenwisseling tot gevolg hebben, en hij wist maar al te goed hoe onstabiel ze nog was. Misschien, dacht hij, was het ook wel gemakkelijker voor hem als ze hier was. Ze kon Galja nog wat steunen, als vrouwen onder elkaar. Het was een laf excuus, en Lev was er niet trots op, maar hij richtte zich toch tot Galina.

'Het is heel snel gegaan. Hij heeft geen pijn geleden.'

'Wat is snel gegaan?'

'Rodja's dood.'

Geroezemoes klonk uit de hoek; een verslaggever die opgewonden stond te ratelen. Zou de Spetsnaz hen nog boven het lawaai van de televisie uit kunnen horen? Galina ging dichter bij Lev zitten, het kon haar niet meer schelen of dat raar overkwam. 'Hoe is hij aan zijn einde gekomen?'

'Hij is neergeschoten.'

'Wie heeft er geschoten?'

Lev was een vor, en vori doodden mensen, zelfs als die mensen voor hen hadden gewerkt, zelfs als die vor een vriend van de familie was. Vori doodden mensen, en tot nu toe had Lev er nooit moeite mee gehad om dat toe te geven. Totdat de nietsontziende, naïeve eerlijkheid van een jonge vrouw hem week had gemaakt, wat zelfs een gevangenschap van tientallen jaren niet was gelukt.

'Ik heb hem doodgeschoten.'

'Jij hebt hem doodgeschoten? Jij, jíj; ze legde er de klemtoon op.

'Ja, ik – wie anders?'

Vloog zojuist de tijd net nog, waarbij de kostbare batterijen van de zender werden verslonden, ineens leek hij stil te blijven staan. Voor Galina leek elke seconde dat de Spetsnaz niet de deur intrapten en de ramen in sloegen even lang als een toespraak van Brezjnev; en elk moment dat verstreek bracht allerlei doemscenario's met zich mee. Het zendertje was kapotgegaan; ze waren buiten aan het vechten met de mannen van Lev; die schurken van de 21e Eeuw waren bezig Sveta te verkrachten en vermoorden uit wraak voor Galina's verraad.

Galina kon het niet geloven toen ze hoorde wat Lev zei; ze kon het maar al te goed geloven. Ze hief bevend haar glas naar hem op, een schijntoost. *In vodka veritas*', zei ze.

'Er was geen andere mogelijkheid,' zei Lev. Waarom voelde hij de behoefte om zich tegenover haar te verantwoorden? 'Jaren in zo'n stinkende cel, wachten op…' hij struikelde over zijn woorden, en even leek het alsof zijn stem weerkaatste vanaf het televisietoestel: '… wachten op een of andere rechter die zich eindelijk' – daar was het weer, het klonk absoluut stereo, en hij wist wat dat betekende terwijl Galina en Alice verbaasde blikken naar elkaar wierpen, eindelijk herenigd, zij het in verbijstering. De frequentie waarop de T-4 uitzond lag zo dicht bij die van het televisiekanaal waar Alice op had afgestemd, dat Levs stem via het tv-toestel versterkt werd weergegeven. Lev wist wat dat betekende, dat wist iedere gangster, ze waren altijd bang dat ze afgeluisterd werden.

Galina zette in haar verwarring een stap in de richting van Alice, zo dicht bij het televisietoestel dat er een afschuwelijke piep door de kamer begon rond te zingen. Lev keek haar aan met een blik vol woede, gekwetstheid en moordende haat. Ze wist dat het iets te maken moest hebben met haar zendertje. Dit zou niet zijn gebeurd met de Nagra, dacht Galina hulpeloos. Ze had voet bij stuk moeten houden in het Kremlin – zíj alleen, tegenover de twee machtigste mannen van het land, hoe had ze dat kunnen doen?

'In vodka veritas,' zei Galina, en nog eens, buiten zichzelf: 'in vodka veritas, in vodka veritas' – de laatste keer niet veel meer dan een kreetje.

Galina liep achterwaarts naar de deur, terwijl Lev briesend en wel uit zijn stoel omhoog kwam als een vuurspuwende vulkaan, en Alice vroeg: 'Wat is hier in vredesnaam aan de hand?' en Galina moest alles in het werk stellen om in de mist van blinde paniek in beweging te komen, en ineens explodeerde de hele wereld, overal was licht en rook, en even ging het door haar heen dat Lev op de een of andere manier spontaan van woede was ontploft, en terwijl het water uit haar ogen liep en ze elk gevoel voor richting kwijt was, besefte ze dat het natuurlijk de Spetsnaz waren, die haar kwamen redden, en geen moment te vroeg.

Twee Spetsnaz hielden Galja's handen op haar rug en drukten haar met haar hoofd tegen de vloer. Toen ze wilde roepen dat ze onschuldig was, kreeg ze een klap op haar mond. Op die manier gingen ze te werk: eerst iedereen bedwingen, later uitzoeken hoe het zat. Terwijl lichamen zich in bochten kronkelden in de rook, gedesoriënteerd, naar adem snakkend en met tranende ogen, vocht Lev tegen zes mannen, en ze moesten alles in het werk stellen om hem in bedwang te houden.

Overal schreeuwden mensen en klonk staccato geweervuur. Alice merkte aan de pijn in haar keel dat ze stond te schreeuwen, want horen kon ze het niet boven de schoten en het gekrijs en de doffe klappen van lichamen die op de grond ploften of tegen de muur werden gesmeten. Ze liep de frisse lucht in, over de brandtrappen naar beneden, beneden, beneden, Lev en Galja waren er ook, schenen en enkels schampten tegen de metalen sporten en de in leer gestoken lijven van dode maffiosi; hier hadden de eindeloze cirkels van bedrog hen gebracht, achter in vrachtwagens van de Spetsnaz, jammerend door de straten van Moskou.

Galina werd naar haar huis gebracht; Lev en Alice naar het Kremlin. Ze kregen een van de gastappartementen toegewezen, een vergulde gevangenis die was voorzien van alle gemakken, zonder dat hun iets verteld werd. Er stonden bewakers bij hun deur en voor hun raam, even zwijgzaam als trappisten; er waren geen telefoons in het appartement, en het enige contact met de buitenwereld bestond uit een televisie en het uitzicht op de kantelen aan de overkant van de rivier. Op het plein beneden was personeel aan het slepen met tafels en stoelen. Zaterdag zou Borzov zeventig worden en er was een bal in voorbereiding.

Lev hield Alice voortdurend in de gaten, stelde haar gerust en beschermde haar. Ze praatten tot diep in de nacht voordat ze tegen elkaar aan kropen, waarbij ze hun kleren angstvallig aanhielden. Alice mopperde dat ze zich gegeneerd voelde met al die bewakers om hen heen, en dat ze niet wist wat er met hen ging gebeuren, maar ze wisten allebei dat dat niet de werkelijke reden was.

94

Borzov had Lev ontboden; alleen Lev, niet Alice. Voor hij wegging, kuste Lev haar stevig en zei dat alles goed zou komen, en het klonk zo oprecht dat hij het bijna zelf geloofde. Op weg naar Borzovs kantoor zagen zijn lijfwachten er vergeleken bij hem uit als dwergen. Toen Alice hen door het raam nakeek, moest ze aan sleepboten denken die een supertanker uit de haven begeleidden.

Borzov en Arkin zaten op hem te wachten. Er werd wodka ingeschonken en er werden beleefdheden uitgewisseld. Arkin gaf Lev een nummer van *Pravda.* 'Een land, in de steek gelaten door zijn regering', schreeuwde de kop. Daaronder vervolgde een soberder geschreven artikel. 'Tijdens het communistisch regime was er een sociaal contract, dat een veiligheidsnet garandeerde in ruil voor politieke instemming. Nu blijft de regering alles regelen, maar alleen voor hun eigen welzijn. Ze hebben het sociale contract laten vallen.'

De cijfers waren niet om vrolijk van te worden. Drie procent vond dat de regering tijdige betaling van lonen en pensioenen garandeerde. Nog eens drie procent – misschien wel dezelfde drie procent – vond dat het alleen draaide om sociale bescherming van de werklozen, daklozen en armlastigen. Zes procent vond dat het met Rusland de goede kant opging; twee maal zoveel vond dat de toestand onveranderd bleef. Die waren duidelijk misleid, vond Lev; in Rusland bleef nooit iets onveranderd. Vier procent vond dat de regering goed werk verrichtte met de bestrijding van de georganiseerde misdaad, en acht procent was te spreken over de manier waarop de rechtsorde werd gehandhaafd.

'Wat vind je ervan?' vroeg Arkin.

'Die acht procent die tevreden is over de rechtsorde is veelbelovend.'

'Anatoli Nikolajevitsj wil dat je zaterdag op het verjaardagsfeest van de Baas komt,' zei Borzov verheugd, 'en hij wil dat je daar een aanslag op zijn leven doet.'

De moordaanslag zou natuurlijk niet echt zijn. Levs wapen zou worden geladen met losse flodders. Het ging erom dat het zou lijken of het echt was, om Borzov op die manier de sympathie van het volk terug te laten winnen die sinds de coup in augustus tanende was en nu, na de beschieting van het Witte Huis, tot een gevaarlijk laag niveau was gedaald. Borzov zag er geen been in om zich autoritair te gedragen – de noodtoestand was nog steeds van kracht – maar hij wilde daardoor niet aan populariteit verliezen. Alle goede dictators zijn ten minste enige tijd populair; een op de zes Russen beschouwt Stalin nog steeds als hun grootste leider. Maar de dingen veranderden, en hij kon niet meer regeren zoals ze vroeger hadden gedaan, niet voor onbepaalde tijd.

'Anatoli Nikolajevitsj gelooft absoluut in wat hij wil,' zei Borzov, 'en mettertijd zullen de Russen dat ook gaan doen; maar hij heeft tijd nodig.'

Dit was dus het plan, even vermetel, radicaal en onbezonnen als de meeste Russische plannen. Lev zou het pistool afvuren; de lijfwachten zouden hem overmeesteren en Borzov de kamer uit dragen; de pers zou te horen krijgen dat Lev was doorgedraaid, zelfs nadat Borzov het fatsoen had gehad hem de hand te reiken en op zijn feest uit te nodigen; Lev zou voor het oog van iedereen in de gevangenis worden gegooid. In werkelijkheid zouden hij en Alice de vrijheid krijgen om een nieuw leven te beginnen waar ze maar wilden, en Borzov zou hun alles geven wat ze daarvoor nodig hadden.

'Een absurd plan,' zei Lev.

'Het is perfect,' zei Arkin. 'Motief, middelen, gelegenheid. Het zal Anatoli Nikolajevitsj weer bij het volk brengen, waar hij hoort.'

Veel Russen geloofden zonder meer dat Gorbatsjov de staatsgreep van augustus zelf had georganiseerd, dacht Lev. Waarom zou Borzov dan geen moordaanslag op zichzelf beramen?

'Je vraagt me alles op te geven wat ik heb. Alles waarvoor ik heb gewerkt; alles waar ik in geloof.' Borzov en Arkin leken allebei zeker van hun zaak. 'En als ik het niet doe?'

'Je hebt toegegeven dat je de moord op Rodjon Chroeminstsj hebt gepleegd,' zei Arkin. 'Dat hebben we op de band staan. Dan ga je voor de rest van je leven naar Boetjoerka.'

Boetjoerka is een van de beruchtste gevangenissen van Moskou. Het was het startpunt geweest voor konvooien gevangenen die in de tijd van de tsaar naar Siberië werden gestuurd, een woestenij waar ze niet aankwamen in veewagens of op paarden, maar te voet en geboeid. Na de revolutie was Boetjoerka een overvolle doorgangsgevangenis geworden, met zes keer zoveel gevangenen als normaal in elke cel, en tweeduizend man, onder meer Solzjenitsin, was in de kerk gestouwd, waar ze soep hadden moeten drinken uit hun jaspanden. Borzov was niet van plan om Lev als een waardige staats-vijand terug naar Lefortovo te sturen, waar hij nog een actief netwerk van medeplichtigen zou hebben.

Hij schoot in de lach. 'Boetjoerka? Ik heb mijn halve leven doorgebracht in de goelag. Denk je dat Boetjoerka mij wat kan schelen?'

'Vroeger niet, nee. Maar nu…' Arkin liet de woorden even inwerken. 'Je zou je minnares nooit meer te zien krijgen.'

Lev merkte op dat Borzov zweeg. Arkin moest het opknappen, de wen-sen van de president vertolken, hij was de stem van de meester.

'Ik heb tijd nodig om erover na te denken,' zei Lev.

'Nee. Geen tijd. Je moet nú beslissen. Als je nee zegt, zie je haar nooit meer. Dan ga je regelrecht naar Boetjoerka. We halen haar uit de Poort van de Verlosser en zetten haar op het Rode Plein. Jij bent het enige dat ze nog heeft. Dat kun je haar aandoen, haar achterlaten, en dan de volgende twin-tig jaar tegen de muren van je cel op klimmen omdat je de verkeerde keuze hebt gemaakt.'

'Jouw methoden deugen niet.'

'Mijn methoden zijn uiteindelijk voor ieders bestwil.'

'Ook voor de mijne?'

'Onze.'

Lev richtte zich tot Borzov. 'Je hebt twee persoonlijkheden, Anatoli Ni-kolajevitsj.'

'Hoezo?'

'Ik zie een dromer en een dwaas.'

Arkin verstarde toen hij de beledigende opmerking hoorde, maar Borzov moest lachen; hij wist hoe raak die was. 'Perfect dus om een volk van dro-mers en dwazen te leiden,' zei hij.

95

Op de voorpagina van de *Izvestiya* stond het verhaal over de kosmonaut Sergej Krikalev, die de dag ervoor op aarde was teruggekeerd na tien maanden in de ruimte, om er achter te komen dat hij nu, met zijn salaris van vijftienhonderd roebel per maand, min of meer bankroet was. Krikalev, Ruslands eigen Major Tom, inwoner van Leningrad in de Sovjet-Unie bij zijn lancering, was teruggekeerd als inwoner van Sint-Petersburg in Rusland. Dit was de derde keer dat hij probeerde te landen; door de staatsgreeppoging was zijn eerste poging afgelopen augustus uitgesteld, en door een ruzie tussen Rusland en Kazachstan over wie de eigenaar was van het Baikonoer ruimtevaartcentrum was twee maanden later hetzelfde gebeurd. Te oordelen naar de geschokte uitdrukking op zijn gezicht meende Alice dat Krikalev liever tot aan het einde der tijden in de ruimte was gebleven, ver van de tierende massa en alle ellende. Ze vroeg zich af of hij genoeg wodka bij zich had gehad.

Lev en Alice zouden ergens in niemandsland gaan wonen. Ze konden als paar eeuwig onopgemerkt blijven in de uitgestrektheid van Rusland, veilig voor wie of wat ook. Er waren plaatsen waar de bevolking niet eens wist dat het communisme niet meer bestond, en waar het ze ook niets zou hebben uitgemaakt; plaatsen die dagen kostten om ze te bereiken – niet per trein of auto, maar per boot en te paard, plaatsen waar ze zelfs niet wisten wie Borzov was.

Bij het schijnsel van de lamp in hun appartement in het Kremlin bespraken ze hun nieuwe leven samen: ze wilden een klein landhuis, met bijgebouwen, een tuin met tomatenplanten aan de ene kant, een paar dieren, een put, ze zouden volkomen autarkisch zijn, één met de aarde, net als echte boeren.

Ze zouden naar dorpen gaan waar de vrouwen stonden te wachten op de wagen met brood, en daar sloten ze zich bij aan om hun broden op te halen, kalm en bedaard. Er zou geen sprake zijn van geduw en gedrang zijn, laat staan van stemverheffingen; ze wisten allemaal dat ze hun portie toch wel kregen, dus zouden ze rustig in de rij staan te kletsen. Een van de baboesjki zou 'Aan de lange weg' gaan zingen, en de rest zou invallen, allemaal in hun eigen tempo. Een oud Russische volkslied is als een waterkering; het lijkt misschien alsof het water niet meer stroomt, maar ver daaronder blijft het door de sluisdeuren gaan, en dat het stilstaat is een illusie.

Het Baikalmeer, zei Lev – daar zouden ze naartoe gaan, omdat Baikal de perfecte metafoor is voor Rusland. Zowel qua oppervlakte als qua diepte is het onvoorstelbaar groot. Het bevat meer water dan de vijf grote meren van Amerika bij elkaar, en het heeft zijn eigen ecosysteem, met veel planten en diersoorten die alleen daar voorkomen.

Alice was veranderd. Vroeger zou er niet over hebben gepiekerd om een dergelijke tijdloos leven te gaan leiden. Nu was ze bereid alles op te geven voor Lev. Ze zou voor hem sterven, zei ze, en bleef het zeggen toen hij bedenkelijk keek. Het is iets wat mensen altijd zeggen, maar zij meende het echt: ze zou echt voor hem sterven.

Dat gold dan voor hen beiden, zei hij.

Voor Lev en Alice was alles waarin ze hadden geloofd en waarvoor ze hadden geleefd uit hun leven verdwenen. Zo zagen ze elkaar nu, naakt tot op het bot.

96

Het wachten was bijna voorbij. Dit was de laatste nacht die ze in Moskou zouden doorbrengen, de stad waar Alice zo van hield.

Het plan voor de volgende dag was tot in de finesses uitgewerkt. 's Avonds, vlak voor het bal, zou Lev een pistool met losse patronen krijgen. Daarna volgde het diner, waarbij Borzov een toespraak zou houden. Op dat moment, terwijl iedereen toekeek, zou Lev de aanslag plegen. Daarna zou hij naar de Lefortovo-gevangenis gebracht worden, voor de schijn. Iedereen die een aanslag zou plegen op de president werd automatisch naar Lefortovo gebracht, van oudsher werden daar de staatsvijanden opgesloten. Lev moest daar dus ook naartoe, al was het maar voor even. Als iedereen dat had gezien, zou hij later op de avond in het geheim uit Lefortovo worden gehaald en naar het vliegveld Domodevo worden gebracht, waar Alice op hem zou wachten. Daar stapten ze in een militair vliegtuig naar het Baikalmeer, en dan waren ze verdwenen.

'Hij weigerde te onderhandelen om jou in leven te laten,' zei Lev tegen Alice. 'Hij heeft geprobeerd me om te brengen in het Witte Huis. En nu dwingt hij ons tot deze idiote klucht. Die klootzak mag van geluk spreken dat ze me losse patronen geven, laat ik je dat zeggen.'

En weer ging de zon onder in de rivier achter de kantelen van het oude fort.

Ze gingen naar een banja in het Kremlin. Lev tilde Alice over de drempel. Toen ze hem vragend aankeek, legde hij uit: 'Dat is een oud bijgeloof. Doodgeboren kinderen worden vaak onder de banja begraven; een man draagt zijn vrouw daar naar binnen, zodat hun eigen kinderen niet hetzelfde lot zal treffen.'

De stoom en de hitte waren als tastbare elementen die op hen neer daalden. Ze kleedden zich zwijgend uit. Lev controleerde het vuur onder de stenen; het rook naar Siberisch cederhout, een van de meest gebruikte houtsoorten in een banja, net als van berken en dennen – maar nooit van de esp, die beschouwd wordt als een treurboom. Tevreden constateerde hij dat de blokken nog flink brandden, wierp wat water op de stenen, en Alice giechelde toen de stoom siste.

De bedienden hadden wat twijgen van berkentakjes voor hen neergelegd. Lev pakte er een paar op en doordrenkte ze in de emmer met heet water, om te zorgen dat de blaadjes zacht werden. Toen hij ze eruit haalde, keek hij eerst goed of er geen verdwaalde stekelige blaadjes tussen zaten. 'Ik heb wel eens akelige verhalen gehoord van mensen bij wie er zonder dat ze het wisten een paar takjes gifsumac tussen zaten,' zei hij, en sloeg met een van de twijgjes op Alice' rug.

'Au!' zei ze. 'Dat doet pijn!'

'Dat is ook de bedoeling.' Hij gaf haar het andere bosje. 'Hier, doe het maar bij mij.'

Ze sloeg ermee over zijn rug, eerst met tegenzin; maar toen ze begreep dat het bij het ritueel hoorde, ging ze met meer vertrouwen te werk en dreef de gloeiendhete stoom dieper in Levs huid, waarop ze tussen zijn tatoeages rode striemen en zweetdruppels zag verschijnen.

'Hier,' zei hij ten slotte, en nam haar mee naar een van de houten bankjes. Uit de tas die hij had meegebracht haalde hij een blikje melk, dat hij openmaakte en over haar heen goot, waarbij hij toekeek hoe de roomwitte vloeistof in stromen over haar schouders over haar lichaam liep. Ze huiverde, maar niet van de kou.

'Dat verzamelt het zweet,' zei hij. En zo was het: kleine, olieachtige druppels rolden over elkaar heen in de richting van haar navel.

'Het voelt heerlijk.'

'Wil je wat honing? Dat is goed voor je huid.'

Ze keek steeds verbaasder. 'Ja, graag.'

Lev vond de pot honing, doopte zijn vingers erin en haalde er plakkerige, gouden slierten uit die hij over haar buik uit smeerde, trage cirkeltjes vormend, eerst klein en strak, langzaam steeds groter, breder, tot vlak onder haar borsten en, toen ze even naar adem snakte, ook daaroverheen.

'Je bent van goud,' zei hij.

'Gebruik je tong,' zei ze hijgend.

Hij knielde voor haar neer en begon te likken, hij verzamelde de sliertjes honing met zijn tong en bracht ze over naar andere plaatsen op haar lichaam, tot ze haar lichaam kromde en haar handen naar hem uitstrekte, terwijl ze opgelucht constateerde dat haar begeerte niet voorgoed was verdwenen, zoals ze had gevreesd, en dat ze nog steeds naar hem kon verlangen zonder dat ze daarvoor wodka nodig had. Haar haar hing als een sluik gordijn langs haar gezicht. Haar tranen stroomden in haar hals en tussen haar borsten door naar Lev, zout en zoet. Hij begon haar met zijn vingertoppen aan te raken, heel licht, zodat haar huid begon te tintelen.

Nu hield hij iets dicht tegen haar huid; een netel, voelde ze. Hij drukte de haartjes van de plant heel zacht tegen haar aan, kietelde er licht mee over haar huid en drukte toen weer iets harder, prikkels die haar opwonden. Lev ging met zijn vingers over en in haar, en spelde woorden van liefde, onbegrijpelijk en onleesbaar. Toen hij even ophield, kon ze alleen nog maar verstikt uitroepen: 'Niet ophouden!' en ze voelde aan de vorm van zijn lippen tegen haar huid dat hij grinnikte. Het was vertrouwd en onbekend tegelijk, om zich weer opnieuw door hem te laten verleiden, en ze wist waarom ze zich eindelijk helemaal aan hem kon overgeven.

Ze had zich tegen hem gewapend. Ze had zich willen verbergen. Ze had zich beschaamd en ontoereikend gevoeld, angstig en kwaad, door en door. Nu gaf ze zich over, ze gaf zich aan hem, ze gaf zich terug aan hem, zacht en verwelkomend. Haar ogen sloten zich, het was alsof hij vanbinnen langs haar ruggengraat omhoog ging naar haar keel. Ze nam hem nog dieper in zich op, alsof ze hun lichamen konden afwerpen, de pijn konden afwerpen, elkaar redden, twee mensen in één huid. Het nu was hun enige realiteit, buiten de banja bestond er niets.

Hun lichamen waren roze, als herboren uit de donkere schoot van de banja, verlost van onzuiverheden, verfrist en gereinigd, hun wezen puur na zoveel leugens en teleurstellingen.

Ze zouden hun eigen banja bouwen, zei hij; daar zouden ze de liefde bedrijven, en wat ze daarna deden hing af van het jaargetijde. In de zomer zouden ze zich terugtrekken in een afkoelingsruimte met spiegelwanden en een bediende die hun met waaiers van ooievaarsveren koelte toe wuifde. In de winter zouden ze in een bevroren meer springen of in de sneeuw rollen, iets fijners bestond er niet. 'Je krijgt het zo heet dat je het niet meer uithoudt, en het enige dat je nog wil is afkoelen,' zei hij. 'Dus ren je naar buiten en spring je door een gat in het ijs totdat je zo door en door koud bent dat je dat niet meer uithoudt en je alleen nog maar warmte wilt.' Hij dacht even na. 'Het is net zo'n prettige ervaring als wanneer iemand ophoudt je te slaan.'

Het was tijd om te gaan. Toen Alice snel wilde opstaan, werd ze onmiddellijk duizelig. 'Rustig aan,' zei Lev. 'Je bloedvaten zijn allemaal wijd open; het bloed is pijlsnel uit je hoofd gestroomd.'

Ze hield zich aan hem vast tot het duizelen ophield, en ging toen aan de slag om alles in te pakken wat ze hadden meegebracht: de zeep en het reinigingsmiddel, de netels en de melk en de honing.

'Laat maar liggen,' zei Lev.

'We moeten de boel toch opruimen.'

'Nee. Laat alles maar achter voor de *bannik*.'

'De bannik?'

'De geest van de banja. Het is een oude man met harige poten en lange nagels, en hij woont achter de kachel of onder de banken.'

'Die gekke oude bannik kan oplazeren.'

'Sst!' Hij leek echt geschrokken. 'We hebben hem al genoeg gestoord met onze vrijpartij.'

'O ja?' Ze had nog steeds de neiging het als een grap op te vatten, maar Lev meende het kennelijk serieus.

'Ja, echt. Baders zijn voor minder hun huid kwijtgeraakt of op de kachel terechtgekomen. Hard zingen, praten, vloeken, liegen; opscheppen; de bannik kan je voor al die dingen straffen.'

'Maar zoiets hebben we toch niet gedaan.'

'Des te meer reden om onze spullen voor hem achter te laten, voor de zekerheid. Een boze bannik kan gaan gooien met gloeiende stenen en kokend water; hij kan zelfs onschadelijke stoom veranderen in dodelijke kolendamp. En nu…' Hij duwde haar de deur uit. '*Da svidanja!*' riep Lev naar de bannik.

Weer terug in hun kamer, met uitzicht op de dierentuin, drukte Lev Alice een klein doosje in haar handen.

'Het is geen huwelijksaanzoek,' zei hij, toen hij haar gezicht zag. 'Het is meer dan dat.'

Ze opende het doosje en zag een gouden ring in de vorm van het symbool van de oneindigheid, een doorlopende ronding. De twee openingen pasten precies over haar ring- en wijsvinger, en verbond ze met elkaar.

'Net zoals jij en ik altijd bij elkaar zullen zijn,' zei hij. 'We kunnen nooit ontsnappen, we zwieren rond in een eindeloze dans, onafhankelijk en onderling afhankelijk. Onze liefde verbindt ons met elkaar zoals deze ring jouw vingers met elkaar verbindt; en onze liefde blijft net als deze ring eeuwig bestaan.'

97

Met ontbloot bovenlichaam lag Borzov bewusteloos op zijn bed. Zijn buik, even omvangrijk en slap als een zak zand, hing aan weerszijden van zijn lichaam, als oren van een basset aan weerskanten van zijn kop. Een infuus liep vanaf de binnenkant van zijn rechter elleboog in een doorzichtige zak die bol stond van een rode vloeistof; de president werd ontnuchterd via een eenvoudige methode waarbij de helft van zijn bloed werd vervangen.

Er was één voorwaarde waaraan soldaten die graag bij de presidentiële garde, het privé-leger van het Kremlin, wilden komen moesten voldoen: ze moesten bloedgroep AB hebben, net als de president. Borzov kreeg praktisch voor elke belangrijke gelegenheid een bloedtransfusie; het was de enige manier om ervoor te zorgen dat hij niet stomdronken was. De medische staf had aanvankelijk geprobeerd een hoeveelheid bevroren plasma in huis te hebben, maar het was algauw duidelijk geworden dat ze een levensgrote vrieskist nodig zouden hebben om daarin te kunnen voorzien, en ze vonden het gemakkelijker om permanent een grote hoeveelheid donoren in de buurt te hebben.

De presidentiële suite in het Kremlin is zonder meer schitterend. Rond Borzov waren de muren behangen met vermiljoenrode en parelwitte zijde, onder hem was een glanzende vloer van marmer, boven hem een beschilderd plafond met oneindig veel krullen en slierten. Een zijkamer stond bomvol geschenken; het leek wel alsof het halve land Borzov iets had willen geven. Enorme bloemstukken bedekten een conferentietafel; een mountainbike met een gele strik rond de handgrepen stond tegen een muur. De vloer lag bezaaid met rozenblaadjes. Er waren ski's, laarzen, skistokken en -pakken, stereo-installaties en videorecorders, Marokkaanse gravures en Mexicaanse beeldhouwwerken. De blikvanger was het beroemde schilderij van Lenin met zijn adviseurs, alleen was Lenin hierop vervangen door Borzov.

De elite van Rusland besteedde even gemakkelijk een miljoen dollar aan een verjaardagscadeau voor een behulpzaam politicus – en niemand kon meer doen (althans, zou dat kunnen doen) dan de president – als dat ze hem een kaartje zouden sturen. Degenen die niet zoveel te besteden hadden, geven minder dure dingen, maar even gemeend. Zij geven om hun loyaliteit te tonen en zich veilig te stellen voor hun toekomst. Zo veel aanvragers hadden vandaag blijk willen geven van hun toegewijdheid dat het personeel de bezoeken in groepen hadden moeten indelen: twintig minuten voor de wodkastokers, twintig voor de politiek correspondenten, twintig voor de edelsmeden.

En het meest absurde van deze potsierlijke orgie was dat de jarige er geen bal om gaf. Deze kamer van overvloed en weelde, vlak naast zijn slaapvertrek, deed hem helemaal niets. Hij zou nooit een van die voorwerpen gebruiken. Inhalige ondergeschikten pikten de helft ervan in; de rest werd weggegeven of bleef gewoon liggen.

Borzov had de garderobe van het Kremlin ter beschikking van Lev en Alice gesteld, en zij had er in elk geval volop gebruik van gemaakt. Haar outfit was relatief eenvoudig – een simpel zwart jurkje, een parelketting, gouden en zilveren armbanden, en een bronzen vlinder in haar haar – maar op de een of andere manier vielen de overige aanwezigen bij haar vergeleken in het niet. Ze had het gezien aan de reactie van diegenen die onder de indruk waren van haar schoonheid: Lev, toen hij achter haar stond en ze allebei in de spiegel keken; de schildwachten die ze waren gepasseerd op weg naar het bal; en de andere gasten die miniem en misschien onbewust even van positie veranderden om haar beter te kunnen zien. Vanavond was zij degene die alle ogen op zich wist te vestigen, en zelfs de allermooisten lukt het niet altijd om dat effect te bereiken.

Het bal werd gehouden in de drie keizerlijke paleizen die rond een middenplein gegroepeerd staan in de zuidwestelijke hoek van het Kremlin, en de gasten werden van het ene paleis naar het andere geleid: drankjes in het ene, diner in het volgende, dansen in het derde, elk nog mooier dan het vorige. Ze begonnen in het Terempaleis, het oudste gebouw van het Kremlin. Obers stonden tegen het vergulde stucwerk met bladen in hun hand: sommige met lange champagneflûtes en kleine wodkatumblers, andere met kaviaarblini's en dadels gevuld met kaas, en allemaal spoorden ze Alice met een glimlach aan om toch vooral toe te tasten, wanneer zou ze weer zo'n kans krijgen? Ze glimlachte met opeengeklemde kaken, schudde haar hoofd naar de obers met hun giftige flûtes en tumblers, en hield het bij mineraalwater en jus d'orange.

Alle grootheden en schoonheden uit Moskou waren hier, onder de geschilderde gewelven en tussen de met krullen versierde vergulde kachels. Elke keer dat Alice zich omdraaide, zag ze iemand die ze herkende: een kabinetsminister die net de kraag onder zijn kinnen recht trok, een ballerina die kusjes rondstrooide als confetti, een magnaat die zich als een hagedis door de menigte bewoog. Ze lachte om de reacties van de mensen die haar en Lev daar zagen, na alles wat er was gebeurd. Toen ze besefte dat al die mensen er geen idee van hadden wat er later zou gaan gebeuren, lachte ze nog harder.

Lev en Alice stonden in de laagste van de twee middeleeuwse kerken van het Terem en vergaapten zich aan de iconografie. De zuilen reikten als lentebloemen in volle bloei tot aan het dak, en geen centimeter was onbedekt gelaten: engelen en demonen, ridders en maagden, allemaal versierden ze het plafond en de muren. Het was alsof ze zich in het hoofd van een tatoeëerder bevonden.

Om precies acht uur werden de gasten beleefd doch met ferme hand de Kleedafleggingskerk uitgeleid naar het Sobornaja-plein, waar ze de Rode Trap afdaalden naar de ruitvormige Facettenhal. Borzov en zijn vrouw stonden boven aan de trap als een hedendaagse tsaar en tsarina, welke vergelijking nog eens werd onderstreept door de keizerlijke tweekoppige adelaars die boven hun hoofd prijkten. De gasten klapten en juichten, en het voornaamste echtpaar van Rusland – voor vanavond het koninklijk paar – klapte terug en wenkte hun gasten naar boven. Terwijl Alice tussen stenen leeuwen klom, streek het licht van de booglampen over de treden onder haar voeten, en ze bedacht dat er ooit bloed over deze trap had gestroomd; dit was de plek waar Peter de Grote in 1682 zijn opstandige familieleden van de trap had gegooid.

Boven het Kremlin was Borzovs gezicht geprojecteerd op de wolken, als een halfgod.

Het diner werd opgediend in de banketzaal waar Ivan de Verschrikkelijke buitenlandse gasten had getrakteerd op geroosterde zwaan en elandhersenen, en waar Gorbatsjov, korter geleden, Ronald Reagan en Margaret Thatcher had ontvangen. Een enkele, reusachtige pilaar in het midden van de zaal droeg de gewelven, alsof Atlas zelf langs was gekomen en alles om zich heen had laten bouwen.

De ene gang na de andere werd opgediend: sorbet, soep, flinterdunne schelletjes ham, vis, lamsvlees, pannenkoekjes gevuld met Hüttenkäse, aardappel- en notenknoedels met kaneel en zure room, nog eens sorbet. Elke gang werd geserveerd met een bijpassende wodka: bij de ham bison zoebrovka (een Russische versie natuurlijk) om de mosterd goed tot zijn recht te laten komen; de pannenkoekjes werden schitterend begeleid door Starka; en de nasmaak van pure kersenwodka gaf het idee dat de knoedels de alcohol hadden gesublimeerd.

De minister-president van Kirgizië zat rechts van Alice en links van haar zat de voorzitter van een telecommunicatiebedrijf, en beiden probeerden indruk op haar te maken met verhalen over respectievelijk joerten en bandbreedtes. De Kirgiziër was grappiger en charmanter, en met hem praatte ze het grootste deel van de avond. Aan de muur achter haar hing prins Vladimir van Kiev, onsterfelijk gemaakt in een icoon, die zijn twaalf zoons voor altijd liet zien hoe ze deugdzaam en verstandig moesten leven.

Lev droeg het pistool in de binnenkant van een smoking die ruim genoeg was om hem te verhullen. Hij kletste genoeglijk met zijn buren. Als het al onrustig in hem was, liet hij daar niets van blijken; maar toen Arkin opstond en om stilte vroeg, merkte Alice dat Lev een paar keer snel en oppervlakkig ademde. Arkin zou Borzov aankondigen, die daarna zijn toespraak hield, en dat was het moment waarop Lev in actie zou komen.

Er waren twee officiële videografen aanwezig, die hun camera's op de minister-president richtten. Het was Borzovs wens dat dit gebeuren werd vastgelegd voor het nageslacht, Arkin wilde bewijsmateriaal van de aanslag op Borzovs leven, om het volk te kunnen tonen hoe weinig het had gescheeld of ze waren hun leider kwijt geweest.

Het werd stil, en Arkin begon te spreken. De avond was nog jong, zei hij, en er zou nog veel meer komen. Ze waren door het Heilige Voorportaal, tal van gangen, versierd met verguld rasterwerk, naar het Grote Kremlinpaleis zelf gekomen om te dansen. Maar eerst wilde de president nog een paar woorden zeggen.

Borzov kwam onvast overeind. Het effect van de halve bloedtransfusie was al weer aan het afnemen, versneld door enorme hoeveelheden wodka. Hij bedankte allen voor hun komst, en was juist aan een verhaal begonnen over zijn tijd als hoofd van het Sverdlovsk-partijbestuur toen hij plotseling zweeg en de zaal in tuurde.

'De kleinzoon van de baas is hier!' riep hij uit. 'Het is allang bedtijd, maar wat een leuke verrassing! Kom, Edik. Kom opa maar een verjaardagskus geven.'

Iedereen hield gespannen de adem in.

'Anatoli Nikolajevitsj,' zei Arkin, 'dat is niet je kleinzoon. Dat is een statief van een camera.'

Er klonk was besmuikt gelach van mensen die dachten dat het een opzettelijke grap was.

Lev keek naar Arkin, en de minister-president liet hem zonder woorden weten dat hij in actie moest komen. *Dit is het moment*, hadden Arkins knappe gelaatstrekken uitgestraald, *doe het, doe het*. Arkin zou pas Lev vertrouwen als dit allemaal achter de rug was en hij zijn plicht had gedaan, geen moment eerder. Het zou natuurlijk waanzin zijn als Lev iets anders zou doen dan was afgesproken, wetend wat de consequenties waren voor hem én Alice, maar onbezonnenheid was in Rusland nooit een belemmering geweest om bepaalde dingen te doen.

Het was geen bewuste beslissing van Lev. Hij voelde zich als een acteur die zojuist heeft gehoord dat hij op moet, en zijn voeten brachten hem daar, of hij wilde of niet, omdat er geen alternatief was; het was ondenkbaar dat hij iets anders zou doen dan hem was opgedragen. Hij stak zijn hand in zijn zak en sloot zijn vingers om het pistool. Het was alsof hij door die aanraking ineens alles heel helder zag. Hij was alsof alles tijdelijk bevroren was, alsof hij door een tableau liep: Borzovs mond die praatte, dronken genoeg om te vergeten of er niet om te malen dat hij over een paar seconden moest doen alsof hij neergeschoten was; Arkin, gespannen wachtend op wat er komen ging; de gezichten van de gasten die zich naar hem toe keerden terwijl ze zich afvroegen waarom hij de toespraak van de president verstoorde.

Lev was nu nog een meter van Borzov vandaan. Daar kwam het pistool uit zijn zak, zo soepel als hij had mogen hopen, de loop bleef niet in de voering vasthaken, met zijn linkerhand haalde hij de veiligheidspal eraf, en ook al maakte het geen verschil, hij lette goed op dat hij raak mikte, ruim twintig centimeter onder Borzovs schouder, de meest kwetsbare plaats, om zoveel mogelijk vitale organen te raken, keiharde knallen in de enorme zaal toen hij de trekker overhaalde, een keer, twee keer, nog eens, en daar waren de bewakers al die hem tegen de grond sloegen, hun klappen waren bepaald niet nep, zes man sterk om zich ervan te overtuigen dat hij gevloerd was, en terwijl de lucht fluitend uit Levs longen kwam zag hij dat Borzovs lijfwachten hun president de zaal uit droegen, en Arkin er snel achteraan ging.

Het Kremlin beschikt over een ziekenhuis, maar dat is niet ingericht op de behandeling van schotwonden, dus werd de schertsvertoning uitgebreid tot het Sklifosovski. Russische leiders worden meestal behandeld in het Kremlinovka, in het uiterste westen, maar in een crisis als deze zoeken ze het dichter bij huis, en het Sklifosovski heeft de beste eerste-hulpafdeling van het land.

De limousine van de president en zijn escorte motorrijders reden op topsnelheid vanaf de Poort der Verlossing over het Rode Plein. Schemerig in de zee van licht achter hen hield het Kremlin het midden tussen droom en werkelijkheid, een onmetelijk, benauwend visioen. In de schijnwerpers leken de muren te zweven en de gevorkte kantelen te sidderen.

Vier minuten in een moordend tempo door de straten, toen stonden ze voor de ingang van het Sklifosovski, waar verplegers naar buiten kwamen gehold om Borzov op een brancard te leggen en naar binnen te brengen. 'Het is een spoedgeval!' schreeuwden ze, en dat was het ook. Er stroomde bloed uit de wonden in Borzovs borst; hij was buiten bewustzijn, haalde oppervlakkig adem, en zijn hartslag werd steeds zwakker. De chirurgen die de instrumenten klaarlegden onder leiding van Lewis zouden verbaasd hebben opgekeken als ze hadden geweten dat de schietpartij als schertsvertoning was bedoeld, aangezien dit absoluut geen nep was. De president was op sterven na dood.

Het feest was voortijdig in verwarring en paniek stopgezet. Alice was teruggebracht naar haar appartement in het Kremlin, waar ze de televisie aanzette. De programmering was aangepast; alle zenders lieten live opnamen zien van het Rode Plein, en ook de videobeelden van het bal werden uitgezonden. Daar was Borzov, die van zijn stoel opstond; daar was Lev, die naar hem toe liep – ze hadden geen woord van de toespraak van Borzov uitgezonden, merkte Alice op – daar was Lev, richtend; de schoten; Borzov, wankelend, Lev die tegen de grond werd gewerkt.

Verslaggevers ratelden aan één stuk door tegen presentatoren, en toen werd er overgeschakeld naar het Sklifosovski. Arkin stond voor de ingang. Hij zat onder het bloed, en zijn gezicht vertoonde sporen van tranen. Alice zag Lewis op de achtergrond, nog steeds in zijn operatiekleding. Hij zat vol rode spetters, zijn gezicht baadde in het blauwe licht van de ronddraaiende lampen op de politiewagens die vlakbij stonden. Het was de uitdrukking op zijn gezicht die Alice trof: Lewis, die meestal evenveel emoties liet zien als een man die de wekelijkse boodschappen doet, keek alsof hij elk moment kon gaan overgeven, in tranen uitbarsten, of beide.

'Meteen na het schietincident in het Kremlin vanavond,' zei Arkin, 'is Anatoli Nikolajevitsj Borzov naar het Sklifosovski Ziekenhuis gebracht met ernstige verwondingen en inwendige bloedingen. De beste chirurgen van het ziekenhuis hebben voor zijn leven gevochten, maar het mocht niet baten. Tien minuten geleden is zijn dood vastgesteld. De president is overleden.'

De cipiers van het Lefortovo kwamen Lev een paar uur eerder halen dan hij had verwacht. Hij paste ervoor te vragen waarom hij zo snel werd vrijgelaten; ze zouden het hem toch niet vertellen als ze het al wisten, en als ze het niet wisten, konden ze het hem ook niet vertellen. Een menigte verslaggevers wachtte bij de hoofdingang, dus namen ze hem mee door de achterdeur die uitkwam op een binnenplein waar een limousine klaarstond. De achterbank was voor hem alleen, maar twee mannen van Spetsnaz zaten tegenover hem met machinepistolen op hem gericht. Toen ze wegreden van het plein, werden ze begeleid door nog twee auto's.

De wegen waren verlaten. Politieauto's waren vrijwel het enige verkeer, midden op kruisingen, agenten leunden ertegenaan en sloegen met hun verlichte verkeersknuppel op hun dijen om warm te blijven. De auto waarin Lev zat, had presidentiële nummerborden; geen agent zou het hun moeilijk maken.

Ze volgden min of meer de loop van de rivier de Jauza, terug de stad in. Lev keek om zich heen met de blik van een provinciaal die voor het eerst in de grote stad komt. Na vandaag zou hij Moskou nooit meer zien.

De wagen zoefde over de Tuinring naar Nikolojamskaja.

'Hé! Daar hadden we linksaf gemoeten...' Lev wees door het raampje. 'Domodevo is die kant op.' De mannen van Spetsnaz bleven zwijgen. 'Wat is er aan de hand? Waar gaan we naar toe? Wat is er verdomme aan de hand?'

Hier was iets helemaal mis. Er was geen reden om terug te rijden naar het centrum, laat staan om te verzwijgen wat er aan de hand was. Lev dacht eraan de deur open te gooien en uit de wagen te springen, maar ze reden te snel, en hij al zou dood zijn zodra hij de stoep raakte;. Bovendien zaten er geen grepen aan de binnenkant van het portier. Hij zat gevangen totdat zij besloten hem eruit te laten.

Er was Lev niet verteld waar ze naartoe gingen, maar zodra ze er waren wist hij het meteen. Zijn bestemming was een enorm betonnen labyrint, een van Moskous meest herkenbare gebouwen – en zeker het meest gevreesde. Ze waren bij Loebjanka.

Hij wist niet hoe hij het had. Hij had alles gedaan wat ze hem hadden gevraagd. De schertsvertoning in het Kremlin zou het slotstuk geweest zijn. Er was niets meer van hem over; hij had geen energie meer om te reageren.

De tunnel die naar de ondergrondse parkeergarage van het Loebjanka leidde, verzwolg de wagen. Lev probeerde niet te kokhalzen. Hij haatte de geur van parkeergarages, van al die uitlaatgassen in die veel te kleine ruimte.

Ze stonden in een hoek te wachten: een stuk of tien mannen van Spetsnaz, met Sabirzjan in hun midden, die stond te trillen als een tiener die op het punt staat zijn maagdelijkheid te verliezen.

Toen ze het portier opendeden, stapte Lev met alle waardigheid die hij op kon brengen uit. Hij liet zich niet naar buiten sleuren door Sabirzjans schurken als terriërs in een konijnenveld.

De gangen van Loebjanka waren roomwit en groen, de kleuren van een inrichting. De verf was geschilferd en gebladderd, en hoe lager je kwam, hoe meer roestbruine plekken de muren vertoonden, de kleur van opgedroogd bloed.

Niemand vertelde Alice iets; haar bewakers waren even zwijgzaam als altijd. Levs woorden tolden in haar hoofd: 'Die klootzak mag van geluk spreken dat ze me losse flodders geven, laat ik je dat zeggen.'

Het waren echte kogels geweest. Ze had geen idee hoe hij daaraan was gekomen, maar ja, Lev had nu eenmaal overal zijn contacten. Hij had tientallen jaren lang achter de tralies leiding gegeven aan misdadigers – een paar kogels in het centrum van Moskou zouden voor hem kinderspel geweest zijn.

Wat Alice niet begreep was waaróm hij het had gedaan. Ook al had Lev Borzov echt willen vermoorden – en ze wist zeker dat hij dat had gezegd om te overdrijven, niet omdat hij het serieus van plan was – moest hij hebben geweten dat dat niets op zou lossen. Integendeel zelfs, het had hun ontsnapping en al hun plannen voor de toekomst onmogelijk gemaakt. En Baikal dan, en de sneeuw waarin ze zouden springen nadat ze de liefde zouden bedrijven in de banja? En hun eigen moestuin en lange, lome dagen in de zomerse warmte? En zíj dan? Hoe had hij haar dit kunnen aandoen?

Alice had tientallen vragen, zonder een enkel antwoord.

Het was te veel om in een keer te beseffen. Als de bewakers met haar hadden willen praten, had ze hun ongetwijfeld om een glas wodka gevraagd. Een glaasje maar, om de ergste pijn weg te nemen. Om weer normaal te zijn.

98

Sabirzjans gezicht vulde het duister rond Lev. Druipend Gif, noemden ze hem, een naam die goed bij hem paste. Sabirzjans karakter vertoonde geen tegenstrijdigheden, dacht Lev, en had maar één aspect – kwaadaardigheid – wat tamelijk on-Russisch was. Sabirzjan was eigenlijk een Georgiër, dus misschien was het niet fair om Russische criteria op hem toe te passen.

Toen Lev langer nadacht, besefte hij dat hij het mis had. Sabirzjan had net als ieder ander meer kanten. Hij was onbehouwen, weerzinwekkend en miste elke vorm van vriendelijkheid, maar hij was ook intelligent en scherpzinnig. Wie zou deze duistere onderstroom op het eerste gezicht bij hem hebben vermoed? Het was niet erg als een man anders was dan zijn eerste indruk deed vermoeden; daaruit bleek dat hij geen standaardtype was. Als een man niet in een hokje in te delen is, betekent dat dat hij althans iets heeft wat iedere mens zou moeten hebben: een greintje onsterfelijkheid.

Sabirzjans ademhaling klonk hijgerig, als een hond met zijn tong uit zijn bek, in afwachting van het naderende plezier. Hij had geen tijdslimiet gesteld, zoals met Sjarmoechamedov. Hij kon erover doen zolang als hij wilde, en deze keer zou het einde komen wanneer híj dat bepaalde. Hij dacht aan de manier waarop Lev hem in Petrovka voor de leeuwen had gegooid; het was een goed gevoel dat híj nu het heft in handen had.

Hij drukte het koude staal van de loop tegen Levs rechterenkel, en bewoog erover zoals een hond snuffelt tot hij het lekkerste stukje heeft gevonden: op het enkelbeen zelf, of het huidweefsel rond de achillespees? De loop van de revolver gleed weg, kwam weer terug, bleef op dezelfde plaats.

Lev hoorde het schot en rook het kruit. Het leek lang, heel lang te duren voordat hij zijn gewricht uiteen voelde knallen.

Alice gaf haar poging om te slapen tegen de ochtend op, en zette de televisie aan, voornamelijk op zoek naar troost. De moordpartij – hoewel zij zichzelf bleef voorhouden dat het een pantomime was, zoals de opzet was geweest – was voortdurend in het nieuws. Als het ene kanaal het niet uitzond, hoefde ze niet lang te wachten tot een andere het liet zien. Ze bekeek de opnamen steeds weer. Bij de vierde of de vijfde keer, toen ze de hele scène stap voor stap met haar ogen dicht had kunnen naspelen, viel haar iets op.

Er stond een videorecorder in het appartement, met stapels videofilms – hoofdzakelijk illegale kopieën van westerns. Alice stopte een band in het apparaat, vond de terugspeeltoets en begon alle kanalen af te zoeken met de afstandsbediening van de videorecorder. De eerstvolgende keer dat de schietpartij te zien was, nam ze hem op; toen speelde ze hem terug en bekeek alles nauwkeurig.

De toespraak, het lopen, daarna de revolver die schokte en knalde en vuurde in Levs hand. En daar was Borzov...

... En daar was Borzov, en hij deed niets. Dát was het wat Alice was opgevallen. Lev stond niet verder dan twee meter van Borzov af toen hij vuurde, hij richtte op zijn vitale organen, en toch deinsde Borzov niet achteruit. Borzov bleef een volle seconde staan, misschien zelfs langer, voordat hij eindelijk naar achteren wankelde, alsof hij zich toen pas herinnerde wat hij moest doen. Hij was stomdronken geweest, hij had moeten neervallen als een kegel.

Alice bekeek de band nogmaals. Deze keer zag ze dat geen van de schoten die Lev loste ook maar enige schade aanrichtte op Borzovs smoking.

Terug. Nog eens.

Het tapijt was roomwit; bloed zou er zeker op te zien zijn geweest. Er was niets van te bespeuren. Alice bekeek het nog eens goed. Geen druppel.

Lev had welzeker losse patronen gebruikt, zoals was afgesproken. Borzov was welzeker dood. Een van deze dingen klopte niet; zelfs niet in Rusland.

Levs rechterenkel was kapot, maar Sabirzjan moest de andere nog doen. Hij wilde het niet meteen daarna doen. Hij wilde Lev langer in angst laten, en de pauze tussen de kogels net zo lang en zo folterend maken als de schoten zelf, de pijn de tijd geven eerst dreigend om Lev heen te dralen, hem ervan te doordrenken en de angst in hem te kerven, voordat het schot volgde.

'Ik ga je kop van je romp rukken,' zei Sabirzjan. 'Ik ga je erger martelen dan je je ooit hebt kunnen voorstellen. Ik ruk je ballen eraf.'

Alice riep de bewakers van het Kremlin naar de televisiekamer. Ze kwamen met tegenzin, pas toen ze hun vertelde dat het allemaal een leugen was. Iedere Rus is eraan gewend dat hem zand in de ogen wordt gestoord; velen vinden het eigenlijk wel best. Ze speelde de video weer voor hen terug, legde uit wat ze had gezien, en vroeg hun of ze iets verkeerd had geïnterpreteerd.

Geen van hen zei een woord. Alice had gelijk; Lev had inderdaad losse patronen gebruikt.

'Breng me naar het Sklifosovski,' zei ze. 'Mijn man' – ze keken verbaasd op – 'ex-man' – ook al was hij dat officieel gesproken nog niet – 'wat dan ook, die is daar chirurg; hij zal ons vertellen wat er aan de hand is.'

Ze begonnen er met elkaar over te bakkeleien. Ze hadden geen opdracht gekregen ergens naartoe te gaan, ze moesten eerst proberen erachter te komen wat er gaande was.

'Jullie president is dood,' schreeuwde ze. 'Jullie president is dood. Jullie zijn de bewakers van het Kremlin, de elite, dus toon verdomme eens wat initiatief.'

De woordenwisseling begon opnieuw. Waarom gingen er niet een aantal mee en bleven er een paar hier achter? Dat laatste voorstel vond algemene instemming.

'Kom,' zeiden ze tegen haar. 'Naar het Sklifosovski.'

De tijd verliest elke betekenis in een kamer zonder ramen. Lev kon niet zeggen of er minuten, uren of dagen waren verstreken toen Sabirzjan de volgende keer binnenkwam. Deze keer liet Sabirzjan de revolver niet aan Lev zien, noch zocht hij het meest geschikte plekje uit om de loop tegenaan te zetten. Hij drukte hem simpelweg tegen Levs enkel en schoot.

Het was alsof de helft van de politie van Moskou voor het Sklifosovski stond, en ze waren niet van plan iemand binnen te laten. Alice zat in de auto terwijl de bewakers van het Kremlin schreeuwden, redetwistten, gebaarden en met hun pistolen zwaaiden. Dit was een debat in Russische stijl, en ze zakte nog verder onderuit op haar stoel in de hoop dat, als ze begonnen te schieten, ze minder kans had om geraakt te worden als ze zich zo onzichtbaar mogelijk maakte. De politie wilde papieren zien; de bewakers van de president zeiden dat ze het volste recht hadden om hier te zijn. De situatie was dermate geëscaleerd dat hij niet meer opgelost kon worden met steekpenningen, en dat zei wel wat.

Een van de presidentiële bewakers beëindigde de impasse ten slotte op een typisch Russische manier, door de inzet te verhogen. Hij greep de dichtstbijzijnde politieagent en drukte een revolver tegen zijn hoofd. Voordat een van de andere agenten iets kon doen, werden ze allemaal onder schot gehouden. Als het op een schietpartij uit zou draaien, wisten ze allemaal welke partij zou winnen. De garde van het Kremlin bestond uit het neusje van de zalm van het Russische leger; de politie stelde daarbij vergeleken niets voor. De twee agenten die het dichtst bij de ingang van het ziekenhuis stonden, wisten niet hoe snel ze de hekken open moesten doen. De presidentsbewakers sprongen weer in de auto en sjeesden er onder het slaken van een paar welgemeende vloeken bij wijze van afscheid doorheen.

'Ik wil Lewis Liddell spreken,' zei Alice, toen ze bij de balie aankwamen.

'Iedereen is momenteel heel druk bezig,' zei de receptioniste.

'Zuster!' riep iemand uit de gang.

'Lewis is mijn echtgenoot,' zei Alice, 'en ik moet hem spreken, nu.'

De receptioniste keek naar Alice' escorte, slikte haar volgende opmerking wijselijk in en draaide zich op haar stoel om naar de gang achter zich te wijzen. 'Volg eerst de bordjes pathologie en daarna neurochirurgie,' zei ze. 'Als u bij de grote foto van Chroesjtsjov aankomt – u kunt hem niet missen, hij is afzichtelijk, het is net een gekookt ei – dan linksaf, daarna de eerste gang rechts. Zijn kantoor is de tweede deur aan uw rechterhand.'

Alice was er nooit eerder geweest. Ze had Lewis nooit op zijn werk bezocht, en even voelde ze een steek van schuld. Ze liepen snel de gangen door en vonden na twee keer vragen zijn kantoor. Hij was ernstig in gesprek met twee collega's, en keek geschrokken op toen ze binnenkwamen. Hij was de hele nacht niet thuis geweest; dat was duidelijk; hij was niet geschoren en had zo te zien niet geslapen

'Alice! Wat doe jij hier? Wie zijn die mensen?'

'Ik moet je spreken,' zei ze. 'Dringend.'

Hij wendde zich tot zijn collega's. 'Willen jullie me even excuseren?'

Ze stonden op en vertrokken, waarbij ze in het voorbijgaan angstige blikken wierpen op de bewakers. Alice richtte zich tot haar begeleiders. 'Jullie kunnen ook wel even op de gang wachten.'

'We blijven hier,' zei een van hen.

'Deze man hier is mijn echtgenoot, en ik wel hem graag even onder vier ogen spreken.' Dat werkte; hoe graag ze ook alles wilden weten over Borzov, ze zouden geen inbreuk maken op iemands privé-leven. 'Maar blijf voor de deur staan, oké?' vervolgde ze. 'Laat niemand binnen.'

Ze begon al tegen Lewis te praten voordat haar begeleiders goed en wel de deur achter zich hadden dichtgetrokken. 'Ik weet niet wat er is gebeurd, Lewis, maar Lev heeft Borzov niet gedood, dat moet je weten...'

'Alice...'

'... wat je ook van hem denkt, het was een vooropgezet plan, daar ging het juist om, en...' En wat? Dat Lewis, als het vanavond allemaal goed was verlopen, haar nooit meer teruggezien zou hebben?

'Alice! Mag ik nu even iets zeggen?'

Ze probeerde intussen op adem te komen. 'Oké,' zei ze hijgend. 'Sorry.'

'Ik weet dat Lev Borzov niet heeft gedood.'

'Hoe weet je dat?'

Lewis pakte een manilla map van zijn bureau en haalde er een stel foto's uit. Alice ving er glimpen van op toen hij ze doorzocht: Borzovs lichaam op de operatietafel, in de dood zelfs nog minder waardig dan hij levend in zijn dronkenschap was geweest. Lewis vond de foto die hij zocht en gaf hem aan haar. Borzovs overhemd stond erop, doordrenkt in bloed.

Alice haalde haar schouders op. 'Ik begrijp het niet.'

Lewis wees naar een scheur in het hemd, op het eerste gezicht de plek waar een kogel was binnengedrongen; toen ze wat langer keek, zag ze, bijna onzichtbaar naast de rode plas, wat hij bedoelde. Daar, daar en daar: donkerder plekken, zwart naast het bloedrood.

'Lewis, wees verdomme eens duidelijk. Wat zijn dat?'

'Schroeiplekken,' zei hij.

'Schroeiplekken?'

'Van de loop van het pistool. Maar om schroeiplekken achter te laten op iemands kleren, moet je van heel dichtbij hebben afgevuurd. Heel erg dichtbij. Een paar centimeter.' Hij slikte. 'Ik heb de beelden op tv gezien, Alice. Toen Lev vuurde, stond hij te ver om zulke schroeiplekken te kunnen achterlaten.'

Sabirzjan wilde dat Lev hem om genade smeekte. Met twee kapotte enkels beet Lev hem toe: 'Je bent een lafaard, Tengiz, weet je dat?'

'Ik luister niet.'

'Weet je waarom je een vadersnaam hebt? Om je moeder eraan te herinneren wie je vader was, daarom.'

Koud staal op zijn scheenbeen, en de hete knal van een kogel door Levs rechter knieschijf.

Lewis vertelde Alice alles: dat ze al het mogelijke hadden gedaan om Borzovs leven te redden, maar dat hij al te veel bloed was kwijtgeraakt, en het nieuw bloedplasma dat ze bij hem binnen hadden gepompt liep er met dezelfde vaart weer uit. Al had de limousine zo snel mogelijk gereden en hadden de begeleiders op de motor de hele weg ernaartoe vrij gemaakt – de motorrijders hadden benadrukt dat ze, voor het geval iemand hun de schuld in de schoenen wilde schuiven, Borzov daar geen seconde eerder hadden kunnen afleveren – het was nog een wonder dat hij bij aankomst niet al dood was geweest.

Nadat zijn overlijden was vastgesteld, was Arkin zelf de operatiekamer in gekomen en had het lichaam van Borzov opgeëist. Hij was nu volgens de grondwet president, en zou dat ten minste de eerstvolgende drie maanden blijven, tot aan de verkiezingen. Hij zou autopsie laten verrichten en een staatsbegrafenis regelen. Hij had hun allemaal bedankt voor hun inspanningen en hun eraan herinnerd dat ze niets mochten loslaten over wat er was gebeurd in het ziekenhuis. De moord op de president was de meest gruwelijke van alle misdaden, en de stemming in het land zou er niet beter op worden als chirurgen ook nog sensatiepraatjes zouden rondstrooien. Wie zich niet aan deze regel hield, zou zo lang vastgezet worden dat hun vrouw iedere man binnen de Boulevardring zou hebben geneukt als ze weer vrijkwamen.

Levs knieschijven waren verbrijzeld tot een pap van kraakbeen en weefsel. Uit de wonden stroomden bloed en vocht weg door de gaten die in de tafel geschoten waren. Zijn pijn druppelde weg in de stilte.

Alice ging nog eens na wat ze wist. Borzov was volkomen in orde geweest toen hij in de limousine was gaan zitten , en min of meer dood toen hij bij het ziekenhuis was aangekomen. Hij moest dus onderweg beschoten zijn. De limousine had nauwelijks vaart geminderd, laat staan dat hij was gestopt tijdens de rit halsoverkop naar het ziekenhuis, dus moest Borzov door iemand beschoten zijn die al in de auto zat. Het kon natuurlijk niet de chauffeur zijn geweest, aangezien die achter het stuur zat; en ook niet iemand op de voorbank, aangezien de voor- en achterbanken van elkaar gescheiden waren door een tussenschot. Het kon dus alleen maar iemand zijn geweest die achterin had gezeten bij Borzov.
'Hebben jullie hier bewakingscamera's?' vroeg ze. 'Bij de ingang, bedoel ik?'
'Natuurlijk.' Daar had de sovjetparanoia wel voor gezorgd.
'Kunnen jullie dan nakijken op de band van afgelopen nacht hoe laat de limousine hier aankwam?'

Sabirzjan kwam binnen met borden vol eten. 'Kijk hier eens naar,' zei hij. 'Je hebt nog niets gegeten sinds je hier bent gekomen, je zult wel honger hebben. Ik zou sterven van de honger, als ik in jouw schoenen stond. Nou, dit zou je allemaal mogen opeten. Kijk eens, Georgische kookkunst. Er is kalfssoep, lekker pittig, precies wat een man in jouw omstandigheden nodig heeft; hier hebben we nog wat groentepastei met spinazie, walnoten en kool. Het ziet er vreselijk uit, het klinkt vreselijk, maar het smaakt heerlijk. Dit kun je allemaal krijgen. Je weet wat je ervoor moet doen.'

Lev snakte even naar adem tussen de golven van pijn door. 'Je bent verwekt in een trein, ja toch, Tengiz? Het enige dat die vent moest doen was de coupé binnendringen waar je moeder zat met een fles wodka, en binnen een paar seconden hing haar broekje aan de gordijnrail.'

Lewis voelde er niet veel voor; hij had al aangetoond dat Lev niet degene was geweest die Borzov had gedood, wat wilde ze dan nog meer van hem? Hij was chirurg, geen activist. Waarom kon Alice verder de zaak niet laten rusten?

Dit ging om een moord op het staatshoofd, zei ze. Het was niet aan hen om die zaak te laten rusten. Als hij zo'n bangerik was, moesten ze meteen maar naar de ambassade gaan en om bescherming vragen.

Ze hoefde niet te zeggen wat hierop volgde: als ze erachter kwam wie Borzov had vermoord, zou ze wellicht ook te weten kunnen komen wat er met Lev was gebeurd.

Lewis belde naar de bewaking en vroeg om de banden van de afgelopen nacht.

'Waarom wilt u die zien?' vroeg de hoofdbewaker.

'Om me ervan te overtuigen dat de voorgeschreven procedure is gevolgd toen de president binnengebracht werd. Er zal een onderzoek volgen – het is in ons aller belang dat we kunnen zeggen dat we alles volgens de regels hebben gedaan.'

De hoofdbewaker beloofde de banden meteen te laten brengen. Toen Lewis ophing, glimlachte Alice naar hem. 'Wie had dat kunnen denken?' zei ze. 'Na een verblijf van drie maanden heb je eindelijk in de gaten hoe je je ergens uit moet redden op de manier van een sovjet.'

Lev wist dat zijn geestkracht zijn lichaam kapot zou maken, maar een man kon zichzelf toch niet verloochenen? Hij zou nooit opgeven, zich nooit laten breken, nooit buigen, voor niemand. Lichaam en geest vullen elkaar aan; na het fysieke verweer van de ander te hebben gebroken, lukt het de vijand meestal om diens geest te overwinnen en hem te dwingen tot onvoorwaardelijke capitulatie.

Maar niet bij Lev. Misschien zou hij eerder hebben overwogen zich over te geven, of althans zich minder fel te verzetten, als hij in andere handen was gevallen dan die van Sabirzjan. Maar hoeveel pijn het ook doet om te verliezen, het doet altijd tweemaal zoveel pijn als dat een verlies is tegenover je beste vriend of je ergste vijand. En hoe vastberaden Sabirzjan ook was om Lev door het stof te laten kruipen en om genade te laten smeken, Lev was er net iets meer op gebeten om daar niet aan toe te geven.

De Liddells bekeken de zwart-witopnamen. Daar waren de motorrijders, met hun koplampen als halo's in grofkorrelige beelden; daar kwam de limousine, mannen sprongen er al uit nog voordat hij was gestopt. Alle vier de deuren vlogen open, de chauffeur kwam naar buiten, de passagier naast hem stapte uit, allebei anonieme bewakingsfunctionarissen. Borzov werd op een brancard naar buiten gedragen. En daar, achter uit de auto, stapte Arkin.

Er had verder niemand in de auto gezeten. De leren zitting van de bank was duidelijk te zien: leeg. Er was maar één persoon die de hele weg bij de president had gezeten, en dat was Arkin.

De pijn kwam in golven, en toen het echt te erg werd, raakte Lev gewoon weg. Hij dacht aan Alice en aan hun liefde voor elkaar, en hij wist zeker dat hij alles kon verdragen in de wetenschap dat zij altijd aan hem zou denken en zijn nagedachtenis zou koesteren. Wat een man in zijn leven het liefste wil is dat iemand hem ergens in ere houdt; als dat idee post heeft gevat, is alles te verdragen. Hij had alles voor haar opgeofferd, en het kwam geen moment bij hem op dat hij daar verkeerd aan had gedaan. Behalve Alice was er niets dat waarde voor hem had.

Sabirzjan had Lev genoeg verteld om hem te laten weten dat Borzov dood was, maar Alice zou niet geloven dat Lev het had gedaan. Zij zou achter de waarheid komen, ze zou ook gek zijn van ongerustheid omdat ze hem nog niet had kunnen vinden, en de angst en de ongerustheid zouden verschrikkelijk zijn.

De Amerikaanse ambassade is een van de afschuwelijkste gebouwen in Moskou, geelgroen van kleur langs de zesbaans Novinski-snelweg vlak bij het Witte Huis. Het gebouw is zo afzichtelijk dat de Oude Glorie op het dak zich die dag rond de vlaggenmast had gewikkeld in een klaarblijkelijk protest tegen deze architectonische monsterlijkheid. Het ambassadepersoneel zei spottend dat, als het walgelijke kleurenschema je nog niet misselijk maakte, de microgolven van alle afluisterapparatuur daar wel voor zorgden. Het chique, nieuwe gebouw aan de rivier dat bedoeld was voor de nieuwe ambassade, stond al leeg vanaf de tijd dat de Amerikanen erachter waren gekomen dat de Russische bouwvakkers er tijdens de bouw genoeg afluisterapparatuur in hadden aangebracht om een kleine stad voor een jaar van stroom te kunnen voorzien. Dus zaten de Amerikanen nog steeds in die puist op Novinski, en dat was de plek waar Lewis naartoe ging.

Net zoals Lev Alice had gered van de alcohol, zo hallucineerde hij nu dat

Alice hem kwam bevrijden. Ze vocht in de deuropening met de bannik, en de bannik had het gezicht van Sabirzjan. Hij was een tot waanzin gedreven duivel, de vleesgeworden wraak, Levs straf voor die heerlijke, tijdloze momenten in de banja.

Alice maakte geen gebruik van de stoel die Arkin haar wees, ze weigerde de wodka die hij haar aanbood en ze luisterde niet naar de clichés over hoe schokkend het allemaal was geweest. Ze vertelde hem snel en duidelijk wat ze had gedaan en wat ze wist. Alice zag hoe het zelfvertrouwen uit Arkin wegliep. Daarna zag ze hoe het weer werd aangevuld als uit een vergaarbak. Ze wist wat er was gebeurd, maar hij was de situatie nog steeds meester.

'Zie je die boeken daar?' Hij wees naar een stel boeken op zijn bureau. 'Die houd ik in de buurt, omdat ze onvoorstelbaar waardevol zijn voor Russische politici.'

Alice las de ruggen. *De avonturen van Alice in Wonderland. Achter de spiegel.*

'Waar is Lev?' vroeg ze.

'Niet de hervormingen waren het probleem,' zei Arkin. 'Het probleem was Borzovs bereidheid om ze te laten verwateren zodra hij het idee kreeg dat zijn macht afnam. Die eerste avond van de parlementaire vergadering, toen de afgevaardigden mij weg stemden, zou hij me er met het grootste gemak uit geknikkerd hebben – totdat elke hoofdstad van Washington tot Warschau hem had herinnerd aan zijn verplichtingen. Zou jij dat hebben laten gebeuren, als je in mijn schoenen stond?'

'Waar is Lev?'

'Daarom klampte hij zich zo hardnekkig vast aan die macht, natuurlijk; want wat heeft een man nog over als hij de machtigste figuur van het land is geweest? Rusland kent geen genade voor mensen die bergafwaarts gaan. Gorbatsjov en Chroesjtsjov waren de enige twee sovjetleiders die in leven waren toen ze hun ambt neerlegden, weet je. Gorbatsjov is nu de meest gehate man van het land; Chroesjtsjov werd verbannen en aan zijn dood werd niet meer dan een alinea gewijd in *Pravda*.'

'Waar is Lev?'

'Lord Acton beweert dat macht corrumpeert. Ik heb dat altijd enigszins bezijden de waarheid gevonden. Macht verslááft. Borzov had zich omringd met jaknikkers – behalve ik dan – en sloot elke mogelijke dreiging uit. Als hij zijn gang had kunnen blijven gaan, zou hij van ons land een reusachtig soort Noord-Korea hebben gemaakt: geen buitenlandse investeringen, geen vooruitzichten, niets dat werkt, geen van de dingen die een modern land nodig heeft.'

'Waar is Lev?'

'Als jonge, idealistische hervormer heb ik er jaren van gedroomd het Gosplan kapot te scheuren Toen hij een paar maanden geleden tegen me zei dat dat precies was wat ik moest doen, was ik doodsbang, echt doodsbang. Nu besef ik dat ik nog niet bang genoeg was. Ik onderschatte de vastberadenheid van velen die Rusland constant onder voogdijschap willen houden. Als we niet uitkijken, worden we weer in dat bloederige bolsjewiekenmoeras getrokken, dat in de ogen van zovelen zo fantastisch was. Je kon zomaar in de gevangenis worden gegooid. Iedereen werkte keihard, en mensen werden neergeschoten als ze te laat op hun werk kwamen. Iedereen deed het zo goed, en miljoenen zaten in de goelag. Ik zal niet toelaten dat Rusland weer in één groot concentratiekamp verandert. Dat laat ik niet toe.'

'Waar is Lev?'

'Wat zei Lenin? Een revolutie is alleen iets waard als die zich kan verdedigen. Revoluties worden veroorzaakt door fanatici met slechts één ding in gedachten, mannen zo kleingeestig dat ze bijna geniaal zijn. Het Russische volk is een groots ras. Een groots ras verdient een groots leider, en ik zal je dit vertellen, zonder me op de borst te kloppen en zonder valse bescheidenheid, dat ik vind dat ik degene ben die deze taak op zich moet nemen. Een groots man kan wreed zijn of hardvochtig, hij kan zelfs verkeerd bezig zijn; maar hij is sterk genoeg om te doen wat er gedaan moet worden. Ik ben die man. Ik ben de toekomst van Rusland. Daarin geloof ik even oprecht als ik geloof dat de zon in het oosten opkomt.'

'Waar is Lev?'

Eindelijk leek Arkin haar te horen. 'Lev? Die heb ik natuurlijk moeten elimineren.'

'*Elimineren?*'

'Hij was de enige die de waarheid had kunnen achterhalen. Ik had niet gedacht dat jij erachter zou komen.'

'Wat bedoel je met elimineren?'

'Ik heb hem uitgeleverd aan Sabirzjan.' Hij zag haar gezicht. 'O, maak je geen zorgen. Sabirzjan zal wel de tijd met hem nemen; hij zal hem nog niet hebben vermoord. Je weet hoe hij hem haat.'

'Haal hem daar weg.'

'Of anders?'

'Of ik zal iedereen vertellen wat je hebt gedaan.'

'Dat zou lastig worden als ik ervoor zorg dat je hier niet meer weg komt.'

'Dat meen je serieus?'

'Absoluut.'

Zijn donkere ogen verrieden niets, en ze wist dat hij de waarheid sprak. Hij had Borzov gedood, hij had Lev aan zijn lot overgelaten, hij was bereid geweest Alice te laten sterven bij de Tsjetsjenen, hij had… 'Die mannen die me vorige maand hebben overvallen bij de rivier,' zei ze. 'Die waren niet op mijn geld uit. Het waren geen straatrovers. Jij had ze erop uitgestuurd om me te vermoorden, hè?'

'Alles valt te ontkennen, Alice.'

'Dit niet. Als ik het niet zal vertellen, doet mijn man dat. Hij is nu in de Amerikaanse ambassade.'

'Jullie regering vindt mij de geschiktste man voor dit land.'

'Niet als het tot moord moet leiden.'

Arkin bleef zwijgen terwijl hij nadacht. Alice keek naar de man, die even knap was als wreed.

'Drie van jullie mensen weten dat Lev niet de moordenaar is geweest van Borzov: jij, je minnaar en je echtgenoot.' Arkin had de driehoek met wel-overwogen wreedheid voor haar omschreven. 'Jij en je man weten ook wie het wel heeft gedaan. Ik wil dat jullie zwijgen, jullie beiden; anders laat ik jullie opsluiten, en laat ik Lev sterven.'

'Lewis zal de hele wereld vertellen wat er is gebeurd als ik niet veilig te-rugkom.'

'Maar hij zal je niet laten stikken – hoewel God weet hoe je dat verdient. En jij laat het niet zover komen, omdat je Lev levend terug wilt.' Arkin had een beroep gedaan op Alice' ambitie om haar in het privatiseringsprogram-ma te laten blijven; nu speelde hij in op haar liefde. Hij wist steeds haar zwakke plekken te vinden.

Arkin pakte de telefoon en draaide het nummer van de Amerikaanse am-bassade. 'Ik kan heel goed telefoonnummers onthouden,' legde hij uit ter-wijl hij op de verbinding wachtte. 'Ik weet ook niet hoe dat komt; ik ont-houd ze gewoon. De Amerikaanse ambassade? Met president Arkin. Ik heb begrepen dat Lewis Liddell bij u aanwezig is? Ik zou hem graag even spre-ken.' Hij en Alice wachtten in stilte terwijl Lewis werd opgepiept en aan het toestel kwam. 'Lewis Liddell? Met Nikolai Arkin. Ik hoop van harte dat je nog niets aan iemand hebt verteld. Je wacht nog op de ambassadeur? Uitste-kend, want je vrouw zit hier bij mij. Geef me je woord dat je zwijgt als het graf over wat je weet, anders maakt ze het eind van deze dag niet meer mee.'

Acht kogels waren nu afgevuurd, door enkels en knieën en polsen en ellebo-gen; acht gewrichten waarvan niets meer over was dan een bloederige brei. Er was nog maar één schot te gaan: door de slaap. Sabirzjan zou Lev dood-schieten, natuurlijk, en Lev bleef onbewogen. Hij had de dood al zo vaak in de ogen gezien dat het hem niet zoveel meer deed. Niet dat het hem niet interesseerde, natuurlijk deed het dat wel, maar hij wist dat hij er niets aan kon veranderen. De dood was al heel wat keer op hem af gekomen, en heel wat keer had hij op het laatste moment rechtsomkeert gemaakt, op zoek naar een ander. Als hij deze keer niet rechtsomkeert maakte, zou hij dat aanvaarden. Het lot kan goedgunstig of kwaadaardig zijn, maar is niet te veranderen of te ontvluchten.

Net als alle Russen kende Lev de literatuur. Hij dacht aan de passage in *Misdaad en straf* – en herinnerde zich dat Dostojevski dit op zijn beurt had overgenomen uit *Notre Dame de Paris* van Victor Hugo – over een man die in het uur voor zijn dood had gezegd, of misschien alleen had gedacht, dat zelfs als hij ergens hoog op een rots moest leven, op een top zo klein dat hij er alleen maar op kon staan, met alleen maar kale, onbeklimbare steile wanden en een oceaan die zich uitstrekte zover het oog kon reiken, in elke richting, met eeuwig dikke mist of razende stormwinden, nooit heldere zonneschijn of een warme bries, en natuurlijk zonder ooit iets te zien of te horen van een ander menselijk wezen, zelfs als dat het enige was dat het leven vijftig jaar lang te bieden had, of honderd jaar, duizend jaar, zelfs een eeuwigheid, dan nog zou dat beter zijn dan nu al te moeten sterven! Als hij maar kon leven, iets langer kon leven, wat dat ook voor leven was.

'Wat was dat?' zei Sabirzjan, toen hij Levs lippen zag bewegen.

'Ik haat je niet,' zei Lev, die zich wonderlijk duizelig voelde. De korrels van zijn zandloper waren bijna allemaal doorgelopen. Hij zou doen wat iedere Rus deed voor zijn dood: een wit kleed over zijn ziel aantrekken. Ze mochten dan zondig hebben geleefd, maar ze stierven als heiligen.

De Spetsnaz kwamen hen halen, op bevel van Arkin. Sabirzjan hoorde buiten commotie en nam aan dat het om iets heel anders ging. Hij was er totaal niet op voorbereid toen ze door de deur heen kwamen, een met een stormram en de anderen met gasgranaten en peperspray. Ze zagen een bewegingloos lichaam op een tafel liggen: Lev; een flits toen Sabirzjan in Levs hoofd schoot voordat het salvo van de Spetsnaz hem met een klap tegen de muur wierp, dood voordat hij op de grond gleed.

Waar anders zouden ze Lev naartoe brengen dan naar het Sklifosovski, terwijl ze hem onderweg in leven hielden met hartmassage en adrenaline-injecties? Het ging net als met Borzov, Levs vermeende slachtoffer, en Lewis, die net terug was van de ambassade zonder dat hij de ambassadeur had gesproken die zich nu afvroeg waar dat bezoek om te doen was geweest, had weer dienst.

Deze keer echter was het de minnaar van zijn vrouw die hij probeerde het leven te redden.

Lev had heel wat bloed verloren, en dat was op zichzelf al een probleem, maar de enige reden waarom hij niet dood was, was omdat Sabirzjan, geschrokken van de Spetsnaz, het laatste schot niet helemaal zuiver had gericht. De kogel was Levs schedel binnengedrongen via het slaapbeentje, ruim twee centimeter achter zijn oor, en vanaf dat punt had de kogel de verbindingen doorgesneden van de bovenste hersenslagader en was in de hersenen terechtgekomen, waar nu splinters lood en bot verspreid zaten. Die splinters weghalen zou al een heldendaad op zich zijn. Lev in leven houden zou een ongekende prestatie zijn.

Lewis was eerlijk over Levs kansen, en even eerlijk over zijn bereidheid om er alles aan te doen om diens leven te redden. Lewis was de beste chirurg van het ziekenhuis; er was geen sprake van dat hij het niet zou doen.

Arkin liep rond in het Kremlin.

Hij ging naar het museum en staarde minutenlang naar een kroon van acht gouden filigrein driehoeken die samen een kegel vormden, bezet met ruwe edelstenen en afgezet met sabelbont. Het was de kroon van Monomach, het symbool van de Russische leider.

Hij ging de kerk van Maria Hemelvaart binnen, waar Stalin in de eerste winter van de Grote Patriottische Oorlog, toen de nazi's in de buitenwijken van Moskou waren, het atheïsme van zijn regime had beschimpt en heimelijk een dienst had geregeld om te bidden voor de bevrijding van de stad.

Hij bleef staan bij het gigantische kanon dat niet afgevuurd kon worden en de gigantische klok die gevallen was voordat hij geluid kon worden, en dacht wat een verbazingwekkende stad het was waarin belangwekkende voorwerpen zich lieten onderscheiden door hun absurditeit, of misschien was de grote klok zonder klepel wel een hiëroglief symbool van dit enorm grote, stomme land.

Aan de overkant van het plein stond een rij zwarte Zils aan de achterkant van het presidium, laag gehurkt op de grond onder het gewicht van hun bepantsering. Achter en om hen heen stond het Kremlin, die merkwaardige conglomeratie van paleizen, torens, kerken, kloosters, kapellen, barakken, arsenalen en bastions; dit complex dat indertijd had gefunctioneerd als fort, heiligdom, bordeel, harem, necropolis en gevangenis; dit enorme contrast van het grofste materialisme en de meest verheven spiritualiteit. Zat hierin niet de hele geschiedenis van Rusland besloten, het hele verhaal van het Russische volk, het hele drama van de Russische ziel?

Het pistool dat Arkin gebruikte om Borzov dood te schieten, was er precies zo een geweest als hij aan Lev had gegeven. Hij had er een demper op aangebracht en vervolgens Borzov van dichtbij in de borst geschoten, met holle kogels die in Borzov zouden exploderen en geen sporen zouden achterlaten in de wagen. Borzov had hem verbaasd aangekeken, ineens helemaal nuchter, en door de pijn heen had hij geglimlacht. Arkin had niet helemaal zuiver gericht; Borzov zou niet onmiddellijk sterven, maar het zou ook niet lang meer duren.

'Als jij denkt dat je het beter kunt, Kolja, probeert het dan maar,' had Borzov nog gemurmeld, terwijl het bloed uit hem stroomde. 'Zorg goed voor Rusland,' zei hij, toen de lichten van het Sklifosovski weerspiegelden in zijn stervende ogen.

99

Alice had een eigen wachtkamer gekregen. Ze had haar handen zo vast in elkaar geklampt, haar nagels zo diep in haar vlees gedrukt, dat het bloed naar boven kwam en in rode druppeltjes op het witte leer van de bank drupte, als rozenblaadjes op sneeuw.

Lewis kwam tijdens het ontbijt binnen. 'We hebben de meeste stukjes van de kogel en de botsplinters kunnen verwijderen,' zei hij, 'en wat er nog inzit zal geen bijzondere schade aanrichten. Maar verder is hij er slecht aan toe.'

Hij liep met haar naar de intensive care, waar Lev na de operatie naartoe was gebracht. Het gelijkmatige rijzen en dalen van Levs borst was het enige dat Alice de geruststelling gaf dat hij nog leefde. Zijn hoofd zat in het verband, en zijn zwart omrande ogen en witte wangen hadden iets angstaanjagends. Alice boog zich over naar Lev en fluisterde iets in zijn oor. Er kwam geen reactie.

'Er is heel weinig hersenactiviteit,' zei Lewis. 'Alleen door beademing kan hij in leven blijven.'

'Hoe groot is de kans dat hij herstelt?'

'Die is er niet.'

'Helemaal niet?'

'Niet op een leven buiten dit bed. We kunnen hem oneindig in leven houden met de beademing, maar de hersenbeschadiging is te groot.'

De televisie liet oud beeldmateriaal zien van Arkin die aan vechtkunst deed: *sombo*, om precies te zijn, een combinatie van judo en worstelen, waarbij het vooral aankomt op snelheid, kalmte en het vermogen om geen emoties te laten blijken of geluid te maken, hoe zwaar ook de strijd of de pijn. Tijdens het gevecht, hard maar eerlijk, werd Arkins judoleraar ondervraagd. 'Nikolaj Valentinovitsj is niet een vechter die het van puur fysieke kracht moet hebben,' zei de leraar, 'maar meer van zijn intellect – een scherpzinnige worstelaar. Hij doet altijd iets onverwachts, omdat hij zeer beweeglijk is, en heel sterk, dus hij kan heel snel reageren.'

Alsof dat de zin was waarop hij had gewacht, beëindigde Arkin het gevecht met zijn favoriete beweging, een snelle aanval waardoor de tegenstander zijn evenwicht verloor. De verslagen man kwam zelfstandig overeind van de mat. Hij en Arkin bogen naar elkaar, sloegen de handen ineen en deelden een onhoorbaar grapje.

Arkin had meer nodig dan judo om Rusland te redden, dacht Alice; hij had voodoo nodig.

Ze zat de hele dag in de wachtkamer, en weigerde eten en gezelschap. Lev lag in coma, en zou er vrijwel zeker nooit meer uit komen. Ze zou hem verplegen, natuurlijk, als het nodig was zou ze hem dag en nacht verplegen, voeden, zijn katheter legen en hem met alle liefde van de wereld verzorgen; maar wat dit bestaan ook voor haar zou betekenen, voor hem was het geen leven.

De nacht viel, en daarmee kwam de duisternis in haar ziel.

100

Alice liep de wachtkamer uit en ging terug naar de intensive care. Daar was Lewis, die stilzwijgend naar Lev stond te kijken. Alice ging naast Lewis staan en liet haar hoofd tegen zijn schouder rusten. Zo stonden ze daar een ogenblik, man en vrouw, beiden kijkend naar Lev terwijl de beademing zijn longen liet open- en dichtgaan; beiden beseften wat ze waren kwijtgeraakt.

'Zet de beademing uit,' fluisterde Alice.

In de diepste krochten van zijn ziel, veel verder weg dan waar door mensenhanden gemaakte machines ooit kunnen komen, voelde Lev dat de wereld hem ontglipte. Er zou geen wonderbaarlijk herstel zijn, en zo moest het ook zijn – de reden waarom geen van de grote Russische romans gelukkig eindigen, is omdat Russen er geen raad mee zouden weten.

Lev bedacht nog eens hoe dankbaar hij was dat hij lang genoeg had mogen leven om van Alice te kunnen houden. 'Vaarwel, vaarwel,' zei hij in zichzelf, 'vaarwel mijn enige liefde, mijn liefde die ik voor altijd verlies, totdat we elkaar weer ontmoeten in de wereld hierna.' Hij was Lev, en hij lag op sterven, en toen was hij niet meer Lev, omdat Lev de naam was die hem was gegeven als vor, en hoe kon hij nog steeds een vor zijn wanneer hij zoveel van hun regels had overtreden? Hoe kon hij nog een vor zijn wanneer hij alles had opgegeven om bij een vrouw te kunnen zijn? Hij had zijn leven doorgebracht in de broederschap, en op het laatste had hij ervoor gekozen die in de steek te laten; zijn liefde voor Alice was groter.

Lev zag beelden die hem vreemd en onbekend voorkwamen: hij zag zichzelf in een kerk, hand in hand met een vrouw in het wit; hij zag zichzelf in een bruine oceaan onder een verblindende zon, ergens waar het warm was; hij zag zichzelf in een groot ziekenhuis, en hij kon er niet achter komen waarvoor, totdat hij een baby hoorde dat zijn longetjes vulde en een levenskreet uitstootte, toen wist hij het. Lev had altijd gedacht dat zijn leven in een flits aan hem voorbij zou trekken als hij stierf, maar hij kon zich niets van deze dingen herinneren. Toen besefte hij dat wat hij zag niet het leven was dat hij had geleid, maar zijn leven in de toekomst, allemaal dingen die hij zou hebben meegemaakt met Alice, en waar het nu nooit van zou komen.

Hoe verbijsterend is het, hoe angstaanjagend, om de dood onder ogen te zien, om de dood tegemoet te gaan in plaats van ervoor weg te lopen. Hoe verschrikkelijk is het om te moeten sterven voor je tijd. Lev wilde blijven leven. Hij had zich al neergelegd bij zijn lot, maar zijn verlangen was sterker dan alle gedachten. Dit verlangen was zo groot dat er niets mee te vergelijken was; het was niet te meten.

Het was niet genoeg.

Lewis liet Alice de knop van het beademingsapparaat zien, en daarop drukte ze zonder verdere drukte of plechtigheid. Het gezoem van de machine hield op, Levs borstkas hield op met het eindeloze rijzen en dalen, en op de monitor aan zijn hoofdeinde veranderden de pieken die zijn hartslag weergaven in een vlakke lijn.

'Wat is het leven, als het een vlakke lijn is?' had Lev haar ooit gezegd. 'Geen grote dalen, maar ook geen pieken. Dan kun je net zo goed dood zijn. Pieken en dalen zijn het bewijs dat je leeft. Vlakke lijnen zie je bij patiënten in het ziekenhuis wanneer hun lichaam het opgeeft.'

Het lichaam in het bed was zo helemaal niet Lev dat Alice besloot dat hij daar gewoon niet meer was. Zijn lijden was voorbij; hij was vrij. Maar het blussen van het laatste beetje hoop op een eventueel herstel had haar pijn nog verergerd. Ze voelde dat de wereld steeds donkerder werd; het moest de ondraaglijke pijn in haar ziel zijn geweest die de grens tussen haar innerlijk leven en de buitenwereld ophief.

De lampen in de kamer flikkerden even, namen in sterkte af en begonnen toen weer feller te schijnen. 'Fluctuatie in de stroomvoorziening,' mompelde Lewis, 'dat gebeurt de hele tijd,' maar Alice schudde haar hoofd – zij wist wel beter. Het was Levs ziel die naar buiten kwam, en de stofdeeltjes die daarbij in de lucht opveerden en zich weer rangschikten.

Levs ziel kwam bij Alice, zoals ze al had geweten. Het was geen zintuiglijke manifestatie – ze zag of hoorde hem niet, laat staan dat ze hem rook of proefde of aanraakte – maar het was eerder een ondefinieerbaar gevoel van zijn aanwezigheid. Ze wandelde uren lang in het waterige zonnetje op straat, en bezocht alle plekken waar ze samen waren geweest; ze stond voor de hekken van de stokerij en ging op de trappen van het Kotelniki zitten, ze liep rond het Kremlin en ging aan de bar zitten van restaurant Vek, waar haar tranen in haar glas met mineraalwater vielen. Lev was op al die plaatsen net zo voelbaar aanwezig als wanneer hij vlak naast haar had gestaan.

Het vooruitzicht van de reis van de ziel – want de dood is het begin van een reis, ofwel ondernomen per boot ofwel in een slee die wordt getrokken door een trojka van wilde paarden – is een vreeswekkend vooruitzicht, een afrekening en een test. De ziel is niet alleen, want zijn engelbewaarder gaat mee, maar diens gezelschap is niet per se troostend. De engel is niet simpelweg zoiets als een goede fee; zijn taak is de stomverbaasde ziel de ware betekenis te laten zien van alles wat hij tijdens zijn leven heeft gedaan en waarvoor hij heeft gekozen, hoe verschrikkelijk dat ook mag lijken. De gebeden van rouwklagers voor de zielenrust moeten dan ook zeer ernstig genomen worden, want weinig zielen kunnen deze waarheid zomaar, zonder angst, aan.

De reis verloopt in drie stadia. Eerst verblijft de ziel drie dagen en drie nachten op de aarde, waar hij plaatsen bezoekt waar hij de meeste tijd van zijn sterfelijk leven heeft doorgebracht. Hierna stijgt hij op naar de hemel om zijn god te aanschouwen, waar hij zes dagen blijft. Op de negende dag na de dood wordt hij voor een maand lang naar de hel gebracht. Na in totaal veertig dagen door de gebieden te zijn getrokken die worden bewoond door verschillende soorten demonen die een bewustzijn kapotscheuren dat besmet is door zonde, komt het moment van het individuele oordeel, waarop alles wat de ziel op zijn reis heeft geleerd werkelijkheid wordt, waarop hij de gevolgen van de daden die hij wellicht liever had willen vergeten onder ogen gaat zien, en waarop hij het eventuele vooruitzicht van marteling tot aan het einde der tijden onder ogen ziet.

Dit was wat de toekomst voor Alice in petto leek te hebben. Eeuwige pijn om haar verloren liefde.

.

NAWOORD

ZATERDAG, 9 MEI 1992

Overwinningsdag is de grootste feestdag van het jaar voor de Russen. De bevrijding van de nazi's is een feest dat altijd zal worden gevierd, ongeacht het politieke systeem. Vrouwen met medailles en oud-cavaleristen met kromme benen in verouderde uniformen herdachten, huilden, zongen en dansten op accordeonmuziek. Bijna overal leek het of de mensen zich de herfst van 1941 herinnerden.

Rond de stalinistische pleinen en lanen waren de achterafstraatjes verlaten, een goedmoediger Moskou kwam tevoorschijn met binnenpleinen en laantjes, met allerlei tinten afbrokkelend baksteen en stucwerk; een stad met verborgen charmes. De zon was warm, en voetgangers gingen doelbewust in hun hemdsmouwen op pad; de modderige sneeuwresten waren eindelijk verdwenen, en het eerste groen van paardebloemen piepte door de betonnen stoepen omhoog. Moskou wordt gezien als een stad waar het eindeloos lang winter is, maar dat is een mythe. De sneeuw blijft weliswaar zes maanden liggen, maar zodra de dooi heeft ingezet, wordt de spurt naar de zomer ingezet. De dagen lengen en worden warmer, de nachten bestaan uit vuur en rook. De warmte verjaagt alle herinneringen aan de kou die is geweest en die nog zal komen.

Het was de veertigste dag na Levs dood, de dag waarop zijn ziel zou terugkeren van zijn omzwervingen en het laatste oordeel onder ogen moest zien. Alice wilde zo snel mogelijk naar zijn graf toe, maar hij maande haar tot kalmte: *rustig, rustig aan, mijn lief, we hebben alle tijd van de wereld.* Dus vertraagde ze haar pas en keek om zich heen. Ze was nu een Russin, en als zodanig wilde ze respect betuigen voor de dood op dezelfde manier als haar volk.

Met het gevoel alsof legioenen doden haar nakeken, liep Alice tussen rijen grafstenen door, en verbaasde zich over al die verschillende vormen en kunstuitingen. In een land waar iedereen doodging, was de ruimte op de begraafplaats zo beperkt dat gehuwden soms op elkaar waren begraven.

Misschien zou Alice daar uiteindelijk ook komen te liggen, boven op Lev; ze dacht heel even aan de keren dat ze de liefde hadden bedreven, zij boven op hem, hij boven op haar.

Grafstenen waren niet alleen gegraveerd met namen, maar ook versierd met afbeeldingen en sculpturen. Ze zag gouden adelaars, bovenmaatse bokshandschoenen en esdoornbladen; een slingerend pad ter nagedachtenis van een vrouw die bij een auto-ongeluk om het leven was gekomen. Gehuwde mannen en vrouwen waren naast elkaar afgebeeld in kleine ovale portretjes, de mannen waardig, de vrouwen streng, hun haar even strak als hun uitdrukking. Olympisch kampioenen met medailles rond hun nek, dansers die vereeuwigd waren in steen; wereldreizigers met een kompas in de hand, piloten die door vliegeniersbrillen tuurden. Ze deelden met elkaar een sombere, starende blik, rusteloos en berustend tegelijk. Dennennaalden vormden rouwkransen, kleurige bloemen stonden gebundeld in boeketten.

Toen Alice pas in Moskou was gekomen, had ze dit soort versieringen smakeloos en sentimenteel gevonden; ze had ernaar gekeken met een westerse blik, die niet gesteld is op opzichtigheid. Nu werd ze erdoor ontroerd, ze begreep het.

Een vrachttrein liet een treurig refrein horen terwijl hij langzaam langs de noordelijke muur van de begraafplaats tufte. Alice vond Levs graf en ging zitten. Nu waren ze alleen met elkaar.

Ze zocht in haar tas en haalde er een fles uit – mineraalwater, natuurlijk. Wodka was haar minnaar geweest voordat ze haar echte minnaar had gevonden, en haar echte minnaar had haar gered van de verraderlijke wodka; hij had plechtig beloofd haar te steunen en hij had haar nooit in de steek gelaten. Hij zou vandaag trots op haar zijn geweest, zoals ze daar stond met haar fles water. Hij zou er trots op zijn geweest dat ze gisteren niet had gedronken, dat ze vandaag niet dronk, en dat ze morgen niet zou drinken. Zo kwam ze haar tijd door, een dag tegelijk, en ze richtte haar blik op de weg voor zich en durfde nooit verder te kijken uit angst dat het haar te machtig zou worden. Niet te ver vooruitkijken, kleine stukjes tegelijk.

Nu ze eindelijk van de wodka af was, begreep ze waarom de Russen er zo dol op zijn. Geen andere drank past zo goed bij hun gemoedstoestand. De subtiele elegantie van wijn, die zich het best laat smaken in de open lucht met goede kaas en warm brood, past in geen enkel opzicht bij de lange winters en de korte groeitijd van Rusland. Maar wodka, zo puur en doelgericht, zo ideaal om de verkilde ziel te verwarmen in februari of verkoeling te brengen in augustus, is een alles-of-niets drank, en Rusland is een alles-of-niets land.

Alice vroeg zich af hoe alle anderen deze feestdag doorbrachten. Arkin was nog interim-president, en de kans was groot dat hij bij de verkiezingen van de volgende maand gekozen werd. Ze had zich aan hun afspraak gehouden, ongeacht wat er met Lev was gebeurd. Arkin had haar verteld dat hij de meest geschikte man was voor Rusland, en daar moest Alice het mee eens zijn. Ze had Irk onlangs op straat gezien, en heel even met hem gepraat. Als een echte Knut probeerde hij nog steeds het tij van wetteloosheid te doen keren. Toen ze hem naar Sveta en Galja had gevraagd, had hij met zijn hand over zijn gezicht gestreken en zijn hoofd geschud. Lewis was teruggegaan naar de Verenigde Staten, evenals Bob en Christina. Harry was nog steeds hier, en viel haar nog steeds lastig met zijn plannen om een zaak met hem te beginnen. Misschien zou ze dat mettertijd wel doen. Ze hoefde een poosje niet te werken, ze had nog geld genoeg over uit de tijd dat ze op Wall Street werkte. Ze hoopte dat ze allemaal gelukkig waren, maar ze speelde geen rol meer in hun leven, en zij niet in het hare.

Ze had het ontwerp voor Levs gedenksteen zelf gekozen. De grafsteen was zwart met wit, net als die van Chroesjtsjov, een weerspiegeling van de lichte en donkere kant die naast elkaar hadden bestaan in Lev. Hij was een gevaarlijk, emotioneel en onverantwoordelijk man geweest, maar ook iemand met een geweten; hij was wreed geweest, en toch in de basis kinderlijk. Hij was ruimdenkend maar ook kleingeestig, roekeloos en toch voorzichtig, tolerant en kritisch, onafhankelijk, dociel, taai, kneedbaar, vriendelijk, onaangenaam, naïef, cynisch… En vooral was hij een Rus geweest, en wat zijn Russen anders dan mensen, geschreven met hoofdletters? In iedereen heerst dualisme, het is de meest voorkomende karaktereigenschap, en hoewel niet alleen voorbehouden aan de Russen, voeren zij dit verder door dan andere volkeren.

De meeste mensen ervaren liefde zonder dat ze daar iets opmerkelijks aan constateren. Voor Alice en Lev – en dat was wat hen zo bijzonder maakte – waren de momenten waarop de hartstocht hun verdoemde bestaan had bezocht momenten van openbaring geweest, die hun meer inzicht in het leven en in henzelf had gegeven.

Misschien had ze altijd geweten dat hij verdoemd was, misschien was ze daarom zo ontzettend verliefd op hem geworden. Een beroemd Russische sprookjes verhaalt van een ijsprinses, die weet hoe ze zal sterven: op een dag zal ze een sterfelijk man tegenkomen, hun hartstocht zal een dag en een nacht duren, daarna zal ze smelten en sterven. Wat was het verhaal van Lev en Alice meer dan dat omgekeerde sprookje? 'Een man beschouwt zichzelf als bevroren, stilstaand, half levenloos,' had hij haar gezegd, 'en dan wordt hij als een mot aangetrokken door de juiste vlam, en als hij dichterbij komt, wordt hij erdoor verschroeid.'

Maar houdt het leven op bij de dood? Nee, dacht ze, natuurlijk niet. Een mens is niet dood zolang hij niet wordt vergeten, en Alice zou Lev nooit vergeten. Wanneer iemand van je houdt sterft, dacht Alice, neemt diegene een stukje van jou met zich mee; maar evenzeer laat diegene een stukje van zichzelf bij jou achter. Ze voelde iets in haar bewegen. Het was niet zoiets prozaïsch als een biologische verandering; het was een gevoel, een intuïtief weten dat voortkwam uit niet meer dan het achterwege blijven van een maandelijks gebeuren en de zekerheid van haarzelf en hem, en daardoor even onweerlegbaar als een wiskundig bewijs. Ze was al beschikbaar voor de toekomst die ze in zich droeg; ze was niet langer alleen, ze was ook Lev, en nog iemand, een combinatie van hen beiden, en op een dag zou ze bij haar zoon gaan zitten en hem alles vertellen over zijn vader; dat hij, als geen ander, een mens was geweest.

Ze had enige tijd bij zijn graf gezeten. De zon ging als een gloeiende bol onder in het westen, en de hemel werd donker. De schemering boven Levs grafsteen leek zich heel even te ordenen in de vorm van een grijns die in de lucht hing – toen was het beeld verdwenen, zijn ziel kringelde omhoog naar zijn oordeel, en zij was alleen.

Alice wandelde terug over de begraafplaats, langs een schuurtje waar groen uitgeslagen koperen tongen uit de monden van afvoerbuizen hingen en waar twee oude grafdelvers zaten te schaken met wodkaflesjes als stukken. Steeds wanneer een speler een stuk pakte, moest hij de inhoud leegdrinken; te oordelen naar de toestand van de twee spelers waren ze al een tijdje bezig. Ieder van hen had nog een koning, een koningin en een toren over – een gangster, zijn mol en hun lijfwacht, misschien – en deze figuurtjes zaten elkaar eindeloos achterna over het bord, wit op zwart, zwart op wit, over lijnen van geweld en magnetisme, aantrekking en afstoting, toestemming en verbod, van en naar en over alle vierkantjes. Het schaakbord is een en al precisie en duidelijkheid, dacht Alice, en als zodanig is het geen juiste weergave van de wereld. Er bestaat geen zwart en wit in het ware leven; er is alleen grijs.

De grafdelvers zagen Alice kijken, en begroetten haar opgewekt. Ze wees naar de flesjes en lachte. 'Ik zou daar maar mee oppassen. Dat wordt nog eens jullie dood.'

'Tja, wodka is een langzaam werkend gif,' zei de man die met wit speelde.

'En ik heb dan ook geen haast,' voegde de speler met zwart toe.

Ze moest weer lachen. 'Wie wint er?'

'Hij,' zei Zwart.

'Nee, hij,' zei Wit. 'We willen allebei met zwart spelen, dat is het probleem.'

'Maar dan ben je toch juist in het nadeel? Mag wit niet altijd beginnen?'

Ze haalden hun schouders op. Misschien, maar zo was het nu eenmaal; zwart was wit, wit was zwart, nadeel was voordeel. Het klopte allemaal, als je door de spiegel heen stapte en je overgaf aan de bijzondere wetten der logica die gelden in Wonderland. Alice had zich nooit meer één met de Russen gevoel dan nu, nu ze geheelonthouder was geworden en de ware ziel van Rusland zelf had afgezworen, en als dat geen typisch Russische denkwijze was, dan wist ze niet wat het wel was.

'Je zou ook zonder mij hier blijven,' had Lev gezegd; en daarin had hij gelijk had.

Alice bleef even staan bij het hek, ze richtte haar schreden naar de laatste stralen van de ondergaande zon, en begon de weg terug door de straten van Moskou bij avond, de grootse stad met al zijn tegenstellingen, en die het midden hield tussen dag en nacht, verleden en toekomst, oost en west, gezond verstand en waanzin, schilderachtigheid en vuiligheid, goed en kwaad.